블 루 리 본 서 베 이

전국의 맛집 2024

BLUE RIBBON SURVEY

블루리본서베이의 사명은

장소, 가격, 음식 종류, 분위기 등을 모두 고려하여

독자 여러분이 원하는 목적에 최대한 가까운 맛집을 선정할 수 있도록

정확한 정보를 제공하는 데 있습니다.

블 루 리 본 서 베 이

전국의 맛집 2024

BLUE RIBBON SURVEY

www.blueR.co.kr

BR미디어

목차

이 책의 사용법

이 책에는 총 3,787개의 맛집이 소개되어 있으며 본문은 지역별로, 부록 찾아보기에서는 음식종류별로 찾을 수 있습니다.

1부는 지난 1년간의 서베이 결과로 평가된 추천 맛집의 리스트입니다. 블루리본 전국편에서는 리본 두 개를 받은 곳이 최고의 맛집입니다.

2부는 맛집 디렉토리로, 지역별로 가나다순으로 배열되어 있습니다.

찾아보기에서 음식종류별로 맛집 상호를 찾은 후 자세한 내용을 2부의 디렉토리에서 찾아볼 수 있습니다.

업소명 외래어는 업소에서 사용하는 표기법을 우선으로 하는 것을 원칙으로 하되 그 외는 표준외래어 표기법에 따랐습니다.

맛집에 관한 간략한 리뷰 본점을 기준으로 한 설명이며 분점은 메뉴나 기타 내용이 달라질 수 있습니다.

메뉴 대표적인 메뉴를 실었습니다.

영업시간 영업 시작하는 시간에서 끝나는 시간, 브레이크 타임 등을 표시하였습니다.
– 정기 휴무일과 공휴일 및 명절연휴 영업 여부를 표시하였습니다.

주소 내비게이션을 이용하여 위치를 찾고자 할 때 사용할 수 있습니다. 단 주소를 이용하여 내비게이션을 이용할 때 오차가 있을 수도 있습니다.

전화 본점을 기준으로 합니다.

영문 업소명 알파벳으로 표기된 이름의 경우, 표준 외래어 표기법에 맞추어서 표기하는 것을 원칙으로 하였으나 업체에서 사용하는 고유 발음이 있는 경우 그에 따랐습니다.

한자 또는 일어 업소명 한자나 일어로 업소명을 표기하고 있는 경우에는 함께 적었습니다

블루리본 Blue Ribbon 嘉香 한정식

NEW NEW

김치, 간장, 된장, 고추장류를 직접 담그며 재료 본연의 맛을 살리는 데 중점을 두고 있기 때문에 자극적이지 않다. 정갈한 한식을 전통 도자기를 사용하면서도 현대화된 상차림으로 서빙함으로써 한식의 고급화, 현대화에 성공하였다. 코스 외에도 단품으로 즐길 수 있는 메뉴가 다양하게 있으며, 전복찜과 갈비찜 등이 추천 메뉴. 한식의 세계화에 표준이 될 만한 레스토랑으로 손꼽히고 있다.

₩ 진정식(8만2천원), 선정식(5만3천원), 미정식(3만5천원), 낮정식(2만2천원), 신선로(1만8천원), 구절판(2만원), 갈비찜(5만원), 고등어조림(2만원)

⏲ 18:00~02:00(익일) – 일요일 휴무

서울 강남구 대치동 333-11

☎ 02-123-4567 Ⓟ 가능

음식의 종류 국가별로 세부적인 음식 종류를 구분하여 표기하였습니다.

맛집 평가 점수 블루 리본의 개수는 그 맛집에 대한 평가 점수를 나타냅니다.

리본이 없는 곳: 가까운 곳에 있으면 한 번 방문할 만한 곳

리본 한 개 다시 방문하고 싶은 곳

리본 두 개 주위 사람에게 추천하고 싶은 곳

리본 세 개 자신의 분야에서 가장 뛰어난 솜씨를 보이는 곳

NEW 주목할 만한 새 맛집

NEW 오픈한 지 1년 내외인 곳. 아직 평가 대상 아님.

주차 주차가 가능한지 여부를 나타냅니다. 가능, 불가, 발레 파킹으로 나뉩니다.

〈블루리본 서베이〉에 대하여

우리나라 최초의 맛집 평가서

국제적인 대도시라면 어디나 그 도시를 대표하는 세계적인 맛집 가이드 북이 있습니다.
〈블루리본서베이〉는 이러한 가이드 북과 어깨를 나란히 하는 우리나라 최초의, 그리고 최고의 맛집 평가서입니다.
2005년 당시 전문적인 음식 평론에 대한 기반도 취약하고 맛에 대한 평가 기준이 모호한 환경에서 시작한 〈블루리본서베이〉는 20여 년간 축적된 평가를 바탕으로 대한민국의 객관적인 레스토랑 평가 기준을 만들어 왔습니다.

〈블루리본서베이〉는 국내 최초로 다수 의견을 수렴하는 서베이 방식을 채택하여 보다 객관적인 데이터를 수집하고 있습니다. 자체 웹사이트를 통해서 이루어지는 〈블루리본서베이〉에 많은 독자분이 평가에 참여하고 있습니다.
블루리본서베이는 독자 여러분의 공정한 평가를 바탕으로 우리나라 미식 발전에 공헌할 콘텐츠를 변함없이 제공할 것을 약속드립니다.

자세한 〈블루리본서베이〉 참여 방법은 www.blueR.co.kr에서 확인하실 수 있습니다.

전국의 맛집 2024에서 새로워진 것

2024년 판에 수록된 식당 수는 총 3,787개로 2023년 판과 비교해 298개가 대폭 늘었습니다.
리본 두 개 맛집은 140개로, 2023년 판의 135개와 비교해 5개가 늘었습니다.
리본 한 개 맛집은 1,404개로 2023년 판의 1,406개보다 2개가 줄었습니다.

이 책에 수록된 맛집에 관한 정보는 2023년 3월 1일부터 2024년 2월 29일까지 수집된 자료를 바탕으로 해서 만들어졌습니다. 업장별로 수시로 영업시간 및 휴무일의 조정이 있으므로 반드시 방문하기 전에 영업시간이나 휴무 여부를 꼭 확인하시기 바랍니다. 그 외에 문의하거나 제보하실 사항이 있으면 br@blueR.co.kr로 연락 주시기 바랍니다.

* 본문의 내용 중 가격과 메뉴 등을 비롯한 제반 사항들은 업소 측의 사정에 따라 변동될 수 있습니다.
* 〈블루리본서베이〉는 식당을 평가하거나 취재할 때 사전에 취재 협조 요청을 하지 않으며, 협찬도 받지 않습니다.

1부

2024 블루리본 추천 맛집

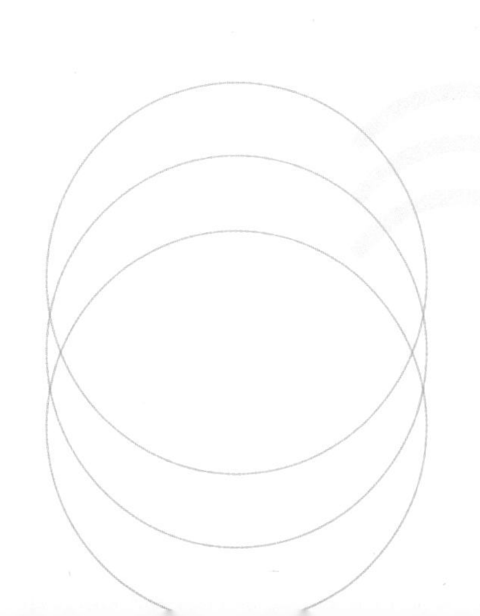

리본 두개를 받은 전국 최고의 맛집

독자가 뽑은 리본 두 개 맛집을 소개합니다.

한식(일반한식)

한식(가금류)

한식(면류)

한식(민물어패류)

한식(어패류)

한식(육류)

한식(탕/국/찌개)

중식

일식

이탈리아식

프랑스식

유럽식

기타

디저트/차/베이커리

2부

전국의 맛집 2024

부산광역시

Busan Metropolitan City

부산광역시 강서구

미담1974 돼지고기구이

샹들리에 조명이 눈에 띄는 모던한 분위기의 고깃집. 메인 메뉴는 삼겹살과 목살로 구성된 미담세트와 특수부위로만 구성된 1974세트가 있다. 최소 단위는 1인분이 아닌 반판세트가 기본이다. 기본 상차림으로 편육을 제공해 주는 점이 독특하다.

₩ 미담세트(삼겹살+목살)(600g 5만4천원, 900g 8만원), 1974세트(특수부위)(600g 4만5천원, 900g 6만7천원), 벌집껍데기(200g 8천원)
⏲ 16:00~01:00(익일)(마지막 주문 24:00) | 토, 일요일 12:00~23:00 (마지막 주문 22:00) – 연중무휴
🔍 부산 강서구 명지국제2로28번길 34 에코팰리스
☎ 051-201-1974 Ⓟ 가능(건물주차장 3시간 지원)

영주동삼대복국집 복

복국 전문점으로, 서울식과는 달리 복지리가 1인분씩 따로 끓여 나온다. 은복, 밀복, 까치복 등 복의 종류가 다양하다. 다 먹은 후 다진 양념을 풀어 밥을 말아 먹는 맛이 일품이다. 80년 가까운 내력을 자랑하는 오래된 복국집이다.

₩ 은복(1만2천원), 까치복(2만원), 참복(3만원), 은복수육(소 4만원, 대 5만원), 까치수육(6만원)
⏲ 08:00~21:00 – 첫번째, 세번째 월요일 휴무
🔍 부산 강서구 명지국제8로 284
☎ 051-465-7210 Ⓟ 가능

원조할매추어탕 추어탕 | 붕어찜

60여 년의 역사를 가진 추어탕 전문점으로, 3대째 내려오고 있다. 미꾸라지를 갈아서 만드는 방식의 추어탕을 낸다. 부산 지역답게 방앗잎도 듬뿍 들어 있다. 강된장과 비빔밥, 추어탕이 함께 나오는 강비추도 인기 메뉴다.

₩ 추어탕(8천원), 해물파전(1만원), (포장)고등어조림(1만원)
⏲ 07:00~19:50 | 수, 일요일 07:00~19:30 – 명절 당일 휴무
🔍 부산 강서구 식만로 252(식만동)
☎ 051-972-5858 Ⓟ 가능

부산광역시 금정구

경희궁 景熙宮 샤부샤부

부산에서 유명한 샤부샤부집. 고기가 연한 편이며 신선한 채소가 푸짐하게 나온다. 남은 육수에 죽이나 쑥국수를 끓여 먹어도 좋다. 면은 가게에서 직접 뽑는 것이 특징. 소고기와 해산물이 나오는 모둠샤부샤부도 인기다.

₩ 버섯채소소고기샤부샤부(국내산 2만9천원, 호주산 2만5천원), 상추쌈샤부샤부(국내산 2만원, 호주산 1만6천원), 모둠샤부샤부(4만5천원)
⏲ 11:30~22:00(마지막 주문 20:30) – 명절 휴무
🔍 부산 금정구 금샘로 441(구서동)
☎ 051-517-9292 Ⓟ 발레 파킹

구포촌국수 (리본 1개) 국수

멸치 국수 한 가지만 전문으로 하는 곳. 국수를 주문하면 삶은 면이 나오는데, 양은주전자에 담긴 육수를 취향에 따라 부어 먹는다. 육수는 남해안 멸치를 푹 끓여 만드는 것이 특징. 다진 청양고추를 듬뿍 넣어서 먹는 맛이 일품이다. 구포국수의 원조집이라 할 수 있다.

₩ 국수(6천원, 곱빼기 7천원, 특대 8천원)
⏲ 10:30~15:00 | 토, 일요일 10:30~19:00 – 월요일, 명절 휴무
🔍 부산 금정구 금샘로 490(남산동)
☎ 051-515-1751 Ⓟ 불가(12:00~14:00가게 앞 주차가능)

기장방우횟집 (리본 1개) 생선회

자연산 회 맛이 일품인 곳. 활어숙성회를 도톰하게 썰어서 내오는 것이 특징이다. 초고추장이나 잘게 다진 고추와 마늘을 곁들인 쌈장에 찍어 먹는 맛이 좋다. 회를 시키면 나오는 매운탕도 맛이 좋기로 유명하다.

₩ 모둠회(2인 4만원, 3인 6만원, 4인 8만원, 5인 10만원), 평일 점심특선(1만5천원), 백김치(2~3인분, 5천원)
⏲ 11:30~14:00/16:00~21:00 | 일요일 11:30~14:00/16:00~20:00 – 월요일, 명절 휴무
🔍 부산 금정구 오륜대로 15(부곡동)
☎ 051-581-4346 Ⓟ 불가

모모스커피 (리본 2개) Momos 커피전문점

부산에서 최고라고 손꼽히는 스페셜티 커피 전문점이자 세계바리스타대회 챔피언의 매장이다. 좋은 재료와 훌륭한 바리스타가 앙상블을 이룬다. 바리스타를 양성하는 학원을 운영할 정도로 바리스타의 수준이 높다. 매장에서 직접 굽는

빵과 케이크 종류도 추천할 만하다. 현대식 건물과 일본식 목조 건물이 어우러진 분위기도 좋다.

₩ 오늘의핸드드립(6천5백원), 아메리카노, 에스프레소(각 6천원), 카페라테, 시즈널티(각 6천5백원), 바닐라라테, 카카오라테(각 7천원), 크루아상(4천원), 무화과파운드(3천5백원), 빵스위스(5천5백원)
🕒 08:00~18:00 – 명절 당일 휴무
🔍 부산 금정구 오시게로 20(부곡동)
☎ 051-512-0700 Ⓟ 불가

미각반점 소갈비

합리적인 가격에 클래식한 중식을 즐기 수 있는 오래된 중국집이다. 웍에서 순식간에 튀긴 계란후라이를 올려 주는 볶음밥은 밥알 하나하나 기름이 잘 코팅 되어 맛있다.

₩ 짜장면(5천5백원), 우동, 짬뽕, 울면, 간짜장, 고추짜장(각 7천원), 탕수육(소 2만원, 중 2만5천원, 대 2만8천원)
🕒 11:00~20:30 – 화요일 휴무
🔍 부산 금정구 장전로 38(장전동)
☎ 051-512-6108 Ⓟ 불가

부산압구정한우갈비 소갈비

질 좋은 한우를 질 좋은 숯불에 맛볼 수 있는 곳. 반찬으로 나오는 양념게장도 인기가 좋다. 30여 년 전통을 자랑하는 고급 고깃집으로, 범어사 가는 길에 있어 경치도 좋고 공기도 좋다.

₩ 생갈비(160g 3만8천원), 양념갈비(220g 3만2천원), 갈빗살(110g 3만3천원), 등심(130g 3만5천원), 통갈비(160g 5만4천원), 안창살(120g 4만7천원)
🕒 11:30~21:30 – 명절 휴무
🔍 부산 금정구 청룡로 61(남산동)
☎ 051-512-0025 Ⓟ 가능

산성집 닭백숙 | 오리 | 염소고기

금정산성 인근에 자리한 흑염소 전문점으로, 5대째 맛을 전하고 있다. 흑염소 외에도 오리, 닭 등 보양식을 전문으로 하며 40년이 넘는 전통을 자랑한다. 매장이 여러 개의 룸으로 나뉘어 있어 각종 모임에도 적당하다.

₩ 흑염소(300g 5만원), 오리불고기(600g 4만5천원), 오리백숙, 닭볶음탕(각 5만원), 닭백숙(4만5천원)
🕒 09:00~20:00 – 명절 휴무
🔍 부산 금정구 산성로 524(금성동)
☎ 051-517-7900 Ⓟ 가능

서문국수 국수

부담 없는 가격으로 맛볼 수 있는 국숫집. 물국수의 얼큰한 국물 맛이 좋으며, 선보이는 메뉴들이 재료 본연의 맛을 잘 살린다는 평이다. 슴슴한 파전과 도토리묵도 함께 곁들여 먹으면 조화롭다.

₩ 물국수(5천원), 비빔국수, 새싹비빔밥(각 7천원), 파전, 도토리묵(각 9천원), 감태주먹밥(3천원)
🕒 11:30~15:00/17:00~20:30 – 일요일 휴무
🔍 부산 금정구 장전로12번길 32-5(장전동)
☎ 051-516-6555 Ⓟ 불가

이랴이랴남산점 소갈비

소양념갈빗살 전문점으로, 특제 소스의 맛이 일품이다. 불판이 타지 않도록 스팀 처리가 되는 점이 독특하다. 공깃밥을 주문하면 대접에 나물과 함께 담겨 나와 비벼 먹을 수 있다. 점심시간에는 고기와 된장찌개 등이 나오는 점심특선메뉴가 가격대비 만족도 높은 메뉴다.

₩ 갈빗살소금구이, 안창살주물럭, 갈빗살양념구이(각 1인 2만8천원), 꽃갈빗살소금구이(1인 2만9천원), 특선(2만4천원)
🕒 11:30~22:30 – 명절 전날, 당일 휴무
🔍 부산 금정구 중앙대로 1975(남산동)
☎ 051-517-1003 Ⓟ 가능

이태리삼촌 일식돈가스

레고와 피규어 등의 소품으로 아기자기한 인테리어를 한 돈가스집. 두툼한 돼지고기를 바삭하게 튀긴 일식 돈가스와 돈가스 샌드를 맛볼 수 있다. 직접 만든 돈가스소스를 내어준다.

₩ 모둠돈가스(1만2천원), 안심돈가스(1만1천원), 등심돈가스, 치킨가스, 돈가스샌드(각 1만원)
🕒 11:00~15:00/17:00~20:00 – 일요일 휴무
🔍 부산 금정구 동부곡로5번길 83(부곡동)
☎ 070-8259-8403 Ⓟ 불가

칠칠켄터키 프라이드치킨

향수를 불러일으키는 옛날식 치킨을 맛볼 수 있는 곳. 함께 나오는 카레향 팝콘과 양배추 샐러드가 어릴 적 먹던 치킨의 맛을 한층 더한다. 가격대비 푸짐한 양을 자랑해 인근 부산대학교 학생들이 즐겨 찾는 곳이다. 복고풍 인테리어로 리뉴얼해 더욱 분

위기가 좋아졌다.

₩ 프라이드켄터키치킨(1만8천원), 깐풍켄터키치킨(2만1천9백원), 양념켄터키치킨(2만원), 간장켄터키치킨(2만5백원), 마늘켄터키치킨(2만1천9백원),

⏱ 16:00~24:00(마지막 주문 22:30) – 월요일 휴무

🔍 부산 금정구 금강로 271-8(장전동)

☎ 051-518-9777 Ⓟ 불가

카파도키아 Cappadocia 튀르키예식

부산에서 보기 드문 튀르키예 음식 전문점으로, 케밥을 비롯한 다양한 정통 튀르키예 음식을 맛볼 수 있다. 다양한 종류의 케밥이 인기 메뉴이며, 전통 향신료에 절인 양갈비를 그릴에 구운 피르졸라도 즐길 수 있다. 귀화한 튀르키예인이 운영하며 가게 곳곳에 터키의 전통 공예품이 진열되어 있다.

₩ 케밥(1만3천원~1만5천원), 피르졸라(3만원), 피타(1만3천원~1만6천원), 런치세트(1만5천원~1만6천원), 카파도키아스페셜(1인 3만9천원, 2인 7만4천원, 3인 10만9천원, 4인 14만3천원)

⏱ 11:30~21:30(마지막 주문 20:30) – 화요일 휴무

🔍 부산 금정구 금단로 123-9(남산동)

☎ 051-515-5981 Ⓟ 가능

카파도키아

커피맘스 COFFEE MOMS 커피전문점

큐 그레이더(커피감별사)가 직접 선별해 로스팅한 원두로 커피를 내려주는 곳. 핸드드립 커피를 주문하면 손님 테이블에서 바로 내려준다. 로스팅한 원두를 구매할 수도 있다.

₩ 핸드드립커피(5천원~1만원), 에스프레소(4천5백원), 아메리카노(핫 4천5백원, 아이스 5천원), 카페라테(핫 5천원, 아이스 5천5백원) 더치커피(핫 5천원, 아이스 5천5백원), 더치라테(핫 5천원, 아이스 5천5백원)

⏱ 11:00~20:00 – 일요일 휴무

🔍 부산 금정구 금샘로 403(구서동)

☎ 051-582-4445 Ⓟ 가능

커피어웨이크 Coffee Awake 커피전문점

수준 높은 스페셜티 커피를 즐길 수 있는 곳. 2가지 에스프레소 블렌드가 있어 산미를 즐기는 사람과 중후한 맛을 선호하는 사람 모두 만족할 수 있다. 진한 에스프레소의 향미를 즐기는 사람들을 위해 에스프레소 2샷이 들어가는 롱블랙, 플랫화이트도 선보인다.

₩ 필터커피(5천원~9천원), 에스프레소, 아메리카노(각 3천5백원), 콜드브루, 플랫화이트, 카페라테, 초코라테(각 4천원), 바닐라라테(4천5백원)

⏱ 10:00~18:00(마지막 주문 17:45) – 비정기적 휴무

🔍 부산 금정구 부산대학로63번길 46-4(장전동)

☎ 051-517-5721 Ⓟ 불가

코스피어 cospir 커피전문점

2019년 브루잉 커피 챔피언인 정형용 바리스타가 부산대 인근에 오픈한 매장이다. 챔피언이 직접 내려주는 핸드드립 커피를 맛볼 수 있는 곳인 만큼, 싱글 오리진의 브루잉 커피를 추천한다. 커다란 컨테이너 감성의 외관에 미니멀한 공간과 원목가구가 편안함을 주는 곳이다.

₩ 브루잉커피(7천5백원~1만원), 아메리카노, 에스프레소(각 5천원), 카페라테(5천5백원), 바닐라라테(6천원)

⏱ 11:00~19:00(마지막 주문 18:30) – 월요일, 명절 전날, 당일 휴무

🔍 부산 금정구 장전온천천로79번길 4(장전동) 1층

☎ 070-4400-7942 Ⓟ 불가

포구나무집 돼지고기구이

오직 갈매기살만 파는 곳으로, 숯불에 구워 먹는다. 기름기는 적고 쫄깃한 맛의 갈매기살을 먹을 수 있으며, 소금구이로 시작할 것을 추천한다. 달콤한 양념에 재운 양념구이도 일품.

₩ 갈매기소금구이, 갈매기양념구이(각 120g 1만3천원), 냉면(4천원, 곱빼기 5천원)

⏱ 10:00~22:00 – 연중무휴

🔍 부산 금정구 조리2길 13-7(두구동)

☎ 051-517-5815 Ⓟ 불가

부산광역시 기장군

가마솥생복집 복

30년 넘게 복요리를 전문으로 하는 곳이다. 복 종류는 선택할 수 있으며, 싱싱한 복과 시원한 국물의 복국에는 콩나물과 미나리가 듬뿍 들어 있다. 초고추장에 무친 복껍질무침과 양념게장, 전 등 대여섯 가지가 넘는 반찬도 맛있다.

₩ 복지리, 복매운탕(각 밀복 1만5천원, 생밀복 2만3천원, 까치복 1만

3천원), 복불고기, 복전골, 복찜(각 까치복, 4만원, 밀복 6만원, 활복 13만원), 복튀김(소 1만5천원, 중 2만원, 대 2만5천원)
⏱ 09:00~21:00 – 월요일 휴무
🔍 부산 기장군 기장읍 차성로 327-2
☎ 051-722-2995 Ⓟ 가능

고스락 소고기구이

바닷가에 있어 전망 좋은 방갈로로 되어 있다. 식당은 두 채로 되어 있으며, 한 곳에서는 양식을 먹을 수 있고, 다른 곳에서는 고기, 회를 먹을 수 있다. 식당 밖은 공원처럼 꾸며져 있어, 산책하기에도 좋다.

₩ 한우등심구이(1인 150g 4만3천원), 한우안심(150g 4만1천원), 한우떡갈비솥밥정식(1인 2만7천원)
⏱ 11:30~22:00(마지막 주문 20:30) – 연중무휴
🔍 부산 기장군 장안읍 해맞이로 286
☎ 051-727-0101 Ⓟ 가능

고향연화 퓨전 | 일식돈가스

라탄 조명과 우드톤으로 인테리어한 곳. 돼지와 닭 안심가스를 맛볼 수 있는 스페셜안심가스와 전복리조토, 중화고추파스타를 맛볼 수 있다. 11가지 재료를 넣은 가스마키와 장어마키도 추천할 만하다.

₩ 스페셜안심가스(1만5천9백원), 전복리조토(1만9천원), 중화고추파스타(1만8천5백원), 연어후토마키(한줄 2만7천원), 11가지재료장어마키(한줄 3만3천원), 에비동(1만5천9백원)
⏱ 11:30~15:00/17:30~20:30(마지막 주문 19:45) – 연중무휴
🔍 부산 기장군 기장읍 연화길 33-8
☎ 051-724-9005 Ⓟ 가능

기장곰장어 곰장어

짚불에 굽는 기장 곰장어구이의 원조. 짚불에서 적당히 구워진 곰장어의 새까맣게 탄 껍질을 벗기면 노릇노릇하게 익은 하얀 속살이 드러나는데, 먹기 좋게 잘라 소금이나 기름장에 찍어 먹는다. 솔잎의 향긋함이 더해지는 생솔잎곰장어와 구수한 맛의 곰장어된장국 등도 맛볼 수 있다.

₩ 짚불구이, 양념구이, 소금구이(1인분 3만원), 곰장어매운탕, 곰장어된장국(각 1만5천원)
⏱ 10:00~22:00(마지막 주문 20:30) – 명절 휴무
🔍 부산 기장군 기장읍 기장해안로 70
☎ 051-721-2934 Ⓟ 가능

기장끝집 전복죽 | 전복

기장 바닷가에 있는 전복 전문점. 파래전은 반죽으로 나와서 직접 프라이팬에 부쳐 먹으며 소쿠리에 해산물과 해초, 물회를 포함한 여러 가지 반찬이 담겨 나온다. 커다란 압력솥에 담겨 나오는 전복죽 맛이 일품이다.

₩ 오직전복죽(2인 보통 1만7천원, 특 2만5천원), 전복미역국(1만7천원), 전복구이(3만5천원), 싱싱해산물(2만5천원)
⏱ 10:00~15:30/16:00~19:30 | 토, 일요일 10:00~16:00/17:00~20:30 – 연중무휴
🔍 부산 기장군 기장읍 기장해안로 895
☎ 0507-1491-0272 Ⓟ 가능

기장혼국보미역 미역국

아침 식사로 미역국을 맛볼 수 있는 곳. 재래 방식으로 자연 건조한 기장산 미역으로 만든 미역국을 선보인다. 가자미 한 마리가 통째로 들어간 국보미역국이 대표 메뉴. 테이블 인원이 2인 이상일 경우 빈대떡을 서비스로 내준다.

₩ 황태미역국, 조개미역국(각 1만5천원), 전복미역국(1만9천원), 전복조개미역국(2만원), 전복구이(중 4만원, 대 5만원), 빈대떡(소 3천원, 중 5천원, 대 1만원)
⏱ 08:30~15:00/17:00~20:30(마지막 주문 19:40) – 연중무휴
🔍 부산 기장군 기장읍 공수1길 3
☎ 051-723-2332 Ⓟ 가능

꺼먹동네 붕장어 | 생선회

싱싱하고 맛있는 붕장어회를 저렴한 가격으로 즐길 수 있는 음식점으로, 50년이 넘는 전통의 집이다. 싱싱한 붕장어회에 양배추와 콩가루를 버무린 샐러드를 같이 싸 먹으면 좋다. 매콤달콤한 소스를 발라 구운 붕장어구이도 별미.

₩ 붕장어회, 장어구이(각 5만원), 모둠회(소 6만원, 중 8만원, 대 10만원), 우럭구이(2만5천원), 장어매운탕(3만원)
⏱ 09:00~20:30 – 둘째 주 월요일, 명절 휴무
🔍 부산 기장군 일광면 문오성길 509
☎ 051-727-1427 Ⓟ 가능

남항횟집 생선회 | 멸치

대변어항 포구에서 맛볼 수 있는 별미인 멸치회와 멸치쌈밥 전문점. 멸치 머리 쪽을 잡고 손톱으로 훑어내 살을 분리한 후 깨끗한 물에 한 번 헹구고 초장을 곁들여 내는 멸치회가 맛있다. 짚불에 구운 양념곰장어도 별미.

₩ 멸치회, 멸치물회(각 1인 1만5천원), 멸치쌈밥, 멸치찌개(각 2인 이상, 1인 1만2천원), 멸치구이(1인 1만원), 양념곰장어(2인이상 1인 3만원)
⏱ 09:30~21:00(마지막 주문 19:30) – 화요일, 명절 휴무
🔍 부산 기장군 기장읍 기장해안로 572
☎ 051-721-2302 Ⓟ 가능

동남횟집 생선회

기장 앞바다를 보며 자연산 회 코스를 즐길 수 있는 곳. 문어, 오징어, 주꾸미, 조개, 생선구이, 전복 등 다양한 밑반찬을 내어준다. 계절에 따라 생선의 종류는 변동된다.

₩ 자연산코스(1인 4만원~6만원), 돔+자연산(5만원), 돔(6만원), 새우구이(3만5천원), 생선구이(4만원), 해물모둠(소 5만원, 대 7만원),

도미찜(4만원), 전복회(5만원)
🕒 12:30~21:30(마지막 주문 20:30) – 둘째, 넷째 주 화요일 휴무
🔍 부산 기장군 기장읍 공수해안길 15
☎ 051-721-4044 Ⓟ 가능

로와맨션 Lowa Mansion 카페

기장 학리 바다가 보이는 모던한 감각의 대형 베이커리 카페. 3층에 걸친 다양한 공간을 각기 특색있게 꾸며 놓았으며 포토존도 여러 군데 있다. 원두는 두 가지 중 선택할 수 있으며 크림플랫화이트가 추천 메뉴. 케이크를 비롯한 다양한 디저트가 있다.
₩ 에스프레소, 아메리카노(각 5천5백원), 카페라테(6천5백원), 바닐라라테(7천원), 바질토마토에이드, 밀크티, 말차라테, 미숫라테(각 7천5백원), 패션후르츠차(7천8백원), 벌집아이스크림(5천5백원)
🕒 09:00~22:00(마지막 주문 21:30) – 수요일 휴무
🔍 부산 기장군 일광읍 학리2길 6
☎ 051-723-9313 Ⓟ 가능

마레 Mare 파스타 | 이탈리아식

그리스 산토리니를 연상케 하는 이탈리안 레스토랑으로, 특별한 날, 분위기 낼 만한 날에 찾으면 좋은 곳이다. 다양한 종류의 스테이크, 파스타 등을 맛볼 수 있으며, 와인 소스를 곁들인 스테이크의 맛이 색다르다.
₩ 토마토해물스파게티(2만5천원), 왕게살크림스파게티, 쇠고기토마토리조토(각 2만6천원), 전복해물리조토(2만8천원), 등심스테이크(7만원), 전복스테이크(7만3천원)
🕒 11:00~15:00/16:30~20:00 – 명절 당일 휴무
🔍 부산 기장군 일광면 일광로 350
☎ 051-721-1442 Ⓟ 가능

맥퀸즈라운지 🎀 McQUEEN'S Lounge 카페

힐튼부산호텔 내에 자리한 라운지. 환상적인 오션뷰를 바라보며 디저트와 차를 즐길 수 있는 공간이다. 시그니처 메뉴는 케이크 등의 베이커리와 시그니처 티 컬렉션으로 구성된 애프터눈 티 세트다.
₩ 애프터눈티세트(2인 8만원), 홍차, 허브차, 과실차, 녹차, 전통차(각 1만7천원), 에스프레소(1만6천원), 아메리카노(핫 1만6천원, 아이스 1만7천원), 카페라테(핫 1만7천원, 아이스 1만8천원), 칵테일(2만8천원)
🕒 10:00~21:00 – 연중무휴
🔍 부산 기장군 기장읍 기장해안로 268-32 힐튼부산호텔 10층
☎ 051-509-1371 Ⓟ 가능

메르데쿠르 Merdecour 카페

스페셜티 커피와 다양한 빵을 맛볼 수 있는 카페. 창문이 넓어 시원한 바다 뷰를 즐길 수 있으며 날이 좋을 때는 루프탑 테라스에 앉아 시간을 보내도 좋다.
₩ 에그타르트(3천5백원), 크루아상(4천6백원), 몽블랑(5천7백원), 팡도르(6천원), 에스프레소, 아메리카노(각 5천5백원), 소호밀크티(8천5백원), 생자몽에이드, 텐저린에이드(각 7천5백원)
🕒 11:00~21:00(마지막 주문 20:30) | 토, 일요일 11:00~22:00(마지막 주문 21:30) – 연중무휴
🔍 부산 기장군 기장읍 기장해안로 871-1
☎ 051-724-5145 Ⓟ 가능

명가양꼬치 🎀 양꼬치

향신료를 알맞게 사용하여 양고기의 누린내가 느껴지지 않는 양꼬치를 맛볼 수 있다. 직접 담은 재료로 주방에서 조리 해주는 마라탕도 인기 메뉴며, 재료에 따라 가격이 달라진다.
₩ 양꼬치(10개 1만2천원), 소꼬치(10개 1만5천원), 양갈비살(10개 1만5천원), 탕수육(1만8천원), 고추건두부(1만2천원), 마라탕(100g 2천원)
🕒 15:00~24:00 – 연중무휴
🔍 부산 기장군 기장읍 차성로322번길 43
☎ 0503-5339-1007 Ⓟ 가능

모닝베어 Morning Bear 브런치카페

독특하고 창의적인 플레이팅으로 모든 메뉴들이 눈길이 가는 브런치 전문점. 시그니처는 면과 소스를 돌돌 말아 세운 라자냐와 바질, 레몬, 사워크림 등으로 맛을 낸 소스를 눈앞에서 국수 가락처럼 뽑아 얹어주는 슈니첼이다. 마감시간은 3시 반으로 제법 이른 편이니 참고할 것.
₩ 모닝베어슈니첼(2만8천원), 모닝베어브랙퍼스트(2만2천원), 라자냐, 피스타치오파케리(각 2만원), 프렌치토스트(1만5천원), 바질리코샐러드(1만5천원),버섯&잠봉타르틴(1만2천원)
🕒 09:00~15:30(마지막 주문 15:00) – 명절 전날, 당일 휴무
🔍 부산 기장군 기장읍 공수해안길 17
☎ 0507-1333-5497 Ⓟ 가능(해안길 주차장 이용)

모닝베어

못난이식당 🎀 멸치 | 갈치

기장에서 유명한 멸치횟집. 새콤한 양념을 곁들인 멸치회무침을 비롯해 두툼한 제주산 갈치로 만드는 갈치구이와 갈치찌개 등을 맛볼 수 있다. 전어젓과 멸치젓 등의 기본 반찬도 하나같이

맛깔스럽다.
₩ 멸치회무침(소 2만원, 대 3만원), 갈치회무침(소 3만원, 대 5만원), 갈치구이, 갈치찌개(각 1인 4만3천원 특대 5만5천원)
⏲ 11:00~15:00/17:00~19:00 | 토, 일요일 11:00~15:00/16:00~19:00| 월요일 11:00~15:00 – 화요일 휴무
🔍 부산 기장군 기장읍 차성동로73번길 12
☎ 051-722-2527 Ⓟ 가능

무진장횟집 붕장어

오래된 아나고(붕장어) 전문점. 물기를 짝 뺀 고슬고슬한 아나고회를 맛볼 수 있으며, 막장에 찍어 먹으면 일품이다. 아나고회를 주문하면 나오는 얼큰한 매운탕의 맛도 좋다. 바다가 보이는 곳에 자리하고 있어 경치도 좋다.
₩ 붕장어회(6만원), 모둠회(소 6만원, 중 9만원, 대 12만원), 도다리, 가자미, 돌돔(각 시가), 매운탕(5천원)
⏲ 11:00~21:00 – 연중무휴
🔍 부산 기장군 기장읍 연화1길 137
☎ 051-721-2956 Ⓟ 가능

미동암소정 소고기구이

특상 등급의 한우 암소고기만을 사용하는 한우 전문점으로, 한우로 유명한 철마한우단지 내에 있다. 질 좋은 숯불에 굽는 한우 고기 맛이 일품이며 육회도 추천할 만하다. 기본으로 나오는 반찬도 정갈한 편.
₩ 생고기모둠, 꽃등심, 갈빗살, 낙엽살, 안심, 제비추리(각 100g 2만9천원), 갈비꽃살(100g 3만6천원), 안창살, 안거미살(100g 4만원), 육회(소 1만원, 중 2만5천원, 대 3만5천원)
⏲ 11:00~21:00 – 연중무휴
🔍 부산 기장군 철마면 미동길 21
☎ 051-721-9441 Ⓟ 가능

미청식당 성게알 | 갈치

앙장구(말똥성게알)밥이 유명한 집. 고소한 참기름과 성게 알이 듬뿍 들어간 앙장구밥이 별미로 통한다. 앙장구밥 외에도 성게미역국, 갈치구이, 갈치찌개 등의 메뉴도 맛볼 수 있다. 기본으로 나오는 밑반찬도 푸짐하다.
₩ 앙장구밥(1만8천원), 가자미찌개, 성게미역국(각 1만5천원), 갈치구이(2만5천원), 갈치찌개(2만3천원)
⏲ 10:00~15:30/17:00~20:30 | 토, 일요일 10:00~20:30 – 두 번째, 네 번째 수요일 휴무
🔍 부산 기장군 일광면 기장해안로 1303
☎ 051-721-7050 Ⓟ 가능

밤나무집 추어탕 | 닭백숙

시래기를 넣은 맑은 국물의 경상도식 추어탕을 맛볼 수 있다. 옛날 방식으로 장작불을 때워 가마솥에 푹 익힌 추어탕이다. 야외에도 자리가 마련되어 있다.
₩ 추어탕(1만원), 메기매운탕(소 3만3천원, 중 4만3천원, 대 5만3천원), 도토리묵무침(1만원)
⏲ 09:30~19:30 – 수요일 휴무
🔍 부산 기장군 철마면 개좌로 763-15
☎ 051-721-9048 Ⓟ 가능

아데초이 A'de Choi 디저트카페 | 베이커리 | 카페

수준 높은 디저트를 맛볼 수 있는 디저트 카페. 진하게 내린 핸드드립커피를 비롯해 다양한 커피를 선보이며 밀푀유, 피칸파이, 타르트 등 다채로운 디저트를 맛볼 수 있다. 브런치 메뉴도 실속 있다. 3층 테라스에서는 기장 앞바다가 한눈에 들어온다.
₩ 아메리카노(6천원~6천5백원), 카페라테(6천5백원~7천원), 바닐라라테(7천원~7천5백원), 핸드드립커피(8천원~1만6천원), 홍차(1인 1만2천원, 대 2만원), 어니언그라탕수프(1만3천원), 크루아상샌드위치(1만9천원)
⏲ 09:00~22:00 – 명절 휴무
🔍 부산 기장군 일광면 문오성길 162-1
☎ 070-8804-1355 Ⓟ 가능

아쁘앙 Â POINT 프랑스식

탁 트인 바다를 보며 코스 요리를 즐길 수 있는 곳. 8가지 메뉴로 구성된 코스 메뉴만 선보이며, 프렌치에 한식을 가미한 요리를 맛볼 수 있다. 메인인 스테이크 뒤에는 한식 반상이 나오는 것이 특징. 코스에 포함된 생선 요리는 계절에 따라 바뀐다. 예약제로만 운영된다.
₩ 런치코스(7만5천원~9만원), 디너코스(11만원~12만5천원)
⏲ 12:00~15:00/18:00~21:00 – 연중무휴
🔍 부산 기장군 기장읍 기장해안로 267-7 클리퍼B 1층
☎ 051-662-7086 Ⓟ 가능(빌라쥬드아난티 주차장 이용)

용궁해물야채쟁반짜장 일반중식

용궁사 입구에 있는 식당으로, 해물이 듬뿍 들어간 해물쟁반짜장이 대표 메뉴다. 신선한 해물을 사용해 비린내가 나지 않아 먹기가 좋다. 쟁반짜장 외에도 국물이 없이 나오는 해물쟁반짬뽕도 별미로, 인기가 많은 메뉴다.
₩ 해물쟁반짜장(1만1천원), 해물짜장밥, 해물짬뽕밥(각 1만2천원), 해물짬뽕(1만2천원, 국물없음 1만3천원), 군만두, 물만두(각 8천원), 돼지고기탕수육(소 2만원, 대 3만원), 소고기탕수육(소 3만원, 대 4만원)
⏲ 10:30~21:00 – 월요일, 명절 당일 휴무
🔍 부산 기장군 기장읍 기장해안로 208
☎ 051-723-0944 Ⓟ 가능

용암할매횟집 멸치 | 갈치

50여 년 동안 멸치 요리를 선보이는 곳. 새콤한 양념의 멸치회와 멸치구이, 멸치찌개 등의 다양한 멸치 요리를 맛볼 수 있다. 된장에 고춧가루를 넣어 자작하게 끓인 후 밥에 싸 먹는 멸치찌

개 맛이 일품이다.

₩ 멸치회, 멸치찌개(각 소 2만 5천원, 중 3만5천원, 대 4만5천원), 갈치조림(2인 4만원, 3인 6만원), 멸치구이(1만원), 갈치구이(2인 4만원)

09:00~20:00(마지막 주문 19:00) – 수요일 휴무

부산 기장군 기장읍 기장해안로 615

☎ 051-721-2483 Ⓟ 가능

우남정 소고기구이

정육 식당으로, 주문 즉시 고기 부위를 바로 썰어서 가져다준다. 훌륭한 마블링과 부드러운 육질을 지닌 소고기를 강한 숯불에 구워 먹는다. 서비스로 조금 나오는 육회도 별미.

₩ 한우등심, 한우갈빗살, 한우낙엽살, 한우치마살, 한우차돌박이(각 100g 2만8천원), 한우꽃살, 한우안거미, 한우안창살, 한우살치살(각 100g 3만4천원), 한우육회(소 2만5천원, 대 3만5천원)

10:00~21:00 – 연중무휴

부산 기장군 철마면 곰내길 115

☎ 051-721-0341 Ⓟ 가능

원조짚불곰장어기장외가집 곰장어

기장 곰장어촌에 있는 곰장어 전문점. 살아 있는 국내산 곰장어만 취급한다. 짚불에 초벌구이한 곰장어를 철판에 올려 내온다. 양념곰장어도 인기 메뉴.

₩ 짚불곰장어, 양념곰장어, 소금구이, 곰장어매운탕(각 3만원), 바다장어구이(2만5천원), 장어탕(1만원)

10:30~21:00(마지막 주문 20:00) – 연중무휴

부산 기장군 기장읍 공수2길 5-1

☎ 051-721-7098 Ⓟ 가능

웨이브온 Wave On 카페

푸른 기장 바다를 한눈에 볼 수 있는 오션뷰 카페로, 기장에서 핫한 곳으로 인기를 끌고 있다. 베르가못 향이 입안 가득 퍼지는 월내라테와 진한 초콜릿음료인 웨이브온코코 등이 인기 메뉴다. 날씨가 좋은 때면 야외에 푹신한 빈백과 파라솔을 설치해 휴양지에 온 듯한 느낌을 만끽할 수 있다.

₩ 아메리카노(6천원), 카페라테(6천5백원), 월내라테, 풀문커피, 그레나딘자두라테(각 7천5백원), 웨이브온코코(8천5백원)

10:00~24:00(마지막 주문 23:00) – 연중무휴

부산 기장군 장안읍 해맞이로 286

☎ 051-727-1660 Ⓟ 가능

일광대복집 복

은복, 밀복 다양한 복어로 조리하는 복어 요리 전문점. 수족관에 있는 복어를 그 자리에서 잡아서 요리하기 때문에 싱싱한 복어를 맛볼 수 있다. 식당 2층에서는 코스요리를 선보인다.

₩ 까치복(1만7천원), 밀복, 참복(각 2만원), 활참복(4만원), 까치복수육(7만원), 밀복수육(8만원), 활참복수육(16만원), 복수육(12만원)

08:00~21:00(마지막 주문 20:15) – 월요일 휴무

부산 기장군 일광읍 이화로 3

☎ 051-721-1561 Ⓟ 가능

일번횟집 멸치

멸치로 유명한 대변항에서 멸치회와 멸치구이를 맛볼 수 있는 곳. 양파와 파, 초장으로 양념되어 나오는 멸치회는 새콤한 맛이 일품이며 깻잎에 싸 먹으면 맛이 좋다. 멸치 요리 외에도 신선한 회도 다양하게 맛볼 수 있다.

₩ 멸치회(소 3만원, 중 4만원, 대 5만원, 특대 7만원), 멸치구이, 멸치찌개, 멸치쌈밥(각 소 2만원, 대 5만원), 갈치구이(소 5만원, 대 10만원), 우럭회(5만원), 광어회(6만원)

07:00~20:00 – 목요일 휴무

부산 기장군 기장읍 기장해안로 560-9

☎ 051-724-0101 Ⓟ 가능

칠암사계 七岩四季 카페 | 베이커리

제과제빵 직종 대한민국명장이 운영하는 베이커리 카페. 대표 메뉴인 소금빵을 사기 위해서는 웨이팅을 감수해야 한다. 1층에서는 다양한 종류의 빵을 만날 수 있으며, 2층이나 루프탑에서는 기장의 바다 뷰를 감상할 수 있다.

₩ 소금빵(2개 4천원), 알싸한갈릭바게트(3천5백원), 칠암돌만주(2천3원), 칠암블렌드, 사계싱글(6천5백원), 아메리카노(5천7백원), 카페라테(6천원), 칠암아인슈페너(6천5백원)

10:00~21:00 – 연중무휴

부산 기장군 일광면 칠암1길 7-10

☎ 051-727-4900 Ⓟ 가능

탐복 일반한식 | 전복

고급스러운 분위기의 전복 전문점. 기본 세트를 주문하면 탐복밥, 탐복죽, 탐복구이가 함께 나온다. 탐복밥 고명은 미역, 톳, 곤드레 중에 고를 수 있으며 게우소스와 전복장으로 비벼 먹는다.

₩ 탐복죽, 탐복밥(각 1만7천원), 탐복회, 탐복구이, 탐복청주찜(각 3만8천원)

10:30~16:00(마지막 주문 15:00) | 토, 일요일 10:30~15:30/

s17:00~20:30(마지막 주문 19:30) – 월, 화요일 휴무
부산 기장군 일광읍 문오성길 31
051-727-4213 Ⓟ 가능

팔각정 한정식
깔끔한 한정식을 맛볼 수 있는 곳. 랍스터, 대하, 구절판, 버섯모둠철판 등의 메뉴가 한 상 가득 푸짐하게 나온다. 날씨가 좋은 때에는 창문 너머 바다로 대마도까지 내다보인다.

₩ 한정식(1만5천원, 2만원, 2만5천원, 3만5천원), 생선회(소 3만원, 대 5만원)
12:00~21:00 – 명절 휴무
부산 기장군 기장읍 대변로 101
051-723-1717 Ⓟ 가능

풍원장시골밥상집 한정식
푸짐한 시골 밥상을 느낄 수 있는 한정식집이다. 10여 가지가 넘는 다양한 요리가 나와 한 상 가득 푸짐한 식사를 할 수 있다. 가격도 합리적인 편. 한옥으로 되어 있어 토속적인 분위기가 물씬 느껴진다.

₩ 전복회정식(2인 이상, 1인 2만5천원), 돼지불고기정식, 오리훈제정식, 보쌈정식(각 2인 이상, 1인 2만3천원), 회정식(2인 이상, 1인 2만5천원)
10:00~21:00 – 명절 휴무
부산 기장군 기장읍 기장해안로 250 051-721-7719 Ⓟ 가능

해송대게 대게
대게와 킹크랩 전문점. 상차림으로 조개, 석화, 전복, 멍게 등 다양한 해산물과 밑반찬을 내어준다. 대게는 쪄서 먹기 편하게 손질해주며, 게딱지 볶음밥도 주문할 수 있다. 매장도 큰 편이고 프라이빗한 룸도 마련되어 있다.

₩ 대게, 킹크랩, 러시아대게(각 시가), 대게볶음밥(3천원), 해물라면(1만원), 상차림비(1인 5천원)
10:00~21:00 – 연중무휴
부산 기장군 기장읍 차성로288번길 19
051-722-7799 Ⓟ 가능(전용 주차장)

헤이든 HAYDEN 카페
기장 바닷가를 바라보며 음료를 즐길 수 있는 곳. 롱블랙 스타일의 커피를 선보이며 향과 맛이 진한 것이 특징이다. 시그니처 메뉴인 빅헤드에 대한 평이 좋다. 감각적인 내부 인테리어와 바다가 잘 어우러진다.

₩ 벅헤드(7천원), 아메리카노(5천5백원), 카페라테(6천원), 밀크티(6천5백원), 티(5천5백원~7천5백원)
10:30~22:00 – 연중무휴
부산 기장군 일광면 문오성길 22
051-728-4717 Ⓟ 가능

부산광역시 남구

겐츠베이커리본점 GENTZ BAKERY 식빵
식사 대용으로 먹을 수 있는 빵부터 카늘레 같은 디저트까지 다양한 종류의 베이커리류를 맛볼 수 있다. 쫄깃한 치아바타와 밤식빵이 인기 메뉴다.

₩ 호두치아바타(4천원), 밤식빵(6천원), 앙버터(6천원), 초코칩스콘(3천5백원), 다크쇼콜라(8천원)
07:30~22:00 – 연중무휴
부산 남구 분포로 111(용호동) 엘지메트로시티
051-612-2040 Ⓟ 가능

곤국 곰탕 | 수육
맑고 깔끔한 국물의 한우 곰탕을 맛볼 수 있는 곰탕 전문점. 곰탕에는 큼지막한 고기가 상당히 들어 있다. 수육이나 스지 수육도 부드럽게 삶은 고기 맛이 좋다는 평이다.

₩ 한우곰탕(보통 80g 1만3천원, 특 130g 1만7천원), 한우맛보기스지수육(120g 1만4천원), 한우스지수육(240g 2만7천원), 한우수육(소 2만1천원, 중 3만9천원, 대 5만7천원)
11:30~14:30/17:30~21:00| 토요일 12:30~19:30 – 일요일 휴무
부산 남구 황령대로74번길 51-1 1층
0507-1305-6586 Ⓟ 불가

깡통집 돼지고기구이
신선한 국내산 돼지고기 구이를 맛볼 수 있는 곳이다. 두껍게 썰어 나오는 삼겹살과 목살은 육즙이 가득차고 씹는 맛이 좋으며, 껍데기는 숙성한 뒤 나와 쫄깃하다. 구수한 된장찌개에 라면사리를 넣은 된장라면도 별미.

₩ 생깍둑썰기삼겹살(130g 1만원), 생목살(130g 1만원), 생돼지껍데기(150g 7천원), 돌솥밥(2인이상, 1인 3천원), 김치찌개(8천원), 된장라면(5천원)
17:00~23:00 – 일요일 휴무
부산 남구 수영로346번길 17(대연동)
051-990-4360 Ⓟ 불가

나들목 김치찜
5천 포기씩 직접 담근 김치를 땅속에 묵혀 3년 이상 숙성시켜 사용하는 집. 정성을 들여 만든 묵은지에 수육을 넣고 찐 묵은지김치찜과 얼큰한 김치전골 등이 인기 메뉴다. 기본으로 나오는 수수빈대떡도 별미로 통한다.

₩ 묵은지김치찜(소 2만5천원, 중 3만6천원, 대 4만2천원), 김치전골(소 2만2천원, 중 3만원, 대 3만8천원), 김치찌개(9천원), 해물파전, 도토리묵(각 1만5천원)
11:00~22:00(마지막 주문 21:00) – 연중무휴
부산 남구 유엔로157번길 48(대연동) 051-611-1999 Ⓟ 가능

내호냉면 밀면 | 만두

부산 밀면집의 원조로도 알려져 있는 곳. 이틀에 한 번 한우 사골에 마늘과 생강 등을 넣고 7시간 이상 고아서 만드는 육수 맛이 뛰어나다. 함경도 흥남 내호리에서 동춘면옥이란 이름으로 1919년 문을 연 이곳은 한국전쟁 중이던 1952년 피난촌인 부산시 남구 우암동으로 옮겨와 문을 연 후 70년 가까이 한 자리에서 맛을 이어오고 있다. 동춘면옥을 운영했던 이영순 할머니의 뒤를 이어 현재 4대째 운영 중이다.

₩ 냉면(소 1만1천원, 대 1만3천원), 밀면(소 8천원, 대 9천원), 비빔밀면(소 8천5백원, 대 9천5백원), 양념가오리회(1만3천원), 만두(6천원)
🕒 10:30~18:00 | 토, 일요일 10:30~19:00 – 연중무휴
🔍 부산 남구 우암번영로26번길 17(우암동)
☎ 051-646-6195 Ⓟ 가능

다다우동 우동

진한 국물 맛이 특징인 우동 전문점으로, 40여 년 역사를 자랑한다. 멸치, 가쓰오부시 등을 넣어서 만든 육수의 맛이 일품이다. 새우튀김우동, 냄비우동 등의 다양한 메뉴를 선보이는 것이 특징. 즉석에서 튀겨 내는 새우튀김을 곁들이면 좋다.

₩ 다다우동(6천5원), 간장비빔우동(7천원), 비빔우동, 어묵우동(각 8천원), 새우튀김우동(8천원), 유부초밥(6천원), 모둠새우튀김(1만8천원)
🕒 11:00~15:00/16:00~21:30(마지막 주문 20:30) | 토, 일요일, 공휴일 11:00~21:30(마지막 주문 20:30) – 명절 휴무
🔍 부산 남구 유엔평화로 7-1(대연동)
☎ 051-645-7733 Ⓟ 가능

라이옥 RAEOAK 베트남식

베트남 하노이에 있는 쌀국수 식당 라이옥에서 전수 받은 베트남 쌀국숫집. 깔끔한 국물의 소고기 쌀국수를 맛볼 수 있다. 현지 식당의 느낌을 재현한 인테리어도 인상적이다.

₩ 소고기쌀국수, 닭고기쌀국수(각 9천원, 곱빼기 1만원), 고이꾸온(2개 6천원, 4개 1만원), 해물볶음밥(9천원), 짜조(5천원), 분짜(1만6천), 반쎄오(1만3천원), 분보후에(1만1천원)
🕒 10:00~15:00/16:00~20:30(마지막 주문 20:00) – 월요일 휴무

라이옥

🔍 부산 남구 용소로7번길 76(대연동)
☎ 0507-1449-8011 Ⓟ 불가

미소오뎅 오뎅바

질 좋은 오뎅을 먹을 수 있는 곳. 오뎅 바가 있어 자유롭게 오뎅을 가져다 먹는다. 독특한 메뉴인 스지오뎅탕은 오뎅 국물에 부드러운 스지를 넣어 끓여 나온다. 오뎅은 1인당 기본 4꼬치 이상 주문해야 한다. 가볍게 술 한잔하기 좋은 곳.

₩ 오뎅(1인 4꼬치 이상, 1천원, 1천8백), 스지오뎅탕(소 2만8천원, 대 3만3천원), 가오리지느러미구이(1만6천원), 타코와사비(6천원), 미더덕젓갈(7천원)
🕒 18:00~24:00 – 일요일 휴무
🔍 부산 남구 유엔평화로 14(대연동) ☎ 051-902-2710 Ⓟ 가능

복합성 Complexity coffee 디저트카페

식물로 인테리어한 카페로, 곳곳에 푸르른 식물들로 싱그러운 분위기를 자아낸다. 식물과 커피를 좋아하는 주인의 감성이 그대로 녹아든 곳. 시그니처는 에스프레소 샷과 블렌딩된 우유에 바닐라 아이스크림을 올린 커피플로트.

₩ 아메리카노(4천5백원), 카페라테(5천5백원), 커피플로트, 사계(각 6천원), 황매실차(5천5백원), 플랜테이드(6천5백원), 명란새우프렌치토스트(1만1천원), 블루베리크림치즈프렌치토스트(9천원), 클래식프렌치토스트(7천원), 딸기요거트치즈케이크(6천5백원), 브라우니케이크(5천원)
🕒 10:00~20:00 – 비정기적 휴무(인스타그램 공지)
🔍 부산 남구 진남로36번길 2
☎ 010-9525-9358 Ⓟ 불가(못골골목시장 주차장 10분 3백원, 대연스퀘어 주차장30분 1천5백원, 1천원 지원)

브레드365 bread365 베이커리

다양한 종류의 베이커리를 선보이는 빵집. 여러가지 종류의 바게트가 인기 메뉴다. 페이스트리 결이 잘 느껴지는 크루아상과 담백한 식빵도 맛있다.

₩ 아몬드크루아상, 초코크루아상(각 4천원), 피낭시에(3천6백원), 브라우니(3천5백원), 쟈스민파운드(9천5백원), 레몬파운드(8천5백원), 에그타르트(2천6백원), 치아바타샌드위치(8천5백)
🕒 10:30~19:00(재료 소진 시 마감) – 일요일 휴무
🔍 부산 남구 못골로41번길 13(대연동) 대연2차동원로얄듀크
☎ 051-711-1951 Ⓟ 불가

비스트로정재집 이탈리아식

경성대와 부경대 인근에 위치한 1인 셰프의 이탈리안 레스토랑. 조개, 해물 등 재료가 푸짐하게 들어가며, 양도 많은 편이다. 진하고 고소한 크림소스의 뇨키와 살치살스테이크가 인기 메뉴다. 아기자기한 소품들로 꾸며진 인테리어가 데이트에 어울린다.

₩ 나폴리풍오일파스타, 클래식카르보나라(각 1만6천원), 호밀빵과 리코타치즈샐러드(1만1천원), 해산물파스타, 버섯크림베이컨뇨키(각

1만7천원), 닭구이와초리조리조토(1만9천원), 아마트리치아나(1만6천5백원)
⏲ 11:30~15:00/17:00~21:00(마지막 주문 20:00) – 일요일 휴무
🔍 부산 남구 용소로21번길 109(대연동) 1층
☎ 051-925-1866 Ⓟ 불가

소문난팥빙수 빙수

팥과 우유로만 만드는 심플한 빙수를 맛볼 수 있다. 여름에 시원하게 즐기기에 좋으며, 겨울에는 단팥죽이 인기다. 취향에 따라 설탕이나 계핏가루, 소금 등을 곁들이면 좋다. 팥 소를 듬뿍 넣은 찐빵도 별미. 인근에 이기대공원이 있어 주변을 둘러보기도 좋다.
₩ 팥빙수, 단팥죽(각 4천원), 팥찐빵(3개 3천원)
⏲ 09:30~22:30 – 비정기적 휴무
🔍 부산 남구 동명로145번길 102(용호동)
☎ 051-627-1615 Ⓟ 불가

쌍둥이돼지국밥 돼지국밥

줄을 서서 먹을 정도로 명성이 자자한 돼지국밥집. 뚝배기에 밥을 담고 국물을 따랐다가 다시 쏟아내는 토렴 과정을 거쳐서 내온다. 정구지라고 부르는 부추무침을 국물에 듬뿍 넣어 먹으면 좋다. 항정살로 만든 수육도 추천할 만하다.
₩ 돼지국밥, 내장국밥(각 9천원), 수육백반(1만1천원), 돼지수육, 모둠수육(각 소 2만5천원, 대 3만원)
⏲ 09:00~22:00 – 연중무휴
🔍 부산 남구 유엔평화로 35-1(대연동)
☎ 051-628-7020 Ⓟ 가능

약콩밀면 밀면

약콩으로 만든 밀면을 부담없는 가격대로 먹을 수 있다. 육수는 소사골과 20여 가지 한약재, 채소를 48시간 이상 끓인 한방육수를 사용한다. 물비빔밀면이 대표 메뉴며, 육수가 깔끔하고 면발의 쫄깃한 식감이 좋다. 직접 만든 다시마식초를 곁들어 먹는다.
₩ 물밀면(7천원), 비빔밀면, 물비빔밀면(각 8천원), 갈비만두(5개 4천원, 8개 6천원), 황소온면(8천원)
⏲ 11:00~15:00/17:00~19:30 – 월요일 휴무
🔍 부산 남구 동명로145번길 80(용호동)
☎ 051-611-1231 Ⓟ 불가

양화옥 洋和屋 일식징기스칸

정갈한 분위기의 양갈빗집. 삿포로식 양구이를 전문으로 한다. 1년 미만의 호주산 프리미엄 생양고기만을 사용하며, 인체에 무해한 비장탄으로 고기를 굽는 것이 특징이다. 잡내가 없고 풍미가 진한 양갈비를 먹을 수 있는 곳.
₩ 프렌치렉(200g 3만4천원), 양갈비(250g 3만2천원), 양고기생등심(200g 3만원)
⏲ 17:00~23:00(마지막 주문 21:50) – 연중무휴
🔍 부산 남구 용소로19번길 5(대연동)
☎ 051-622-7372 Ⓟ 가능(해림주차장 이용)

오륙도가원 소고기구이

바다가 보이는 전망이 아주 좋은 한우 전문점. 질 좋은 한우를 숯불에 구워 먹는 맛이 좋다. 점심시간에 한우구이를 주문하면 식사와 냉면이 무료로 제공된다. 물이 흐르는 연못과 들판이 조화를 이루는 외관은 건축상을 수상했을 정도로 훌륭하다. 바로 옆에 카페가 있어 고기를 먹은 후 차를 마시기도 좋다.
₩ 갈빗살(100g 3만6천원), 등심(200g 이상 주문, 100g 4만2천원), 제비추리(100g 4만2천원), 꽃살(100g 4만5천원)
⏲ 11:30~21:30 – 명절 당일 휴무
🔍 부산 남구 백운포로 14(용호동)
☎ 051-635-0707 Ⓟ 가능

용호동골목집 삼겹살 | 돼지고기구이

30여년간 꾸준한 인기를 끈 돼지고기구이 전문점. 시원한 백김치와 일반 김치, 갓김치 총 3종류로 준비되는 김치, 그리고 정갈한 밑반찬까지 모두 평이 좋다. 테이블에서 푸짐하게 끓여주는 된장찌개도 필수 주문 메뉴.
₩ 생삼겹살, 생목살(각 130g 1만2천원), 생오겹살(130g 1만3천원), 알밥정식(1만원), 해물된장찌개(5천원)
⏲ 12:00~21:30 | 월요일 17:00~21:30 – 연중무휴
🔍 부산 남구 용호로 203-4 ☎ 051-623-4592 Ⓟ 가능

초원복국 복

복요리로 유명한 곳으로 60여 년간 2대째 내려오고 있다. 복지리, 복매운탕 등 다양한 복요리를 맛볼 수 있으며 원하는 복 종류를 선택할 수 있다. 복코스를 주문하면 저렴한 가격에 복샤부샤부, 복튀김, 복초회, 복죽 등 다양한 복요리가 나온다. 부산 곳곳에 지점을 두고 있을 만큼 인기 있는 곳.
₩ 복국(은복 1만6천원, 밀복 2만5천원, 까치복 2만4천원, 참복 4만5천원), 복불고기(2인 이상, 1인 은복 1만9천원, 밀복 2만5천원, 까치복 2만7천원), 복코스(3인 이상, 1인 은복 3만5천원, 밀복 5만5천원, 까치복 5만5천원)
⏲ 09:00~15:00(마지막 주문 14:10)/17:00~21:00(마지막 주문 20:10) | 토, 일요일 09:00~20:30(마지막 주문 19:40) – 명절 휴무
🔍 부산 남구 황령대로492번길 30(대연동)
☎ 051-628-3935 Ⓟ 가능

칠성식당 돼지곱창

돼지곱창구이가 유명한 집. 초벌구이한 곱창을 연탄불에 구워 먹는다. 양념구이와 소금구이를 선택할 수 있으며, 고소한 곱창 맛이 일품이다. 주변에 2호점, 3호점이 있다.
₩ 곱창(9천원), 삼겹살(150g 9천원), 곱창전골(3만원)
⏲ 11:00~04:00(익일) – 연중무휴
🔍 부산 남구 지게골로 7(문현동) ☎ 051-632-0749 Ⓟ 가능

커피스페이스바 🎀

COFFEE SPACE BAR 커피전문점

스페셜티 커피전문점. 시그니처 커피는 코코넛플랫화이트다. 일본의 골목에 있을 법한 흰색 건물의 외관과 노렌이 걸려 있는 입구, 직사각형으로 긴 실내가 감성적이고 독특하다. 인근 직장인들을 타깃으로 하여 영업 시간이 오후 3시까지인 점 참고할 것.

₩ 아메리카노(3천5백원), 에스프레소(3천원), 라테(4천원), 코코넛플랫화이트, 라임우롱아이스티(각 5천5백원)

🕒 11:30~15:00 – 토, 일요일 휴무

🔍 부산 남구 황령대로74번길 95(문현동)

☎ 051-912-7576 Ⓟ 불가

팔레트 🎀🎀 palate 프랑스식

네오 비스트로를 표방하는 프렌치 레스토랑. 아뮤즈에서 시작해서 애피타이저, 메인 요리까지 고급 식재료를 사용한 아름답고 섬세한 플레이팅의 요리를 즐길 수 있다. 김재훈 셰프의 요리에 어울리는 박민욱 소믈리에의 와인 페어링을 추천한다.

₩ 런치코스(6만6천원), 디너코스(15만원)

🕒 12:00~15:00/18:00~23:00 – 월, 화요일 휴무

🔍 부산 남구 분포로 66-30(용호동) 3층

☎ 051-626-2364 Ⓟ 가능

팔레트

할매팥빙수단팥죽 빙수 | 단팥죽

직접 삶은 통팥이 올라간빙수를 맛볼 수 있다. 우유와 팥빙수만 들어가는 기본 스타일로, 가격도 저렴하다. 쫄깃한 떡이 넉넉히 올라가는 단팥죽도 별미로 통한다. 이기대공원을 둘러보러 온 사람들이 꼭 찾아가는 곳 중 하나.

₩ 단팥죽, 팥빙수(각 3천5백원), 밀크대패팥빙수(5찬원), 붕어빵(1개 1천5백원)

🕒 11월~5월 09:00~22:00 | 6월~10월 09:00~22:30 – 연중무휴

🔍 부산 남구 용호로90번길 24(용호동)

☎ 051-623-9946 Ⓟ 불가

합천국밥집 🎀 돼지국밥 | 수육

돼지국밥을 시키면 돼지내장과 애기보 같은 고기를 국물에 토렴해서 내준다. 모둠따로, 순대따로, 내장따로, 그냥 따로국밥 등 네 가지의 국밥 메뉴가 있다. 국물은 맑은 스타일로 나오는데 여기에 부추를 듬뿍 넣어서 먹는다. 식사 테이블은 다락방 위에 있어 주방이 내려다 보이는 것이 특징.

₩ 따로국밥(1만원), 수육백반(2인 이상, 1인 1만2천원), 수육, 모둠수육(각 소 3만5천원, 대 4만원), 순대(소 2만5천원, 대 3만원)

🕒 09:30~14:00/14:30~20:00 – 연중무휴

🔍 부산 남구 용호로 235(용호동)

☎ 051-628-4898 Ⓟ 불가

부산광역시 동구

60년전통할매국밥 🎀 돼지국밥

부산의 유명한 돼지국밥 노포 중 하나. 부산의 돼지국밥은 뽀얀 국물을 내는 곳과 맑은 국물을 내는 곳으로 나뉘는데 이곳은 맑은 돼지국밥을 낸다. 국물이 맑다해서 맛이 가볍지 않다. 수육과 순대 모두 맛이 좋다

₩ 돼지국밥, 내장국밥, 따로국밥(각 7천원), 고기국수(6천원), 수육백반(9천원), 수육(소 1만원, 중 2만원, 대 3만원)

🕒 10:00~20:00 – 일요일, 명절 휴무

🔍 부산 동구 중앙대로533번길 4(범일동)

☎ 051-646-6295 Ⓟ 가능

루반도르 RUBAND'OR PATISSERIE 베이커리 | 케이크

부산에서 유명한 베이커리로, 천연발효종과 유기농 밀가루, 동물성 생크림 등 좋은 재료를 사용한 빵을 지향하는 곳이다. 레몬, 건포도, 감자 등 천연 효모만을 사용해 만든 건강 발효빵을 베이스로 다양한 종류의 빵을 선보이고 있다. 미니 케이크 종류도 인기가 많다.

₩ 크림치즈마늘바게트, 산딸기프로마쥬, 루반도르타르트, 레몬크림타르(각 5천5백원), 햄에그샌드위치(4천5백원)

🕒 08:00~23:00 – 비정기적 휴무

🔍 부산 동구 중앙대로 375-1(수정동)

☎ 051-467-6666 Ⓟ 불가

마가만두 馬家 중국만두 | 일반중식

부산 차이나타운에서 손꼽히는 만두 전문점. 얇은 만두피 안에 소를 꽉채워 숙성한 뒤 쪄낸다. 고기의 풍미와 생강 향 이 좋고 가득한 육즙과 쫄깃한 만두피가 인상적이다.

₩ 물만두, 찐만두, 볶음밥(각 7천원), 군만두, 짬뽕밥, 잡채밥(각 8천원), 유산슬(3만2천원), 탕수육(2만5천원), 짬뽕국물(1만6천원)

⏲ 11:00~21:00 – 첫째, 셋째 주 월요일 휴무
🔍 부산 동구 대영로243번길 56(초량동)
☎ 051-468-4059 Ⓟ 불가

명당만두 만두

40여 년간 만두를 만들어 온 곳으로, 옛날식 고기만두가 향수를 자극한다. 두꺼운 철판에 양쪽을 바삭하게 구워내는 군만두 맛이 일품이며, 만두피가 얇고 속이 꽉 차있다. 가게 한쪽에서는 만두를 직접 계속 만들어내고 있다.

₩ 고기만두, 김치만두(각 10개 6천원), 찐빵(1천원)
⏲ 11:00~21:00 – 일요일 휴무
🔍 부산 동구 진성로9번길 42(수정동)
☎ 051-469-6326 Ⓟ 불가

모티 위스키바 | 바

합리적인 가격에 다양한 위스키를 즐길 수 있는 위스키바. 취향에 맞는 위스키를 추천 받을 수 있으며, 위스키 종류를 바꿀 때는 탄산수로 입가심을 한다. 안주는 별도로 판매하지 않고 간단한 과자만을 내어 준다.

₩ 별도 안주 없음. 기본 과자 종류만 제공.
⏲ 19:00~24:00 | 금, 토요일 18:00~24:00 – 일요일 휴무
🔍 부산 동구 망양로 669
☎ 051-469-8253 Ⓟ 불가

백산키친 이자카야 | 퓨전일식

신선한 해산물과 사케를 즐길 수 있는 이자카야. 모둠회를 시키면 참치를 아낌없이 내주며, 기름진 참치는 술과 잘 어울린다.

₩ 모둠회(6만원, 8만원, 12만원), 시로미카르파치오(3만원), 카이센타마고나베(3만5천원), 수비드채끝스테이크(3만5천원), 갑오징어버터구이(3만5천원), 생아나고튀김(2만5천원)
⏲ 17:30~01:00(익일)(마지막 주문 23:30) – 일요일 휴무
🔍 부산 동구 조방로 14(범일동)
☎ 051-635-8219 Ⓟ 가능(동일타워 주차장 2시간 지원)

본전돼지국밥 돼지국밥

40년이 넘는 전통의 돼지국밥집. 국물이 맑고 깔끔한 스타일이며 함께 나오는 부추무침을 넣어 먹으면 좋다. 수육과 국밥이 함께 나오는 수육백반도 추천할 만하다.

₩ 돼지국밥, 순대국밥, 내장국밥(각 1만원), 수육백반(1만3천원), 수육(소 3만원, 중 3만5천원, 대 4만원)
⏲ 09:00~20:30 – 명절 휴무
🔍 부산 동구 중앙대로214번길 3-8(초량동)
☎ 051-441-2946 Ⓟ 불가

사해방 四海坊 일반중식 | 중국만두

오래된 화상중국집 분위기가 물씬 풍기는 곳이다. 물만두와 군만두를 추천할 만하며 짜장면, 짬뽕 등도 맛이 좋다. 다양한 요리로 구성된 세트메뉴는 가격 대비 만족도가 높다.

₩ 짜장면(7천원), 삼선짜장(8천5백원), 사천짬뽕(1만원), 점심특선(2인 이상, A코스 1인 1만4천원, B코스 1만6천원), 물만두(8천원)
⏲ 11:00~15:00/16:00~21:00 – 연중무휴
🔍 부산 동구 중앙대로195번길 14(초량동)
☎ 051-463-9883 Ⓟ 가능

산동완탕교자관 완탕

부담없는 가격으로 완탕과 만두를 즐길 수 있는 곳으로, 중국 본토 맛을 느낄 수 있다. 요리와 안주도 낮은 가격대에 판매하여 주류와 함께 즐기기 좋다. 마파 두부와 가지 요리를 추천.

₩ 완탕(6천원), 고기만두(7천원), 김치만두(7천원), 물만두(7천원), 삼색모둠만두(8천원), 가지요리(1만2천원), 토마토계란볶음(1만2천원), 깐풍새우(1만8천원), 오향장육(1만8천원), 마파두부(1만2천원)
⏲ 11:00~22:00 – 화요일 휴무
🔍 부산 동구 중앙대로296번길 11
☎ 070-8240-2385 Ⓟ 불가(인근 유료주차장 이용)

석화한정식 한정식

우리나라 고유의 온돌방과 200여 명까지 수용이 가능한 연회석이 준비되어 있는 한정식집이다. 파전, 화전, 불고기, 회, 구이, 탕 등의 다양한 요리가 나오며 화학조미료를 사용하지 않는다. 상견례나 피로연 장소로 많이 찾는 곳이다.

₩ 석화고향한정식(4만3천원), 석화화정식(5만3천원), 석화특정식(7만3천원), 점심특선불고기반상(2만1천원)
⏲ 11:30~15:00/17:00~21:00(마지막 주문 20:30) – 격주 월요일 휴무
🔍 부산 동구 조방로 21(범일동)
☎ 051-632-5005 Ⓟ 가능

신발원 新發園 중국빵 | 중국만두

두꺼우면서도 부드러운 만두피와 생강과 돼지고기를 넣은 속이 조화를 이루는 중국만두로 유명하다. 중국만두 외에도 팥빵, 달걀빵 등 중국빵을 전문으로 한다. 중국 사람들이 아침에 즐겨 찾는 콩국은 과자와 함께 나온다. 70년이 넘는 역사를 자랑하는 곳.

₩ 고기만두, 찐교자, 소군(각 5천원), 군만두(6천원), 마라만두(5천3백원), 새우교자(6천원), 콩국&과자(3천5백원)
⏲ 11:00~20:00 – 화요일 휴무
🔍 부산 동구 대영로243번길 62(초량동)
☎ 051-467-0177 Ⓟ 불가

오스테리아비비 OSTERIA VIVI 이탈리아식

주택을 개조하여 만든 이탈리안 레스토랑. 예약제로 코스 요리를 선보인다. 직접 반죽한 도우로 화덕피자를 굽고 직접 만든 생면 파스타를 사용한다. 평일 런치에만 피자 단품 주문이 가능하며, 와인리스트도 좋은 편.

₩ 코스요리(1인 10만원), 마르게리타(1만7천원), 포르마지(1만8천원), 칼라브레제(1만9천원), 프로슈토(2만3천원)
⏲ 12:00~14:00/18:00~19:30 | 토, 일요일 12:00~19:30 – 월, 화요일 휴무
🔍 부산 동구 홍곡남로18번길 5(수정동)
☎ 010-4949-6760 Ⓟ 가능

원향재 元香齊 일반중식

간짜장이 유명한 중식당으로, 60년이 넘는 전통을 자랑하는 곳이다. 달걀프라이를 얹은 간짜장의 맛이 일품이다. 바삭하게 튀긴 탕수육과 매콤한 깐풍기도 인기 메뉴.

₩ 짜장면(7천원), 간짜장, 짬뽕, 볶음밥, 군만두(각 8천원), 오향족발, 오향장육(각 소 3만6천원, 대 5만2천원), 깐풍기(3만8천원)
⏲ 11:00~22:00 – 첫째, 셋째 주 화요일 휴무
🔍 부산 동구 대영로243번길 60(초량동)
☎ 051-467-4868 Ⓟ 가능

은하갈비 돼지갈비

돼지갈비가 맛있기로 유명한 노포 고깃집. 크고 화려하진 않지만 반찬이나 고기가 맛있어서 항상 손님들로 가득 차 있다. 직접 만든 양념에 재워둔 돼지갈비를 알루미늄 호일을 얹은 철판에 구워 먹는다.

₩ 양념갈비(160g 1만1천원), 돼지목살, 생갈비, 삼겹살(각 140g 1만1천원), 된장찌개(2천원)
⏲ 11:00~22:00 – 둘째 주 화요일 휴무
🔍 부산 동구 초량중로 86(초량동)
☎ 051-467-4303 Ⓟ 불가

일품향 一品香 중국만두 | 일반중식

물만두가 독특한 곳으로, 속이 비칠 정도로 얇은 만두피에 다진 돼지고기, 양파, 생강, 배추 등을 넣은 속이 넉넉히 들어간다. 새콤한 오이채 무침을 곁들여 먹으면 맛이 좋다. 난자완스도 추천. 짜장면, 짬뽕 등의 면 메뉴가 없는 것이 특징이다.

₩ 물만두, 찐만두(각 8천원), 튀김만두(9천원), 만둣국(9천원), 라조기, 깐풍기(각 3만원), 탕수육(2만8천원), 오향장육(3만원), 난자완스(4만원), 새우볶음밥(8천원)
⏲ 11:00~15:00/17:00~20:00 – 월요일, 명절 휴무
🔍 부산 동구 대영로243번길 22(초량동)
☎ 051-467-1016 Ⓟ 가능

장성향 長盛香 중국만두 | 일반중식

영화 〈올드보이〉에 등장하는 군만두로 유명해진 중국집. 바삭한 군만두 안에는 고기소가 가득 들어 있다. 간짜장은 불맛이 느껴지며, 면과 양념소스를 잘 비벼서 고소한 계란 프라이와 함께 먹는 것이 별미다.

₩ 군만두, 찐만두, 물만두(각 소 8천원, 대 1만원), 유니짜장면(7천원), 간짜장면(9천원), 짬뽕(9천원), 깐풍기(3만원), 오향장육(소 3만원, 대 4만원)
⏲ 11:30~21:30 – 비정기적 휴무
🔍 부산 동구 대영로243번길 29(초량동)
☎ 051-467-4496 Ⓟ 불가

장성향

장춘방 長春芳 일반중식 | 중국만두

부산에서 오래된 중식당으로, 중국식 군만두와 물만두가 맛있는 곳이다. 바삭하게 구운 군만두와 참기름의 고소한 향이 묻어나는 물만두의 맛이 좋으며, 불 맛을 잘 살린 다른 요리도 괜찮다는 평이다. 영화 〈올드보이〉의 촬영 장소로 주목을 받았다.

₩ 물만두, 찐만두, 군만두(각 소 8천원, 대 1만1천원), 짜장, 볶음밥(각 7천원), 마파두부(1만2천원)
⏲ 11:00~21:00(마지막 주문 19:30) – 첫째, 셋째 주 월요일 휴무, 명절 당일 휴무
🔍 부산 동구 대영로243번길 30(초량동)
☎ 051-467-5820 Ⓟ 가능

장춘향 長春香 일반중식 | 중국만두

50여 년의 역사와 전통을 자랑하는 부산의 명물이다. 향신료를 사용하여 냄새를 제거해 연하고 고소하게 만든 족발과 만두의 맛이 일품이다. 오향장육과 만두가 추천 메뉴. 그외의 요리들도 맛이 좋다는 평이다.

₩ 짜장면(7천원), 짬뽕(9천원), 삼선볶음밥(1만원), 냉짬뽕(1만1천원), 유산슬밥(2만원), 군만두(8천원), 오향장육(3만원)
⏲ 10:00~22:00(마지막 주문 21:00) – 연중무휴
🔍 부산 동구 대영로243번길 23(초량동)
☎ 051-467-8563 Ⓟ 가능

중남해 中南海 일반중식

롯데호텔 도림 출신 주방장이 깔끔한 중식 요리를 낸다. 얼큰한 국물의 짬뽕과 새콤한 냉채를 추천할 만하다. 룸도 여러 개 마련되어 있어 단체 모임을 하기에도 좋다.

₩ 중남해냉채, 오향장육(각 소 4만원 대 4만5천원), 은이버섯수프(1만원), 삭스핀해물요리(소 5만원, 대 6만원), 고추잡채(소 3만원 대 4

만원), 짬뽕(9천원), 볶음밥, 짜장면(7천원), 저녁코스(1인 3만원~9만원)
⊕ 11:30~14:00/17:30~20:30 – 비정기적 휴무
Q 부산 동구 대영로243번길 27(초량동)
☎ 051-469-9333 Ⓟ 가능

초량1941 카페

1941년에 지어진 일본식 적산가옥을 고쳐 만든 카페. 독특하게도 우유를 전문으로 하고 있어 우유카페라는 별칭으로도 불린다. 바닐라우유를 비롯해 홍차우유, 말차우유, 생강우유 등 다양한 우유를 맛볼 수 있으며 병에 담아 판매한다. 앙팡, 브라우니, 푸딩, 과일산도 등 곁들이기 좋은 메뉴도 다양하다.
₩ 커피(4천원), 바닐라우유, 커피바닐라우유, 홍차우유, 말차우유, 생강우유(각 6천원), 초량앙팡(3천원), 과일산도, 타마고산도(9천원)
⊕ 11:00~19:00 – 월요일 휴무
Q 부산 동구 망양로 533-5(초량동)
☎ 051-462-7774 Ⓟ 가능

초량밀면 밀면

부산밀면을 전문으로 하는 곳. 사골 육수에 살얼음이 동동 떠있는 물밀면과 땅콩으로 고소함을 더한 새콤달콤매콤한 맛의 비빔밀면 두 가지 중에서 취향대로 선택하면 된다. 채소와 고기로 속이 꽉찬 만두도 인기 있다. 식사 시간 대에는 웨이팅이 있기도 한데, 회전율은 좋은 편.
₩ 물밀면, 비빔밀면(각 소 6천원, 대 6천5백원), 왕만두(6천원), 사리(2천원)
⊕ 10:00~22:00 – 명절 당일 휴무
Q 부산 동구 중앙대로 225
☎ 051-462-1575 Ⓟ 불가

커피텍로스터스
COFFEE TEK ROASTERS 커피전문점

모던한 분위기의 로스터리 카페. 2층 규모로 로스터리 공간을 따로 갖춘 것이 특징이며 커피의 맛도 좋은 편이다. 화사하면서도 아늑하게 실내 공간을 꾸며 분위기가 좋다. 시그니처 커피와 오렌지 화분, 흑임자 콘크리트 등 색다른 메뉴를 맛볼 수 있다.
₩ 시그니처커피, 에스프레소, 아메리카노(각 4천5백원), 카페라테(4천7백원), 바닐라빈라테, 콜드브루(각 5천5백원), 오렌지화분, 흑임자 콘크리트(각 6천5백원)
⊕ 08:30~21:00(마지막 주문 20:30)| 일요일 10:00~19:00(마지막 주문 18:30) – 명절 휴무
Q 부산 동구 자성로133번길 10(범일동) 천일빌딩
☎ 051-631-6004 Ⓟ 가능

평산옥 수육

100년이 넘는 전통을 자랑하는 돼지수육 전문점. 수육이 1인분씩 나오며 양도 넉넉한 편이다. 식사로 나오는 돼지사골국수는 특별한 맛은 아니지만 무난히 먹기 좋다. 수육 포장도 가능하다.
₩ 수육(1인 1만원), 국수(3천원), 열무국수(4천원), 국수(3천원)
⊕ 10:00~20:00 – 일요일, 명절 휴무(재료 소진 시 마감)
Q 부산 동구 초량중로 26(초량동) ☎ 051-468-6255 Ⓟ 불가

홍성방 鴻聖坊 일반중식 | 중국만두

작은 만두 전문점으로 시작하여 현재는 차이나타운 상해거리의 다른 중국요리 전문점과 경쟁하고 있다. 고기와 채소가 들어간 얇은 만두피의 찐만두가 인기다. 가격대가 다양한 코스요리도 추천할 만하다.
₩ 물만두, 군만두, 찐만두(각 8천원), 만둣국(9천원), 해물짬뽕밥(1만원), 짜장면(7천원), 탕수육(2만8천원), 삼선볶음밥(9천원)
⊕ 11:00~21:30(마지막 주문 20:00) – 연중무휴
Q 부산 동구 중앙대로179번길 1(초량동)
☎ 051-467-3682 Ⓟ 불가

황금고래촌 고래

울산 장생포에서 받는 질 좋은 고래고기를 먹을 수 있는 곳. 오랫동안 고래고기만을 전문으로 하던 곳으로, 최근에는 1등급 참치도 선보인다. 가격대는 높은 편이지만, 옆구리살, 등살, 턱밑살, 뱃살 등 부위별 살코기가 골고루 나오며, 쫄깃함과 담백함이 일품이다.
₩ 고래모둠(소 11만원, 중 13만원, 대 18만원), 고래된장찌개(1만원), 참치맛보기(5만원)
⊕ 16:00~22:00(마지막 주문 21:00) – 일요일 휴무
Q 부산 동구 조방로38번길 9(범일동)
☎ 051-637-5292 Ⓟ 불가

부산광역시 동래구

1983암돼지갈비 돼지고기구이

저렴한 가격과 푸짐한 양을 자랑하는 40여 년 전통의 돼지갈비 전문점이다. 싱싱한 채소와 과일로 만든 갈비 소스에 절인 돼지갈비의 맛이 일품이다. 물밀면과 돼지갈비를 함께 곁들여 먹으면 더욱 좋다. 첫 주문은 3인분 이상 시켜야 한다.
₩ 암돼지갈비(200g 1만1천원), 생갈비(150g 1만1천원), 서울식불고기(1만2천원), 밀면(7천원), 점심특선(1만3천원)
⊕ 11:00~22:00(마지막 주문 21:20) – 명절 휴무
Q 부산 동래구 금강로 106(온천동)
☎ 051-554-2497 Ⓟ 불가

구조방낙지 낙지

조방골목에서 시작된 조방낙지를 하는 곳으로, 중독성 있는 매운맛의 낙지볶음으로 유명하다. 우동이나 라면 사리 등을 추가

해 먹으면 더욱 맛있다. 2대에 걸쳐 이어오고 있는 곳.

₩ 낙곱새, 낙새, 낙곱, 곱새(각 1만원), 낙지(9천원), 곱창전골(1만1천원) 연포탕, 산낙지볶음(각 중 5만5천원, 대 6만5천원), 산낙지회(4만원)

⏲ 10:00~21:00(마지막 주문 20:45) – 화요일 휴무

🔍 부산 동래구 명륜로94번길 39(명륜동)

☎ 051-558-0295 Ⓟ 가능

금문 金門 일반중식

화교가 2대째 운영하고 있는 중식당이다. 불 맛이 나는 옛날식 볶음밥을 맛볼 수 있으며 특제소스와 함께 즐길 수 있는 북경오리도 추천메뉴 중 하나다. 인테리어가 깔끔하고 고급스러워 상견례나 가족 모임 장소로도 인기다.

₩ 북경오리(12만원), 탕수육(2인~3인 3만3천원, 4인~5인 5만5천원), 궈바로우(2인~3인 3만5천원, 4인~5인 5만5천원), 삼선짜장면, 삼선고추짬뽕(각 1만1천원)

⏲ 11:30~14:40/17:00~21:30 – 둘째, 넷째 주 월요일 및 명절 휴무

🔍 부산 동래구 온천장로119번길 57(온천동)

☎ 051-555-4987 Ⓟ 가능

내당 內堂 한정식 | 약선요리

약선요리를 중심으로 한 한정식 전문점. 고풍스러운 한옥으로 된 공간이 운치 있으며 제철 식재료로 만드는 한식의 맛이 수준급이다. 상견례 장소로도 인기가 높다.

₩ 9첩한상(주중점심 5만원), 수코스(주중 8만원), 라코스(11만원), 내당코스(15만원)

⏲ 12:00~15:00(마지막 주문 13:30)/17:30~21:30(마지막 주문 19:30) | 토, 일요일 11:30~13:30/14:00~16:00(마지막 주문 13:30)/17:00~19:00/19:30~21:30(마지막 주문 19:30) – 연중무휴

🔍 부산 동래구 금강공원로20번길 23(온천동) 호텔농심 별관 1층

☎ 051-550-2335 Ⓟ 가능

대관원 大觀園 일반중식

화교가 운영하는 중식당이다. 붉은 양념소스를 넣어 비벼 먹는 사천짜장을 맛볼 수 있다. 탕수육, 짜장면, 삼선짬뽕도 많이 찾는 메뉴다. 탕수육은 튀김옷이 얇은 편이다.

₩ 짜장면(6천원), 짬뽕, 볶음밥(각 7천5백원), 사천짜장, 삼선짬뽕(9천원), 탕수육(소 1만8천원, 중 2만4천원), 라조기(3만2천원), 코스(A 3만원, B 4만원, C 5만원)

⏲ 11:00~14:20/16:00~21:30 | 토,일요일 11:00~21:00 – 월요일 휴무

🔍 부산 동래구 충렬대로137번길 30(온천동)

☎ 051-554-0334 Ⓟ 불가

대길숯불갈비 돼지갈비 | 삼겹살

양념갈비 뿐만 아니라 돼지 생갈비도 맛볼 수 있는 곳이다. 생갈비를 먼저 즐긴 후 양념갈비를 밀면이나 된장 등의 식사와 함께 즐길 것을 추천한다.

₩ 돼지양념갈비(200g 1만1천원), 돼지생갈비(150g 1만2천원), 기계밀면(7천원), 된장(2천원)

⏲ 12:00~22:00 – 화요일 휴무

🔍 부산 동래구 금강로 150(온천동)

☎ 051-558-8803 Ⓟ 불가(인근 유료 주차장 이용)

동래별장 東萊別莊 한정식

궁중요리를 재현하는 한식당으로, 2000년 오픈한 이후부터 국내외 국빈들이 찾는 명소가 되었다. 한정식 맛이 깔끔하고 분위기가 좋아 모임 장소로 인기다. 일제강점기 때 일본인 별장이었던 이곳은 해방 후 미군정 사무를 보던 군정청으로 사용되다가 6 · 25 이후 지금의 동래별장으로 이름 붙여졌다.

₩ 한상차림상 점심정식(5만원, 6만원), 저녁정식(7만원, 8만8천원, 9만8천원, 12만원)

⏲ 12:00~15:00(마지막 주문 13:00)/18:00~21:00(마지막 주문 19:00) – 월요일 휴무

🔍 부산 동래구 금강로123번길 12(온천동)

☎ 051-552-0157 Ⓟ 가능

동래할매파전 파전

80여 년에 걸쳐 4대째 이어오는 파전의 대명사인 곳이다. 식사대용으로도 좋은 두꺼운 파전은 해산물이 적당히 어우러져 깊은 맛을 낸다. 대합, 새우, 굴, 홍합 등을 넣어 유채꽃 기름으로 부쳐내는 것이 특징. 파전과 고동찜, 골뱅이무침, 더덕구이 등으로 구성된 한상차림 메뉴도 인기가 많다.

₩ 동래파전(소 2만8천원, 대 4만원), 동래고동찜(3만원), 약초전병무침(2만5천원), 삼색더덕구이, 골뱅이무침(각 2만3천원), 뚜기상(3인 이상, 1인 4만원), 뚜미상(3인 이상, 1인 3만5천원)

⏲ 11:30~15:00/17:00~22:00 – 월, 화요일 휴무

🔍 부산 동래구 명륜로94번길 43-10(복천동)

☎ 051-552-0792 Ⓟ 가능

레망파티쓰리

lesmains patisserie 카페 | 베이커리

마들렌, 피낭시에 등 정통 프랑스식 구움과자를 전문으로 하는 곳. 초콜릿이 가득 찬 쇼콜라타르트, 밀푀유 등이 인기 메뉴. 딸기밀푀유, 밤마들렌 같은 시즌 메뉴도 있다.

₩ 딸기밀푀유(8천원), 쇼콜라타르트(7천원), 레몬글라마들렌(2천8백원), 캐러멜솔티피낭시에, 티그레(각 3천원), 아메리카노(3천원), 카페라테(3천3백원)

⏲ 12:00~19:00 – 월요일 휴무

🔍 부산 동래구 온천천로471번가길 38(안락동)

☎ 010-4140-3723 Ⓟ 가능

레망파티쓰리

레스베러 less, better 디저트카페

프랑스식 디저트 카페. 유자 크림과 바닐라 코코넛 무스, 코코넛 다쿠아즈로 만들어진 새콤달콤한 시그니처인 냉정과열정사이를 비롯해 파티셰의 개성이 엿보이는 고급스러운 디저트를 선보인다. 채광이 좋아 따뜻한 느낌을 준다.

Ⓦ 냉정과열정사이(8천원), 샤를로트(8천9백원), 아메리카노(4천5백원), 카페라테(5천5백원), 바닐라빈라테(6천원)
🕒 12:30~22:00(마지막 주문 21:00) – 월요일 휴무
🔍 부산 동래구 충렬대로 173(명륜동) 2층
☎ 010-6832-3766 Ⓟ 불가

미미루 美味樓 일반중식

부산에서 뜨거운 인기를 끌고 있는 중식당이다. 합리적인 가격에 훌륭한 중국 요리를 즐길 수 있다. 특히 매콤한 향과 재료의 조화가 인상적인 사천라즈지가 대표 메뉴. 모든 식사메뉴에는 달걀프라이가 올라가는 것이 특징이다.

Ⓦ 짜장면(7천원), 짬뽕(8천5백원), 사천짜장면(8천원), 중화덮밥(9천원), 사천라즈지, 유린기, 궁보기정, 멘보샤(각 2만5천원), 탕수육(중 2만2천원, 대 2만8천원)
🕒 11:30~15:00/17:00~21:30(마지막 주문 20:30) – 연중무휴
🔍 부산 동래구 온천장로 91-1(온천동)
☎ 051-555-6609 Ⓟ 불가

배종관동래삼계탕 삼계탕

삼계탕만을 전문으로 해온 곳으로, 메뉴는 궁중약계탕과 동래삼계탕 두 가지뿐이다. 큼지막한 닭을 사용하며 진한 국물이 일품이다. 삼계탕이 나오기 전에 인삼주를 한 잔 내어주며 삼계탕에는 파채가 올라가는 것이 특징이다.

Ⓦ 동래삼계탕(1만8천원), 궁중약계탕(2만원)
🕒 11:00~15:00/17:00~20:00 – 월, 화요일 휴무(6, 7, 8월 변동)
🔍 부산 동래구 동래로116번길 39(복천동)
☎ 051-555-2464 Ⓟ 가능(현대, 남천, 부영주차장 1시간 지원)

백객도 佰客到 일반중식

작은 노포 중국집으로, 간짜장이 맛있기로 유명하다. 단맛과 짠맛의 조화가 잘 이루어진 이 곳의 간짜장을 인생 짜장 맛집이라 하는 사람도 있다. 옛날 스타일의 탕수육도 추천할 만하다. 현금만 받으므로 미리 준비하여야 한다.

Ⓦ 짜장면, 우동, 짬뽕, 울면, 간짜장, 볶음밥, 짬뽕밥, 짜장밥(각 5천원), 오므라이스(6천원), 탕수육(2만원)
🕒 11:00~14:00 – 화, 수요일 휴무
🔍 부산 동래구 금정마을로 70(온천동) ☎ 051-554-5873 Ⓟ 불가

봉식당 모던한식

프랑스에서 요리를 공부한 아들과 보쌈집을 하던 어머니가 함께 퓨전 한식을 선보인다. 한식에 프랑스 요리의 특징을 가미한 파인 다이닝을 즐길 수 있다.

Ⓦ 코스(1인 A 4만7천원, B 3만5천원, 스페셜 5만9천원)
🕒 12:00~15:00/17:00~22:00 – 연중무휴
🔍 부산 동래구 온천장로119번길 26(온천동)
☎ 051-556-9911 Ⓟ 가능

부광반점 일반중식

탕수육이 맛있기로 유명한 중국집. 튀김옷이 바삭하고 양도 푸짐하게 나오며 갖은 채소를 듬뿍 넣은 소스와 잘 어울린다. 탕수육을 비롯해 초마면, 볶음밥, 짜장면 등의 메뉴만 단출하게 선보인다. 단골손님이 많은 곳으로 유명하며, 식사 시간대에는 줄을 서서 기다리기도 한다. 셰프의 넉넉한 인심이 인상적인 곳.

Ⓦ 짜장면(7천원), 초마면(1만원), 볶음밥(9천원), 짬뽕(8천원), 탕수육(소 2만원, 중 2만5천원, 대 3만원)
🕒 11:30~15:30/16:30~20:00 – 화요일 휴무
🔍 부산 동래구 명륜로98번길 118(칠산동)
☎ 051-557-5915 Ⓟ 불가

부부냉면 함흥냉면 | 밀면 | 평양냉면

노부부가 오랜 시간 동안 운영하고 있는 곳으로, 냉면과 밀면을 전문으로 한다. 함흥식 냉면은 고구마 전분으로 면을 만들며, 평양식 냉면은 메밀로 면을 만드는 것이 특징이다. 고기와 계란지단, 오이 등이 정갈하게 얹어 나오는 밀면의 맛도 수준급이다.

Ⓦ 함흥식비빔냉면, 평양식물냉면(각 7천원), 밀면(5천원), 밀비빔냉면(5천5백원)
🕒 11:00~20:00 – 연중무휴
🔍 부산 동래구 미남로132번길 41(온천동)
☎ 051-552-6964 Ⓟ 가능

부산자갈치왕곰장어 곰장어

60년이 넘는 전통의 곰장어 전문점. 곰장어 손질 부문으로 기네스북에 올라간 사장이 운영하는 곳이다. 매콤하게 양념된 곰장어를 향긋한 깻잎에 싸 먹어도 좋고 소금구이로 불에 노릇하게 구워 먹어도 좋다.

Ⓦ 곰장어, 바다장어(각 소 4만5천원, 중 5만5천원, 대 6만5천원), 볶음밥(2천원)
⏲ 10:00~02:00(익일) – 월 1회 비정기적 휴무
🔍 부산 동래구 온천장로107번길 44(온천동)
☎ 051-552-5874 Ⓟ 가능

브리앙 Brilliant 구움과자 | 베이커리

프랑스 지역의 대표적인 향토 과자를 선보이는 구움과자 전문점. 예약 주문 위주로 운영되고 제품 소진이 빠르기 때문에 하루 전에 예약 해야 한다.

Ⓦ 브리앙컬렉션(2만1천원), 브리앙그랑부아트(3만5천원), 마들렌오랑(3천5백원), 카눌레(4천원), 피낭시에아망드(5백원3천원), 가토오시트롱(4천5원), 갈래트브르통(3천5백원), 산딸기하트슈(5천3백원)
⏲ 12:00~17:00(제품 소진시 마감) – 월, 화요일 휴무
🔍 부산 동래구 온천장로119번길 26(온천동)
☎ 010-8549-5709 Ⓟ 불가

브리앙

석정갈비 돼지갈비

부산 동래구에 자리한 생갈비 전문점. 생갈비로 유명한 대길숯불갈비의 수석 주방장이 독립해 문을 연 곳이다. 칼집을 낸 생갈비의 씹는 맛이 특히 부드럽다. 서비스로 나오는 푸짐한 양의 김치찌개와 된장찌개도 인기 비결 중 하나다.

Ⓦ 생갈비, 갈매기살(각 130g 1만원), 양념갈비(180g 1만원)
⏲ 16:00~23:00 – 화요일 휴무
🔍 부산 동래구 중앙대로1367번길 72(온천동)
☎ 051-555-7021 Ⓟ 불가

어가초밥 御街 일식

5명의 조리사가 즉석에서 초밥을 제공하는 스시 전문점으로, 다양한 크기의 다다미룸(일본 전통식 방)이 있다. 제철 자연산 회 요리를 맛볼 수 있으며 다양한 요리가 나오는 코스메뉴도 추천할 만하다. 실내가 고급스럽고 깔끔해 연회 장소로도 인기다.

Ⓦ 생선회코스(점심 3만원~4만원, 저녁 6만원~15만원), 참치회코스(6만원~11만원), 회덮밥, 우동세트, 가자미미역국(각 1만8천원), 어가세트(2만원), 장어덮밥(4만원)
⏲ 11:30~22:00 – 연중무휴
🔍 부산 동래구 온천장로107번길 32(온천동)
☎ 051-554-0331 Ⓟ 가능

원조꼬리곰집 꼬리곰탕

꼬리곰탕과 꼬리수육 전문점. 뽀얗고 진한 국물에 꼬리에 붙어 있는 살점도 크고 실하며, 부드럽다. 고기를 건져 먹은 후에는 국물에 부추무침을 넣어 먹기도 한다. 40년을 훌쩍 넘긴 노포인데, 깔끔하게 리모델링 하였다.

Ⓦ 한우꼬리수육(9만원), 모둠수육(8만5천원), 한우꼬리탕(3만4천원, 특 4만4천원), 꼬리탕(2만5천원, 특 3만원), 곰탕, 양지탕(각 1만3천원, 특 1만8천원), 도가니탕(2만원, 특 2만5천원), 족탕(2만원, 특 2만5천원)
⏲ 08:30~21:30(마지막 주문 20:50) – 월요일 휴무
🔍 부산 동래구 온천장로 52(온천동) 1층
☎ 051-552-1106 Ⓟ 가능

원조소문난산곰장어 곰장어

살아 있는 곰장어를 구워 먹는 곳. 돌판구이와 석쇠구이 중 선택할 수 있으며 소금구이보다는 특제 소스가 덧발라진 양념구이의 맛이 더 좋다는 평이다. 남은 양념에 볶아 먹는 밥도 일품이다.

Ⓦ 곰장어양념구이, 곰장어소금구이, 곰장어통구이(각 소 4만원, 중 5만원, 대 6만원)
⏲ 16:00~24:00(마지막 주문 23:10) | 일요일 15:00~23:00(마지막 주문 22:10) – 명절 휴무
🔍 부산 동래구 금강공원로26번길 34(온천동)
☎ 051-554-8400 Ⓟ 가능

의령돼지국밥 돼지국밥 | 일반한식

동래 시장에서 오랫동안 자리를 지켜온 국밥집. 수육을 시키면 나오는 명이나물에 고기를 싸먹으면 더욱 맛있다. 국밥은 소면도 나와 든든한 식사를 할 수 있다.

Ⓦ 돼지국밥, 내장국밥, 섞어국밥(각 7천원), 따로국밥, 특돼지국밥(각 8천원); 수육백반(9천원), 수육(소 1만2천원, 중 1만 5천원, 대, 1만8천원)
⏲ 10:00~22:00 – 연중무휴
🔍 부산 동래구 명륜로98번길 65(수안동)
☎ 051-555-4765 Ⓟ 가능

정림전통한식 貞林 한정식 | 약선요리

약초한정식을 내세우는 자연음식 전문점. 산이나 들에서 캔 약초를 숙성, 발효시킨 양념을 사용해서 맛을 내며, 간장과 된장도 직접 만든다. 식재료는 야생초를 많이 사용하며, 약선 요리 연구가인 사장이 약초와 건강에 대한 이야기를 들려주기도 한다.

Ⓦ 정림정찬(3만원), 행복밥상(4만원), 웰빙건강정찬(5만원), 웰빙정

림스페셜(7만원)
⏲ 10:00~15:00/17:00~21:00 – 명절 휴무
🔍 부산 동래구 충렬대로237번길 31-3(수안동)
☎ 051-552-1211 Ⓟ 가능

제일횟집 생선회

초밥, 전복, 새우, 백합탕, 계란찜, 멍게 등 다양한 가짓수의 밑반찬 뿐만 아니라 메인 메뉴인 회도 푸짐하게 내어 준다. 식사로 나오는 매운탕은 특이하게 산초를 넣어 알싸한 맛이 일품이다.

₩ 모둠회(소 7만원, 중 9만원, 대 12만원, 특대 15만원), 우럭찜(소 6만원, 중 8만원, 대 10만원), 활어매운탕(소 5만원, 대 7만원)
⏲ 10:00~22:00(마지막 주문 21:30) – 연중무휴
🔍 부산 동래구 삼성대길 34-21(명륜동)
☎ 051-553-7800 Ⓟ 불가

주문진막국수 막국수

둔내막국수와 함께 부산에서 최고로 꼽히는 막국수 전문점. 살얼음이 동동 떠 있는 물막국수와 매콤한 양념으로 입맛을 당기는 비빔막국수 모두 맛이 좋다. 수육을 곁들여 먹어도 좋다.

₩ 수육(소 2만5천원, 대 3만원), 물막국수(각 1만1천원), 비빔막국수(1만2천원)
⏲ 11:00~21:30 – 명절 휴무
🔍 부산 동래구 사직로58번길 8(사직동)
☎ 051-501-7856 Ⓟ 가능

쿠루미과자점 kurumi sweets 일본디저트

유기농 재료로 만드는 일본식 제과점. 당일 생산한 빵을 파는 것이 원칙으로, 빵 나오는 시간이 각각 정해져 있다. 아이스 모나카와 야키소바빵이 추천 메뉴다.

₩ 야키소바빵(3천5백원), 쿠루미팥빵, 유자팥빵, 크림빵(각 2천5백원), 다크초코/말차소라빵(각 3천5백원), 콜드브루(4천원), 바닐라라테(5천5백원)
⏲ 11:00~21:00(마지막 주문 20:30) | 토, 일요일 11:00~19:00(마지막 주문 18:30) – 화요일 휴무
🔍 부산 동래구 온천천로 71-1(명륜동)
☎ 051-553-8725 Ⓟ 불가

태백관 일반중식

바삭한 탕수육이 맛있기로 유명한 집. 탕수육 외에도 다양한 중식 메뉴를 선보이지만, 손님 대부분이 탕수육을 주문한다. 작은 크기를 주문해도 탕수육이 산처럼 수북이 쌓여 나온다. 군만두와 짬뽕 국물은 서비스.

₩ 탕수육(소 2만원, 중 2만6천원, 대 3만1천원), 커플탕수육(2인 1만7천원), 짜장면(6천원), 짬뽕, 볶음밥(각 7천원)
⏲ 11:00~19:30 | 화요일 11:00~14:00 – 월요일 휴무
🔍 부산 동래구 충렬대로285번길 31(칠산동)
☎ 051-556-6663 Ⓟ 불가

태산손만두칼국수 칼국수 | 만두

40년 이상의 전통을 자랑하는 만둣집이다. 만두소가 다 보일 정도로 얇은 만두피에 잘게 다진 고기가 한가득 들어가 있다. 여름에는 콩국에 칼국수를 넣어 만든 냉콩칼국수가 별미다.

₩ 고기만두, 김치만두, 칼국수, 찐빵(각 5천원), 만둣국, 냉콩칼국수(각 6천원)
⏲ 11:00~20:30 – 일요일 휴무
🔍 부산 동래구 시실로 209-1(명장동)
☎ 051-522-2597 Ⓟ 불가

헤아릴 프랑스식 | 스페인식

프랑스 요리와 스페인 요리를 함께 즐길 수 있는 유럽 분위기의 레스토랑이다. 기본에 충실한 요리를 맛볼 수 있으며, 다양한 와인도 구비하여 요리에 곁들이기 좋다. 에스카르고, 시저 샐러드, 가리비 관자 소테 등이 인기 메뉴.

₩ 새우아히죠(1만2천원), 가리비관자아히죠(1만4천원), 시저샐러드(2인 1만2천원, 4인 1만4천원), 에스카르고(1만9천원), 가리비관자소테(2만원)
⏲ 17:30~23:00(마지막 주문 21:00) – 일, 월요일 휴무
🔍 부산 동래구 중앙대로1367번길 56-10(온천동)
☎ 070-7622-9262 Ⓟ 불가

부산광역시 부산진구

가가와 かがわ 일식돈가스 | 소바

동네 주민들의 단골 맛집으로, 줄서서 먹어야 하는 곳이다. 돈가스, 냉우동, 메밀 등으로 유명하다. 특히 전통 방식으로 만든 수제 쯔유 맛이 일품인 메밀소바가 인기다.

₩ 카이젠메밀돈가스세트, 카이젠냉우동돈가스세트, 판메밀돈가스세트(각 1만3천5백원), 카이젠메밀, 카이젠냉우동(각 8천5백원), 로스가스(1만1천원)
⏲ 11:00~14:00/17:00~20:30(마지막 주문 19:30) – 일, 월요일 휴무
🔍 부산 부산진구 중앙번영로 6(범천동)
☎ 051-634-5303 Ⓟ 가능

개금밀면 밀면

가야밀면과 함께 60년의 역사를 자랑하는 곳. 밀가루에 고구마 전분을 섞어서 만든 면발의 쫄깃함이 특징이다. 여름에는 줄을 서야 먹을 수 있다.

₩ 물밀면, 비빔밀면(각 중 9천원, 대 1만원), 개금만두(6개 5천원), 고기고명, 회고명추가(각 2천원)
⏲ 11:00~19:40 – 명절 당일 휴무
🔍 부산 부산진구 가야공원로14번길 88-8
☎ 051-892-3466 Ⓟ 불가

거대곰탕 곰탕 | 소떡갈비 | 평양냉면

한우전문점으로 유명한 해운대의 거대갈비에서 운영하는 곰탕 전문점. 투뿔한우 사골만 사용하여 푹 고아낸 육수로, 기호에 따라 진한곰탕과 맑은곰탕을 선택하여 먹으면 된다. 각 메뉴에 1천원 추가시 진한곰탕으로 변경할 수 있다.

₩ 진사골곰탕, 진한양곰탕(각 1만5천원), 진한섞어곰탕(1만6천원), 한우빈대떡(6천원), 한우떡갈비(1만2천원), 평양냉면(1만2천원, 곱빼기 1만5천원)

🕒 11:00~14:50/17:00~22:00 – 연중무휴

🔍 부산 부산진구 중앙대로 672(부전동) 삼정타워

☎ 051-809-2223 Ⓟ 가능

급행장 急行莊 소고기구이

숯불에 구워 먹는 한우의 질이 좋은 곳으로, 70년이 넘는 역사를 자랑한다. 한우모둠을 시키면 차돌박이, 낙엽, 살치살, 갈빗살 등이 나온다. 고소한 한우육회도 추천할 만하며 살얼음을 띄운 냉면으로 식사를 마무리한다.

₩ 한우생갈비(150g 4만9천원), 스페셜한우모둠(100g 4만1천원), 한우갈빗살(100g 3만6천원), 한우등심(100g 3만6천원), 한우차돌박이(100g 2만5천원), 한우육회(중 150g 2만5천원, 대 180g 3만원)

🕒 11:00~22:00(마지막 주문 20:50) – 연중무휴

🔍 부산 부산진구 서면문화로 4(부전동)

☎ 051-809-2100 Ⓟ 가능

기장손칼국수 칼국수

멸치 육수에 쑥갓과 부추가 올라가는 경상도식 칼국수를 맛볼 수 있다. 깨와 다진 마늘도 들어가며 담백하면서도 깔끔한 국물맛이 특징이다. 면은 직접 반죽을 밀어서 만들고 깍두기가 유일한 밑반찬으로 나온다. 소박하면서도 푸짐한 손맛이 느껴진다.

₩ 손칼국수, 비빔손칼국수, 냉칼국수(각 6천원), 김밥(2천원)

🕒 09:00~21:00 – 명절 휴무

🔍 부산 부산진구 서면로 56(부전동)

☎ 051-806-6832 Ⓟ 불가

늘해랑 돼지국밥 | 수육

수육백반이 유명한 곳. 수육백반을 주문하면 쫄깃하고 담백한 수육과 국밥이 함께 나온다. 돼지뼈를 고아서 만든 육수는 잡내가 없으며 계속 리필해서 먹을 수 있다. 순대도 직접 만들어서 순대가 쫄깃하며 고소하다.

₩ 돼지국밥(8천5백원), 순대국밥, 섞어국밥, 내장국밥(각 9천원), 모둠국밥(9천5백원), 수육백반(1만2천원), 수육(소 2만7천원, 대 3만4천원), 모둠수육(3만8천원)

🕒 10:00~21:00 – 월요일 휴무

🔍 부산 부산진구 중앙대로928번길 12(양정동)

☎ 051-863-6997 Ⓟ 가능

도림 挑林 일반중식

부산의 아름다운 정취와 모던하고 세련된 분위기가 잘 어우러진 중식 레스토랑. 정통 중국식을 고수하는 곳으로, 일품요리는 물론 코스요리도 선보인다. 요리 가짓수를 간소화해 식사 시간을 단축한 비즈니스 코스도 준비되어 있다. 롯데호텔 43층 창밖으로 보이는 전망도 뛰어나다.

₩ 부귀코스(9만9천원), 장생코스(12만원), 낙안코스(15만원), 삼선짜장면, 채소탕면(각 2만7천원), 차우면, 산라탕면(각 3만4천원), 쇠고기안심난자완스(9만원), 송이쇠고기안심볶음(13만5천원)

🕒 12:00~15:00(마지막 주문 14:20)/18:00~21:30(마지막 주문 20:40) – 연중무휴

🔍 부산 부산진구 가야대로 772(부전동) 롯데호텔부산 43층

☎ 051-810-6340 Ⓟ 가능

떼떼오네 TETE O NE 와인바 | 유럽식

캐주얼하고 밝은 분위기의 와인 바. 프랑스식 육회인 비프 타르타르가 인기 메뉴로, 함께 나오는 바게트에 얹어 먹는다. 주류와 음료는 필수로 주문해야 한다. 런치에는 식사 메뉴로 파스타도 선보인다.

₩ 송어그라브락스&차지키소스(1만8천원), 한우비프타르타르(2만5천원), 치킨피카타, 명란오일파스타(각 1만8천원), 라구소스뇨끼(2만2천원), 비프스튜(3만원), 육회, 육사시미(각 2만원), 낙지젓갈크림치즈앤크래커

🕒 15:00~24:00(마지막 주문 23:00) | 토요일 12:00~24:00(마지막 주문 23:00) | 일요일 12:00~18:00(마지막 주문 17:00) – 월, 화요일 휴무

🔍 부산 부산진구 동성로25번길 35(전포동)

☎ 0507-1399-7911 Ⓟ 불가

라라관 辣辣館 사천식중식 | 마라탕

사천식 마라훠궈전골을 맛볼 수 있는 곳. 산초와 고추가 많이 들어가 혀가 얼얼해지는 매운맛이 매력적이다. 마늘참기름장, 흑식초, 땅콩장 등 기호에 맞는 소스를 선택해 곁들이면 좋다. 중국전통 홍등 인테리어가 인상적인 곳.

₩ 양고기마라훠궈전골(2인 3만1천5백원), 소고기마라전골(2만9천5백원), 황도궈바로우(1만9천원), 쑤로우(1만1천9백원)

🕒 12:00~15:00/16:00~23:00(마지막 주문 22:00) – 명절, 비정기적 휴무

🔍 부산 부산진구 동천로 47-1(부전동)

☎ 051-512-8878 Ⓟ 가능

레땅 Restaurant L'étang 프랑스식

프랑스와 일본에서의 경험을 담아 부담 없는 가격으로 프렌치 코스를 선보이는 곳. 제철 식자재를 사용하여 계절마다 코스 구성이 변동된다. 내부는 카운터 테이블 구조로 되어 있으며, 1인 셰프로 운영되기 때문에 예약은 필수. 에스카르고, 토끼고기 등 평소 접하기 힘든 프랑스 요리를 합리적인 가격에 경험할 수 있

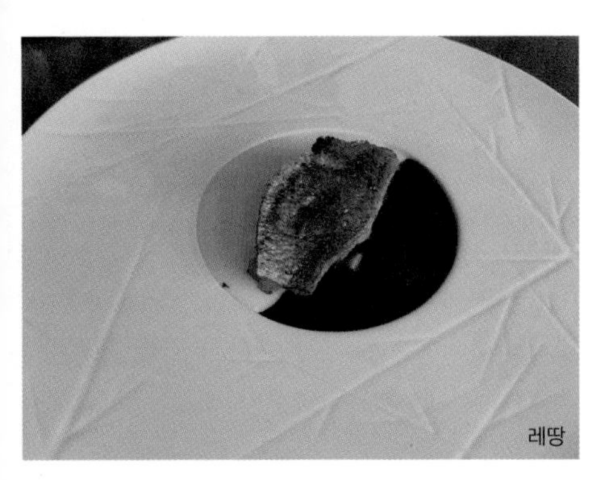

다. 코스와 잘 어울리는 다양한 와인이 구비되어 있어 와인 한 잔하기도 좋다.

Ⓦ 시즌코스(6만5천원)
⏲ 12:00~15:00/18:00~21:00 - 월, 화요일 휴무
Q 부산 부산진구 성지로 22(연지동)
☎ 051-807-3636 Ⓟ 불가

릴레이지 REALAZY 디저트카페

일본의 나카무라 제과학교에서 학업한 파티셰리의 무스케이크 전문 디저트 카페. 봄, 여름, 가을, 겨울 사계절에 걸맞은 맛을 테마로 특별한 디저트를 선보인다. 케이크의 영롱한 색감이 눈을 즐겁게 해준다.

Ⓦ 아메리카노(5천원), 카페라테(5천5백원), 요거트베리무스케이크(7천5백원), 엑조티크무스케이크(8천원), 바카블무스케이크(7천5백원), 피스타치오체리무스케이크(9천3백원)
⏲ 11:00~20:00(마지막 주문 19:30) - 화요일 휴무
Q 부산 부산진구 전포대로175번길 37
☎ 010-8322-8247 Ⓟ 불가

마당집 소고기구이

숯불에 구워 먹는 한우가 인기인 곳. 입구에서 주문 즉시 바로 고기를 썰어내기 때문에 먹기 직전까지 신선한 한우의 맛이 유지된다. 된장찌개와 반찬이 한정식처럼 나온다.

Ⓦ 꽃등심(100g 4만원), 안창살, 안거미(각 100g 4만7천원), 육회(150g 3만원), 돌솥한정식(점심 1만7천원, 저녁 2만원), 녹차굴비정식(3만5천원), 간고등어정식(3만원)
⏲ 11:30~15:30/17:00~21:30 - 일요일 휴무
Q 부산 부산진구 부전로 69(부전동)
☎ 051-806-8602 Ⓟ 가능

마라톤집 한식주점 | 빈대떡

60년이 넘는 전통의 선술집으로, 해물부침과 어묵이 대표 메뉴다. 마라톤은 굴과 홍합, 모시조개 등의 해산물이 푸짐히 들어간 해물부침을 말한다. 어묵탕은 무가 들어가 시원하게 달다. 해물채소볶음인 재건 또한 인기 메뉴 중 하나. 양이 푸짐하고 가격도 저렴해 단골손님이 많은 편이다.

Ⓦ 해물부침마라톤, 해물채소볶음(각 1만8천원), 일본식전통오뎅(2만5천원), 파전(2만2천원), 해주식빈대떡(1만7천원), 소고기육회(소 2만3천원, 대 2만8천원)
⏲ 16:00~02:00(익일) - 일요일 휴무
Q 부산 부산진구 가야대로784번길 54(부전동)
☎ 051-806-5914 Ⓟ 불가

마산식당 돼지국밥 | 수육

부산을 대표하는 돼지국밥을 전문으로 하는 곳으로, 40여 년의 역사를 자랑한다. 뚝배기에 담긴 돼지국밥에 된장 양념을 얹어 다른 반찬들과 함께 내온다. 새콤한 부추무침을 곁들이면 좋다. 수육백반을 시키면 수육 반 접시와 국밥 국물 그리고 밥이 함께 나온다.

Ⓦ 수육백반(1만1천원), 삼겹수육, 내장수육(각 소 2만5천원, 대 3만5천원), 돼지국밥, 내장섞어국밥, 내장국밥, 순대국밥, 순대섞어국밥(각 9천원)
⏲ 24시간 영업 - 명절 휴무
Q 부산 부산진구 자유평화로 19(범천동)
☎ 051-631-6906 Ⓟ 가능

먼스커피바 MONTH COFFEE BAR 커피전문점

컵테이스팅 한국 최초 세계 챔피언 문헌관 바리스타의 첫 번째 오프라인 매장. 두말의 여지가 없다. 커피와 분위기 모두 만족스럽다.

Ⓦ 에스프레소(5천원), 아메리카노(5천5백원), 카페라테(6천원), 애프리콧라테(6천5백원), 필터커피(6천5백원~1만2천원), 자몽에이드(6천5백원), 치즈케이크(7천원), 바나나브레드, 에그파이(각 3천5백원)
⏲ 11:00~19:00 | 토, 일요일 11:00~20:00 - 화요일 휴무
Q 부산 부산진구 동성로87번길 5
☎ 0507-1351-1850 Ⓟ 불가

모모야마 桃山 스시 | 가이세키

최상의 재료만 사용하는 것으로 유명한 일식집. 호화스러운 가이세키 코스를 즐길 수 있다. 아름다운 부산항의 야경을 보며, 사케 소믈리에가 추천하는 향긋한 사케를 즐길 수 있는 부산 최초의 사케 전용 바로도 통한다.

Ⓦ 생선회세트(11만8천원), 스시세트(10만9천원), 키치무(15만6천원), 라쿠엔(21만원), 모모야마(28만원), 스시디너(21만원)
⏲ 12:00~15:00/18:00~21:30 - 연중무휴
Q 부산 부산진구 가야대로 772(부전동) 롯데호텔부산 43층
☎ 051-810-6360 Ⓟ 가능

뭇뭇 스키야키

프랑스 요리를 배운 셰프가 만드는 관서식 스키야키와 관동식 스키야키를 맛볼 수 있다. 자작한 간장 육수에 채끝등심과 채소

를 익혀 먹는다. 사이드 메뉴로 뇨키, 파스타가 있는 것이 특징.

₩ 프라임알목심스키야키정식(2만4천원), 프라임살치살스키야키정식, 한우보섭살스키야키정식(각 2만8천원), 한우삼각살스키야키정식(3만1천원), 못난이뇨키, 스키야키파스타(각 1만4천원), 멜란자네튀김(1만1천원)

🕒 12:00~15:30/17:00~22:00(마지막 주문21:00) – 연중무휴

🔍 부산 부산진구 동천로95번길 11(부전동) 우목빌딩 2층

☎ 010-3691-3870 Ⓟ 가능

무궁화 無窮花 한정식 | 일반한식

백양산을 바라보는 전경과 어우러진 기품있는 한식당. 한국 정통 반가 음식을 새롭게 해석한 고급 한정식을 낸다. 한국적인 맛에 현대적인 감각을 가미하여 내국인은 물론 외국인에게도 인기다. 한식과 어울리는 와인 컬렉션을 갖추고 있으며 무슬림을 위한 할랄 메뉴가 준비되어 있다.

₩ 수련(19만5천원), 동백(12만1천원), 무궁화(26만원), 모란(14만6천원), 한우불고기반상(6만9천원)

🕒 12:00~15:00/18:00~21:30 – 연중무휴

🔍 부산 부산진구 가야대로 772(부전동) 롯데호텔부산 43층

☎ 051-810-6330 Ⓟ 가능

바오하우스 BAO HAUS 대만식중식

대만 스타일의 식사를 즐길 수 있는 곳. 대만 전통 찐빵인 꽈바오 사이에 여러가지 재료를 넣어 먹는 바오가 대표 메뉴. 땅콩소스가 고소한 탄탄면과 가지튀김도 인기메뉴다.

₩ 클래식바오, 새우바오(각 5천원), 어향가지튀김(소 9천원, 중 1만4천원), 마파두부&볶음밥(1만6천9백원), 루로우판(소 7천9백원, 중 1만1천9백원), 우육면, 탄탄면(각 1만1천9백원)

🕒 11:30~15:00/17:00~21:00(마지막 주문 20:00) | 토, 일요일 11:30~16:00/17:00~21:00(마지막 주문 20:00) – 연중무휴

🔍 부산 부산진구 서전로38번길 62-9(전포동)

☎ 0507-1324-1031 Ⓟ 불가

베르크로스터스 Werk Roasters 커피전문점

전포동의 스페셜티 커피 원조로 꼽히는 곳으로, 온두라스, 콜롬비아 등 품질 좋은 스페셜티커피 원두를 사용한다. 베이비라는 원두가 시그니처며 테이스팅 세트를 주문하면 각각 다른 원두로 내린 샷을 맛볼 수 있다.

₩ 에스프레소(5천원), 아메리카노(5천5백원), 필터커피, 라테, 콜드브루, 얼그레이과일차(각 6천원), 쿠키(1개 4천5백원, 4개 1만7천원)

🕒 10:00~18:30(마지막 주문 18:00) – 일요일 휴무

🔍 부산 부산진구 서전로58번길 115(전포동)

☎ 051-817-2111 Ⓟ 불가

부산정 釜山亭 일식꼬치

일본식 닭꼬치인 야키토리와 술 한잔을 즐길 수 있는 곳. 튀김토핑을 부순 뒤 섞어 먹는 튀김 국수도 별미. 16가지의 야키토리가 나오는 16종 세트는 미리 예약이 필요하니 참고할 것.

₩ 13종세트(4만1천5백원), 16종세트(5만5백원), 츠쿠네꼬치(5천원), 닭날개꼬치(3천5백원), 연골꼬치, 다리살꼬치, 모래집꼬치, 닭대파꼬치, 근막꼬치, 사태살꼬치, 목살꼬치, 안심꼬치(각 3천원), 튀김국수(8천원)

🕒 18:00~22:00 – 일요일 휴무

🔍 부산 부산진구 신암로 13-1(범천동)

☎ 010-6686-0878 Ⓟ 불가(인근 유료주차장 이용)

블랙업커피 BLACKUP COFFEE 커피전문점

모모스와 부산 스페셜티 커피 전문점의 양대 산맥으로 꼽히는 곳으로, 항상 신선하고 맛있는 커피를 제공하기 위해 원두를 산지별로 직접 구매해서 판매하고 있다. 착한 커피 원두 마켓이라고 불릴 정도로 다양한 원두를 갖추고 있다. 전문 파티시에가 만드는 케이크도 평이 좋다.

₩ 핸드드립커피(6천원~1만3천원), 에스프레소, 아메리카노(각 4천8백원), 해수염(6천5백원), 말차쇼콜라케이크(7천원), 바질치즈스콘(3천8백원), 바닐라마들렌(2개 4천8백원), 체리피낭시에(3개 5천2백원)

🕒 10:00~22:00 – 연중무휴

🔍 부산 부산진구 서전로10번길 41(부전동)

☎ 051-944-4952 Ⓟ 가능

블랙업커피

사미헌 思味軒 소고기구이

질 좋은 한우 고기를 맛볼 수 있는 한우 전문점. 상강꽃살과 특수부위는 하루에 한정된 양만 판매한다. 정갈한 찬들이 맛깔스러우며 갈비탕은 줄서서 먹을 정도로 인기가 좋다.

₩ 상강꽃살(5만7천원), 특수부위모둠(100g 5만3천원), 꽃등심(100g 4만5천원), 갈빗살(100g 3만9천원), 모둠구이+냉면/된장(점심 100g 3만5천원), 돌갈비탕(1만4천원)

🕒 11:00~21:30 – 명절 당일 휴무

🔍 부산 부산진구 서면문화로 19(부전동)

☎ 051-819-6677 Ⓟ 발레 파킹

산성목살 돼지고기구이 | 삼겹살

서면에서 인기 있는 돼지고깃집. 삼겹살보다는 두툼하게 썰어 내오는 목살이 추천메뉴다. 뜨겁게 달군 숯불 위에 고기를 구워 먹는다. 함께 나오는 반찬은 양파무침 등으로 단출한 편이며, 식사로는 된장찌개가 있다.

Ⓦ 생목살(120g 1만1천원), 생삼겹살(120g 1만2천원), 생항정살(120g 1만3천원), 된장찌개(3천원), 점심특선(5천원)
Ⓒ 18:00~23:00 – 일요일 휴무
Q 부산 부산진구 부전로66번길 36-5(부전동) 병구빌딩
☎ 051-806-5443 Ⓟ 불가

소수인 所守人 이자카야

일본풍 이자카야. 신선한 모둠회를 비롯해 생선구이와 솥밥이 인기 있는데, 특히 스타우브에 지어 나오는 금태솥밥은 꼭 맛보기를 추천한다. 사케 종류도 다양하게 갖추었다.

Ⓦ 1인사시미(1인 1만8천원), 옥돔구이(소 1만3천원, 중 2만원, 대 2만7천원), 표고버섯육회튀김(8천원), 한우채끝등심스키야키(소 2만4천원, 대 3만4천원), 스타우브금태솥밥(3만8천원)
Ⓒ 17:00~01:00(익일) – 일요일 휴무
Q 부산 부산진구 가야대로750번길 17(부전동)
☎ 051-808-4036 Ⓟ 불가

소인수분해 양곱창

신선한 곱창구이를 먹을 수 있는 곳으로, 초벌한 곱창을 자리에서 직원이 다시 구워준다. 신선한 곱창을 사용하여 곱이 부드럽고 잡내도 없다. 쫄깃한 대창을 잘게 잘라 볶은 차돌대창볶음밥으로 식사를 마무리.

Ⓦ 곱창모둠구이(2인 이상, 200g 2만원), 곱창전골(2인 이상, 1인 1만9천원), 육회추가(7천원), 한우된장국(7천원), 차돌대창볶음밥(2인 9천원)
Ⓒ 17:00~24:00 | 금, 토요일 17:00~01:00(익일) – 연중무휴
Q 부산 부산진구 동천로108번길 11(전포동)
☎ 010-7264-0611 Ⓟ 불가(인근 유료주차장 이용)

송정3대국밥 돼지국밥

돼지의 좋은 부위를 사용한 돼지국밥의 국물이 뽀얗고 깔끔하다. 당면 대신 찹쌀을 넣어서 만드는 찹쌀순대도 인기가 좋다. 서면의 돼지국밥 골목의 원조집 중 하나로, 80여 년의 역사를 자랑한다.

Ⓦ 돼지국밥, 순대국밥, 내장국밥, 따로국밥(각 9천원), 수육백반(1만1천원), 찹쌀순대(소 1만원, 대 1만3천원), 수육(소 2만8천원, 대 3만3천원)
Ⓒ 04:30~02:30 – 명절 휴무
Q 부산 부산진구 서면로68번길 33(부전동)
☎ 051-806-5722 Ⓟ 불가

스트럿커피 커피전문점

원두를 직접 로스팅하여 커피를 내리는 커피 전문점. 우유를 오트 밀크로 바꿀 수 있으며, 핸드 드립 커피도 맛볼 수 있다. 매장에서 로스팅한 원두와 드립백도 판매한다.

Ⓦ 아메리카노, 에스프레소(각 4천8백원), 플랫화이트(5천8백원), 필터커피(5천5백원~1만원), 애플시나몬오트밀크티(6천원)
Ⓒ 08:30~19:00(마지막 주문 18:30) | 토, 일요일, 공휴일 09:30~19:00(마지막 주문 18:30) – 연중무휴
Q 부산 부산진구 동성로39번길 28
☎ 070-8840-2635 Ⓟ 불가(인근 유료주차장 이용)

아임타이 I'm Thai 태국식

방콕 현지 스타일의 태국음식을 즐길 수 있는 곳. 다른 곳에서 접하기 어려운 방콕오리가 시그니처 메뉴다. 방콕오리비빔면도 추천 메뉴. 피시소스, 고추식초 등 기본적인 소스가 테이블에 준비되어 있어 취향대로 맛을 조절할 수 있다.

Ⓦ 뿌님팟퐁커리(2만2천원), 똠얌꿍(2만원), 팟타이, 소고기쌀국수(각 1만2천원), 아임타이볶음면, 팟씨유(각 1만3천원)
Ⓒ 11:30~14:30/17:00~21:00 – 화요일 휴무
Q 부산 부산진구 전포대로199번길 12(전포동) 1층
☎ 070-8873-1324 Ⓟ 가능

야키토리규전포 일식꼬치

야사이마키(야채말이) 전문점으로, 야채를 얇게 썬 돼지고기로 감싸 비장탄에 구운 꼬치구이를 맛볼 수 있다. 입가심으로 좋은 오이나 방울토마토 꿀절임도 인기 있는 사이드 메뉴다. 꼬치는 첫 주문 시 5 꼬치 이상 주문해야 한다.

Ⓦ 야사이마키세트(5종 1만8천원, 8종 2만8천원, 12종 4만3천원), 방울토마토, 치즈, 반숙란, 새송이, 팽이, 표고, 당근, 숙주, 부추치즈, 우엉&쪽파(각 3천8백원), 방울토마토꿀절임(4천원), 오이보리된장(6천원)
Ⓒ 17:30~01:00(익일) | 일요일 17:30~24:00 – 월요일 휴무
Q 부산 부산진구 서전로38번길 43-3
☎ 051-804-5263 Ⓟ 불가(엔씨 백화점 주차장 이용)

양가손만두 만두

만두가 맛있기로 유명한 곳. 얇은 만두피에 속이 가득 찬 스타일로, 가격대가 합리적인 편이다. 고기만두와 김치만두는 반반씩 섞어서 주문할 수 있으며, 만둣국 국물도 깔끔하다. 식당 한쪽에서 만두 빚는 모습을 지켜볼 수 있는 것이 특징. 50여 년의 전통을 자랑한다.

Ⓦ 고기찐만두, 김치찐만두, 섞어찐만두, 고기군만두, 김치군만두, 섞어군만두(각 10개 6천원), 칼국수(5천원), 비빔국수(5천원), 만둣국, 비빔칼국수(각 5천5백원), 떡만둣국(6천원)
Ⓒ 10:30~14:00/15:00~17:30(재료 소진 시 마감) – 화요일 휴무
Q 부산 부산진구 가야대로482번길 16(개금동)
☎ 051-894-9870 Ⓟ 불가

양지횟집 생선회

부담 없는 가격으로 싱싱한 회를 맛볼 수 있는 생선회 전문점. 이곳 만의 독특한 막장을 회에 곁들여 먹으면 감칠맛이 더 살아난다. 얼큰한 매운탕으로 식사를 마무리하면 좋다.

₩ 모둠회(2인 4만5천원, 3인 6만5천원, 4인 8만5천원), 고급모둠회(중 8만원, 대 10만원, 특 12만원), 우럭통매운탕(3만원)
⏲ 11:00~22:00 – 연중무휴
🔍 부산 부산진구 백양대로60번길 70 1층
☎ 051-895-7977 Ⓟ 불가(시장민영주차장 이용)

어쭈 UHZZU 문어 | 조개찜 | 주꾸미

깔끔한 인테리어의 해물과 조개찜 전문점. 조개찜, 돌문어삼합, 주꾸미볶음 등 다양한 해물을 세트로 맛볼 수 있다. 다 먹은 후에는 해물이 들어간 라면이나 볶음밥으로 마무리한다. 술 한잔 하기에도 좋은 분위기다.

₩ 실속A세트(2인 5만9천원, 3인 7만4천원, 4인 8만9천원), 실속B세트(2인 6만4천원, 3인 7만9천원, 4인 9만4천원), 해물찜(4만9천원), 어세트, 쭈세트(각 2인이상 1인 1만1천9백원)
⏲ 11:20~14:30/16:30~24:00 – 연중무휴
🔍 부산 부산진구 서면로 26(부전동)
☎ 051-803-5244 Ⓟ 불가

에프엠커피 FM Coffee 커피전문점

부산에서 손꼽히는 스페셜티커피 전문점으로, 콜드브루에 크림을 올린 투모로우오리지널이 시그니처 메뉴다. 파나마 게이샤를 비롯한 다양한 스페셜티커피 원두를 브루잉으로 맛볼 수 있다.

₩ 오늘의커피, 플랫화이트(각 5천원~5천5백원), 에스프레소(4천5백원), 아메리카노(4천5백원~5천원), 콜드브루(5천5백원), 투모로우오리지널(6천원), 아이스크림라테(6천8백원), 단호박타르트(6천원), 딸기타르트(8천원)
⏲ 10:00~22:00(마지막 주문 21:00) – 연중무휴
🔍 부산 부산진구 전포대로199번길 26(전포동)
☎ 051-803-0926 Ⓟ 불가

옛골 삼겹살 | 소고기구이

돌판에 굽는 대패 삼겹살과 한우 차돌박이를 맛볼 수 있는 곳. 고기가 어느 정도 구워지면 나오는 고깃기름에 콩나물과 김치를 함께 볶아 먹는다. 고기와 함께 된장찌개도 많이 찾는다.

₩ 한우차돌박이(100g 1만6천원), 대패삼겹살(100g 7천원), 된장찌개(소 2천원, 대 5천원), 차돌김치찌개(7천원), 청국장, 콩나물해장국, 냉면(각 6천원), 어묵라면(4천원)
⏲ 16:00~06:00(익일) – 연중무휴
🔍 부산 부산진구 중앙대로691번길 52 1층 옛골
☎ 051-807-2655 Ⓟ 가능(삼한주차장 1시간 지원)

오스테리아라치베타 이탈리아식 | 파스타

합리적인 가격으로 이탈리안 코스 요리를 즐길 수 있는 곳이다. 코스 외에 파스타와 메인을 단품으로 주문 가능하며 잔술로 파는 와인도 있어 와인과 함께 식사를 즐기기 좋다.

₩ 안티파스토디죠르노(1만5천원), 페스카토라(1만6천원), 이베리코목살스테이크(2만8천원), 안심스테이크(5만6천원), 런치코스(5만5천원), 디너코스(6만원)
⏲ 11:30~15:00(마지막 주문 14:00) | 16:30~22:00(마지막 주문 21:00) – 연중무휴
🔍 부산 부산진구 가야대로784번길 46-6(부전동)
☎ 051-819-6190 Ⓟ 불가

옥산티하우스 중국차전문점 | 전통차전문점 | 디저트카페

중국 차와 디저트를 즐길 수 있는 티하우스. 녹차, 백차, 우롱차, 홍차, 보이차 종류를 각각 2가지씩 준비해두고 있다. 차를 기반으로 하는 다양한 차음료와 커피도 가능하다. 대만에서 배워왔다고 하는 펑리수와 매실토마토 차가 시그니처다. 당고화로세트는 함께 나오는 화로에 당고를 직접 구워 먹는다.

₩ 녹모봉차, 운남백차, 이무숙차, 창녕야생차(각 7천원), 당고(2천원), 당고화로세트(7천원), 펑리수(2천7백원), 사과펑리수(3천원)
⏲ 12:00~22:00(마지막 주문 20:00) – 금요일 휴무
🔍 부산 부산진구 동성로25번길 27-6(전포동)
☎ 010-8233-8689 Ⓟ 불가

올더어글리쿠키 ALL THE UGLY COOKIE 쿠키

전포동 카페거리의 아메리칸 스타일 쿠키 전문점. 모든 쿠키는 고온에서 태운 헤이즐넛 바터를 사용해서 만들며, 고소한 향이 강하고 풍미가 깊다. 화이트 마카다미아와 발로나 더블 초콜릿이 인기 메뉴다. 약과 쿠키는 1인당 3개까지 구매 가능하다.

₩ 어글리쿠키(4천5백원)
⏲ 13:00~20:00 – 월요일 휴무
🔍 부산 부산진구 전포대로 225(전포동) 경무빌딩
☎ 070-7755-2502 Ⓟ 가능

원조할매낙지 낙지

50년 넘는 전통의 낙지볶음집. 낙지볶음이지만 국물이 있어 전골에 더 가깝다. 소곱창이 함께 들어간 메뉴도 추천할 만하며, 낙지볶음을 밥에 비벼 먹거나 우동 사리를 추가해서 끓여 먹어도 좋다.

₩ 낙지볶음, 낙지새우볶음(각 9천5백원), 낙지소곱창볶음, 낙지새우소곱창볶음(각 1만원), 사리(1천원)
⏲ 09:30~20:50(마지막 주문 20:10) – 둘째 주 화요일 휴무
🔍 부산 부산진구 골드테마길 10(범천동)
☎ 051-643-5037 Ⓟ 불가

월강 月江 일식

40년 넘는 역사의 일식집. 회의 양은 적은 편이나 신선한 자연산을 주로 사용하는 것이 자랑이다. 다양한 종류의 해산물 요리와 회를 즐길 수 있는 코스 메뉴가 추천할 만하다. 실내가 깨끗하고 널찍하여 단체 모임에도 좋다.

₩ 코스(6만원, 8만원, 10만원, 12만원), 점심회정식(3만원), 점심특회정식(4만원)

⏲ 11:30~14:00/17:00~22:00(마지막 주문 20:40) – 일요일, 명절 휴무

Q 부산 부산진구 서면로 7(부전동) 월강빌딩

☎ 051-806-2500 Ⓟ 가능

음주양식당오스테리아어부

Osteria Aboo 파스타 | 이탈리아식

이탈리아 현지의 맛을 살린 요리와 함께 와인을 즐기기 좋은 곳. 제주산 딱새우와 링귀니 면이 어우러진 파스타와 클래식 카르보나라가 특히 인기며 부드러운 송아지 종아리살이 곁들여진 오소부코 리조토도 추천할 만하다. 그날그날 들어온 신선한 재료로 만드는 테이스팅코스도 선보인다.

₩ 테이스팅코스(14만8천원), 캐주얼테이스팅코스(10만원), 통발단새우(1만1천원), 문어리조토(3만9천원), 오소부코리조토(5만9천원), 카르보나라(3만3천원)

⏲ 17:00~23:00(마지막 주문 21:30) | 토, 일요일, 공휴일 12:00~14:30(마지막 주문 13:00)/17:00~23:00(마지막 주문 21:30) – 화요일, 격주 수요일 휴무

Q 부산 부산진구 동천로 58(전포동)

☎ 051-802-8858 Ⓟ 가능

음주양식당오스테리아어부

정동진해물탕해물찜 해물탕 | 해물찜

해물탕과 해물찜을 전문으로 하는 곳으로, 살아 있는 해물을 사용하여 신선하다. 꽃게, 새우, 오징어, 전복 등이 들어가는 해물찜이 추천 메뉴. 맵기를 다섯 단계 중 선택할 수 있으며 직원이 해물을 손질해주기 때문에 편하게 즐길 수 있다.

₩ 해물찜, 해물탕(각 소 5만원, 대 6만원), 생아구불고기, 생아구찜, 왕새우찜, 꽃게찜, 꽃게탕(각 소 4만5천원, 대 5만5천원).

⏲ 11:00~22:30 – 월요일 휴무

Q 부산 부산진구 서면문화로 37(부전동)

☎ 051-809-8208 Ⓟ 가능

주차장산꼼장어 곰장어

2대에 걸쳐 대를 이어오고 있는 50년 넘는 전통의 곰장어 전문점. 즉석으로 곰장어를 잡아서 연탄불에 초벌해서 낸다. 국내산 곰장어만을 취급하며 살아 있는 곰장어를 바로 구워 식감이 쫄깃쫄깃하다. 양념구이와 소금구이 중 선택할 수 있다.

₩ 연탄양념구이, 연탄소금구이, 통마리구이(소 4만원, 중 5만원, 대 6만원, 특대 7만원)

⏲ 10:30~22:30 – 명절 당일 휴무

Q 부산 부산진구 부전로 177-3

☎ 051-808-0407 Ⓟ 가능

춘하추동밀면 春夏秋冬 밀면

개금밀면, 가야밀면과 함께 부산에서 3대 밀면으로 꼽히는 곳이다. 살얼음을 띄운 밀면의 육수는 사골국물에 약초를 넣어 만들어 색이 진한 것이 특징이다. 매운 것을 좋아하는 사람에게는 비빔밀면을 추천한다.

₩ 밀면, 비빔밀면(각 9천원, 곱빼기 1만원), 만두(6천원), 편육(1만원), 고기사리(6천원)

⏲ 10:00~21:30 | 동절기 10:00~21:00 – 명절 당일 휴무

Q 부산 부산진구 서면문화로 48-1(부전동)

☎ 051-809-8659 Ⓟ 불가

칼질천번 오징어 | 생선회

섬세하게 칼질이 들어간 부드러운 식감의 오징어회를 전문으로 한다. 한상을 시키면 일식 퓨전이 가미된 고급스러운 오징어회를 즐길 수 있다.

₩ 칼천한상(12만원), 칼천특한상(15만원), 칼천반상(8만원), 오징어회세트(6만5천원), 생선회(2만5천원), 연포탕, 오징어회(각 3만원).

⏲ 11:40~14:00/16:00~22:30 – 연중무휴

Q 부산 부산진구 골드테마길 63(범천동)

☎ 051-638-7942 Ⓟ 가능(2시간 무료)

타카라멘 라멘

닭육수를 베이스로 해서 깔끔한 국물의 라멘을 맛볼 수 있는 곳. 라멘 토핑으로 일반적인 말린 죽순 대신 무말랭이가 올라간다는 점이 특이하다. 수비드로 익힌 차슈도 담백하고 부드럽다.

₩ 마메파이탄(1만5백원), 소유라멘, 시오라멘(각 9천원)

⏲ 12:00~15:00/17:30~20:30(마지막 주문 19:30) | 일요일 12:00~16:00(마지막 주문 15:00) – 월요일 휴무

Q 부산 부산진구 중앙대로691번가길 25-5(부전동)

☎ 0507-1429-8521 Ⓟ 불가

태화육개장 육개장 | 수육

60여 년간 3대째 육개장과 수육만을 파는 곳. 육개장 국물은 맑고 깨끗한 편이며 국수 사리가 들어 있는 것이 특징이다. 시골 장터에서 먹던 국밥을 연상케 한다. 부드럽게 삶은 수육을 곁들여도 좋다.

㈐ 육개장(1만원), 수육, 양무침(각 소 2만5천원, 대 3만5천원)
🕒 08:30~21:30 – 첫째, 셋째 주 일요일 휴무
🔍 부산 부산진구 서면문화로 18(부전동)
☎ 051-802-5995 ⓟ 가능

트래포드 TRAFFORD 팬케이크

영국 감성의 팬케이크 전문점. 오리지널 팬케이크를 비롯하여 시나몬, 블루베리, 피넛버터, 누텔라 등 다양한 맛의 팬케이크를 맛볼 수 있다. 팬케이크에 소시지, 계란, 베이컨이 추가된 럼버잭과 부산의 명물인 씨앗호떡을 응용한 남포동 팬케이크도 추천 메뉴.

㈐ 팬케이크(8천원~1만3천원), 트래포드커피(6천5백원), 에스프레소, 아메리카노(각 4천5백원), 라테(5천원), 필터커피(6천5백원), 티(6천5백원)
🕒 12:00~20:00(마지막 주문 19:30) – 목요일 휴무
🔍 부산 부산진구 전포대로246번길 13-10(전포동) 1층
☎ 070-8764-0123 ⓟ 불가

트레져스커피 🎀 TREASURES 커피전문점

필터커피가 유명한 스페셜티 커피전문점. 직접 로스팅한 다양한 종류의 필터커피를 맛볼 수 있으며, 과테말라와 파나마 게이샤도 준비되어 있어 핸드드립을 좋아하는 이들에게 인기 있는 곳. 1층에는 바 위주의 좌석이, 2층에는 테이블 좌석이 있다.

㈐ 에스프레소, 아메리카노(각 5천원), 카페라테, 루비라테(각 6천원), 바닐라라테(6천5백원), 필터커피(6천원~1만1천원)
🕒 12:00~20:00 – 수요일 휴무
🔍 부산 부산진구 전포대로216번길 28
☎ 051-915-0204 ⓟ 불가

팔복통닭 통닭 | 프라이드치킨 | 닭볶음탕

프랜차이즈의 파도에서도 살아남아 시장통에 굳건히 자리를 지키고 있는 얼마 안 되는 통닭집이다. 바삭하게 튀긴 통닭의 맛이 일품이다. 통닭도 맛있지만, 닭볶음탕의 일종인 닭두루치기가 맛있기로 더 유명하다. 중독성 있는 양념 맛이 좋으며 순한 맛, 중간맛, 매운맛 중에 선택할 수 있다.

㈐ 프라이드치킨(2만원), 닭두루치기(2만1천원), 닭볶음탕(3만1천원, 특 3만5천원)
🕒 12:00~16:00/17:00~23:00 – 연중무휴
🔍 부산 부산진구 당감로50번길 20(당감동)
☎ 051-895-5384 ⓟ 불가

페이센동전포본점 일식덮밥 | 일식우동 | 소바

하루 40팀 한정으로 운영되는 일본식 가정식 전문점. 식전에 매실차를 주어 입맛을 돋우기 좋다. 메뉴는 덮밥, 우동, 소바까지 다양하게 준비되어 있다. 재료들이 정갈하게 담긴 한 그릇에 깔끔하고 든든하게 한 끼 식사 할 수 있는 곳.

㈐ 김치규동, 가츠동, 가라아게동, 에비동(각 9천9백원), 소고기우동, 냉모밀소바(각 9천원)
🕒 11:30~14:30/17:00~19:30 – 명절 당일 휴무
🔍 부산 부산진구 서전로46번길 6 동명빌딩 1층
☎ 051-808-9399 ⓟ 불가(인근 유료주차장)

포항돼지국밥 돼지국밥 | 수육

서면시장 돼지국밥거리 쪽에 있는 80여 년 전통의 국밥집이다. 따로 나오는 면 사리를 국밥에 넣어서 양념이 된 부추와 함께 먹는 맛이 일품이다. 옛날부터 한결같은 맛으로 많은 사람들이 찾는 곳이다.

㈐ 돼지국밥, 내장국밥, 섞어국밥, 순대국밥, 따로국밥, 모둠국밥(각 9천원, 특 1만원), 수육백반(1만2천원) 순대(1만3천원), 수육(소 3만원, 대 3만5천원)
🕒 05:00~21:40(마지막 주문 21:10) – 연중무휴
🔍 부산 부산진구 서면로68번길 27(부전동)
☎ 051-807-5439 ⓟ 가능

프랭클린커피로스터스
FRANKLIN COFFEE ROASTERS 카페

우유가 들어간 음료가 맛있기로 유명한 카페. 고소한 우유 맛과 홍차 맛이 어우러진 밀크티가 인기메뉴다. 밀크티는 병에 담아 팔아 테이크아웃 하기도 좋다.

㈐ 아메리카노(3천원), 카페라테(4천5백원), 밀크티, 롱반, 레드 (각 5천원),
🕒 10:00~18:00 – 연중무휴
🔍 부산 부산진구 동성로 29(전포동)
☎ 051-756-0002 ⓟ 불가

합천식당 돼지국밥

60여 년 동안 돼지국밥을 선보이는 곳. 진하게 끓여낸 돼지사골 국물에 잘 익은 수육이 넉넉히 들어 있다. 기름지지 않고 국물이 맑고 깔끔한 것이 특징. 수육과 국밥국물이 함께 나오는 수육백반도 추천할 만하다.

㈐ 돼지국밥, 따로국밥, 내장국밥, 섞어국밥, 순대국밥(각 9천원), 돼지국수(7천원), 수육백반(1만1천원), 수육(소 2만5천원, 중 3만원, 대 3만5천원), 순대(반 7천원, 한접시 1만3천원), 삼겹국밥(1만원)
🕒 08:30~19:30 – 첫째, 셋째 주 일요일 휴무
🔍 부산 부산진구 자유평화로 23(범천동)
☎ 051-631-9561 ⓟ 가능

호로롯쿠 라멘

시즌에 따라 달라지는 라멘을 즐길 수 있는 곳. 부드러운 차슈 맛이 좋으며, 한정 판매이기 때문에 서둘러야 한다. 메뉴와 휴무일은 인스타그램에서 확인해야 한다.

₩ 라멘(변동)
⏲ 변동(인스타그램 공지) – 비정기적 휴무
🔍 부산 부산진구 중앙대로756번길 26(부전동)
☎ 없음 Ⓟ 불가

화남정돼지국밥 和濫淨 돼지국밥

뜨끈한 돼지국밥과 항정살 보쌈이 유명한 곳. 항정살을 사용하는 보쌈(수육)은 따뜻하게 불 위에 올려 나오며 순대국밥에는 피순대가 들어가 진한 맛이 난다. 국밥에는 함께 나오는 부추를 듬뿍 넣어 먹는다.

₩ 따로돼지국밥, 따로땡초국밥, 따로순대국밥, 따로섞어국밥, 따로내장국밥(각 9천원), 모둠보쌈(대 4만2천원, 중 3만7천원)
⏲ 11:00~15:00/17:00~21:00(마지막 주문 20:00) – 일요일 휴무
🔍 부산 부산진구 성지로 50(연지동)
☎ 051-809-8853 Ⓟ 불가

히떼로스터리 HYTTE ROASTERY 커피전문점

전포동을 대표하는 라이트 로스팅 스페셜티커피 매장. 직접 로스팅하는 다양한 원두 중에서 고를 수 있으며, 플랫화이트가 인기 메뉴. 필터 커피의 매력도 충분히 만끽할 수 있다.

₩ 에스프레소(5천원), 아메리카노(5천원), 카페라테(5천5백원), 플랫화이트(5천5백원), 바닐라라테(6천원), 아인슈페너(6천원), 필터커피(6천원~8천원), 애플시나몬에이드, 애플시나몬블랙티(각 7천원), 밀크롤(6천원), 말차롤(6천5백원)
⏲ 12:00~20:00 | 토, 일요일 10:00~20:00 – 공휴일, 명절 휴무
🔍 부산 부산진구 동성로 59(전포동)
☎ 070-7607-7060 Ⓟ 불가

히떼로스터리

부산광역시 북구

금용 金龍 중국만두

직접 빚은 옛날식 찐만두를 맛볼 수 있는 곳으로, 화교가 운영한다. 만두는 미리 만들어놓지 않고 그날그날 새로 만들기 때문에 육즙이 살아 있다. 군만두도 인기 메뉴이며 식사로는 만두국밥을 추천할 만하다. 50년 넘게 만두에만 집중해온 저력을 느낄 수 있다. 군만두는 오전 10시 반 이후부터 먹을 수 있으니 방문 시 참고할 것.

₩ 물만두, 찐만두, 군만두(각 8천원), 오향장육(2만5천원)
⏲ 10:30~20:30 – 화요일 휴무
🔍 부산 북구 구포만세길 75(구포동)
☎ 051-332-1261 Ⓟ 불가

만선참가자미회전문점 생선회

참가자미회를 전문으로 하는 한국식 횟집. 2층 자리는 전부 룸으로 되어 있어 비즈니스 모임이나 프라이빗한 모임에 제격이다. 회를 시키면 가리비, 소라, 문어, 새우를 비롯한 찐 해산물과 명태찜, 새우튀김, 새우초밥 등을 내어준다. 길쭉하게 잘라 나오는 참가자미회는 고소하고 씹는 맛이 좋다.

₩ 모둠회(소 9만원, 중 11만원, 대 13만원, 특대 15만원 VIP 18만원), 참가자미회(소 7만원, 중 9만원, 대 11만원, 특대 13만원, VIP 15만원)
⏲ 11:25~15:00/16:00~22:00(마지막 주문 21:00) – 일요일 휴무
🔍 부산 북구 금곡대로8번길 19(덕천동)
☎ 0507-1386-8800 Ⓟ 가능

슌사이쿠보 旬彩久戊 일식장어

일본에서 10년간 경력을 쌓은 셰프가 운영하는 곳으로, 최근 리뉴얼 이후 갓포요리에서 히쓰마부시 전문점으로 변신하였다. 히쓰마부시는 나고야식 장어덮밥을 말하며 세 가지 방법으로 장어덮밥을 즐기는 것이 특징이다.

₩ 히쓰마부시(3만8천원), 1/2히쓰마부시(2만6천원), 생연어덮밥(1만7천5백원), 민치가스정식(1만4천원)
⏲ 12:00~15:00/17:30~21:00(마지막 주문 20:30) – 월요일 휴무
🔍 부산 북구 양달로4번길 17(화명동) 금샘빌딩 1층
☎ 051-365-2959 Ⓟ 가능

스시쿠도쿠 すしくどく 스시

비교적 낮은 가격대로 스시를 즐길 수 있는 스시야. 제철에 맞는 신선한 식재료를 사용하여 스시 오마카세 코스를 선보인다. 여덟 석의 카운터 자리만 있는 아담한 규모다.

₩ 스시오마카세(5만9천원)
⏲ 12:00~13:30/18:00~19:30/20:00~21:30 – 연중무휴
🔍 부산 북구 의성로128번길 56 2층
☎ 010-5026-5971 Ⓟ 불가

취밍 翠明 일반중식

짬뽕이 맛있는 중국집. 칼칼하고 매콤하면서도 시원한 국물의 해물짬뽕과 백짬뽕인 공부탕면이 인기 메뉴다. 롯데호텔을 비롯 특급 호텔에서 20여년 근무한 이력이 있는 오너 셰프의 손맛이 느껴지는 탕수육도 추천할 만하다.

₩ 짜장면(6천5백원), 해물짬뽕, 공부탕면(각 8천5원), 해물쟁반짜장(2인 1만5천원), 새우볶음밥(7천원), 게살볶음밥(8천원), 탕수육, 깐풍기, 칠리새우(각 소 1만7천원 중 2만5천원)

🕒 11:00~15:00/16:30~21:30(마지막 주문 20:40) – 연중무휴

🔍 부산 북구 금곡대로285번길 16(화명동) 1층 106호

☎ 051-362-3376 Ⓟ 가능

평양집 만두 | 김치찌개

만두백반과 김치찌개가 인기 있는 집. 큼직한 이북식 만두를 맛볼 수 있다. 만두백반에는 만둣국과 밥, 밑반찬 등이 나오며, 만둣국에 밥을 말아 만두를 으깨 먹는 것이 좋다.

₩ 이북식만둣국, 김치찌개, 육개장(각 9천원), 녹두전(1만5천원), 만두전골(중 3만원, 대 4만5천원)

🕒 11:00~17:00(마지막 주문 16:30) – 일요일 휴무

🔍 부산 북구 금곡대로20번길 21(덕천동)

☎ 051-331-5455 Ⓟ 가능(인근 기찰주차장에 주차, 평양집 2만원 이상 식사시 30분 지원)

호호면옥 함흥냉면 | 평양냉면

50여 년간 냉면을 전문으로 한 곳. 가오리회무침이 올라간 함흥식 비빔냉면과 평양식 물냉면을 모두 맛볼 수 있다. 비빔냉면에 냉육수를 부어주는 얼냉면도 독특하다. 사골로 만드는 뜨끈한 육수 맛이 좋으며 면발은 전분이 많이 들어간 스타일이다.

₩ 함흥비빔냉면, 평양물냉면, 얼물비냉면(각 1만1천원, 곱빼기 1만4천원), 가오리회무침(중 3만원, 대 4만원)

🕒 봄, 여름 11:30~20:00 | 가을, 겨울 11:30~19:00 – 연중무휴

🔍 부산 북구 금곡대로20번길 19(덕천동)

☎ 051-338-4442 Ⓟ 가능

부산광역시 사상구

77돌곱창 곱창전골

국내산 한우 곱창전골을 먹을 수 있는 오래된 노포다. 돌판에 끓여먹는 곱창전골이 대표 메뉴로, 국물 맛이 진하며 얼큰하다. 곱창을 다 먹은 후에는 국물에 사리를 넣어서 먹거나 밥을 볶아 먹을 수 있다.

₩ 곱창전골(중 3만원, 대 4만원~5만원), 볶음밥(2천원)

🕒 11:00~15:00/16:00~20:00 – 토요일, 일요일 휴무

🔍 부산 사상구 괘감로 98(감전동)

☎ 051-317-0470 Ⓟ 가능

램바란스 일식징기스칸

양 갈비, 양 등심, 양 삼겹 등 부위별 양고기를 코스 요리로 즐길 수 있는 양고기 전문점. 코스 메뉴를 주문하면 식사와 디저트가 포함된 여덟 가지의 요리를 맛볼 수 있다. 북해도식 수프카레도 식사로 좋다.

₩ 램A코스(6만9천원), 램B코스(4만9천원), 생양갈비, 생양등심(각 150g 2만3천원), 생양꼬치(7개 1만8천원), 양부채살(150g 2만2천원), 북해도식수프카레(1만5천원)

🕒 17:00~23:30(마지막 주문 22:30) – 연중무휴

🔍 부산 사상구 사상로212번길 13

☎ 070-8824-9595 Ⓟ 가능

밀양국밥 돼지국밥

진한 국물의 돼지국밥을 맛볼 수 있다. 고춧가루 양념이 기본으로 국물에 풀어 나오는 것이 특징이다. 밀양식으로 부추와 새우젓을 넣어서 먹는 맛이 일품이며 따로 나오는 소면을 함께 넣어 먹는다.

₩ 국밥, 내장국밥(각 9천원), 따로국밥, 순대국밥(각 9천5백원), 수육백반(1만1천원), 수육(소 2만8천원, 중 3만3천원, 대 3만9천원)

🕒 08:30~02:00(익일) – 연중무휴

🔍 부산 사상구 사상로212번길 6(괘법동)

☎ 051-311-1270 Ⓟ 가능

양산도집 장어

70여 년의 전통을 자랑하는 민물장어구이 전문점. 다른 메뉴 없이 장어만 전문으로 한다. 참숯에 장어를 구워 접시에 내오는 것이 특징. 반찬으로 나오는 매실장아찌, 무장아찌, 땅콩 등도 맛있다.

₩ 민물장어구이(1인 2만8천원), 식사(1인2천원)

🕒 11:30~21:00 – 명절 휴무

🔍 부산 사상구 낙동대로 799-34(감전동)

☎ 051-311-4098 Ⓟ 불가

할매재첩국 재첩

삼락동 재첩골목의 원조집. 재첩국을 시키면 재첩국과 밥, 비빔 양념 그릇, 고등어조림, 깍두기, 김치, 된장찌개를 갖다 준다. 재첩을 넣고 양념과 함께 비빈 밥과 시원한 국물이 어우러진 맛이 일품이다. 가마솥에 밥을 짓는 것이 밥맛의 비결이라고 한다.

₩ 재첩국(8천원), 재첩회(1만원)
⏲ 07:00~21:00 – 연중무휴
🔍 부산 사상구 낙동대로1530번길 20-15(삼락동)
☎ 051-301-7069 Ⓟ 가능

부산광역시 사하구

복성반점 福星飯店 일반중식

3대를 이어온 중식당으로, 40년 넘는 역사를 자랑한다. 한치, 새우, 조갯살 등이 듬뿍 들어간 얼큰한 짬뽕이 맛있기로 유명하다. 짬뽕 외에 짜장면과 볶음밥, 탕수육도 기본 맛을 낸다. 부산 3대 짬뽕으로 꼽히는 곳 중 하나다.

₩ 짬뽕, 울면, 볶음밥, 짜장밥(각 9천원, 곱빼기 1만원), 짜장면(6천원), 탕수육(2만5천원), 깐풍기(3만5천원), 양장피(4만원)
⏲ 11:00~21:00 – 화요일 휴무
🔍 부산 사하구 하신중앙로 289(하단동)
☎ 051-291-7834 Ⓟ 불가

쉐라미과자점 Cherami 베이커리

부산에서 유명한 빵집으로 50여 년의 오랜 역사를 자랑한다. 대표 메뉴인 통팥빵, 크림빵, 애플파이를 비롯하여 다양한 종류의 빵과 수제 초콜릿, 양갱 등을 맛볼 수 있다. 매장 안에 커피를 마실 수 있는 공간이 마련되어 있다.

₩ 옛날크림빵, 통팥빵(각 2개 6천원), 애플파이(4천8백원), 나가사키카스테라(2만2천원), 찹쌀떡(2개 3천5백원).
⏲ 08:00~23:00 | 일요일 09:00~21:00 – 연중무휴
🔍 부산 사하구 낙동대로 238(괴정동) ☎ 051-208-0033 Ⓟ 불가

영진돼지국밥 돼지국밥 | 수육

부산에서 유명한 3대 돼지국밥집 중 하나다. 수육백반을 주문하면 돼지국밥과 함께 수육이 나온다. 수육에는 두부와 돼지기름에 볶은 김치가 나와 두부김치와 함께 수육을 싸 먹으면 맛있다. 국밥 국물 맛도 깔끔한 편.

₩ 돼지국밥, 내장국밥, 섞어국밥, 순대국밥(각 9천5백원), 수육백반(1만3천원), 수육(각 소 3만7천원, 대 4만8천원), 순대추가(1만1천원)
⏲ 09:30~15:00/17:00~21:30 – 일요일 휴무
🔍 부산 사하구 하신번영로157번길 39(신평동)
☎ 051-206-3820 Ⓟ 가능

오사카 大阪 일식

오사카 출신 재일 교포 부부가 운영하는 곳. 라멘, 돈부리, 우동 등 일본 가정식을 합리적인 가격에 맛볼 수 있다. 일본 생맥주를 비롯해 하이볼 등도 갖추고 있어 술을 곁들여도 좋다.

₩ 돈코쓰라멘(8천원), 햄버그스테이크(8천8백원), 돈가스(8천5백원), 카레라이스(6천원), 소고기덮밥(8천8백원), 우동(5천원)
⏲ 11:00~15:00/17:00~ 221:00(마지막 주문 20:30) – 월요일 휴무
🔍 부산 사하구 낙동대로324번길 2(괴정동)
☎ 051-205-8408 Ⓟ 불가

청송집 장어

일대에서 유명한 장어집으로, 메뉴는 장어구이 하나뿐이다. 양념한 장어를 불에 구워 내오며 더덕무침과 초생강을 곁들여 백김치에 싸먹으면 맛있다. 식전에 나오는 장어곰국도 별미.

₩ 장어구이(1인 2만8천원), 공기밥+재첩국(3천원)
⏲ 11:30~21:30 – 첫째, 셋째 주 일요일 휴무
🔍 부산 사하구 하신번영로 432(하단동)
☎ 051-292-2173 Ⓟ 가능

할매복집 복

복지리, 복매운탕을 전문으로 하는 70년 넘는 전통의 식당. 미나리를 곁들여 시원한 맛을 내는 복지리가 특히 인기다. 매콤한 복불고기와 바삭바삭한 복튀김 등을 곁들여도 좋다.

₩ 은복지리, 은복매운탕(각 1만2천원), 까치복지리, 까치복매운탕(각 1만8천원), 참복지리, 참복매운탕(각 2만3천원)
⏲ 07:50~20:00 – 월요일 휴무
🔍 부산 사하구 다대로 12(당리동)
☎ 051-206-9938 Ⓟ 가능

해주냉면 평양냉면 | 밀면 | 함흥냉면

60여 년 전통의 냉면집. 함흥냉면은 밀가루와 고구마 전분을 섞어 만든 면을 사용하며 비빔냉면으로만 맛볼 수 있다. 메밀면을 사용하는 평양냉면은 물냉면으로만 제공된다.

₩ 함흥비빔냉면, 평양물냉면(각 1만1천원, 곱빼기 1만3천원), 물밀면, 비빔밀면(각 8천원, 곱빼기 9천5백원)
⏲ 11:30~20:00 | 동절기 11:30~19:00 – 둘째, 넷째 주 월요일 휴무
🔍 부산 사하구 낙동대로324번길 5(괴정동)
☎ 051-291-4841 Ⓟ 가능

부산광역시 서구

다도서귀포 붕장어 | 곰장어
포장마차 분위기에서 연탄불에 붕장어와 곰장어를 구워 먹는다. 제공되는 양념장에 찍어 먹거나 해초 등을 곁들여 먹어도 좋다. 구이를 시키면 장어탕도 맛볼 수 있다.

₩ 붕장어, 곰장어(각 1인 2만원, 소 3만5천원, 중 5만원, 대 7만원, 특대 8만5천원), 깻잎전골, 장어찜(각 소 5만원, 중 6만원, 대 7만원)
⏲ 11:00~24:00 – 둘째, 넷째 주 목요일 휴무
🔍 부산 서구 자갈치로 14-10
☎ 051-246-2611 Ⓟ 불가

달뜨네 생선회 | 고등어
신선한 고등어초회로 유명해진 집. 참치회나 하몽세트도 인기 있다. 주인이 직접 담근 청주도 맛볼 수 있다. 예약제로 운영된다.

₩ 고등어초회, 참치회(각 5만원, 7만원, 10만원), 하몽세트(5만원, 10만원), 야성의코스(2인 이상, 1인 10만원)
⏲ 17:00~22:00 – 화요일 휴무
🔍 부산 서구 구덕로118번길 18 1층 102호
☎ 051-418-2212 Ⓟ 불가

디아펠리즈 dia feliz 카페 | 브런치카페
화이트 톤의 깔끔한 매장에서 브런치와 커피를 즐길 수 있는 곳. 창문 너머로 보이는 부산 송도 오션뷰도 감상할 수 있다. 브런치는 아침 10시부터 오후 2시까지만 맛볼 수 있다. 반려동물 동반도 가능하다.

₩ 디아펠리즈브런치(1만3천원), 크림에그베네딕트, 에그인헬(각 1만4천원), 샌드위치(1만3천원), 콥샐러드(1만2천원),아메리카노(4천5백원), 카페라테, 아포카토(각 5천2백원), 스무디(5천원~5천5백원)
⏲ 10:00~24:00(마지막 주문 23:50) | 브런치 10:00~14:00 – 연중무휴
🔍 부산 서구 암남공원로 39 송도 풍림아이원 1층
☎ 0507-1381-1874 Ⓟ 불가

미성하모샤브샤브 味成食堂 갯장어
여름에는 하모(갯장어)요리, 겨울에는 복어요리 딱 두 가지만 전문으로 하는 곳이다. 하모는 4월부터 여름 한철 동안만 맛볼 수 있으니 방문 시 참고해야 한다. 3층 건물을 전부 사용하고 있으며 송도 앞바다가 훤히 보이는 경관이 좋다.

₩ 하모회 (소 7만원, 중 9만원, 대 11만원), 하모샤브샤브(소 8만원, 중 11만원, 대 14만원), 하모어탕(8천원), 매운탕(소 3만원, 대 5만원)
⏲ 11:30~15:30/16:30~21:30 – 월요일 휴무
🔍 부산 서구 충무대로 124(암남동)
☎ 051-244-6143 Ⓟ 가능

빅토리아베이커리가든 NEW
Victoria Bakery Garden 베이커리 | 카페
3층 건물에 자리한 대형 베이커리 카페. 1층은 베이커리, 2층 카페로 운영되며 3층에는 루프탑이 마련되어 있다. 공간이 넓고, 쾌적해서 음료와 베이커리를 함께 즐기기 좋다. 쪽파크림치즈소금빵, 밤고구마캉파뉴, 라벤더라테 등을 맛볼 수 있다.

₩ 달콤쪽파크림치즈소금빵(5천8백원), 트러플페퍼소금빵(3천원), 소금빵(2천5백원), 무화과호밀빵(6천5백원), 밤고구마캉파뉴(6천원), 에스프레소베리콘판나(5천원), 라벤더라테, 버터스카치라테(각 7천원), 에스프레소(4천5백원), 아메리카노(5천5백원), 카페라테(6천원)
⏲ 08:00~20:00 – 연중무휴
🔍 부산 서구 엄광산로 33
☎ 070-4414-1177 Ⓟ 가능

빈스톡 BEAN STOCK 커피전문점 | 카페
우리나라 1세대 커피 명인인 박윤혁의 로스터리 카페. 드립커피는 진한 정도를 취향껏 고를 수 있으며, 기본적으로 강배전 커피를 지향해 중후한 커피를 맛볼 수 있다.

₩ 아메리카노, 카페라테, 카푸치노(각 5천5백원), 드립커피(6천원~9천), 카페솔티드, 블루베리요거트스무디(각 6천5백원), 생과일착즙차(6천원), 밤타르트(7천3백원)
⏲ 11:00~18:00(마지막 주문 17:30) – 금요일 휴무
🔍 부산 서구 암남공원로 56(암남동)
☎ 051-243-1239 Ⓟ 가능

쁘렛 PRET 브런치카페 | 베이커리
아늑한 분위기의 베이커리 카페. 2층 조리공간에서 디저트 및 바닐라 시럽, 캐러멜 소스, 아이스크림 등을 직접 만든다. 브런치는 하루 전 예약이 필수다.

₩ 아메리카노(4천1백원), 카페라테(4천6백원), 바닐라라테(5천1백원), 카페플로팅(5천8백원), 크로와상(3천3백원), 브라우니(3천9백원), 레드벨벳(5천원), 초콜릿무스케익(5천원), 흑임자케익(5천8백원), 프렌치토스트(1만6천5백원), 아란치니(1만7천9백원)
⏲ 11:00~18:00 – 토, 일요일 휴무
🔍 부산 서구 보수대로 65-1
☎ 051-257-9244 Ⓟ 가능(2대)

송도공원 소갈비 | 소고기구이
4층 건물로 되어 있는 곳으로, 1, 2층은 고깃집, 3층은 중화요리 전문점, 4층은 회 전문점으로 운영된다. 비교적 합리적인 가격에 고기를 즐길 수 있으며, 양념갈비와 생갈비가 추천할 만하다.

₩ 한우갈빗살, 한우등심(각 120g 4만원), 육회(200g 3만원), 진갈빗살(150g 3만4천원), 생갈빗대(200g 3만8천원), 양념갈비(320g 3만1천원)
⏲ 10:00~16:00/17:00~21:00(마지막 주문 20:15) – 연중무휴
🔍 부산 서구 암남공원로 75(암남동)
☎ 051-245-2441 Ⓟ 가능

송도키친 양식 | 브런치카페

22층에 자리하여 송도 오션뷰 전망을 즐기며 식사를 할 수 있는 레스토랑. 창가 자리에 앉으면 송도 해수욕장 전망을 한 눈에 담을 수 있다. 샐러드부터 스튜, 스테이크, 파스타, 피자 등 다양하게 즐길 수 있다.

₩ 부라타치즈샐러드(1만9천9백원), 프랑스식매콤홍합스튜(2만3천9백원), 파스타(1만9천9백원), 마르게리타피자(2만2천9백원), 찹스테이크(2만9천9백원), 채끝등심스테이크(3만2천9백원)

⏲ 12:00~14:30/17:00~22:00 – 연중무휴

🔍 부산 서구 송도해변로 113 페어필드바이메리어트 부산송도비치 22층

☎ 051-260-0050Ⓟ 가능

송도키친

신창국밥 돼지국밥

50년 넘는 역사의 돼지국밥집. 곰탕을 연상케 하는 맑은 국물이 특징이며 담백한 국물 맛이 일품이다. 수육과 함께 소주 한잔하기에도 좋으며 수육과 국밥이 함께 나오는 수육밥도 추천할 만하다.

₩ 돼지국밥(9천원), 따로국밥(1만원), 수육밥(1만2천원), 수육(소 3만원, 대 4만5천원)

⏲ 09:00~21:00 – 일요일 휴무

🔍 부산 서구 보수대로 53(토성동1가)

☎ 051-244-1112 Ⓟ 불가

신흥반점 新興飯店 일반중식

삼선짬뽕과 깐풍기가 유명한 중화요리 전문점. 깐풍기는 불에 재빠르게 볶아내 불 향이 강하게 느껴지며 매콤한 맛이 일품이다. 삼선짬뽕은 백짬뽕 스타일로, 해물이 가득 들어간다. 재료 소진 시 영업시간 중 잠시 문을 닫고 준비 시간을 가질 수도 있으니 방문 전 미리 전화해보는 것이 좋다.

₩ 짜장면(6천원), 짬뽕(7천원), 삼선짜장면, 사천짜장면(각 9천원), 삼선짬뽕, 사천짬뽕, 광둥면(각 1만원), 깐풍기, 라조기(각 3만5천원), 탕수육(소 1만5천원, 중 2만2천원, 대 3만원)

⏲ 11:00~13:50/16:00~20:00 – 첫째, 셋째 주 일요일 휴무

🔍 부산 서구 충무대로 284-1(충무동1가)

☎ 051-242-6164 Ⓟ 불가

아미치 Amici 이탈리아식

이탈리아 요리학교 ICIF 출신의 이지수 오너 셰프가 운영하는 아기자기한 레스토랑. 코스메뉴만을 선보이며 예약하고 방문해야 한다. 아늑한 분위기가 인상적인 곳. 광복동에서 사랑 받았던 곳으로, 현재는 송도 인근으로 자리를 옮겨 이어오고 있다.

₩ 코스(10만원), 채끝등심커틀릿(6만5천원), 치즈뇨키(2만9천원), 새우리조토(4만원), 라구소스라자냐(3만2천원), 파니니(4만원)

⏲ 12:00~15:00/18:00~22:00 – 수요일 휴무

🔍 부산 서구 송도해변로 33(암남동) 송도타워맨션

☎ 051-244-4359 Ⓟ 가능

옛날오막집 양곱창

60년 넘는 전통의 양곱창 전문점. 한우의 양과 곱창을 집에서 직접 짠 참기름과 양념장에 재워 숯불에 굽는다. 양과 대창, 곱창의 질이 좋고 양념 맛도 잘 어우러진다. 양념장은 고춧가루와 물엿을 섞어서 진하게 만든 경상도 스타일이다. 양볶음밥도 별미다.

₩ 특양(170g 3만8천원), 대창, 곱창(각 180g 3만7천원), 백특양(130g 4만1천원), 양념갈비(280g 4만1천원), 생갈비(220g 4만5천원), 염통, 콩팥(180g 3만7천원)

⏲ 12:00~21:30(마지막 주문 20:30) – 두번째, 네번째 월요일 휴무

🔍 부산 서구 구덕로274번길 14(동대신동1가)

☎ 051-243-6973 Ⓟ 가능

원조18번완당발국수 만두 | 메밀국수

70년 넘는 전통을 자랑하는 곳으로, 완당과 발국수를 전문으로 한다. 완당은 중국식 만둣국인 원툰의 광둥식 발음인 완탕에서 나온 말로, 깔끔한 국물과 잘 어우러진다. 발국수는 발에 올려 나오는 메밀국수를 말한다. 완당과 발국수 외에 유부초밥도 많이 찾는 메뉴다.

₩ 완당, 완당면(각 8천원), 발국수(8천원), 교자완당(1만2천원), 돌냄비우동(9천원), 유부초밥(3천5백원), 유부우동(7천원)

⏲ 10:30~19:30(재료 소진 시 마감) | 금요일 10:30~17:00 – 월요일 휴무

🔍 부산 서구 구덕로238번길 6(부용동1가)

☎ 051-256-3391 Ⓟ 불가

원조태성하모횟집 갯장어 | 생선회

하모(갯장어)회를 비롯해 다양한 신선한 자연산 회를 즐길 수 있는 곳. 하모는 여름철 보양식으로도 좋다. 하모는 양파에 곁들여 먹는 것이 보통이지만, 소스에 살짝 찍어 먹거나 유비키(샤부샤부)를 해 먹기도 한다.

₩ 하모회, 하모샤부샤부, 장어샤부샤부(소 8만원, 중 10만원, 대 12만원, 특대 15만원), 전복물회(2만원), 특물회(1만5천원), 모둠회(소 6

만원, 중 10만원, 대 12만원, 특대 13만원)
⏲ 09:30~22:00 – 둘째, 넷째 주 목요일, 명절 휴무
🔍 부산 서구 송도해변로 149(암남동)
☎ 051-242-1886 Ⓟ 가능

이엘십육점오이 EL16.52 카페

부산 오션뷰를 즐길 수 있는 대형 베이커리 카페. 루프탑에는 바닷바람을 막아주는 돔 자리도 구비되어 있다. 시그니처 음료는 치즈크림을 올린 발렌타인. 베이커리는 해산물을 듬뿍 올린 바게트가 인기 있다.

₩ 크림새우바게트(7천원), 소금빵(4천5백원), 인절미소금빵(5천5백원), 파운드케이크(5천원~5천5백원), EL치즈케이크, 딸기무스케이크(각 7천5백원), 발렌타인(8천원), 아메리카노(6천원)
⏲ 10:00~21:30(마지막 주문 21:00) – 연중무휴
🔍 부산 서구 암남공원로 177 EL16.52
☎ 051-257-8880 Ⓟ 가능

청죽 青竹 일식

아담한 정원이 있는 정겨운 분위기에서 먹는 참치가 맛있는 일식당이다. 다양한 가격대의 코스를 즐길 수 있으며 초밥, 탕, 구이 등의 단품도 주문할 수 있다. 일본식으로 꾸민 정원이 운치 있다.

₩ 점심특선(A 3만원 B 3만5천원), 코스(4만원~15만원), 참치코스, 랍스터코스(각 10만원), 초밥(2만5천원~5만원), 새우구이, 모둠튀김(각 3만5천원), 장어구이(5만원), 우럭탕(2만5천원)
⏲ 11:00~15:00/16:30~22:00 – 명절 휴무
🔍 부산 서구 망양로 23(서대신동3가)
☎ 051-247-8555 Ⓟ 발레 파킹

부산광역시 수영구

611우드파이어 611WoodFire 그릴 | 유럽식

우드 파이어로 구운 요리를 코스로 맛볼 수 있는 곳으로, 다양한 지역의 계절 식재료가 입맛을 돋운다. 고급스러운 분위기에서 다양한 구성으로 나오는 코스 요리를 부담 없는 가격에 경험할 수 있다.

₩ 디너코스(7만5천원), 런치코스(4만2천원)
⏲ 화, 수, 목요일 18:00~22:00(마지막 주문 20:00) | 금, 토요일 12:00~15:00(마지막 주문 13:30)/18:00~22:00(마지막 주문 22:00) – 일, 월요일 휴무
🔍 부산 수영구 황령산로 14-1(남천동)
☎ 0507-1318-6539 Ⓟ 불가(길 건너 유료주차장 이용)

감성양고기 양고기 | 일반한식

숯불에 양갈비와 양등심을 구워 먹는 곳으로, 예약제로만 운영한다. 고기도 적당한 굽기로 직원이 직접 구워주기 때문에 더욱 맛있다. 볶음밥과 해물라면으로 식사를 마무리.

₩ 양갈비, 양등심(각 1만7천원), 모둠채소, 감성볶음밥, 감성해물라면(각 7천원)
⏲ 17:00~21:30 – 일, 월요일 휴무
🔍 부산 수영구 황령대로481번길 10-9(남천동)
☎ 051-900-9292 Ⓟ 불가

고기형 소고기구이 | 돼지고기구이

합리적인 가격에 1++ 한우 구이를 맛볼 수 있는 곳. 1인 화로에 구워 먹는 방식으로 혼자 먹는 사람들도 고기를 즐길 수 있다. 다진 파를 듬뿍 얹어 참기름, 김과 비벼 먹는 파밥도 식사 마무리로 좋다.

₩ 육식주의세트(등심 또는 채끝, 안심, 갈비)(400g 11만9천원), 대육식주의세트(등심 또는 채끝, 안심, 갈비)(600g 18만8천원), 소믈리에세트(등심 또는 채끝, 안심, 기본와인1병)(400g 15만9천원), 혼술세트(5만3천원), 한우등심(100g 2만9천원), 한우꽃갈비살(100g 3만8천원), 한우된장찌개(8천원)
⏲ 17:00~23:00(마지막 주문 22:00) – 화요일 휴무
🔍 부산 수영구 수영로679번길 22(광안동)
☎ 0507-1445-9312 Ⓟ 불가

고옥 古屋 일식장어

나고야식 장어덮밥 히츠마부시를 전문으로 한다. 히츠마부시를 먹는 방식은 먼저 나무 주걱으로 4등분 한 후 1/4은 그냥 먹고, 1/4은 고추냉이와 파, 깻잎 등을 넣어서, 1/4은 차를 부어 오차츠케로 먹는다. 나머지 1/4은 셋 중 가장 마음에 들었던 방식으로 먹는다. 일식 장어의 맛이 일품이다.

₩ 히츠마부시(소 2만6천원, 대 3만8천원), 바다장어히츠마부시(2만8천원), 민물장어간구이(8천원), 히레야키(1개 4천원)
⏲ 11:30~15:00(마지막 주문 14:20)/17:00~21:00(마지막 주문 20:10) – 월요일 휴무
🔍 부산 수영구 광남로 6(남천동)
☎ 051-622-1638 Ⓟ 가능

고향카츠 일식돈가스

최상급 한돈을 400시간 이상 저온숙성하며 밑간을 하지 않고 바삭하게 튀겨내는 돈가스 전문점. 하루 10그릇 한정으로 판매하는 카레와 어우러진 히레가스도 별미.

₩ 로스가스정식, 히레가스정식(각 1만3천원), 모둠가스정식(1만4천5백원), 가츠산도(1만3천5백원), 경양식 돈가스(1만3천원)
⏲ 11:30~15:00/17:30~21:00(마지막 주문 20:10) – 연중무휴
🔍 부산 수영구 수영로510번길 43(광안동)
☎ 051-757-1202 Ⓟ 불가

금랑횟집 생선회

광안대교를 바라보며 회 한상차림을 즐길 수 있는 곳. 싱싱한 활어회와 함께 매운탕, 전복찜, 메로스테이크, 모둠해산물, 새우장을 비롯한 곁들이 음식들이 푸짐한 한 상으로 식탁이 가득 찬다. 광안리 수변공원에 위치한다.

₩ 금랑한상(1인 8만원), 수변한상(1인 6만원), 광안한상(1인 5만원), 바다한상(1인 4만원), 특모둠회(20만원), 모둠회(소 8만원, 중 12만원, 대 16만원)
11:30~22:30(마지막 주문 21:30) – 연중무휴
부산 수영구 광안해변로344번길 17-5(민락동) 마린리치 6층
☎ 051-752-5209 Ⓟ 가능

나룻터국수 국수

소문난 국숫집으로, 시원하고 깔끔한 국물의 나룻터국수, 얼큰하고 칼칼한 수제비 등이 인기 있다. 경상도에서 정구지지짐이라 부르는 부추전도 별미로 통한다.

₩ 나룻터국수(5천원), 비빔국수(6천원), 바지락수제비, 얼큰수제비(각 7천5백원), 콩국수, 들깨수제비(각 8천원), 땡초정구지지짐(9천원)
11:00~21:00(마지막 주문 20:30) – 월요일 휴무
부산 수영구 수영로741번길 25(수영동)
☎ 051-754-2619 Ⓟ 가능

남천낙지 곱창전골 | 해물탕 | 낙지

낙지 요리 전문점으로, 푸짐하고 신선한 재료로 끓인 낙곱새가 인기다. 국물을 자작하게 졸여 밥그릇에 덜어서 먹으면 된다. 1988년부터 운영한 곳이지만, 최근 리모델링하여 재오픈하였다.

₩ 낙지, 낙새, 낙곱새(각 1만원), 산낙지볶음, 버섯전골(각 1인 2만원), 곱창전골(1인 1만3천원), 연포탕(소 4만2천원, 대 5만5천원)
10:00~20:00 – 일요일, 공휴일, 명절 휴무
부산 수영구 남천동로9번길 31(남천동) 1층
☎ 051-626-2017 Ⓟ 불가

누아쥬앤모찌꼬 베이커리

팥앙금이 든 쫀득한 식감의 모찌꼬를 맛볼 수 있는 베이커리. 토끼 모양의 캐릭터 식빵도 인기 있는 메뉴다. 천연발효종을 사용한 빵을 선보인다.

₩ 커피(4천원), 밀크티(4천5백원), 모찌꼬(8천원), 식빵(7천원), 치아바타(4천원), 바게트(4천5백원), 캄파뉴(6천원)
변동 – 비정기적 휴무
부산 수영구 광안로49번길 25
☎ 010-3594-0553 Ⓟ 불가(인근 공영주차장 이용)

뉼리 NEWLY 와인바 | 스테이크

광안리 바다가 보이는 전망 좋은 스테이크 하우스. 알라카르트로 운영되며, 세트를 시키면 샐러드, 파스타, 한우 스테이크, 디저트가 코스로 나온다. 저녁때는 와인바로도 이용된다.

₩ 봉골레파스타, 포르마지파스타(각 2만4천원), 채끝스테이크(200g 7만5천원), 안심스테이크(200g 8만5천원), 감자튀김(1만2천원), 뉼리세트(2인 기준, 1인 런치 13만5천원, 디너 15만원)
12:00~15:00/17:00~22:00(마지막 주문 21:00) – 화요일 휴무
부산 수영구 민락수변로 7(민락동) ok타운 8층
☎ 010-5381-8102 Ⓟ 가능(OK타운 주차장 1시간 지원)

다리집 분식 | 떡볶이

떡볶이가 유명한 집으로, 긴 가래떡을 사용하는 것이 특징이다. 떡볶이와 곁들일 만한 오징어 튀김과 어묵, 만두 같은 메뉴도 있다. 여고 앞에 있어 오래 전부터 여고생들이 많이 찾던 맛집이다.

₩ A세트, B세트(각 1만5천원), 떡볶이, 어묵(각 3천9백원), 어묵튀김(4천1백원), 오징어튀김우동(7천원)
11:30~21:00 – 화요일 휴무
부산 수영구 남천바다로10번길 70(남천동)
☎ 051-625-0130 Ⓟ 가능

다이도코로 台所 일본가정식

일본식 가정식을 맛볼 수 있는 곳. 계란 프라이가 올려진 밥, 메인 메뉴, 8가지 종류의 밑반찬, 디저트가 나온다. 세트 메뉴를 주문하면 우유 푸딩을 디저트로 맛볼 수 있다.

₩ 다이도코로세트(1인 1만9천8백원, 2인 3만3천원), 깐풍기, 치킨남방, 치킨가라아게, 돈가스(세트 1만3천9백원)
11:00~15:30/17:00~21:00 – 연중무휴
부산 수영구 남천동로108번길 27 2층
☎ 070-8631-8402 Ⓟ 불가

다이도코로

더셰프 The Chef 이탈리아식

앤티크한 소품과 LP판, 사진 등을 전시하고 있는 갤러리 레스토랑. 비교적 합리적인 가격에 피자와 파스타 등의 이탈리아 요리를 맛볼 수 있다. 코스 요리도 추천할 만하다.

₩ 디너코스(갈릭찹스테이크 5만4천원, 채끝스테이크 5만8천원, 안

심스테이크 6만1천원, 애피타이저3가지+안심스테이크 7만4천원)
⏲ 12:00~15:00/17:00~22:00 | 토요일 12:00~21:00 – 일요일, 명절 휴무
🔍 부산 수영구 수영로427번길 11(남천동) 신흥빌딩 지하 1층
☎ 051-626-0762 Ⓟ 가능

동경밥상 🎀🎀 일식장어 | 일식덮밥

장어 덮밥 전문집으로, 동경식 장어덮밥(우나쥬)과 나고야식 장어덮밥(히쓰마부시)을 맛볼 수 있는 것이 특징이다. 히쓰마부시는 덮밥을 어느 정도 먹다가 나머지는 오차즈케로 만들어 먹는 것이 특징이다.

₩ 동경식민물장어덮밥(4만3천원, 특상 5만2천원), 나고야식민물장어덮밥(3만6천원), 민물장어덮밥(2만8천원)
⏲ 11:30~15:00(마지막 주문 14:30)/17:30~21:00(마지막 주문 20:30) – 연중무휴
🔍 부산 수영구 남천바다로 34-6(남천동)
☎ 070-7576-1428 Ⓟ 가능

라운지아카네 ラウンジ茜 칵테일바

개화기 일본 고급 살롱을 재해석하여 꾸민 칵테일 바. 어둑한 조명과 붉은색 벽지, 앤티크한 소품들이 몽환적인 느낌을 준다. 일본 감성이 믹스된 파르페칵테일과 크림소다칵테일을 즐길 수 있다.

₩ 나폴리탄스파게티(1만7천원), 후라노이치고소다(1만8천원), 나가노크림소다(1만6천원), 야끼토리(각 1만원), 키쓰네우동(1만2천원)
⏲ 18:00~02:00(익일) – 수요일 휴무
🔍 부산 수영구 광안로61번길 7 2층
☎ 010-3016-3010 Ⓟ 불가

라운지아카네

램지 🎀 프랑스식

합리적인 가격에 프렌치 코스를 경험할 수 있는 곳. 기본에 충실한 프렌치 코스 요리를 맛볼 수 있으며, 런치는 6코스, 디너는 10코스로 구성되어 있다. 따로 추가 가능한 에스카르고도 추천한다.

₩ 런치코스(6만5천원), 시그니처코스(12만9천원)
⏲ 12:00~15:00/18:00~22:30(마지막 주문 21:30) – 월요일 휴무
🔍 부산 수영구 광안해변로255번길 45
☎ 0507-1446-3135 Ⓟ 불가(인근 공영 주차장 이용)

레썽스 🎀 L'Essence 프랑스식

프랑스 파리에서 BTS와 함께 코스 요리와 와인 페어링을 선보인 줄리앤 전 셰프의 컨템포러리 프렌치 레스토랑. 광안리 서쪽 끝 해변에서 멀지 않은 한적한 골목에 있으며 계절감 있는 식재료를 활용하여 매달 2~3가지 이상 신메뉴들을 꾸준히 선보인다.

₩ 런치코스(3만9천원), 디너코스(9만6천원), 단품(1만5천원~6만9천원)
⏲ 12:00~14:30/17:30~24:00(마지막 주문 22:00) | 수요일 17:30~23:00(마지막 주문 21:00) – 월, 화요일 휴무
🔍 부산 수영구 광남로22번길 17(남천동)
☎ 0507-1325-7050 Ⓟ 가능

레플랑시 LES PLANCHES 프랑스식

이태원에서 오랜 기간 사랑 받았던 비스트로 르 생택스의 주방을 맡았던 프랑크 라마슈 셰프가 부산에 오픈한 프렌치 비스트로. 광안리 바다가 창밖으로 펼쳐지는 뷰를 감상하며 코스나 알라카르트 메뉴로도 맛볼 수 있다. 10층 루프탑은 커피와 와인, 바비큐를 즐길 수 있는 공간이다.

₩ 리비에라메뉴(6만5천원), 데규스테이션메뉴(8만9천원), 오늘의수프(9천원), 포치니버섯리조토(2만1천원), 훈제연어샐러드(2만3천원), 라구볼로네제파스타(2만4천원), 등심스테이크(3만8천원)
⏲ 12:00~15:00/17:30~22:00(마지막 주문 20:00) – 월요일 휴무
🔍 부산 수영구 남천동로108번길 38(남천동) 9층
☎ 0507-1400-2216 Ⓟ 가능

리오네 🎀 Rione 파스타

뇨키가 맛있는 캐주얼 이탈리아 레스토랑. 알감자 모양의 뇨키는 트러플의 풍미와 크림소스가 잘 어우러진다. 입구 앞에 있는 자연친화적인 작은 정원이 이목을 끈다.

₩ 버섯샐러드(2만6천원), 성게알어란파스타(3만3천원), 초리조알리오올리오, 토마토라구오븐펜네파스타(각 2만7천원), 알감자뇨키(2만8천원), 제주딱새우카넬로니(3만6천원)
⏲ 12:00~15:00(마지막 주문 14:00)/18:00~21:30(마지막 주문 20:30) – 월요일 휴무
🔍 부산 수영구 구락로 36(수영동)
☎ 051-753-0202 Ⓟ 가능

마라도 🎀 일식

잘 숙성된 회를 푸짐하게 맛볼 수 있는 곳으로 부산의 명물 중의 하나다. 메뉴는 회와 아귀수육, 대게찜 등이 나오는 코스 한 가지뿐이다. 앙장구를 비롯하여 해삼창자(고노와다), 대부분의

메뉴를 무한 리필해주는 점이 장점. 코스 형식이며 예약 필수.

Ⓦ 코스(1인 13만원)

Ⓞ 18:00~20:00/20:00~22:00 – 일요일, 명절 휴무

Q 부산 수영구 민락본동로11번길 38(민락동)

☎ 051-755-1564 Ⓟ 가능

마이클어반팜테이블

michael's Urban Farm Table 뉴아메리칸

부산의 제철 식재료를 사용하여 미국식으로 풀어내는 아메리칸 레스토랑. 파히타나 트러플스파게티, 마이클시그니처버거 등이 추천 메뉴. 복합문화공간 F1963에 위치해 있다. 부산의 시티뷰 야경을 즐길 수 있는 야외 테라스 자리를 적극 추천한다.

Ⓦ 런치코스(6만5천원), 디너코스(9만원), 시저샐러드(2만1천원), 트러플감자튀김(1만6천원), 콘크림뇨키(2만4천원), 마이클시그니처버거(2만원), 파히타(3만7천원), 보타르가스파게티니(2만7천원)

Ⓞ 11:30~14:30/17:00~22:00(마지막 주문 21:00) | 토, 일요일 11:00~22:00(마지막 주문 21:00) – 연중무휴

Q 부산 수영구 구락로123번길 20(망미동) F1963 4층

☎ 051-602-8650 Ⓟ 가능

만다꼬

오뎅바 | 이자카야

직접 만든 일본식 어묵을 즐길 수 있는 이자카야로, 진한 생선 맛을 느낄 수 있다. 어묵 외에도 다양한 유명 식당에서 전수 받았다는 안주도 맛볼 수 있다.

Ⓦ 고등어어묵덴푸라, 치즈어묵덴푸라, 만다꼬어묵덴푸라(각 1만5천원), 도미순살어묵(3천원), 고등어/새우어묵(각 4천원), 크림게살고로케(1만5천원), 햄카츠(9천원), 낙지젓카펠리니(1만7천원)

Ⓞ 18:00~01:00(익일)(마지막 주문 24:00) – 일요일 휴무

Q 부산 수영구 광안해변로279번길 13(민락동)

☎ 0507-1476-2388 Ⓟ 가능

메트르아티정

Maitre Artisan 베이커리

프랑스인 기유 다이망 블랑제가 운영하는 베이커리. 천연 효모를 이용한 건강 빵을 선보이며 바게트, 크루아상 외에 퐁당 쇼콜라, 피낭시에 등의 디저트도 선보인다. 파리 본토에서 먹는 듯한 빵과 디저트를 만날 수 있는 곳.

Ⓦ 팽오쇼콜라(4천원), 초코크루아상, 피스타치오크루아상, 소시지크루아상, 크로크아무르, 메밀바게트, 앙버터바게트(각 4천원), 퐁당쇼콜라(3천5백원), 마들렌(1천3백원), 피낭시에(1천7백원)

Ⓞ 09:00~20:00 – 월요일 휴무

Q 부산 수영구 남천동로22번길 21(남천동)

☎ 070-8829-0513 Ⓟ 불가

무슈뱅상

MONSIEUR VINCENT 베이커리

밀가루, 소금, 버터, 초콜릿 등 프랑스산 재료를 사용하는 프랑스식 베이커리 카페. 막대기 모양의 바통이 인기 있는 빵으로, 1인당 5개만 구매할 수 있다.

Ⓦ 바통(4천6백원), 바게트(4천원), 오트아몬드(9천8백원, 1/2 4천9백원), 팽오쇼콜라(4천5백원), 크루아상(4천원), 시나몬롤(5천원), 올리브(9천8백원, 1/2 4천9백원)

Ⓞ 11:00~16:20 – 월, 화요일 휴무

Q 부산 수영구 광남로48번길 19(남천동)

☎ 051-625-1125 Ⓟ 불가(수영구청 주차장 이용)

밀레니엄횟집

생선회

광안대교의 야경을 바라보며 신선한 회를 즐길 수 있는 곳. 국내산 생선만을 사용하며 광어, 우럭, 농어, 세꼬시 등이 나오는 모둠회가 대표 메뉴다. 자연산 회를 맛보고 싶다면 자연산 코스도 추천할 만하다.

Ⓦ A코스(4만원), 특A코스(5만원), 밀레니엄(7만원)

Ⓞ 11:30~24:00(마지막 주문 23:00) – 연중무휴

Q 부산 수영구 민락수변로 103(민락동) 밀레니엄프라자

☎ 051-755-0005 Ⓟ 가능

바닷마을과자점

구움과자 | 디저트카페

감성적인 분위기의 케이크와 구움과자를 선보이는 디저트 카페로, 광안리 바닷가에 위치한다. 도시와 꽃의 이름을 딴 케이크는 보기에도 감각적이다. 테이블을 예약하면 차가 제공되며, 차의 종류는 매달 변경된다.

Ⓦ 생토노레(9천원), 카늘레(2천7백원), 갈레트브르통(3천3백원), 피낭시에와인무화과(3천2백원), 초코피스타치오마들렌(3천2백), 레몬글라세마들렌(3천원), 생토노레(9천2백원), 파리광안리(8천7백원)

Ⓞ 12:30~19:00 – 화, 수요일 휴무

Q 부산 수영구 광남로48번길 43

☎ 0507-1314-8780 Ⓟ 불가(인근 공영주차장 이용)

바딜란

BAR DI·LAN 와인바

광안리의 분위기 좋은 와인바. 100여 종의 와인리스트를 자랑하며 와인잔에 글씨를 써주는 이벤트가 있다. 하몽플래터를 주문하면 하몽과 테트드무안치즈를 직접 들고 와 테이블 위에서 썰어 준다. 하몽은 손으로 집어서 먹어야 열이 전해져 더 맛이 좋아진다고 한다. 와인 주문은 필수다.

Ⓦ 하몽플래터(3만5천원), 포르투갈그릴문어(2만9천원), 살치살스테이크(150g 3만2천원), 치즈과일플래터(2만9천원), 라자냐(2만원), 감바스알아히요(1만7천원), 성게파스타(2만원)

Ⓞ 17:00~01:00(익일) | 토, 일요일 17:00~02:00(익일) – 월, 화요일 휴무

Q 부산 수영구 남천바다로 31-1(광안동) 3층

☎ 070-7778-8520 Ⓟ 불가

바로해장

선지해장국 | 일반한식

큼지막한 선지가 들어간 해장국을 맛볼 수 있는 곳. 해장국은 기본적으로 토렴식으로 나오며, 우동이 들어간 우동 국밥도 별미다. 부드러운 소갈비살로 만든 수육은 함께 나오는 부추와 싸

먹으면 더욱 맛있다.

₩ 소한마리해장국(1만1천원), 소갈비수육(소 2만5천원, 중 3만원, 대 3만5천원), 무침수육(3만원).
🕒 11:00~15:30/17:00~22:00(마지막 주문 20:50) – 명절 휴무
🔍 부산 수영구 광남로94번길 2(광안동)
☎ 051-756-5515 Ⓟ 불가

방파제 🎀 생선회

제철에 현지에서 나는 자연산 활어를 사용하는 횟집. 자연산 활어만을 취급하여 어종과 가격이 시기별로 다르며 신선하다. 해산물 요리와 생선회를 동시에 맛볼 수 있는 생선회 코스를 추천. 룸 시설이 잘되어 있어서 가족 모임이나 회식에 좋다.

₩ A코스(4만원), 특코스(5만5천원), 어향코스(7만5천원), 어락코스(10만원), 물회정식, 회비빔밥정식(각 1만8천원), 참돔(1kg 13만원)
🕒 11:30~15:00/17:00~22:00(마지막 주문 20:30) – 월요일, 명절 당일 및 익일 휴무
🔍 부산 수영구 광안해변로294번길 24(민락동)
☎ 051-753-7325 Ⓟ 가능

백경 고래

수육, 회, 불고기 등 다양하게 요리한 고래고기를 먹을 수 있다. 밍크고래고기는 다른 고래고기와 달리 냄새가 적고 육질이 부드러워 고급으로 친다. 다시마, 파, 고추 등의 재료로 국물을 내어 고래 등살과 등껍질을 넣은 후 된장과 고춧가루를 푼 고래탕의 맛이 일품이다.

₩ 모둠(중 12만원, 대 16만원), 수육, 고래두루치기(각 10만원), 고래된장찌개(1만원), 고래탕(7천원)
🕒 11:30~14:00/16:00~22:00(마지막 주문 21:00) – 일요일 휴무
🔍 부산 수영구 광안해변로 31-13(남천동)
☎ 051-621-9776 Ⓟ 가능

뱅델올리브 Vin d'el olive 이탈리아식 | 파스타 | 피자

강변을 바라보며 제철 식재료를 활용한 다양한 요리를 맛 볼 수 있는 곳. 날치알을 넣은 새우크림파스타, 안초비파스타 등의 이색 메뉴도 인기가 많다. 코스요리도 추천할 만하다. 시즌 메뉴 구성은 인스타그램을 통해 확인 가능하며 미리 예약 후 방문을 추천한다.

₩ 봉골레파스타(2만3천원), 카프레제(1만9천원), 날치알새우크림파스타(3만2천원), 안초비파스타(2만3천원), 생선카르토치오(4만3천원), 양갈비스테이크(200g 6만8천원), 한우안심스테이크(200g 10만8천원), 점심코스요리(4만원~5만9천원), 점심스테이크코스요리(9만원~11만7천원), 시즌디너코스요리(11만8천원)
🕒 11:30~14:30/18:00~22:00 – 명절 당일 휴무
🔍 부산 수영구 좌수영로 129-1(망미동)
☎ 051-752-7300 Ⓟ 가능

본가제일면가 밀면

부산의 명물인 밀면 전문점으로, 육수에 말아 내는 물밀면과 매운 양념에 비벼 먹는 비빔밀면이 있다. 곡물을 사용한 밀면도 별미. 속이 꽉 찬 왕만두를 곁들이면 좋다. 40여 년의 역사를 자랑한다.

₩ 물밀면(8천원), 비빔면(8천5백원), 회밀면(1만원), 곡물밀면(9천원), 곡비빔밀면 9천5백원, 수제왕만두(3개 5천5백원, 5개 7천5백원), 바삭불고기(1만원)
🕒 10:30~20:20(마지막 주문 20:00) – 연중무휴
🔍 부산 수영구 남천동로108번길 11(남천동)
☎ 051-626-7574 Ⓟ 가능

삼오불고기 🎀 삼겹살 | 돼지불고기

냉삼이 유명한 집으로, 냉동대패삼겹살과 돼지불고기 두 가지 메뉴만 선보인다. 고기와 어울리는 다양한 밑반찬이 나오며, 후식으로 식혜도 내어 준다. 양념게장이 밑반찬으로 나와 인기가 좋다. 부담없는 가격에 고기와 식사를 즐길 수 있는 곳이다.

₩ 삼겹살, 돼지불고기(각 130g 9천원)
🕒 17:30~22:30 – 수요일 휴무
🔍 부산 수영구 수영로610번길 24-2(광안동)
☎ 051-754-3610 Ⓟ 불가

새벽집 콩나물국밥

오래된 전주식 콩나물해장국집으로, 날달걀을 국물에 넣어주는 삼백집 스타일이다. 시원한 국물이 해장에 그만이며 구수한 시래기된장국밥도 인기가 좋다. 얼큰한 선지국밥도 별미다.

₩ 콩나물국밥(8천원), 시래기된장국밥(9천원), 시레기따로국밥(9천5백원), 비빔밥, 김치콩나물국밥(각 8천5백원), 황태콩나물해장국(9천5백원)
🕒 24시간 영업 – 연중무휴
🔍 부산 수영구 광안해변로 267(민락동)
☎ 051-753-5821 Ⓟ 가능

수변최고돼지국밥 순대국밥 | 돼지국밥

항정살을 넣은 항정국밥으로 유명한 국밥 전문점으로, 다양한 종류의 돼지고기 국밥을 맛볼 수 있다. 다대기가 미리 넣어져 나와 국물이 매콤하다. 반찬으로 나오는 부추를 넣어서 먹으면 더욱 맛있다.

₩ 항정국밥(1만2천원), 고기국밥, 내장국밥, 섞어국밥, 순대국밥, 모둠국밥(각 1만원), 항정수육(3만5천원, 맛보기 1만5천원), 수육(중 2만8천원, 대 3만5천원, 맛보기 1만2천원), 순대(중 1만3천원, 대 1만8천원, 맛보기 7천원)
🕒 24시간 영업 – 연중무휴
🔍 부산 수영구 광안해변로370번길 9-32(민락동)
☎ 0507-1333-9222 Ⓟ 불가(인근 공영주차장 이용)

스미비야키파도 Sumibi Yaki PADO 이자카야

숯불구이 안주와 술 한잔하기 좋은 이자카야. 껍질을 바삭하게 구운 삼치구이는 곁들여 나오는 부추 페스토와 잘 어울린다. 담백한 닭목살 구이와 양고기 프렌치랙도 인기 메뉴다.

₩ 삼치구이(1만2천원), 양고기구이(2만3천원), 닭목살구이, 닭근위와새송이버섯(각 9천원), 마구이(9천원), 가지/대파/버섯구이(각 6천원), 토마토즈케(3천원), 스지오뎅탕(2만7천원), 토마토나베(3만원)
⏲ 18:00~23:30(마지막 주문 22:30) | 토요일 18:00~01:00(익일)(마지막 주문 24:00) – 일, 월요일 휴무
🔍 부산 수영구 광안로61번길 5(민락동)
☎ 010-7934-3728 Ⓟ 불가

스시코우 寿司こう 스시

1인 셰프로 운영되는 스시야. 신선한 숙성회를 사용한 스시 코스를 선보인다. 생선 고유의 맛이 잘 느껴지며, 잘 숙성된 스시를 맛볼 수 있다. 가격 대비 만족도도 높은 편.

₩ 런치오마카세(4만5천원), 디너오마카세(7만원)
⏲ 12:00~15:00/18:00~19:30/20:00~21:30 – 목요일 휴무
🔍 부산 수영구 민락본동로31번길 46(민락동)
☎ 010-9231-8440 Ⓟ 불가

스시하루 すし春 스시

가성비 좋은 스시야. 정갈하고 섬세한 오마카세를 선보이며, 전반적으로 재료도 신선하고 코스 구성이 깔끔하다. 10인 카운터석이 준비되어 있으며, 6시, 8시 디너에만 2타임으로 운영하고 있다.

₩ 디너오마카세(10만원)
⏲ 1부 18:00~19:30, 2부 20:00~21:30 – 일요일 휴무
🔍 부산 수영구 남천바다로10번길 19(남천동) 다원빌딩 1층
☎ 051-625-5195 Ⓟ 가능

알로이타이레스토랑
Aloi Thai Restaurant 태국식

정통 타이 요리 전문점으로, 타이 정부가 인증한 타이셀렉트 프리미엄 인증점이다. 현지 호텔 요리사가 만드는 정통 타이 요리를 맛볼 수 있으며 만족도가 높다. 특히 게와 생크림을 넣어 만든 뿌팟퐁커리와 생파인애플을 푸짐하게 넣은 볶음밥 등이 인기다.

₩ 뿌팟퐁커리, 뿌님팟퐁커리(각 2만8천원), 타이식해물쌀국수(1만1천원), 파인애플볶음밥, 얌운센(각 1만3천원), 알로이세트(1만8천원)
⏲ 11:00~15:00/17:00~21:00(마지막 주문 20:30) – 화요일 휴무
🔍 부산 수영구 민락수변로239번길 26(민락동)
☎ 051-756-0275 Ⓟ 가능

야키토리백탄 白炭 일식꼬치 | 일식

간단한 맥주나 하이볼과 함께 야키토리를 즐기기 좋은 술집이다. 신선한 닭을 사용하여 잡내 없이 부드럽다. 마감 시간 전에도 재료 소진으로 주문을 마감할 수 있어, 미리 유선 상으로 확인할 것을 추천한다.

₩ 코스(1인 A 3만5천원, B 2만9천9백원, C 4만5천원), 염통(3천원), 껍질(3천2백원), 안심, 가슴살+치즈, 아킬레스, 무릎연골, 목살(각 3천5백원), 날개(3천7백원), 다리대파(3천5백원), 토리우동(1만2천원)
⏲ 18:00~01:00(익일)(마지막 주문 23:40) – 연중무휴
🔍 부산 수영구 민락로 7-5(민락동)
☎ 0507-1332-6043 Ⓟ 불가

야키토리해공 該工 일식꼬치

고급스러운 분위기의 야키토리 전문점으로, 토종닭을 사용한 야키토리 오마카세로 유명하다. 안심, 목살, 굴살, 아킬레스건, 허벅지살, 날개, 다리, 껍질 등 거의 모든 부위를 맛볼 수 있다.

₩ 야키토리오마카세(5만9천원), 야키토리(4천원), 츠쿠네(6천원), 생채소보리된장(8천원), 모둠채소구이(1만1천원), 크림크로켓(1만원), 새우시소말이춘권튀김(1만원)
⏲ 17:30~24:00 – 연중무휴
🔍 부산 수영구 민락본동로19번길 30-5(민락동)
☎ 0507-1479-8334 Ⓟ 불가(건물 내 유료주차장 이용)

야키토리해공

언양불고기부산집 소불고기

언양불고기를 전문으로 하는 곳. 질 좋은 소고기를 잘게 저며 언양 지방의 독특한 양념에 재워 두었다가 숯불 위에 석쇠로 구워 먹는 맛이 일품이다. 같이 나오는 백김치에 불고기를 싸 먹으면 좋다.

₩ 언양불고기(200g 3만5천원), 등심(130g 4만3천원), 생갈빗살(100g 4만8천원), 육사시미(200g 4만8천원)
⏲ 11:00~21:30 – 연중무휴
🔍 부산 수영구 남천바다로 32(남천동)
☎ 051-754-1004 Ⓟ 가능

영남식육식당 ✂✂ 소고기구이

영남푸드에서 운영하는 한우 전문점으로, 신선한 한우를 맛볼 수 있다. 간, 천엽, 등골 등이 서비스로 나온다. 육회의 선도가 상당히 좋은 편이며 구수한 된장라면도 별미다.

Ⓦ 소금구이(보통 120g 3만4천원 특 120g 3만5천원), 한우양념(150g 3만원), 산더미불고기(200g 1만8천원), 특수부위(120g 4만4천원), 육회(소 150g 2만원 대 250g 3만원), 된장라면(2천원)
🕒 12:00~22:00(마지막 주문 21:00) – 명절 당일 휴무
🔍 부산 수영구 황령대로489번길 61(남천동)
☎ 051-624-2228 Ⓟ 가능

옥미아구찜 ✂ 鈺味 아귀

40여 년 전통의 전국 최고 아귀찜 전문점. 아귀를 말려서 사용하지 않고 신선한 생아귀를 사용한다. 콩나물의 씹히는 맛이 일품이며 감자 전분으로 만든 국수사리를 양념에 비벼 먹으면 색다른 맛을 느낄 수 있다. 부드러운 아귀수육도 별미로 통한다.

Ⓦ 아귀찜(소 3만5천원, 중 4만5천원, 대 5만5천원, 특대 7만원), 아귀수육(소 5만원, 중 6만원, 대 7만원)
🕒 11:00~15:00/17:00~21:00 | 토, 일요일 11:00~21:00 – 화요일, 명절 휴무
🔍 부산 수영구 망미번영로55번길 35(망미동)
☎ 051-754-3789 Ⓟ 불가

옵스 ✂ Ops 베이커리

부산에서 입소문난 빵집 중 한 곳으로, 느끼하지 않고 부드러운 왕슈크림빵이 맛있기로 유명하다. 꾸준한 인기를 끌고 있는 슈크림빵은 금방 품절 될 수 있어 서둘러야 한다.

Ⓦ 학원전(2천3백원), 참치빵(3천2백원), 자연효모빵(소 4천6백원, 대 8천6백원), 명란바게트(3천5백원), 크림치즈허니(1개 3천원, 2개 6천원), 당근케이크(5천5백원), 브리오슈롤(4천원), 소금빵(1천5백원), 마스카포네푸딩(4천5백원)
🕒 08:00~22:00 – 명절 휴무
🔍 부산 수영구 황령대로489번길 37(남천동)
☎ 051-625-4300 Ⓟ 가능

우토피아 ✂ 소고기구이

바다와 광안대교 풍경을 즐기며 최상급 한우를 구워 먹을 수 있는 프리미엄 고깃집. 프랑스의 라콩비에트 버터를 고기에 올려 먹을 수 있도록 제공하는데, 잘 구워진 고기의 풍미와 잘 어울린다. 큼지막한 뼈가 올라가는 뼈밥으로 식사를 마무리한다.

Ⓦ 한우등심, 한우채끝(100g 3만4천원), 한우안심(100g 3만6천원), 한우갈비늑간살(3만4천원), 2인세트(400g 14만6천원), 3인세트(600g 21만5천원), 뼈밥(2만9천원), 파밥(4천원), 한우된장찌개(6천원)
🕒 17:00~23:00(마지막 주문 22:00) | 토, 일요일 12:00~15:00/17:00~23:00(마지막 주문 22:00) – 화요일 휴무
🔍 부산 수영구 광안해변로 249(민락동)
☎ 0507-1388-3199 Ⓟ 불가

융캉찌에광안리점 대만식중식 | 우육면

대만식 우육탕면을 맛볼 수 있는 우육면 전문점. 매장 외관과 내부 모두 대만 현지 느낌을 살려 인테리어 했다. 셀프로 보이차를 가져다 마실 수 있으며, 흑식초와 절임배추가 비치되어 있다. 우육탕면에는 절임배추나 라장을 곁들여 먹기도 한다. 반려견은 케이지 입장으로 가능하며 가능한 자리가 따로 마련되어 있다.

Ⓦ 우육탕면(1만5백원), 탄탄면(9천5백원), 마라곱창탕면(1만1천5백원), 마파두부덮밥(1만원), 돼지고기덮밥(1만3천원), 가지튀김(6천5백원), 오이무침(4천원), 레몬치킨(8천원), 굴전(5천원)
🕒 11:00~15:00/16:00~21:30(마지막 주문 21:00) – 화요일 휴무
🔍 부산 수영구 광안해변로277번길 10
☎ 0507-1441-6011 Ⓟ 불가(민락씨랜드시장공영주차장, 광인리메디컬주차장, 형제주차장 이용)

으뜸이로리바타 일식오마카세 | 로바다야키

정으뜸 셰프의 일본 요리점으로 이로리(사각형으로 구덩이를 파고 재를 깔아 화로를 올리는 취사 및 난방 장치)에 요리하는 이로리야키를 전문으로 한다. 재료를 꼬치에 끼워 불 주변에서 장시간 구워내어 직화 구이와는 또 다른 풍미와 질감을 만들어 낸다. 구이 전문점이지만 요리도 훌륭하며 사시미를 잘 다룬다.

Ⓦ 오마카세(8만5천원)
🕒 19:00~22:00| 토요일 17:30~22:00 – 일요일 휴무
🔍 부산 수영구 수영로408번길 20(남천동)
☎ 010-6640-2884 Ⓟ 불가

으뜸이로리바타

은해갈치 ✂✂ 갈치

부산에서 신선한 제주 갈치 요리를 먹을 수 있는 곳. 갈치구이를 특대로 주문하면 손바닥 만한 크기와 두께로 구워져 나오는데, 탱탱하면서도 부드러운 식감이 가히 일품이다. 슴슴하면서도 칼칼한 된장 베이스의 갈치찌개도 인기. 3가지 젓갈과 함께 차려지는 밑반찬도 맛있고 정갈하다.

Ⓦ 갈치구이, 갈치찌개(각 1인분 4만8천원, 특대 6만2천원), 갈치조

림(1인분 5만3천원, 특대 6만7천원), 왕특대구이, 왕특대찌개(각 13만원), 왕특대조림(14만원)
ⓛ 11:00~15:00/17:00~21:00(마지막 주문 20:00) | 토, 일요일 11:00~15:30/16:30~21:00(마지막 주문 20:00) – 연중무휴
부산 수영구 광안해변로295번길 4-7(민락동)
☎ 051-925-2524 Ⓟ 가능

이타쇼 ITASHO 이자카야

광안대교를 바라보며 고급스러운 일식 다이닝을 즐길 수 있는 곳. 창가 카운터석에 앉으면 광안대교를 한 눈에 담을 수 있다. 사시미, 초밥 등 다양한 일식 안주와 사케를 맛볼 수 있으며, 주류 주문은 필수다.

₩ 대방어사시미(7만원), 우나기카바야키(4만5천원), 금태시오야키, 옥돔시오야키(4만5천원), 제철모둠사시미(2인 5만5천원, 3인 8만원), 시메사바, 이소베마키(2만5천원), 고등어봉초밥(2만8천원), 갈치가라아게(3만원)
ⓛ 17:00~01:00(익일)(마지막 주문 24:00) – 수요일 휴무
부산 수영구 광안해변로 197(광안동)
☎ 0507-1396-1975 Ⓟ 가능(광안타워민영주추장 1시간 지원)

자매국밥 돼지국밥

돼지머리 고기를 기본 베이스로 해서 국밥이나 수육을 만드는 곳. 고기는 누린내가 없으며, 담백하다. 돼지 사골을 푹 고아서 만든 육수는 칼칼하면서도 구수하다. 자극적이지 않고 느끼한 맛이 적은 국물 맛이 특징이다.

₩ 돼지국밥, 순대국밥(각 8천원), 수육백반(1만1천원), 수육(소 1만8천원, 중 2만8천원, 대 3만8천원)
ⓛ 10:00~21:00 – 일요일 휴무
부산 수영구 민락본동로27번길 56(민락동)
☎ 051-752-1912 Ⓟ 가능

제로베이스 Zero Base 가이세키

일본 오사카의 유명 가이세키 요리점인 카가망에서 오랜 기간 근무한 유병찬 셰프의 일본요리점. 신선한 재료를 활용한 가이세키를 맛볼 수 있으며, 단일 코스만 진행한다. 다양한 종류의 사케와 도쿠리도 코스와 페어링하기 좋다. 생와사비, 북해도산 성게알 등 최상급 재료를 사용하고 있다.

₩ 코스요리(13만원)
ⓛ 18:00~22:30 – 일요일 휴무
부산 수영구 민락로33번길 17(민락동)
☎ 0507-1300-0326 Ⓟ 가능(동방스카이 주차장 2시간 지원)

제일장횟집 생선회

자연산 회를 전문으로 하는 곳. 전형적인 한국식 회를 내지만 인테리어와 식기 등은 고급스러운 일본풍에 가깝다. 기본 반찬도 한상 가득 차려지는 것이 특징. 프라이빗한 룸이 있어 모임 장소로도 제격이다. 자연산 회가 없는 날에는 영업을 하지 않는다고 하니 전화로 확인하고 가는 것이 좋다.

₩ 자연산활어회(1인 시가), 식사별도(1인 3천원)
ⓛ 11:00~22:00 – 연중무휴
부산 수영구 민락수변로7번길 60(민락동) e편한세상 광안비치 2층
☎ 051-752-9252 Ⓟ 가능

차선책 次善策 케이크 | 카페

부산 앞바다와 광안대교가 한눈에 들어오는 곳에 자리 잡은 카페. 인절미가루와 떡을 올린 인절미라테가 대표 메뉴다. 수제케이크는 밀가루를 사용하지 않고 자일로스 설탕을 사용하여 건강한 맛이다. 반상 등 한옥을 연상시키는 인테리어 요소를 잘 살렸다.

₩ 인절미라테, 콘미엘(각 7천5백원), 아메리카노(5천5백원), 카페라테(6천원), 바닐라라테(6천5백원), 히말라야소금커피(7천원), 흑임자가토, 밀크티가토(각 7천5백원)
ⓛ 11:00~22:00(마지막 주문 21:30) – 연중무휴
부산 수영구 광안해변로 237(민락동) 테마타워 3층
☎ 010-2553-0286 Ⓟ 불가(인근 공영주차장 유료이용)

칠성횟집 생선회 | 세꼬시

광안대교를 바라보면서 세꼬시를 즐길 수 있는 곳. 세꼬시를 찍어 먹는 쌈장이 이 집 맛의 비결이다. 푸짐한 곁들이 음식은 없지만, 합리적인 가격에 질 좋은 세꼬시를 맛볼 수 있다. 뚝배기에 끓여 내오는 매운탕 맛도 일품이다.

₩ 도다리세꼬시(소 4만원, 대 6만원), 우럭, 광어(각 소 4만원, 대 5만원), 참돔(통마리 15만원), 광어(통마리 13만원)
ⓛ 12:00~22:00 – 연중무휴
부산 수영구 광안해변로 263(민락동) 파로스오피스텔
☎ 051-753-3704 Ⓟ 가능

카페젤라떼리아 Cafe Gelateria 카페

수제 젤라토와 소프트아이스크림을 맛볼 수 있는 아이스크림 카페. 직접 구워 만드는 토스트와 소프트아이스크림을 함께 먹을 수 있는 소프트허니러브세트의 인기가 높다. 1, 2층에 좌석이 많은 편이므로, 천천히 커피류와 함께 즐겨도 좋다.

₩ 젤라토(1가지 4천5백원, 2가지 5천5백원, 3가지 7천원, 4가지 1만원, 5가지 1만6천5백원), 소프트아이스크림(1인분 7천원, 2인분 1만원, 3인분 1만6천5백), 허니러브토스트세트(1만원~1만3천5백원), 에스프레소, 아메리카노(각 핫 4천원, 아이스 4천5백원), 카페라테(핫 5천원, 아이스 5천5백원)
ⓛ 11:00~23:00 – 연중무휴
부산 수영구 광안해변로344번길 17-3(민락동) 베네치아 빌딩 1층
☎ 051-754-3106 Ⓟ 불가

톤쇼우 豚笑 일식돈가스

일식 돈가스를 맛볼 수 있는 곳. 주문과 동시에 저온, 고온, 레스팅 순서로 조리가 진행되어 핑크빛의 육즙을 자랑한다. 영국 왕실 소금인 말돈 소금에 찍어 먹거나 특제소스에 겨자를 더해 먹으면 느끼함을 잡아준다.

₩ 버크셔K로스가스(1만5천5백원, 특 1만8천5백원), 로스가스(1만 2천원, 대 1만4천5백원, 특 1만5천5백원), 가츠산도(1만5백원), 모둠가스(1만5천5백원), 에비가스(1만2천원)
🕒 11:00~21:30(마지막 주문 20:30) – 연중무휴
🔍 부산 수영구 광안해변로279번길 13(민락동)
☎ 051–752–7978 Ⓟ 가능

향나무집 양곱창

40여 년 전통의 양곱창 명가. 매콤하게 양념된 대창과 양을 숯불에 구워 냄새 없이 담백한 맛을 즐길 수 있다. 새콤하게 무쳐낸 상추겉절이를 곁들이면 좋다. 식사를 시키면 나오는 구수한 된장찌개도 맛이 좋다는 평.

₩ 양, 대창, 양곱창(각 180g 2만5천원), 특양(180g 2만9천원), 곱창전골(중 3만원, 대 4만3천원), 양밥 된장찌개세트(2인이상, 1인 6천원)
🕒 12:00~22:00 – 두 번째, 네 번째 일요일 휴무
🔍 부산 수영구 남천동로9번길 27(남천동)
☎ 051–622–6727 Ⓟ 가능

홍순덕전포양곱창 양곱창

양곱창으로 유명한 집. 양념구이와 소금구이 중 선택할 수 있으며 통마늘과 함께 구워 먹는다. 시원한 물김치와 백김치 등 함께 나오는 반찬의 맛도 좋다. 양도 푸짐하게 나와 가격대비 만족도가 높은 곳.

₩ 양곱창양념구이, 양곱창소금구이(200g 각 3만4천원), 순양양념구이, 백양소금구이(200g 각 3만6천원)
🕒 12:00~15:00/16:30~22:00(마지막 주문 20:50) – 화요일, 명절 휴무
🔍 부산 수영구 과정로16번길 23(망미동)
☎ 051–756–0543 Ⓟ 가능

부산광역시 연제구

국제밀면 밀면

부산의 명물인 밀면을 전문으로 하는 곳으로, 푸짐한 밀면을 맛볼 수 있다. 메뉴는 밀면과 비빔밀면 단 두 가지밖에 없다. 부산 현지인이 많이 찾는 곳.

₩ 물밀면, 비빔밀면(각 9천원, 대 1만원), 사리추가(4천원)
🕒 10:00~20:00 | 4월~9월 10:00~21:00 – 연중무휴
🔍 부산 연제구 중앙대로1235번길 23–6(거제동)
☎ 051–501–5507 Ⓟ 가능

녹산횟집 생선회

신선한 자연산 회를 맛볼 수 있는 곳으로, 도다리와 볼락회를 전문으로 한다. 두툼하게 손질해 씹는 맛이 상당하다. 새우, 낙지 등 신선한 해산물이 곁들여 나오며, 물에 헹군 묵은지에 싸 먹으면 맛있다.

₩ 도다리, 뽈락, 열기, 돔(각 소 8만원, 중 12만원, 대 16만원)
🕒 11:00~14:00/16:30~22:00 | 토, 일요일 11:00~22:00 – 마지막주 일요일 휴무
🔍 부산 연제구 월드컵대로99번길 37(연산동) 연산오피스텔 2층
☎ 051–852–8939 Ⓟ 가능

디저트시네마

Dessert Cinema 디저트카페 | 크루아상 | 페이스트리

앤티크한 분위기의 베이커리카페. 결이 살아 있는 크루아상 맛이 일품. 진한 밀크티인 시네마우유와 진저우유 등을 곁들이면 더욱 좋다.

₩ 크루아상(4천원), 팽오쇼콜라(4천3백원), 초코크루아상, 소시지페이스트리(각 4천8백원), 퀸아망(5천5백원), 핸드드립커피(5천원), 시네마우유, 진저우유(각 7천원)
🕒 토, 일요일 12:00~17:00 | 둘째, 마지막 주 수요일 12:00~17:00 – 월~금요일 휴무
🔍 부산 연제구 쌍미천로 32–1(연산동)
☎ 051–867–5757 Ⓟ 불가

보느파티쓰리

Bonheur Patisserie 케이크 | 구움과자 | 베이커리

달콤한 빵, 구움과자, 케이크를 전문으로 하는 디저트 카페. 디저트와 즐길 수 있는 차도 다양한 종류를 선보인다. 몽블랑, 포레블랑쉬 등이 인기 메뉴.

₩ 몽블랑(9천5백원), 포레블랑쉬, 무화과피기에, 파블로(각 9천원), 카눌레(2천9백원), 배클라푸티(4천8백원), 카페라테(4천6백원), 티(1인 6천원, 2인 9천원)
🕒 11:30~19:00 – 월요일 휴무
🔍 부산 연제구 교대로 7(거제동)
☎ 051–502–2451 Ⓟ 불가(맞은편 교대주차장 이용)

부산밀면거제옥 밀면

부산 원조 코다리 밀면집. 우리 밀을 사용하여 반죽하며, 주문 즉시 자가제면하는 졸깃한 면발이 특징이다. 직접 만든 코다리 식해가 밀면과 어우러져 감칠맛을 돋운다. 밀면을 주문하면 참나무에 직화로 구운 숯불고기가 서비스로 나오는데 함께 먹는 맛이 일품이다.

₩ 우리밀밀면(7천원), 원조코다리밀면(9천원), 갈비만두(6천원)
🕒 11:00~15:30/17:00~19:30(마지막 주문 19:00) – 일요일 휴무

부산 연제구 거제대로272번길 22(거제동) 1층
☎ 051-851-8255 Ⓟ 불가

서가원국수 콩국수

담백하고 진한 콩국수를 맛볼 수 있는 집. 파주장단콩을 하루 전에 불려 천일염과 물로만 맛을 내는 것이 특징이다. 하루에 뽑는 콩물의 양이 정해져 있으므로 포장을 원하면 전화 문의 후 방문하는 것이 좋다.

₩ 콩국수(8천5백원), 잔치국수(5천5백원), 비빔국수, 얼음국수(각 6천5백원)
11:00~15:00 – 목요일 휴무
부산 연제구 반송로 68(연산동)
☎ 051-851-3313 Ⓟ 불가

스시류 SUSHI RYU 스시

정갈한 스시 코스를 선보이는 곳. 주방장이 엄선한 제철 재료로 만든 스시로 구성된 오마카세코스를 추천할 만하다. 생선회코스도 가격대비 구성이 좋은 편. 저녁에만 영업한다.

₩ 스시오마카세(런치 7만원, 디너 13만원)
18:40~21:00 – 월요일 휴무
부산 연제구 시청로 12(연산동) 더샵시티애비뉴2차 근린생활시설동 2층
☎ 051-867-4916 Ⓟ 가능

연산낙지해물탕 해물탕

산낙지를 비롯한 다양한 해산물이 들어간 해물탕을 맛볼 수 있다. 전복, 곤이, 대구알은 따로 추가할 수 있다. 식사로 해산물을 넣은 볶음밥으로 마무리한다.

₩ 해물탕(소 5만원, 중 6만2천원, 대 7만2천원, 특대 8만8천원), 낙곱새, 낙새(각 1만원), 낙지볶음(1만원)
11:30~15:00/17:30~21:30(재료 소진 시 마감) – 일, 월요일 휴무
부산 연제구 과정로 121
☎ 051-758-8838 Ⓟ 가능

용문각 龍門閣 일반중식

40년 넘게 영업하고 있는 오래된 중국집. 짜장면, 짬뽕 등의 식사메뉴를 비롯해 요리의 공력도 상당하다. 특히 쫀득한 소스와 튀김이 조화를 이루는 탕수육이 유명하다.

₩ 짜장면(6천원), 짬뽕(7천원), 잡탕밥, 유산슬밥(각 2만원), 쟁반짜장(8천원), 탕수육(소 2만3천원, 중 2만6천원, 대 3만원)
09:00~21:00(마지막 주문 20:50) – 첫째, 셋째, 넷째 주 화요일 휴무
부산 연제구 거제천로 209(거제동)
☎ 051-852-7160 Ⓟ 가능

이영식옛날돈까스 돈가스

옛날 경양식집 스타일로 수프와 함께 나오는 돈가스를 맛볼 수 있다. 양배추 대신 쫄면이 곁들이로 나오는 것이 독특하다. 제주도흑돼지를 사용하며 생선가스는 달고기를 사용한다. 양정식에는 함박, 돈가스, 생선가스가 나온다. 두툼한 함박스테이크도 인기 메뉴.

₩ 돈가스(1만원), 치즈돈가스(1만2천5백원), 왕돈가스(1만2천원), 함박스테이크, 생선가스(각 1만1천원), 양정식(1만6천원)
10:20~19:40 – 토, 일요일, 공휴일 휴무
부산 연제구 중앙대로1075번길 7(연산동)
☎ 051-852-2577 Ⓟ 가능(매장 앞 4대)

포항회관 물회

30여 년간 물회를 선보이는 집. 얼음과 육수를 부어 먹는 일반 물회와 달리 육수가 따로 없는 것이 특징이다. 채 썬 오이와 배, 신선한 회 등을 넣고 새콤하게 무친 물회를 깻잎에 싸 먹는 맛이 일품이다. 학꽁치물회를 추천할 만하다.

₩ 섞어물회, 가오리물회, 잡어물회(각 1만6천원, 특 1만8천원), 한치물회(1만8천원, 특 2만원)
11:30~15:00/16:00~21:00(마지막 주문 20:20) – 일요일 휴무
부산 연제구 거제천로182번길 42-2(연산동)
☎ 051-866-0480 Ⓟ 불가

화수목 火水木 일식

작은 규모의 일식집이지만, 코스가 알차게 나온다. 코스는 당일 들어온 신선한 재료로 주방장이 그때그때 만드는 음식으로 구성된다. 회 종류도 신선하고 맛이 좋다는 평.

₩ 목코스(6만원), 수코스(4만5천원), 오마카세(12만원), 모둠생선회(4만원, 6만원), 참다랑어대뱃살(5만원, 7만원), 메로구이(3만원)
17:00~23:00(마지막 주문 20:40) – 일요일 휴무
부산 연제구 중앙대로1124번길 24(연산동)
☎ 051-466-9289 Ⓟ 가능

부산광역시 영도구

그라치에 Grazie 뇨키 | 파스타 | 이탈리아식

뇨키가 유명한 이탈리안 레스토랑. 버섯 크림소스에 나오는 감자 뇨키의 비주얼이 식욕을 자극한다. 통오징어 먹물 리조토도 추천 메뉴. 식사를 시키면 식전 빵과 함께 착즙사과케일주스가 나온다.

₩ 감자뇨키(각 1만6천원), 토마토폴로파스타, 잠봉크림리가토니(각 1만7천원), 프로슈토밀크리조토(1만5천원), 통오징어먹물리조토(1만7천원), 리코타치즈샐러드(1만2천원), 채끝스테이크(200g 3만4천원)
11:30~15:00(마지막 주문 14:30)/17:00~21:30 – 비정기적 휴무

(인스타그램 공지)
🔍 부산 영도구 청학동로 12(청학동) 1층
☎ 070-4150-9999 Ⓟ 가능(청학2동 공영주차장 1시간 무료)

다미복국 복

참복, 까치복 등 여러 종류의 복 요리를 가격대에 맞춰 즐길 수 있는 곳. 복국, 복수육, 복전골이 주메뉴다. 복국을 주문하면 다양한 복어 요리가 기본 반찬으로 제공된다. 초고추장에 버무려 먹는 복무침과 고소한 복 튀김도 맛이 훌륭하다. 복국은 맑은 육수와 얼큰한 육수 중에서 선택할 수 있으며 한상 메뉴를 시키면 복초회, 튀김, 수육, 찜, 복국 등을 골고루 맛볼 수 있다.

₩ 복국(은복 1만2천원, 밀복 1만6천원, 까치복 1만7천원, 참복 2만원), 복수육, 복전골(각 5만원~6만원), 주인장특선복국(2만5천원), 복튀김(2만원), 복삼불고기(2인 3만5천원), 참복한상(1인 4만원), 참복회 코스(1인 8만원)
🕒 09:30~15:00/17:00~20:30(마지막 주문 20:00) – 월요일 휴무
🔍 부산 영도구 남항로9번길 2(남항동1가)
☎ 051-417-7383 Ⓟ 가능(1~2대)

다미복국

목장원 소고기구이 | 소갈비

한우 및 수입육을 맛볼 수 있는 숯불갈비 전문점. 태종대의 절경을 바라보며 식사할 수 있다. 2층 카페 드봄에서는 차 한잔의 여유를 즐길 수 있으며 연회장 및 야외 결혼식장도 함께 있다.

₩ 한우등심(100g 4만2천원), 한우양념구이(120g 3만6천원), 한우꽃등심(100g 4만5천원), 양념갈빗살(120g 3만2천원), 꽃갈빗살소금구이(100g 3만5천원), 한우곰탕, 갈비탕(각 1만6천원)
🕒 11:30~21:30(마지막 주문 20:30) – 명절 휴무
🔍 부산 영도구 절영로 355(동삼동)
☎ 051-404-5000 Ⓟ 가능

빨간등대영도본점 생선회

남항대교와 오션뷰를 감상하며 제철회를 맛볼 수 있는 곳. 제철회 코스를 주문하면 갖가지 다채로운 해산물 요리를 맛볼 수 있다. 상차림도 제철 해산물을 다양하게 내어준다. 겨울에 방문한다면 대방어를 꼭 맛볼 것을 추천.

₩ 제철회코스(1인 4만5천원), 제철회(점심 3만원), 영도해물밥상(점심 2만원), 겨울-대방어코스(1인 5만5천원), 대방어회(6만원)
🕒 11:30~15:00(마지막 주문 14:30)/ 17:00~21:30(마지막 주문 20:30) – 연중무휴
🔍 부산 영도구 남항서로 40 2층
☎ 010-5205-5282 Ⓟ 가능

삼형제오리 양꼬치

오리 바베큐와 양꼬치를 함께 즐길 수 있는 중국집이다. 오리 바베큐는 북경오리 식으로 조리하여 바삭한 껍질이 일품이다. 북경오리를 맛보기 위해서는 예약이 필요하다.

₩ 양꼬치(2인 이상, 1인 10개 1만5천원), 양갈비(2인 이상, 1인 1만2천원), 오리바베큐(한마리 5만원), 오리세트(6만원)
🕒 17:00~23:00 – 연중무휴
🔍 부산 영도구 태종로73번길 23(봉래동1가)
☎ 051-417-7043 Ⓟ 불가

신기산업카페 SINKI CAFE 카페

영도의 명물이라고 불리우는 신기산업의 첫 번째 카페. 꼬불꼬불한 산복도로를 오르다보면 나오는 산꼭대기 컨테이너에 자리한 루프탑 카페로, 영도와 부산항대교 뷰가 시원하게 펼쳐진다. 초코소스와 코코넛크림이 올라가는 신기라테가 시그니처 메뉴.

₩ 치즈케이크, 블루베리타르트(8천원), 맘모스빵(4천5백원), 크루아상(4천원), 고구마 크루아상(6천원), 에스프레소, 아메리카노(각 5천5백원), 카페라테(6천원), 신기라테(7천원)
🕒 11:00~23:00(마지막 주문 22:00) – 연중무휴
🔍 부산 영도구 와치로51번길 2(청학동)
☎ 070-8230-1116 Ⓟ 가능

에테르 Aether 브런치카페

바다를 한눈에 담을 수 있는 브런치 카페. 높은 층고에 커다란 통유리창이 시원한 느낌을 준다. 브런치 메뉴 외에도 음료와 베이커리를 즐길 수 있다. 랍스토롤, 포르치니머시룸파스타 등이 추천 메뉴.

₩ 랍스터롤(2만5천원), 포르치니머시룸파스타(2만원), 토마토올리브포카치아(6천원), 크로넛(5천8백원~7천6백원), 에스프레소, 아메리카노(각 6천2백원), 카페라테(7천원)
🕒 10:00~21:00(마지막 주문 20:00) | 토, 일요일, 공휴일 09:00~21:00(마지막 주문 20:00) – 연중무휴
🔍 부산 영도구 절영로 234
☎ 051-263-5055 Ⓟ 가능

여울책장 북카페

테라스에 앉아 바다를 바라보며 커피와 디저트를 즐길 수 있는 북카페. 큰 책장이 있어서 자유롭게 책을 읽을 수 있다. 망고와 레몬의 맛이 어우러진 옐로오션라테가 시그니처 메뉴다. 아이스

크림이 얹어진 바삭한 크로플도 커피와 함께 즐기기 좋다.
₩ 옐로오션라테(7천3백원), 에스프레소(5천원), 아메리카노(5천5백원), 스무디(6천8백원~7천3백원), 아이스크림크로플(6천8백원), 카야토스트, 초코테린(각 6천5백원)
🕒 10:00~19:00 – 연중무휴
🔍 부산 영도구 흰여울길 381
☎ 051-412-7230 Ⓟ 불가

영도빨간등대밀면 밀면

육전과 양념가오리를 올린 새콤달콤한 양념의 비빔밀면이 유명한 밀면전문점. 육수를 자작하게 넣은 물비빔밀면도 추천할 만하다. 500원 추가 시 곱빼기로 맛볼 수 있다. 재료 소진 시 조기 마감할 수 있으니 참고할 것.
₩ 물면, 비빔밀면, 물비빔밀면, 칼국수(각 7천원)
🕒 10:30~18:00(마지막 주문 17:30) – 연중무휴
🔍 부산 영도구 남항남로 1-1 1층
☎ 없음 Ⓟ 가능

오구카페 OGU 카페 | 베이커리

부산 영도 바다 앞에 자리한 대형 루프탑 카페. 남항대교와 바다를 한눈에 담을 수 있는 뷰를 즐길 수 있다. 직접 로스팅 한 원두를 취급하며, 브루잉 커피 선택 시 물 종류를 고를 수 있는 점이 독특하다.
₩ 아메리카노(5천5백원), 콜드브루(5천5백원), 카페라테(6천원), 오구라테, 오구슈페너, 콜크바(각 7천원), 초콜릿라테(6천원), 브라운크로플(8천5백원), 레몬우유케이크(8천원), 시오앙버터, 소보로앙버터(각 4천5백원), 초코머핀(4천원)
🕒 09:00~22:00(마지막 주문 21:30) – 연중무휴
🔍 부산 영도구 남항서로 52
☎ 051-414-5949 Ⓟ 가능(전용주차장)

오채담 뷔페_한식

영도 바다를 바라보며 한식 뷔페를 즐길 수 있는 곳. 목장원이라는 유명한 갈빗집이 리뉴얼하면서 모던하고 스타일리시한 복합 공간으로 바뀌었다.
₩ 평일런치, 평일디너(각 2만9천원~3만6천원), 주말(3만6천원), 어린이(1만7천원~2만2천원)
🕒 11:30~14:30/18:00~20:30(마지막 주문 19:30) – 연중무휴
🔍 부산 영도구 절영로 355(동삼동) 목장원 3층
☎ 051-404-5012 Ⓟ 가능

토로 TORO 이탈리아식 | 파스타 | 피자

식전빵부터 소스까지 직접 만드는 이탈리안 레스토랑. 자갈치 시장에서 직접 공수해온 해산물을 넣은 여러 종류의 파스타와 10일 이상 숙성한 한우 스테이크가 맛있다. 주택을 개조한 실내 분위기가 아늑하다.
₩ 포터하우스스테이크(15만원), 안심스테이크(5만원), 채끝등심스테이크(4만원), 오리스테이크(2만8천원), 문어스테이크(2만5천원), 문어먹물리조토(2만1천원), 반젤로티(2만원)
🕒 11:30~15:00/17:00~22:00(마지막 주문 21:00) | 토, 일요일, 공휴일 11:30~ 22:00 – 첫째 주 월, 화요일 휴무
🔍 부산 영도구 태종로750번길 46(동삼동) 1층 토로
☎ 051-403-8939 Ⓟ 불가

톤섬 일식돈가스

240시간 동안 교차 숙성한 돼지고기를 저온에서 튀긴 돈가스를 맛볼 수 있는 곳. 톤섬시그니처를 주문하면 블랙타이거새우, 치즈가스, 안심가스를 모두 맛볼 수 있다. 와사비, 소금, 레몬, 트러플 오일 등 돈가스와 어울리는 다양한 양념도 준비되어 있다.
₩ 톤섬시그니처, 시마가스(각 1만7천원), 특등심가스(200g 1만6천원), 안심가스(200g 1만5천원), 등심가스(200g 1만4천원)
🕒 11:00~14:00/17:30~20:00 | 토, 일요일 11:00~15:30/17:30~20:30 – 월요일 휴무
🔍 부산 영도구 남항로9번길 36
☎ 0507-1337-0279 Ⓟ 가능(영도남항주차장 1시간 지원)

헤일르 Hail le 카페

통유리창으로 보이는 바다가 시원한 카페. 푸른 바다를 머금은 듯한 칼라의 오션라테가 시그니처 로 달콤하고, 상큼한 맛을 즐길 수 있다. 소프트아이스크림도 인기 있는 메뉴다.
₩ 오션라테(6천5백원), 아메리카노(5천5백원), 카페라테(6천원), 소프트아이스크림(3천원~3천5백원), 딸기초코라테(6천5백원), 쿠앤크화분프라페(6천8백원)
🕒 10:00~19:00(마지막 주문 18:00) | 토,일요일 09:00~20:00 – 연중무휴
🔍 부산 영도구 흰여울길 127
☎ Ⓟ 불가

홍복작은면가게 洪福小麵館 일반중식

화상이 대를 이어 운영하는 전통 있는 중식당. 해물이 들어 있는 매운 홍복면이 특이한 메뉴로 인기가 많다. 매콤한 깐풍육도 추천할 만하다. 부담 없는 가격의 유니짜장은 느끼하지 않고, 감칠맛이 일품이다.
₩ 쟁반짜장(8천원), 유니짜장(4천원), 짬뽕(6천원), 간짜장(7천원), 깐풍육(1만7천원), 볶음밥(7천원), 새우볶음밥(8천원), 우동(6천원)
🕒 11:00~22:00(마지막 주문 21:20) – 연중무휴
🔍 부산 영도구 절영로49번길 30(남항동1가)
☎ 051-417-0763 Ⓟ 불가

부산광역시 중구

18번완당집 만두

완당은 중국식 만두의 일종으로, 물만두와 비슷하다. 아주 얇은 피에 채소와 고기를 잘게 다져 만든 속이 들어가 있다. 진한 멸치 국물 맛이 시원하고 깔끔하다. 완당과 유부초밥, 김초밥 등으로 구성된 완당세트를 추천할 만하다. 작은 방에서 완당을 직접 빚는 모습을 볼 수 있다.

₩ 완당, 완당면, 완당우동(각 9천원), 완당세트, 완당정식(각 1만2천원), 김초밥, 김치김밥(각 5천원), 유부초밥(6천원)
🕒 10:30~20:00(마지막 주문 19:30) – 연중무휴
🔍 부산 중구 비프광장로 31(남포동3가) 지하 1층
☎ 051-245-0018 Ⓟ 불가

18번완당집

개미집 해물탕 | 낙지

푸짐한 해물이 들어간 수중전골(해물탕)과 낙지볶음이 인기 있다. 낙지와 새우가 들어간 낙새볶음, 곱창이 들어간 낙곱볶음 등이 인기며, 양념은 매운맛과 순한맛 중에 선택할 수 있다.

₩ 낙곱새볶음, 낙삼새볶음, 해물전골(각 1만3천원), 낙곱, 낙새, 낙삼, 낙지볶음(각 1만2천원)
🕒 11:00~21:00(마지막 주문 20:30) – 연중무휴
🔍 부산 중구 중구로30번길 21-1 ☎ 051-246-3186 Ⓟ 불가

개화 開花 일반중식

부평동족발골목에 있는 중식당으로, 옛날 맛을 느낄 수 있다. 가는 면발에 다진 돼지고기 소스를 얹은 유니짜장이 인기 메뉴다. 바삭한 튀김옷의 탕수육과 중국식 냉면도 잘한다.

₩ 유니짜장(8천원), 짬뽕(9천원), 삼선간짜장(1만원), 삼선짬뽕(1만1천원), 중국식냉면(1만2천원), 탕수육(2만7천원, 대 3만7천원), 해삼탕밥(4만5천원)
🕒 11:00~22:00 – 첫째, 셋째, 다섯째 주 화요일, 명절 휴무
🔍 부산 중구 광복로 21-1(부평동1가)
☎ 051-245-6205 Ⓟ 불가

고갈비남마담 생선구이

고갈비만을 전문으로 하는 집으로, 50여 년 역사를 자랑한다. 고등어에 소금 간을 하여 바삭하게 구워내는 맛이 일품인 고갈비는 식사로도, 안주로도 제격이다. 노릇하게 구워낸 달걀말이도 맛이 좋은 편. 현금 계산만 가능하다.

₩ 고등어갈비(1만5천원), 달걀말이(1만원)
🕒 14:00~24:00 – 연중무휴
🔍 부산 중구 광복로67번길 22(광복동2가)
☎ 051-241-6076 Ⓟ 불가

구포집 생선회 | 추어탕

60년 넘게 이어져오는 곳으로, 부산과 영남 지역에서 손꼽히는 추어탕집 중 하나다. 회를 뜨고 남은 광어뼈 국물과 미꾸라지를 삶아 뼈째로 갈아 넣는다. 삶은 배추 우거지로 국물 맛을 더하는 것이 특징. 방앗잎이 특유의 향을 더한다.

₩ 추어탕(1만1천원), 복국, 회비빔밥(각 1만5천원), 생선초밥, 파전(각 2만원), 생선회(5만원, 대 7만원)
🕒 09:00~21:00 – 일요일, 명절 휴무
🔍 부산 중구 보수대로36번길 14-1(부평동3가)
☎ 051-244-2146 Ⓟ 가능

김해식당 아귀

뚝배기에 담아 내오는 아귀탕이 맛있는 집이다. 개운하고 시원한 맛을 자랑하며 아귀도 듬뿍 들어 있어 부들부들한 아귀살을 발라먹는 재미도 쏠쏠하다. 미나리 위에 푸짐하게 나오는 아귀수육도 별미다.

₩ 아귀탕(1만2천원), 생아귀찜(소 3만6천원, 중 4만8천원, 대 6만원), 생아귀수육(소 6만원, 대 9만원), 특아귀탕(2만원)
🕒 09:30~21:00 – 명절 휴무
🔍 부산 중구 자갈치로 51-2(남포동5가)
☎ 051-255-8242 Ⓟ 불가

까사오로 Casa Oro 커피전문점

로스터리를 겸하는 커피 전문점으로, 직접 로스팅한 원두를 사용한다. 산지별 원두로 내린 핸드드립 커피를 추천할 만하며 딸기와플과 아이스크림와플도 인기다. 날이 좋은 때에는 루프탑 테라스에 앉아 시간을 보내도 좋다.

₩ 핸드드립커피(7천원), 에스프레소(5천원), 에스프레소콘판나(6천원), 아메리카노(5천원), 카푸치노(6천원), 카페라테(6천원), 아이스크림와플(1만2천원), 크로플(8천원), 딸기와플(1만4천원)
🕒 12:00~22:00 – 월요일(비정기적) 휴무
🔍 부산 중구 광복로 42-2(창선동1가) 2층
☎ 051-744-8299 Ⓟ 가능

깡통골목할매유부전골 어묵

유부보따리가 들어가 있는 부산오뎅으로 유명한 집. 유부에 당면, 양파, 버섯, 고기 등을 넣고 미나리로 묶은 주머니를 어묵 국

물에 풀어 먹는 유부보따리를 맛볼 수 있다. 달착지근하면서도 진한 맛이 좋다.

₩ 유부전골, 유부보따리우동, 할매비빔당면(각 6천원)
⏲ 10:00~19:00(마지막 주문 17:50) | 공휴일 10:00~18:00 – 월요일 휴무, 명절 휴무
🔍 부산 중구 부평3길 29(부평동1가)
☎ 051-245-1878 Ⓟ 불가

꽃가람 곱창전골 | 주꾸미

주꾸미 곱창 철판볶음이 유명한 곳. 통통한 주꾸미와 두툼한 한우곱창이 양념과 잘 어울린다. 잘 볶아진 주꾸미 한점과 곱창을 깻잎에 싸서 먹는 맛이 일품이다. 취향에 따라 콩나물이나 땡초를 넣기도 한다. 마지막에는 밥을 볶아 먹는다.

₩ 주꾸미곱창철판볶음(2인 3만2천원, 3인 4만5천원, 4인 5만7천원), 중앙곱도리탕(2인 3만3천원, 3~4인 5만원), 한우곱창전골(2인 3만5천원, 3인 4만5천원, 4인 5만7천원), 묵은지와차돌박이(120g 1만원), 묵은지와삼겹살(100g 9천원), 점심불고기정식, 점심주꾸미정식(2인 1만8천원)
⏲ 11:00~15:00/17:00~21:00 – 일요일 휴무
🔍 부산 중구 충장대로9번길 53(중앙동4가)
☎ 051-466-4600 Ⓟ 불가

남포설렁탕 설렁탕

가성비 좋기로 알려진 설렁탕 전문점. 설렁탕 외에 양지탕, 곰탕 등의 메뉴도 인기가 좋다. 노포로 유명한 서울깍두기 바로 앞에 있어 화제가 된 곳이다.

₩ 설렁탕, 맑은양지탕(각 9천원), 모둠곰탕(1만2천원), 갈비탕(1만3천원), 도가니탕(1만4천원), 꼬리곰탕(1만8천원), 양지수육(3만원), 도가니수육(3만5천원)
⏲ 24시간 영업 – 연중무휴
🔍 부산 중구 구덕로34번길 5(남포동2가)
☎ 051-255-2263 Ⓟ 불가

남포수제비 수제비

오랜 전통의 수제빗집. 반죽이 잘 된 적당한 두께의 수제비가 인기 메뉴다. 수제비는 평범한 모양새지만, 진한 국물 맛이 일품이다. 다양한 재료를 넣어 만든 주먹밥을 곁들이는 것도 좋다. 가격대도 낮아서 꾸준히 찾아오는 손님이 많다.

₩ 수제비(6천5백원), 충무김밥(5천5백원), 비빔국수(6천5백원), 주먹밥(4천5백원)
⏲ 09:30~21:30 – 연중무휴
🔍 부산 중구 광복로49번길 7-1(창선동1가) 2층
☎ 051-245-6821 Ⓟ 불가

돌고래순두부 순두부 | 해물탕 | 낙지

40여 년 전통의 순두붓집. 뚝배기에 끓인 순두부찌개와 밥, 간단한 반찬이 나오는 순두부백반이 대표 메뉴다. 보글보글 끓인 순두부를 대접에 밥과 함께 비벼 먹는다. 감칠맛이 훌륭한 낙지볶음도 인기 메뉴다.

₩ 순두부백반, 된장찌개백반(각 8천원), 낙지볶음(1만1천원), 낙새볶음(1만2천원)
⏲ 07:00~22:00(마지막 주문 21:30) – 명절 휴무
🔍 부산 중구 중구로40번길 15(신창동2가)
☎ 051-246-1825 Ⓟ 불가

동화반점 東華飯店 일반중식

부산에서 유명한 중식당 중 하나. 불 맛을 살린 요리 공력이 상당하다. 식사류에서는 유니짜장과 볶음밥이 특히 인기다. 가격은 다소 높은 편이지만 맛에 대한 만족도가 높다. 원래는 중구 광복동에 있었다가 현재의 자리로 이전했다.

₩ 짜장면(6천원), 간짜장, 짬뽕, 우동(각 7천원), 볶음밥(7천5백원), 유니짜장, 삼선짜장, 삼선볶음밥, 새우볶음밥(각 8천5백원)
⏲ 11:30~15:00/17:00~21:00 – 화요일 휴무
🔍 부산 중구 흑교로75번길 3(보수동2가)
☎ 051-253-6661 Ⓟ 불가

뚱보집 주꾸미

연탄에 구워 불향이 나는 주꾸미 구이를 맛볼 수 있는 곳이다. 구수한 콩나물밥에 주꾸미 구이를 함께 먹으면 더욱 맛있게 즐길 수 있다.

₩ 쭈꾸미구이(1만8천원), 보쌈(소 1만8천원, 대 2만3천원), 록빈(2조각 1만원, 4조각 1만8천원), 두부정식(4천원), 콩나물밥(4천원), 장어구이(1만8천원)
⏲ 11:30~22:50 – 네번째 일요일 휴무
🔍 부산 중구 중앙대로29번길 2-11(중앙동1가)
☎ 051-246-7466 Ⓟ 가능

물꽁식당 아귀

60년 넘게 아귀찜만을 만들어 온 아귀 전문점이다. 싱싱한 생아귀만을 사용해 깔끔하면서도 뒷맛이 개운한 찜 요리를 선보이고 있다. 아귀찜에는 경상도 지역에서 먹는 방앗잎이 들어가 외지인에게는 향과 맛이 낯설 수 있다.

₩ 아귀찜(1인 1만5천원, 소 3만원, 중 5만원, 대 7만원), 아귀수육(소 3만원, 중 4만원, 대 5만원, 특대 7만원), 아귀탕(1인분 보통 1만원, 1인분 대 1만5천원)
⏲ 10:00~22:00 – 연중무휴
🔍 부산 중구 흑교로59번길 3(보수동2가)
☎ 051-257-3230 Ⓟ 가능

백광상회 오뎅바

오뎅과 함께 술 한잔하기 좋은 곳. 소뼈와 채소, 멸치, 새우 등을 넣고 우린 육수에 어묵과 각종 해물이 푸짐하게 들어간다. 스지로 만드는 스지탕도 단연 인기. 된장과 겨자를 섞은 소스에 찍어 먹으면 더욱 좋다. 고래고기를 비롯한 다양한 생선회도 즐길

수 있는 것이 특징. 60년이 넘는 역사를 자랑한다.

₩ 오뎅, 스지(각 3만5천원), 메로구이(소 3만원, 대 5만원), 송이오뎅(4만5천원), 다타키(2만5천원)

🕒 14:00~02:00(익일) – 비정기적, 명절 휴무

🔍 부산 중구 남포길 25-3(남포동2가)

☎ 051-246-3089 Ⓟ 불가

백구당 베이커리

부산에서 오래된 빵집으로, 60년 넘는 역사를 자랑한다. 부드러운 빵에 콘 샐러드가 들어간 크로이즌이 인기 있다. 세련되지는 않으나 예스러운 맛의 빵이 많으며 향수를 느끼는 사람들이 많이 찾는다.

₩ 크로이즌(6천원), 쑥쌀식빵(5천원), 블루베리식빵(3천5백원), 버터크림빵(2천원), 시나몬롤(4천5백원), 백구파이(5천원)

🕒 07:30~21:30 – 일요일 휴무

🔍 부산 중구 중앙대로81번길 3(중앙동4가)

☎ 051-465-0109 Ⓟ 불가

백화양곱창 양곱창

70여 년의 역사를 자랑하는 양곱창 전문점으로, 부산에서 가장 인기가 많다. 쫄깃한 맛이 일품인 양곱창은 부위별로 씹는 느낌과 맛이 달라 마니아층이 두텁다. 작은 크기의 화로에 연탄불을 올리고 신선한 양곱창을 불 맛을 살려 구워준다. 골목을 따라 1호점에서 12호점까지 자리하고 있을 정도로 규모가 크다.

₩ 양곱창(250g 4만5천원), 양모둠(300g 양념, 소금 각 3만9천원), 볶음밥(1만2천원)

🕒 12:00~24:00(마지막 주문 23:30) – 첫째, 셋째, 다섯째 주 일요일 휴무

🔍 부산 중구 자갈치로23번길 6(남포동6가)

☎ 051-245-0105 Ⓟ 불가

부산명물횟집 회백반 | 백반 | 생선회

80여 년 전통의 회백반집. 푸짐하게 나오는 큼직큼직한 생선살과 초장, 반찬이 구미를 당긴다. 회백반에는 광어회 한 접시와 밥, 맑은 생선국, 대여섯 가지의 밑반찬이 나온다. 제철에 따라

부산명물횟집

창자젓, 볼락어젓, 게장 등이 상에 오른다.

₩ 회백반(4만원, 특 5만5천원), 회비빔밥(2만8천원), 물회(3만5천원), 전복죽(2만원), 돔머리탕(3만5원), 양념구이(8만원)

🕒 10:30~15:00/16:00~22:00 – 첫째, 셋째 주 월요일, 명절 휴무

🔍 부산 중구 자갈치해안로 55(남포동4가)

☎ 051-245-4995 Ⓟ 가능

부산숯불갈비 돼지고기구이 | 소갈비

숯불갈비 전문점. 화력이 센 숯불에 재빨리 구워 먹는 양념갈비가 대표 메뉴다. 직원이 타지 않게 구워줘 편히 먹을 수 있는 것이 장점. 갈비 양념소스의 맛이 강한 편이며 밑반찬도 깔끔히 나온다.

₩ 소갈비(170g 3만6천원), 소양념갈비(180g 3만4천원), 소불고기(200g 2만6천원), 돼지생목살, 돼지생삼겹살(각 130g 1만3천원), 돼지양념목살(200g 1만2천원)

🕒 10:30~21:00 – 연중무휴

🔍 부산 중구 중구로48번길 9(신창동3가)

☎ 051-245-5534 Ⓟ 가능

부산족발 족발

부평족발골목에서 유명한 냉채족발 전문점. 돼지족발을 얇게 저며 접시에 담고 해파리, 게맛살냉채, 오이냉채 등을 곁들여 낸다. 여기에 다진 마늘, 양파, 간장, 식초 등으로 만든 새콤달콤한 소스가 맛을 더한다. 메뉴는 일반 족발과 냉채족발, 오향장육 세 가지만 있다.

₩ 족발, 냉채족발, 오향장육(각 소 3만5천원, 중 4만원, 대 5만원, 특대 6만원)

🕒 10:00~24:00 – 연중무휴

🔍 부산 중구 광복로 13-1

☎ 051-245-5359 Ⓟ 불가

비엔씨 B&C 베이커리

부산에서 오래된 빵집으로, 40여 년의 역사를 자랑한다. 카스텔라 안에 팥앙금, 고구마 앙금 등이 들어간 카스텔라만주를 맛볼 수 있다. 연근 단팥빵 등 색다른 종류의 빵도 다양하게 선택이 가능하다.

₩ 카스텔라만주(1개 3천원, 4개 1만2천원, 세트 2만5천원), 연근단팥빵(1개 2천6백원, 6개세트 1만5천6백원)

🕒 10:30~21:00 | 금, 토, 일요일 10:30~22:00 – 명절 당일 휴무

🔍 부산 중구 광복로39번길 6

☎ 051-260-5201 Ⓟ 가능(건물 지하주차장 이용)

산청돼지국밥 돼지국밥

돼지고기가 듬뿍 든 맑은 국물의 돼지국밥을 맛볼 수 있는 곳이다. 국밥에 넣어 먹을 수 있는 소면도 기본적으로 나온다. 저녁에는 수육과 술 한잔하기도 좋다.

₩ 돼지국밥, 따로국밥, 순대국밥(각 1만원), 내장국밥(1만2천원), 수

육백반(1만3천원), 돼지수육(중 3만원, 대 3만5천원), 모둠수육(4만원), 맛보기수육(1만5천원)
⏲ 08:00~15:30/16:30~22:30 – 연중무휴
🔍 부산 중구 대청로134번길 18(동광동3가)
☎ 051-245-4582 Ⓟ 불가

산해갈비 소갈비 | 돼지갈비

남포동 일대에서 유명한 갈빗집. 주메뉴는 돼지목살양념갈비로, 초벌구이한 갈비를 뜨거운 불에 한 번 더 구워 먹는다. 소갈비도 인기 메뉴 중 하나. 구수한 된장찌개에 국수를 넣은 해물된장국수나 냉면을 곁들여도 좋다.

Ⓦ 돼지목살양념갈비(200g 1만2천원), 소갈비(180g 3만2천원), 소생갈비(180g 3만4천원), 해물된장국수(7천원), 열무국수(5천원), 물냉면(7천원)
⏲ 10:30~21:00(마지막 주문 20:30) – 연중무휴
🔍 부산 중구 광복로39번길 35(신창동2가)
☎ 051-245-1622 Ⓟ 가능

삼송초밥 三松 일식 | 스시

60년 넘는 오래된 전통을 이어오고 있는 일식집. 비교적 합리적인 가격에 즐길 수 있는 초밥정식이 인기 메뉴로, 후토마키와 신선한 초밥이 인상적이다. 초밥을 비롯해 다양한 요리가 나오는 코스도 추천할 만하며 우동정식, 메밀정식 등도 선보인다.

Ⓦ 삼송특선(10만원, 13만원, 16만원), 초밥정식(3만2천원, 4만2천원, 5만2천원), 생선회코스(10만원, 13만원, 15만원), 튀김정식(4만원), 우동정식, 메밀정식(각 1만2천원, 1만7천원), 회정식(4만3천원, 5만3천원), 점심특선(4만3천원)
⏲ 11:00~14:30/16:30~20:30(마지막 주문 20:50) – 일요일, 명절 당일 휴무
🔍 부산 중구 광복로55번길 13(창선동1가) 2층
☎ 051-245-7870 Ⓟ 가능

새진주식당 비빔밥

70여 년 역사의 진주식 육회비빔밥집. 각종 채소와 육회가 골고루 버무려져 나온다. 비빔밥을 시키면 나오는 선짓국과 물김치가 별미다. 이 외에 석쇠불고기, 파전, 가오리무침 등의 메뉴도 맛볼 수 있다.

Ⓦ 육회비빔밥(1만5천원), 돌솥비빔밥, 회비빔밥(각 1만7천원), 석쇠불고기(소 3만원, 대 4만원), 육회(소 3만원, 대 5만원), 가오리무침(3만원), 파전(2만5천원)
⏲ 11:00~20:30 – 연중무휴
🔍 부산 중구 흑교로 60(보수동1가) ☎ 051-256-9110 Ⓟ 가능

서울깍두기 설렁탕 | 수육

80여 년 동안 설렁탕을 만들고 있는 곳. 설렁탕은 보통 서울에서 많이 먹는 음식이지만, 부산 사람의 입맛까지 사로잡았다. 반찬은 배추김치와 깍두기 두 가지뿐이지만 그 맛이 일품이다.

Ⓦ 설렁탕, 곰탕(1만4천원, 특 1만 7천원), 양지탕(1만6천원, 특 1만9천원), 수육(8만원)
⏲ 08:00~20:30(마지막 주문 20:00) – 연중무휴
🔍 부산 중구 구덕로34번길 8
☎ 051-245-3950 Ⓟ 불가

서진섭돼지국밥 돼지국밥

개운하고 구수한 맛이 일품인 돼지국밥을 맛볼 수 있는 곳이다. 잘 삶아진 수육과 순대 등이 푸짐하게 들어가 있다. 남포동 국제시장 내에 있으며, 맛있기로 입소문이 나 부산을 찾는 관광객들도 많이 찾는다.

Ⓦ 돼지국밥, 순대국밥(각 1만원), 섞어국밥(1만1천원), 내장국밥(1만2천원), 특모둠국밥, 수육백반(각 1만3천원)
⏲ 09:00~20:30(마지막 주문 20:00) – 첫째, 셋째 다섯째 주 일요일 휴무
🔍 부산 중구 광복로39번길 30-1
☎ 051-254-5074 Ⓟ 불가

석기시대 중국만두

직접 빚은 만두를 맛볼 수 있는 곳으로, 노릇하게 구워낸 군만두가 대표 메뉴다. 만두피가 두꺼운 편이며 만두소가 넉넉하게 들어가 있다. 중독성 있는 소스와 오이가 어우러진 오향장육도 인기가 많다.

Ⓦ 군만두, 찐만두, 만둣국(각 6천원), 오향장육(소 1만9천원, 대 2만5천원)
⏲ 15:00~22:00(마지막 주문 21:00) – 일요일 휴무
🔍 부산 중구 동광길 75-1(동광동5가)
☎ 051-465-0358 Ⓟ 불가

섬진강 재첩

진한 국물 맛이 일품인 재첩국을 전문으로 하는 곳. 낙동강 변에서 잡아 올린 재첩에 부추를 올려내는 재첩국은 숙취 해소에도 탁월하다. 반찬으로 나오는 고등어조림도 훌륭하다는 평. 재료가 떨어지면 문을 닫으니 저녁에는 미리 확인 전화를 하고 찾는 것이 좋다.

Ⓦ 재첩국정식(1만2천원), 재첩국비빔밥(1만5천원), 재첩무침, 한치회무침(각 3만원)
⏲ 07:00~18:00 | 토, 일요일, 공휴일 07:00~15:00(평일 11:30~12:30까지 1인 식사 불가) – 비정기적, 명절 당일 휴무
🔍 부산 중구 광복로85번길 15-1(동광동2가)
☎ 051-246-6471 Ⓟ 불가

성일집 곰장어

1950년 이래로 3대를 이어온, 70여 년 전통의 곰장어 전문점. 곰장어 원조집으로 알려진 곳으로, 다른 집보다 낮은 가격대가 강점이다. 소금구이와 양념구이 중 선택할 수 있다. 기본 반찬으로 제공되는 곰장어 껍질로 만든 묵이 독특한 맛을 낸다.

㉭ 곰장어소금구이, 곰장어양념구이(각 1만8천원)
⏲ 11:00~23:00 – 명절 휴무
🔍 부산 중구 대교로 103(중앙동6가)
☎ 051-463-5888 Ⓟ 불가

아치베이커리 ARCH BAKERY 디저트카페

프렌치 정통 방식으로 만드는 브리오슈와 영국식 디저트를 선보이는 곳. 시그니처로 통하는 브리오슈는 프랑스산 유기농 밀가루와 버터를 사용하여 만든다. 포장 전문 베이커리로, 가게 옆 아나브린 카페를 이용하면 매장에서 먹고 갈 수 있다.

㉭ 크림브리오슈바닐라(4천3백원), 소금빵(2천5백원), 잠봉브리오슈(4천5백원), 영국식버터스콘, 콘파이(각 3천8백원)
⏲ 13:00~19:00 – 목요일 휴무
🔍 부산 중구 중구로44번길 19-1(신창동1가)
☎ 070-4190-9393 Ⓟ 불가

영빈관 迎賓館 한정식

외국인도 많이 찾는 깔끔한 한정식집으로, 50년의 전통을 자랑한다. 정성스레 담겨 나오는 정갈한 음식은 자극적이지 않고 담백한 맛을 낸다. 인테리어가 깔끔하고 분위기도 좋아 상견례 장소로도 인기가 많다.

㉭ 한정식(3만5천원, 4만원, 5만원, 7만원, 10만원), 비빔밥(1만2천원), 돌솥비빔밥(1만3천원)
⏲ 09:30~22:00 – 명절 휴무
🔍 부산 중구 광복로97번길 17(동광동2가)
☎ 051-246-0328 Ⓟ 불가

옥생관 玉生館 일반중식

우동이 맛있기로 유명한 중식당. 짜장면과 우동이 인기 메뉴로, 푸짐한 해산물과 시원한 국물이 일품인 우동 맛이 좋다. 여름에는 중국식 냉면도 즐길 수 있다. 달걀프라이가 올라가는 부산식 간짜장도 별미. 70여 년의 역사를 자랑한다.

㉭ 짜장면(6천원), 짬뽕, 우동(각 8천원), 볶음밥(7천원), 탕수육(2만3천원), 깐풍기(3만5천원), 양장피(4만원)
⏲ 11:30~14:30/16:00~20:50 – 화요일, 명절 당일 휴무
🔍 부산 중구 대청로 66(부평동1가)
☎ 051-245-0298 Ⓟ 불가

원산면옥 元山麵屋 함흥냉면 | 만두 | 수육

70여 년 전통의 함흥냉면 전문점. 고구마 전분과 메밀을 사용하는 평양냉면도 선보이고 있지만, 함흥냉면이 더 맛있다는 평. 함흥냉면이라는 이름에 걸맞게 면발이 질긴 편이며 물냉면은 사골로 육수를 내는 것이 특징이다.

㉭ 함흥냉면, 평양냉면, 온면, 왕만두, 만두백반, 갈비탕(각 1만4천원), 수육(5만5천원), 전골쟁반(소 7만원, 대 10만원), 가오리회무침(소 3만5천원, 대 5만5천원)
⏲ 11:00~21:30 – 연중무휴
🔍 부산 중구 광복로 56-8(창선동1가)
☎ 051-245-2310 Ⓟ 불가

원산면옥

이재모피자 피자

부산 현지인들에게 유명한 피자 전문점으로, 피자와 스파게티에 들어가는 치즈가 맛있다는 평이다. 페퍼로니 피자가 인기 메뉴며, 모든 피자는 4천원 추가 시 큰 사이즈로 변경 가능하다. 대기가 상당하다.

㉭ 치즈크러스트피자(S 2만5천원, L 2만9천원), 크러스트왕새우피자(S 3만2천원, : 3만6천), 콤비네이션피자(S 2만2천원, L 2만6천원), 페퍼로니피자(S 2만1천원, L 2만5천), 스파게티(8천5백원~9천5백원)
⏲ 10:00~21:30(마지막 주문 20:30) – 일요일 휴무
🔍 부산 중구 광복중앙로 31(신창동1가) 중앙아파트 상가 1층
☎ 051-245-1478 Ⓟ 불가

인앤빈 人&BEAN 커피전문점

보수동 책방 골목에 있는 로스터리 전문 카페. 산지별 다양한 종류의 드립 커피를 맛볼 수 있으며, 4가지 시럽을 선택할 수 있다.

㉭ 에스프레소, 아메리카노(각 4천원), 카페라테(4천5백원), 레모네이드(5천5백원), 자몽에이드(5천8백원), 허브티(4천8백원)
⏲ 11:00~19:00 – 화요일 휴무
🔍 부산 중구 대청로 61-3(보수동1가)
☎ 051-231-6030 Ⓟ 불가

일광양곱창 양곱창

자갈치시장의 양곱창골목에서 유명한 집 중 하나. 연탄불에 굽는 부산식 양과 곱창, 대창을 맛볼 수 있다. 비싼 양을 비교적 합리적인 가격으로 먹을 수 있어 인기가 좋다. 다진 마늘과 참기름, 간장 등을 섞은 양념장에 찍어 먹으면 좋다.

㉭ 특양(220g 4만원, 350g 6만원), 모둠(400g 4만원, 650g 6만원), 양곱창전골(소 4만원, 중 6만원)
⏲ 12:00~23:00 – 명절 휴무

부산 중구 자갈치로 33(남포동6가)
051-243-4909 Ⓟ 불가

중앙모밀 메밀국수

70여 년 전통의 메밀, 우동 전문점. 일본식이라기보다는 한국식 우동과 메밀국수를 맛볼 수 있다. 메밀국수는 장국 맛인데, 파를 많이 넣어주는 것이 특징이다. 달착지근한 맛이 일품이며 김초밥이나 유부초밥 등을 곁들이면 더욱 좋다.

₩ 메밀국수(8천원), 메밀냄비(8천원), 새우튀김우동, 얼큰우동, 특오뎅우동(각 7천원), 가락우동(5천원), 유부초밥, 김초밥(각 4천원)
11:00~19:30 – 수요일 휴무
부산 중구 중앙대로49번길 9-1(중앙동2가)
051-246-8686 Ⓟ 불가

할매가야밀면 밀면

남포동에 있는 긴 역사를 자랑하는 밀면집. 부담없는 가격에 밀면을 즐길 수 있어 인기가 좋다.

₩ 밀면, 비빔면(각 소 8천원, 대 9천원), 왕만두(4개 5천원)
10:30~21:30 – 연중무휴
부산 중구 광복로 56-14(남포동2가)
051-246-3314 Ⓟ 불가

할매집 비빔국수 | 회국수

국수에 회를 얹어 먹는 회국수의 원조집. 소면에 상추, 미역, 무채, 가오리회를 얹은 회비빔국수가 대표 메뉴로, 원하는 만큼 매운 양념장을 넣어 먹는다. 화끈하게 매운맛이 일품이며 곁들여 나오는 따뜻한 멸치국물로 얼얼한 입을 달래가면서 먹는다. 70년 넘는 역사를 자랑한다.

₩ 회국수(8천원), 비빔국수, 냉국수(각 7천원), 물국수(6천원), 김밥(4천원), 회비빔밥(9천원), 김치국수(6천원)
10:30~19:00 – 둘째, 넷째 주 화요일 휴무
부산 중구 남포길 25-3(남포동2가)
051-246-4741 Ⓟ 불가

홍소족발 족발

부평족발골목 초입에 있는 족발집. 고기가 부드럽고 야들야들해 무난하게 먹기 좋으며 깔끔한 맛이 일품인 매생잇국이 무료로 제공된다. 새콤한 냉채족발이 별미로 통하며 일반 족발과 냉채족발이 반반씩 나오는 메뉴가 인기다.

₩ 족발(소 3만3천원, 중 3만9천원, 대 4만5천원), 냉채족발(소 3만4천원, 중 4만원, 대 4만6천원), 반반냉채(중 3만9천원, 중 4만6천원 대 5만3천원), 반반불족(소 3만8천원, 중 4만5천원, 대 5만2천원)
12:00~23:00 – 연중무휴
부산 중구 광복로 21-2(부평동1가)
051-257-2575 Ⓟ 불가

화국반점 華國飯店 일반중식

화상 중국집으로, 2대에 걸쳐 40년 넘게 맛을 이어가는 있다. 반숙 달걀프라이가 올라가는 간짜장 맛이 좋기로 유명하다. 영화 촬영 장소로도 유명하다.

₩ 간짜장, 유니짜장, 볶음밥(각 8천원), 삼선짜장, 삼선짬뽕(각 9천원), 탕수육(소 1만8천원, 대 2만5천원), 깐풍기, 라조기(각 3만5천원)
11:30~15:30/17:00~21:30 – 첫째, 셋째 주 월요일, 명절 휴무
부산 중구 백산길 3(동광동3가)
051-245-5305 Ⓟ 불가

부산광역시 해운대구

가미 佳味 일식오마카세

고급스러운 분위기의 일식당으로, 오마카세 코스를 선보인다. 조리장이 그날그날 신선한 재료를 사용해 만든 회와 요리를 맛볼 수 있다. 가격대비 만족도가 높은 곳.

₩ 코스(9만원)
18:00~22:00 – 일요일 휴무
부산 해운대구 센텀1로 9(우동) 롯데갤러리움센텀 S동 212호
051-746-5252 Ⓟ 가능

강남횟집 세꼬시 | 생선회

세꼬시가 맛있는 집. 뼈째 손질한 광어세꼬시를 추천할 만하며 신선한 모둠회도 인기다. 송정해수욕장이 한눈에 내려다보이는 전망이 훌륭하다.

₩ 세꼬시(1인 2만8천원), 광어, 우럭(각 2인 6만원), 모둠회(소 6만원, 중 8만원, 대 10만원), 자연산잡어(1인 3만5천원)
11:00~01:00(익일) | 토요일 11:00~02:00(익일) – 일요일 휴무
부산 해운대구 송정해변로 22-1(송정동)
051-703-8285 Ⓟ 가능

거대갈비 소갈비 | 소고기구이 | 평양냉면

고급스러운 분위기에서 1++등급의 고급 한우를 즐길 수 있는 곳. 양념에 재서 숙성 과정을 거친 양념갈비가 대표 메뉴로, 갈빗살, 안심, 안창살 등 다양한 부위를 선보인다. 기본으로 나오는 곁들이 음식도 전체적으로 맛이 좋으며 평양냉면으로 입가심하면 좋다.

₩ 한우양념갈비(200g 7만원), 안심(100g 7만5천원), 갈빗살(100g 7만5천원), 등심(100g 7만4천원), 안창살(100g 7만7천원), 평양냉면(물/비냉, 9천원), 점심특선(한우양념갈비/갈빗살 평일 5만3천원, 주말 5만8천원)
11:30~15:00/17:00~22:00 – 연중무휴
부산 해운대구 달맞이길 22(중동)
051-746-0037 Ⓟ 가능

거루캥테이블 GAROOKANG TABLE 브런치카페

호주식 브런치를 맛볼 수 있는 곳으로, 시즌마다 메뉴가 조금씩 바뀐다. 크루아상 브렉퍼스트를 비롯하여 크랩 비스크 파스타가 추천 메뉴로, 위에 얹어주는 수란을 깨서 섞어 먹으면 더욱 고소하게 즐길 수 있다.

₩ 수비드부채살스테이크(3만원), 크랩비스크파스타(2만1천원), 크루아상브렉퍼스트(1만8천원), 아메리카노(4천5백원)
⏲ 09:30~18:00(마지막 주문 17:15) – 연중무휴
🔍 부산 해운대구 송정구덕포길 64 B동
☎ 0507-1321-2511 Ⓟ 가능

거북선횟집 생선회

신선한 자연산 회를 맛볼 수 있는 곳이다. 각종 밑반찬들도 정갈하게 나오며 매운탕도 추천할 만한 맛이다. 직접 담근 고추장에 마늘과 생강 등 여러 가지 양념을 섞어 6개월간 숙성 시킨 초장을 회에 곁들여 먹는다. 상추에 회와 김치를 얹어 함께 먹기도 한다.

₩ 모둠회(소 8만원 중 12만원 대 16만원), 광어(11만원), 도다리, 농어, 도미(각 12만원), 자연산코스(5만원, 7만원, 9만원)
⏲ 11:00~23:00 – 명절 휴무
🔍 부산 해운대구 달맞이길62번길 69(중동)
☎ 051-741-8850 Ⓟ 가능

경북횟집 생선회

자연산 회 전문점. 깻잎 또는 상추에 김 한 장을 얹고 밥을 조금 올린 다음 회와 갓김치를 올려 마늘, 막장을 곁들여 먹는다. 회를 다 먹고 난 후에 끓여주는 생선 매운탕의 얼큰한 맛이 일품이다.

₩ 회정식(1인 6만원)
⏲ 11:00~22:00 – 화요일, 명절 휴무
🔍 부산 해운대구 달맞이길62번길 28(중동)
☎ 051-743-5917 Ⓟ 가능

규우정 소고기구이

창가 오션뷰 전망이 좋은 소고기 구이 전문점. 주문하면 테이블에 기본 찬과 소금, 참기름, 데미글라스 세 가지 소스가 놓인다. 숙성시킨 고기를 구워 육즙이 가득한 풍미가 좋으며, 데미글라스 소스를 곁들인 오므라이스도 단품 식사로 즐기기 좋다.

₩ 안심, 등심(각 100g 4만9천원), 꽃등심, 특안심(각 100g 5만5천원), 한상가득모둠(2인 이상, 1인 12만원), 오므라이스(2만5천원)
⏲ 12:00~15:00/17:00~23:00(마지막 주문 22:00) – 연중무휴
🔍 부산 해운대구 해운대해변로298번길 24 팔레드시즈 2층 2-3호
☎ 051-747-9229 Ⓟ 가능

금수복국 錦繡 복

해운대 일대에서 가장 오래된 복국집. 복국은 부산의 대표적인 속풀이 해장국으로, 맑은 지리복국 한 그릇이면 숙취가 말끔히 사라진다. 얼큰한 복매운탕도 좋지만, 담백한 복어 맛을 제대로 보려면 지리를 권할 만하다. 2층은 다양한 복코스를 즐길 수 있는 공간으로 운영된다.

₩ 복국(기본 5만원 특 6만6천원), 복회무침(3만원), 복튀김(2만5천원), 복껍질튀김(2만3천원), 복껍질무침(1만5천원), 복찜, 복수육(소 7만원 중 9만원), 복사시미(소 7만원, 중10만원, 대 15만원)
⏲ 11:00~15:00(마지막 주문 13:30)/17:00~22:00(마지막 주문 20:30) – 연중무휴
🔍 부산 해운대구 중동1로43번길 23(중동)
☎ 051-742-3600 Ⓟ 가능

기온 NEW 氣溫 돼지고기구이

고급스러운 분위기의 돼지고기 구이 맡김차림을 경험할 수 있는 곳. 다양한 돼지고기 부위를 눈 앞에서 직접 구워 설명과 함께 내준다. 고기 외에도 제철 나물을 곁들인 솥밥 같은 식사도 맛볼 수 있다. 예약제로 운영 된다.

₩ 1인한돈한상차림(5만원)
⏲ 13:00~14:30/18:30~20:00 – 화요일 휴무
🔍 부산 해운대구 우동1로38번가길 25-8 2층
☎ 010-7374-7803 Ⓟ 불가(인근 유료주차장 이용)

기와집대구탕 대구탕

해운대 해수욕장과 광안대교가 내려다보이는 전망 좋은 곳. 메뉴는 대구탕 한 가지뿐이다. 국물이 시원한 대구탕에는 대구도 많이 들어가 있다. 기와집을 개조한 식당으로, 해운대 달맞이길 부근에 있다.

₩ 대구탕(1만4천원)
⏲ 08:00~21:00 – 명절 휴무
🔍 부산 해운대구 달맞이길104번길 46(중동)
☎ 051-731-5020 Ⓟ 가능

까밀리아 Camellia 뷔페

호텔 주방장이 선보이는 고급요리를 즉석에서 맛볼 수 있는 오픈 키친과 샤브샤브, 숯불구이, 스시&사시미 코너 등이 마련되어 있다. 커다란 통유리 밖으로 보이는 해운대 바다의 아늑한 수평선과 함께 다양한 요리를 즐길 수 있다.

₩ 아침(어른 5만5천원, 어린이 2만9천원), 점심(어른 9만5천원, 어린이 4만4천원), 저녁(어른 13만원, 어린이 5만4천원)
⏲ 06:30~10:00/12:00~15:00/18:00~21:30 | 금요일 디너 17:30~21:30| 토, 일요일, 공휴일 06:30~10:00/11:30~13:30/14:00~16:00/17:30~19:30/20:00~22:00 – 연중무휴
🔍 부산 해운대구 동백로 67(우동) 부산웨스틴조선호텔 로비층
☎ 051-749-7434 Ⓟ 가능

나가하마만게츠 長浜滿越 라멘

돼지뼈 육수를 사용하는 후쿠오카의 하카타 라멘을 전문으로 한다. 진하고 기름진 국물이 일품이며, 면의 익힘 정도를 취향에 맞게 선택할 수 있다. 마늘과 매운 양념을 기호에 맞게 넣을 수 있으며, 일본식 갓김치도 라멘과 잘 어울린다.

₩ 나가하마라멘(9천5백원), 야키라멘(9천5백원), 야키교자(6천원), 라멘교자세트(1만5천원), 차슈추가(2천5백원), 계란추가(1천5백원), 면추가(1천5백원), 공기밥(1천원)

🕒 11:00~15:30/16:30~20:30(마지막 주문 20:00) | 토, 일요일 11:00~20:30(마지막 주문 20:00) – 연중무휴

🔍 부산 해운대구 우동1로 57(우동) 대영빌딩1층

☎ 051-731-0886 Ⓟ 불가(유료 주차장 이용)

낙불집송정본점 낙지

낙지 요리 전문점. 매콤하게 양념한 낙지와 보쌈을 함께 내어주는 눈꽃낙지보쌈한상이 인기 있는 메뉴다. 쌈무, 깻잎, 김, 콩나물 등 매콤한 양념과 잘 어울리는 밑반찬과 함께 먹으면 좋다. 부산 송정 바다를 바라보며 식사할 수 있다.

₩ 눈꽃낙지보쌈한상(2인 이상, 1인 2만2천5백원), 눈꽃낙지한상(1인 1만4천9백원), 눈꽃낙불한상(2인 이상, 1인 1만6천5백원), 낙꼼한상(1만7천5백원), 치즈감자전(1만8천9백원)

🕒 11:30~15:00/17:30~20:50(마지막 주문 2005)| 토, 일요일 11:00~15:00/17:30~20:50 – 연중무휴

🔍 부산 해운대구 송정광어골로 67

☎ 051-702-6555 Ⓟ 가능

남풍 南風 일반중식

오랜 기간 부산의 고급 중식당을 대표하는 곳. 정통 광동식 중화요리를 한국식을 재해석해 선보인다. 어자해삼, 광동식 송아지갈비요리, 불도장 등은 남풍만의 레시피로 만들어지는 시그니처 메뉴다. 바다가 보이는 전망도 훌륭하다.

₩ 점심코스(1인 12만원, 15만원), 셰프시그니처코스(17만원), 스페셜코스(1인 21만원, 25만원), 불도장(13만원), 어자해삼송이(13만원)

🕒 12:00~14:00/18:00~21:30 | 토, 일요일 12:00~15:00/18:00~22:00 – 연중무휴

🔍 부산 해운대구 해운대해변로 296(중동) 파라다이스호텔부산 신관 3층

☎ 051-749-2260 Ⓟ 가능

다온한정식 한정식 | 약선요리

각종 약초를 이용한 약선 한정식을 맛볼 수 있는 곳. 죽부터, 회, 구절판, 갈비찜, 초계탕 등 다양한 요리와 함께 대통밥이 나온다. 모두 룸으로 되어 있어 조용하게 식사할 수 있다. 한옥 분위기로 실내를 꾸미고 도자기를 전시하고 있다. 점심특선과 코스, 미리맞이상은 2인 주문시 가격이 상이해지니 문의가 필요하다.

₩ 점심특선(1인 2만5천원), 코스(1인 4만5천원, 5만5천원, 6만5천원), 미리맞이상(1인 10만원), 다온상(4인 이상, 1인 15만원)

🕒 11:30~15:00/17:00~21:30 – 월요일 휴무

🔍 부산 해운대구 해운대해변로 154(우동) 마리나센타

☎ 051-959-0119 Ⓟ 가능

달타이 Dal Thai 태국식

뿌팟퐁커리와 똠양꿍이 맛있기로 유명한 태국 음식점이다. 식당 내부도 태국 관련 소품으로 인테리어하여 태국에 온 듯한 기분을 느낄 수 있다.

₩ 뿌팟퐁커리(3만2천원), 똠양꿍(2만3천원), 팟타이(1만5천원), 카오팟꿍(1만3천원), 카오팟느어(1만5천원), 꿰띠여우느어(1만5천원), 꿰띠여우똠얌(1만6천원)

🕒 11:30~21:00(마지막 주문 20:00) | 토, 일요일 11:00~21:30(마지막 주문 20:30) – 연중무휴

🔍 부산 해운대구 달맞이길 193(중동)

☎ 0507-1403-1127 Ⓟ 가능(2시간 지원)

동백섬횟집 세꼬시 | 생선회

현지인이 손꼽는 자연산 횟집으로, 회가 싱싱하기로 유명하다. 회코스를 주문하면 모둠회와 함께 여러 가지 해물과 튀김 등이 나온다. 이시가리라고도 하는 줄가자미를 먹을 수 있는 곳으로도 유명하다. 초밥용 밥에 생선회를 얹어서 직접 초밥을 만들어 먹기도 한다. 식사로 매운탕과 생선찜이 나온다.

₩ 점심특선회정식(1인 4만원), 회코스(5만원, 7만원, 8만원, 10만원, 12만원, 15만원), 세꼬시(1인 5만원)

🕒 12:00~14:00/16:00~22:00(마지막 주문 20:20) – 연중무휴

🔍 부산 해운대구 해운대해변로209번나길 17(우동)

☎ 051-741-3888 Ⓟ 가능

동백섬횟집

디젤앤카멜리아스 DIESEL CAMELLIAS 라멘

일본 현지 라멘의 맛을 느낄 수 있는 라멘집으로, 국물 염도가 높은 편이며 덜 짜게 옵션을 선택할 수 있다. 양념에 면을 찍어 먹는 츠케멘을 주문하여 두툼한 면의 식감을 즐겨볼 것을 추천한다.

₩ 맑은돈코츠(9천원), 진한돈코츠(9천5백원), 미소츠케멘(1만1천원),

아부라소바(9천5백원)
🕒 11:30~15:30(마지막 주문 15:00)/17:00~19:40(마지막 주문 19:00) | 토, 일요일 11:00~15:30(마지막 주문 15:00)/17:00~19:40(마지막 주문 19:00) – 연중무휴
🔍 부산 해운대구 우동1로20번길 11(우동)
☎ 010-2361-1494 Ⓟ 불가

뜰아래채 한정식

해운대 달맞이 길에 있어 시원한 바다를 보면서 먹는 맛이 좋다. 코스를 시키면 칠절판, 생선회, 샐더, 문어숙회 등이 계속해서 나온다. 자극적이고 부담스러운 맛이 아니라서 상견례 등 어르신들의 모임 장소로 인기이다.

₩ 달맞이상(5만원), 매, 난, 국한정식상(각 5만원, 4만원, 3만원), 점심특선(1만6천원)
🕒 12:00~22:00 – 연중무휴
🔍 부산 해운대구 센텀2로 20(우동) 센텀타워메디컬
☎ 051-744-0125 Ⓟ 가능

라꽁띠 🎀 La ConTi 파스타 | 이탈리아식

수준 높은 이탈리아 요리를 즐길 수 있는 곳. 아침 매장에서 직접 만든 파스타 면을 사용하는 것이 특징이다. 일본의 다양한 식자재를 활용하여 이탈리안 파스타를 모던 재패니즈 스타일로 재해석한 와후 파스타도 맛볼 수 있다.

₩ 명란시소크림파스타(1만8천원), 한우채끝스테이크(200g 7만5천원), 판나코타(4천원), 2인코스(9만6천원~14만3천원)
🕒 12:00~15:00(마지막 주문 14:30)/17:30~22:00(마지막 주문 20:30) – 화요일 휴무
🔍 부산 해운대구 청사포로 85(중동)
☎ 051-701-7890 Ⓟ 가능

라호짬뽕 🎀 짬뽕전문점 | 일반중식

진한 고기 육수 맛을 느낄 수 있는 짬뽕을 먹을 수 있는 곳이다. 진한 짬뽕에는 해산물과 돼지고기가 듬뿍 들어 있다. 약간의 해산물과 고기를 춘장과 함께 볶아 계란후라이와 함께 면 위에 올려 내어주는 간짜장도 인기 메뉴. 깐풍새우는 오후 5시 이후부터 주문 가능하다.

₩ 라짬뽕, 양주식볶음밥(각 1만원), 호짬뽕(1만1천원), 간짜장(9천원), 등심탕수육(2만5천원), 깐풍새우(2만8천원)
🕒 11:30~15:00/17:00~22:00(마지막 주문 21:00) – 월요일 휴무
🔍 부산 해운대구 마린시티1로 137(우동)
☎ 051-731-1222 Ⓟ 가능(건물 지하주차장 지원)

랩24바이쿠무다 🎀🎀

LABXXIV by KUmuda 프랑스식

에드워드권 셰프의 파인 다이닝 프렌치 레스토랑. 탁트인 송정의 오션뷰를 볼 수 있으며, 고급스러운 분위기에서 섬세한 코스 요리를 즐길 수 있다. 쿠무다라는 문화복합공간 4층에 자리 잡았다.

랩24바이쿠무다

₩ 런치코스(6만5천원), 디너코스(15만원)
🕒 11:30~15:00(마지막 주문 14:00)/17:30~22:00(마지막 주문 20:00) – 화요일 휴무
🔍 부산 해운대구 송정광어골로 41(송정동) 쿠무다명상문화센터 4층
☎ 051-701-1301 Ⓟ 가능

르꽁비브 🎀 le convive 프랑스식

부산에서 유명한 빵집 옵스에서 운영하는 프렌치 레스토랑. 코스메뉴로만 운영되며 베이커리가 만든 레스토랑답게 요리와 함께 나오는 빵류에 대한 평이 좋다. 로맨틱한 분위기를 즐기며 보기 좋게 플레이팅된 요리를 즐길 수 있다.

₩ 런치코스(4만5천원, 5만9천원, 7만3천원), 디너코스(5만6천원, 7만3천원, 8만3천원, 12만9천원)
🕒 11:45~15:00(마지막 주문 14:00)/18:00~21:30(마지막 주문 20:00) – 화요일 휴무
🔍 부산 해운대구 센텀북대로 60(재송동) 센텀IS타워
☎ 051-783-3693 Ⓟ 가능

르도헤 🎀 Le DORER 칵테일바 | 모던한식

고급스러운 분위기의 모던한식 바로, 부산 바다를 보며 코스를 즐길 수 있다. 문어, 장어, 방어 등 다양한 제철 해산물을 사용한 요리가 나온다. 섬세하고 세련된 플레이팅의 코스 요리를 즐길 수 있는 곳.

₩ 런치코스(9만원), 디너코스(18만원)
🕒 12:30~14:30/17:00~22:00 – 화, 수요일 휴무
🔍 부산 해운대구 마린시티3로 37(우동)
☎ 0507-1438-8522 Ⓟ 가능

리리파이 riri pie 파이 | 베이커리

겉은 바삭하고 속은 촉촉한 식감의 파이를 맛볼 수 있는 파이 전문점. 달콤한 고구마, 애플, 딸기 파이 뿐만 아니라 고기가 든 포크 파이도 선보인다.

₩ 핫밀크, 아이스밀크(각 5천5백원), 필터커피(4천5백원~5천원), 포크파이(6천8백원), 에그파이, 프로마주파이, 바나나파이, 애플버터

파이, 딸기파이(각 5천8백원)
⌚ 10:00~18:00 – 명절 당일, 화요일 휴무
🔍 부산 해운대구 달맞이길65번길 33 달맞이 유림노르웨이숲 상가동 1층 105호
☎ 0507-1344-8343 Ⓟ 가능

머그디저트랩 MUG Dessert LAB 디저트카페

고급스러운 플레이팅의 라이브 디저트를 맛볼 수 있는 곳이다. 여름에는 복숭아, 가을엔 가을밤 등, 시즌마다 바뀌는 디저트를 선보인다. 인기메뉴인 라즈베리생토노레는 예약 필수.
₩ 생토노레(1만3천원), 라즈베리생토노레(예약, 1만5천원), 메종쇼콜라에클레르(9천원), 딸기파블로바(1만5천원), 플레인휘낭시에(2천3백원), 황치즈마들렌(3천2백원), 아메리카노(5천원), 카페라테(5천5백원)
⌚ 13:00~19:00(마지막 주문 18:00) – 화요일 휴무
🔍 부산 해운대구 마린시티2로 38(우동 해운대아이파크 C2 상가 3층 301호
☎ 070-4099-8074 Ⓟ 가능

머스트루 musTrue 유럽식

엘올리브, 라꽁띠 등을 거친 정재용 셰프의 모던 다이닝 레스토랑. 부산의 정서와 양식에 기초한 모던 다이닝을 선보인다. 테이스팅코스와 와인페어링을 하는 것을 추천한다.
₩ 테이스팅코스(12만원)
⌚ 18:00~21:30 – 월, 화요일, 명절 휴무
🔍 부산 해운대구 좌동순환로433번길 29(중동)
☎ 051-747-2369 Ⓟ 가능

모리 森 가이세키

해운대 바다뷰를 즐기며 일식 가이세키를 경험할 수 있는 곳으로, 도쿄의 긴자코쥬(銀座小十)에서 수련하고 온 김완규 셰프가 주방을 맡고 있다. 인테리어와 직원의 유카타까지 일본 분위기를 물씬 느낄 수 있다. 신선한 제철 해산물을 활용한 회부터 스이모노, 튀김, 구이, 솥밥 등 다양하게 맛볼 수 있다.
₩ 코스(18만원)
⌚ 18:00~22:00 | 토, 일요일 1부 17:30~/2부 20:00~ – 월요일 휴무
🔍 부산 해운대구 해운대해변로298번길 24 팔레드시즈
☎ 0507-1349-9891 Ⓟ 가능(건물 주차장 2시간 지원)

문스시 文寿司 스시

그날 들어온 최상의 재료로 선보이는 스시 오마카세를 즐길 수 있다. 샐러드부터 차완무시, 전채요리, 사시미, 초밥, 장국, 튀김, 식사까지 구성이 알차다. 가격대비 만족도가 좋으며 장어덮밥정식도 인기가 많다.
₩ 스시오마카세(9만5천원, 14만원), 사시미오마카세(2인 이상, 1인 11만원, 15만원), 런치스시오마카세(6만6천원), 장어덮밥정식코스(각 6만원), 특선초밥(3만5천원), 회정식(6만원), 장어덮밥정식(소 2만8천원, 대 5만원)
⌚ 11:30~15:00(마지막 주문 14:00)/17:30~22:00(마지막 주문 20:30) – 연중무휴
🔍 부산 해운대구 좌동순환로 43(좌동)
☎ 051-744-3316 Ⓟ 불가

미나미 屋台村 みなみ 해물포차

아늑한 분위기의 오뎅바. 모둠오뎅이 추천메뉴로, 무, 파, 양파, 당근, 다시마, 말린 다랑어 등이 아낌 없이 들어가 시원한 국물맛이 느껴진다. 오뎅과 잡채를 넣은 유부, 달걀, 무, 죽순, 곤약 등이 푸짐하게 나온다. 술안주로도 제격.
₩ 모둠오뎅, 야키소바(각 1만8천원), 오코노미야키(2만원), 스지+오뎅(2만8천원), 스지탕(3만원), 전복구이(2만9천원), 명란구이, 일본식달걀말이(각 1만8천원)
⌚ 17:00~05:00(익일) – 명절 휴무
🔍 부산 해운대구 해운대로594번가길 46(우동)
☎ 051-746-5645 Ⓟ 가능

미포집 해물장 | 솥밥 | 해물

해물장과 솥밥 전문점. 미녀해물장정식이 대표 메뉴며, 전복솥밥도 인기가 좋다. 해물장정식을 시키면 꽃게, 연어, 전복, 새우, 가리비, 소라 등 간장 양념이 잘 배어 있는 해산물장이 푸짐하게 나온다. 웨이팅이 있는 날이 많으니 참고할 것.
₩ 미녀해물장정식(3만5천원), 가리비솥밥(2만2천원), 전복솥밥, 문어솥밥, 갈비솥밥(각 1만8천원), 모둠해물장(2만5천원)
⌚ 11:00~15:00/17:00~21:00(마지막 주문 20:00) – 연중무휴
🔍 부산 해운대구 달맞이길62번길 3(중동)
☎ 051-747-2203 Ⓟ 불가(인근 공영주차장 이용)

미포할매복국 복

40여 년의 전통을 자랑하는 오래된 복국집이다. 부산의 대표적인 해장음식인 복국을 선보이며 은복, 까치복, 밀복, 참복 등 종류에 따라 선택할 수 있다. 복불고기, 복튀김 등의 요리가 함께 나오는 코스도 추천할 만하다.
₩ 복국(1만3천원~3만5천원), 복수육, 복찜(각 소 6만원~13만원, 대 8만원~18만원), 복불고기(2인 이상, 1인 2만원), 복튀김(소 2만원, 대 4만원)
⌚ 07:00~21:30(마지막 주문 20:50) – 명절 휴무
🔍 부산 해운대구 달맞이길62번길 27-1(중동)
☎ 051-741-4114 Ⓟ 가능

밍주 明珠 일반중식

고급스러운 호텔식 중식을 맛볼 수 있는 곳. 서울 플라자호텔 출신 주방장과 부산 조선호텔 출신 지배인이 담당하고 있다. 깨끗한 실내에 깔끔한 맛과 서비스로 만족도가 높다.
₩ 런치코스(3만5천원), 디너코스(4만4천원~8만원), 삼선고추짜장

(9천원), 짬뽕, 우동(각 1만원), 꽈리고추쟁반짜장(2만4천원)
⏲ 11:30~15:00/17:30~21:30(마지막 주문 20:00) - 화요일, 명절 휴무
🔍 부산 해운대구 좌동순환로 473(중동)
☎ 051-743-3105 Ⓟ 가능

박옥희할매집원조복국 복

깔끔한 맛의 복국을 즐길 수 있는 곳. 복국은 고기를 알맞게 넣고 육수를 잘 빼는 것이 중요한데, 알맞은 농도의 육수를 사용하여 상당한 맛을 자랑한다. 규모는 작아도 점심때면 줄을 서서 기다릴 정도로 인기가 많다.

₩ 복국, 복매운탕(각 은복 1만2천원, 밀복 2만2천원, 까치복 2만1천원, 참복 4만원), 은복수육(소 4만원, 대 4만5천원), 대구탕(1만2천원)
⏲ 24시간 영업 - 연중무휴
🔍 부산 해운대구 달맞이길62번길 28(중동)
☎ 051-747-7625 Ⓟ 가능

벨라루나 Bellaluna 초콜릿

수제 초콜릿 전문점으로 초콜릿을 사용한 다양한 디저트가 있는 곳. 쇼콜라봉봉, 생초콜릿 등을 비롯해 다양한 초콜릿 음료와 디저트를 맛볼 수 있다. 머핀 위에 진한 초콜릿을 올린 퐁당오쇼콜라와 생초콜릿이 인기 메뉴.

₩ 생초콜릿(3천원~4천원), 초콜릿음료(7천7백원~8천원), 에스프레소(5천5백원), 아메리카노(6천원), 카페라테(6천5백원), 카푸치노(6천5백원)
⏲ 11:00~19:00 - 월요일 휴무
🔍 부산 해운대구 송정광어골로 66-1(송정동)
☎ 051-742-2427 Ⓟ 가능

부다면옥 평양냉면

깔끔한 국물 맛이 일품인 평양냉면 전문점. 평소에는 평양냉면과 수육 2가지 메뉴만 선보이며, 겨울에는 곰탕과 육개장도 맛볼 수 있다.

₩ 순메밀냉면(소 1만2천원, 대 1만7천원), 사리(7천원), 맛보기한우수육(2만원), 한우한마리꼬리수육(10만원)
⏲ 11:00~19:00(마지막 주문 18:30) - 월요일 휴무
🔍 부산 해운대구 중동1로 36(중동)
☎ 051-746-8872 Ⓟ 가능(해운대시장 공영주차장 30분 지원)

부우사안 BUSAN 일반중식 | 북경오리

블랙톤으로 꾸민 모던한 분위기의 중식당. 바삭한 껍질의 베이징덕이 시그니처 메뉴로, 전용 화덕을 갖추고 제대로 만들고 있다. 베이징덕 외에도 다양한 중식 메뉴를 현대적인 터치를 가미해서 내고 있다. 마의상수, 산니백육 등이 독특한 메뉴다.

₩ 베이징덕(9만원), 유니짜장면(8천원), 삼선짬뽕(1만2천원), 탕수육(2만7천원), 멘보샤(2만5천원), 회과육(2만8천원), 동파육(3만8천원), 굴백짬뽕(1만3천원), 구황부추관자(4만5천원), 런치세트(2인 이상, 1인 2만원~3만원), 디너세트(3인 이상, 1인 5만5천원~8만8천원)
⏲ 11:30~15:00/17:00~22:00(마지막 주문 21:15) - 연중무휴
🔍 부산 해운대구 해운대해변로209번나길 16(우동)
☎ 051-741-3310 Ⓟ 가능

비바라쵸 VIVARACHO 타파스바

새벽까지 와인을 즐기기 좋은 스페인식 선술집. 스페인 타파스가 주메뉴이며, 떠먹는 파스타, 스튜, 파에야 등의 요리도 준비되어 있다. 하몽도 관리 상태가 좋다는 평. 인테리어도 깔끔하고 새벽 늦은 시간까지 영업하는 것이 장점이다.

₩ 에스파라고스플란차(1만7천원), 부라타콘토마테(2만1천원), 하몽(30g 1만8천원), 카르파치오데바카(2만4천원), 알메하스(2만3천원), 감바스알아히요(1만4천원), 크레마데감바스(1만8천원), 플라토데오스트라(2만2천원), 칼라마레스프리토스(1만5천원)
⏲ 18:00~02:00(익일) - 월요일 휴무
🔍 부산 해운대구 세실로 43(좌동) 경동코아 102호
☎ 051-701-0248 Ⓟ 불가

비비비당 非非非堂 전통차전문점

해운대 달맞이 고개에 있는 명품 전통 찻집이다. 30여 가지에 이르는 우리나라 전통의 차를 즐길 수 있으며, 디저트도 떡과 한과만 있다. 바다를 내려다보는 전망이 아름답다.

₩ 우전녹차, 5년발효황차, 계절꽃차, 오늘의차(각 1만원), 말차, 특우전녹차(각 1만5천원), 대추차, 단호박빙수, 단호박식혜, 단팥죽(각 1만2천원), 연인찻상(2인 3만3천원), 모둠다식(소 1만2천원, 중 2만4천원, 대 3만6천원)
⏲ 10:30~21:30 | 토,일요일 10:30~22:00 - 연중무휴
🔍 부산 해운대구 달맞이길 239-16(중동)
☎ 051-746-0705 Ⓟ 가능

빈끌로 VINCULO 와인바

고급스러운 분위기의 와인바로, 테이블 자리와 바 자리가 마련되어 있다. 와인과 간단히 함께할 수 있는 샐러드와 파스타도 선보인다. 토마토 크림치즈샐러드와 우니파스타가 추천 메뉴.

₩ 1++한우채끝스테이크(6만원), 우니파스타(2만2천원), 살시챠크

빈끌로

림스포시니, 해산물토마토파스타(각 2만원), 단새우타르타르(2만7천원), 메론&프로슈토(2만5천원), 토마토크림치즈샐러드(1만8천원), 부라타치즈(1만7천원)
⏲ 19:00~02:00(익일) – 수요일 휴무
🔍 부산 해운대구 중동1로19번길 21
☎ 010-9944-1259 Ⓟ 불가(인근 공영주차장 이용)

빠따슈 Pate a Choux 마카롱 | 디저트카페

달콤한 프랑스 디저트를 전문으로 하는 곳. 대표 메뉴인 에클레르는 산딸기, 쇼콜라, 말차 등 종류가 다양하며 부드러운 크림이 입안 가득 퍼진다. 앙증 맞은 마카롱도 인기 메뉴 중 하나. 커피를 비롯해 홍차, 에이드도 판매한다.

₩ 에클레르(4천원~4천5백원), 마카롱(3천원), 피낭시에(3천원~3천5백원), 아메리카노(3천5백원), 차(5천원), 에이드(6천원)
⏲ 11:00~20:00 | 일요일 11:00~18:00 – 월, 화요일 휴무
🔍 부산 해운대구 우동1로85번길 8(우동) 1층
☎ 051-731-2459 Ⓟ 불가

사까에 SAKAE 일식 | 스시 | 데판야키

파라다이스호텔에 자리한 일식당. 신선한 재료를 활용한, 수준 높은 정통 일식의 진수를 맛볼 수 있다. 스시도 인기 있으며, 식재료 본연의 맛을 최대한 살린 데판야키도 추천할 만하다.

₩ 코스(아오마츠 20만원, 카이운 22만원, 시그니처 30만원), 런치코스(15만원), 데판야키코스(23만원)
⏲ 12:00~14:30/18:00~21:30 | 토, 일요일 12:00~15:00/18:00~22:00 – 연중무휴
🔍 부산 해운대구 해운대해변로 296(중동) 파라다이스호텔부산 본관 3층
☎ 051-749-2248 Ⓟ 가능

상황삼계탕오리불고기 삼계탕 | 오리

상황과 각종 한약재를 넣어 끓인 상황삼계탕이 대표 메뉴이다. 닭똥집볶음 등 밑반찬도 정갈하게 나온다. 상황버섯과 각종 약재를 전시 판매하고 있다.

₩ 상황삼계탕(1만6천원), 옻상황삼계탕, 홍삼상황삼계탕(각 1만9천원), 옻+홍삼상황삼계탕(2만1천원), 전복상황삼계탕(2만8천원), 닭백숙, 오리백숙(각 5만5천원), 오리로스(4만5천원)
⏲ 10:30~21:00(마지막 주문 20:40) – 연중무휴
🔍 부산 해운대구 좌동로91번길 45(좌동) 1층
☎ 051-703-5298 Ⓟ 가능(인근 신도시주차장 이용, 1시간 무료)

새아침식당 생선구이

감칠맛 나는 양념을 발라 화덕에 굽는 생선구이 정식이 유명한 곳. 정식을 주문하면 생선구이와 김치찌개를 비롯해 달걀말이 등의 10여 가지 반찬이 푸짐하게 나온다. 아침 일찍 열기 때문에 해운대에서 아침 식사를 하기 좋은 곳이다.

₩ 생선구이정식(1만2천원), 전복죽(1만5천원), 고등어화덕구이, 고등어조림(각 2인이상, 1인 1만6천원), 갈치화덕구이(2인 이상, 1인 3만5천원), 갈치조림(2인 이상, 1인 3만6천원) 해장국(1만원)
⏲ 07:30~21:00 – 명절 당일 휴무
🔍 부산 해운대구 달맞이길62번길 28(중동)
☎ 051-742-4053 Ⓟ 가능

새총횟집 생선회

고소한 지방 맛이 특징인 이시가리(줄가자미) 회를 맛볼 수 있는 곳이다. 자연산 회도 판매하여 도미, 가자미 등 다양한 고급 어종 회를 먹을 수 있다. 식사로 나오는 매운탕도 깊은 생선 맛을 느낄 수 있다.

₩ 자연산회(1인당 기본 3만원, 고급 4만원, 특고급 5만원), 이시가리(시가)
⏲ 14:00~22:00 – 첫째 주 월요일, 셋째 주 일요일 휴무
🔍 부산 해운대구 반여로155번길 25(반여동)
☎ 0507-1314-8333 Ⓟ 불가

샤브야 Shabuya 샤부샤부

샤부샤부 전문점으로, 소고기, 돼지고기, 조개의 세 가지 맛을 선보인다. 채소는 셀프바도 마련되어 있다. 반려견 동반이 가능하며, 동반 시 룸 예약이 필수다.

₩ 한우샤브월남쌈(2만1천9백원), 생조개샤브월남쌈(1만9천9백원), 소고기샤브월남쌈(1만8천9백원), 한돈샤브월남쌈(1만8천9백원)
⏲ 11:00~22:00(마지막 주문 21:00) – 연중무휴
🔍 부산 해운대구 달맞이길 193 샤브야
☎ 1899-4717 Ⓟ 가능(건물 주차장이용)

셔블 Sheobul 한정식 | 일반한식

하나하나 정성이 가득한 한국 전통 요리가 준비되어 있다. 해운대 바다가 한눈에 보이는 연회실은 소중한 사람과의 모임 장소로 이용된다.

₩ 코스요리(12만원, 15만원, 18만원), 전복갈비찜(6만5천원), 한우육회비빔밥(4만원), 한우떡갈비반상차림(4만5천원)
⏲ 11:30~21:00 – 연중무휴
🔍 부산 해운대구 동백로 67(우동) 부산웨스틴조선호텔 해변층
☎ 051-749-7437 Ⓟ 가능

속씨원한대구탕 대구탕 | 대구

해운대에서 해장하면 손을 꼽는 대구탕집. 매운 대구탕 스타일이 아니라 맑은 지리 스타일로, 청양고추를 넣어 매콤하게 시원한 맛이 난다. 맛살, 대구살, 날치알이 듬뿍 들어간 달걀말이도 인기 메뉴다.

₩ 대구탕(1만4천원), 달걀말이(9천원), 대구찜(5만5천원), 곤이추가(3천원)
⏲ 08:00~15:00/16:00~21:00(마지막 주문 20:30) | 토, 일요일, 공휴일 08:00~21:00(마지막 주문 20:30) – 명절 당일, 전날만 휴무
🔍 부산 해운대구 달맞이길62번길 28(중동)
☎ 051-744-0238 Ⓟ 가능

쇼진 精進 일식오마카세 | 가이세키

일식 가이세키 코스 요리를 경험할 수 있는 곳. 금태, 참치, 성게알, 단새우, 소고기 등 계절마다 바뀌는 제철 고급 식재료를 사용한다. 사시미, 스이모노, 소바, 구이, 솥밥 등 다양한 요리를 조금씩 맛 볼 수 있다.

₩ 오마카세(13만원)
🕒 18:00~22:00 – 월요일 휴무
🔍 부산 해운대구 구남로 9(우동) 라마다앙코르해운대 호텔 2층 214호
☎ 0507-1354-8060 Ⓟ 가능(호텔 지하주차장 이용)

쉐프리 Chef Lee 이탈리아식

기본에 충실한 이탈리안 레스토랑으로, 파스타가 인기 메뉴다. 피자는 이탈리아 스타일로 화덕에 구워 내주며, 요리마다 재료의 맛이 잘 느껴진다. 평소 접하기 어려운 이탈리아 맥주도 맛볼 수 있다.

₩ 알리오올리오(1만9천원), 카치오페페(2만4천원), 안쵸비파스타(2만6천원), 고르곤졸라피자, 프로슈토피자(3만1천원), 루콜라피자(2만9천원), 감바스(2만3천원), 매운홍합찜(2만5백원), 한우채끝(180g 6만8천원)
🕒 12:00~15:00(마지막 주문 14:00)/17:30~24:00(마지막 주문 22:00) – 일요일 휴무
🔍 부산 해운대구 해운대해변로209번길 13(우동) 바게트호텔 3층
☎ 051-757-6127 Ⓟ 불가

스무고개 소고기구이 | 한우오마카세

한옥 인테리어와 목재 테이블을 사용한 고급스러운 분위기에서 한우 오마카세를 경험할 수 있는 곳이다. 화로의 숯으로 구워주는 꼬치구이도 보는 재미가 있다. 오마카세 외에도 단품 메뉴와 한상 메뉴도 준비되어 있다. 고기와 궁합이 좋은 다양한 사케도 구비하여 취향껏 곁들일 수 있다.

₩ 한우오마카세(8만9천원), 한우한상(400g 16만4천원, 600g 24만6천원, 800g 32만8천원), 프리미엄한상(500g 26만4천원), 양념사각등심(100g당 1만5천원), 한우양념갈비(2만4천원), 꽃등심(100g당 4만3천원), 한우사시미(2만8천원), 육회비빔밥(1만2천원), 냉면(8천원), 볶음밥(7천원), 된장찌개(7천원), 사케(변동)
🕒 11:30~15:00(마지막 주문 14:00)/17:00~21:30(마지막 주문 20:30) – 연중무휴
🔍 부산 해운대구 좌동순환로468번가길 81(중동)
☎ 0507-1416-2759 Ⓟ 가능

스시시안 すし是安 스시

기존 오마카세 전문점에서 캐주얼 판초밥 전문점으로 메뉴를 새롭게 변경했다. 합리적인 가격으로 숙성된 스시를 맛볼 수 있다. 스시는 단품으로 추가 주문할 수 있으며, 식사 전에는 깔끔한 샐러드와 장국이 나온다.

₩ 스시(10p 2만5천원)
🕒 18:00~21:00(마지막 주문 20:30) – 일요일 휴무
🔍 부산 해운대구 센텀1로 9(우동) 롯데갤러리움센텀 E동, 2층 210호
☎ 051-611-2684 Ⓟ 가능

스시이루카 스시

가격 대비 만족스러운 스시 오마카세를 맛볼 수 있는 곳. 적초를 사용한 샤리는 아지나 사바 같은 진한 맛의 생선과 잘 어울리는 맛이다.

₩ 런치(7만원), 디너(12만원)
🕒 12:00~14:00/디너 1부 17:30~19:30 , 2부 20:00~22:00 – 수요일 휴무
🔍 부산 해운대구 마린시티2로 38(우동) 해운대아이파크 판매동 C2 2층 212호
☎ 0507-1361-9442 Ⓟ 가능

스시이루카

신흥관 新興館 일반중식 | 사천식중식

70여 년 전통의 사천 중화요리 전문점. 불 맛이 느껴지는 사천 소스를 곁들인 짜장면과 오이, 당근, 목이버섯 등이 큼지막하게 들어간 옛날식 탕수육이 인기 메뉴다. 고춧기름과 간장이 섞인 양념에 찍어 먹는 깐풍기의 맛도 일품이다.

₩ 짜장면(7천원), 우동(8천원), 짬뽕(9천원), 탕수육(중 2만6천원, 대 3만6천원), 깐풍기(3만4천원)
🕒 11:30~21:00 – 월요일 휴무
🔍 부산 해운대구 중동1로 31-1(중동)
☎ 051-746-0062 Ⓟ 불가

아미산 일반중식

해운대에서 20년 넘게 영업해 온 중식당. 국내 중화요리 1세대 셰프 중 한 사람인 양수평 셰프가 주방을 맡고 있다. 바다를 바라보며 깔끔한 중국요리를 맛볼 수 있는 곳. 메인홀, 룸 6개가 마련되어 있어 모임 장소로도 추천할 만하다.

₩ 삼선짜장면(1만3천원), 삼선짬뽕(1만8천원), 팔진탕면(1만5천5백원), 멘보사(소 4만7천원, 대 6만5천원), 난자완스(소 5만원, 대 6만7천원), 점심특선코스(1인 3만9천원, 4만9천원), 코스(1인 6만5천원, 7

만5천원, 9만8천원, 13만5천원, 16만5천원)
⏲ 11:30~15:00(마지막 주문 14:30)/17:30~21:30(마지막 주문 20:30) - 명절 당일 휴무
🔍 부산 해운대구 해운대해변로 154(우동) 마리나센타 8층
☎ 051-747-0131 Ⓟ 가능

아오모리 青森 일식 | 스시

센텀호텔 내의 일식당. 수준 높은 사시미를 맛볼 수 있다. 코스를 시키면 사시미가 나온 후에 각종 해물이 나오고 채소와 관자, 소고기구이, 식사메뉴 등이 뒤이어 나온다. 스시코스도 인기가 있으며 사케 리스트도 좋은 편이다.

₩ 런치오마카세(7만5천원), 디너스시오마카세(11만원), 디너사시미오마카세(13만원)
⏲ 12:00~14:30/18:00~21:50 | 토, 일요일 11:30~14:50/18:00~21:50 - 명절 휴무
🔍 부산 해운대구 센텀3로 20(우동) 해운대센텀호텔 3층
☎ 051-720-8201 Ⓟ 가능

아저씨대구탕 대구탕 | 대구

시원칼칼한 국물의 대구탕이 인기를 끄는 곳. 대구 머리를 넣고 국물 맛을 내는 것이 특징이다. 밑반찬으로 나오는 장아찌 종류와 멍게젓이 맛깔스럽다.

₩ 대구탕(1만3천원), 대구뽈찜(소 3만5천원, 대 5만원)
⏲ 07:00~21:00 - 둘째, 넷째 주 월요일 휴무
🔍 부산 해운대구 달맞이길62번가길 31(중동) 마린하우스
☎ 051-746-2847 Ⓟ 가능

아티성블렁제리빵빵빵 베이커리

다양한 종류의 프랑스 현지식 빵과 한국인 입맛에 맞는 빵을 둘 다 맛볼 수 있는 곳이다. 쫄깃한 사워도우 바게트와 바게트 샌드위치가 맛있다. 채식주의자를 위한 비건빵도 선보인다.

₩ 사워도우브레드(8천5백원), 폴리쉬바게트(4천8백원), 대파푸가스(5천9백원), 치아바타플레인(4천8백원), 발로나블럭(6천8백원), 비건식빵, 비건바게트(각 5천2백원), 아메리카노(3천1백원), 카페라테(3천9백원)
⏲ 09:00~19:30 - 월요일 휴무
🔍 부산 해운대구 마린시티1로 91(우동) 마린시티두산위브포세이돈 102동 102호
☎ 051-866-6666 Ⓟ 가능

안덕스시 스시

1인 셰프로 운영하는 8석 규모의 스시야. 합리적인 가격으로 스시 코스를 선보인다. 가격대가 좋은 편이어서 오마카세 입문자에게 추천할 만한 곳이다.

₩ 오마카세(9만원)
⏲ 18:30~20:00/20:00~21:30 - 화, 수요일 휴무
🔍 부산 해운대구 달맞이길65번길 6(중동)
☎ 010-5641-8877 Ⓟ 가능

야가와 일식장어

도쿄의 가이세키 요리점인 와케토쿠야마, 200년 전통의 우나기 노포 코마가타마에카와에서 수련한 정시일 셰프가 선보이는 가이세키 기반의 컨템퍼러리 재패니즈 다이닝. 도쿄 현지에서 유행하는 스타일의 퓨전 일본요리를 맛볼 수 있다. 점심에 내는 우나기 덮밥 코스는 관서식 히츠마부시와는 다른, 관동 지방의 카바야키 스타일로 장어를 쪄낸 뒤 양념을 발라 구워 부드러우면서도 바삭한 맛을 경험할 수 있다. 코마가타마에카와의 스타일처럼 단맛이 절제되어 독특하다.

₩ 디너컨템포러리코스(15만원), 런치장어덮밥(4만8천원), 런치트러플콩국수추가(2만5천원)
⏲ 12:00~13:30/18:00~20:30(마지막 주문 19:00) - 월요일 휴무
🔍 부산 해운대구 마린시티1로 9(우동 마린시티자이
☎ 0507-1386-3581 Ⓟ 가능(협소)

양산국밥 돼지국밥

부산 향토음식인 돼지국밥을 전문으로 하는 곳이다. 국물이 맑은 스타일로, 밥을 토렴해서 나오는 것이 특징.

₩ 토렴국밥, 생생육면(각 1만1천원), 따로국밥(1만원), 수육백반(1만5천원), 모둠수육(4만원), 수제순대(1만8천원), 맛보기순대(9천원), 밀면, 비빔밀면(각 1만1천원)
⏲ 09:00~22:00 - 연중무휴
🔍 부산 해운대구 좌동로10번길 75(중동)
☎ 051-703-3544 Ⓟ 가능

엣지993 Edge 993 카페

펜션과 같이 운영하는 오션뷰 카페. 1층부터 4층까지는 객실, 지하 1층과 5, 6층이 카페로 운영된다. 6층의 루프탑에서 내다보이는 바다의 경치가 좋으며, 지하 1층 카운터에서 주문과 메뉴 픽업이 가능하다. 엣지크림라테가 시그니처 메뉴.

₩ 엣지말차크림라테, 엣지딸기라테(각 7천5백원), 에스프레소도피오(5천원), 아메리카노(5천5백원), 카페라테, 카푸치노(각 6천5백원), 엣지밀크티(9천원)
⏲ 09:00~21:00 | 토, 일요일 09:00~22:00 - 연중무휴
🔍 부산 해운대구 달맞이길62번길 78(중동)
☎ 051-703-9930 Ⓟ 가능

영남돼지 소고기구이 | 돼지고기구이

질 좋은 소고기와 돼지고기 구이를 다양하게 먹을 수 있는 곳. 고기를 먹기 좋은 굽기로 구워 주어 편하게 즐길 수 있다. 파채무침, 멜젓도 나와 고기에 곁들이면 좋다. 식사는 육향이 느껴지는 국물의 물냉면이 인기 메뉴다.

₩ 소고기등심(2인 이상, 1인 100g 3만6천원), 갈빗살(100g 3만4천원), 차돌박이(120g 2만7천원), 양념차돌박이(150g 2만7천원), 안창살(예약 주문, 100g 4만4천원), 안거미(예약 주문, 100g 4만2천원), 삼겹로스, 삼겹살(각 120g 1만5천원), 목살(예약 주문, 2인 이상, 1인 120g 1만5천원), 양념삼겹로스(160g 1만5천원), 항정살, 흑돼지오겹

살(각 120g 1만7천원), 물냉면, 비빔냉면(각 1만원), 차돌된장(1만3천원)

⌚ 1층 11:30~22:30(입장 마감 21:30, 마지막 주문 22:00) | 2층 11:30~21:30 – 연중무휴

🔍 부산 해운대구 해운대해변로209번가길 13(우동)

☎ 051-747-4228 Ⓟ 가능

영변횟집 세꼬시 | 생선회

송정해수욕장 부근에서 가장 유명한 세꼬시집. 부산에서는 잘 알려진 노포 중 하나다. 도다리세꼬시로 유명한 집이지만 최근에는 광어나 가자미를 사용하기도 한다. 뼈째 잘게 썰어 내는 세꼬시는 생선회의 고소한 맛을 한층 높여주며, 초장보다는 부산식 막장에 찍어 먹는 것을 추천한다.

₩ 세꼬시(3만원), 가자미(4만원), 도다리(4만5천원), 광어, 우럭(각 7만원), 모둠회(소 7만원, 중 10만원, 대 12만원), 생우럭구이(3만5천원), 새우구이(3만원)

⌚ 11:00~21:00 – 연중무휴

🔍 부산 해운대구 송정강변로 15

☎ 051-703-7590 Ⓟ 가능

예이제 한정식

놋그릇과 작가들의 도자기에 담아 내오는 궁중 한정식을 맛볼 수 있는 곳이다. 따뜻한 음식은 따뜻하게, 찬 음식은 차게 음식 하나하나 담아 내는 데에서 정성이 느껴진다. 간도 짜지 않고 담백하다. 분위기가 좋아 상견례 장소로도 인기가 많다.

₩ 코스요리(7만9천원~15만원), 점심한정식(3만9천원, 4만9천원), 상견례요리(7만5천원)

⌚ 12:00~15:00/17:30~21:20 – 명절 휴무

🔍 부산 해운대구 해운대해변로298번길 29(중동) 푸르지오시티 2층

☎ 051-731-1100 Ⓟ 가능

오르 OR 프랑스식 | 유럽식

파티세리 빠뜨아슈에서 운영하는 프렌치 비스트로로, 스튜를 전문으로 하고 있다. 칠리, 미트볼, 토마토, 굴라시, 비프브루기뇽 등 여러 나라의 스튜를 맛볼 수 있으며, 스튜에는 바삭하게 구워져 나오는 빵을 곁들여 먹으면 좋다. 파스타나 샐러드와 와인 한잔하기에도 좋은 분위기다.

₩ 라타투이바질스튜, 트러플모둠버섯샐러드(각 1만5천원), 명란오일파스타(1만6천원), 도미스테이크솥밥리조토(1만9천원)

⌚ 11:00~15:00(마지막 주문 14:00)/17:00~21:00(마지막 주문 20:00) | 일요일 11:00~19:00(마지막 주문 18:00) – 월요일 휴무

🔍 부산 해운대구 우동1로71번길 26-1(우동) 1층

☎ 051-731-2359 Ⓟ 불가

오스테리아오로 Osteria ORO 이탈리아식

이탈리아 현지 스타일의 피자와 파스타를 맛볼 수 있는 곳이다. 이탈리아 밀가루인 카푸토로 만든 도우를 사용한 피자는 쫄깃한 식감이 일품이다. 파스타도 직접 만든 생면을 사용하며, 트러플을 듬뿍 갈아주는 트러플 파스타가 인기 메뉴.

₩ 새우세비체(1만6천원), 시저샐러드(1만8천원), 피자-마르게리타부팔라(2만2천원), 프로슈토루콜라(2만7천원), 포르마지(2만8천원), 디아볼라(2만5천원), 파스타-아마트리치아나(2만2천원), 봉골레(2만3천원), 트러플(3만8천원), 스테이크-한우채끝등심(230g 4만8천원), 한우++안심(200g 7만9천원)

⌚ 12:00~15:00(마지막 주문 14:00)|17:00~22:00(마지막 주문 21:00) – 월, 화요일 휴무

🔍 부산 해운대구 세실로 105 2층

☎ 051-702-0248 Ⓟ 가능(좌1동 공영주차장 이용, 1시간 지원)

우미 海味 스시

해운대 일대에서는 최고의 스시로 꼽히는 곳 중 하나다. 스시효에서 경력을 쌓은 조리장의 솜씨가 훌륭하다. 다양한 종류의 초밥과 회를 코스로 즐길 수 있어 인기가 좋다.

₩ 디너오마카세(16만원)

⌚ 17:30~19:40/20:00~22:30 – 일요일 휴무

🔍 부산 해운대구 마린시티2로 33(우동) 해운대두산위브더제니스 A동 127-1

☎ 010-8901-9315 Ⓟ 가능

우봉샤브 일식샤부샤부

질 좋은 한우 샤부샤부를 맛볼 수 있는 곳. 바구니에 든 종이에 끓여 먹는 듯한 특이한 샤부샤부 냄비가 눈길을 먼저 끈다. 육수에 레몬이 들어가 상큼하며, 폰즈 소스도 구비되어 있다.

₩ 한우차돌박이샤부샤부(1만9천원), 한우1++채끝등심샤부샤부, 한우1++부채살샤부샤부(각 2만8천원)

⌚ 11:00~15:00(마지막 주문 14:00)/17:00~21:00(마지막 주문 20:00) | 토, 일요일 11:00~16:00(마지막 주문 15:00)/17:00~21:00(마지막 주문 20:00) – 월요일 휴무

🔍 부산 해운대구 청사포로 127(중동)

☎ 0507-1349-9256 Ⓟ 불가

원조전복죽집 전복죽 | 전복

게우(내장)가 있는 전복을 통째로 끓인, 녹색의 오리지널 전복죽을 맛볼 수 있는 곳이다. 참기름과 전복만 사용하는 것이 특징. 전복과 해초, 나물 등이 푸짐히 들어간 비빔밥도 식사메뉴로 인기가 많다. 50년 넘는 역사를 자랑한다.

₩ 원조전복죽(1만4천원, 특 1만9천원), 프리미엄전복죽(소 2만4천원, 대 3만6천원), 전복해초비빔밥(1만4천원), 전복회, 전복버터구이(각 소 3만7천원, 대 5만8천원), 전복콩나물해장국(9천원)

⌚ 06:30~23:00 – 연중무휴

🔍 부산 해운대구 해운대해변로298번길 24(중동) 1층

☎ 051-742-4690 Ⓟ 가능

유명한횟집 생선회

제철 생선회와 자연산 모둠회를 맛볼 수 있는 곳. 회를 주문하면 게 튀김, 샐러드, 미역국, 부침개 등 밑반찬을 다양하게 내어준다. 회도 푸짐하게 내어주며, 직접 만든 막장을 함께 곁들여 먹어도 좋다. 겨울에는 대방어가 인기가 좋다.

₩ 참가자미(소 6만6천원, 중 8만8천원, 대 12만원), 자연산모둠회(시가), 유명물회(3만원), 스페셜물회(4만원)
ⓒ 예약제로 운영 – 재료 소진 시 휴무
Q 부산 해운대구 센텀동로 90 센텀필상가 2관115호
☎ 051-783-4488 Ⓟ 가능

율링 yulling 한우오마카세 | 소고기구이

해운대의 멋진 오션뷰를 즐길 수 있는 한우 다이닝 레스토랑. 고급스러운 공간에서 한식에 재패니즈 프렌치가 가미된 한우 오마카세를 즐길 수 있다. 카운터 좌석과 여러 개의 개별 룸, 커다란 와인 셀러를 갖추고 있다.

₩ 런치코스(7만8천원), 런치스페셜코스(9만8천원), 디너코스(15만5천원), 디너스페셜코스(20만원), 와인글라스페어링(3 glass 5만5천원, 6 glass 10만원)
ⓒ 13:00~14:30/17:20~19:10/19:30~21:30 | 토, 일요일, 공휴일 13:00~14:30/17:00~19:00/19:30~21:30 – 수요일 휴무
Q 부산 해운대구 달맞이길62번길 28(중동) 미포오션사이드호텔 2층
☎ 051-741-3323 Ⓟ 가능(미포 씨랜드 지하주차장에 주차, 2시간 지원)

의령식당 돼지국밥

깔끔하게 우려낸 육수가 일품이며, 부추무침을 곁들여 먹으면 좋다. 돼지국밥과 푸짐한 양의 돼지 수육이 함께 나오는 수육백반도 가격대비 만족도가 높다.

₩ 돼지국밥, 내장국밥, 섞어국밥(각 7천원), 따로국밥(8천원), 수육백반(9천원), 수육(소 1만2천원, 중 1만5천원, 대 1만8천원)
ⓒ 08:30~21:00 – 일요일 휴무
Q 부산 해운대구 우동1로50번길 15(우동)
☎ 051-746-9661 Ⓟ 불가

이레옥 怡來屋 곰탕 | 수육

곰탕 전문점. 한우를 사용한 담백하고 깔끔한 맛의 곰탕을 즐길 수 있다. 양이 들어간 양곰탕도 인기 메뉴. 테라스에 앉으면 광안대교가 한눈에 보여 최고의 전망을 자랑한다.

₩ 곰탕(1만6천원, 특 1만9천원), 양곰탕(1만8천원, 특 2만1천원), 특섞어곰탕(2만2천원), 수육(중 250g 7만원, 특 350g 8만원)
ⓒ 24시간 영업 – 연중무휴
Q 부산 해운대구 마린시티3로 51(우동) 더샵해운대아델리스 상가
☎ 051-742-6421 Ⓟ 가능

이튼밸리 Etonvally 커피전문점

분위기 있는 아늑한 커피 전문점. 1층은 주류와 커피를, 2층은 인테리어 소품을 팔고 있다. 진열대에 장식된 로얄코펜하겐 플레이트가 멋스럽다. 구석진 곳에 있지만, 아늑한 분위기에서 여유를 즐기려는 사람들이 찾아오고 있다.

₩ 핸드드립커피(7천원~8천원), 맥주(7천원~9천원)
ⓒ 11:00~21:00 – 월요일, 명절 휴무
Q 부산 해운대구 좌동순환로 51-4(좌동)
☎ 051-746-0349 Ⓟ 가능

젠스시 善すし 스시

깔끔한 일식을 선보이는 곳. 재료의 손질 상태도 좋고 숙성이 잘된 쫄깃한 회 맛이 일품이다. 코스를 주문하면 애피타이저부터 디저트까지 한 번에 즐길 수 있다. 예약제로만 운영한다.

₩ 스시오마카세(15만원)
ⓒ 18:00~19:30/20:00~22:00 – 월, 화요일 휴무
Q 부산 해운대구 대천로42번길 28-5(중동)
☎ 051-746-7456 Ⓟ 가능

진우린해장 JIN WOO RIN 갈비탕 | 육회 | 수육

든든한 한 끼 해결하기 좋은 곳. 24시간 운영되어 부담 없이 방문할 수 있다. 대표 메뉴는 한우해장국과 맑은소한마리탕, 그리고 육회비빔밥이다. 육회비빔밥에는 해장국이 작은 뚝배기로 준비되어 함께 맛볼 수 있어 좋다.

₩ 갈비해장국(1만5천원), 한우해장국(1만원), 한우육회비빔밥(1만2천원), 맑은소한마리탕(1만2천원), 점심특선맛보기수육(200g 1만9천원), 육회(소 1만7천원, 중 2만5천원), 모둠수육(중 4만3천원, 대 5만3천원), 한우곱창전골(4만5천원)
ⓒ 24시간 영업 | 월요일 10:00~24:00 | 일요일 00:00~22:00 – 연중무휴
Q 부산 해운대구 중동1로 44 ☎ 051-746-0222 Ⓟ 가능

차오란 超然 일반중식 | 광동식중식

부산 시그니엘호텔의 고급 중식 다이닝 레스토랑. 1920년대 홍콩의 분위기를 반영하였으며 모던 광동식 요리를 맛볼 수 있다.

차오란

낮에는 딤섬과 차를, 저녁에는 바에서 칵테일을 즐길 수 있다.

₩ 런치세트(6만5천원~13만원), 디너세트(13만5천원~30만원), 차오란덕(16만원), 페킹덕(16만원), 딤섬셀렉션(1인 7만5천원)

⏲ 12:00~15:00(마지막 주문 14:30)/18:00~21:30(마지막 주문 21:00) – 연중무휴

🔍 부산 해운대구 달맞이길 30(중동) 시그니엘 부산 5층

☎ 051-922-1250 Ⓟ 가능

청춘식당 돼지고기구이 | 소고기구이

국내 최고 등급의 돼지고기를 사용하는 곳. 얼리지 않은 생고기가 도마 위에 올려 나오는 것이 특징. 불판에 익혀 먹으면 풍부한 육즙과 쫄깃한 식감이 일품이다.

₩ 오겹살, 삼겹살, 목살, 갈매기살(각 120g 1만원), 안창살(100g 3만8천원), 등심(100g 3만원), 차돌된장찌개(1만원)

⏲ 11:30~14:00/17:00~22:00(마지막 주문 21:30) | 토, 일요일 18:00~21:00(마지막 주문 20:30) – 연중무휴

🔍 부산 해운대구 해운대해변로209번길 8-12(우동)

☎ 051-746-6511 Ⓟ 불가

초필살돼지구이 🎀 돼지고기구이 | 돼지갈비

해운대에서 인기 있는 돼지고기 구이 전문점. 쫄깃한 육질이 풍미가 좋으며 파채, 소스 등과 함께 먹으면 좋다. 벌집 모양의 칼집을 낸 돼지껍데기가 시그니처 메뉴다. 가격대비 만족도도 좋은 편.

₩ 껍데기(150g 9천5백원), 소금구이(120g 1만2천원), 돼지갈비(200g 1만1천원), 뒷고기(120g 9천5백원), 대패삼겹살(200g이 1인분, 100g 7천원), 통삼겹김치찌개(2만7천원)

⏲ 17:00~24:00(마지막 주문 23:00) – 연중무휴

🔍 부산 해운대구 마린시티3로 23(우동) 벽산이오렌지프라자

☎ 0507-1417-5516 Ⓟ 가능

커피프론트 🎀 coffee front 커피전문점

약배전한 부드러운 원두의 맛을 즐길 수 있는 곳이다. 주문 시 원두의 종류는 물론 우유의 종류까지 선택이 가능한 것이 특징. 유기농 우유를 사용하는 라테가 맛있는 곳이기도 하다.

₩ 필터커피(5천5백원~1만원), 에스프레소, 아메리카노(각 4천8백원), 플랫화이트(5천8백원), 라테, C플랫(각 6천원)

⏲ 08:00~19:00(마지막 주문 18:30) | 토, 일요일, 공휴일 09:00~19:00(마지막 주문 18:30) – 연중무휴

🔍 부산 해운대구 APEC로 17(우동) 센텀리더스마크 113호

☎ 051-731-2635 Ⓟ 가능

클라우드32 🎀 Cloud32 이탈리아식 | 바

해운대 바다가 보이는 전망 좋은 이탈리안 레스토랑으로, 야경은 더욱 근사하다. 신선한 해산물 재료를 사용하며 와인이나 칵테일을 즐길 수 있는 바를 겸하고 있다.

₩ 런치코스(6만9천원, 8만8천원), 디너코스(7만7천원, 9만9천원, 13만원), 클라우드32프리미엄코스(20만원), 클라우드32세트(6만9천원, 11만9천원)

⏲ 12:00~15:30(마지막 주문 14:00)/17:00~21:30(마지막 주문 20:00) – 연중무휴

🔍 부산 해운대구 마린시티3로 52(우동) 한화리조트 32층

☎ 051-749-5320 Ⓟ 가능

키친동백 🎀 파스타 | 피자

해운대 달맞이길 인근에 자리한 이탈리안 레스토랑. 맛과 서비스, 플레이팅 모두 평이 좋다. 원래는 동백아트센터로 운영되던 곳으로, 곳곳에 전시된 예술 작품과 화이트 톤의 인테리어가 인상적이다. 드레스코드는 스마트캐주얼로, 슬리퍼 착용 등은 자제하는 것이 좋다.

₩ 한우안심스테이크(180g 8만5천원), 런치스테이크코스(6만9천원), 런치파스타코스(4만9천원), 쉐프테이스팅코스(10만9천원), 한우트러플페스토리조토(3만6천원), 샤프란토마토리조토와딱새우튀김, 프리아리엘리피자(각 3만원), 트러플기타라파스타(3만4천원)

⏲ 11:00~15:00(마지막 주문 14:00)/17:00~22:00 – 월요일 휴무

🔍 부산 해운대구 달맞이길117번가길 85(중동)

☎ 051-731-0022 Ⓟ 가능

토라후구가 🎀 とらふぐ家 복

일본의 복요리점 겐핑후구의 체인으로 시작하여 훌륭한 복요리로 유명한 논현동 현복집 출신인 정승훈 셰프가 오픈한 참복 전문점. 텟사(얇은 복사시미), 부츠기리(뭉텅 썰어놓은 사시미), 가라아게(튀김), 지리, 죠스이(죽) 등의 일본식 참복요리를 코스 혹은 단품으로 즐길 수 있다.

₩ 런치(5만원), 디너(A 10만원, B 13만원), 복어사시미(3만5천원)

⏲ 12:00~15:00/18:00~23:00(마지막 주문 22:00) – 일요일 휴무

🔍 부산 해운대구 좌동순환로 480 금호어울림상가

☎ 051-743-5432 Ⓟ 불가(인근 공영주차장 이용)

토라후구가

파노라마라운지 Panorama lounge 라운지바 | 카페

커피, 생과일 주스에서 칵테일까지 다양한 음료와 스낵이 준비되어 있는 라운지. 바 천장에 있는 수만 개의 크리스털 샹들리에와 아름다운 수족관이 낭만적인 분위기를 더한다. 해운대 바다와 라이브 음악이 어우러져 연인들의 데이트 장소로 인기다.

₩ 애프터눈티(2인 10만5천원), 커피(1만6천5백원~2만7천원), 햄치즈샌드위치(3만2천), 프렌치토스트(3만원), 피시앤칩스(3만5천원), 계절과일모둠(5만3천원)

🕒 08:00~22:00 | 토요일 08:00~24:00 – 연중무휴

🔍 부산 해운대구 동백로 67(우동) 부산웨스틴조선호텔 로비층

☎ 051-749-7435 Ⓟ 가능

팔레드신

PALAIS DE CHINE 모던차이니즈 | 홍콩식중식 | 북경오리

오션뷰를 즐길 수 있는 그랜드조선부산의 모던 차이니즈 레스토랑. 시그니처는 단연 북경오리. 소홍주칠리새우, 훈연향메로도 인기 메뉴며, 불도장, 탕수육 등 웨스틴조선 홍연의 대표 메뉴도 맛볼 수 있다. 북경오리는 최소 4일 전에 예약해야 한다.

₩ 런치코스(8만8천원~16만5천원), 디너코스(15만9천원~23만5천원), 북경오리(15만원), 소흥주칠리새우, 훈연향메로(각 6만원), 이베리코차슈, 동파육(6만원), 삼선짜장면(2만6천원), 삼선짬뽕(3만2천원)

🕒 12:00~14:30/18:00~21:30 | 토, 일요일 12:00~15:00/ 17:30~21:30 – 연중무휴

🔍 부산 해운대구 해운대해변로 292(중동) 그랜드조선부산호텔 5층

☎ 051-922-5100 Ⓟ 가능

평안도족발 족발

해운대에서 유명한 원조 족발집 중 하나로 꼽히는 곳. 쫄깃한 족발 맛이 좋으며 새콤한 냉채족발도 인기다. 밑반찬도 깔끔하게 나오는 편. 새콤한 막국수로 식사를 마무리한다.

₩ 족발(소 3만5천원, 중 4만원, 대 4만5천원, 특대 5만5천원), 냉채족발, 마늘족발(각 소 3만9천원, 대 4만9천원), 감자탕(3만5천원), 물막국수(7천원), 비빔막국수(8천원)

🕒 12:00~24:00 – 명절 휴무

🔍 부산 해운대구 달맞이길 14(중동)

☎ 051-741-6568 Ⓟ 불가

프루터리포레스트

FRUiTERiE FOREST 과일카페 | 주스전문점 | 카페

광안리에 있는 과일을 주제로 하는 카페 프루터리의 해운대점으로, 넓은 정원이 있어 숲 속에 온 느낌이다. 과일 착즙 주스를 비롯하여 과일 케이크, 팬케이크에 과일과 생크림이 올려진 프루츠베이비카스테라 등이 대표 메뉴다.

₩ 아메리카노(6천원), 카페라테(7천원), 리얼바닐라빈라테(8천원), 과일착즙주스, 과일차(각 9천원), 프루츠콜드브루(8천원), 프루츠베이비카스테라(1만5천원), 프루츠케이크(7천원)

🕒 11:00~21:00 – 연중무휴

🔍 부산 해운대구 달맞이길 491(송정동) 프루터리포레스트

☎ 051-703-2018 Ⓟ 가능

하레마 HAREMA 스시

신선한 고급 제철 재료를 사용하는 스시 오마카세. 디너 코스는 10가지가 넘는 츠마미가 먼저 나온다. 참치와 성게알, 아보카도 무스를 디올 접시에 서브한 뒤 김에 싸서 내어 주는 시그니처 요리를 맛볼 수 있다. 와사비도 시즈오카에서 공수해온 마즈마 와사비를 즉석에서 갈아 사용한다.

₩ 런치세트(12:00~14:00, 10만원), 디너1부(17:00~19:20, 18만원), 디너2부(19:30~22:00, 20만원)

🕒 12:00~14:00/디너1부 17:00~19:20, 디너2부 19:30~22:00(예약에 따라 운영됨) | 화, 수요일 디너1부 17:00~19:20, 디너2부 19:30~22:00(예약에 따라 운영) – 월요일 휴무

🔍 부산 해운대구 마린시티2로 33 해운대두산위브더제니스 지하 1층, 106호

☎ 0507-1354-6558 Ⓟ 가능(상가 주차장 4시간 지원)

하선집숯불돼지갈비전문점 돼지갈비

비장탄 숯불에 질 좋은 돼지갈비를 구워 먹을 수 있는 곳. 양념갈비 뿐만 아니라 생돼지갈비도 선보이며, 직원이 먹기 좋은 굽기로 구워준다. 고기와 잘 어울리는 밑반찬와 장아찌도 내준다.

₩ 양념돼지갈비(200g 1만8천원), 생돼지갈비(180g 1만8천원), 생한우육회(소 2만원, 대 3만5천원), 생한우육회비빔밥(1만2천원), 물밀면, 비빔밀면(각 7천원)

🕒 11:30~22:00(마지막 주문 21:00) – 연중무휴

🔍 부산 해운대구 좌동순환로 395 한라프라자 1층

☎ 051-704-1139 Ⓟ 가능(2시간 무료 지원)

하진이네 조개구이

청사포에 늘어서 있는 조개구이집 중 하나. 삶은 새우, 고동, 김치 등이 밑반찬으로 나온다. 모둠조개구이가 대표 메뉴며 식사로는 돌솥밥이나 새우가 들어간 얼큰한 라면을 추천할 만하다.

₩ 모둠조개, 가리비(각 소 3만5천원, 중 4만5천원, 대 5만5천원), 장어구이(소 4만원, 대 6만원), 전복구이(중 4만5천원, 대 5만5천원), 해물모둠(4만원), 장어매운탕(3만5천원), 라면(3천원), 돌솥밥(4천원)

🕒 11:30~06:00(익일) – 연중무휴

🔍 부산 해운대구 청사포로 151(중동)

☎ 051-702-4092 Ⓟ 가능

해목 海木 일식장어

나고야식 히쓰마부시를 전문으로 하는 곳. 세 가지 다른 방식으로 장어 덮밥을 즐기는 것이 특징이다. 장어의 부드럽고, 짭쪼롬하고 달콤한 양념이 밥과 잘 어울린다. 히쓰마부시를 먹는 방식 중 한 가지인 오차즈케는 꼭 시도해볼 것을 추천. 해산물을 좋아한다면 신선한 생선회와 성게알을 올린 카이센동도 추천한다.

₩ 히쓰마부시(3만9천원, 특 5만7천원), 카이센동(3만6천원, 특 5만

원), 연어사시미(2만4천원), 마구로다타키(1만8천원), 크림부라타치즈(8천원), 모치리도후(9천원)
🕒 11:00~15:00/17:00~22:00(마지막 주문 21:00) – 연중무휴
🔍 부산 해운대구 구남로24번길 8(우동)
☎ 0507-1385-3730 Ⓟ 불가(근처 주차장의 주차권 제시 시 음식 2천원 할인)

해성막창집 양곱창

해운대에서 소막창과 대창을 저렴한 가격으로 즐길 수 있는 곳. 저렴하지만 푸짐한 양과 쫄깃한 식감으로 인기가 많다. 저녁에는 항상 줄을 서야 할 정도로 손님이 많은 곳이다.

₩ 소막창(180g 1만2천원), 대창(250g 1만2천원), 곱창전골(1인 1만1천원)
🕒 16:00~24:00 | 금, 토요일 16:00~01:00(익일) – 일요일 휴무
🔍 부산 해운대구 중동1로19번길 29(중동)
☎ 051-731-3113 Ⓟ 불가

해운대가야밀면 밀면

부산에서만 주로 맛 볼 수 있는 특이한 면 종류인 밀면 전문점으로, 시원한 육수와 쫄깃한 면발이 특징이다. 항상 웨이팅이 있지만, 테이블 회전이 빨라 오래 기다리지는 않는다.

₩ 밀면, 비빔면(각 9천원, 곱빼기 1만원), 만두(6천원)
🕒 10:00~20:50 – 연중무휴
🔍 부산 해운대구 좌동순환로 27(좌동)
☎ 051-747-9404 Ⓟ 가능

해운대가야밀면

해운대밀면 만두 | 밀면

오직 밀면과 만두만 파는 밀면 전문점. 물밀면에도 양념장을 올려 주며, 시원한 국물과 쫄깃한 면발이 좋다. 얇고 쫄깃한 피로 싼 만두도 밀면과 함께 즐기기 좋다.

₩ 밀면, 비빔면(각 8천원, 곱빼기 9천원), 추가사리(2천원), 만두(6천원)
🕒 10:40~20:30 – 연중무휴
🔍 부산 해운대구 중동2로10번길 21(중동)
☎ 051-743-0392 Ⓟ 가능(온천주차장 이용 시 1천원 지원)

해운대원조할매국밥 소고기국밥 | 선지해장국

60여 년 전통의 국밥집. 고기와 콩나물이 가득 들어간 소고기국밥과 선지와 콩나물이 들어간 선지국밥이 대표 메뉴다. 밥 대신 국수가 들어가는 선지국수도 추천 메뉴.

₩ 소고기국밥, 선지국밥, 소고기국수, 선지국수(각 8천원), 소고기따로국밥, 선지따로국밥(각 8천5백원), 소고기수육(소 2만원, 대 3만원)
🕒 04:30~15:30/16:30~03:30(익일) – 수요일 휴무
🔍 부산 해운대구 구남로21번길 33 윤앤김빌딩
☎ 051-746-0387 Ⓟ 가능

헨리스가든 henrys garden 이탈리아식 | 파스타 | 피자

유기농 식재료를 사용하는 이탈리안 레스토랑. 경남 일대에서 생산되는 식재료를 사용하며, 빵도 천연효모를 이용하는 등 건강한 식탁을 위한 셰프의 정성이 엿보인다. 정원 테라스석은 여유롭게 브런치를 즐기기에 좋다.

₩ 시즌가든코스(변동), 바삭한감자도피누아즈(6천원), 한치새우해산물피자, 전복한치바질페스토파스타(각 1만8천원), 갈릭버터새우부추전(1만9천원)
🕒 11:00~15:30/17:00~22:00 – 일요일 휴무
🔍 부산 해운대구 좌동순환로 418 1층, 지하 1층
☎ 051-710-4578 Ⓟ 가능

황금어장 黃金漁場 일식

신선한 회에 강판에 간 생와사비를 곁들여 먹는 맛이 일품이다. 개인별로 나오는 고노와다(해삼 내장)에 찍어 먹으면 더욱 맛이 좋다. 코스가 상당히 알차게 나오는 편. 별도의 룸으로 구분되어 있어 조용히 식사하기 좋다.

₩ 점심특선(2만8천원, 4만8천원), 오마카세(마라도 7만원, 독도 9만원, 저녁정식 5만원)
🕒 12:00~14:30/17:00~22:00 – 일요일, 명절 휴무
🔍 부산 해운대구 좌동순환로 473(중동) 해운대로데오아울렛
☎ 051-731-1888 Ⓟ 가능

인천광역시

Incheon Metropolitan City

인천광역시 강화군

강나루숯불장어 장어

100% 국내산 참 숯불로 구운 장어 구이를 맛볼 수 있는 곳. 살아있는 싱싱한 장어만을 사용하며, 고추장과 간장 양념, 소금구이 등 장어구이의 전문성을 부각시킨 양념과 신선한 야채, 깔끔하고 담백한 밑반찬을 함께 즐길 수 있다.

₩ 갯벌장어(1kg 11만8천원, 1.5kg 17만7천원, 2kg 23만6천원), 민물장어(1kg 10만8천원, 1.5kg 16만2천원, 2kg 21만6천원)

🕒 10:00~21:00(마지막 주문 20:30) – 연중무휴

🔍 인천 강화군 길상면 해안남로 92-6

☎ 032-886-0592 Ⓟ 가능

강화국수 잔치국수 | 비빔국수

70년이 넘는 세월 동안 비빔국수로 인기를 끈 곳이다. 처음에는 비빔국수와 잔치국수만 했으나 지금은 계절에 따라 열무국수, 콩국수, 냉국수도 맛볼 수 있다. 제대로 우려낸 멸치 육수 맛이 좋다.

₩ 비빔국수(보통 6천원, 곱빼기 7천원, 특대 8천원), 잔치국수(보통 5천5백원, 곱빼기 6천원, 특대 7천원), 열무냉국수, 콩국수, 냉국수(각 7천원)

🕒 11:00~19:30 – 일요일 휴무

🔍 인천 강화군 강화읍 동문안길 12-1

☎ 032-933-7337 Ⓟ 불가(인근 공영주차장 이용)

강화까까 GANGHWA GGAGGA 에그타르트

강화인삼, 사자발약쑥과 같은 강화도 특산물로 만드는 에그타르트 전문점. 인삼과 쑥이 들어간 것은 쌉쌀한 맛, 끼리크림치즈가 들어 있는 시그니처타르트는 부드러운 맛이다. 한적한 산골에 있어 주변을 산책하기에도 좋다.

₩ 타르트박스(6개 1만7천원), 시그니처타르트, 레몬인삼타르트, 사자발쑥타르트(각 2천8백원), 아메리카노(5천원), 콜드브루(6천원), 카페라테(5천5백원), 초코라테(6천원)

🕒 11:00~19:00 – 수요일 휴무

🔍 인천 강화군 불은면 덕진로 159

☎ 010-3627-8597 Ⓟ 가능

강화까까

금문도 金門島 일반중식

30여 년 역사의 중식당으로, 강화도산 특산품으로 요리를 하는 것이 특징이다. 강화순무탕수육이 대표 메뉴로, 탕수육 위에 유자 소스로 버무린 순무채, 그 위에 양배추 채가 탑처럼 올려져 나온다. 밑에 깔린 탕수육과 순무를 함께 집어 소스에 적셔 먹는 맛이 독특하다. 강화속노랑간짜장에는 속이 노란 고구마채가 튀겨져 올려 나온다.

₩ 강화백짬뽕(1만2천원, 곱빼기 1만4천원), 강화속노랑간짜장, 강화섬쌀볶음밥(1만1천원, 곱빼기 1만3천), 강화순무탕수육(2만3천, 더블 4만2천원)

🕒 09:30~15:00 – 월요일 휴무

🔍 인천 강화군 강화읍 중앙로 43 강화여객 터미널 213호

☎ 032-933-0833 Ⓟ 가능

꼭대기집약수터 삼겹살

일반 가마솥 삼겹살과는 달리 진짜 아궁이 가마솥 위에 삼겹살을 구워 먹는다. 주인장 내외가 직접 기른 돼지고기와 쌀을 사용한다. 가마솥에 끓인 라면도 인기 메뉴. 가족 모임이나 회사 모임 하기에 적당하다.

₩ 한판메뉴(1인 3만원), 가마솥라면(5천원), 고기추가(200g 1만5천원)

🕒 11:00~21:00(마지막 주문 20:00) – 목요일 휴무

🔍 인천 강화군 길상면 장흥로101번길 31-11

☎ 032-937-0914 Ⓟ 가능

꽃게연가 게장

꽃게 요리를 전문으로 하는 곳으로, 순살로 나오는 양념 꽃게살이 인기 메뉴다. 잘 발라진 살을 밥에 비벼서 참기름을 뿌려 먹으면 맛있게 즐길 수 있다. 꽃게장도 단단한 게살로 꽉 차 발라 먹는 맛이 있다.

₩ 양념꽃게살(2인 이상, 1인 1만7천원), 간장게장세트(소 2인 5만원, 중 2인 6만4천원, 대 2인 7만6천원), 꽃게탕(중 5만원, 대 7만원), 우럭젓국, 우럭미역국(1인 1만원), 해물짜글이(2인이상 1인 1만2천원)

🕒 09:00~16:00/17:00~21:00(마지막 주문 20:30) – 월, 화, 수요일 휴무

🔍 인천 강화군 화도면 해안남로 2884

☎ 032-937-5745 Ⓟ 가능

농가의식탁 FARM TO TABLE 퓨전한식

강화도 농산물로 만드는 퓨전 한식을 즐길 수 있는 곳. 넓은 앞마당과 시골 농가에 초대되어 온 듯한 인테리어가 삼겹구운채소구이가 가장 인기가 좋으며, 파스타도 많이 찾는 메뉴다. 신선

한 샐러드와 음료, 후식 등이 준비된 샐러드바도 이용할 수 있다.

₩ 속노랑버섯불고기(1만8천원), 삼겹구운채소구이(2만원), 시금치바질크림파스타(2만4천원), 슈림프토마토파스타(2만1천원), 소금빵(1개 3천원, 4개 1만원)
⏲ 11:00~15:30/17:00~19:00(마지막 주문 15:00, 18:30) – 월요일 휴무
🔍 인천 강화군 선원면 해안동로 1037-8 농가의식탁
☎ 010-4417-9348 Ⓟ 가능

대선정 일반한식

강화에서 손꼽히는 전통 음식점. 시래기밥과 모두부 등의 음식을 맛볼 수 있다. 메밀칼싹두기는 메밀칼국수를 뜻하는 것으로, 구수한 맛이 일품이다. 시골 맛의 향취가 남아 있는 곳이다.

₩ 시래기밥, 메밀칼싹두기, 차돌된장뚝배기(각 9천원), 메밀부침, 감자부침(각 1만5천원), 메밀산낙지전(2만5천원)
⏲ 11:00~24:00 – 수요일 휴무
🔍 인천 강화군 길상면 온수길 36 1동 1층
☎ 032-937-1907 Ⓟ 가능

더리미집 장어

더리미장어마을 내에 자리한 장어 전문점. 장어는 민물장어와 갯벌장어 중 선택할 수 있으며 초벌구이해서 나온다. 양념은 따로 나오기 때문에 취향에 따라 직접 발라서 구워 먹으면 된다. 바다가 내려다보이는 전망이 훌륭하다.

₩ 민물장어(1인 3만5천원), 갯벌장어(1인 4만5천원)
⏲ 10:00~21:00 – 연중무휴
🔍 인천 강화군 선원면 해안동로 1219
☎ 032-932-0787 Ⓟ 가능

돌기와집 민물매운탕 | 붕어찜

오래된 고택에서 붕어찜을 즐길 수 있다. 오랜 시간 동안 쪄서 내오는 붕어찜이 매우 부드럽다. 현재 충남의 예당저수지에서 잡은 참붕어를 사용하며, 순무 등 열 가지가 넘는 반찬은 직접 재배한 채소로 만든다. 메기매운탕도 별미.

₩ 붕어찜(소 5만원, 중 6만원, 대 7만원), 메기매운탕, 추어탕(각 소 4만원, 중 5만원, 대 6만원), 민물새우튀김, 해물파전(각 1만원)
⏲ 12:00~21:00 – 일요일 휴무
🔍 인천 강화군 송해면 상도숭뢰길116번길 39-10
☎ 032-934-5482 Ⓟ 가능

만복정 밴댕이

강화풍물시장 내에 있는 식당으로, 50년 넘는 전통을 자랑한다. 밴댕이회무침이 맛있기로 유명하며, 인삼이 들어 있어 쌉쌀한 맛이 난다. 노릇하게 구운 밴댕이구이도 별미. 회를 주문하면 선짓국이 서비스로 나온다.

₩ 밴댕이회정식(2인 3만원), 밴댕이회, 밴댕이구이(각 소 2만5천원, 중 3만7천원, 대 4만7천원), 소머리국밥(1만1천원), 바지락칼국수(7천원)
⏲ 09:00~19:00 – 첫째, 셋째 주 월요일 휴무
🔍 인천 강화군 강화읍 중앙로 17-9 강화풍물시장 2층 32호
☎ 032-933-3085 Ⓟ 가능

미락횟집 생선회 | 밴댕이

밴댕이회로 유명한 집으로, 밴댕이무침, 구이, 탕 등 메뉴가 다양해서 식성에 따라 골라 먹을 수 있다. 밴댕이는 단백질이 많아 비린 맛이 날 수도 있으므로 깻잎에 쌈장을 넣고 함께 싸 먹어야 제맛을 즐길 수 있다. 7월 중순부터 8월 중순 사이에는 밴댕이 포획이 금지되기 때문에 미리 전화로 확인하는 것이 좋다.

₩ 밴댕이회, 밴댕이무침(소 4만원, 대 6만원), 밴댕이조림탕, 밴댕이구이(각 4만원), 밴댕이코스(1인 3만원)
⏲ 10:00~20:00 – 월요일, 명절 당일 휴무
🔍 인천 강화군 화도면 해안남로2903번길 58
☎ 032-937-5098 Ⓟ 가능

바그다드커피 BAGDAD COFFEE 카페

강화도 최초 로스터리 카페. 넓은 들판을 지나 한적한 곳에 위치해 있다. 빈티지하고 감각 있는 나무 인테리어에 프라이빗룸이나 다락방 등 재미있는 공간들이 많다. 더블 토스트, 비엔나커피, 큐브라테가 인기 메뉴며 핸드드립 커피도 맛볼 수 있다.

₩ 아메리카노스윗(5천원), 아메리카노딥(6천원), 카페라테(6천5백원), 비엔나커피(8천원), 큐브라테, 더블토스트(각 8천5백원)
⏲ 10:30~21:00(마지막 주문 20:30) | 일요일 10:30~20:00(마지막 주문 19:30) – 연중무휴
🔍 인천 강화군 선원면 연동로99번길 73
☎ 032-932-2155 Ⓟ 가능

별미정 장어

강화도 더미리장어마을에서도 유명한 장어구잇집. 소금구이한 장어를 간장소스에 찍어 먹는 것이 특징이다. 민물장어와 갯벌장어 중 선택할 수 있으며 숯불에 초벌구이해서 나오기 때문에 연기가 덜 난다. 후식으로 나오는 장어죽도 별미로 통한다.

₩ 민물장어(2인 1kg 10만원), 갯벌장어(2인 1kg 12만원)
⏲ 10:30~20:00 – 셋째 주 월요일 휴무
🔍 인천 강화군 선원면 더리미길 10
☎ 032-932-1371 Ⓟ 가능

봄날의정원한식당 한정식

중정정원이 보이는 단아한 공간에서 한식을 즐길 수 있는 곳. 직접 담는 보쌈김치와 함께 나오는 보쌈정식이 추천 메뉴다. 모든 메뉴는 제철 나물 반찬과 잡곡 솥밥이 함께 나오는 1인 반상으로 제공된다.

₩ 보쌈정식(기본 1만6천원/특 2만2천원), 한우육개장정식(1만6천원), 명품해물순두부정식(1만5천원), 육보세트(기본 2만원/특 2만4천

원), 잔술세트(1만8천원), 보쌈한접시(3만9천원)
⏲ 11:00~15:00/17:00~19:30(마지막 주문 18:40) | 일요일 11:00~15:00(마지막 주문 14:10) – 월요일 휴무
🔍 인천 강화군 선원면 선원사지로 67
☎ 032-934-0673 Ⓟ 가능(가게 앞)

아뚜드스윗 🎀 A TOUT DE SWEET 카페 | 디저트카페

다양한 프랑스식 디저트를 맛볼 수 있는 카페로, 시즌별로 바뀌는 디저트가 포인트다. 프릳츠 원두로 만든 달콤 쌉싸름한 커피가 디저트와 잘 어울린다. 독특한 외관의 건물로 인천시 건축상을 수상했으며 인테리어도 세련되면서 편안하다.
₩ 아메리카노(5천원), 카페라테(5천5백원), 말차라테(5천7백원), 차, 에이드(각 7천3백원), 쑥오페라(8천5백원), 밤&무화과파운드케이크(4천원)
⏲ 12:00~21:00 | 일요일 12:00~20:00 – 월, 화요일 휴무
🔍 인천 강화군 강화읍 강화대로 456-14
☎ 032-932-5282 Ⓟ 가능

아뚜드스윗

왕자정묵밥 묵밥 | 묵

직접 만든 두부와 묵밥을 맛볼 수 있는 곳. 따끈한 멸칫국물에 말아 나오는 묵밥의 맛이 일품이다. 묵전을 곁들이면 좋다. 새우젓국에 돼지고기를 넣은 젓국갈비도 별미. 고려 궁지가 바로 옆에 있어 정원에서 먹는 것 같은 느낌이 든다.
₩ 묵밥, 콩비지, 묵전(각 9천원), 묵무침, 두부김치(각 1만3천원), 젓국갈비(중 2만7천원, 대 3만5천원), 보쌈(4만원)
⏲ 10:00~21:00(마지막 주문 20:00) – 월요일 휴무(월요일이 공휴일인 경우 정상 영업)
🔍 인천 강화군 강화읍 북문길 55
☎ 032-933-7807 Ⓟ 가능

외포리꽃게집 꽃게 | 게장

전통 있는 꽃게찜, 꽃게탕집. 밴댕이회와 게장백반도 맛볼 수 있다. 꽃게 살이 꽉 차 있고 국물 맛이 얼큰해 무난히 먹기 좋다. 식사를 하고 난 후에는 뒤에 있는 야산의 밤나무, 도토리나무를 둘러보며 산책하는 것도 좋다.
₩ 꽃게탕(소 6만원, 중 8만원, 대 10만원), 꽃게찜(중 8만원, 대 10만원), 밴댕이회무침(중 2만5천원, 대 4만원)
⏲ 09:30~20:30(마지막 주문 19:30) – 수요일 휴무
🔍 인천 강화군 내가면 중앙로 1206
☎ 032-933-9395 Ⓟ 가능

원조선창집장어구이 🎀 장어

강화의 명소인 더리미장어마을의 원조. 옛날 자연산 장어를 조리하던 방법 그대로 굽는 담백한 장어구이를 선보인다. 미리 토막을 쳐서 주방에서 초벌구이해 나오는데, 토막을 미리 내야 초벌구이를 하는 동안 장어의 기름이 빠져나가기 때문이라고 한다. 한 차례 구운 장어 토막을 고추장 양념에 담가 석쇠에 얹어 한 번 더 굽는다. 취향에 따라 양념을 더 진하게 발라 구울 수도 있다.
₩ 민물장어(1kg 10만원), 갯벌장어(1kg 12만원)
⏲ 11:00~21:00(마지막 주문 20:00) – 둘째 주 화요일, 명절 당일 휴무
🔍 인천 강화군 선원면 해안동로 1199
☎ 032-932-7628 Ⓟ 가능

일미산장숯불장어 장어

더리미장어마을 내에 있는 곳으로, 민물장어와 갯벌장어를 전문으로 한다. 장어뼈와 머리를 4~5시간 이상 푹 고아 소스를 만든다. 여기에 마늘, 생강, 참기름, 후추, 양파 등 10여 가지의 양념의 배합한다고 한다. 마지막에 나오는 장어죽은 강화도의 일미인 순무김치와 함께 먹으면 좋다. 10여 가지가 넘게 나오는 밑반찬도 맛이 좋다는 평.
₩ 민물장어(500g 3만9천원), 갯벌장어(500g 6만원), 장어탕(1만3천원)
⏲ 10:30~21:30(마지막 주문 20:30) – 명절 당일 휴무
🔍 인천 강화군 선원면 더리미길 2
☎ 032-933-8585 Ⓟ 가능

정광수의돈까스가게 🎀 돈가스

냉장 돼지고기 등심 부위와 안심 부위로 튀긴 돈가스와 동태살로 만든 생선가스를 맛볼 수 있는 곳. 왕돈가스와 돈가스 곱빼기도 있으며, 콤보 메뉴는 안심, 등심 가스, 생선가스가 함께 나온다.
₩ 돈가스(1만원), 생선가스(1만1천원), 왕돈가스(1만4천원), 돈가스곱빼기(1만5천원), 콤보(1만5천5백원)
⏲ 11:30~19:00 | 일요일 11:30~16:00 – 월요일 휴무
🔍 인천 강화군 길상면 해안남로 675
☎ 02-336-8919 Ⓟ 가능

조양방직카페 카페

오래된 방직 공장 건물을 리모델링해 만든 카페. 커피와 함께 곁들일 수 있는 조각 케이크를 판매한다. 카페를 운영하기 전 앤티크숍을 운영했다는 주인의 인테리어 센스가 돋보이는 곳으로, 곳곳에 있는 예술작품과 앤티크 소품이 인상적이다.

₩ 아메리카노, 카페라테, 그린티라테(각 7천원), 바닐라라테(7천5백원), 코코넛라테, 파인키위에이드, 블루베리히비스커스(각 8천원)

⏲ 11:00~20:00(마지막 주문 19:20) | 토, 일요일, 공휴일 11:00~21:00(마지막 주문 20:20) - 연중무휴

🔍 인천 강화군 강화읍 향나무길5번길 12

☎ 032-933-2192 Ⓟ 가능

죽림다원 竹林茶園 전통차전문점

전등사 안에 있는 다원으로, 6개월 동안 설탕물에 숙성시킨 솔차, 녹차에 강화산 6년근 인삼을 넣은 인삼녹차, 대추차 등이 유명하다. 순무잎을 넣어 만든 순무잎떡을 곁들여도 좋다. 주변 경치가 빼어나 전등사를 방문하는 관광객이 한 번씩 들르는 곳이기도 하다.

₩ 유자차, 자몽차, 모과차, 생강레몬차(각 6천원), 대추차, 쌍화차(각 7천원), 전통차, 꽃잎차(5천원~8천원), 연꿀빵(8조각 1만원)

⏲ 09:00~17:30 | 하절기 08:30~18:30 - 연중무휴

🔍 인천 강화군 길상면 전등사로 37-41 전등사

☎ 032-937-7791 Ⓟ 가능

진두강참장어 장어

새끼장어를 바다에서 직접 잡아 6개월 정도 숯가루를 먹여 키운 후 잡는다. 숯불에 구워 먹는 장어는 선도가 좋으므로 소금구이를 추천한다. 순무김치와 장어의 궁합도 좋다. 식당 바로 앞이 진두강이라 강을 바라보며 식사할 수 있다. 포장도 가능하다.

₩ 참장어소금구이(1kg 6만원), 갯벌장어소금구이(1kg 8만원)

⏲ 09:00~21:00 - 연중무휴

🔍 인천 강화군 내가면 황청포구로 489

☎ 032-932-6711 Ⓟ 가능

청강호 생선회 | 밴댕이

강화의 명물인 밴댕이 요리 전문점. 밴댕이회를 처음 선보인 곳으로 유명하다. 강화도 해안과 신안 앞바다에서 갓 잡아 올린 밴댕이로만 회와 구이, 완자탕을 만들고 있다. 바지락 육수에 밴댕이를 갈아 수제비처럼 요리하는 완자탕도 별미로 꼽힌다.

₩ 밴댕이회, 밴댕이무침, 밴댕이구이(각 중 4만원, 대 5만원), 밴댕이코스(5만원, 8만원, 10만원)

⏲ 10:30~20:00 - 목요일 휴무(목요일이 공휴일인 경우 정상영업)

🔍 인천 강화군 화도면 해안남로2903번길 56

☎ 032-937-1994 Ⓟ 가능

충남서산집 밴댕이 | 꽃게 | 게장

외포리선착장 인근에 있는 꽃게 전문점. 꽃게탕이 대표 메뉴로, 살이 꽉 찬 꽃게와 칼칼한 국물이 잘 어울린다. 순무김치를 비롯해 어리굴젓 등의 반찬도 맛이 좋으며 잡곡밥도 훌륭하다. 남은 국물에 수제비를 끓여 먹는 맛도 그만이다.

₩ 꽃게탕(소 6만원, 중 8만원, 대 10만원, 특대 12만원), 꽃게찜(중 10만원, 대 12만원), 간장게장(1인 3만5천원), 밴댕이회무침(소 3만원, 중 4만원)

⏲ 10:00~15:00/15:30~19:00(마지막 주문 17:50) - 둘째 주 월요일 휴무

🔍 인천 강화군 내가면 중앙로 1200

☎ 032-933-8403 Ⓟ 가능

토가 순두부 | 두부

강화도 토속 음식을 맛볼 수 있는 곳. 간이 되어 있지 않은 하얀 국물의 순두부가 특징이며 간장으로 간을 맞추어 먹는다. 청양고추와 새우젓으로 간을 맞추는 두부새우젓찌개도 인기 메뉴다. 한옥을 개조해 편안한 분위기다.

₩ 순두부, 순두부새우젓찌개, 두부새우젓찌개(각 1만원), 두부김치(1만1천원), 두부돼지고기전골(소 2만5천원, 중 3만5천원, 대 4만5천원), 두부돼지고기볶음(중 3만8천원, 대 4만8천원)

⏲ 09:30~16:00/17:00~19:40(마지막 주문 19:30) - 수요일, 명절 휴무

🔍 인천 강화군 화도면 해안남로 1912

☎ 032-937-4482 Ⓟ 가능

인천광역시 계양구

금문도 金門都 일반중식

매운 고추짬뽕이 유명한 중식당으로, 화상이 운영한다. 고추짬뽕은 약간 걸쭉한 국물 맛을 자랑하며 해산물과 채소 등이 넉넉히 들어가 있다. 2층은 룸으로 되어있어 단체모임 시 좋다. 직접 방문해 포장해가는 것은 가능하나 배달은 하지 않는다. 점심때는 줄을 서야 할 정도로 인기가 많다.

₩ 고추짬뽕(1만원), 삼선짬뽕(1만1천원), 짜장면(7천원), 탕수육(2만2천원), 군만두(7천원)

⏲ 11:00~21:30 - 명절 휴무

🔍 인천 계양구 효서로 268(작전동)

☎ 032-544-6665 Ⓟ 불가

벌말매운탕 민물매운탕 | 붕어찜

김포의 민물고기 매운탕의 원조가 되는 곳이다. 대형 음식점으로 바뀐 지금은 거의 양식을 쓰고 있다. 다진마늘과 미나리 등

을 푸짐하게 넣은 메기매운탕이 대표 메뉴로, 칼칼한 국물 맛이 일품이다. 라면, 수제비 사리는 무한리필 된다.

₩ 메기매운탕(소 4만5천원, 중 5만3천원, 대 6만2천원), 빠가사리매운탕(소 5만원, 중 6만원, 대 7만원)
⏲ 10:20~21:30(마지막 주문 20:30) – 연중무휴
🔍 인천 계양구 벌말로565번길 5(상야동)
☎ 032-544-5785 Ⓟ 가능

인천광역시 남동구

돈불1971 삼겹살 | 돼지고기구이

제주산 돼지고기를 전문으로 하는 곳으로, 연탄에 초벌하여 불향 가득한 고기를 철판에 구워 먹는다. 철판에 함께 올려주는 멜젓에 찍어 먹는다. 구수한 청국장 술밥은 술과도 잘 어울린다.

₩ 오겹살, 목살(각 180g 1만8천원), 항정살(180g 2만원), 간장/고추장불고기(각 200g 1만4천원), 청국장술밥(6천원), 양푼비빔밥(4천원), 계란찜(3천원)
⏲ 16:00~22:00(마지막 주문 21:30) – 명절 당일 휴무
🔍 인천 남동구 문화서로28번길 19-1(구월동)
☎ 070-4383-9865 Ⓟ 불가(인근 공영주차장 유료 이용)

멜팅룸 Melting Room 햄버거 | 퓨전

진한 맛의 수제버거를 만날 수 있는 곳. 소고기 패티와 진득한 치즈가 어우러진 멜팅치즈버거를 비롯해 파리지앵버거, 풀드포크버거 등이 인기 메뉴다. 짭조름한 풀드포크가 들어간 치즈프라이를 곁들여도 좋다.

₩ 풀드포크버거(8천9백원), 파리지앵, 멜팅치즈버거(각 1만2천5백원), 크레마감베리니(1만7천5백원), 채끝등심스테이크와트러플프라이(200g 3만9천원), 바비큐베이비백립(2만9천원)
⏲ 11:00~15:00/16:00~21:00(마지막 주문 20:30) – 월요일 휴무
🔍 인천 남동구 은봉로312번길 29-16(논현동)
☎ 032-428-8003 Ⓟ 가능

백령도메밀청풍면옥 물냉면

백령도식 메밀냉면을 선보이는 곳. 메밀 향이 입안 가득 느껴지며, 식초와 겨자, 후추를 넣어 먹으면 더욱 맛있게 즐길 수 있다. 백령도에서 즐겨 먹는 짠지(김치)떡도 별미다.

₩ 물냉면, 비빔냉면, 반냉면(각 9천원), 녹두빈대떡(7천원), 메밀왕만두(6천원), 수육(1만2천원)
⏲ 11:00~21:00 – 월요일 휴무
🔍 인천 남동구 석정로 585(간석동) 계전산업
☎ 032-426-8380 Ⓟ 가능

별삼겹 돼지고기구이

삼겹살 철판구이 전문점으로, 국내산 숙성삼겹살을 두께별로 골라 먹을 수 있다. 철판 위에 셀프로 볶아 먹는 볶음밥도 별미다.

₩ 3미리삼겹살, 6미리삼겹살, 9미리삼겹살(각 180g 1만5천원), 숙성와규(150g 2만4천원), 냉면(7천원), 김치찌개(6천원), 된장찌개(5천원)
⏲ 16:00~22:00 | 금요일 16:00~22:30 – 일요일, 명절 휴무
🔍 인천 남동구 선수촌공원로55번길 11-6(구월동) 다온1층
☎ 032-469-0999 Ⓟ 가능

부암갈비 돼지갈비

신선한 생돼지갈비를 맛볼 수 있는 곳으로, 숯 위에 불판을 올려 구워 먹는다. 갈치속젓, 고추장아찌, 묵은지 등의 반찬 맛도 일품. 마무리 식사로는 갈치속젓이 들어간 갈치속젓비빔밥을 빼놓을 수 없다. 줄 서서 기다릴 필요 없이 2층 대기실에서 편하게 웨이팅 할 수 있다.

₩ 생갈비(200g 1만9천원), 젓갈볶음밥(3천원)
⏲ 11:30~15:00/16:00~23:00(마지막 주문 22:30) – 화요일 휴무
🔍 인천 남동구 용천로 149(간석동)
☎ 032-425-5538 Ⓟ 불가

사곶냉면 물냉면 | 수육

까나리액젓이 들어가는 백령도식 메밀냉면 전문점. 평양냉면식 육수에 까나리액젓이 들어가 독특한 맛을 느낄 수 있다. 면은 메밀 함량이 높고 약간 두꺼운 편이다. 수육을 싸서 먹는 것을 추천한다. 겨울에는 따뜻한 칼국수를 추천할 만하다.

₩ 물냉면, 비빔냉면, 반냉면, 칼국수(각 1만원), 빈대떡(7천원), 수육(1만5천원)
⏲ 11:00~20:00 – 월요일 휴무
🔍 인천 남동구 논고개로 253-2(도림동)
☎ 032-469-1645 Ⓟ 가능

산향한정식 한정식

코스로 즐길 수 있는 한정식 전문점. 룸 공간도 구비하여 모임 장소로 인기가 좋으며, 소규모 돌잔치도 많이 열리는 편. 11층에 높게 위치해 있어 탁 트인 뷰를 보며 식사 할 수 있는 곳. 양이 굉장히 푸짐하고, 내어오는 음식 하나하나 맛이 좋다는 평.

₩ 향정식(2만3천원), 타워정식(1만8천원), 산한정식(3만7천원), 산향한정식(5만4천원), 산향잔치날프리미엄(5만9천원), 산향잔치날스페셜(6만9천원), 산향스페셜(7만4천원), 산향비즈니스(8만9천원), 산향웨딩(8만9천원), 산향웨딩스페셜(12만원대), 산향VIP(13만원)
⏲ 11:00~15:30/17:00~21:00(마지막 주문 14:30 | 20:00) – 화요일, 명절 당일 휴무
🔍 인천 남동구 선수촌공원로17번길 28 THE11일레븐
☎ 032-465-0010 Ⓟ 가능(건물 지하주차장 2시간 무료주차)

삼화정 소고기구이

한우를 전문으로 하는 집. 배, 양파, 고추, 마늘 등의 채소가 곁들여 나오는 육회의 맛도 좋다는 평. 된장을 풀어 만든 우거지 해장국도 식사메뉴로 인기가 많다. 40년이 넘는 역사를 자랑하는 곳.

₩ 꽃등심, 안창살(각 130g 4만5천원), 육회(300g 5만원), 생불고기(150g 2만5천원), 해장국, 육개장(각 1만3천원)
🕒 05:00~21:00| 금, 토요일 24시간 영업 – 연중무휴
🔍 인천 남동구 남동대로922번길 14(간석동)
☎ 032-424-8898 Ⓟ 가능

시나몬하우스 Cinnamon haus 츄러스

시나몬츄러스를 대표 메뉴로 맛볼 수 있는 디저트 카페다. 오레오맛, 아이스크림 등 다양하게 고를 수 있다. 츄러스는 초코, 말차, 오레오 크림소스를 따로 주문해 찍어 먹기도 한다. 직접 만든 잼이 들어간 애플시나몬에이드도 많이 찾는 메뉴다.

₩ 시나몬츄러스, 오레오츄러스(각 6천원), 아이스크림츄러스(8천원), 초코디핑소스, 말차디핑소스, 오레오크림(각 1천원), 하우스커피(6천5백원), 아몬드크림모카(6천3백원), 아인슈페너(5천5백원), 아메리카노(4천원), 애플시나몬에이드6천5백원)
🕒 11:30~22:00(마지막 주문 21:30) – 연중무휴
🔍 인천 남동구 인하로521번길 10-14
☎ 010-5552-5524 Ⓟ 가능(음료 주문 시 1시간 주차권 제공)

심스키친 Shim's Kitchen 피자 | 파스타 | 이탈리아식

낮에는 이탈리안 레스토랑 저녁에는 펍 분위기로 운영되는 퓨전 다이닝펍이다. 1인 셰프 레스토랑으로, 미소크림카르보나라와 불고기치아바타피자가 셰프 추천 시그니처 메뉴다. 와인도 가성비가 좋은 편.

₩ 훈제연어리코타치즈샐러드(2만2천5백원), 트러플육회타르타르(2만3천5백원), 미소크림카르보나라(1만8천5백원), 라구파스타(2만5백원),봉골레(1만 8천원), 페퍼로니심스피자(2만4천5백원), 큐브스테이크(3만3천9백원)
🕒 11:30~15:00/17:00~22:30(마지막 주문 21:30) – 목요일 휴무
🔍 인천 남동구 논현남로 17(논현동)
☎ 032-423-2701 Ⓟ 가능

안스베이커리 An's bakery 베이커리

30년 넘는 오랜 역사를 자랑하는 빵집. 빵의 종류도 다양하고, 케이크의 맛도 좋다는 평이 많다. 특허를 받은 명란 소스가 들어간 명란 바게트가 인기 메뉴다. 부담 없는 가격의 소금 빵도 많이 찾는다.

₩ 명란바게트(4천8백원), 소금빵(2천5백원), 몽블랑(5천5백원), 에그소금빵(3천5백원), 찹쌀꽈배기(2천원)
🕒 07:30~23:30 – 연중무휴
🔍 인천 남동구 인주대로 664(구월동) 메인프라자 2차 1층
☎ 032-463-0045 Ⓟ 가능

영월애곤드레인천본점 곤드레밥

직화로 구워 불 맛을 낸 돼지불고기와 곤드레밥 한상 차림을 맛볼 수 있는 한식당. 직접 만든 숙성 간장으로 양념한 제주 금게장과 곤드레밥 정식도 추천할 만하다. 고등어구이 정식도 많이 찾는 편이며, 반찬의 종류도 다양하고 정갈하게 나온다.

₩ 직화돼지불고기정식(1만7천원), 제주금게장정식, 보쌈정식(각 2인이상 1인 2만2천원), 고등어구이정식(1만6천원), 새꼬막무침정식(1만8천원), 직화통오징어돼지불고기정식(2인이상 1인 2만3천원)
🕒 11:00~15:30/17:00~21:00(마지막 주문 20:00) – 일요일 휴무
🔍 인천 남동구 매소홀로 864
☎ 032-466-3077 Ⓟ 가능

유노미 unome 이탈리아식

골목가에 자리한 이탈리안 레스토랑. 화학조미료를 사용하지 않고 재료 본연의 맛을 살리는 것을 추구한다. 쫀득한 식감의 트러플크림뇨키가 인기 메뉴. 포르치니 버섯이 올려진 리조토로 추천할 만하다.

₩ 유노미샐러드(1만1천원), 부라타치즈(1만4천원), 채끝등심스테이크(220g 3만9천원), 항정살스테이크(250g 2만9천원), 트러플크림뇨키(1만9천원), 카르보나라, 포모도로부라타(각 1만7천원), 포르치니슈림프리조토(1만8천원)
🕒 11:30~15:30/17:30~22:00 – 월요일 휴무
🔍 인천 남동구 성말로 43(구월동) 1층
☎ 032-710-2076 Ⓟ 가능

유노미

일용할양식 OUR DAILY MEAL 브런치카페 | 비건

채식 위주의 브런치 메뉴를 맛볼 수 있는 곳. 버섯 라구 소스를 베이스로 한 라타투이가 인기 메뉴로, 켜켜이 쌓인 토마토, 호박, 가지를 빵에 얹어 샤워 소스와 함께 먹는다. 마늘종과 마늘의 풍미와 쫄깃하면서도 짭짤한 오징어의 식감이 어우러진 오징어 오일 파스타도 맛깔스럽다.

₩ 양배추스테이크(1만원), 오징어오일파스타(1만8천5백원), 시금치페스토파스타(1만8천원), 데일리샐러드(1만1천원), 그릭요거트(9천원)
🕒 11:00~16:30/ 17:30~21:00 – 일요일, 월요일 휴무

🔍 인천 남동구 인주대로522번길 50 1층 101호
☎ 010-7383-3303 Ⓟ 가능(노상공영주차장 이용 또는 골목가 이면 주차, 가게 앞 공영주차장은 월정기 주차장이므로 주의)

전가복 全家福 일반중식

화상이 운영하는 중국집. 삼선짬뽕이 아닌 일반 짬뽕에도 해물이 듬뿍 들어가 국물이 시원하다. 음식에 쓰이는 재료가 신선해 맛을 잘 살리고 있다. 속이 시원하게 풀리는 굴짬뽕도 별미.

₩ 짜장면(7천원), 짬뽕(9천원), 굴짬뽕(1만3천원), 탕수육(소 1만8천원, 중 2만5천원, 대 3만원)
🕒 11:00~16:00(마지막 주문 15:20) – 수요일 휴무
🔍 인천 남동구 하촌로59번길 24(만수동)
☎ 032-468-7869 Ⓟ 불가

차담정 茶啖停 떡카페

한국 전통 다과를 현대적으로 해석한 디저트 카페. 찹쌀로 만든 주악, 과일과 치즈를 곁들인 찹쌀떡, 양갱, 제철과일모나카 등 다양한 디저트를 맛볼 수 있다. 전통 차와 함께 곁들이면 더욱 좋다.

₩ 드립커피(4천원~5천원), 매실차(6천원), 찹쌀떡(3천원), 계절과일모나카(5천원), 양갱(2천5백원), 개성주악(3p 5천5백원), 김부각(50g 6천원), 약과(320g 1만1천원)
🕒 12:00~19:00(마지막 주문 18:00) | 일요일 12:00~17:00(마지막 주문 16:00) | 월요일 14:00~19:00(마지막 주문 18:00) – 화, 수요일 휴무
🔍 인천 남동구 성말로32번길 11-16(구월동)
☎ 010-9255-0531 Ⓟ 불가

큰나루밴댕이회무침 밴댕이

밴댕이회, 밴댕이구이가 유명한 집. 무침, 구이, 회 등 다양한 음식을 맛볼 수 있으며 새콤하고 고소한 밴댕이무침이 별미로 통한다. 밴댕이 철이 아닐 때는 병어, 준치, 한치 등 다양한 회를 맛볼 수 있다. 30년 가까이 이어져 오고 있다.

₩ 밴댕이회, 밴댕이구이, 밴댕이회무침(각 3만원), 회덮밥(1만1천원), 병어회, 준치회, 한치회(각 4만원), 모둠회, 간재미매운탕(각 5만5천원)
🕒 10:00~23:30(마지막 주문 22:30) – 명절 휴무
🔍 인천 남동구 문화서로4번길 61-23(구월동)
☎ 032-421-3643 Ⓟ 가능

파니노구스토 Panino Gusto 피자 | 파스타

참나무 화덕에 구운 정통 나폴리식 피자를 맛볼 수 있는 곳. 저온 숙성한 도우를 사용해 쫄깃쫄깃한 식감이 살아 있다. 네 가지 종류의 진한 치즈 풍미를 느낄 수 있는 콰트로포르마지오피자와 바질, 치즈, 토마토 세 가지로 맛을 낸 D.O.C피자 등이 대표 메뉴다.

₩ D.O.C, 콰트로포르마지오피자(각 2만1천원), 구스토피칸테리조토(1만6천5백원), 모차렐라에포모도로(1만5천5백원), 라구알라보로네제(1만8천5백원)
🕒 11:30~21:30(마지막 주문 21:00) – 명절 당일 휴무
🔍 인천 남동구 인하로507번길 14(구월동) 탑플라자 2층
☎ 032-421-0046 Ⓟ 불가

풍년족발 족발

간석자유시장 내에 자리한 족발집. 쫄깃하고 냄새가 거의 나지 않는 족발 맛이 일품이다. 앞다리와 뒷다리로 나누어 판매하며, 쫄깃쫄깃한 앞다리가 더 맛있다. 깔끔한 순댓국도 한 끼 식사로 제격이다.

₩ 족발(뒷다리 1만9천원, 앞다리 2만6천원), 미니족발(소 1만원, 중 1만2천원), 미니불족발(1만8천원), 순댓국(8천원), 술국(1만1천원)
🕒 10:00~22:00(마지막 주문 21:30) – 명절 휴무
🔍 인천 남동구 백범로 312-58(간석동)
☎ 032-432-2611 Ⓟ 불가

인천광역시 동구

우순임할머니쭈꾸미집 주꾸미

60여 년 동안 주꾸미요리를 해온 곳. 소래포구에서 그날 들어온 싱싱한 주꾸미를 사용해 더욱 쫄깃하다. 주꾸미볶음이 대표 메뉴로, 주꾸미를 다 먹은 후에는 볶음밥으로 마무리한다. 이외에 주꾸미샤부샤부, 간재미매운탕 등도 선보인다.

₩ 주꾸미볶음(소 3만5천원, 중 4만8천원, 대 5만8천원), 주꾸미데침, 간재미무침(각 2만원), 주꾸미샤부샤부(6만5천원), 간재미매운탕(중 4만원, 대 5만원)
🕒 11:00~21:00 – 연중무휴
🔍 인천 동구 제물량로 342(만석동)
☎ 032-773-2419 Ⓟ 가능

창석원조닭알탕 닭내장

송림동 닭알탕거리에서 오래된 집 중 하나. 양은냄비에 닭알과 닭알집, 채소 등을 넣고 오랫동안 끓여낸다. 칼칼한 국물 맛이 일품. 술안주로도 제격이다.

₩ 닭알탕, 닭볶음탕, 매운탕, 감자탕, 생선알탕(각 소 2만5천원, 중 3만원, 대 3만5천원)
🕒 10:00~24:00(마지막 주문 23:00) – 한 달에 한 번 비정기적 휴무
🔍 인천 동구 샛골로 169(송림동)
☎ 032-764-6160 Ⓟ 불가(건너편 동부시장 주차장 무료 이용)

해장국 우거지해장국 | 설렁탕

상호가 없는 해장국집. 해장국이라는 이름만 간판에 걸려 있다. 설렁탕은 한우 양지를 넣어 국물이 맑은 편이며 해장국은 설렁탕 국물에 우거지를 넣어 단맛이 난다. 오전 5시부터 10시 30분까지는 해장국을, 11시부터 오후 3시까지는 설렁탕을 판매한다.

₩ 해장국(1만원), 설렁탕(1만2천원)
⌚ 05:00~10:30/11:00~15:00 – 명절 휴무
🔍 인천 동구 동산로87번길 6(송림동)
☎ 032-766-0335 Ⓟ 불가

인천광역시 미추홀구

동추원불고기 소불고기

서울식 불고기 전문점. 국물이 자작한 옛날불고기가 대표 메뉴로, 전골에 육수를 부어주고 파채를 넣은 다음 불고기와 채소를 넣어 샤부샤부처럼 끓여 먹는다. 소고기보신국밥 등 해장국도 인기 많은 메뉴다.

₩ 옛날불고기(1만7천원), 소고기보신전골(중 3만8천원, 대 4만9천원), 일품보신전골(소 3만8천원, 중 5만2천원, 대 6만9천원), 일품소고기보신국밥(1만5천9원), 육회비빔밥(1만2천9백원)
⌚ 11:00~21:30(마지막 주문 20:50) – 명절 당일, 명절 다음날 휴무
🔍 인천 미추홀구 학익소로 67(학익동) 신세계빌딩 1층
☎ 032-872-2292 Ⓟ 가능

마산집 생선구이

60여 년 전통의 해물 전문점. 가운데 연탄불이 들어가 있는 테이블에서 생선과 조개 등의 해물을 골라 구워 먹거나 회로 즐길 수 있다. 전어 철에는 전어구이도 별미다. 대부분의 가격은 시가로 정해지며 싼 가격은 아니다.

₩ 민어회(중 9만원, 대 11만원, 특 15만원), 갈치구이, 우럭구이(각 시가)
⌚ 12:00~22:00 – 연중무휴
🔍 인천 미추홀구 경인로7번길 3-7(숭의동)
☎ 032-883-8849 Ⓟ 불가

부영선지국 선지해장국

40여 년의 전통을 이어온 선지해장국을 맛볼 수 있는 곳. 구수하고 담백한 국물에 소 양과 콩나물 등의 재료를 더해 특별한 선짓국을 만든다. 신선한 선지를 사용해 맛이 더욱 좋다. 선짓국 외에도 갈비탕, 소머리국밥, 수육 등의 메뉴를 다양하게 선보인다. 선지전, 양무침 등도 별미.

₩ 기본선짓국(8천원), 소양선짓국, 옛날선짓국(각 9천원), 소내장선짓국, 우거지갈비탕(각 1만1천원), 소머리수육(5만원), 양무침(2만5천원), 선지부침전(5천원)
⌚ 09:00~15:00(마지막 주문 14:20) – 일요일 휴무, 7~8월 휴무
🔍 인천 미추홀구 장천로14번길 20(숭의동)
☎ 032-884-5981 Ⓟ 불가

성진물텀벙 아귀

용현동 물텀벙거리의 원조 격이라 할 수 있다. 인천에서는 아귀를 물텀벙이라고 부르며 마산식과는 다르게 생물 아귀를 사용한다. 빨간 양념에 아귀를 비롯한 다양한 해산물이 넉넉히 들어간다. 남은 양념에 볶아먹는 밥도 일품.

₩ 아귀찜, 아귀탕, 아귀백숙, 아귀지리(각 소 3만7천원, 중 5만1천원, 대 6만3천원), 해물찜(중 6만5천원, 대 7만5천원)
⌚ 11:00~22:00 – 명절 휴무
🔍 인천 미추홀구 독배로403번길 10(용현동)
☎ 032-883-1771 Ⓟ 가능

송도골 선지해장국

선지해장국과 곱창 요리를 전문으로 한다. 질 좋은 내장이 듬뿍 들어간 선지해장국은 구수하면서도 얼큰하다는 평. 가정집을 식당으로 개조해 아담한 실내가 인상적이다.

₩ 선지해장국, 소고기국(각 1만원), 양선지해장국(1만2천원), 양곰탕(1만3천원), 수육(5만3천원), 곱창구이(200g 2만5천원)
⌚ 06:30~21:30 | 공휴일 06:30~21:00 – 연중무휴
🔍 인천 미추홀구 능해길46번길 4(용현동)
☎ 032-881-7076 Ⓟ 가능

연중반점 連中飯店 일반중식

화교가 시작한 유서 깊은 중식당으로, 3대째 대를 이어오고 있다. 겨울철이면 하얀 굴짬뽕 맛이 일품이다. 달걀프라이를 얹은 유니짜장도 옛날 맛을 그대로 보여주는 음식 중 하나다. 70여 년 역사를 자랑한다.

₩ 짜장면(6천원), 유니짜장면(9천원), 짬뽕, 볶음밥(각 8천원), 삼선짬뽕(1만원), 등심탕수육(소 2만2천원, 중 3만원, 대 4만원)
⌚ 11:30~14:30/17:00~21:00(마지막 주문 20:00) – 일요일 휴무
🔍 인천 미추홀구 구월로 6(주안동)
☎ 032-422-0791 Ⓟ 가능

용현장어구이 붕장어 | 장어

민물장어, 붕장어, 곰장어를 모두 다루는 장어 구이 전문점. 민물장어는 소금구이, 간장, 고추장 세 가지 맛을 선보이며 붕장어와 곰장어는 소금구이와 고추장 양념으로 맛볼 수 있다. 식사로는 장어탕도 좋다.

₩ 민물장어(1마리 3만5천원, 2마리 7만원, 3마리 10만원), 붕장어(1kg 7만원), 산곰장어(300g 2만원), 장어튀김(1만8천원), 아나고탕(소 5만원, 중 6만원, 대 7만원)
⌚ 10:40~22:00(마지막 주문 21:00) – 일요일 휴무
🔍 인천 미추홀구 낙섬서로10번길 3-22 1층
☎ 032-888-1195 Ⓟ 불가

풍전식당 육개장 | 선지해장국

해장국과 육개장이 유명한 집. 뚝배기에 나오는 갈비탕에는 갈빗대와 부드러운 우거지가 들어 있다. 육개장은 두꺼운 양은그릇에 가득 담겨 나오며, 건더기와 고기가 실하게 들어 있다. 40년이 넘는 역사를 자랑한다.

₩ 해장국, 육개장(각 1만2천원), 비빔밥(1만원), 갈비탕(1만5천원), 등심(200g 4만원), 차돌박이(200g 2만5천원), 불고기, 쫄갈비, 삼겹살(각 200g 1만7천원)
06:00~22:00(마지막 주문 21:30) – 화요일 휴무(화요일이 공휴일인 경우 정상 영업)
인천 미추홀구 남주길 5(주안동)
☎ 032-873-9292 Ⓟ 가능

학익궁중삼계탕 삼계탕

걸쭉한 국물과 부드러운 닭고기로 인천 일대에서 유명한 삼계탕집. 장뇌, 전복, 옻, 녹각 등이 들어간 다양한 종류의 삼계탕이 이색적이다. 40여 년의 전통을 자랑한다.

₩ 한방삼계탕, 전복죽(각 1만7천원), 전복삼계탕(2만2천원), 녹각삼계탕(1만8천원), 옻삼계탕(2만원)
10:30~21:00(마지막 주문 20:00) – 연중무휴
인천 미추홀구 학익소로63번길 23(학익동)
☎ 032-861-3939 Ⓟ 가능

인천광역시 부평구

뉴욕반점

NEWYORK CHINESE RESTAURANT 일반중식

찹쌀탕수육으로 유명한 중국집. 탕수육을 2장, 4장, 6장 장 수대로 주문할 수 있어 편리하다. 유니짜장도 인기 메뉴다. 실내 분위기도 깔끔하고 룸도 있어서 가족 모임에 좋다.

₩ 유니짜장(7천원), 삼선짜장(8천원), 삼선짬뽕(1만2천원), 게살볶음밥(9천원), 양장피(S 2만8천원, R 3만8천원), 찹쌀탕수육(2장 1만4천원, 4장 2만4천원, 6장 3만원), 깐풍기(S 2만6천원, R 3만4천원)
11:30~16:00/17:00~21:10(마지막 주문 20:40)| 토, 일요일 11:30~15:30/16:30~21:00(마지막 주문 20:30) – 월요일 휴무
인천 부평구 부평대로87번길 4(부평동)
☎ 032-516-4488 Ⓟ 불가

모니모니 monimoni 케이크 | 마카롱 | 디저트카페

마카롱과 케이크가 맛있는 디저트 카페. 바닐라 아이스크림이 올라가는 아슈라테와 생크림이 올려진 모니커피가 시그니처 음료다. 창밖으로 보이는 공원 뷰와 함께 디저트와 음료를 즐길 수 있다.

₩ 에스프레소(3천5백원), 아메리카노(4천2백원), 라테(4천8백원), 모니커피(5천원), 아슈라테(6천원), 허브차(4천5백원), 수제청차(5천5백원~6천원), 수제청에이드(6천원~6천5백원), 마카롱(3천원), 블루베리우유생크림케이크, 누텔라바나나케이크(각 1조각 6천8백원)
11:00~22:00(마지막 주문 21:30) – 일요일 휴무
인천 부평구 길주로585번길 7-11(갈산동)
☎ 032-216-9121 Ⓟ 가능(협소)

복화루 福華樓 일반중식

인천에서 가장 오래된 중식당으로, 70년 넘는 역사를 자랑한다. 오이채와 달걀프라이가 올라간 전통적인 간짜장을 맛볼 수 있다. 직접 빚어서 만드는 군만두의 맛도 상당하다. 탕수육을 비롯한 요리도 옛날식으로 나온다.

₩ 간짜장(7천5백원), 짬뽕(7천원), 고추짬뽕(1만2천원), 탕수육(소 2만원, 중 2만7천원, 대 3만3천원), 깐풍기(3만원)
11:30~15:00/17:00~20:00 – 일요일 휴무
인천 부평구 부평대로32번길 16(부평동)
☎ 032-503-9725 Ⓟ 불가

부평막국수 막국수

백령도 스타일로 까나리액젓이 들어간 물막국수를 맛볼 수 있다. 직접 메밀을 제분하는 것이 특징이며 전분 함량이 낮고 메밀 향이 훌륭하다. 까나리액젓 때문인지 육수가 약간 단맛이 나는 것이 특징. 동절기에는 사골만둣국, 메밀온면 등의 계절메뉴를 먹을 수 있다.

₩ 물막국수(9천원), 비빔막국수(9천5백원), 돼지수육(1만2천원), 녹두빈대떡, 메밀만두(각 7천원)
11:00~20:00 – 명절, 동절기 일요일 휴무
인천 부평구 부평대로63번길 10-8(부평동)
☎ 032-514-5535 Ⓟ 가능

비하니 Bihanee 인도식 | 네팔식

네팔인이 운영하는 네팔, 인도 음식 전문점. 탄두리에 구워내는 닭구이와 난, 그리고 다양한 커리를 맛볼 수 있다. 디저트로 네팔식 요구르트 라씨도 한번 맛보는 것을 추천한다. 한국어 소통이 가능한 현지인이 직원으로 있어 주문하기도 쉽다.

₩ 비하니스페셜커리(1만원), 치킨커리(9천원), 플레인난(2천5백원), 버터난(3천원), 탄두리치킨(반마리 9천원, 한마리 1만5천원), 런치세트(1인 1만원), 탈리세트(1만2천원)
11:00~22:00 – 연중무휴
인천 부평구 광장로24번길 13(부평동) 신성빌딩 1층
☎ 032-525-8771 Ⓟ 가능

산동포자 山東包子 동북식중식

화상 중국집으로, 동북 3성 쪽 요리를 선보이는 곳이다. 요리집이기 때문에 짜장면, 짬뽕과 같은 면 요리와 다른 국물 요리가 없다. 돼지고기와 새우를 갈아서 만든 홍소스즈토우가 대표 메뉴. 그날 그날 되는 요리를 내기 때문에 특별히 먹고 싶은 요리

가 있을 때는 사전에 문의해야 한다. 테이블 네 개의 아담한 공간이다.

Ⓦ 홍소스즈토우(2만5천원), 궈바로우(2만원), 경장육사, 가지튀김(2만원), 가지새우(2만2천원), 해파리냉채(2만5천원)

⏲ 18:00~24:00 – 비정기적 휴무

🔍 인천 부평구 마장로 75(십정동) 대경빌딩 1층

☎ 032-431-8885 Ⓟ 불가

소하다이닝바 NEW

soha dining bar 다이닝바 | 한식주점

제철 식재료로 만드는 요리에 다양한 술을 곁들이기 좋은 한식 다이닝 바. 약주, 증류주, 탁주, 과실주 등을 아우르는 70종이 넘는 전통주가 준비되어 있다. 단일 메뉴인 계절코스는 제철 식재료를 활용한 요리들을 맛볼 수 있다. 1시간 30분에서 2시간 정도로 진행되며, 주류나 음료 주문이 필수이니 참고할 것.

Ⓦ 계절코스(1인 5만원)

⏲ 18:00~22:30 | 금, 토요일 18:00~24:00(익일) – 일, 월요일 휴무

🔍 인천 부평구 주부토로32번길 3 1층

☎ 010-4747-8936 Ⓟ 가능

소하다이닝바

오구당당 吾口當堂 쌈밥 | 우렁된장

우렁쌈밥이 유명한 곳으로, 우렁이 듬뿍 들어 있는 강된장이 맛있어서 찾는 사람이 많다. 쌈 채소도 다양하게 나오는 편. 우렁쌈밥 외에 낙지볶음도 맛이 좋다. 물 대신에 여름에는 헛개수차, 겨울에는 숭늉이 나온다.

Ⓦ 우렁쌈밥(1만원), 훈제육우렁쌈밥(1만2천원), 오제육우렁쌈밥, 직화불곱창우렁쌈밥(각 1만4천원), 철판낙지볶음(중 2만8천원, 대 3만4천원)

⏲ 11:20~15:00/16:30~21:20(마지막 주문 20:30) – 명절 휴무

🔍 인천 부평구 경원대로1377번길 47(부평동)

☎ 032-505-3388 Ⓟ 불가

오잠봉 O JAMBON 와인바

매장에서 직접 만든 잠봉을 시그니처로 선보이는 내추럴 와인바. 점심에는 주류 없이 브런치를 즐길 수도 있다. 와인과 곁들이기 좋은 샤퀴테리와 생면 파스타도 다양하게 준비되어 있다.

Ⓦ 잠봉블랑&루콜라(1만7천원), 초리조(9천원), 살치촌(1만원), 브레사올라(1만3천원), 이베리코하몽베요타(2만5천원), 샤퀴테리플래터(3만5천원), 대방어세비체(2만5천원), 와규진갈비살구이(130g 4만5천원), 잠봉프로마주파파델레(2만4천원)

⏲ 12:00~15:00(마지막 주문 14:30)/15:00~23:00(마지막 주문 22:30) – 월요일 휴무

🔍 인천 부평구 경원대로1403번길 38-18 3층

☎ 070-8824-9674 Ⓟ 불가

인브스키친 Inb's kitchen 피자 | 파스타 | 이탈리아식

한옥 감성의 외관과 고풍스러운 서양식 실내가 잘 어우러진 이탈리안 레스토랑으로, 파스타와 화덕피자를 전문으로 한다. 파스타 메뉴는 전 메뉴 맵기 조절이 가능하며, 신선도를 위해 메뉴를 한정 수량으로 판매하고 있으니 주문 시 참고하면 좋다. 평일 런치 메뉴나 스테이크 세트 메뉴가 경쟁력 있다.

Ⓦ 봉골레, 해산물토마토, 마르게리타피자(각 1만9천원), 풀드포크로제파스타(1만9천원), 감베리명란파스타(1만8천원), 와규안심스테이크(220g 6만7천원), 런치세트(3만5천원, 3만7천원), 스테이크세트(6만5천원, 7만5천원)

⏲ 11:30~15:00/17:00~22:00(마지막 주문 20:30) | 일요일 11:30~15:00/17:00~21:30(마지막 주문 20:00) – 연중무휴

🔍 인천 부평구 부평대로 39-6(부평동)

☎ 032-213-3027 Ⓟ 불가

장어한판 장어

합리적인 가격대의 민물장어구이를 먹을 수 있는 곳이다. 주인장이 직접 양식장을 운영하며 싱싱한 장어만 취급한다. 장어는 초벌구이해서 상에 나온다. 함께 나오는 생강채나 묵은지에 싸 먹으면 좋다.

Ⓦ 소금구이(1kg 5만4천원), 양념구이(1kg 5만8천원), 장어탕(7천원), 얼큰장어탕(8천원)

⏲ 11:00~21:40 – 화요일 휴무

🔍 인천 부평구 주부토로145번길 24(갈산동)

☎ 032-503-0588 Ⓟ 가능

정가네굴마당 굴국밥 | 굴

굴이 들어간 다양한 식사를 맛볼 수 있는 곳으로, 굴국밥이 인기메뉴다. 매일 사용할 만큼의 굴만 매입하여 싱싱하고 큼직한 굴이 들어간 굴국밥을 즐길 수 있다.

Ⓦ 굴국밥, 굴해장국, 굴순두부, 조개순두부(각 1만원), 콩나물해장국, 굴수제비(각 9천원), 굴돌솥밥(1만1천원), 낙지돌솥밥, 꼬막돌솥밥, 매생이국(각 1만2천원), 굴부침(1만4천원), 굴전, 매생이부침(1만6천원)

⏲ 10:00~22:00 – 연중무휴

🔍 인천 부평구 부평대로167번길 42(청천동)
☎ 032-503-3301 Ⓟ 가능

첫번째부엌 first kitchen 이탈리아식

아담하고 아늑한 이탈리안 레스토랑. 바질 페스토 소스의 관자 뇨키, 라구 파스타, 버섯크림리조토 등이 인기 메뉴며, 그날의 추천 메뉴를 시도해 보는 것도 좋다. 빨간 공중전화 부스 모양의 출입문을 열고 계단을 올라가면 앤틱한 소품들이 감성적인 분위기를 살려준다.

₩ 라구파스타(1만9천원), 비스퀴파스타(2만원), 버섯크림리조토(1만8천원), 불고기리조토, 베이컨크림파스타, 전복내장파스타, 고등어파스타(각 1만9천원), 부엌스테이크(3만8천원), 새우오일파스타(1만8천원)
🕒 12:00~15:30(마지막 주문 14:30)/17:00~22:00(마지막 주문 21:00) – 연중무휴
🔍 인천 부평구 대정로36번길 21(부평동) 2층
☎ 010-6417-2560 Ⓟ 불가

취선 翠鮮 일반중식

깔끔한 분위기의 중식당으로, 짜장과 짬뽕이 맛있다. 레몬을 넣은 탕수육도 달착지근한 맛이 일품이며 다른 요리도 기본 이상은 한다. 여러 가지 가격대의 코스요리도 경쟁력 있다. 별도의 룸이 마련되어 있어 모임을 하기에도 좋다.

₩ 짜장(7천원), 고추짬뽕(1만5백원), 해물쟁반짜장(2인 1만8천원), 찹쌀탕수육(소 1만9천원, 중 2만8천원, 대 3만8천원)
🕒 11:00~15:00/16:30~21:00(마지막 주문 20:30) | 토, 일요일 11:00~21:00 – 명절 당일 휴무
🔍 인천 부평구 굴포로 50-6(갈산동)
☎ 032-522-5002 Ⓟ 불가

카페뮤게트 🎀 MUGUE.T 커피전문점

블랙톤 인테리어의 깔끔하고 차분한 느낌의 로스터리 카페. 커피 원두는 산미가 있는 것과 없는 것 중에 선택할 수 있다. 버터크림과 후추가 들어간 플랫버터와 뮤게트아인슈페터가 시그니처 메뉴다. 레몬청과 탄산수를 넣은 디카페인 콜드브루 음료인 커몬커몬도 추천. 페퍼민트 차로 만든 밀크티도 맛볼 수 있다.

₩ 아메리카노(4천5백원), 카페라테(5천원), 카페모카(5천5백원), 플랫버터(5천8백원), 커몬커몬, 뮤게트아인슈페너, 베이드, 아즐링밀크티, 페퍼민트밀크티, 바스크치즈케이크(각 6천원), 티라미수(7천5백원), 소르코타(6천8백원), 큐브파운드케이크(3천원~3천5백원)
🕒 12:00~22:00(마지막 주문 21:00) – 화요일 휴무
🔍 인천 부평구 부평대로36번길 35 3층
☎ 032-213-1331 Ⓟ 불가

키치키치다이닝

KITSCH KITSCH DINING 캐주얼다이닝 | 돈가스 | 오므라이스

파스타를 비롯하여 돈가스와 오믈렛, 필라프 등을 맛볼 수 있는 캐주얼 다이닝 레스토랑. 치즈가스, 김치오믈렛, 통베이컨 로제파스타가 인기 메뉴다. 하이볼이나 생맥주 등을 곁들여도 좋다.

₩ 필라프(1만9백원), 김치오믈렛(1만1천9백원), 등심&안심가스(1만4천9백원), 치즈가스(1만5천4백원), 새우오일파스타(1만3천5백원), 해산물토마토파스타(1만4천원), 통베이컨로제파스타(1만5천9백원)
🕒 11:30~15:00(마지막 주문 14:30)/17:00~21:00(마지막 주문 20:30) – 연중무휴
🔍 인천 부평구 주부토로145번길 23(갈산동)
☎ 0507-1441-4103 Ⓟ 불가

피플즈 Pizza plz 미국식피자

두툼하게 그릇처럼 생긴 도우 속에 가득 담긴 치즈가 특징인 시카고식 피자 전문점이다. 처음 오는 사람에게는 시카고피자오리지널에 체다치즈를 추가할 것을 추천. 그 외에도 샐러드스파게티, 로제파스타, 화이트에일을 추천한다.

₩ 시카고오리지널(2만2천원), 시카고페페로니(2만5천원), 보스턴치즈, 보스턴하와이안(각 2만1천원), 매콤한로제파스타, 카르보나라, 매콤한토마토파스타(각 1만6천원), 버팔로윙&감자스틱(1만4천원)
🕒 12:00~21:30(마지막 주문 21:00) – 연중무휴
🔍 인천 부평구 시장로30번길 11(부평동)
☎ 0507-1367-6612 Ⓟ 불가

인천광역시 서구

갯마을산낙지전문점 🎀 낙지

산낙지 전문점. 고추를 갈아 넣은 연포탕은 참기름을 넣지 않아 깨끗하고 시원한 맛이 해장에도 그만이다. 전남 무안에서 직접 보내는 재료를 사용하며, 낙지를 못 잡아 재료가 없으면 식당 문을 닫는다.

₩ 철판산낙지, 산낙지전골, 산낙지연포탕, 산낙지볶음(각 국내산 2만8천원), 산낙지탕탕이(5만5천원)
🕒 11:00~21:00 – 일요일 휴무
🔍 인천 서구 담지로86번길 5-43(청라동)
☎ 032-561-8077 Ⓟ 가능

고루 한정식

멋들어진 한옥 외관의 전통 한정식집으로, 운치 있는 분위기가 돋보인다. 음식 맛이 자극적이지 않고 메뉴가 다채롭게 구성되어 있다. 방이 개별로 나뉘어 있어 상견례나 모임을 하기에 적합하다. 5명 이상 예약 시, 예약금을 별도로 지불해야 한다.

₩ 한정식(2인 이상, 각 1인 2만5천원, 4만5천원, 6만9천원, 9만9천원, 12만1천원), 주안상(2인 11만원, 3~4인 20만원)
🕒 12:00~15:00/17:00~21:30 | 토, 일요일, 공휴일 12:00~16:00/17:00~21:30 – 명절 휴무

🔍 인천 서구 승학로 386(검암동)
☎ 032-569-4886 ⓟ 가능

권오길손국수 국수

국수 명인이 만드는 면발이 맛있기로 유명하다. 즉석 칼국수, 비빔면, 김치말이국수 등이 인기 메뉴. 칼국수는 매운 국물과 맑은 국물 중에 선택할 수 있다. 면의 굵기도 넓은 것으로 주문할 수 있으며 공깃밥 대신 주문할 수 있는 보리밥도 별미다. 오랫동안 국수 공장을 운영해온 곳으로, 식당 위층은 여전히 국수 제조 공장을 겸하고 있다.

₩ 즉석칼국수(2인 이상, 1인 9천원), 물만두(6천원), 보리밥(1천원)
🕒 10:40~15:30/17:00~20:30(마지막 주문 20:00) | 토, 일요일, 공휴일 10:40~20:30(마지막 주문 20:00) - 화요일 휴무
🔍 인천 서구 검단로 789(불로동)
☎ 032-564-7541 ⓟ 가능

단풍나무 육개장

1975년에 문을 연 노포 육개장집. 대파와 양지살이 가득 들어 진하고 시원하며, 맵지 않은 백개장이나 오리 메뉴도 가능하다. 오래된 기와집의 외관을 유지하면서 내부는 일부 개조하였으며, 식사 후에는 넓은 마당에 앉아 쉬어도 좋다.

₩ 육개장, 백개장(각 1만원), 육개장전골(중 3만2천원, 대 4만3천원), 오리백숙(6만원), 오리로스(5만3천원), 오리훈제, 오리주물럭(각 5만5천원), 닭백숙, 닭볶음탕(각 5만7천원), 오리볶음탕(6만원)
🕒 10:00~15:20/16:50~22:00 | 토요일 10:00~22:00 | 일요일 10:00~17:00 - 명절, 공휴일 휴무
🔍 인천 서구 검단로379번길 31-2(왕길동)
☎ 032-563-5323 ⓟ 가능

림 비건

다양한 비건 요리를 갖춘 레스토랑. 파스타, 파히타, 카레, 양배추 스테이크 등 다양한 비건 요리를 맛볼 수 있다. 대체육을 넣어 만든 라구파스타가 인기 메뉴.

₩ 라자냐, 버섯크림뇨키(각 2만9백원), 비욘드미트볼파스타, 베지파히타(각 1만9천9백원), 콰트로치즈크림파스타, 매콤파네파스타, 라구파스타(각 1만7천9백원)
🕒 10:00~15:00/17:30~21:00 | 토, 일요일 11:00~21:00 - 연중무휴
🔍 인천 서구 보석로12번길 11 1층
☎ 070-4065-0619 ⓟ 가능

비스트로페르레이

Bistro Per Lei 피자 | 파스타 | 이탈리아식

도심 속 쉼터인 청라중앙호수공원 앞에 자리한 이탈리안 레스토랑. 이탈리안 정통 화덕에 구운 피자를 비롯해 파스타, 리조토, 스테이크 등 진한 이탈리아의 맛을 느낄 수 있다.

₩ 어란파스타(1만8천원), 감바스알하이요(1만8천원), 비스테까리조토, 감베리에파나아시다(각 2만3천원), 살치살스테이크(200g 4만원)

비스트로페르레이

🕒 11:30~15:00(마지막 주문 14:30)/17:00~22:00(마지막 주문 21:00) - 연중무휴
🔍 인천 서구 크리스탈로 100(청라동) 청라호수공원프라자 305호
☎ 032-561-3666 ⓟ 가능

산나래간장게장 보리밥 | 게장

속이 꽉 찬 간장게장을 선보이는 곳. 달착지근하면서도 고소한 양념 맛이 잘 배어 있으며 살과 내장이 꽉 차 있다. 함께 나오는 밑반찬과 보리밥도 맛이 좋다. 간장게장 외에 산채보리밥과 갈치조림 등도 식사메뉴로 인기가 많다.

₩ 간장게장(3만5천원), 양념게장(3만2천원), 산채보리밥(1만2천원), 갈치조림(1만9천원), 꽃게탕(중 5만9천원, 대 6만9천원), 아구찜(중 5만5천원, 대 6만5천원)
🕒 11:00~21:00 - 명절 휴무
🔍 인천 서구 열우물로208번길 12(가좌동)
☎ 032-584-8584 ⓟ 가능

숙성명작 소고기구이

캐주얼하고 깔끔한 분위기에서 숙성한우를 즐길 수 있는 곳이다. 저온에서 일주일간 숙성시킨 최고급 채끝등심과 안심을 치즈와 함께 구워 먹는 맛이 일품이다. 합리적인 가격대의 와인 리스트도 괜찮은 편이며 와인 콜키지가 무료다.

₩ 한우채끝등심, 한우안심(각 150g 4만9천원), 일품육회(150g 3만5천원), 구워먹는치즈(100g 1만5천원), 전복해물된장죽(9천원), 고추장비빔밥(8천원)
🕒 17:00~22:00(마지막 주문 21:00) - 일요일 휴무
🔍 인천 서구 담지로8번길 14(청라동)
☎ 032-566-9298 ⓟ 가능

오가네냉면 함흥냉면 | 만두

깔끔한 맛의 냉면이 인기있는 집으로, 냉면 육수는 사골을 푹 고아 만들어 사용한다. 비빔냉면은 순한 맛, 중간 맛, 매운맛 중에 선택할 수 있다. 메밀 피로 만든 쫀득쫀득한 메밀만두를 곁들이면 좋다.

₩ 물냉면, 칡물냉면(각 7천원), 비빔냉면, 칡비빔냉면(각 7천5백원),

회냉면(9천원), 고기만두, 김치만두, 물만두(각 4천5백원), 사골만두국(7천5백원)
🕒 11:00~20:00 – 일요일 휴무
🔍 인천 서구 심곡로148번길 16(심곡동)
☎ 032-569-0017 Ⓟ 가능

정서진메밀면옥 메밀국수 | 평양냉면

매일 아침 직접 메밀을 빻아 만드는 100% 순메밀국수 전문점. 양지로 육수를 낸 슴슴한 평양냉면인 물메밀과 비빔메밀이 대표 메뉴다. 바삭하고 고소한 맛이 별미인 감자채전과 곁들여 먹는 것을 추천한다.

₩ 평양냉면, 비빔냉면, 냉소바, 검은콩국수(각 1만2천원), 아롱사태수육(2만3천원), 감자채전(7천원), 메밀전병(1만2천원)
🕒 11:00~21:00 | 월요일 11:00~15:30 | 동절기 11:00~15:30 – 화요일, 명절 전날 및 당일 휴무
🔍 인천 서구 아라로51번길 3(시천동) ☎ 032-566-3844 Ⓟ 가능

정서진메밀면옥

인천광역시 연수구

금산식당 생선회 | 밴댕이

대표 메뉴인 밴댕이회를 신김치에 올려서 먹는 맛이 별미다. 밴댕이와 한치를 미나리, 당근, 오이 등의 채소와 함께 버무려내는 밴댕이무침도 맛있다. 밴댕이 철이 아닐 때는 준치회, 한치회, 전어회 등의 제철 회를 즐길 수 있다. 간장게장, 나물 등 밑반찬도 푸짐하게 나오는 편이다.

₩ 밴댕이회무침(1만1천원), 밴댕이회(중 3만원, 대 3만5천원), 밴댕이구이(2만원), 모둠회(중 3만원, 대 3만5천원)
🕒 11:00~22:00 – 화요일, 명절 휴무
🔍 인천 연수구 청능대로53번길 24-4(청학동)
☎ 032-818-1893 Ⓟ 가능(협소)

긴자 銀座 일식

빼어난 송도의 경관과 정통 일식의 진미를 동시에 느낄 수 있다. 하얀 햇살 사이로 내려다보이는 푸른 바다, 1천 평의 넓은 규모와 화려하고 세련된 일본 식당을 완벽하게 재현한 실내 장식이 돋보인다. 입구의 폭포와 분수, 넓은 정원에 조각처럼 세워진 건물, 현관에 설치된 다리도 인상적이다.

₩ 주말가족정식(3만8천원, 4만8천원, 6만8천원), 긴자정식(5만8천원), 긴자사시미코스(8만5천원), 아라다케(5만원), 참치모둠사시미(6만원), 활어모둠사시미(4만원, 6만원)
🕒 11:30~22:00 – 연중무휴
🔍 인천 연수구 청량로120번길 10(옥련동)
☎ 032-832-7722 Ⓟ 가능

깨비옥 곰탕

맑은 국물이 특징인 서울식 곰탕을 맛볼 수 있는 곳이다. 토렴해서 나오는 곰탕은 담백하고 고소하다. 육회비빔밥도 인기 메뉴다.

₩ 곰탕(1만3천원, 특 1만7천원), 매운양곰탕(각 1만4천원), 육회비빔밥(1만3천원), 한우모둠수육(중 4만8천원, 대 6만원), 도가니수육(4만3천원), 양무침(3만3천원), 육회(2만8천원)
🕒 11:00~15:00/17:00~23:00(마지막 주문 22:00) – 연중무휴
🔍 인천 연수구 컨벤시아대로 116(송도동) 푸르지오월드마크 7단지 1층
☎ 032-833-7736 Ⓟ 가능

디벨로핑룸 developing room 디저트카페

원목가구들이 따뜻한 느낌을 주는 로스터리 카페. 큰 셰어 테이블 하나와 작은 테이블들을 적당하게 배치했다. 브루잉커피 주문 시 컵노트뿐만 아니라 누가 내렸는지도 적혀있는 점이 인상적인 곳.

₩ 브라우니(6천원), 카페시트론(7천원), 에스프레소, 아메리카노(각 4천원), 카페라테(5천원), 브루잉커피(5천원~8천5백원), 바스크치즈케이크(7천원)
🕒 11:00~22:00 – 연중무휴
🔍 인천 연수구 청명로 26 미백빌딩
☎ 032-821-2006 Ⓟ 가능

레벨19 Level 19 뷔페

공원 조망과 해안 조망을 동시에 즐기면서 여유로운 식사를 할 수 있는 뷔페 레스토랑. 별실이 따로 있어 모임이나 비즈니스 장소로 좋다.

₩ 조식(3만5천원, 10세이하 3만5천원), 점심(5만2천원, 10세이하 2만6천원), 저녁(8만2천원, 10세이하 4만1천원), 주말점심(6만8천원, 10세이하 3만4천원), 주말저녁(9만8천원, 10세이하 4만9천원)
🕒 07:00~10:00/12:00~14:30/18:00~21:30 – 연중무휴
🔍 인천 연수구 테크노파크로 151 (송도동) 오라카이송도파크호텔 19층
☎ 032-210-7360 Ⓟ 가능

밥상편지 한정식

편안한 분위기의 한식당. 석모도 쌀로 지은 가마솥 밥과 함께 푸짐한 한상이 차려진다. 셀프바에서 기본 찬을 가져다 먹을 수 있으며, 유기농법으로 쌈 채소를 직접 키우고 재배하는 것이 특징이다. 꼬막무침과 미나리전을 추가로 맛볼 수 있는 꼬미추가 세트도 인기. 프라이빗한 룸도 있어 가족 모임으로도 좋다.

₩ 직화고추장불고기차림, 직화간장불고기차림(각 2인 이상, 1인 1만5천원), 직화주꾸미차림(2인 이상, 1인 1만7천원), 갈치조림차림(2인 이상, 1인 1만6천원), 흑마늘소갈비찜차림(2인 이상, 1인 3만3천원)

🕒 11:30~15:00/17:00~21:00(마지막 주문 20:20) | 토, 일요일 11:30~15:00/17:00~21:15 – 화요일, 명절 휴무

🔍 인천 연수구 하모니로 124(송도동) 송도타운 3층

☎ 032-833-8854 Ⓟ 가능

백란 白蘭 생선매운탕 | 생선구이

선어회, 생선구이, 조림 등을 선보이는 생선 요리 전문점. 조림과 구이 메뉴가 인기며, 한상 가득 나오는 밑반찬이 푸짐하다. 자연산 선어회도 맛볼 수 있고 생선탕, 생선조림도 추천 메뉴다.

₩ 갈치구이, 갈치조림, 병어조림(각 소 5만원, 중 7만원, 대 8만원), 민어탕, 곰치탕, 대구탕, 서대탕(각 2만5천원)

🕒 11:30~22:00 – 명절 휴무

🔍 인천 연수구 함박뫼로4번길 31(청학동)

☎ 032-821-5055 Ⓟ 불가

베이커리율교P3120 베이커리

다양한 종류의 치아바타가 인기 있는 베이커리 전문점. 아낌없이 꽉 채운 재료가 빵을 더 먹음직스러워 보이게 만든다. 든든하게 식사 대용으로도 좋다. 인기 많은 메뉴들은 품절이 빠르기 때문에 미리 포장 예약을 한 후 방문하는 것을 추천한다.

₩ 고구마치즈치아바타(6천9백원), 올리브치아바타(6천5백원), 소보로(3천5백원), 무화과포카치아(6천3백원), 아메리카노(3천원), 카페라테(3천5백원)

🕒 10:30~21:00 – 월 ,화, 수, 일요일 휴무

🔍 인천 연수구 컨벤시아대로42번길 20 송도 더 프라우 3단지 코오롱상가 302동 101,102호

☎ 032-832-3120 Ⓟ 불가

벨뷰 Belle vue 뷔페

청량산의 푸르름과 서해 일몰의 장관을 한눈에 내려다보며 세계 각국의 풍성한 요리를 즐길 수 있다. 120여 가지 다양한 요리가 있다.

₩ 조식(9천9백원), 평일점심(대인 2만5천원, 소인 2만원), 평일저녁(대인 4만원, 소인 2만3천원), 주말점심(대인 4만3천원, 소인 2만원), 평일저녁(대인 4만8천원, 소인 2만3천원)

🕒 07:00~09:30/11:30~14:30/18:00~21:00 – 연중무휴

🔍 인천 연수구 능허대로267번길 29(동춘동) 라마다송도호텔 12층

☎ 032-423-3446 Ⓟ 가능

부원집 생선구이

생선구이 전문점으로, 다양한 생선으로 구성된 모둠생선구이가 대표 메뉴다. 소 힘줄을 뼈와 같이 끓인 스지탕도 인기가 좋으며 키조개관자구이도 술안주로 제격이다. 남은 국물에 수제비를 떠먹는 맛도 좋다.

₩ 모둠생선구이, 키조개관자구이, 스지탕(각 3만8천원), 생선찜(4만8천원), 키조개관자삼합(5만8천원)

🕒 17:00~23:00 – 일요일 휴무

🔍 인천 연수구 샘말로8번길 7-10(연수동)

☎ 032-812-1085 Ⓟ 가능

송도갈매기 돼지고기구이

갈매기살 전문점. 감칠맛 나는 양념에 잰 갈매기살이 대표 메뉴며, 생갈매기살도 맛볼 수 있다. 고기 질이 좋은 편이며 밑반찬도 깔끔하다. 식사로는 쟁반막국수가 좋으며 점심에는 갈매기살을 라이스페이퍼에 싸 먹는 월남쌈을 즐길 수 있다.

₩ 갈매기살(180g 1만7천원), 통생갈매기살, 마늘갈매기살(각 150g 1만9천원), 소갈빗살(150g 2만5천원), 쟁반막국수(중 1만5천원, 대 1만9천원), 물막국수, 비빔막국수(각 9천원), 점심월남쌈(2인 이상, 1인 1만7천원)

🕒 11:30~22:00(마지막 주문 21:00) – 명절 휴무

🔍 인천 연수구 능허대로151번길 25(옥련동)

☎ 032-831-0010 Ⓟ 가능

송도국제경양식 경양식

옛날식 경양식집에서 나오던 식으로 채소 및 크림수프와 모닝빵이 돈가스나 함박스테이크와 함께 나온다. 50년 전통을 자랑하며, 옛 추억을 생각하면서 찾는 사람이 많다.

₩ 함박스테이크(1만9천원), 돈가스(1만5천원), 비프가스(1만7천원), 안심스테이크(3만2천원)

🕒 11:30~15:00/17:00~21:00(마지막 주문 20:00) – 일요일 휴무

🔍 인천 연수구 센트럴로 194(송도동) 더샵센트럴파크 2C동 225호

☎ 032-888-8525 Ⓟ 가능

송도동산호 생태 | 민어

선주가 직접 운영하는 곳으로, 생선의 선도가 좋다. 흔히 볼 수 있는 빨갛고 얼큰한 생태찌개가 아니라 된장과 액젓, 고춧가루 등을 사용하여 국물을 낸다. 입구 근처에 손님들이 직접 달걀프라이를 해먹을 수 있도록 날달걀과 프라이팬을 준비해둔 것이 독특하다.

₩ 동태전골(1인 1만2천원), 생태찌개, 물메기(각 1인 1만7천원), 민어회(소 9만원, 중 13만원, 대 17만원)

🕒 10:00~22:00 | 일요일 11:00~22:00 – 명절 휴무

🔍 인천 연수구 컨벤시아대로 81(송도동) 드림시티 127호

☎ 032-858-1880 Ⓟ 가능

송도술상 한식주점
다양한 한식안주와 함께 전통주를 즐길 수 있는 한식 주점. 쌈채소와 어리굴젓, 백김치 등이 함께 나오는 암퇘지오겹보쌈이 대표 메뉴다. 파절임에 싸 먹는 육전 맛도 별미다. 차돌된장전골은 국물 요리가 필요할 때 추천하며 메뉴는 계절별에 따라 약간 변동이 있다.
₩ 암퇘지오겹보쌈(3만2천원), 홍어삼합(4만5천원), 보리새우미나리전, 미나리주꾸미초무침(각 2만2천원), 한우육회(2만8천원), 왕새우전, 부추무침과편육(각 2만2천원), 매콤차돌두부전골, 차돌된장전골(각 2만5천원), 육전(2만원)
🕒 15:30~23:00(마지막 주문 22:00) – 일요일 휴무
🔍 인천 연수구 컨벤시아대로 80(송도동) 인천송도힐스테이트 402동 117호
☎ 032-899-2299 Ⓟ 가능

송도커피 🎀 카페
다양한 원두 종류를 취급하며 직접 로스팅을 하는 카페. 바리스타 챔피언이 운영하고 있으며 커피에 대한 설명이 자세하고, 커피 맛이 좋다는 평이다. 합리적인 가격으로 좋은 품질의 커피를 즐길 수 있다.
₩ 에스프레소, 아메리카노(각 4천5백원), 필터커피(6천5백원), 라테(5천원)
🕒 12:00~16:00 | 토, 일요일 10:00~18:00– 연중무휴
🔍 인천 연수구 컨벤시아대로 60 (송도동)
☎ 0507-1399-3414 Ⓟ 가능

송도콩나물해장국밥 콩나물국밥
송도에서 유명한 콩나물국밥집. 청양고추와 콩나물, 김, 날달걀을 듬뿍 넣어 칼칼한 해장국을 맛볼 수 있다. 식사시간에는 줄을 서서 기다릴 정도로 인기가 많다.
₩ 콩나물해장국밥(9천원), 한우사골순대국(1만원), 굴콩나물해장국밥, 오징어콩나물국밥, 김치콩나물해장국(각 1만1천원), 김치오징어해장국(1만3천원)
🕒 05:30~20:30(마지막 주문 20:10) – 월요일 휴무
🔍 인천 연수구 청량로113번길 15(옥련동)
☎ 032-833-5772 Ⓟ 가능

스시라 すし羅 스시
합리적인 가격에 수준급 스시를 맛볼 수 있는 스시 오마카세 전문점. 새벽 노량진에서 신선한 식재료를 공수해 와서 제공한다. 예약제로 운영되어 미리 확인, 예약 후 방문하는 것을 추천.
₩ 런치스시오마카세(6만원), 디너스시오마카세(12만원)
🕒 12:00~15:00/17:00~22:00 | 토, 일요일 11:30~15:30/ 17:00~22:00 – 월요일 휴무
🔍 인천 연수구 아트센터대로 203(송도동) 센트럴파크푸르지오시티 B동 131호
☎ 070-7608-9942 Ⓟ 가능

스시요로코부 🎀 よろこぶ 스시
비교적 부담없는 가격대의 스시야로, 오마카세로만 운영된다. 부드러운 샤리와 신선한 재료로 평이 좋은 편. 100% 예약제로 운영된다.
₩ 점심오마카세(7만원), 저녁오마카세(15만원)
🕒 11:30~12:30/13:00~14:00/19:00~(한 타임 운영)(예약제로 운영됨) | 월요일 19:00~(한 타임 운영) | 토, 일요일, 공휴일 18:00~(한 타임 운영)(예약제로 운영됨) – 일요일 휴무
🔍 인천 연수구 센트럴로 194(송도동) 더샵 센트럴파크2 A동 123호
☎ 032-834-6809 Ⓟ 가능

스시이와 すしいわ 스시
송도에서 수준 높은 스시를 만날 수 있는 곳. 제철에 맞는 신선한 식재료를 사용하는 오마카세 코스를 선보인다. 스시를 비롯해 맛보기용으로 나오는 가이센동, 튀김 등 구성이 다채롭다. 가격대비 만족도가 높은 편이다. 예약 필수.
₩ 오마카세(룸 12만원, 카운터 14만원), 런치오마카세(6만원), 어린이세트(1만5천원)
🕒 11:30~15:00(마지막 주문 14:00)/17:30~22:00(마지막 주문 20:30) – 연중무휴
🔍 인천 연수구 센트럴로 194(송도동) 더샵 센트럴파크2 C동 109호
☎ 010-5639-5725 Ⓟ 가능

시드니양갈비 SYDNEY LAMB 양고기
호주 청정지역에서 자란 8개월 미만의 어린 양을 냉장 직송하여 참숯에 구워주는 양갈비구이 전문점이다. 어깨 부위인 숄더랙과 갈비 부위인 프렌치랙을 깔끔한 분위기에서 와인과 즐기기 좋으다. 한우나 피자, 파스타 등 양고기가 부담스러운 사람도 선택할 수 있는 메뉴를 다양하게 준비하고 있다. 저녁 6시~8시 사이에는 피아노 연주도 즐길 수 있다.
₩ 프렌치랙(200g 3만3천원), 숄더랙(200g 2만7천원), 양살치살, 소꽃갈비살(각 150g 2만8천원), 제주성게알모둠쌈(6만원), 수제주꾸미볶음(2만원), 해산물토마토파스타, 상하이크림파스타, 슈림프피자, 시드니피자, 고르곤졸라피자(각 1만5천원), 시드니해물온면(1만원)
🕒 16:30~23:00 | 토, 일요일 12:00~23:00(마지막 주문 22:00) – 연

시드니양갈비

중무휴
🔍 인천 연수구 컨벤시아대로 81(송도동) 드림시티건물 2층 214-215호
☎ 032-833-7101 Ⓟ 가능

안돈 NEW 돼지고기구이

돼지고기를 오마카세로 즐길 수 있는 곳. 돌을 활용한 인테리어로 정적이면서도 고급스러운 분위기. 100% 예약제. 점심은 1부, 저녁은 2부로 나눠서 진행된다. 독창적인 에피타이저 메뉴부터 예사롭지 않다. 비주얼과 퍼포먼스를 모두 잡은 곳이라는 평.

₩ 돼지오마카세코스(1인 5만9천원)
🕒 12:30~14:00/17:30~19:00, 19:30~21:00 – 명절 휴무
🔍 인천 연수구 컨벤시아대로 126 월드마크푸르지오8단지 209, 210호
☎ 032-831-7990 Ⓟ

어글리무드 UGLY MOOD 디저트카페

튀르키예식 샌드드립 커피와 최근 유행하는 디저트 카이막을 맛볼 수 있는 카페다. 세 가지 원두와 디카페인 원두도 있어 취향에 맞게 고를 수 있다. 카이막은 일 판매량이 한정되어 먹고 싶다면 서둘러야 한다.

₩ 에스프레소, 아메리카노, 카페라테(각 5천원), 어글리슈페너, 크림쇼콜라라테, 바닐라빈라테, 자몽비앙코, 말차크림라테(각 6천5백원), 히비스커스패션후르츠에이드(6천원), 카이막(7천5백원)
🕒 10:00~22:00 – 월요일 휴무
🔍 인천 연수구 컨벤시아대로 116(송도동 푸르지오월드마크 138호
☎ 010-2643-7879 Ⓟ 가능

열두바구니 🎀 청국장 | 게장

속이 꽉 찬 게장으로 인기가 좋은 곳이다. 게장을 주문하면 된장찌개, 청국장 등을 함께 내준다. 100% 우리 콩으로 쑨 메주와 간장으로 요리하며, 재래식으로 직접 담근 청국장의 맛이 깊고 진하다. 떡갈비에도 청국장 양념을 하는 점이 특이하다.

₩ 양념게장(3만2천원 2인 6만원), 간장꽃게장(3만7천원 2인 7만원 3인 10만원 4인 13만원), 떡갈비(1만5천원), 청국장, 순두부청국장(각 1만1천원), 김치찌개(1만원)
🕒 11:00~15:30/17:00~21:00 – 일요일 휴무
🔍 인천 연수구 신송로125번길 7(송도동) 이리옴프라자 2층
☎ 032-834-4433 Ⓟ 가능(2시간 무료)

오크레스토랑오크우드프리미어인천점 🎀 OAK RESTAURANT 스테이크 | 뷔페

36층의 스카이라운지급 전망을 자랑하는 레스토랑. 부위별 다양한 스테이크와 코스 메뉴를 즐길 수 있다. 메인을 시킨 후 애피타이저, 수프, 샐러드, 디저트, 커피가 진열되어 있는 안티파스티 뷔페를 함께 이용할 수 있다.

₩ 조식뷔페(성인 4만7천원, 어린이 2만8천원, 유아 무료), 런치(평일 성인 6만5천원~10만5천원, 토, 일요일, 공휴일 성인 10만5천원~13만5천원, 평일 어린이 3만3천원, 토, 일요일, 공휴일 어린이 5만3천), 디너(평일 성인 9만5천원~12만5천원, 토, 일요일, 공휴일 성인 10만5천원~13만5천원, 평일 어린이 4만8천원, 토, 일요일, 공휴일 어린이 5만3천)
🕒 조식 06:30~10:00/런치 12:00~14:00/디너 18:00~21:00 | 토요일 조식 06:30~10:30/런치 12:00~14:30/디너1부 17:00~19:00, 디너2부 19:30~21:30 | 일요일, 공휴일 조식1부 06:00~08:00, 조식2부 08:30~10:30/런치 12:00~14:30/디너 18:00~21:00 – 연중무휴
🔍 인천 연수구 컨벤시아대로 165(송도동) 포스코타워-송도 36층
☎ 032-726-2301 Ⓟ 가능

인천콩나물국밥 콩나물국밥

인천식 콩나물해장국을 맛볼 수 있는 곳. 콩나물국에 간이 되어 있지 않으므로 함께 나오는 새우젓으로 취향껏 간을 해서 먹으면 된다. 밑반찬으로 함께 나오는 오뎅을 콩나물국에 함께 넣어 먹으면 맛있다.

₩ 콩나물국밥, 뚝배기김치찌개(각 1만원), 황태콩나물국(1만2천원)
🕒 06:00~21:00 – 명절 당일 휴무
🔍 인천 연수구 청량로113번길 12(옥련동)
☎ 010-5342-3865 Ⓟ 가능

제이라운지 🎀 J lounge 프랑스식

오너 셰프가 운영하는 프렌치 레스토랑으로, 예약제로 운영된다. 코스 메뉴는 계절별로 바뀌며 제철 식재료를 활용한 프렌치 요리를 즐길 수 있다. 특히 시그니처 메뉴인 양갈비구이의 완성도가 높다는 평.

₩ 기억코스(8만원), 추억코스(11만원)
🕒 11:00~15:00/17:00~22:00 – 비정기적 휴무
🔍 인천 연수구 인천타워대로 257(송도동) 아트포레 C동 207호
☎ 010-6481-1672 Ⓟ 가능

체나콜로아트포레 NEW CENACOLO 이탈리아식

자극적이지 않은 맛의 이탈리안 요리를 즐길 수 있는 곳. 식재료의 맛과 풍미를 살려 담백한 맛이 좋다는 평이다. 바삭하게 구워낸 버섯 크림뇨키는 누구나 좋아할 맛이다.

₩ 카프레제샐러드(1만8천원), 아보카도빈샐러드(1만7천원), 멜란자네카로차(1만9천원), 카페산테, 바질페스토파스타(각 2만원), 알리오올리오(1만6천원), 버섯크림뇨키(2만3천원), 봉골레파스타, 칼라마리파스타(각 2만2천원), 새우로제파스타(2만7천원)
🕒 10:00~15:00/17:00~22:00(마지막 주문 21:00) | 일요일 11:00~15:00/17:00~22:00(마지막 주문 20:30) – 월요일 휴무
🔍 인천 연수구 인천타워대로 257 아트포레 c동 211호
☎ 032-773-5951 Ⓟ 가능(지하주차장 최대 4시간 지원)

충남서산꽃게탕집 🎀 꽃게

송도에서 유명했던 꽃게 요리 전문 포장마차가 확장 이전한 곳이다. 속이 알찬 게를 사용해 담백하고 깔끔한 맛이 일품이다.

꽃게찜, 꽃게탕, 꽃게무침, 게장 등 다양한 게 요리가 나오는 코스도 추천할 만하다.

㉻ 꽃게코스(A 18만원, B 16만원 C 13만원), 꽃게탕, 꽃게찜, 꽃게무침, 꽃게범벅(각 대 12만원, 중 10만원, 소 6만5천원)
🕒 10:00~22:00 – 월요일 휴무
🔍 인천 연수구 대암로22번길 11(옥련동)
☎ 032-831-7339 Ⓟ 가능

카페꼼마 cafe comma 카페 | 북카페 | 베이커리

문학 전문 출판사 문학동네에서 운영하는 곳으로, 책장을 가득 채운 책을 자유롭게 읽을 수 있다. 유기농 밀가루와 천연발효종을 사용해 만든 빵도 선보인다.

㉻ 에스프레소(4천8백원), 아메리카노(4천8백원, 라지 5천8백원), 카페라테(5천8백원, 라지 6천8백원), 너티플레저(7천원), 치아바타(4천3원), 올리브치아바타(4천5백원), 브리오슈식빵(4천8백원), 에클레르(9천3백원)
🕒 08:00~20:30 – 명절 휴무
🔍 인천 연수구 센트럴로 263(송도동) 송도IBS타워 업무동 1, 2층
☎ 032-719-7222 Ⓟ 가능(2시간 무료)

커피화로스터스본점

COFFEE HWA ROASTERS 커피전문점

송도를 대표하는 스페셜티 커피 매장으로, 직접 원두 로스팅을 하고 있다. 수상 경력이 많은 바리스타의 핸드 드립 솜씨를 맛볼 수 있으며 커피를 주문하면 원두의 특징을 적은 메모지를 함께 준다. 피낭시에, 쿠키, 스콘, 크루아상 등 베이커리 메뉴도 준비되어 있다.

㉻ 에스프레소(3천2백원), 아메리카노(3천5백원), 카페라테, 플랫화이트(각 4천5백원), 필터커피(4천5백원~1만1천원), 티라미수케이크(7천5백원), 바스크치즈케이크(6천5백원)
🕒 08:00~20:00 | 토, 일요일, 공휴일 10:00~20:00 – 연중무휴
🔍 인천 연수구 송도과학로27번길 70(송도동) 롯데캐슬상가 107, 108호
☎ 010-2973-7309 Ⓟ 가능

커피화로스터스본점

크로마이트커피

CHROMITE COFFEE 커피전문점

인천의 상징적인 스페셜티 커피 매장. 오래된 주택을 개조하여 아늑한 분위기로 꾸며져 있다. 일반적인 베리에이션 커피를 비롯해 사이폰커피, 핸드드립 커피 등 다양한 브루잉커피를 맛볼 수 있다. 커피와 함께 곁들이면 좋은 티라미수, 카스텔라 등의 디저트도 좋다.

㉻ 에스프레소, 아메리카노(각 5천원), 싱글라테(6천원), 브루잉커피(6천원~1만5천원), 카스텔라(1만원), 티라미수(6천5백원)
🕒 12:00~22:00(마지막 주문 21:30) | 일요일 12:00~21:30(마지막 주문 21:00) – 연중무휴
🔍 인천 연수구 청량로155번길 39-5(옥련동)
☎ 032-834-6506 Ⓟ 가능

툴롱 TOULON 프랑스식

프렌치 요리를 단품으로 즐기기 좋은 비스트로. 제주산 광어로 만든 스테이크와 오리다리콩피를 곁들인 파스타, 오리가슴살스테이크 등이 추천메뉴다. 부담없이 즐기기 좋은 합리적인 가격대의 와인도 다양하게 갖추고 있다.

㉻ 안심스테이크(180g 6만5천원), 오리가슴살스테이크(3만5천원), 오리다리파스타(2만8천원)
🕒 11:30~14:50(마지막 주문 13:50)/17:30~22:00(마지막 주문 20:30) – 월요일 휴무
🔍 인천 연수구 인천타워대로132번길 30(송도동) 휴먼빌파크 208호
☎ 032-831-2003 Ⓟ 가능

파노라믹65 PANORAMIC 65 라운지바 | 스테이크

오크우드프리미어인천 호텔 내에 있는 스카이라운지 바. 와인, 칵테일은 물론, 코스로 식사도 가능하다. 65층에 있어 아름다운 전망과 야경을 즐길 수 있다. 저녁 6시에서 9시까지 프리미엄파노바인(금, 토) 또는 파노바인(월~목) 메뉴를 선택하면 20여 종의 주류와 스낵 뷔페를 무제한으로 이용할 수 있다.

㉻ 오션세트(15만원), 선셋세트(20만원), 시그니처세트(25만원), 파스타코스(6만원), 스테이크코스(7만원, 8만원, 11만원)
🕒 11:00~16:00/18:00~24:00(마지막 주문 23:00) – 연중무휴
🔍 인천 연수구 컨벤시아대로 165(송도동) 포스코타워-송도 65층
☎ 032-726-2301 Ⓟ 가능

해월커피송도점 HAEWOL 커피전문점 | 크루아상

국가대표 커핑 챔피언의 매장 깔끔한 매장에서 커피와 디저트를 즐길 수 있다. 커피는 에스프레소와 핸드드립 둘 다 준비되어 있다. 직접 만든 크루아상도 맛볼 수 있는데, 크루아상 브런치와 마스카포네 크림 크루아상을 많이 찾는다.

㉻ 에스프레소(4천원), 핸드드립커피(5천2백원), 오리지널아인슈페너(6천원), 바닐라하프앤하프, 하프앤하프아인슈페너(각 6천5백원), 크루아상브런치(1만3천원), 마스카포네크림크루아상(5천5백원), 다

크팔미카레(4천6백원)
⏲ 09:00~17:30(마지막 주문 17:00) – 수요일 휴무
🔍 인천 연수구 인천타워대로197번길 16 리치센트럴 132호
☎ 032-833-0146 Ⓟ 가능(2시간 무료)

인천광역시 옹진군

사곶냉면 물냉면

직접 담근 까나리액젓을 넣은 백령도식 메밀냉면과 칼국수를 맛볼 수 있다. 백령도 메밀국수는 황해도식 막국수라 할 수 있는데, 사골 육수에 까나리액젓이 어우러진 맛이 별미다. 주문하면 바로 반죽해 삶아낸다.

₩ 물냉면, 비빔냉면, 반냉면(각 8천원), 수육(1만원)
⏲ 11:00~21:00 – 1월, 비정기적 휴무
🔍 인천 옹진군 백령면 사곶로122번길 54-19
☎ 032-836-0559 Ⓟ 가능

인천광역시 중구

경남횟집 민어

신포시장에서 가장 오래된 횟집. 민어 전문점으로 유명하며, 회에서 조림, 전, 탕까지 다양한 민어 요리를 맛볼 수 있다. 60여 년의 역사를 자랑한다.

₩ 민어회(8만원~14만원), 민어탕(1만5천원), 민어조림(1만7천원), 민어전(4만원)
⏲ 11:30~21:30 – 첫째, 셋째 주 일요일, 명절 휴무
🔍 인천 중구 우현로45번길 24-1(신포동)
☎ 032-766-2388 Ⓟ 가능

경인면옥 🎀 만두 | 평양냉면

오랫동안 냉면과 만두를 해온 집. 70년 넘게 2대에 걸쳐 평양냉면과 온면 맛을 그대로 이어오고 있다. 깔끔한 평양냉면을 선보이며 소고기와 돼지고기가 푸짐하게 들어간 만두를 곁들이면 좋다. 녹두만으로 만든 녹두부침도 추천.

₩ 물냉면, 비빔냉면, 온면(각 1만1천원), 회비빔냉면(1만4천원), 녹두지짐(중 6천원, 대 1만1천원), 찐만두(8천원), 경인불고기, 서울불고기(각 200g 1만7천원), 수육(200g 3만원)
⏲ 11:00~15:00/16:30~20:30(마지막 주문 20:00) – 화요일(화요일이 공휴일인 경우 정상 영업), 명절 휴무
🔍 인천 중구 신포로46번길 38(내동)
☎ 032-762-5770 Ⓟ 불가

다복집 한식주점

50년 넘게 꾸준히 그 자리를 지키고 있는 대폿집. 소의 힘줄을 삶아 끓여낸 스지탕이 대표 메뉴로, 국물 맛이 깔끔하다. 노릇하게 구워낸 전을 곁들이면 좋다.

₩ 스지탕(3만원), 홍어찜, 모둠전(각 2만원), 고추전(1만8천원), 새우튀김(1만5천원), 족발(2만8천원~), 햄버그스테이크(1만5천원)
⏲ 16:00~22:00 | 토요일 15:00~21:00 – 일요일 휴무
🔍 인천 중구 우현로39번길 8-2(신포동)
☎ 032-773-2416 Ⓟ 불가

등대경양식 경양식

50년 역사의 경양식집. 실내 인테리어도 옛날 경양식집처럼 꾸몄다. 추억의 돈가스를 주문하면 사과잼과 버터를 곁들인 모닝롤과 수프가 나온다. 하루에 25그릇만 판매하여 영업시간이 다소 불규칙할 수 있으니 참고할 것.

₩ 돈가스(1만8천원), 수프(7천원)
⏲ 11:40~20:50(재료 소진시 마감) – 연중무휴
🔍 인천 중구 제물량로 190(해안동4가)
☎ 032-773-3473 Ⓟ 불가

레스토랑8 🎀 restaurant eight 퓨전

8개의 각기 다른 코너로 나뉘어 있어 취향에 맞는 요리를 골라 먹을 수 있는 곳. 카페, 생선초밥, 제과, 디저트, 이탈리아식 요리, 한국식 그릴 요리, 일본식 꼬치구이, 국수 요리 등 주메뉴에 따라 각기 다른 코너로 구분되며 각각에 어울리는 색상으로 각 공간을 표현했다. 토, 일요일 디너는 뷔페로 운영한다.

₩ 평일점심(성인 8만8천원, 어린이 4만4천원), 평일디너(성인 11만원, 어린이 5만5천원), 주말점심(성인 12만원, 어린이 6만원), 주말디너(성인 13만원, 어린이 6만5천원)
⏲ 06:30~10:00/12:00~14:30/18:00~21:30 | 토, 일요일 06:30~10:30/12:00~14:30/17:30~22:00 – 연중무휴
🔍 인천 중구 영종해안남로321번길 208(운서동) 그랜드하얏트인천 이스트타워
☎ 032-745-1234 Ⓟ 가능

마냥집 한식주점

인천에서 40년이 넘는 시간 동안 자리를 유지하고 있는 한식주점. 생선구이, 전, 회무침 등과 함께 술 한잔하기 좋다. 고추장찌개를 찾는 손님도 많다. 좌석은 열 개 정도로 크지 않고 소박한 분위기다.

₩ 생선구이(1만5천원~2만원), 모둠생선구이(3만2천원), 전류(1만5천원~2만5천원), 스지탕(2만5천원), 돼지고추장찌개(2만2천원)
⏲ 17:00~24:00 – 첫째, 셋째, 다섯째 주 일요일 휴무
🔍 인천 중구 개항로 20-1(관동3가)
☎ 032-772-3786 Ⓟ 불가

만다복 萬多福 일반중식

생긴 지는 그리 오래되지 않았지만, 현지인들이 많이 찾는 중식당. 옛맛을 그대로 살렸다는 100년 짜장이 독특한 메뉴다. 외관은 중국풍으로 화려하다.

₩ 짜장면(6천원), 백년짜장, 하얀백년짜장(각 8천원), 짬뽕, 새우복음밥, 게살볶음밥(각 9천원), 울면, 마파두부밥(각 1만원), 특짬뽕(1만3천원), 탕수육(중 2만4천원, 대 3만5천원)

🕒 11:00~21:30(마지막 주문 21:00) – 연중무휴

🔍 인천 중구 차이나타운로 36(북성동2가)

☎ 032-773-3838 Ⓟ 가능

만다복

명월집 백반

오래된 백반집으로, 메뉴는 김치찌개백반 한 가지뿐이다. 큰 대야에 한꺼번에 끓인 김치찌개를 원하는 만큼 가져다 먹는 것이 독특하다. 함께 나오는 밑반찬의 맛도 깔끔하다. 가끔 제육볶음이 반찬으로 나올 때도 있다.

₩ 김치찌개백반(9천원)

🕒 08:00~19:30 – 일요일 휴무

🔍 인천 중구 신포로23번길 41(중앙동3가)

☎ 032-773-7890 Ⓟ 불가

미광 美光 일반중식

상당히 오래된 중식당으로 간짜장, 짬뽕 맛이 좋다. 옛날 스타일의 탕수육도 인기 메뉴. 오픈 시간부터 대기줄이 긴 편이며, 오후 5시까지 영업시간이지만 재료가 소진 시 일찍 닫기도 하니 참고할 것.

₩ 간짜장, 짬뽕, 울면(각 7천원), 짜장면(6천원), 우동(6천5백원), 삼선짬뽕, 삼선복음밥(각 1만5백원), 탕수육(소 1만8천원, 중 2만2천원, 대 2만5천원)

🕒 11:30~16:00(재료 소진 시 마감) – 수요일 휴무

🔍 인천 중구 참외전로13번길 15-4(송월동2가)

☎ 032-772-5595 Ⓟ 불가

미투커피 카페

화려한 모양과 맛에 중점을 둔 음료가 준비되어 있는 곳. 메뉴에도 그 옛날의 향수가 느껴진다. 시그니처 메뉴는 악마의 스무디 시리즈다. 실내 장식부터 80~90년대 분위기가 생각나는 곳이다.

₩ 엘리스의마카롱, 악마의누텔라(각 7천9백원), 사탄의오레오(7천4백원), 에스프레소, 아메리카노(각 4천5백원), 카페라테(5천5백원)

🕒 11:30~24:00(마지막 주문 23:30) | 금, 토, 일요일 11:00~24:00(마지막 주문 23:30) – 수요일 휴무

🔍 인천 중구 월미문화로 39(북성동1가) ☎ 032-772-7131 Ⓟ 불가

바다앞농장 카페

오션뷰를 볼 수 있는 디저트 카페. 스페셜티 커피와 과일 음료, 샌드위치, 과일트레이, 과일이 올려진 다양한 종류의 디저트를 맛볼 수 있다. 농장 콘셉트의 인테리어로 꾸며져 있어 음식을 가지고 피크닉 나온 듯한 느낌이 든다. 테라스 자리에서는 바다가 바로 보인다.

₩ 너티아메리카노(7천원), 너티라테(7천5백원), 곰돌이큐브연유라테(8천5백원), 시그니처애플시나몬티(8천원), 과일프렌치파이(1만5천원), 진짜멜론케이크(1만5천5백원), 양양골드키위케이크(9천5백원)

🕒 10:00~21:30(마지막 주문 21:00) | 금, 토, 일요일 10:00~22:30 – 연중무휴

🔍 인천 중구 은하수로 10(중산동) 더 테라스프라자 2층

☎ 032-747-0139 Ⓟ 가능

바다앞테라스 커피전문점

서해바다가 한눈에 들어오는 베이커리 카페. 루프탑과 테라스가 리조트 분위기로 예쁘게 꾸며져 있어 날씨가 좋을 땐 사진 찍기 좋다. 파인애플이 통으로 올려져 있어 시선을 사로잡는 파인애플주스와 시즌 음료도 즐길 수 있다.

₩ 에스프레소(5천원), 아메리카노(6천원), 카페라테(6천5백원), 한라봉주스(9천5백원), 마늘빵(5천5백원), 크루아상(4천5백원), 조각케이크(7천원~9천원)

🕒 09:00~21:00 – 연중무휴

🔍 인천 중구 은하수로 10(중산동) 더 테라스프라자 5층

☎ 032-747-0137 Ⓟ 가능

복래춘 復來春 중국과자

1백여 년 동안 4대에 걸쳐 중국 전통 월병을 만들어 온 곳이다. 월병은 추석에 먹는 중국 전통 빵으로, 팥소를 넣은 월병과 여러 가지 채소를 넣은 월병 두 종류가 있다. 월병 외에도 공갈빵, 수과자 등 여러 종류의 중국 과자가 있으며 중국 술, 차, 제기 등도 판매한다.

₩ 월병(1개 1천4백원), 공갈빵(3개 3천5백원)

🕒 09:00~21:00 – 명절 휴무

🔍 인천 중구 차이나타운로55번길 20-1(선린동)

☎ 032-772-3522 Ⓟ 불가

산동만두 중국만두 | 중국빵

중국식 고기만둣집. 보들보들한 만두피 안에 소가 꽉 차있다. 만두뿐 아니라 공갈빵, 중국호떡 등도 맛볼 수 있으며 사람 머리만 한 크기의 얇은 공갈빵 껍질 안쪽에는 설탕을 발라 달콤한 맛이 난다. 재료가 다 떨어지면 문을 닫는다.

Ⓦ 산동만두(10개 5천원), 찐빵(2천원), 달걀빵(1천5백원), 공갈빵(2천5백원)

Ⓛ 08:30~22:00 – 월요일, 명절 휴무

Q 인천 중구 우현로49번길 33(신포동)

☎ 032-764-3449 Ⓟ 불가

삼강옥 설렁탕 | 도가니탕 | 꼬리곰탕

3대를 이어온 80여 년 전통의 설렁탕집으로, 인천에서 가장 오래된 집 중 한 곳으로 꼽힌다. 맑은 국물의 설렁탕을 맛볼 수 있으며 부드러운 고기의 맛이 일품이다. 도가니탕, 꼬리곰탕 등 다양한 국밥 종류도 먹을 만하다.

Ⓦ 설렁탕, 해장국, 육개장(각 1만1천원), 꼬리곰탕(2만3천원), 도가니탕(2만6천원), 수육, 도가니무침(각 소 3만7천원, 대 4만7천원)

Ⓛ 08:00~20:30(마지막 주문 20:00) – 연중무휴

Q 인천 중구 참외전로158번길 1(경동)

☎ 032-772-7885 Ⓟ 가능

새집칼국수 칼국수 | 만두

용동의 칼국수거리에서 초가집손칼국수와 함께 원조로 꼽히는 곳이다. 칼국수가 나오기 전에 보리밥과 밑반찬이 푸짐하게 나온다. 바지락으로 시원한 맛을 낸 칼국수와 함께 큼지막한 만두를 곁들이는 것도 좋다.

Ⓦ 칼국수(8천원), 만두칼국수, 만둣국, 찐만두(각 9천원)

Ⓛ 11:00~20:30 – 일요일 휴무

Q 인천 중구 우현로90번길 39(용동)

☎ 032-772-8333 Ⓟ 불가

송원식당 밴댕이 | 게장

연안부두의 밴댕이회무침거리에서 원조로 통하는 곳. 생물밴댕이만 사용하는 것이 특징이다. 된장에 찍어 먹는 밴댕이회, 매콤한 밴댕이회무침 등을 맛볼 수 있으며 무한리필되는 돌게장 맛이 일품이다. 푸짐하게 나오는 밴댕이회무침에 상추, 밥 등을 넣고 비벼 먹어도 맛이 좋다.

Ⓦ 밴댕이무침(1만원), 밴댕이회(소 3만원, 중 3만5천원, 대 4만원), 간장게장(1.5kg 2만5천원)

Ⓛ 09:00~20:00 – 연중무휴

Q 인천 중구 연안부두로 24-1(항동7가)

☎ 032-884-2838 Ⓟ 가능

신 Xin 일반중식

중식의 대가 유방녕 셰프가 운영하는 중국요리 전문점으로, 차이나타운에 자리하고 있다. 아삭한 숙주가 올라간 짜장면을 비롯해 해산물이 풍성하게 올라간 짬뽕, 탕수육 등 다양한 메뉴를 선보인다. 합리적인 가격의 코스 요리도 있다.

Ⓦ 점심코스(3만원), 달인웰빙짜장면(7천원), 북경식옛날짜장면(9천원), 짬뽕(2만원), 탕수육(소 2만4천원, 중 3만2천원), 동파육(5만2천원)

Ⓛ 11:00~21:00 – 연중무휴

Q 인천 중구 차이나타운로 25(북성동3가)

☎ 032-761-8889 Ⓟ 불가

신성루 新盛樓 일반중식

중국 산동성 출신의 주인 겸 주방장이 우리 입맛에 맞는 중식을 낸다. 대표 메뉴인 삼선고추짬뽕의 칼칼하고 시원한 맛이 일품이다. 중국 부추에 돼지고기, 버섯, 죽순, 새우 등을 넣고 볶아낸 부추잡채도 먹음직스럽다. 70여 년의 오랜 전통을 자랑하는 곳.

Ⓦ 삼선고추짬뽕(9천원), 짜장면(6천원), 볶음밥(7천5백원), 부추잡채+꽃빵(4만원), 라조기, 깐풍기(각 2만8천원), 소고기탕수육(3만2천원)

Ⓛ 11:00~15:00/16:30~21:30(마지막 주문 21:00) | 토, 일요일 11:00~21:30(마지막 주문 21:00) – 월요일 휴무(월요일이 공휴일인 경우 화요일 휴무)

Q 인천 중구 우현로 19-14(신생동)

☎ 032-772-4463 Ⓟ 가능

신승반점 新勝飯店 일반중식

청요리 1백 년 역사를 자랑하는 유명한 공화춘을 처음으로 열었던 우희광 씨의 외손녀가 운영하고 있다. 공화춘 집안 대대로 내려오는 짜장소스의 맛이 좋다. 탕수육, 잡채밥도 추천할 만한 메뉴. 70여 년의 역사를 자랑한다.

Ⓦ 짜장면(7천원), 짬뽕(1만원), 볶음밥(1만5백원), 잡채밥(1만2천원), 찹쌀탕수육(소 3만원, 대 4만5천원)

Ⓛ 11:10~15:00(마지막 주문 14:50)/16:30~21:00(마지막 주문 20:20) – 명절 휴무

Q 인천 중구 차이나타운로44번길 31-3(북성동2가)

☎ 032-762-9467 Ⓟ 가능

신일반점 新一飯店 일반중식

인천에서 가장 오래된 화상 중식당 중 하나. 아직도 오픈 당시의 오너 주방장이 직접 웍을 잡고 있다. 탕수육과 고춧가루를 넣지 않은 백짬뽕인 초마면이 맛있기로 유명하다. 특히 해삼요리 공력이 높다. 수제 군만두 역시 추천할만하다. 70년 넘는 역사를 자랑하는 곳.

Ⓦ 탕수육(소 2만3천원, 중 2만6천원, 대 3만원), 멘보샤(8p 2만5천원, 16p 4만원), 우동, 간짜장, 짬뽕, 볶음밥 (각 7천원), 초마면(8천원)

Ⓛ 10:30~24:00 – 명절 휴무

Q 인천 중구 서해대로464번길 1-2(신흥동2가)

☎ 032-882-1812 Ⓟ 불가(인근 시장 공영주차장 이용)

신포순대 순댓국 | 순대
신포국제시장 내에서 유명한 순댓집. 찹쌀순대, 당면순대, 카레순대, 매운순대 등 직접 개발한 독특한 순대를 맛볼 수 있다. 깔끔한 국물의 순댓국과 철판에 볶아 먹는 순대곱창볶음도 인기 있다.

Ⓦ 찹쌀채소순대, 찹쌀고추순대, 찹쌀카레순대, 당면채소순대(각 8천원), 모둠순대(소 1만4천원, 중 1만9천원, 대 2만4천원), 순대국밥(1만원, 특 1만3천원), 철판순대곱창볶음(소 2만5천원, 중 3만원, 대 3만5천원)
⏱ 09:00~21:00 – 수요일, 명절 휴무
🔍 인천 중구 제물량로166번길 33(신포동)
☎ 032-773-5735 Ⓟ 불가

십리향 十里香 중국만두 | 중국과자
중국식 월병 전문점. 화덕에 넣어 구워 주는 옹기병이라는 화덕만두로 인기가 높은 곳이다. 만두를 먹고자 항상 줄이 늘어서 있을 정도. 옹기병은 원래 티베트의 전통 만두로, 고구마, 단호박, 팥, 고기 맛 등 네 가지 종류를 선보인다.

Ⓦ 고기만두, 고구마만두, 팥만두, 단호박만두(각 1개 2천5백원), 마라만두(1개 3천원), 공갈빵(3개 5천원)
⏱ 12:00~20:00 – 연중무휴
🔍 인천 중구 차이나타운로 50-2(북성동2가)
☎ 032-762-5888 Ⓟ 불가

십리향

아라베스크 Arabesque 튀르키예식
튀르키예 음식 전문점으로, 사장과 직원 모두 현지인이다. 튀르키예 음식답게 다양한 향신료가 준비되어 있으며, 정통 케밥과 커리를 맛볼 수 있다. 인천에 머무는 외국인이 많이 찾는다.

Ⓦ 커리(9천원~1만8천원), 샐러드(6천원~1만2천원), 감자튀김(4천원), 양고기케밥(250g 1만5천5백원), 탄두리치킨(1만2천5백원)
⏱ 11:00~22:00 – 연중무휴
🔍 인천 중구 우현로 80 2층 ☎ 032-764-0064 Ⓟ 불가

연경 燕京 일반중식
인천 차이나타운 거리에 있는 중식당으로, 중국풍의 화려한 독채 건물에 붉은색과 금색의 인테리어가 눈길을 끈다. 맛과 색이 독특한 하얀짜장의 원조로 불리우며, 샤오롱바오, 탕수육 등이 인기 메뉴다. 북경오리를 맛보고 싶다면 사전 예약은 필수.

Ⓦ 하얀짜장(1만원), 샤오롱바오(9천원), 삼선짬뽕(1만1천원), 중국식냉면(1만3천원), 멘보샤(2만원~3만원), 소고기탕수육(3만3천원), 북경오리(반마리 5만원, 한마리 9만원)
⏱ 10:30~21:30 – 연중무휴
🔍 인천 중구 차이나타운로 41(북성동3가)
☎ 032-765-7888 Ⓟ 가능

예전 카페 | 양식
월미도에 문화의 거리가 조성될 때 문을 연, 역사가 오래된 카페 겸 양식당. 돈가스와 스테이크, 파스타 등의 양식을 다양하게 즐길 수 있다. 창밖으로 내려다보이는 서해 낙조의 풍경도 아름답다.

Ⓦ 돈가스(1만5천원), 예전정식(2만9천원), 햄버그스테이크(2만1천원)
⏱ 12:00~22:00 – 연중무휴
🔍 인천 중구 월미문화로 43-2(북성동1가)
☎ 032-772-2256 Ⓟ 가능

용화반점 龍華飯店 일반중식
짬뽕밥이 유명한 중식집. 묵직하고 칼칼한 짬뽕 국물이 특히 좋다. 짬뽕은 순한 맛과 매운 맛을 고를 수 있다. 해물을 넣은 계란말이의 일종인 자춘결도 인기 메뉴로, 예약해야 맛볼 수 있다. 불 맛을 제대로 살린 볶음밥도 추천메뉴며 다른 중식 메뉴도 수준급이다. 70여 년의 전통을 자랑하는 곳. 정기휴무일과 관계없이 개인 사정으로 문을 닫는 날도 있어서 전화로 확인하는 것이 좋다.

Ⓦ 짬뽕밥(9천원), 짜장면, 군만두(각 7천원), 볶음밥(8천원), 탕수육(2만2천원), 깐풍기(3만3천원)
⏱ 11:30~15:00/17:00~20:00(재료 소진 시 마감) – 월요일 휴무
🔍 인천 중구 참외전로174번길 7(경동)
☎ 032-773-5970 Ⓟ 가능

원보만두 元寶 중국만두 | 샤오롱바오
전통 중국식 수제 만두로 유명한 중식당으로, 샤오롱바오와 군만두만을 전문으로 한다. 육즙 가득한 샤오롱바오와 피가 두꺼운 군만두 맛이 별미다. 포장도 가능하다.

Ⓦ 샤오롱바오, 군만두(각 6개 7천원)
⏱ 11:00~20:00 – 명절 휴무
🔍 인천 중구 차이나타운로 48(북성동2가)
☎ 032-773-7888 Ⓟ 불가

이화찹쌀순대 순댓국 | 순대

50년 넘는 역사를 자랑하는 순댓집. 찹쌀을 넣어 쫀득한 식감을 내는 찹쌀순대가 대표 메뉴다. 내장과 함께 나오는 모둠 메뉴도 인기며 순대국밥도 식사메뉴로 좋다.

₩ 순대국밥(9천원, 특 1만1천원), 내장국밥(1만1천원), 술국(1만3천원), 순대(소 1만1천원, 중 1만7천원, 대 2만3천원), 모둠(소 1만7천원, 중 2만3천원, 대 2만8천원)
⏲ 11:00~21:00 | 토요일, 공휴일 09:30~21:00 – 일요일 휴무
🔍 인천 중구 인중로26번길 25(도원동)
☎ 032–882–3039 Ⓟ 발레 파킹

인천당 센베이

1978년에 개업한, 오랜 역사의 센베이 과자 전문점. 다양한 종류의 센베이 과자를 취급하고 있다.

₩ 센베이과자 (600g 8천원), 밤빵(3개 2천원)
⏲ 09:00~18:00 – 연중무휴
🔍 인천 중구 참외전로 138(용동) ☎ 032–766–0287 Ⓟ 불가

인천집 생선구이

동인천삼치거리 내에서 유명한 집. 삼치는 일반구이와 매콤한 소스가 얹어져 나오는 양념구이 중 선택할 수 있다. 인천집코스를 주문하면 파전, 달걀말이와 삼치반반메뉴가 나온다. 삼치반반은 삼치 한 마리를 반으로 나누어 한쪽에는 양념을 하고 한쪽은 소금구이로 내오는 메뉴다.

₩ 삼치구이(1만1천원), 양념삼치구이, 반반삼치(각 1만1천5백원), 모둠구이(3만원), 코스(3만원~3만8천원), 돌솥밥(4천원)
⏲ 14:00~23:50 | 금, 토, 일요일 11:00~23:50 – 화요일, 명절 휴무
🔍 인천 중구 우현로67번길 53(전동)
☎ 032–764–6401 Ⓟ 불가(인근 공영주차장 유료 이용)

임페리얼트레져

Imperial Treasure 광동식중식

중국 상하이의 광둥식 레스토랑 임페리얼트레져의 한국 지점으로, 파라다이스시티 내에 자리한다. 딤섬을 비롯해 신선한 해산물로 만든 요리, 북경오리 등 시그니처 메뉴를 맛볼 수 있다. 북경오리는 하루 전 예약이 필수다.

₩ 북경오리(18만원), 꿀소스돼지바비큐(5만5천원), 오향장육, 광동식해파리무침(각 4만8천원), 딤섬(2만원~2만8천원), 창펀(2만5천원)
⏲ 12:00~15:00/18:00~22:00 – 연중무휴
🔍 인천 중구 영종해안남로321번길 186(운서동) 파라다이스시티
☎ 032–729–2227 Ⓟ 가능

전라도대왕조개 조개구이

월미도 바다를 바라보면서 조개구이를 무한리필로 즐길 수 있는 곳. 입구에는 다양한 조개류가 들어 있는 수족관이 설치되어 있다. 조개를 다 먹고 난 후에는 칼국수로 마무리하면 좋다.

₩ 조개모둠구이(1인 2만9천9백원), 대왕조개구이세트(1인 3만4천9백원), 대왕몽땅세트(1인 3만9천9백원)
⏲ 11:30~23:00 | 일요일 11:00~21:30 – 명절 당일 휴무
🔍 인천 중구 월미문화로 27(북성동1가)
☎ 032–777–9291 Ⓟ 가능

제이콥스핏제리아 JACOB`S PIZZERIA 피자

신포시장 내의 피잣집으로, 이탈리아에서 밀가루를 공수해 직접 반죽한 도우로 화덕피자를 선보인다. 가격대비 만족도가 높은 곳이다.

₩ 마르게리타(1만1천원), 페퍼로니, 고르곤졸라(각 1만2천9백원), 풍기(1만5천원), 루콜라리코타치즈피자(각 1만7천원)
⏲ 12:00~21:00 – 일요일 휴무
🔍 인천 중구 우현로45번길 29(신포동)
☎ 032–763–1117 Ⓟ 불가

중앙옥 설렁탕 | 도가니탕 | 수육

40년 넘게 설렁탕, 수육 등을 전문으로 해 온 집. 날달걀을 설렁탕에 깨 넣어 반숙으로 먹는 것이 특징이다. 깔끔한 국물 맛이 좋으며 얼큰한 내장탕이나 도가니탕 등도 판매한다. 준비한 하루 판매 분의 설렁탕이 떨어지면 문을 닫는다.

₩ 설렁탕(1만원, 특 1만3천원), 내장탕, 스지탕(각 1만5천원), 우족탕, 도가니탕(각 1만7천원), 수육(소 2만원, 중 3만원, 대 4만원)
⏲ 10:00~15:00/17:00~21:00(마지막 주문 20:10) – 일요일 휴무
🔍 인천 중구 신포로15번길 34–1(중앙동3가)
☎ 032–773–2433 Ⓟ 불가

중화루 中華樓 일반중식

인천에서 오래된 화상 중식당 중 하나. 삼선짬뽕의 맛이 좋다. 여름에만 선보이는 중국냉면도 추천메뉴. 전반적으로 두루두루 괜찮은 맛을 낸다. 코스 메뉴는 4인 이상 주문해야 한다.

₩ 짜장면(6천5백원), 삼선짬뽕(1만원), 소고기탕수육(3만8천원), 라조기(2만9천원), 코스(4인이상, 1인 2만5천원~8만원), 중국냉면(6월~9월판매 1만원)
⏲ 11:00~15:30/17:00~21:00 | 토, 일요일 11:00~21:00 – 명절 휴무
🔍 인천 중구 홍예문로 12(중앙동4가)
☎ 032–762–0231 Ⓟ 가능

진흥각 振興閣 일반중식

차이나타운의 웬만한 곳보다 오랜 역사의 화상 중식당. 짜장면, 짬뽕, 탕수육을 비롯하여 당면잡채, 난자완스 등의 맛도 좋다. 전가복 같은 해물 요리도 맛이 좋다. 60여 년의 역사를 자랑하는 곳.

₩ 유니짜장(6천5백원), 간짜장(7천5백원), 짬뽕(8천원), 굴짬뽕(1만원), 탕수육(소 1만8천원, 중 2만6천원 대 3만3천원), 난자완스(중 3만원 대 4만5천원), 당면잡채(2만5천원), 전가복(소 6만원, 중 7만5천원 대 9만5천원)
⏲ 11:00~21:00(마지막 주문 20:40) | 일요일 11:00~20:00 – 연중무휴

🔍 인천 중구 신포로23번길 20(중앙동4가)
☎ 032-772-3058 Ⓟ 가능(6대)

청실홍실신포본점 🎀 메밀국수

메밀국수 한 가지로 인천 지역을 석권한 집이다. 메밀 맛이 물씬 나는 고소한 면발과 짭짤한 다시마 국물, 면을 더욱 시원하게 만드는 무즙이면 시원한 메밀국수 한 그릇이 된다. 냉면처럼 겨자와 식초를 적당히 뿌려서 먹는 것도 괜찮다. 날씨가 추워지면 따뜻한 메밀우동, 부드러운 통만두나 매콤한 김치만두 등 선택의 폭이 넓어진다.

Ⓦ 메밀국수, 메밀비빔국수, 메밀우동(각 7천원), 튀김우동(5천5백원), 가케우동(5천원), 왕만두(4천5백원), 통만두(4천원)
🕒 11:30~20:20(마지막 주문 20:00) - 월요일 휴무
🔍 인천 중구 우현로35번길 23-1(신생동)
☎ 032-772-7760 Ⓟ 불가

최고집신포본점 돼지고기구이 | 소고기구이

소고기, 갈매기살 구이 전문점. 무생채, 명이나물, 파 절임, 샐러드, 계란찜이 밑반찬으로 나온다. 고기를 주문하면 꽈리고추가 함께 나오며, 알맞게 구워 고기에 곁들여 먹는다. 기본으로 나오는 된장찌개에 금액을 추가하면 된장술밥으로 맛볼 수 있다.

Ⓦ 토시살, 등심주물럭, 살치살, 생안창살, 양념안창살, 소갈비살, 양념갈비살(각 150g 1만9천원), 돼지갈비(250g 1만4천원), 생갈매기살, 생목살, 생삼겹살, 생가브리살, 생항정살(각 170g 1만4천원), 된장술밥(6천원)
🕒 15:00~22:30(마지막 주문 21:45) | 토, 일요일 12:00~22:30(마지막 주문 21:45) - 연중무휴
🔍 인천 중구 홍예문로 13
☎ 032-762-2234 Ⓟ 불가

카페오라 Cafe Ora 베이커리 | 카페

3층으로 된 단독 건물의 모던한 카페로, 2009년 건축문화대상을 받기도 했다. 커피를 비롯한 음료 외에도 다양한 베이커리도 맛볼 수 있다. 창밖으로 을왕리해수욕장이 한눈에 보여 운치를 더한다.

Ⓦ 에스프레소(6천원), 아메리카노(7천5백원), 카페라테(8천5백원), 골드망고주스(9천원), 생크림크루아상, 라우겐(각 6천원), 망개잎떡(5천5백원), 과일타르트(5천원)
🕒 10:00~22:00 | 토, 일요일 09:00~21:00 - 명절 휴무
🔍 인천 중구 용유서로 380(을왕동)
☎ 032-752-0888 Ⓟ 발레 파킹

태림봉 泰臨鳳 일반중식

다양한 중국 음식을 맛볼 수 있는 곳. 별미 중 하나인 팔진초면에는 초면과 새우, 조개, 키조개, 오징어, 해삼, 소라 등의 해물과 죽순, 청경채 등이 들어간다. 해삼에 새우, 키조개, 전복 등을 다져 넣은 기아해삼(원래 소양해삼으로 불리는 요리)도 유명하다. 70여 년의 역사를 자랑한다.

Ⓦ 짜장면(7천원), 짬뽕(9천원), 유니짜장(9천원), 삼선짬뽕(1만2천원), 팔진초면(2만원), 탕수육(소 1만8천원, 중 2만3천원), 크림새우(소 3만원, 중 4만원), 해삼과전복(10만원)
🕒 11:00~21:00 - 명절 휴무
🔍 인천 중구 차이나타운로59번길 23(선린동)
☎ 032-763-1688 Ⓟ 가능

태화원 太和園 일반중식

채식요리로 유명한 중국집. 채식요리 외에도 육류를 사용하는 일반적인 요리도 맛볼 수 있다. 채식요리는 콩, 표고버섯, 두부, 찹쌀, 감자 등을 주재료로 사용해 만든다. 식사메뉴 외에도 요리 메뉴 공력이 상당하다.

Ⓦ 짜장면(6천5백원), 백짜장(9천원), 삼선짬뽕(1만1천원), 삼선우동, 삼선울면(각 9천5백원)
🕒 11:00~15:30/17:00~21:00 | 토, 일요일 11:00~20:30 - 연중무휴
🔍 인천 중구 차이나타운로59번길 10(선린동)
☎ 032-766-7688 Ⓟ 가능

태화원

평양옥 우거지해장국

3대째 가업을 잇고 있는 식당. 냉면, 갈비탕 등 여러 가지 메뉴가 있지만, 갈비와 우거지가 가득 들어간 해장국으로 유명하다. 새벽 5시부터 오전 11시까지는 해장국 주문만 받는다.

Ⓦ 해장국(1만4천원), 갈비탕(1만5천원), 육개장, 냉면(각 1만1천원), 소불고기(1만8천원)
🕒 05:00~21:00 - 명절 휴무
🔍 인천 중구 도원로8번길 68(신흥동3가)
☎ 032-882-4646 Ⓟ 가능

풍미 豊美 일반중식

4대째 내려오는 토박이 중국집. 해삼을 양념해서 튀긴 소양해삼이 독특한 메뉴다. 1957년에 시작하여 70년대 중반에 경영난으로 문을 닫았던 적이 있지만, 90년대에 다시 시작하면서 옛 맛을 지키기 위해 노력하고 있다.

₩ 짜장면(6천원), 볶음밥(9천원), 짬뽕(1만원), 소양해삼(소 7만원, 중 9만원), 탕수육(소 2만원, 중 2만5천원)
⏲ 09:00~21:00 – 비정기적, 명절 휴무
🔍 인천 중구 차이나타운로 56-1(선린동)
☎ 032-772-2680 Ⓟ 불가

프렌치빌 French Ville 베이커리

3층으로 이루어진 베이커리&레스토랑. 커피를 비롯해 천연발효종을 사용해 구운 빵, 초콜릿 등을 다양하게 즐길 수 있다. 흰색 외관이 깔끔하면서도 예쁘며, 3층 야외 테라스에서 시간을 보내는 것도 추천한다.

₩ 에스프레소, 아메리카노(각 3천8백원), 카페라테(5천5백원), 타르트(5천8백원), 소금빵(3천원), 초콜릿(2천6백원)
⏲ 08:30~23:00 – 연중무휴
🔍 인천 중구 신포로 27-1(관동3가) ☎ 032-772-0765 Ⓟ 가능

한옹가 한정식

손맛이 뛰어난 토속적인 한정식집. 옛날 시골집처럼 꾸며진 토방에서 먹는 된장찌개 맛이 구수하다. 특히 코다리불고기가 나오는 정식을 추천할 만하다. 주인이 직접 만든 질그릇을 사용하며 마당 한쪽에 있는 장독이 시선을 끈다. 예약은 필수다.

₩ 한옹가상차림(1만2천원), 코다리강정, 코다리조림(각 1만5천원), 제육볶음(2만원)
⏲ 12:00~20:00 – 첫째, 셋째 주 일요일 휴무
🔍 인천 중구 남북로6번길 60(남북동)
☎ 032-746-3912 Ⓟ 가능

해송쌈밥 쌈밥

을왕리에서 유명한 쌈밥집. 돌솥밥과 함께 우렁쌈장, 제육볶음 등의 반찬이 한상 가득 나온다. 쌈 채소는 주인이 직접 키운 채소를 사용하며 원하는 만큼 가져다 먹을 수 있다. 쌈밥은 2인 이상 주문해야 한다.

₩ 우렁돌솥쌈밥(2인 이상, 1인 1만9천원)
⏲ 10:30~21:00(마지막 주문 20:00) – 월요일 휴무
🔍 인천 중구 공항서로 177(남북동)
☎ 032-747-0073 Ⓟ 가능

향원 香圓 일반중식

오랜 역사의 화상 중식당으로, 짬뽕이 맛있기로 유명하다. 깨끗한 기름에 튀기는 찹쌀탕수육도 인기 메뉴 중 하나. 일반적인 탕수육 크기의 5배에 달하는 커다란 탕수육이 독특하며 소스를 묻힌 후 가위로 잘라 먹는다.

₩ 짜장면(6천5백원), 삼선짬뽕(1만원), 탕수육(소 2만원, 대 2만8천원), 찹쌀탕수육(소 2만2천원, 대 2만8천원)
⏲ 11:00~22:00(마지막 주문 21:00) – 화요일 휴무
🔍 인천 중구 신포로15번길 6-1(중앙동4가)
☎ 032-772-1688 Ⓟ 불가

혜빈장 惠賓莊 일반중식

차이나타운 근처에서 60여 년 동안 2대가 이어온 중식당. 은은한 양파의 단맛과 오랜 내공의 불맛이 어우러진 간짜장이 시그니처 메뉴다. 신선한 해산물을 넣어 시원하고 얼큰한 짬뽕 역시 많이 찾는 메뉴 중 하나.

₩ 짜장면(6천원), 짬뽕, 간짜장, 울면(각 7천원), 군만두(6천원), 볶음밥(7천5백원), 잡채밥(8천5백원), 라조육(2만2천원), 양장피, 류산슬(각 3만2천원), 탕수육(소 1만7천원, 중 2만원, 대 2만5천원)
⏲ 11:00~15:00 – 월요일 휴무
🔍 인천 중구 참외전로13번길 21(송월동2가)
☎ 032-772-1928 Ⓟ 불가

화선횟집 생선회

자연산 민어를 전문으로 하는 횟집. 가격은 높은 편이지만 두툼하게 썰어낸 회 맛이 좋다. 민어회를 다 먹고 난 후에는 칼칼한 민어탕으로 마무리한다. 기본으로 나오는 반찬의 맛도 깔끔한 편.

₩ 민어회(소 8만원, 중 10만원, 대 12만원, 특대 14만원), 민어탕(1인 1만8천원)
⏲ 11:00~21:30 | 일요일 11:00~20:30 – 월요일 휴무
🔍 인천 중구 우현로49번길 11-25(신포동)
☎ 032-772-4408 Ⓟ 가능

대구광역시

Daegu Metropolitan City

대구광역시 군위군

산너머남촌 메기 | 닭백숙

팔공산 자락에 위치해 있어 경치가 좋은 식당. 가운데 조그마한 연못이 있고 방갈로가 여러 채 있다. 방갈로에 앉아 먹는 메기 매운탕과 토종닭백숙 맛이 일품이다.

Ⓦ 한방닭백숙, 닭볶음탕(각 5만5천원), 옻닭백숙, 한방오리백숙, 오리볶음탕, 오리훈제(각 6만원), 메기매운탕(중 3만원, 대 4만원), 메기찜(3만8천원)
Ⓗ 10:00~18:00 – 월요일 휴무
Ⓠ 대구 군위군 부계면 한티로 1667
☎ 054-383-5445 Ⓟ 가능

효령매운탕 민물매운탕

자연산 민물고기를 사용하는 민물매운탕 전문점. 직접 재배한 토란과 고추장이 들어가 잡내 없이 얼큰한 맛을 낸다. 추가 메뉴인 황게장, 새우장, 빙어조림 등을 추가해도 좋다. 테이블에는 하이라이트를 사용하는 등 실내 분위기도 깔끔한 편이다.

Ⓦ 잡어매운탕(소 3만5천원, 중 4만5천원, 대 5만5천원), 메기매운탕(소 2만5천원, 중 3만5천원, 대 4만5천원), 빠가사리, 산천어(각 소 3만5천원, 중 5만원, 대 7만원), 황게장, 새우장(각 1만5천원)
Ⓗ 11:00~20:30 – 월요일 휴무
Ⓠ 대구 군위군 효령면 치산효령로 2267-8
☎ 054-383-9088 Ⓟ 가능

대구광역시 남구

그저모이기 카페

유럽의 가정집을 연상케 하는 카페로, 아늑한 분위기에서 음료를 즐길 수 있다. 다양한 종류의 음료를 선보이며 에스프레소와 얼음을 셰이커에 넣고 흔들어 만드는 샤케라토를 추천할 만하다. 샌드위치, 크로크마담 등도 괜찮다는 평.

Ⓦ 아메리카노(4천3백원~5천원), 에스프레소(4천3백원~4천5백원), 카페라테(5천원~5천8백원), 샤케라토(4천8백원), 카푸치노(5천원), 디카페인(4천5백원~5천원)
Ⓗ 11:00~23:00 | 일요일, 공휴일 12:00~22:30 – 연중무휴
Ⓠ 대구 남구 중앙대로51길 26(대명동)
☎ 053-621-5179 Ⓟ 가능

금성반점 金城飯店 일반중식

합리적인 가격으로 훌륭한 중화요리를 즐길 수 있는 곳. 짜장면, 짬뽕의 맛도 뛰어나지만 유산슬, 난자완스 등의 고급 요리가 맛있다.

Ⓦ 짜장면(6천원), 짬뽕, 볶음밥(각 7천원), 유산슬(3만8천원), 고추잡채(3만5천원), 난자완스(2만8천원), 탕수육(2만3천원)
Ⓗ 11:00~15:00/17:00~21:00 – 일요일 휴무
Ⓠ 대구 남구 이천로12길 14-1(봉덕동)
☎ 053-475-2530 Ⓟ 불가

김천식당 돼지국밥

돼지 머릿고기로 국물을 내는 돼지국밥집이다. 고춧가루가 아닌 된장 양념을 사용하는 점이 독특하다. 돼지국밥을 주문하면 밥을 토렴하여 내주며 양이 푸짐하다.

Ⓦ 돼지국밥, 순대국밥(각 9천원), 따로국밥, 곱창국밥(각 1만원), 순대따로(1만원), 곱창따로(1만1천원), 수육(소 2만원, 대 2만5천원)
Ⓗ 06:00~02:00(익일) – 화요일 휴무
Ⓠ 대구 남구 대봉로 67-1(봉덕동)
☎ 053-472-6918 Ⓟ 불가

낙산가든 돼지갈비

돼지갈비가 유명한 집. 갈비를 주문하면 불판에 우동 사리를 같이 올려주는 것이 특징이다. 갈비 양념이 밴 우동을 건져 먹는 재미가 쏠쏠하다. 달짝지근한 갈비 맛이 좋다는 평.

Ⓦ 돼지갈비(200g 1만2천원), 돌솥비빔밥(1만원), 물냉면, 비빔냉면(각 8천원)
Ⓗ 11:30~22:00(마지막 주문 21:20) – 월요일, 명절 휴무
Ⓠ 대구 남구 봉덕로20길 24(봉덕동)
☎ 053-471-8897 Ⓟ 불가

대덕식당 선지해장국 | 육개장

선지국밥과 육개장 전문점으로, 밥은 따로 내는 것이 특징이다. 수십 개의 가마솥에서 하루도 쉬지 않고 끓여내는 국물에 선지를 따로 넣어 낸다. 신선한 선지와 푹 끓인 국물이 잘 어울린다.

Ⓦ 선지국밥(9천원), 육개장(1만원), 갈비탕(1만2천원), 소양수육, 소머리수육(각 3만원)
Ⓗ 08:00~21:00 | 토, 일요일 07:00~21:00 – 연중무휴
Ⓠ 대구 남구 앞산순환로 443(대명동)
☎ 053-656-8111 Ⓟ 가능

대덕식당

대동강 大同江 평양냉면

2대에 걸쳐 60년 가까이 이북의 손맛을 지키는 곳. 평양냉면이 유명하다. 조미료를 사용하지 않아 깔끔한 육수를 맛볼 수 있으며 따끈한 국물에 닭고기와 채소를 넣은 평양온반도 별미다. 냉면은 오전 11시부터 오후 9시까지 판매한다.

₩ 물냉면, 비빔냉면(각 1만1천원), 평양온반(1만1천원), 만둣국(1만원), 어복쟁반(중 5만9천원, 대 7만9천원), 불고기(1만9천원), 만두전골(중 2만4천원, 대 3만1천원), 초계무침(1만5천원), 녹두 빈대떡(9천원)
11:00~15:00/17:00~21:30(마지막 주문 21:00) – 연중무휴
대구 남구 대봉로 57-1(봉덕동)
053-471-3379 Ⓟ 가능

대해복어 복

가격대비 만족도 높은 복어 요리를 먹을 수 있는 곳. 깔끔하고 시원한 복국 국물 맛이 일품이다. 복불고기도 유명한데 복불고기를 다 먹은 후에는 밥을 볶아 먹어도 좋다. 복어껍질에 미나리를 넣어 무친 밑반찬 맛도 좋다.

₩ 복어탕, 복지리(각 1만3천원), 복불고기(2만원), 복튀김, 복수육, 복찜(각 소 4만원, 대 5만5천원)
11:30~22:00 – 첫째, 셋째 주 일요일 휴무
대구 남구 대명로53길 22-1(대명동) 대명빌라
053-626-1477 Ⓟ 가능

소마구참숯갈비 소갈비 | 돼지고기구이

소갈비와 제주산 흑돼지를 즐길 수 있는 곳. 소갈비는 미국산 냉장 초이스등급만 사용하며 참숯에 구워 먹는다. 봉덕동 외양간참숯갈비에서 소마구참숯갈비로 새롭게 바뀐 곳이다.

₩ 생갈비, 양념갈비, 생갈비+양념갈비(각 600g 4만7천원), 흑돼지오겹살, 흑돼지목살(각 400g 4만원, 600g 5만8천원), 시래기된장찌개, 소고기된장찌개(각 3천원)
11:00~23:00 – 명절 휴무
대구 남구 봉덕로 13(봉덕동)
053-476-5556 Ⓟ 가능

앞산주택 이탈리아식 | 카페

아담하고 분위기 좋은 카페 겸 레스토랑. 리코타치즈피자를 비롯해 다양한 종류의 피자와 파스타, 스테이크 등을 선보인다. 오픈샌드위치와 같은 브런치 메뉴도 준비되어 있다. 따뜻한 분위기의 인테리어와 잘 꾸민 정원이 눈길을 사로잡는다.

₩ 파스타(1만6천원~1만9천원), 피자(1만9천원~2만4천원), 부채살스테이크(170g 4만2천원, 200g 4만6천원, 300g 6만4천원)
10:00~22:00(마지막 주문 20:30) – 명절 당일 휴무
대구 남구 현충로1길 16(대명동)
053-621-3784 Ⓟ 가능

앞산할매손칼국수 칼국수 | 수제비

70여 년 전통의 손칼국숫집. 멸치 육수가 진하지는 않지만, 느릅나무가 들어간 손칼국수는 옛날 손칼국수 맛을 생각나게 한다. 메밀전병이나 수육, 직접 담근 찹쌀동동주를 곁들이면 더욱 좋다.

₩ 손칼국수, 밀수제비(각 7천원), 잔치국수, 메밀고기만두(각 6천원), 메밀전병, 해물부추전(각 1만원), 한방수육(소 2만원, 대 2만8천원), 조기(소 1만5천원, 대 2만원), 오징어무침회(1만8천원)
10:00~22:00(마지막 주문 21:30) – 비정기적 휴무
대구 남구 앞산순환로87길 13(대명동)
053-624-3386 Ⓟ 불가

이태리앤이태리 ITALY & ITALY 파스타 | 피자

합리적인 가격에 피자, 파스타를 맛볼 수 있는 곳. 원하는 면의 종류와 소스, 토핑, 맵기 정도 등을 선택할 수 있는 것이 특징이다. 정통 이탈리아식이라기보다는 우리나라 입맛에 맞춘 스타일이다.

₩ 고르곤졸라(1만2천원), 토마토피자(1만3천원), 바질페스토피자(1만4천원), 파스타(보통 8천5백원, 많이 1만원, 아주많이 1만2천원), 그라탱(1만원), 라자냐(1만3천원, 1만5천원), 리조토(9천원)
10:30~21:30 – 명절 휴무
대구 남구 삼정길 87(봉덕동)
053-423-5122 Ⓟ 불가

청학식당 대구탕

40년 가까운 역사의 대구탕집. 대구머리국밥, 뽈탕, 곤이와 알을 듬뿍 넣어 주는 순알곤탕, 몸통과 곤이를 알맞게 섞어 넣은 대구탕 등이 주메뉴다. 멸치와 다시마, 무를 삶아 우려낸 담백한 육수로 만든 국물이 고깃국물로 맛을 낸 국밥과는 다른 맛을 낸다. 7, 8월에는 휴업을 하니 방문 시 참고하는 것이 좋다.

₩ 섞어탕, 대구탕(각 1만1천원), 알곤탕, 알탕(각 1만2천원), 대구찜(3만5천원)
09:00~15:00 – 일요일, 공휴일 휴무
대구 남구 봉덕로1길 52-1(봉덕동)
053-474-2807 Ⓟ 가능

프라리네 Praline 타르트 | 파이

맛있는 타르트와 파이로 입소문이 난 곳. 치즈, 호두, 블루베리, 애플 등 다양한 과일을 올린 타르트와 케이크를 맛볼 수 있다. 허브차 등을 곁들이면 더욱 좋다.

₩ 호두파이, 사과파이, 치즈파이, 당근케이크, 블루베리호두파이, 블루베리파이, 무화과파이, 사과타르트, 초코타르트(각 4천5백원)
10:00~20:00 | 토요일 10:00~19:00 – 일요일, 명절 휴무
대구 남구 중앙대로49길 13(대명동)
053-654-0522 Ⓟ 불가

대구광역시 달서구

1LL커피 커피전문점
조용한 분위기에서 커피를 즐길 수 있는 커피 전문점. 싱글 오리진 원두를 사용한 커피를 선보이며, 생두를 약하게 볶는 라이트 로스팅 기법을 사용해 커피 향이 풍부하고 가벼운 맛이 특징이다.

₩ 아메리카노(4천원), 에스프레소(1천5백원), 카페라테(4천5백원), 아인슈페너(5천원), 크림카푸치노(5천원)
⏲ 10:00~15:30 – 연중무휴
🔍 대구 달서구 달구벌대로203길 26-10
☎ 0507-1400-6747 Ⓟ 가능(협소)

가야성 일반중식
대구에서 짬뽕으로 손꼽히는 집. 얼큰해 보이는 색에 비해 담백하면서도 맑은 맛의 국물이 인상적이다. 돼지고기와 오징어가 많이 들어 있는 것이 특징. 점심때면 줄을 서서 먹어야 할 정도로 인기가 많다.

₩ 짬뽕, 짬뽕밥, 볶음밥(각 8천원), 야끼우동, 야끼밥(각 9천원), 짜장면(6천원), 탕수육(소 2만원, 대 2만9천원)
⏲ 11:00~21:00(마지막 주문 20:30) – 연중무휴
🔍 대구 달서구 월배로83길 7(송현동)
☎ 053-654-0545 Ⓟ 가능(목화주차장 50분 무료)

김주연왕족발 족발
서남시장 내 40년 전통의 족발로 유명한 곳이다. 냄새 없이 족발을 잘 삶는다. 젤리를 씹는 듯한 껍데기는 짭조름해서 입맛을 당긴다. 영업종료 시간은 저녁 9시30분이지만, 포장은 10시까지 가능하다.

₩ 왕족발(소 2만5천원, 중 3만원, 대 3만5천원, 특대 4만원)
⏲ 09:00~21:30 – 월요일 휴무
🔍 대구 달서구 달구벌대로329길 28(감삼동)
☎ 053-561-6933 Ⓟ 불가

남강장어 장어
대구 장어집의 원조 격이라 불리는 곳이다. 민물장어를 사용하며 간장구이, 고추장구이, 소금구이 중 선택할 수 있다. 감칠맛 나는 양념이 쏙 배어 있어 맛이 좋다. 장어탕이나 장어죽을 곁들여도 좋으며, 함께 나오는 밑반찬도 맛있다.

₩ 민물장어구이(1kg 13만5천원, 1인 3만5천원), 민물장어탕(9천원), 민물장어죽(1만원)
⏲ 11:00~21:50(마지막 주문 20:40) – 명절 휴무
🔍 대구 달서구 화암로 378(대곡동)
☎ 053-633-4040 Ⓟ 가능

노다웃 No doubt 커피전문점
합리적인 가격에 핸드드립 커피를 맛 볼 수 있는 커피 전문점. 커피를 자리에 직접 갖다 주며 원두에 대한 설명을 곁들여준다. 디저트인 블루베리 크럼블도 인기 메뉴다.

₩ 에스프레소, 아메리카노(각 4천원), 카페라테(4천5백원), 필터커피(5천5백원), 크림라테, 아몬드라테(5천원), 블루베리크럼블(5천5백원)
⏲ 10:00~21:30 | 토, 일요일 12:00~18:00 – 연중무휴
🔍 대구 달서구 서당로7길 64
☎ 070-4158-7777 Ⓟ 불가

당인가차이나타운 唐人街 일반중식
화상이 운영하는 중국집으로, 달걀흰자를 푼 유산슬, 유니짜장이 맛있기로 유명하다. 바삭하게 튀긴 고기에 파인애플 등을 곁들인 탕수육도 인기.

₩ 짜장면(6천원), 유니짜장(8천원), 짬뽕(7천원), 탕수육(소 1만5천원, 대 2만8천원), 유산슬(소 2만3천원, 대 3만9천원)
⏲ 11:30~14:30/17:00~20:30 – 화요일 휴무
🔍 대구 달서구 월배로69길 40(송현동)
☎ 053-582-2713 Ⓟ 불가

데일리베이킹스튜디오 DAILY 베이커리
천연 발효종을 넣어 저온 숙성한 빵을 구워내는 곳. 동물성 생크림만을 사용하며 재료를 아낌없이 넣은 진한 풍미의 빵을 맛볼 수 있다.

₩ 생크림몽블랑(6천8백원), 찹쌀모카(5천2백원), 딸기케이크(1호 3만6천원, 2호 4만2천원), 무화과캉파뉴(4천5백원)
⏲ 08:00~22:00 – 연중무휴
🔍 대구 달서구 장기로 167(본리동) 우정프라자 1층
☎ 053-525-3335 Ⓟ 불가

뭄뭄 mummum 일본가정식
모던한 분위기에서 일본 가정식을 맛볼 수 있는 곳이다. 생연어 초밥이 대표 메뉴며, 주문 시 반만 구워 나오게 선택할 수 있다. 살치살과 달걀노른자, 생와사비 등을 얹은 스테이크동도 인기

뭄뭄

메뉴다.

₩ 스키야키(2만5천원), 멘타이코파스타(1만3천원), 연어초밥, 생새우초밥, 사케동(각 1만5천원), 스테이크동(1만7천원), 다마고산도(1만2천원), 돈가스정식(1만1천원)

🕒 11:30~15:00/17:00~21:00(마지막 주문 20:30) – 월요일, 명절 당일 휴무

🔍 대구 달서구 월배로15길 8(진천동)

☎ 053-632-4540 Ⓟ 가능

버들식당 양곱창 | 곱창전골

60여 년 전통의 집으로, 곱창과 대창을 잘하는 곳으로 소문났다. 부드럽게 씹히는 대창 맛이 일품이며 기본 3인 이상 주문해야 한다. 양념대창구이를 다 먹고 난 후에 볶아 먹는 볶음밥도 일품.

₩ 삼합전골, 곱창전골, 대창전골, 불고기전골(각 1만9천원), 곱창양념구이, 대창양념구이, 곱창+대창양념구이(각 250g 2만원), 육회(100g 1만5천원)

🕒 12:00~15:00/17:00~22:00(마지막 주문 21:00) – 명절 휴무

🔍 대구 달서구 두류공원로28길 8(성당동)

☎ 053-656-1991 Ⓟ 가능

석봉포차 오징어 | 해물포차 | 한식주점

산오징어회가 유명한 실내포차. 주문 즉시 바로 뜨는 오징어회가 인기 메뉴며 각종 해산물을 매콤한 양념에 버무린 해물범벅도 추천할 만하다. 기본 찬으로 나오는 달걀찜에도 오징어가 듬뿍 들어가 있다.

₩ 문어삼합(소 3만3천원, 중 3만8천원, 대 4만8천원), 돌문어숙회(3만8천원), 모둠튀김(2만3천원), 나가사키짬뽕탕, 조개탕, 해물범벅(각 2만8천원)

🕒 18:00~24:00 – 일요일 휴무

🔍 대구 달서구 월곡로 138(상인동)

☎ 053-633-9998 Ⓟ 불가

성서제1능이버섯능이백숙 닭백숙

능이버섯 백숙 요리로 몸에 좋은 보양식을 선보이는 곳. 능이버섯 향이 가득한 깔끔하고 깊은 맛의 국물이 일품이며 녹두찹쌀죽과 함께 먹으면 좋다. 유황오리, 토종닭 두 종류가 있다. 능이오리백숙은 900도가 넘는 화염처리 과정을 거쳐 불순물과 불필요한 지방을 제거하여 잡내가 없으며 토종닭은 우리나라 고유 품종 한닭을 사용한다.

₩ 능이오리백숙(2–3인 7만9천원, 4–5인 11만8천원), 능이토종닭백숙(2–3인 6만5천원, 4–5인 9만7천원), 능계탕(1인 1만8천원), 능이모둠버섯전(1만3천원)

🕒 10:30~14:00/15:50~21:30(마지막 주문 20:30) | 토, 일요일, 공휴일 10:30~21:30(마지막 주문 20:30) – 명절 당일 휴무

🔍 대구 달서구 달구벌대로251길 12(이곡동)

☎ 0507-1361-4774 Ⓟ 가능

신신반점 짬뽕전문점

대구에서 유명한 짬뽕 전문점. 큼지막한 문어 다리가 들어가는 문어짬뽕과 낙지가 푸짐하게 들어간 낙지짬뽕, 가리비짬뽕 등을 선보인다. 해물 양이 푸짐한 것이 장점이며 24시간 영업한다.

₩ 문어짬뽕(1만6천원), 짬뽕(8천원), 고추짬뽕(9천원), 낙지짬뽕(1만1천원), 탕수육(소 1만7천원, 중 2만4천원, 대 3만2천원) 짜장면(6천5백원)

🕒 24시간 영업 – 월요일 휴무

🔍 대구 달서구 달구벌대로 1786(두류동)

☎ 053-625-7750 Ⓟ 가능

연화정삼계탕 삼계탕

뽀얀 국물의 기본적인 삼계탕을 맛볼 수 있는 곳이다. 삼계탕을 시키면 인삼주가 함께 나와 반주도 가능하다. 취향에 따라 전복, 산삼, 상황버섯이 들어간 삼계탕도 즐길 수 있다.

₩ 연화정삼계탕(1만6천원), 전복삼계탕(2만2천원), 산삼삼계탕(2만원), 상황버섯삼계탕(1만9천원), 황제탕(2만8천원), 산전탕(2만5천원), 버전탕(2만4천원)

🕒 10:00~21:30 – 연중무휴

🔍 대구 달서구 구마로 116(본동)

☎ 053-526-8380 Ⓟ 불가(인근 공영주차장 이용)

오월의아침1호점 베이커리

대구의 3대 빵집으로 꼽히고 있는 곳. 천연 효모로 만든 건강한 빵을 맛볼 수 있으며 선보이는 빵이 하나같이 개성 있고 독특해 인기가 높은 곳이다. 카페 같은 실내 분위기로 꾸몄으며 빵 외에도 케이크 종류도 다양하다.

₩ 수제우리찹쌀떡(2천원), 생크림단팥빵(2천5백원), 황금은행빵(2천8백원), 명품단팥빵(1천5백원), 마늘페이스트리(5천5백원)

🕒 08:00~21:00 – 연중무휴

🔍 대구 달서구 상인서로 8–5(상인동)

☎ 053-639-5578 Ⓟ 불가

진양식당 돼지국밥

신내당시장 안에 있는 돼지국밥집. 맑은 국물에 다진 양념과 쌈장이 함께 들어가는 것이 특징이다. 부담 없는 가격에 푸짐한 한 끼를 즐길 수 있어 오랫동안 사랑받고 있다.

₩ 진양국밥, 돼지국밥, 내장국밥(각 8천원), 섞어국밥(8천5백원), 수육백반(1만원)

🕒 10:00~21:00 – 일요일 휴무

🔍 대구 달서구 야외음악당로39동길 9(두류동)

☎ 053-656-1108 Ⓟ 불가

대구광역시 달성군

동곡원조할매손칼국수 칼국수

3대에 걸쳐 60년 넘게 내려오는 칼국숫집. 장작불에 끓여내는 옛날 스타일의 누른국수를 맛볼 수 있다. 면을 삶아서 한 번 헹구어 내는 건진국수 스타일이며, 면에 육수를 붓고 김가루와 고명을 얹어 낸다.

Ⓦ 손국수(8천원), 콩국수(1만원), 수육, 암뽕(각 1만7천원)
⏲ 10:00~21:00 – 첫째 주 월요일, 명절 당일 휴무
🔍 대구 달성군 하빈면 달구벌대로55길 97-5
☎ 053-582-0278 Ⓟ 가능

박곡칼국수 칼국수

해물칼국수로 유명한 곳. 여름에는 냉칼국수와 콩국수가 별미다. 시원하고 깔끔한 국물 맛이 인상적이다. 칼국수와 함께 빈대떡, 파전, 수육 등을 곁들여도 좋다.

Ⓦ 콩국수, 냉칼국수, 매콤칼국수(각 8천원), 들깨칼국수(9천원), 파전(1만2천원), 수육, 수육무침회(각 2만원)
⏲ 09:30~21:00 – 명절 당일 휴무
🔍 대구 달성군 다사읍 다사로 529-7
☎ 053-588-2467 Ⓟ 가능

스시전 스시

하이엔드 스시집으로, 본점은 서울 청담동에 있다. 엄선한 제철 식자재로 스시 오마카세를 선보인다. 전복찜, 문어조림 등 츠마미가 여러 개 나온 후 본격적으로 스시 코스가 시작된다. 사전 예약은 필수다.

Ⓦ 런치오마카세(5만8천원), 디너오마카세(A 8만8천원, B 10만8천원, PR 12만8천원), 스시전도시락(8만원)
⏲ 12:00~15:00/17:00~21:30 – 월요일, 명절 휴무
🔍 대구 달성군 현풍읍 테크노상업로 26 2층 205호
☎ 053-614-6862 Ⓟ 가능

원조현풍박소선할매집곰탕 🎀🎀 곰탕 | 수육

80년 가까이 대를 이어가며 국물 맛을 지켜온 곳. 곰탕의 진한 국물 맛이 좋으며 곰탕에 들어간 고기의 쫄깃쫄깃한 육질이 일품이다. 대구의 도축장을 비롯하여 경북 지역 곳곳에서 엄선된 고기를 사온다. 가죽나물무침, 무장아찌, 씀바귀, 깻잎 등의 밑반찬도 맛깔스럽다.

Ⓦ 곰탕(1만4천원), 양곰탕(1만7천원), 특곰탕(1만7천원), 수육(4만원), 살코기곰탕(1만7천원), 족탕(2만1천원)
⏲ 08:30~20:30(마지막 주문 20:00) – 명절 휴무
🔍 대구 달성군 현풍읍 현풍중앙로 56-1
☎ 053-614-2143 Ⓟ 가능

원조현풍박소선할매집곰탕

카르멜 CARMEL 카페

평화로운 논 뷰가 펼쳐지는 낙동강변 베이커리 카페. 브라질, 에티오피아, 케냐 등 5가지 원두 중에서 취향에 따라 선택할 수 있으며, 커피와 곁들일 빵은 우리밀을 사용한다. 창고형의 넓은 실내는 통유리로 되어 있어 시원한 느낌을 주며, 정원에 테라스 좌석도 많다. 카페 주변 산책 코스도 좋은 편.

Ⓦ 에스프레소, 아메리카노(각 4천9백원), 허니청포도에이드, 허니한라봉에이드, 허니딸기에이드(각 6천원)
⏲ 09:30~21:30(마지막 주문 21:00) – 연중무휴
🔍 대구 달성군 다사읍 달구벌대로 616
☎ 053-710-5090 Ⓟ 가능

큰나무집 🎀 닭백숙

토종닭과 한약재를 사용한 궁중한방백숙을 선보이는 대형 식당. 압력밥솥에 삶은 백숙을 직접 들고 와서 서빙한다. 함께 나오는 배추물김치 맛이 일품이다. 백숙은 삶는 데 시간이 오래 걸리므로 예약하는 것이 좋다.

Ⓦ 궁중닭백숙(소 4만8천원, 중 6만원, 대 7만6천원, 특대 8만3천원), 능이백숙(소 6만4천원, 중 7만6천원, 대 9만2천원, 특대 9만9천원), 전복백숙(소 6만8천원, 중 8만원, 대 9만6천원, 특대 10만3천원), 스페셜백숙(소 8만4천원, 중 9만6천원, 대 11만2천원 특대 11만9천원)
⏲ 11:00~21:00(마지막 주문 20:00) – 명절 당일 휴무
🔍 대구 달성군 가창면 우록길 24
☎ 053-793-2000 Ⓟ 가능

대구광역시 동구

고향차밭골 한정식
토속 음식으로 이루어진 한정식을 내는 곳. 시래기된장국을 비롯해 20여 가지 반찬이 나온다. 어린 시절 먹었던 시골 밥상처럼 그릇마다 가득 담겨 나오는 반찬이 정겹다. 기본 2인 이상 주문해야 하며 간장게장, 수육 등의 메뉴는 추가로 주문할 수 있다.

₩ 차밭골정식(2인 이상, 1인 1만9천원), 간장게장, 수육(각 한접시 3만원)
🕒 11:30~21:00 – 연중무휴
🔍 대구 동구 팔공산로 339(송정동)
☎ 053-981-5883 Ⓟ 가능

구불로식당 소고기구이
경남 지방의 독특한 뒷고기라는 명칭의 부위를 전문으로 한다. 뒷고기란 소의 염통, 간, 창자 등의 내장을 가리키는 것으로, 이를 잘게 썰어서 참기름으로 양념하여 구워 먹는다. 50여 년의 역사를 자랑한다.

₩ 뒷고기(230g 8천원), 등심, 갈빗살(각 110g 1만1천원), 소금구이(110g 9천원), 모둠(220g 8천원), 생고기(200g 2만8천원), 육회(200g 2만8천원), 불고기(200g 8천원)
🕒 10:00~23:00 – 연중무휴
🔍 대구 동구 팔공로35길 2(불로동)
☎ 053-983-4584 Ⓟ 가능

꼬꼬하우스 닭똥집
대구평화시장의 닭똥집 골목에서 유명한 집 중의 하나. 닭똥집은 튀김과 양념이 있는데, 느끼하지 않게 간장에 절인 양파와 양배추, 절인 무, 청양고추 등을 곁들여 먹는다. 부담없는 가격에 술 한잔하기 좋은 곳.

₩ 튀김똥집, 양념똥집, 간장똥집, 반반똥집(각 소 1만원, 대 1만3천원), 모둠똥집(소 1만5천원, 대 1만8천원), 튀김통닭, 간장통닭, 양념통닭, 통닭반반(각 1만8천원), 마늘간장똥집(1만4천원)
🕒 11:00~24:00 – 수요일 휴무
🔍 대구 동구 아양로 53-5(신암동)
☎ 053-956-7851 Ⓟ 가능(매장 앞 2대)

만나식당 생선찜
비 오는 날 술 한잔과 잘 어울리는 명태찜 전문점. 명태찜 위에 다진 양념과 고추가 많이 올라가 있어서 매콤한 맛이 입맛을 사로잡는다. 밥반찬으로도 단연 으뜸이다. 외관은 허름하지만 맛 하나만으로 손님을 끌고 있는 곳이다.

₩ 명태찜(소 2만6천원, 대 3만4천원), 가오리찜, 아귀찜(각 3만원), 메기매운탕(중 2만5천원, 대 3만원) 닭볶음탕, 찜닭(각 3만원)
🕒 11:00~22:00 – 연중무휴
🔍 대구 동구 효동로6길 70(효목동)
☎ 053-941-6556 Ⓟ 가능

삼아통닭 닭똥집 | 통닭
평화시장 닭똥집골목에서 원조집으로 통하는 곳으로 닭똥집튀김이 유명하다. 일반적인 닭똥집튀김 외에 매콤한 양념과 간장양념을 덧바른 메뉴도 인기가 많다. 튀김옷을 입히지 않은 채 튀긴 누드똥집도 별미다.

₩ 튀김똥집, 양념똥집, 간장똥집, 반반똥집(각 중 1만원, 대 1만3천원), 누드똥집(1만3천원), 볶음똥집(1만4천원), 튀김통닭, 양념통닭, 간장통닭(각 1만8천원)
🕒 10:00~24:00 – 둘째, 넷째 주 월요일, 명절 휴무
🔍 대구 동구 아양로9길 10(신암동) 삼아아파트 상가 1층
☎ 053-952-3650 Ⓟ 불가(공영주차장 이용)

새밭골농장 닭구이
산 속에서 숯불 닭구이를 먹을 수 있는 곳. 메뉴판이 따로 없으며, 닭한마리를 주문하면 양념된 닭을 숯불에 구워먹는 닭구이와 칼칼한 국물의 닭매운탕이 준비된다. 직접 기른 닭을 잡아 요리하기 때문에 예약은 필수며, 찾기가 어려워 아는 사람만 간다고 하는 곳이다. 식사는 실내 공간 또는 야외 평상에서 먹을 수 있으며, 계산은 현금만 가능하다.

₩ 생닭숯불구이, 옻닭, 백숙, 닭도리탕(각 7만원)
🕒 10:00~17:00(변동) – 비정기적 휴무
🔍 대구 동구 매여로 463-6(상매동)
☎ 053-963-3560 Ⓟ 가능

신산홍 닭발 | 닭갈비
평화시장 똥집 골목 부근에서 닭목살로 유명한 곳. 주문할 때 맵기 조절이 가능하며 김을 살짝 구워서 닭목살소스를 같이 찍어 먹으면 좋다. 웰컴주로 산삼주 한잔씩 주는 것이 특징.

₩ 양념닭목살(130g 9천원), 갈비양념닭목살(130g 1만원), 양념닭발(150g 9천원), 양념곰장어(150g 1만원), 양념아나고(130g 1만1천원), 트러플오일갈매기살(400g 3만원)
🕒 17:00~23:00(마지막 주문 22:20) – 수요일 휴무
🔍 대구 동구 아양로7길 12(신암동) 신암뜨란채 상가동 108호
☎ 010-5451-5650 Ⓟ 불가

신성가든 SINSUNG GARDEN 소고기구이
50년 넘는 전통의 등심구이 전문점. 소고기를 급랭하여 며칠 숙성 시킨 후 살짝 언 상태로 내오는 것이 특징이다. 뜨거운 철판 위에 소기름을 두르고 구워 먹는 스타일로, 다 먹고 난 후에는 밥을 볶아 먹거나 된장찌개로 식사를 한다.

₩ 꽃등심, 갈빗살(3인 이상, 각 1인 100g 3만1천원), 등심(3인 이상, 1인 100g 2만9천원), , 오드레기(3인 이상, 1인 100g 2만4천원), 샤부샤부(2인 이상, 1인 런치 1만3천9백원, 디너 1만5천9백원), 한우 샤부샤부(2인 이상 2만7천9백원)

⏲ 11:30~15:00/17:00~22:00(마지막 주문 21:30) – 월요일 휴무
🔍 대구 동구 송라로32길 2(신암동)
☎ 053-941-4452 Ⓟ 가능

아눅 a.nook 카페 | 베이커리

스페셜티 커피를 사용하여 직접 로스팅하는 곳. 진한 라테 위에 생크림이 올라가는 크림코르타도가 시그니처 음료다. 카늘레, 마들렌, 팔미에 같은 디저트도 인기 있다. 실내 분위기도 인더스티얼풍으로 힙한 느낌이다.

₩ 에스프레소(4천원), 아메리카노(5천원), 카페라테, 바닐라라테(각 5천5백원), 크림코르타도(7천원), 카늘레(3천원), 팔미에(3천5백원), 레몬마들렌(2천원)
⏲ 12:00~22:00(마지막 주문21:30) – 연중무휴
🔍 대구 동구 동부로 158-5(신천동)
☎ 053-751-1060 Ⓟ 불가

원조돼지갈비찜 돼지갈비찜

양푼에 담긴 매운 양념돼지갈비찜이 인기인 곳이다. 메뉴는 돼지갈비찜 한 가지뿐이며 주문하면 바로 조리하기 때문에 음식이 나오는 데 20분 정도 걸린다. 갈비찜의 매운맛은 5단계 중 선택할 수 있으며 돼지갈비를 다 먹고 나면 볶음밥도 빠뜨리지 말아야 한다. 요리는 3인분 이상부터 주문 가능하니 방문 시 참고할 것.

₩ 돼지갈비찜(3인 이상, 1인 200g 1만2천원), 볶음밥(2천원)
⏲ 11:30~22:00(마지막 주문 21:00) – 월요일 휴무
🔍 대구 동구 해동로 186(검사동)
☎ 053-985-3314 Ⓟ 불가

원조신암태양칼국수 칼국수

칼국수를 먹기 위해 줄을 설 정도로 인기가 많은 곳. 참치와 돼지고기 고명을 올리는 것이 맛의 비결이며 밑반찬으로 나오는 콩나물을 넣어서 먹으면 좋다. 쫄깃하게 삶은 수육도 인기. 40년 넘게 2대에 걸쳐 영업하고 있다.

₩ 태양칼국수(8천원), 만두칼국수, 얼큰이칼국수, 콩국수(각 9천원), 얼큰이만두칼국수(1만원), 돼지수육(소 2만1천원, 중 3만원, 대 5만원), 암뽕(2만원), 해물파전(1만5천원), 감자만두(10개 5천5백원)
⏲ 10:30~21:30(마지막 주문 21:00) – 명절 휴무
🔍 대구 동구 신성로 63(신암동)
☎ 053-951-0321 Ⓟ 가능

은예문왕소금구이 삼겹살 | 돼지고기구이

질 좋은 국내산 삼겹살을 비교적 저렴한 가격에 구워 먹을 수 있는 곳. 숯에 굽기 때문에 기름기가 쫙 빠져서 고소한 맛을 느낄 수 있다. 목살도 수준급. 대구의 명물 생고기는 월요일과 목요일에만 선보인다.

₩ 생삼겹살, 생목살(각 120g 1만원), 생고기, 육회(각 200g 3만7천원), 왕갈비(200g 1만원), 생오리(1마리 3만7천원), 생오리주물럭(1마리 4만1천원)
⏲ 16:00~01:00(익일) – 명절 휴무
🔍 대구 동구 화랑로25길 25(효목동) ☎ 053-741-2624 Ⓟ 불가

은예문왕소금구이

해금강 복

오랫동안 복어요리를 전문으로 해온 곳이다. 갓 잡은 신선한 밀복을 사용하며 콩나물은 직접 재배하여 사용한다. 냄비에 채반을 얹고 복어와 버섯, 미나리, 부추 등을 올려 찐 복수육과 채소를 소스에 찍어먹는 복샤부전골이 유명하다.

₩ 복해물찜(2인 4만원, 3인 5만원, 4인 6만원), 참복정식(2인 이상, 1인 2만7천원), 밀복정식(2인 이상, 1인 2만5천원), 밀복튀김정식(2인 이상, 1인 2만3천원), 복불고기(2인 이상, 1인 2만원), 생복(시가)
⏲ 09:30~21:30(마지막 주문 21:00) – 첫째, 셋째 주 화요일 휴무, 명절 당일 휴무
🔍 대구 동구 신암남로 133(신암동)
☎ 053-954-2323 Ⓟ 가능

대구광역시 북구

광명반점 일반중식

50여 년 전통의 중화요리 전문점. 자극적인 맛보다 은은한 맛이 감도는 짜장면에서부터 주방장의 내공이 느껴진다. 볶음밥 역시 크게 기름지지 않으면서 고슬고슬하다. 음식이 대체로 자극적이지 않은 편.

₩ 짜장면(7천원), 짬뽕(8천5백원), 볶음밥(9천원), 난자완스(소 1만5천원, 대 3만원), 짬뽕밥(9천5백원), 난자완스밥(1만5천원)
⏲ 11:00~14:00(재료 소진 시 마감) – 일요일, 마지막 주 월요일 휴무
🔍 대구 북구 칠성로 70-1(칠성동2가)
☎ 053-424-0938 Ⓟ 불가

까치산갈비 삼겹살 | 돼지갈비

숯불갈비 전문점. 한정 메뉴로 나오는 돈절미를 주문하면 초벌해서 나오며, 두툼한 식감에서 나오는 육즙이 일품이다. 함께 나오는 토르티야를 불판 위에 구워 고기와 채소를 싸서 먹는 방법도 별미.

₩ 돈절미(600g 4만8천원), 옛고기(170g 1만2천원), 한우육회(200g 3만8천원), 물냉면, 비빔냉면(각 7천원), 육회덮밥(1만3천원)
🕒 17:00~22:30(마지막 주문 21:20) – 월요일, 명절 휴무
🔍 대구 북구 호국로 233(서변동) 1층
☎ 053-951-1515 Ⓟ 가능

단골식당 돼지불고기 | 소불고기

60년 전통의 노포로, 연탄불에 구운 돼지불고기 하나만을 선보인다. 주문 즉시 구워서 바로 접시에 담아 내오며 불 맛을 살린 고기 맛이 일품이다. 식당 밖 골목길 한편에서 연탄불에 고기를 굽는 모습이 보인다.

₩ 간장불고기(7천원), 고추장불고기(8천원)
🕒 09:00~20:00 – 수요일, 명절 휴무
🔍 대구 북구 칠성시장로7길 9-1(칠성동1가)
☎ 053-424-8349 Ⓟ 불가

대창숯불갈비 소고기구이 | 돼지갈비

대구 북구의 전통이 오래된 고깃집. 밑반찬도 깔끔하고 한우 고기의 육질이 뛰어나다. 마무리로 돌솥밥을 먹고 숭늉을 먹으면 든든한 식사가 된다.

₩ 한우갈빗살(100g 2만2천원), 한우꽃살(100g 2만8천원), 돼지갈비(1만원), 생삼겹살(110g 1만원), 한우모둠세트(100g 2만5천원), 육회(200g, 3만원), 육회비빔밥(1만원), 한우갈비탕(1만원), 돌솥밥정식(9천원)
🕒 11:00~22:00 – 두번째, 네번째 일요일, 명절 휴무
🔍 대구 북구 고성로28길 3(고성동2가)
☎ 053-356-2800 Ⓟ 가능

뜨라또리아델리카르도

Trattoria del Riccardo 이탈리아식 | 파스타

파올로데마리아 셰프의 제자인 리카르도 셰프가 운영하는 이탈리안 레스토랑. 이탈리아 음식 본연의 맛을 잘 살린다는 평을 받는다. 부드러운 트러플크림감자뇨키와 봉골레, 모차렐라치즈와 루콜라 등이 올라간 프레시모차렐라피자 등이 인기다.

₩ 안초비관자오일파스타, 쉬림프로제파스타(각 1만7천5백원), 트러플크림감자뇨키(1만7천5백원), 채끝등심스테이크(210g 4만1천원)
🕒 11:30~15:00/17:00~21:00 – 일요일, 둘째, 넷째 주 월요일 휴무
🔍 대구 북구 칠곡중앙대로54길 27(태전동)
☎ 053-321-1993 Ⓟ 불가

련 일식

캐주얼한 일식 요리 전문점. 스시와 사시미 외에도 돈가스, 우동, 알밥 등 다양한 정식메뉴가 있어 취향대로 골라 먹을 수 있다. 다양한 요리가 나오는 세트 메뉴도 추천할 만하다.

₩ 황금련(1인 5만원), 자오련(1인 4~5만원, 3인 16만5천원), 커플세트(1인 3만7천원, 2인 7만5천원), 홍수련(4~6인 25만원), 하루련(3~4인 21만원), 초밥정식(1만7천9백원), 돈가스정식(1만6천5백원)
🕒 11:30~15:00/17:00~23:30 | 토, 일요일 11:30~16:00/17:00~23:00 – 월요일, 명절 휴무
🔍 대구 북구 동천로 128-15(동천동) 2층
☎ 053-313-8889 Ⓟ 가능(신정주차장 2시간 지원)

보문손칼국수 칼국수

대구 칠성시장의 청과시장 안에 자리 잡은 칼국숫집. 직접 밀가루를 반죽해 면을 만들기 때문에 맛이 좋다. 반찬은 자기가 먹고 싶은 만큼 가져다 먹으면 된다. 칼국수 외에 구수한 보리밥도 인기 메뉴.

₩ 손칼국수, 보리밥, 잔치국수(각 5천원)
🕒 07:00~17:00 – 첫째, 셋째 주 일요일 휴무
🔍 대구 북구 칠성남로 229(칠성동1가) 칠성시장 내
☎ 053-423-2116 Ⓟ 불가

비스트로카라사

Bistro Karratha 이탈리아식 | 파스타 | 피자

돌문어 파스타로 유명해진 이탈리안 레스토랑. 쫄깃하며 부드러운 돌문어와 루꼴라 페스토가 잘 어우러진 파스타가 시그니처 메뉴다.

₩ 포터하우스스테이크(750g 9만8천원), 통영돌문어와제주감자구이(3만3천원), 웻에이징 부채살 스테이크(230g 3만5천원), 돌문어파스타(1만9천원), 소고기등심버섯리조토(1만8천원), 시금치새우크림파스타(1만7천원)
🕒 11:00~21:30 – 월요일 휴무
🔍 대구 북구 학정로110길 28(학정동)
☎ 010-7594-1995 Ⓟ 불가

비스트로카라사

수봉반점 일반중식

전통 비빔밥을 중화식으로 재해석하여 불향이 나는 중화비빔밥이 대표 메뉴인 중식당. 고기 육수를 베이스로 한 짬뽕의 담백한 맛도 일품이다. 줄 서서 대기 번호를 받을 정도로 인기 있는 곳.

Ⓦ 짬뽕밥, 짬뽕, 중화비빔밥, 중화비빔면, 볶음밥(각 9천원)
Ⓛ 11:00~15:00 | 토요일 10:20~15:40 – 목, 일요일 휴무
Q 대구 북구 대현남로2길 60(대현동)
☎ 053-941-1503 Ⓟ 불가

싱글벙글막창전문점 돼지막창

돼지막창, 소막창 전문점으로, 연탄불 위에 석쇠를 놓고 막창을 구워 먹는다. 질기지 않으면서도 쫄깃한 맛이 좋다. 양은냄비에 나오는 콩나물국과 곁들여 먹는다.

Ⓦ 돼지막창(120g 1만1천원), 소막창(120g 1만5천원), 소갈빗살(120g 1만2천원)
Ⓛ 12:00~02:00(익일) – 화요일, 명절 당일 휴무
Q 대구 북구 경진로1길 13(복현동)
☎ 053-959-3006 Ⓟ 불가

왕근이칼국수 칼국수

멸치 육수에 고기, 호박, 양념장 등을 얹어 내오는 칼국수가 대표 메뉴다. 면을 삶아 물에 한 번 씻은 후 계절에 따라 여름에는 시원하게, 겨울에는 따뜻하게 육수가 나오는 왕근이칼국수도 별미로 인기가 좋다. 단호박을 넣은 노란 빛깔의 손만두도 많이 찾는다. 서문시장 안에서 60년 가까이 칼국수를 해온 집이다.

Ⓦ 왕근이칼국수, 옛날칼국수(각 7천원, 곱빼기 8천원), 손만두(5천원)
Ⓛ 11:00~15:00 – 일요일 휴무
Q 대구 북구 동암로38길 19-43(구암동)
☎ 053-326-2154 Ⓟ 가능

인도방랑기 인도식

자극적이지 않은 맛의 인도 정통 요리를 맛볼 수 있는 곳. 현지인이 주방을 맡고 있으며, 실내 분위기도 인도풍이다. 커리와 마찬가지로 난 역시 여러 종류가 있어 골라 먹는 재미가 쏠쏠하다.

Ⓦ 커리(1만2천5백원~1만4천원), 난(2천5백원~4천원), 탄두리치킨(소 1만2천원, 대 2만2천원), 스페셜코스(1만6천원~4만9천원), 점심특선(7천9백원~9천9백원)
Ⓛ 11:30~22:00 – 첫째, 셋째 주 월요일 휴무
Q 대구 북구 대학로 81(산격동)
☎ 053-956-9940 Ⓟ 불가

자갈마당복어 복

얼큰한 복어탕이 유명하다. 복어탕을 끓이다가 미나리와 콩나물이 익으면 건져내 양념에 볶아 밥과 함께 먹는다. 메뉴는 복껍데기와 복어탕 두 가지 뿐이다.

Ⓦ 복어탕, 복껍데기(각 1만원)
Ⓛ 10:00~15:00 – 일요일 휴무
Q 대구 북구 오봉로1길 30(노원동2가)
☎ 053-358-7112 Ⓟ 불가

정화네하우스 돼지불고기

오래된 석쇠불고깃집. 양념한 돼지고기를 식당 앞에 있는 연탄불에 구워 내온다. 연탄불에 구워진 양념 맛이 그만이다. 가격대비 만족도가 높다.

Ⓦ 돼지석쇠불고기(200g 7천원), 고추장석쇠불고기(200g 8천원), 소고기석쇠불고기(200g 1만원), 족발(소 1만원, 중 2만원, 대 3만원), 우동(4천원), 돼지껍데기(5천원)
Ⓛ 10:00~21:00 – 일요일 휴무
Q 대구 북구 칠성남로 216(칠성동1가)
☎ 053-423-2503 Ⓟ 불가

진미생고기 생고기 | 육사시미 | 육회

대구 명물인 생고기를 맛볼 수 있는 곳. 윤기가 흐르는 생고기의 질이 좋으며 무순과 고소한 막장에 찍어 먹으면 더욱 좋다. 생고기 외에도 푸짐한 양의 육회도 추천할 만하다. 생고기는 평일에만 맛볼 수 있으니 참고할 것.

Ⓦ 육사시미 (중 5만원, 대 6만원, 특 8만원), 육회(중 5만원, 대 6만원), 양지머리(280g 5만5천원), 불고기 (350g 5만원), 곱창전골, 대창전골(각 5만원)
Ⓛ 17:00~22:00 – 토, 일요일 휴무
Q 대구 북구 고성로 194(고성동2가)
☎ 053-357-6438 Ⓟ 불가

짚탄 삼겹살 | 돼지고기구이

볏짚에 구운 삼겹살을 맛볼 수 있는 곳. 바지락 탕과 겉절이를 기본으로 내어준다. 모둠구이를 주문하면 이미 익혀진 상태로 나오기 때문에 바로 먹을 수 있다. 양념이 잘 밴 돼지껍데기 구이도 추천할 만하다.

Ⓦ 모둠한판(720g 5만5천원, 1kg 7만9천원), 고기한판(500g 4만3천원 1kg, 8만2천원), 뭉티기(소 3만원, 대 5만원), 육회(한접시 3만원), 된장찌개(5천원), 항아리비빔국수(1만원)
Ⓛ 17:00~23:00(마지막 주문 22:00) – 연중무휴
Q 대구 북구 학정로 115-1
☎ 010-2544-1644 Ⓟ 가능

칠성동할매콩국수 콩국수

대구에서는 전통 있는 국숫집으로 꼽히는 곳으로, 일 년 내내 콩국수만을 전문으로 팔고 있다. 고소하고 걸쭉한 콩국수 국물

이 일품이다.

₩ 콩국수(1만2천원), 볶음콩국수(1만3천원), 육전(2만원), 육전칼국수(1만원), 콩물(470cc, 8천원)

⏲ 동절기(9월~4월) 11:00~18:30 | 하절기(3월~8월) 11:00~20:00 – 겨울(9월~4월), 일요일 휴무

🔍 대구 북구 침산남로 40(노원동1가)

☎ 053-422-8101 Ⓟ 가능

대구광역시 서구

내당동섬 해물

대게를 비롯하여 멍게, 해삼, 개불, 새우, 문어, 소라 등 다양한 해산물을 맛볼 수 있는 곳. 사이드 메뉴로는 해물라면이 인기다.

₩ 해산물모둠(독도 3만5천원, 울릉도 4만5천원, 제주도 5만5천원, 하와이 8만5천원), 해산물단품(1만5천원원~4만5천원), 섬해물칼국수(7천원~1만6천원), 섬해물탕(4만원)

⏲ 17:00~01:00(익일) | 금, 토요일 17:00~01:30(익일) | 일요일 17:00~24:00 – 연중무휴

🔍 대구 서구 당산로47길 24(내당동)

☎ 053-622-2722 Ⓟ 가능

복들어온날 복

뚝배기에 나오는 복국 맛이 시원하다. 복어탕에 들어 있는 콩나물을 건져서 비벼 먹는 비빔밥 맛도 일품이다. 활참복어학사시미 한상차림은 활벅어회, 복어 타다키, 복껍질무침, 복튀김, 복샤부샤부, 복뼈육수 등 다양한 복 요리를 맛볼 수 있으며, 예약을 해야 한다. 일요일은 예약할 경우 영업하니 참고할 것.

₩ 활참복어학사시미(28만원, 한상차림 38만원), 참복뚝배기(4만8천원), 밀복뚝배기(2만5천원), 흰밀복뚝배기(1만5천원),

⏲ 11:00~22:00(마지막 주문 21:00) – 일요일, 명절 휴무

🔍 대구 서구 통학로 17

☎ 053-561-1255 Ⓟ 가능(매장 입구에 2대 무료 주차 가능)

제비원식당 가오리

약 50년 전통의 가오리회 전문점. 양념이 강렬하게 매우면서도 달짝지근한 맛이 혀를 감싼다. 가오리회를 시키면 공깃밥과 우엉조림, 새우 등 10여 가지의 밑반찬이 나온다.

₩ 가오리무침회, 가오리찜, 아귀찜(각 소 3만5천원, 중 4만원, 대 4만5천원), 해물찜(5만원)

⏲ 11:30~22:00 – 월요일 휴무

🔍 대구 서구 달서천로87길 4(원대동1가)

☎ 053-358-1514 Ⓟ 가능

대구광역시 수성구

가스트로파체 Gastro PACE 와인바 | 이탈리아식

치즈 요리가 맛있는 이탈리아 요리 전문 와인 바. 샤퀴테리와 수제로 만든 치즈의 궁합이 좋은 와인과 페어링하면 좋다. 이탈리아 현지의 클래식한 파스타 또한 인기 메뉴.

₩ 파체플레이트(7만8천원), 모차렐라(2만3천원), 카르보나라(2만5천원), 프로슈토(3만5천원), 스테이크(350g 6만8천원), 티라미수(1만8천원), 계절샐러드(1만8천원)

⏲ 17:00~24:00 – 일, 월요일 휴무

🔍 대구 수성구 달구벌대로501길 7(범어동)

☎ 010-5874-2661 Ⓟ 가능

극동구이 생고기 | 육회

소 뒷다리 부분을 깍두기 모양으로 썰어낸 뭉티기가 맛있다. 쟁반에 내오는 고기는 마블링이 없이 검붉은 색인데 전체적으로 질이 좋고 신선하다. 고소하고 씹는 맛이 좋은 오드레기도 별미. 재료가 다 떨어지면 일찍 문을 닫으니 방문 전 미리 전화를 하는 것이 좋다.

₩ 생고기, 육회(각 200g 6만원), 양지머리+오드레기, 등골(각 200g 5만원)

⏲ 15:30~00:30(익일) – 일요일, 명절 휴무

🔍 대구 수성구 들안로 1(상동)

☎ 053-761-4500 Ⓟ 가능

극동구이

금곡삼계탕 삼계탕 | 전기구이통닭

대구에서 삼계탕으로 유명한 집 중 하나로, 삼계탕과 전기구이 통닭을 전문으로 한다. 삼계탕과 함께 나오는 마늘장아찌 맛이 좋다. 담쟁이와 나무가 에워싸고 있는 고풍스러운 유럽풍 건물이 인상적이다.

₩ 영계삼계탕(1만5천원), 전기구이통닭(반마리 8원, 한마리 1만5천원), 송이삼계탕(2만5천원), 들깨삼계탕(1만7천원), 유자닭강정(1만5천원)

ⓒ 11:00~21:00(마지막 주문20:30) – 명절 당일 휴무
Q 대구 수성구 고산로 96(신매동) 중원빌딩 2층
☎ 053-792-3339 Ⓟ 가능(신매 1,2,3주차장 무료주차권 제공)

금산삼계탕본점 다슬기 | 삼계탕 | 전기구이통닭

40년 가까이 삼계탕과 고디탕을 선보이는 곳. 얼음 위에서 하룻밤 숙성시킨 영계를 사용해 육질이 부드럽다. 상황삼계탕, 전복삼계탕 등 삼계탕의 종류도 다양한 편이다. 경상도에서는 다슬기를 고디라고 부른다.

Ⓦ 금산삼계탕(1만7천원), 상황삼계탕(2만원), 마늘전기통닭(2만1천원), 흑마늘삼계탕, 한방삼계탕, 송이삼계탕(각 2만3천원), 전복삼계탕(3만2천원), 고디탕(1만1천원)
ⓒ 10:30~22:30 – 연중무휴
Q 대구 수성구 들안로 49(상동)
☎ 053-761-9331 Ⓟ 가능

금수강산해물탕 해물탕 | 해물찜

해물탕 전문점으로, 각종 싱싱한 해산물이 들어가 시원하고 칼칼한 맛을 선보인다. 함께 나오는 반찬들도 정갈하다. 해물탕을 다 먹고 난 후에는 볶음밥으로 마무리한다. 해물탕은 지리로도 선택 가능하다.

Ⓦ 해물탕, 해물찜(소 5만5천원 중 6만7천원 대 7만9천원), 아귀찜(소 3만9천원, 대 4만9천원), 왕새우찜(소 4만원 대 5만7천원), 아갑찜(소4만9천원, 대 7만1천원) 산낙지철판(1인 2만원), 산낙지회(3만원), 어린이돈가스(8천원) 왕새우튀김(4마리 1만원, 8개 2만원) 볶음밥(1인분 3천원)
ⓒ 11:00~22:00(마지막 주문 21:00) 평일 브레이크타임 3~5시) – 명절 당일, 익일 휴무
Q 대구 수성구 들안로 60(두산동)
☎ 010-2235-5034 Ⓟ 가능

남강회초밥 스시 | 일식

신선한 초밥과 회를 맛볼 수 있는 곳. 코스를 주문하면 전채요리부터 메인 회, 해산물, 튀김, 탕까지 다채로운 쓰키다시를 선보인다. 룸도 갖추고 있어 단체모임 하기에 좋다.

Ⓦ 남강회정식(3만5천원), 초밥세트(2만5천원), 특모둠회(5만5천원), 주방장스페셜(6만5천원), 코스(8만원, 10만원)
ⓒ 11:30~15:00/17:00~23:00(마지막 주문 21:00) – 일요일 휴무
Q 대구 수성구 들안로 17(상동)
☎ 053-767-2233 Ⓟ 가능

내안에 회전스시

회전초밥 전문점. 활어초밥, 롤, 튀김, 디저트 등 총 80여 가지가 넘는 메뉴가 있어 고르는 재미가 있다. 좌석마다 따로 칸막이로 구분되어 있어 조용하게 식사를 즐길 수 있다.

Ⓦ 회전초밥(1천5백원~1만원), 초밥정식(2만2천원), 도시락정식(2만5천원), 회덮밥(1만5천원), 모둠사시미, 생연어사시미(각 중 6만원, 대 8만원), 참치사시미(중 12만원, 대 17만원)
ⓒ 11:30~22:00 – 연중무휴
Q 대구 수성구 무학로 85(두산동)
☎ 053-766-0760 Ⓟ 가능

대륙회초밥 일식

자연산 활어회와 생선 초밥 전문 일식당이다. 사시미와 다양한 해산물을 맛볼 수 있는 사시미코스가 인기며 점심에는 초밥정식을 추천할 만하다.

Ⓦ 대륙특사사시미코스(10만원), 사시미코스(A 8만원, B 6만원, C 5만원), 회정식(4만원), 모둠초밥, 새우튀김(각 3만원)
ⓒ 11:30~22:00 – 명절 휴무
Q 대구 수성구 들안로 99(상동)
☎ 053-766-8958 Ⓟ 가능

더키친노이 the kitchen NOI 이탈리아식

이탈리안 코스요리를 선보이는 레스토랑. 런치코스는 파스타가 메인으로 나오는 파스타 코스와 스테이크 코스 중 선택할 수 있다. 디너코스는 오늘의파스타와 한우스테이크가 메인으로 구성된다.

Ⓦ 런치코스(5만2천원, 6만8천원), 디너코스(6만8천원, 12만원)
ⓒ 12:00~14:50/18:00~21:30 – 일, 월요일 휴무
Q 대구 수성구 청호로69길 51(황금동)
☎ 053-741-7272 Ⓟ 가능

동봉숯불구이 소막창

소막창과 소막구이 등이 유명한 곳. 주방에서 초벌구이한 막창을 자리에서 참숯불에 한 번 더 구워 먹는다. 쫄깃하면서도 고소한 맛이 일품. 함께 나오는 반찬도 맛깔스럽다.

Ⓦ 한우막구이(100g 2만5천원), 한돈양념갈비(200g 1만2천원), 소막창(150g 2만원), 한돈구이(150g 1만2천원)
ⓒ 11:30~15:00/16:30~23:30 – 명절 휴무
Q 대구 수성구 범어천로 128(범어동) 1층
☎ 053-756-3668 Ⓟ 가능

동이옥 설렁탕 | 곰탕

들안길에서 유명한 설렁탕집. 설렁탕은 뚝배기에 한가득 담아 나오며 국물이 깊고 진하다. 해물육수에 한우사골육수로 진한 맛을 더한 진주냉면도 별미.

Ⓦ 설렁탕(1만원, 특 1만5천원), 옛날불고기(2인 이상, 1인 1만2천원), 꼬리곰탕(2만5천원), 진주냉면(1만원, 곱빼기 1만3천원), 꼬리수육(중 5만5천원, 대 6만5천원)
ⓒ 24시간 영업 – 연중무휴
Q 대구 수성구 들안로 63(상동)
☎ 053-762-7722 Ⓟ 가능

라벨라쿠치나 ✂

La Bella Cucina 이탈리아식 | 파스타 | 피자

모던한 분위기에서 정통 이탈리아 요리를 즐길 수 있는 곳. 파스타, 피자, 스테이크 등의 요리를 선보이며, 코스도 가격대비 만족도가 높다. 자연광과 인공광이 적절하게 조화된 인테리어가 소문난 곳이기도 하다. 늦은 저녁 시간에는 와인을 즐기기에 좋다.

₩ 런치코스(3만7천원~5만7천원), 디너코스(9만원~12만원), 스테이크(3만7천원~7만5천원), 피자(2만4천원~3만3천원), 파스타(1만9천원~3만5천원)

🕒 11:30~22:00(마지막 주문 21:00) – 연중무휴

🔍 대구 수성구 무학로 151(지산동)

☎ 053-765-4774 Ⓟ 가능

룰리커피 RULLY COFFEE 커피전문점

드립커피를 전문으로 하는 스페셜티 커피 전문점. 라이트, 미디엄, 다크 세 가지 타입 중 고를 수 있으며 디카페인도 가능하다. 상하목장 유기농 우유로 만든 아이스크림과 필라델피아 치즈케이크도 커피와 함께 먹기 좋다.

₩ 드립커피, 아이스크림커피(각 6천5백원), 밀크커피(6천원), 아이스크림치즈케이크(7천5백원)

🕒 10:00~23:00(마지막 주문 22:00) – 연중무휴

🔍 대구 수성구 고모로 188(고모동)

☎ 070-4671-6089 Ⓟ 가능

르배 Lebae 베이커리

첨가물을 사용하지 않는 유럽풍 베이커리로, 대구 3대 빵집 중 하나로 꼽힌다. 오트밀건강빵, 소보로, 파네토네와 배반의장미 등이 인기 메뉴. 쿠키와 케이크도 여러 종류 있다.

₩ 소금빵(2천7백원), 몽블랑(5천8백원), 만촌빵(4천5백원), 소보로빵(2천3백원), 쌀공주밤팥빵(3천8백원), 시오앙버터(4천2백원)

🕒 08:30~22:00 – 연중무휴

🔍 대구 수성구 화랑로8길 11-11(만촌동)

☎ 053-384-2464 Ⓟ 불가

마루막창 ✂ 돼지막창

대구는 서울과는 달리 양곱창보다 막창을 더 즐기는 지역이다. 살짝 데쳐 초벌구이해 내는 다른 집들과는 달리 이곳은 신선한 막창을 잘 손질해 양념 없이 생으로 낸다. 구워 먹을 때 씹는 맛이 좋고 고소하다.

₩ 한우소막창(150g 2만4천원), 소막창(150g 2만1천원), 돼지막창(150g 1만3천원), 목살, 삼겹살(150g 1만 7천원), 버터관자구이(1만2천원)

🕒 17:00~23:00 – 연중무휴

🔍 대구 수성구 수성못2길 5(두산동)

☎ 053-763-3003 Ⓟ 가능

만반 ✂ 한정식

더덕과 마 요리 전문점. 정식을 주문하면 밥과 함께 10여 가지의 반찬이 놋그릇에 정갈하게 나온다. 추가 요금을 내면 돌솥밥으로 바꿀 수 있다. 다양한 메뉴로 구성된 만반특정식도 가격대비 만족도가 높다.

₩ 영양돌솥밥(1만2천원), 곤드레돌솥밥(1만3천원), 청국장정식(2인 이상, 1인 1만2천원), 더덕정식, 더덕돼지불고기정식(각 2인 이상, 1인 1만6천원), 더덕돼지불고기(2만2천원)

🕒 11:30~14:50/17:00~21:00 | 토, 일요일 11:30~21:00 – 화요일, 명절 휴무

🔍 대구 수성구 들안로 32(두산동)

☎ 053-765-4300 Ⓟ 가능

만수통닭수성못본점 통닭 | 프라이드치킨 | 전기구이통닭

옛날식 통닭과 프라이드치킨을 맛볼 수 있는 곳. 반마리 주문도 가능하여 여러가지 맛을 섞어 주문하는 것을 추천한다. 밑반찬으로 나오는 치킨무 외에도 마늘쫑 무침이 나온다는 점이 특이하다.

₩ 치킨(반마리 1만원, 한마리 2만원), 양념통닭, 간장통닭(각 반마리 1만1천원, 한마리 2만2천원), 감자튀김, 치즈볼(각 4천원)

🕒 12:00~01:00(익일)(마지막 주문 24:00) – 연중무휴

🔍 대구 수성구 수성못6길 7

☎ 053-763-5277 Ⓟ 가능

만수통닭수성못본점

명동생고기 생고기

경상도 지방에서 많이 맛볼 수 있는 생고기를 전문으로 한다. 메뉴는 생고기 하나로, 실핏줄과 힘줄을 제거한 후, 납작하게 썰어낸다. 당일 잡아온 고기를 사용하므로 신선한 맛을 즐길 수 있다.

₩ 생고기(5만5천원), 육회(200g 4만원), 떡국, 다슬기(각 1만원)

🕒 17:00~21:00 – 토, 일요일 휴무

🔍 대구 수성구 만촌로 14(만촌동)

☎ 053-751-6065 Ⓟ 불가

미남장어 장어

참숯불에 구운 국내산 토종 민물장어를 맛볼 수 있는 곳. 구이는 소금, 양념 중 선택할 수 있으며 초벌이 된 상태로 제공이 된다. 셀프 매장으로, 상차림비가 따로 있지만 부담 없이 리필할 수 있다. 키즈존도 구비되어 있다.

₩ 민물장어(시가), 장어탕(식사 5천원, 점심 8천원), 잔치국수, 비빔국수(각 5천원), 된장찌개(4천원), 상차림비(3천원)
⏲ 11:00~15:00/16:30~22:30 – 연중무휴
🔍 대구 수성구 들안로 56(두산동)
☎ 053-768-8892 Ⓟ 가능

미성복어불고기 美成 복

복불고기가 유명한 집으로, 전통이 있는 곳이다. 고추, 후추, 마늘 등의 양념을 넣은 복불고기의 맛이 매콤하다. 먹고 난 후 남은 양념에 볶아 먹는 볶음밥도 별미. 다양한 복요리로 구성된 코스도 추천할 만하다.

₩ 까치복어콩나물불고기(2인 이상, 1인 1만8천원), 콩나물복어불고기(2인 이상, 1인 1만5천원), 복코스(2인 이상, 1인 2만9천원), 성코스(2인 이상, 1인 4만9천원), 참복어불고기(2인 이상, 1인 2만5천원)
⏲ 10:00~16:00/17:00~22:00 – 명절 휴무
🔍 대구 수성구 들안로 87(상동)
☎ 053-767-8877 Ⓟ 가능

민수사 🎀 閔壽司 일식 | 스시

푸짐하게 나오는 일식 코스를 즐길 수 있는 대형 일식집으로 스시도 수준급이다. 두툼하게 썰어져 나오는 잘 숙성된 회 맛이 일품이다. 점심에 맛볼 수 있는 스시도 인기가 좋다.

₩ 런치스시(3만원), 스페셜스시(4만원), 디너(6만원), 사시미코스(A 8만원, B 6만원), 스시코스(A 4만원, B 3만원), 모둠회, 랍스터(각 5만원), 참치(8만원), 돈가스세트(1인 1만5천원)
⏲ 12:00~14:00/17:00~22:00(마지막 주문 21:00) – 연중무휴
🔍 대구 수성구 들안로 19(상동)
☎ 053-768-2727 Ⓟ 가능

밀즈 Mills 파스타 | 이탈리아식

이탈리아 요리를 캐주얼하게 즐길 수 있는 오스테리아. 부라타가 올라가는 냉파스타 카프레제콜드카펠리니, 통오징어가 올라간 한치먹물리조토 등이 인기 메뉴다. 실내는 우드톤으로 따뜻한 분위기다.

₩ 클램차우더(9천원), 하우스샐러드(1만원), 카프레제콜드카펠리니, 한치먹물리조토(각 1만9천원), 블랙트러플크림파파델리(2만5천원), 살치살스테이크(230g 3만7천원)
⏲ 11:00~15:30(마지막 주문 14:30)/17:00~21:00(마지막 주문 20:00) – 명절 당일 휴무
🔍 대구 수성구 동원로1길 26(범어동)
☎ 010-4119-0827 Ⓟ 가능(2대)

바우만스테이크하우스

steak house Baumann 스테이크

한우 안심과 등심 스테이크를 맛볼 수 있는 곳. 스테이크와 함께 수프, 샐러드, 디저트 등이 나오는 특선 메뉴가 가격대비 만족도가 높다.

₩ 한우채끝등심스테이크(150g 4만8천원, 210g 5만8천원), 양갈비(250g 5만5천원), 한우안심스테이크(130g 5만5천원), 바닷가재버터구이(6만원), 점심특선(3만5천원), 디너특선(4만원)
⏲ 11:30~15:00/17:30~22:00 – 일요일, 명절 휴무
🔍 대구 수성구 동대구로 397(범어동) 웰스빌딩 2층
☎ 053-743-3074 Ⓟ 가능

범어만두 만두

튀긴 만두와 채소를 비벼 먹는 비빔만두로 유명하다. 모둠만두를 시키면 군만두, 찐만두, 왕만두 등 세 종류의 만두가 나온다. 재료 소진시 조기 마감할 수 있으므로 저녁에는 미리 전화하고 방문하는 것이 좋다.

₩ 비빔만두, 만둣국(각 7천5백원), 탕수만두(6천5백원), 군만두, 찐만두(각 6천5백원), 모둠만두(9천5백원)
⏲ 11:30~15:00/16:00~19:30(마지막 주문 19:00) – 일요일 휴무
🔍 대구 수성구 동대구로 336(범어동) 마크팰리스 상가 1층
☎ 053-755-0139 Ⓟ 가능

벙글벙글식당 육개장

60년 넘는 역사의 육개장 전문점. 정확하게 말하자면 전통적인 육개장보다는 대구탕(대구식 육개장)에 가깝다. 옛집, 진골목식당 등과 함께 대구에서 손꼽히는 육개장 맛을 볼 수 있다. 선지는 원하는 사람에게만 넣어주며 선지 양이 부족하면 별도 금액을 내고 추가할 수도 있다.

₩ 육개장, 비빔밥, 육국수(각 1만원), 냉국수, 떡국(각 7천원), 선지추가(소 2천원, 대 4천원), 수육(2만5천원)
⏲ 08:00~22:00 – 일요일, 명절 휴무
🔍 대구 수성구 지범로39길 11-12(범물동)
☎ 053-782-9571 Ⓟ 불가

본전식당 칼국수

멸치육수를 사용하여 개운한 손칼국수를 선보인다. 두 가지 콩을 사용하여 면을 뽑아내기 때문에, 서로 다른 색의 면이 섞여 있다. 돌문어숙회와 삼겹수육도 쫄깃쫄깃한 식감을 잘 살려 수준급이라는 평.

₩ 손칼국수, 잔치국수(각 8천원), 콩국수, 메밀묵, 빈대떡(각 1만원), 돼지고기수육(소 2만5천원, 중 3만5천원, 대 4만5천원), 돌문어숙회(소 3만5천원, 중 4만5천원, 대 5만5천원)
⏲ 11:30~15:00/16:30~21:30(일요일, 명절 휴무) – 일요일, 명절 휴무
🔍 대구 수성구 수성로76길 38(수성동2가)
☎ 053-742-9358 Ⓟ 불가

분더브레드 Boon the Bread 베이커리

갓 구운 빵을 다양하게 선보이는 베이커리. 쫀득한 빵 안에 부드러운 크림치즈를 넣은 크림치즈모치와 단팥과 버터가 조화를 이루는 앙버터 등이 인기 메뉴다. 오전 10시부터 2시까지 브런치 뷔페를 운영하는데, 10여 가지의 빵과 수프, 과일, 햄, 치즈 등이 나온다.

₩ 크림치즈모치(4천8백원), 초코크루아상, 갈릭스틱(각 4천5백원), 모카번(4천3백원), 몽블랑(5천원)
⏲ 09:00~23:00 – 연중무휴
🔍 대구 수성구 달구벌대로 2372(범어동)
☎ 053-742-2002 Ⓟ 가능

사카바신카와 NEW 위스키바 | 칵테일바

다양한 안주를 추천해 주는 페어링 전문 일식 주점. 상시 준비 중인 안주 메뉴는 없고, 주문한 주류에 맞춰서 안주를 내어주는 독특한 방식이다. 오마카세를 주문하면 하이볼, 사케, 일본소주, 위스키, 칵테일과 그에 어울리는 안주도 내어준다. 하이볼, 칵테일, 일본 위스키, 맥주 등 다양한 주류를 즐길 수 있는 곳.

₩ 주류오마카세(A 7만원, B 13만원), 노미호다이(3만5천원)
⏲ 19:00~02:00(익일) – 일요일 휴무
🔍 대구 수성구 들안로77길 2-24
☎ 053-215-0030 Ⓟ 불가

산꼼파 생선회

농어, 돔, 가자미회 등 여러 가지 잡어를 한 번에 즐길 수 있는 곳. 생선회 외에도 낙지, 새우, 조개 등 다양한 먹거리도 신선하고 푸짐하게 맛볼 수 있다. 어떤 종류의 생선인지 알아볼 수 있도록 회에 이름표가 달려 나오는 것이 특징.

₩ 자연산고급회(1인 4만원), 자연산스페셜(1인 6만원)
⏲ 16:00~24:00 – 둘째, 넷째 일요일 휴무
🔍 대구 수성구 상화로 81(상동)
☎ 053-765-0592 Ⓟ 불가

삼수장어 장어

30여 년 역사의 장어 전문점. 산삼장어, 황금장어 등 다양한 양념의 장어를 선보이고 있다. 세련된 외관에 실내 분위기도 깔끔하고 모던한 편이다.

₩ 전통장어(250g 4만1천원), 한마리장어(330g 4만9천원), 산삼장어, 황금장어(각 330g 5만9천원), 장어덮밥(1만7천원, 특 3만1천원), 정통정식(1인 4만8천원), 삼수정식(5만5천원), 명품정식(6만5천원)
⏲ 11:30~15:30(마지막 주문 14:30)/17:00~22:00(마지막 주문 21:00) – 명절 휴무
🔍 대구 수성구 신천동로 442(수성동4가)
☎ 053-745-7800 Ⓟ 가능

삼합가 문어 | 전복 | 해물

해산물삼합을 전문으로 하는 곳이다. 한우 차돌박이, 동해 참문어, 관자, 완도산 전복으로 만든 삼합을 즐길 수 있다. 차돌박이가 익으면서 흘러나온 육즙이 전복과 문어, 관자에 스며들어 맛을 배가시킨다.

₩ 삼합A(중 10만원, 대 12만원), 삼합B(소 8만원, 중 10만원, 대 12만원), 문어숙회, 전복초무침(각 5만원), 해신탕(12만원), 전복조개탕(6만원)
⏲ 16:00~23:30 – 일요일 휴무
🔍 대구 수성구 들안로 43(상동)
☎ 053-768-4775 Ⓟ 가능

성림복어 복

복요리 전문점으로, 매콤한 복불고기와 시원한 복지리를 한 번에 즐길 수 있는 세트메뉴가 인기다. 복불고기를 다 먹고 난 후에는 미나리를 넣은 볶음밥으로 마무리하면 좋다.

₩ 코스(A 5만원, B 4만원, C 3만6천원), 세트(1인 2만4천원, 2만6천원, 3만8천원), 밀복불고기(1인 2만1천원), 밀복샤부샤부(1인 2만2천원), 밀복수육(1인 2만3천원), 참복샤부샤부(1인 3만원)
⏲ 10:30~22:00 – 명절 휴무
🔍 대구 수성구 들안로 7(상동)
☎ 053-764-1122 Ⓟ 가능

센도리 바닷가재

바닷가재를 코스로 즐길 수 있는 곳으로, 다양한 곁들임 음식이 나온다. 바닷가재는 버터와 치즈를 얹어 오븐에 구워져 나온다. 생일, 결혼기념일 같은 기념일에 방문하면 가재로 만든 케이크를 제공하는 이벤트도 있다.

₩ 런치특선(1인 3만5천원), 일반코스(A 1인 6만8천원, B 1인 5만5천원), 센도리커플(2인 22만원), 패밀리코스(3~4인 34만원), 회코스(1kg 변동)
⏲ 11:30~15:00/17:00~22:00 | 토, 일요일 11:30~22:00 – 명절 당일 휴무
🔍 대구 수성구 들안로 38(두산동)
☎ 053-765-4200 Ⓟ 가능

소머리곰탕 곰탕 | 도가니탕

소머릿고기로 끓인 곰탕과 도가니탕이 유명한 곳. 취향에 따라 깍두기 국물이나 다진 양념을 넣어 먹어도 좋다. 수육은 겨자간장에 찍어 먹는다.

₩ 우족탕(1만3천원), 도가니탕(1만4천원), 꼬리곰탕(1만8천원), 양곰탕(1만1천원), 설렁탕(1만1천원), 소머리곰탕(1만3천원), 우족수육(소 2만6천원, 대 3만9천원), 도가니수육(소 3만5천원, 대 4만5천원)
⏲ 09:00~21:00 – 명절 휴무
🔍 대구 수성구 청수로36길 18(지산동)
☎ 053-761-7121 Ⓟ 가능

스시노토시 스시 | 일식오마카세

스시 오마카세 전문점. 다양한 츠마미가 나오며, 니기리가 나오는 사이에도 츠마미를 내어 준다. 계절에 맞는 신선한 재료를 사용한 오마카세를 맛볼 수 있는 곳.

₩ 런치(6만원), 디너(12만원)
🕒 12:00~22:00 – 월요일 휴무
🔍 대구 수성구 동원로 18 ☎ 0507-1431-4572 Ⓟ 가능

시칠리아파스타바 🎀 Sicilia pasta bar 파스타

직접 만든 생면 파스타로 코스 요리를 선보이는 곳이다. 와인 페어링을 추가하면 전채요리에 화이트 와인, 두 번째 파스타에 레드 와인이 제공된다. 사전 예약은 필수. 카운터 자리로 운영하였으나 최근 리뉴얼 이전하여 좌석 수도 많아졌다.

₩ 런치세트(토, 일요일, 공휴일 제외, 2인 4만3천원), 전채요리(4천원~2만4천원), 고구마뇨키(2만1천원), 청새치라구(2만1천원), 오리파스타(2만4천원), 한우채끝스테이크(150g 5만8천원), 스파이시크림슈림프피자(9천원)
🕒 12:00~15:00(마지막 주문 14:30)/17:00~22:00(마지막 주문 20:30) – 일요일 휴무
🔍 대구 수성구 동원로1길 35(범어동)
☎ 070-8287-1780 Ⓟ 불가

시칠리아파스타바

신짜오 🎀 Xin chao 베트남식

월남쌈을 시키면 큰 접시에 각종 채소와 돼지고기볶음, 버미셀리, 게맛살, 햄 등이 먹음직스럽게 담겨 나온다. 진한 고깃국물의 쌀국수도 풍미가 진하며 양도 푸짐하다. 향신료 향이 강한 편으로 베트남 요리 마니아에게는 인기가 있다. 이국적인 인테리어가 돋보이는 곳.

₩ 월남쌈(중 3만4천원, 대 3만9천원), 소고기쌀국수(1만3천5백원~1만9천5백원), 해물쌀국수(1만3천5백원~1만6천5백원), 팟타이(1만6천원), 분짜(1만6천원)
🕒 10:30~21:30(마지막 주문 21:00) – 연중무휴
🔍 대구 수성구 수성못6길 20-6(두산동)
☎ 010-4450-6544 Ⓟ 가능

아라한참치 참치

들안길에서 유명한 참치전문점. 코스를 시키면 각종 곁들임 음식이 나오고 이어서 메인 참치회와 다양한 해산물이 나온다. 계속하여 세이로무시, 튀김, 초밥, 연어구이, 매운탕 등의 요리가 나온다. 단체모임으로도 좋다.

₩ 아라한참치(15만원), 명가참치(12만원), 실장코스(9만원), 골드코스(7만원), 스페셜코스(5만원)
🕒 14:00~24:00(마지막 주문 22:00) – 명절 당일 휴무
🔍 대구 수성구 들안로 41(상동)
☎ 053-762-6633 Ⓟ 가능

아리조나막창 돼지막창

쫄깃하고 고소한 막창으로 일대에서 유명하다. 기본 3인분 이상 주문해야 하며, 매콤한 양념을 입힌 불막창도 별미다. 막창과 구운 마늘, 감자 등을 함께 싸 먹는 맛이 좋다.

₩ 생막창(140g 1만2천원), 소막창(150g 1만8천5백원), 차돌박이(150g 1만5천5백원), 우삼겹(150g 1만1천원)
🕒 16:00~24:00(익일)(마지막 주문 22:30) | 금, 토요일 16:00~00:30(익일)(마지막 주문 23:00) – 연중무휴
🔍 대구 수성구 용학로25길 45(두산동)
☎ 053-782-9323 Ⓟ 가능

아소다이닝 🎀 我所 이자카야

깔끔한 느낌의 이자카야. 제철 재료를 사용하며 다양한 종류의 일본식 안주를 맛볼 수 있다. 이 집만의 방식으로 숙성한 9가지 사시미가 인기. 칡전분을 이용한 부드러운 크림깨두부 역시 인기 메뉴 중 하나다.

₩ 카이센모리아와세(소 3만6천원, 중 5만원4천, 대 7만2천), 크림깨두부(8천원), 어란파스타(2만8천원), 방어가마시오야키(1만6천)
🕒 17:00~24:00(마지막 주문 23:15) – 일요일 휴무
🔍 대구 수성구 달구벌대로496길 29(범어동)
☎ 053-217-1002 Ⓟ 불가

아트리움 Atrium 이탈리아식 | 파스타

분위기 좋은 이탈리안 레스토랑. 정통 양식에 기반을 두고 있지만, 한국인의 입맛에 맞게 음식이 구성되어 있다. 단품도 좋지만 코스메뉴도 추천할 만하다. 이탈리아 스타일로 꾸민 실내가 아늑하며, 2층의 테라스도 분위기가 좋다.

₩ 랍스터코스(6만9천3백원~9만4천6백원), 디너코스(5만5천원~7만9천2백원), 아트리움코스(9만9천원~11만9천9백원), 안심스테이크(5만5천원), 연어스테이크(4만7백원), 해산물토마토스파게티, 새우크림스파게티, 봉골레스파게티(각 2만7천5백원)
🕒 12:00~16:00/17:00~22:00 – 명절 당일 휴무
🔍 대구 수성구 국채보상로186길 151(범어동)
☎ 053-754-3111 Ⓟ 가능

아티코 ATTICO 파스타 | 피자

1인 셰프가 운영하는 이탈리안 레스토랑. 감베리오일페투치네와 바베큐아나트라피자가 시그니처 메뉴다. 아낌없이 들어간 재료와 진한 소스가 특징. 모노레일이 보이는 2층의 아담한 테라스는 포토스팟로 인기 있다.

₩ 감베리오일페투치네, 치킨카레리조토, 참소라생면알리오올리오(각 1만9천원), 아마트리치아나페투치네(각 1만8천원), 감베리버터&레몬토르텔리니(2만3천원), 애호박바질페스토피자(2만원)

⏲ 11:30~14:30(마지막 주문 13:30)/17:30~20:30(마지막 주문 19:30) | 토,일요일 11:30~15:00(마지막 주문 14:00)/17:30~20:00(마지막 주문 19:00) – 월요일 휴무

🔍 대구 수성구 지범로 43-12(두산동)

☎ 010-9166-9279 Ⓟ 가능

양곱화 양곱창

숯불에 양념 된 양과 막창을 구워 먹는 곳. 오독오독 씹히는 특양도 별미. 첫 주문 시에만 직원이 직접 구워주고 추가 주문 시에는 직접 굽는다. 기본 3인분부터 주문이 가능하다.

₩ 특양(150g 2만7천원), 한우대창(180g 1만9천원), 한우곱창(110g 2만3천원), 곱창전골(중 3만5천원, 대 4만5천원), 낙곱새(중 3만5천원, 대 4만5천원)

⏲ 17:00~24:00(마지막 주문 23:30)| 토, 일요일 15:00~24:00 – 연중무휴

🔍 대구 수성구 들안로 80(두산동)

☎ 053-753-3107 Ⓟ 가능

양포수산 대게 | 새우

통통하게 오른 싱싱한 대게와 새우회를 맛볼 수 있는 곳이다. 독도새우는 머리만 따로 잘라서 굽고, 몸통은 생으로 먹으면 된다. 그 자리에서 바로 손질을 해주기 때문에 싱싱한 새우회를 즐길 수 있다. 식사로는 대게의 내장과 소스를 버무린 게장밥과 해물라면 등을 추천한다.

₩ 킹크랩(시가), 대게(시가), 독도새우(400g 10만원 600g 15만원), 참가자미(8만원), 해물모듬(6만5천원), 전복(4만5천원), 해물라면(5천원), 게장밥(2천원)

⏲ 16:30~00:30(익일)(마지막 주문23:00) – 명절 당일 휴무

🔍 대구 수성구 들안로 143(중동)

☎ 053-567-6602 Ⓟ 가능

에스파냐 Espana 스페인식

스페인 요리 전문점. 스페인식 해물볶음밥이라 할 수 있는 파에야가 우리 입맛에도 잘 맞는다. 냄비에 새우와 조개 종류를 넣고 만든 파에야의 누룽지까지 박박 긁어 먹는다. 상그리아 한 잔을 곁들이면 스페인의 정취를 즐기기에 좋다.

₩ 산초판사코스(2인 이상, 1인 3만4천원), 파에야(2만2천원), 감바스(1만5천원), 이베리코하몽(3만8천원), 상그리아(한잔 7천원, 500ml 2만2천원, 1L 4만원)

⏲ 11:30~14:30/17:00~21:30 – 일요일, 명절 휴무

🔍 대구 수성구 달구벌대로 2421(범어동)

☎ 053-622-2295 Ⓟ 가능

연경반점 燕京飯店 일반중식

산동 출신 화교가 하는 곳으로, 대구에서 유명한 중식당이다. 고추짬뽕이 맛있으며 전가복도 유명하다. 신선한 재료와 풍성한 해물의 맛을 느낄 수 있으며 저녁때는 예약을 하고 찾는 것이 좋다.

₩ 짜장면(7천원, 대 8천원), 짬뽕(8천원, 대 9천원), 탕수육(2만9천원, 대 4만5천원), 전가복(9만5천원, 특 13마원), 간소새우(소 4만8천원, 대 7만2천원), 고추잡채(5만원, 대 7만5천원)

⏲ 11:40~15:00(마지막 주문 14:30)/17:00~21:00 – 명절 휴무

🔍 대구 수성구 수성로 222(중동) 연경빌딩

☎ 053-763-5988 Ⓟ 가능

오공공구일일 가이세키

대구 아소다이닝 이수길 셰프가 운영하는 가이세키 업장. 제철 식재료를 활용해 달마다 다르게 준비되는 코스요리를 맛볼 수 있다. 가이세키를 베이스로 국내산 식재료를 활용한 요리를 선보인다.

₩ 코스요리(22만원)

⏲ 18:00~22:00 – 일요일 휴무

🔍 대구 수성구 동원로1길 34

☎ 053-755-0911 Ⓟ 가능(건물 주차장)

오공공구일일

용지봉 龍池峯 한정식 | 소고기구이

경북의 향토음식을 즐길 수 있는 한정식 전문점. 전체적으로 상차림이 정갈하고 깔끔하다. 특히 시원한 열무김치가 별미며 열무김치는 따로 판매도 한다. 단체모임으로 좋은 곳.

₩ 한정식코스(2인 이상, 1인 4만원, 5만원), 한정식구이코스(2인 이상, 1인 7만원, 10만원), 한식대첩코스(2인 이상, 1인 7만원, 10만원, 12만원), 한우안창살, 한우명품꽃등심(각 100g 4만원), 한우명품갈살(100g 3만8천원)

⏲ 11:00~15:00/17:00~22:00(마지막 주문 20:30) - 명절 전날, 당일 휴무
🔍 대구 수성구 들안로 9(상동)
☎ 053-783-8558 Ⓟ 가능

우가생고기 생고기

대구 매호 시장에서 2대째 운영을 이어오고 있는 뭉티기 전문점. 당일 도축한 한우 우둔살을 사용한다. 치킨집을 운영했던 튀김 기술로 사이드 메뉴인 튀김도 생고기만큼이나 인기가 좋다.

₩ 생고기(220g 5만2천원, 320g 6만8천원, 420g 8만5천원), 숙성육회(250g 5만원, 350g 6만5천원, 450g 8만원), 옛날후라이드(2만원), 육회비빔밥(1만5천원)
⏲ 16:00~24:00(마지막 주문 23:00) - 일요일, 공휴일 휴무
🔍 대구 수성구 달구벌대로641길 17-4 우가생고기
☎ 053-795-9995 Ⓟ 불가(매장 앞 한 대 가능 또는 인근 공영주차장 이용)

우각정 소고기구이

한우 갈비를 전문으로 하는 곳. 숯불에 구워 먹는 갈빗살이 가격대비 만족도 높다. 대구답게 육사시미(생고기) 맛도 좋으며 쫀득한 맛이 일품이다. 식사 마무리로 된장찌개에 말아 내오는 국수를 추천한다.

₩ 갈빗살(110g 1만9천원), 특갈비(110g 2만3천원), 양념갈비(130g 2만원), 육회(200g 2만9천원), 된장국수(7천원), 한우불고기(중 300g 2만5천원, 대 450g 3만6천원)
⏲ 11:30~15:00/17:00~22:00 - 명절 휴무
🔍 대구 수성구 신천동로 450(수성동4가)
☎ 053-752-2257 Ⓟ 불가

원조제주도백록담통도야지

돼지국밥 | 순대 | 수육

목련시장 내에서 돼지국밥으로 유명한 집. 제주도산 돼지를 사용하며 진한 국물 맛이 좋다. 쫀득한 족발과 갈비수육도 별미로 통한다. 갈비수육은 적어도 방문 한 시간 전에 예약해야 한다.

₩ 국밥, 살코기국밥, 순대국밥(각 9천원), 수육정식, 순대정식, 암뽕정식, 족발정식, 살코기정식(각 1만1천원), 왕족발(3만7천원), 갈비수육(2만9천원)
⏲ 07:00~23:00 - 첫째, 셋째 주 일요일, 명절 휴무
🔍 대구 수성구 용학로42길 9(지산동)
☎ 053-782-1743 Ⓟ 불가

인비노 INVINO 다이닝바 | 와인바

대구를 대표하는 다이닝 & 와인 바 중 한 곳. 5백여 종의 와인을 보유하고 있으며, 오너 셰프와 소믈리에가 직접 와인과 잘 어울리는 메뉴를 추천해 준다. 코스는 하루 전에 예약해야 한다.

₩ 스페셜코스(6만8천원), 등심스테이크, 양갈비스테이크, 이베리코하몽(각 3만8천원), 피자(2만2천원), 파스타(2만원~2만8천원), 광어스테이크(3만2천원), 감바스알아히요(2만3천원)
⏲ 17:00~24:00(마지막 주문 23:00) - 일요일 휴무
🔍 대구 수성구 국채보상로186길 81(범어동)
☎ 053-767-5650 Ⓟ 가능

인화반점 仁和飯店 일반중식

수타면을 사용하는 중국집. 감자와 돼지고기가 들어간 짜장 소스는 1970년대 중국집의 전통을 그대로 간직하고 있다. 1955년 대구 최초의 화상 중국집이었다는 역사를 가지고 있으며, 2003년 이후 한동안 문을 닫았다가 아들이 2005년부터 다시 이어오고 있다.

₩ 짜장면(7천원), 짬뽕, 간짜장(각 8천원), 삼선볶음밥(9천원), 탕수육(소 2만2천원, 중 2만8천원, 대 4만원), 깐풍기(소 3만5천원, 중 4만5천원, 대 6만원), 코스(1인 3만5천원, 4만원, 5만원, 7만원)
⏲ 11:00~21:30 - 연중무휴
🔍 대구 수성구 국채보상로 914(범어동) 호산빌딩
☎ 053-751-4191 Ⓟ 가능

일리아나레스토랑 illiana 이탈리아식 | 파스타 | 피자

아늑한 분위기의 이탈리안 레스토랑. 클래식한 맛의 다양한 파스타와 피자를 맛볼 수 있다. 합리적인 가격대의 코스도 추천할 만하며, 방문 3시간 전 예약해야 한다.

₩ 일리아나풍기, 봉골레비안코, 카펜산테(각 1만9천원), 탈리아텔레봉골레(2만원), 만조크림리소토(2만1천원), 페퍼안심스테이크(3만8천원), 한우안심스테이크(5만8천원)
⏲ 11:30~15:00/17:00~21:00 - 일요일 휴무
🔍 대구 수성구 범어천로 151-3(수성동4가)
☎ 053-751-8963 Ⓟ 가능

전라도꽃게장 게장

간장게장이 맵지 않으면서 특유의 단맛과 어우러져 조화로운 맛을 낸다. 매콤한 양념의 양념게장도 별미로 인기가 좋다. 인천 연안부두 북방산 게만을 사용하여 맛이 한결 부드러운 것이 특징. 함께 나오는 각종 밑반찬도 맛이 좋다.

₩ 간장꽃게장(3만5천원), 양념꽃게장(2만8천원), 돌솥밥정식(1만6천원)
⏲ 11:30~22:00 | 토, 일요일 10:00~22:00 - 연중무휴
🔍 대구 수성구 고산로4길 72(신매동)
☎ 053-794-0488 Ⓟ 불가

정아칼치 갈치 | 생선찌개 | 게장

칼칼한 갈치찌개 전문점. 찌개 양념이 잘 베어 있는 감자와 무도 밥과 잘 어울린다는 평. 갈치구이도 맛볼 수 있으며, 양념게장과 세트 주문도 가능하다. 찌개와 구이 모두 2인 이상부터 주문 가능하다.

₩ 칼치찌개(2인 이상, 1인 1만2천원, 2만원), 칼치찌개+양념게장, 칼치구이+양념게장(각 5만5천원)

🕒 11:00~21:30 – 월요일 휴무
🔍 대구 수성구 들안로 102
☎ 053-768-9277 Ⓟ 가능

정이품 🎀🎀 세꼬시 | 생선회 | 물회

자연산 세꼬시와 활어회를 맛볼 수 있는 곳이다. 생굴, 도루묵구이, 재첩국, 과메기 등 평소에 접하기 어려운 요리가 곁들이 음식으로 나온다. 겨울철에는 이시가리도 맛볼 수 있다. 가격대비 푸짐하게 나와 만족도가 높다.

₩ 세꼬시, 광어, 도다리(각 5만원), 돔(6만원), 물회(2만원), 회덮밥(1만5천원), 돌돔, 이시가리(각 8만원)
🕒 16:00~22:30 – 일요일, 명절 휴무
🔍 대구 수성구 범어로19길 54-1(범어동)
☎ 053-752-6228 Ⓟ 가능

커피맛을조금아는남자본점 🎀 커피전문점

스페셜티커피 전문점으로, 로스팅도 직접 하고 있다. 여덟 종류의 산지별 원두를 핸드드립 커피로 만날 수 있으며, 1인 1메뉴 주문 시 1회 커피 리필이 가능하다. 베이커리와 디저트도 함께 즐길 수 있으며 커피 아카데미도 운영 중이다.

₩ 핸드드립(6천8백원~7천3백원), 에스프레소, 허니콘판나(각 6천원), 로마노, 스페니시라테(각 6천5백원)
🕒 10:00~22:00(마지막 주문 21:30) – 첫 번째 월요일 휴무
🔍 대구 수성구 범어천로 153(수성동4가)
☎ 070-4155-4601 Ⓟ 가능

커피명가라핀카 La Finca 커피전문점 | 디저트카페

대구에서 유명한 커피 전문점 커피명가에서 운영하는 곳. 커피박물관, 도심형 식물공장 설비로 연중 커피묘목 성장과정을 체험할 수 있다. 커피 생두를 수입해서 직접 로스팅 한다. 비엔나커피에 휘핑크림을 올린 명가치노와 신선한 딸기 케이크가 인기 메뉴다.

₩ 핸드드립(6천5백원~1만원), 명가치노(5천5백원), 에스프레소, 아메리카노(각 5천원), 카페라테(5천5백원), 딸기케이크(8천5백원)
🕒 10:00~21:00(마지막 주문 20:30) – 연중무휴
🔍 대구 수성구 국채보상로 953-1(만촌동)
☎ 053-743-0892 Ⓟ 가능

투웰브키친 🎀🎀

12 Kitchen 이탈리아식 | 파스타 | 피자

유기농 식재료를 사용하는 이탈리안 레스토랑. 제철을 맞은 식재료를 사용한 요리를 선보이며 음식의 개성을 살린 플레이팅이 인상적이다. 합리적인 가격대의 코스 메뉴도 추천.

₩ 파스타(2만3천원~2만7천원), 리조토(2만6천원), 구운감자뇨키(2만8천원), 소고기안심스테이크(90g 2만9천원, 180g 5만8천원), 제철생선요리(3만8천원), 점심코스(5만원), 저녁코스(8만5천원)
🕒 11:30~15:00/17:00~22:00(마지막 주문 21:00) – 명절 당일 휴무
🔍 대구 수성구 무학로11길 10(상동)
☎ 053-652-8007 Ⓟ 가능

트리니떼 TRINITE 프랑스식

프랑스에서 요리 경험을 쌓은 3남매가 운영하는 프랑스식 레스토랑. 다양한 가격대의 프렌치 코스를 선보인다. 예약제로만 운영되며, 레스토랑 한편에는 셰프가 만든 빵을 판매하는 매대가 마련되어 있다.

₩ 연어코스(1인 7만원), 한우코스(1인 10만원)
🕒 12:00~22:00 – 일, 월, 화요일, 명절 휴무
🔍 대구 수성구 고산로 121-13(매호동) 지하 1층
☎ 053-795-7848 Ⓟ 가능

피델리티커피 fidelity coffee 커피전문점

하명현 바리스타가 새롭게 오픈한 스페셜티커피 전문점. 스마트 로스팅 머신을 사용한 커피의 클린컵이 좋다는 평이다. 밀크커피으로도 유명하며, 오트밀크로 변경할 수도 있다.

₩ 에스프레소, 블랙커피(각 4천원), 밀크커피(4천5백원), 필터브루(5천5백원)
🕒 08:00~18:00 – 일요일 휴무
🔍 대구 수성구 수성로38길 26
☎ 0507-1379-3719 Ⓟ 가능(가게 앞 3대)

허대구대구통닭 프라이드치킨

유채씨로 만든 채종유로 튀긴 바삭한 통닭이 인기인 집이다. 대구통닭의 특별한 마늘간장소스가 맛의 비결이라고 한다. 2대째 대를 이어오고 있다.

₩ 프라이드치킨, 전통양념치킨, 빨간양념치킨(각 1만9천원, 순살 2만원), 전통양념닭똥집, 빨간양념닭똥집, 프라이드닭똥집(각 1만6천원)
🕒 11:00~01:30(익일) – 연중무휴
🔍 대구 수성구 들안로 380(수성동4가)
☎ 053-755-9061 Ⓟ 불가

형제수산 🎀 兄弟水産 생선회

자연산 회와 더불어 신선한 해물이 곁들이 음식으로 깔리는 횟집. 특히 신선한 참가자미와 줄가자미를 맛볼 수 있으며 가격도 합리적인 편이다. 해물을 비롯해 다양한 반찬이 나오는 것이 특징. 겨울철에는 대방어회도 맛볼 수 있다.

₩ 자연산참가자미모둠(1인 3만1천원), 도다리(1인 4만원), 줄가자미(시가)
🕒 13:00~24:00(마지막 주문 22:30) | 토요일 12:30~24:00(마지막 주문 21:30)|일요일 12:30~23:00(마지막 주문 21:30) – 연중무휴
🔍 대구 수성구 수성로 314(수성동2가)
☎ 053-766-1313 Ⓟ 불가

효탄 이자카야

고급스러운 분위기의 이자카야. 다양한 회가 나오는 사시미모리와세와 얇은 튀김옷을 입힌 쫄깃한 문어튀김이 인기 메뉴. 효탄사시미모리아와세를 주문하면 랍스터사시미까지 맛볼 수 있다. 사케 외에도 샴페인과 화이트 와인도 구비하고 있다.

₩ 효탄사시미모리아와세(효 6만원, 탄 12만원), 사시미모리아와세(효 5만원, 탄 7만원), 랍스터사시미(7만원), 연어짚불사시미(2만9천원), 문어튀김(3만9천원), 메로구이(3만2천원), 금태구이(4만원), 한우스키야키(3만2천원), 해물스지볶음(2만7천원)

🕒 17:00~01:00(익일)(마지막 주문 24:00) – 연중무휴

🔍 대구 수성구 명덕로75길 14-2

☎ 053-746-3555 Ⓟ 가능(현대주차장 1시간 지원)

효탄

후포회수산 생선회 | 세꼬시

자연산 활어만을 취급하는 곳. 모둠생선회를 추천할 만하며 조그만 생선 사진을 보여주기 때문에 어떤 생선회인지 알고 맛볼 수 있다. 기본 곁들이 음식으로 나오는 해산물도 신선하다. 겨울에는 제철을 맞은 대방어를 선보이며, 자연산 활어가 없는 날은 문을 열지 않는다.

₩ 돌돔, 바리종류(3인 이상, 1인 시가), 특모둠(3인 이상 6만5천원), 모둠(4만원), 도다리(4만5천원), 세꼬시(3만8천원), 참가자미(2인이상 3만5천원)

🕒 11:30~15:00/16:00~22:50 – 비정기적 휴무

🔍 대구 수성구 들안로 172(황금동)

☎ 053-474-9494 Ⓟ 가능

대구광역시 중구

8번식당 돼지국밥 | 순대

커다란 무쇠솥에 돼지사골과 족을 넣고 밤새 끓인 국물에 채 썬 대파를 얹고 깍두기 등 밑반찬을 곁들여 따로국밥을 차려 낸다. 암퇘지 사골과 삼겹살로 만든 국밥과 직접 빚는 순대를 부담 없는 가격으로 푸짐하게 맛볼 수 있다. 수육과 순댓국이 함께 나오는 8번 정식이 인기 메뉴.

₩ 순대국밥, 고기국밥, 섞어국밥(각 9천원), 암뽕국밥(1만원), 정식(1만3천원), 수육, 순대, 암뽕, 모둠수육(각 소 3만원, 중 4만원, 대 5만원)

🕒 10:00~22:00 – 연중무휴

🔍 대구 중구 서성로13길 8(서성로1가)

☎ 053-255-0167 Ⓟ 가능

T클래스커피 T Class Coffee 카페

커피와 디저트가 맛있기로 유명한 곳으로, 융드립 커피를 맛볼 수 있다. 원두를 직접 볶아 사용하는 것이 특징. 조각 케이크 중 크레이프케이크가 인기다. 2층과 3층으로 구성되어 있으며, 실내를 벽돌과 나무로 꾸며 아늑한 분위기다.

₩ 융드립커피(5천원), 싱글오리진(7천5백원~7천8백원), 프리미엄(9천원), 카페라테, 카푸치노(각 5천5백원), 콜드브루(6천3백원), 케이크(6천8백원~7천4백원)

🕒 10:00~22:50 – 연중무휴

🔍 대구 중구 동성로2길 87(동성로2가)

☎ 053-252-3555 Ⓟ 불가

가스트로락 Gastro Rock 유럽식

가성비 좋은 코스 요리를 즐길 수 있는 유로피안 캐주얼 다이닝 레스토랑. 1인 셰프가 운영하고 있다. 전체적으로 음식의 완성도와 만족도가 높은 편이다. 디너는 하루 10팀만 받으므로 예약할 것을 추천한다.

₩ 런치코스(3만8천원, 4만5천원), 디너코스(6만5천원, 7만5천원)

🕒 11:30~15:00(마지막 주문 14:00)/18:00~22:30(마지막 주문 21:00) – 월, 화요일 휴무

🔍 대구 중구 동덕로8길 26-19(대봉동)

☎ 053-281-5959 Ⓟ 불가

개정 비빔밥 | 함흥냉면

대구에서 비빔밥과 냉면으로 인기를 끌고 있는 집. 전주식 놋그릇에 담겨 나오는 비빔밥 맛이 일품이며 육회가 넉넉하게 들어간 육회비빔밥도 인기다. 직접 빚는 만두 맛도 좋은 편. 한옥으로 되어 있어 운치 있는 분위기다.

₩ 전주특육회비빔밥(1만5천원), 돌솥비빔밥(1만4천원), 전주비빔밥(1만3천원), 해물순두부찌개(1만3천원), 김치부대찌개(1만2천원), 떡만둣국(1만2천원), 뚝배기불고기(1만5천원), 함흥물냉면(1만3천원), 비빔

냉면(1만3천원), 회비빔냉면(1만5천원)
⏲ 11:00~21:30(마지막 주문 21:00) – 명절 휴무
🔍 대구 중구 동성로3길 52(삼덕동1가)
☎ 053-424-7051 Ⓟ 불가

교동따로식당 소고기국밥

국일따로식당과 더불어 시내 한복판에 따로국밥거리를 형성하고 있는 집이다. 따로국밥은 소뼈를 한데 넣어 푹 끓인 국물에 밥 한 그릇을 따로 낸다고 해서 붙인 이름. 선지를 같이 넣고 끓여 선지 씹히는 감촉이 부드럽다. 국물은 해장이나 식사용으로 두루 좋다. 50여 년의 역사를 자랑하는 곳.

₩ 따로국밥(9천원), 선지술국(1만원), 소머리수육(2만2천원)
⏲ 24시간 영업 – 연중무휴
🔍 대구 중구 경상감영1길 11(포정동)
☎ 053-254-8923 Ⓟ 불가

국일따로국밥 소고기국밥

80여 년의 역사를 지닌, 따로국밥의 원조 격이다. 처음에는 국에 밥을 말아 팔다가 연세 있는 어르신이 올 경우 예의에 어긋날 것을 우려해서 국과 밥을 따로 내놓았고, 이러한 상차림을 좋아하는 손님이 차츰 많아지면서 따로국밥이라는 이름으로 팔게 되었다고 한다. 소고기, 파, 선지 등이 들어간 국물 맛이 시원하고 개운하다.

₩ 따로국밥, 따로국수(각 1만원), 특따로국밥(1만1천원)
⏲ 24시간 영업 – 연중무휴
🔍 대구 중구 국채보상로 571(전동)
☎ 053-253-7623 Ⓟ 가능

국일따로국밥

국일불갈비 돼지갈비

60여 년의 역사를 가진 고깃집. 연탄불에 구운 돼지갈비를 맛볼 수 있다. 불 맛이 느껴지는 돼지갈비와 돼지불고기 외에도 매콤한 양념이 밴 고추장불고기도 별미로 통한다. 된장찌개에 면을 말아 내는 된장국수도 인기.

₩ 돼지불고기(200g 9천원), 돼지불갈비(200g 1만원), 고추장불고기(200g 9천5백원), 고추장삼겹살(200g 1만1천원), 된장국수(4천원)
⏲ 11:00~22:00 – 명절 휴무
🔍 대구 중구 태평로 172(태평로1가) ☎ 053-424-5820 Ⓟ 가능

국일생갈비 소고기구이 | 소갈비

오랜 전통의 생갈비 전문점으로, 1등급 한우를 사용하고 있다. 신선한 생갈비를 참숯에 구워 먹는 맛이 좋으며, 함께 나오는 명이나물에 싸 먹으면 맛있다. 한우 갈비와 재래식 된장을 넣고 끓인 된장찌개도 일품.

₩ 한우특생갈비(170g 4만5천원), 한우생갈비(150g 3만2천원), 한우양념갈비(170g 3만2천원), 한우안창살(110g 3만8천원), 한우불고기(250g 2만원), 한우육개장, 한우갈비뼈탕(각 1만2천원), 냉면(1만원)
⏲ 11:30~15:00/17:00~21:30 – 명절 휴무
🔍 대구 중구 국채보상로 492(동산동)
☎ 053-254-5115 Ⓟ 가능(국제유료주차장 2시간 무료)

금와식당 칼국수

대구식 칼국수인 일명 누른국수를 맛볼 수 있는 곳. 멸치 육수로 낸 깔끔한 국물 맛이 좋으며, 면이 얇고 야들야들한 것이 특징이다. 부드럽게 삶은 돼지고기 수육이나 도토리묵을 곁들이면 좋다.

₩ 칼국수, 냉국수(각 8천원), 콩국수(1만원), 돼지고기수육(소 2만6천원, 중 3만3천원), 지짐이, 묵(각 1만7천원), 돼지고기두루치기(4만8천원)
⏲ 11:00~21:00 – 연중무휴
🔍 대구 중구 서성로 3(동산동) ☎ 053-252-5630 Ⓟ 불가

낙영찜갈비 소갈비찜

동인동 찜갈비 골목의 찜갈빗집 중 하나. 매콤한 양념의 갈비찜이 양푼에 한가득 나온다. 갈비는 호주산과 한우 중 선택할 수 있다. 갈비를 먹은 후 남은 양념에 밥과 반찬을 넣고 비벼 먹으면 일품이다. 소고기찌개도 별미.

₩ 한우찜갈비(180g 3만원), 찜갈비(180g 2만원), 소고기찌개(8천원)
⏲ 10:00~21:00(마지막 주문 20:00) – 명절 휴무
🔍 대구 중구 동덕로36길 9-17(동인동1가)
☎ 053-423-3330 Ⓟ 가능

낙원식당 순두부 | 일반한식

약 50년 전통의 순두부집. 칼칼한 매운 양념이 순두부와 잘 어우러진 순두부찌개의 맛을 한결같이 지켜오고 있다. 새우를 푸짐하게 넣은 해물순두부찌개도 별미다.

₩ 순두부찌개, 청국장, 김치찌개, 비빔밥(각 9천원), 해물순두부찌개, 육개장(각 1만원)
⏲ 11:00~15:30(점심 주문 마감 15:00)/17:30~21:00(마지막 주문 20:30) – 일요일, 명절 휴무
🔍 대구 중구 동성로12길 21 2층 ☎ 053-425-7167 Ⓟ 불가

남문납짝만두 만두

대구의 명물인 납작만두를 맛볼 수 있는 곳. 만두를 납작하게 만들어 구운 후 간장을 뿌려 먹는다. 미성당과 함께 납작만두의 양대산맥으로 불리는 곳으로, 50여 년의 역사를 자랑한다.

₩ 납작만두, 채소만두, 비빔만두, 생만두, 고기만두, 군만두, 찐교스(각 5천원)

🕒 10:00~18:30 – 일요일, 명절 휴무

🔍 대구 중구 명륜로 64-1(남산동) ☎ 053-257-1440 Ⓟ 불가

녹양 생고기 | 육회

소 뒷다리, 허벅지 안쪽 살을 깍두기 크기로 뭉텅뭉텅 썰어낸 뭉티기가 대표 메뉴다. 마블링이 전혀 없는 뭉티기는 쫀득쫀득하며, 고소한 참기름 양념에 찍어 먹는다. 함께 나오는 밑반찬도 한 상 가득 차려진다. 고소한 오드레기도 술안주로 인기.

₩ 생고기, 육회, 양지머리, 오드레기, 대창구이, 등골(각 소 4만원, 중 5만원, 대 6만원), 생고기모둠(8만원)

🕒 12:00~22:30 – 연중무휴

🔍 대구 중구 중앙대로 441(화전동) ☎ 053-257-1796 Ⓟ 불가

뉴욕통닭 프라이드치킨

대구 3대 치킨 중 하나라고 일컬어질 만큼 치킨이 맛있는 곳이다. 치킨은 먹기 좋은 크기로 잘라서 나오며 은은한 마늘 향이 배어 있는 양념치킨 맛이 좋다. 프라이드치킨과 양념치킨을 반반씩 주문하는 것을 추천한다. 하루에 정해진 양만 튀기기 때문에 반드시 예약하고 방문해야 한다. 전화예약은 오전 11시부터 가능하다.

₩ 프라이드치킨(2만1천원), 양념치킨, 반반치킨(각 2만2천원), 찜닭(2만8천원)

🕒 11:30~20:00 – 일요일 휴무

🔍 대구 중구 종로 12(동성로3가)

☎ 053-253-0070 Ⓟ 불가

대동면옥 평양냉면

70년이 넘는 전통의 냉면 명가. 부산안면옥과 함께 대구에서 양대산맥을 이루던 곳이다. 평양식 냉면을 주로 하고 있으며 육수 맛이 진한 스타일이다. 10월부터 이듬해 2월 말까지인 동절기에는 영업을 하지 않는다.

₩ 물냉면, 비빔냉면(각 1만2천원), 비빔냉면함흥식(1만2천원), 평양식(1만3천원) 한우갈비탕(1만9천원), 한우수육(3만5천원), 어복쟁반(동절기2월~9월 7만5천원)

🕒 11:00~15:00/16:00~20:00 – 월요일 휴무, 10월~2월 휴무

🔍 대구 중구 국채보상로102길 28(동산동)

☎ 053-255-4450 Ⓟ 불가

대풍반점 大豊飯店 일반중식

불 맛을 살린 중국요리를 맛볼 수 있다. 삼선짬뽕, 잡탕밥 등이 인기가 좋은 메뉴다. 잡탕밥에는 해산물이 푸짐하게 들어 있으며 삼선짬뽕은 국물이 뽀얀 것이 특징이다.

₩ 짜장면(6천원), 짬뽕(7천원), 탕수육(소 2만3천원, 대 3만3천원), 삼선짬뽕(9천원), 삼선짜장(9천원), 군만두(7천원)

🕒 11:30~19:00 – 첫 번째, 두 번째 일요일, 명절 휴무

🔍 대구 중구 달성공원로 12(대신동)

☎ 053-554-4387 Ⓟ 불가

대호불갈비 돼지불고기 | 돼지갈비

연탄불에 초벌구이한 돼지불고기를 맛볼 수 있다. 돼지불고기에는 파채가 수북이 올라가는데, 진한 양념과 파가 잘 어우러져 맛이 좋다. 기본으로 3인분 이상 주문해야 한다.

₩ 돼지불고기(150g 9천원), 돼지갈비, 고추장불고기(각 150g 1만원), 냉동삼겹살(150g 1만1천원)

🕒 10:00~21:00 – 명절 당일 휴무

🔍 대구 중구 태평로 172-18(용덕동)

☎ 053-426-4357 Ⓟ 가능

동명오코노미야끼

東明おこのみやき 오코노미야키

철판에서 구워주는 다양한 종류의 오코노미야키를 즐길 수 있다. 바 자리에 앉으면 화려한 철판 요리 과정을 볼 수 있다. 일본 전통의 맛을 기반으로 우리나라 입맛에 맞게 변형한 스타일이다.

₩ 스페셜치즈오코노미야키, 해물치즈오코노미야키(각 1만9천원), 모던야키(2만1천원), 스페셜치즈오코노미야키+한우투뿔안심스테이크(5만9천원)

🕒 17:00~02:00(익일)(마지막 주문 01:30) | 금, 토요일 17:00~03:00(익일)(마지막 주문 02:30) – 명절 휴무

🔍 대구 중구 동성로4길 10(삼덕동1가)

☎ 053-424-7792 Ⓟ 불가

동성로생고기 생고기 | 양곱창 | 육회

대구의 독보적인 뭉티기집. 쫀득한 뭉티기 식감이 인상적이며, 독특한 양념장에 찍어 먹는 맛이 일품이다. 뭉티기 외에도 대창, 양지머리구이 등의 다른 부위도 맛볼 수 있다.

₩ 생고기(중 210g 5만원, 대 300g 5만6천원), 육회(300g 4만8천원), 양지머리, 오드레기, 대창(각 210g 4만8천원), 곱창전골(4만5천원)

🕒 16:30~22:30 – 일요일, 명절 휴무

🔍 대구 중구 명륜로23길 101(남산동)

☎ 053-421-1007 Ⓟ 가능(제일주차장 1시간 무료)(전화로 확인)

롤러커피 ROLLER COFFEE 커피전문점

라테가 맛있기로 유명한 커피 전문점. 우유의 양은 5온즈와 7온즈 중 고를 수 있으며, 우유는 오트 밀크로 변경도 가능하다. 셀프바에 구비된 사탕수수 설탕을 커피에 넣어 먹으면 커피의 풍미가 더 좋아진다.

Ⓦ 아메리카노, 에스프레소(각 3천5백원), 카페라테(4천원)
⏲ 08:00~20:00 – 일요일 휴무
🔍 대구 중구 달구벌대로414길 36
☎ 053-253-7584 Ⓟ 불가

루시드 🎀 Lucid 빙수

대구에 카페 문화가 번지기 시작한 초기부터 인기를 끌었던 곳이다. 커피를 비롯해 다양한 음료가 있으며 케이크와 마카롱 등의 디저트도 좋다. 여름에는 푸딩이 올라간 빙수가 유명하다.

Ⓦ 아메리카노(5천원~5천5백원), 카페라테(5천8백원~6천3백원), 바닐라라테(6천3백원~6천8백원), 아인슈페너(6천3백원~6천8백원), 호지크림라테(6천5백원~6천8백원) 녹차빙수(1만6천5백원), 푸딩빙수(1만8천5백원)
⏲ 12:00~21:00(마지막 주문 20:10) – 수요일, 명절 당일 휴무
🔍 대구 중구 동성로4길 94(공평동)
☎ 053-422-7020 Ⓟ 불가

맨션드방콕 Mansion de Bangkok 태국식

쌀국수와 팟타이가 인기 있는 태국 음식점. 마라 차돌 쌀국수 등 우리 입맛에 맞게 변형된 쌀국수를 맛볼 수 있다. 커리는 매운 정도가 조절 가능하다. 향신료가 강하지 않은 편이며 고수는 따로 요청하면 가져다준다.

Ⓦ 렝쌥(1만9천원), 치킨플레이트(1만8천원), 크림새우(1만7천5백원), 치킨궈바로우(1만5천원), 슈림프커리(1만3천5백원), 크랩커리(1만6천5백원), 마라차돌쌀국수, 차돌사천쌀국수, 팟타이, 나시고랭(각 1만1천원)
⏲ 11:30~16:10(마지막 주문 15:30)/17:00~21:20(마지막 주문 20:50) – 연중무휴
🔍 대구 중구 남성로 60
☎ 053-256-2777 Ⓟ 불가

맨션드방콕

미꾸리추어탕 추어탕

된장을 풀지 않은 경상도식의 맑은 국물의 추어탕을 맛볼 수 있는 곳이다. 부추도 듬뿍 들어 국물 맛이 좋으며, 진국은 미리 말하면 배추나물도 넣어준다.

Ⓦ 추어탕(보통 9천원, 진국 1만원), 미꾸라지튀김(소 2만원, 대 2만5천원)
⏲ 11:00~19:00 – 일요일 휴무
🔍 대구 중구 명륜로 13-15(남산동) ☎ 053-425-3771 Ⓟ 불가

미도다방 전통차전문점

일제시대 때 문을 열어 지금까지 영업하고 있는 오랜 전통을 가진 다방으로, 쌍화차가 유명하다. 옛날식 다방의 모습은 물론 메뉴와 가격 또한 큰 변화 없이 유지하고 있다.

Ⓦ 쌍화차, 인삼차, 강황꿀차(각 5천원), 약차, 유자차, 냉커피(각 4천원), 커피(2천5백원), 유자주스(5천원)
⏲ 09:30~22:00 – 명절 당일 휴무
🔍 대구 중구 진골목길 14(종로2가)
☎ 053-252-9999 Ⓟ 불가

미림 美林 일식돈가스

일본에서 배워온 기술을 바탕으로 한 돈가스를 선보인다. 옛날식 소스를 뿌린 돈가스를 맛볼 수 있으며, 카레를 넣은 수프가 함께 나온다. 아들이 기술을 전수받아 2대째 60여 년 동안 내려오고 있다.

Ⓦ 돈가스(9천원, 곱빼기 1만4천원), 생선가스(1만4천원), 어묵우동(8천원), 냄비우동(5천원)
⏲ 11:30~16:30/17:30~20:00 | 토요일 11:40~15:30/16:30~20:00(마지막주문 19:45) – 일요일, 명절 휴무
🔍 대구 중구 국채보상로93길 6(대신동)
☎ 053-554-6636 Ⓟ 가능

미성당납작만두 만두

대구 명물인 납작만두로 유명한 곳. 얇은 만두피에 당면과 부추, 파 등을 넣고 반달 모양으로 빚어 물에 한 번 삶은 후 철판에 겉이 약간 탈 정도로만 구워 낸다. 바삭바삭한 만두에 대파를 얹고 간장과 식초, 고춧가루를 뿌려 먹는다. 쫄면을 따로 시켜 만두와 함께 싸서 먹어도 맛있다.

Ⓦ 납작만두(4천5백원), 쫄면(5천5백원), 라면, 우동(각 4천5백원)
⏲ 10:30~21:00 | 토, 일요일 10:30~20:00 – 월요일, 명절 휴무
🔍 대구 중구 명덕로 93(남산동)
☎ 053-255-0742 Ⓟ 불가

미진삼겹살 돼지고기구이 | 삼겹살

숙성 돼지고기 구이 전문점. 모둠한판을 시키면 다 구워진 목살, 삼겹살, 껍데기가 콩나물, 김치, 버섯, 부추와 함께 철판에 담겨 나온다. 멜젓이나 카레가루, 와사비 등을 곁들여 먹는다.

Ⓦ 미진모둠(중 4만7천원, 대 5만8천원), 삼겹살, 목살(각 240g 2만2천원, 480g 4만4천원), 항정살(220g 2만5천원, 440g 5만원), 해물된장찌개(5천원)
⏲ 16:00~01:00(마지막 주문 24:00) – 연중무휴

대구 중구 공평로8길 25(삼덕동2가)
☎ 053-215-6969 Ⓟ 불가

밀밭베이커리 Wheat Field 베이커리

대구에서 40여 년의 역사를 자랑하는 베이커리. 모치크림치즈, 마약옥수수빵 등의 메뉴가 있으며, 멜론 크림이 들어 있는 멜론빵이 인기 메뉴다.

₩ 멜론빵, 대구미인빵(각 3천3백원), 마약옥수수빵(3천3백원), 에멘탈치즈호떡(3천5백원), 소금빵(3천원), 마늘바게트(6천3백원)
08:00~23:00 – 연중무휴
대구 중구 국채보상로 602-1(문화동)
☎ 053-426-1601 Ⓟ 불가

벙글벙글찜갈비 소갈비찜

시뻘건 고춧가루와 마늘, 생강을 버무려 양은냄비에 볶아서 요리한 이곳의 찜갈비는 대구의 대표 음식으로 자리 잡았다. 화끈하게 매운맛에 짠맛, 단맛이 조화를 이룬다. 함께 나오는 시원한 백김치로 싸 먹으면 색다른 맛을 느낄 수 있다.

₩ 한우찜갈비(180g 3만원), 미국산찜갈비(180g 2만2천원), 소고기찌개(8천원), 볶음밥(2천원)
09:00~22:00 – 명절 휴무
대구 중구 동덕로36길 9-12(동인동1가)
☎ 053-424-6881 Ⓟ 가능

복해반점 福海飯店 일반중식

대구 종로의 화상 중국집 중 유명한 집이다. 얼큰한 국물 맛이 일품인 짬뽕을 추천할 만하며 겨울에는 굴을 넣어 끓인 굴짬뽕이 인기다. 난자완스, 탕수육 등의 요리는 공력이 높다. 가게 내부는 예스러운 분위기를 그대로 간직하고 있다.

₩ 짜장면(6천원), 짬뽕(7천원), 탕수육(소 1만5천원, 중 2만원 대 3만원), 난자완스(3만7천원), 굴고추짬뽕(1만원)
11:30~21:00 – 월요일 휴무
대구 중구 종로 22(종로2가)
☎ 053-254-8903 Ⓟ 불가

봉산찜갈비 소갈비찜

50여 년 역사의 갈비찜 전문점. 갖은 양념으로 버무린 갈비를 양재기에 듬뿍 담아 낸다. 남은 양념에 밥을 볶아 먹으면 더욱 맛이 좋다. 칼칼하고 자극적이지 않은 맛의 갈빗살찌개도 별미로, 된장을 푼 국물에 갈빗살을 넣어 만든다.

₩ 한우찜갈비(180g 3만원), 호주산찜갈비(180g 2만2원), 갈빗살찌개(8천원)
09:00~21:10(마지막 주문 20:30) – 명절 휴무
대구 중구 동덕로36길 9-18(동인동1가)
☎ 053-425-4203 Ⓟ 가능

부산안면옥 제육 | 소불고기 | 평양냉면

대구에서 손꼽을 만한 평양냉면집이다. 진한 육수 맛이 좋으며 고명으로 올라간 고기도 부드럽다. 만둣국과 돼지고기제육도 인기. 4월부터 추석 전까지만 영업하고 초봄과 겨울에는 영업을 하지 않는다. 1905년에 평양에서 개업하여, 부산을 거쳐 1969년에 대구에 터전을 잡은 역사깊은 곳이다.

₩ 평양냉면, 함흥냉면, 갈비탕(각 1만1천원), 만둣국(8천원), 돼지고기제육(1만5천원), 소고기수육(3만2천원), 한우불고기(1만9천원), 한우쟁반(7만원)
11:00~20:30 – 10월~3월 휴무
대구 중구 국채보상로125길 4-1(공평동)
☎ 053-424-9389 Ⓟ 불가

부창생갈비 소갈비

40년 넘게 생갈비만을 전문으로 하고 있는 전통 있는 갈빗집. 질 좋은 생갈빗살을 숯불에 구워 먹는다. 먹고 남은 갈비뼈를 넣어서 숯불에 끓여 먹는 된장찌개 맛도 일품. 대구의 옛맛을 그리워하는 사람들이 많이 찾는다.

₩ 부창생갈비(150g 3만2천원), 안창살(100g 3만5천원)
11:00~21:30 – 일요일 휴무
대구 중구 국채보상로 492-12(동산동)
☎ 053-255-0968 Ⓟ 가능

브루어스브라더스 Brewers Brothers 크래프트맥주바

영국식 펍 분위기에서 생맥주와 피시 앤 칩스를 즐길 수 있는 곳. 자체적으로 만든 호피 브루어스와 골든 에일 등도 맛볼 만하다. 그 외에 순살치킨, 피자 등의 안주도 있으며 맥주만 주문도 가능해 간단히 혼맥 하기에도 적당하다.

₩ 피시앤칩스(중 1만8천원, 대 2만3천원), 감바스알아히요, 메르게즈소시지, 페퍼로니피자, 고르곤졸라피자(각 1만8천원), 한국식치킨그라탕, 먹태구이(각 1만5천원)
18:00~01:00(익일) | 금, 토요일 17:00~02:00(익일) – 연중무휴
대구 중구 종로 29(종로2가) 1층
☎ 053-256-0411 Ⓟ 불가

블랙타코앤그릴 BLACK TACO&GRILL 멕시코식

동성로에 자리 잡고 있는 멕시코 음식 전문점. 타코와 케사디야, 엔칠라다 등을 선보이며 외국인 손님이 많이 방문한다. 고기와 채소를 함께 올려 먹을 수 있는 그랑데파히타와 대창파히타가 인기 메뉴. 칵테일과 곁들이면 더욱 좋다.

₩ 타코(9천원~1만원), 치미창가(1만1천원~1만2천원), 케사디야(1만원~1만1천원), 엔칠라다(1만1천원), 그랑데파히타(3만9천원)
12:00~15:00/17:00~22:00 | 금, 토요일 12:00~15:40/17:00~24:00 – 연중무휴
대구 중구 공평로 31(삼덕동1가)
☎ 053-426-2268 Ⓟ 불가

삐에뜨라 PIETRA 이탈리아식

아늑한 분위기에서 소박한 이탈리안 요리를 맛볼 수 있는 곳이다. 파스타를 비롯해 피자, 리조토, 스테이크 등의 메뉴를 선보이며 가격 대비 만족도가 높다. 버섯 크림소스와 트러플오일을 곁들인 뇨키도 인기 메뉴다.

Ⓦ 부라타에루콜라프로슈토피자(2만8천원), 스콜리오파스타(2만4천원), 꽃게리조토(각 2만3천원), 한우안심스테이크(180g 5만3천원), 뇨키(2만3천원)

Ⓛ 11:30~15:00/17:00~21:00(마지막 주문 20:00) – 월요일 휴무

Q 대구 중구 약령길 45(남성로)

☎ 053-742-4819 Ⓟ 불가

사야까 さやか 라멘 | 일식덮밥

일본인이 운영하는 대구의 일식집 중 가장 먼저 생긴 곳으로, 한우 사골을 베이스로 한 규코츠라멘을 맛볼 수 있다. 면은 자가제면하여 사용한다. 가츠동, 마파두부 덮밥 등 덮밥도 준비되어 있다.

Ⓦ 가츠동(9천원), 규코츠라멘, 규코츠소유라멘, 규코츠탄탄멘(각 1만1천원), 차슈규코츠라멘(1만4천원), 마파두부덮밥(9천원)

Ⓛ 11:30~15:30/16:30~20:30(마지막 주문 20:00) – 수요일 휴무

Q 대구 중구 국채보상로125길 4(공평동)

☎ 053-427-0141 Ⓟ 불가

삼락식당 오징어

매콤한 오징어볶음과 장찌개가 맛있기로 유명한 곳. 장찌개는 된장과 고추장을 섞은 장으로 맛을 내며, 소고기와 버섯, 두부, 채소 등이 푸짐하게 들어간다. 오징어볶음과 함께 1인분씩 주문하면 알맞다. 옛맛을 그대로 지켜오고 있다는 평을 받고 있다.

Ⓦ 장찌개, 순두부찌개, 김치찌개(각 8천원), 오징어볶음(9천원), 고추장불고기(9천원) (각, 공기밥 별도)

Ⓛ 11:00~21:00 – 명절 당일 휴무

Q 대구 중구 동성로 25-2(동성로2가)

☎ 053-423-8889 Ⓟ 불가

삼송빵집 베이커리

60년 넘는 역사를 자랑하는 대구의 오래된 유명 빵집이다. 구운고로케와 통옥수수빵이 인기 있다. 구운고로케는 기름에 튀기지 않고 구워 느끼하지 않고 담백한 맛이다. 영업시간과 상관 없이 빵이 소진되면 문을 닫는다.

Ⓦ 통옥수수빵(2천6백원), 채소고로케(2천6백원), 먹물통옥수수빵(3천2백원), 크림치즈찰떡빵(3천원), 소보로팥빵(2천8백원)

Ⓛ 08:00~22:00(재료 소진 시 마감) – 명절 당일 휴무

Q 대구 중구 중앙대로 397(동성로3가)

☎ 053-254-4064 Ⓟ 불가

상주식당 추어탕

60년 넘는 전통에 3대째 내려오는 추어탕집이다. 체로 곱게 걸러 부드럽게 넘어가는 추어탕 국물, 기름기를 쏙 빼내 담백한 곱창, 신맛이 우러나는 계핏가루가 어우러져 상주식당만의 추어탕 맛을 만들어낸다. 자연산 미꾸라지와 노지 재배종인 조선배추가 나오지 않는 12월 중순부터 2월 말까지는 문을 닫는다.

Ⓦ 추어탕+밥(1만2천원)

Ⓛ 10:00~19:00 – 12월~3월, 명절 휴무

Q 대구 중구 국채보상로 598-1(동성로2가)

☎ 053-425-5924 Ⓟ 불가

서영홍합밥 홍합

한옥 건물에서 홍합밥을 즐길 수 있는 곳. 정갈한 밑반찬과 배추 된장국이 나오며, 고추를 잘게 다져 넣은 간장을 홍합밥에 비벼 먹으면 더욱 맛있게 즐길 수 있다.

Ⓦ 홍합밥(1만원), 녹두전(1만원), 칼국수(7천원), 수육(소 1만7천원, 중 2만3천원, 대 2만8천원)

Ⓛ 11:00~15:00/17:00~20:30(마지막 주문 19:50) – 일요일 휴무

Q 대구 중구 약령길 33-8(계산동2가)

☎ 053-253-1199 Ⓟ 불가(인근 공영주차장 이용)

성주숯불갈비식당 소갈비

대구의 원조 갈빗집인 진갈비와 함께 오랜 전통을 지키고 있다. 양념하지 않은 생갈비를 숯불에 구워 먹으며 고기의 질이 좋은 편이다. 갈빗대를 넣고 끓인 된장찌개의 맛도 일품이다.

Ⓦ 생갈비, 갈빗살찜(각 220g 3만2천원), 안창살(100g 3만5천원), 불고기(100g 2만2천원), 갈비탕(9천원), 된장찌개(7천원), 소면(5천원), 소고기국(9천원)

Ⓛ 10:00~22:00 – 일요일, 명절 당일 휴무

Q 대구 중구 서성로 72(서성로1가)

☎ 053-255-6851 Ⓟ 가능

세연전통콩국 콩국 | 토스트

우리나라 콩국과는 조금 다른 중국식 콩국인 또우장과 요우티아오를 맛볼 수 있는 곳. 주로 대구에서 즐겨 먹으며, 화교들에 의해 전파된 음식이다. 옛날식으로 만든 토스트와 잔치국수, 비빔국수 등도 식사 대용으로 인기 있는 메뉴다.

Ⓦ 찹쌀콩국(6천5백원), 토스트(4천원), 돈가스(9천원), 잔치국수(6천원), 비빔국수, 칼국수(각 7천원), 떡갈비정식(9천원), 돌솥낙지덮밥(1만원), 비빔만두(7천5백원), 찹쌀수제비(8천원)

Ⓛ 10:00~14:30/15:30~01:30(익일)(마지막 주문 01:00) | 토,일요일 10:00~14:30/16:30~01:30(익일)(마지막 주문 01:00) – 화요일 휴무

Q 대구 중구 명덕로 173

☎ 053-257-9915 Ⓟ 불가(인근 공영주차장 이용)

셀리우 Ce lieu 프랑스식

고급스러운 분위기에서 코스 요리를 즐길 수 있는 파인 다이닝 레스토랑. 오픈 주방 형태의 바 좌석과 테이블을 갖추고 있다. 다양한 와인리스트가 있어 와인과 페어링 하기도 좋다.

₩ 런치코스(6만원), 디너코스(11만원), 와인페어링(2glass 2만7천원, 3glass 3만5천원)

⏲ 12:00~15:00/18:00~21:30 – 월, 화요일 휴무

🔍 대구 중구 교동2길 43-9(완전동)

☎ 053-260-9999 Ⓟ 가능

소나무 바 | 위스키바

고풍스러운 한옥을 개조해 만든 싱글몰트위스키 전문 바. 싱글몰트위스키 이 외에도 위스키, 진, 보드카, 브랜디, 럼, 버번위스키 등 다양한 주류도 갖추고 있다.

₩ 수비드안심(2만8천9백원), 과일치즈모둠플레이트(3만3천9백원), 감바스알아히요(2만원)

⏲ 18:00~01:00(익일) | 금, 토요일 18:00~02:00(익일) – 화요일 휴무

🔍 대구 중구 동덕로 56-5(대봉동)

☎ 053-422-1341 Ⓟ 불가

수오미엔 NEW suomian 우육면

대만식 우육면, 가지 튀김, 돼지갈비 튀김 등 현지의 느낌을 살린 음식을 맛볼 수 있는 곳. 인테리어와 테이블 배치도 대만 현지 식당풍이다. 우육면은 한우사골육수를 사용하며, 아롱사태가 들어간다. 식사 메뉴 한정으로 공깃밥과 고추가 무료로 1회 추가할 수 있다.

₩ 우육면, 홍로우판(각 9천5백원), 마장면, 완탕면, 가지튀김, 마파두부, 창잉터우(각 9천원), 파이구(8천원), 군만두(5천원), 파이황과, 달걀볶음밥(각 4천원)

⏲ 11:30~15:00(마지막 주문 14:30)/17:30~20:00(마지막 주문 19:30) – 월요일 휴무

🔍 대구 중구 동덕로 64 1층, 101호

☎ 0507-1433-0453 Ⓟ 가능

수평적관계 커피전문점

대구 스페셜티 커피업계에서 오랫동안 활동해온 김태환 로스터의 매장. 오래된 한옥을 개조하면서 천장을 오픈해 개방감이 좋고, 깔끔하다. 머신을 이용하지 않고 핸드드립 방식으로 추출한다. 레몬크림이 올라가는 시트릭이 시그니처 메뉴.

₩ 브루잉커피(6천5백원~1만원), 에스프레소(6천8백원), 시트릭(6천8백원), 비건라테(6천5백원), 곶감말이(5천3백원), 레몬파운드케이크(6천3백원), 바스크치즈케이크(6천8백원), 버터바(4천3백원)

⏲ 10:30~22:00(마지막 주문 21:30) – 연중무휴

🔍 대구 중구 동덕로26길 115(삼덕동3가)

☎ 053-218-4602 Ⓟ 불가

수평적관계

신라식당 백반

중간에 쉰 적도 있지만, 역사가 있는 백반집이다. 푸짐하게 나오는 돌판낙지볶음이 대표 메뉴. 돌판에 볶아 먹는 메뉴는 2인 이상 주문해야 한다.

₩ 돌판낙지볶음(2인 이상, 1인 1만4천원), 돌판낙지양볶음(2인 이상, 1인 1만5천원), 순두부찌개(9천원), 해물순두부찌개(1만2천원) 돌판낙지새우볶음, 돌판낙지양볶음(각 2인이상 1인 1만5천원)

⏲ 10:30~18:00 – 수요일 휴무

🔍 대구 중구 중앙대로 406-8(남일동)

☎ 053-422-3105 Ⓟ 불가

쏘이삼덕 NEW SSOI SAMDUCK 태국식

태국 음식 전문점으로, 부위 별로 준비되어 있는 쌀국수와 똠얌꿍, 렝쌥 등을 즐길 수 있다. 소갈비, 스지 등 고기를 푸짐하게 맛볼 수 있는 쏘이스페셜쌀국수가 시그니처 메뉴다. 고수 마니아라면 직접 만든 고수김치도 별미.

₩ 쏘이스페셜쌀국수(1만7천원), 직화우삼겹쌀국수(1만4천원), 슈림프팟타이(1만4천원), 똠얌꿍(1만8천원), 렝쌥(3만6천원), 타이갈릭치킨(4p 4천원, 8p 1만2천원)

⏲ 11:00~15:00/17:00~21:30 | 토, 일요일 11:00~16:00/17:00~21:30 – 비정기적 휴무(인스타그램 공지)

🔍 대구 중구 달구벌대로445길 44-19

☎ 070-7722-3355 Ⓟ 불가

야자수지붕 동남아시아식

태국 음식을 기반으로 한 동남아 맛을 즐길 수 있는 곳이다. 쌀국수는 베트남 하노이 스타일이며 필리핀 음료인 깔라만시에이드도 맛볼 수 있다. 주류는 따로 판매하지 않으며, 따로 가져와서 마셔도 된다.

₩ 꿍팟퐁커리(1만8천원), 팟타이(1만2천원), 소고기쌀국수(1만2천원), 똠얌꿍(1만2천5백원), 그린커리(1만2천5백원), 새우볶음밥(1만2천원)

⏲ 11:30~15:00(마지막 주문 14:30)/17:30~21:00(마지막 주문 20:30) – 일요일 휴무

🔍 대구 중구 경상감영길 229(동문동) ☎ 053-256-3723 Ⓟ 불가

어노잉 All know-ing 디저트카페 | 베이커리

교동 골목길 안쪽에 주택을 개조하여 만든 카페. 1~2층과 별관, 지하, 야외 테라스까지 테이블 공간이 마련되어 있는 넓은 규모를 자랑한다. 반려동물은 야외에서만 동반이 가능하며, 디저트와 조각케이크도 함께 선보인다.

₩ 드립커피(6천5백원), 버터크림라테, 순우유크림라테(각 5천8백원), 생망고빙수(2만4천원), 망고코코넛스무디(5천8백원)
⏲ 12:00~22:30 | 토, 일요일 12:00~23:00 – 연중무휴
🔍 대구 중구 경상감영길 226(동문동)
☎ 010-7653-0920 Ⓟ 불가

영생덕 永生德 중국만두 | 일반중식

산동식 중국만두가 유명한 곳으로, 40년 넘는 역사를 자랑한다. 손으로 직접 빚어내는 물만두 하나만으로도 찾아가기에 아깝지 않다. 만두소에서 특유의 중식 향신료 향이 풍긴다. 만두 외에도 깐풍기, 전가복, 라조기 등의 요리도 많이 찾는다. 실내는 소박하지만 한결같은 맛을 지키고 있다.

₩ 고기만두, 찐만두, 군만두(각 8천원), 물만두(8천5백원~9천원), 만둣국(9천원~1만원), 돼지고기탕수육(소 2만2천원, 중 3만원, 대 4만원), 소고기탕수육(중 3만5천원, 대 4만5천원)
⏲ 11:40~21:00 – 첫번째, 세번째 일요일 휴무
🔍 대구 중구 종로 39(종로2가)
☎ 053-255-5777 Ⓟ 불가

옛집식당 육개장

대구의 대표 음식인 육개장(대구탕)을 내는 곳이다. 대구탕은 흔히 말하는 육개장과 같은 것이지만 고기를 결대로 찢어 넣는 것이 아니라 큼직하게 잘라 넣는 데에 차이가 있다. 70년 넘는 역사를 자랑하는 곳.

₩ 육개장(1만원)
⏲ 11:00~18:00 – 일요일, 명절 휴무
🔍 대구 중구 달성공원로6길 48-5(시장북로)
☎ 053-554-4498 Ⓟ 불가

오호리준 OHORI 埈 이자카야 | 야키니쿠 | 모츠나베

한우 전문 이자카야로 , 후쿠오카 요리를 전문으로 한다. 후쿠오카의 명물인 모츠나베는 여러 가지 채소나 곱창, 대창 등을 추가해서 끓여 먹다가 마지막에 국수를 넣어 마무리하면 좋다. 미니화로에 살짝 구워 먹는 우설 맛도 일품이다. 에비수 생맥주나 하이볼과 함께 즐기기 좋다.

₩ 오호리준나베세트(4만4천원~10만6천원), 한우채끝타다키(5만1천원), 꼬치구이(3천원~5천6백원), 메로구이(1만5천원)
⏲ 17:00~02:00(익일) – 연중무휴
🔍 대구 중구 중앙대로81길 7(동일동)
☎ 053-421-8965 Ⓟ 불가

올가닉신라 organicshilla 이탈리아식 | 파스타

유기농 재료만을 사용해 건강하면서도 정갈한 이탈리아 요리를 선보이는 곳. 여러 요리가 조화롭게 나오는 코스메뉴를 추천할 만하다. 유기농 레스토랑답게 실내를 깔끔하고 편안하게 꾸며놓은 것이 특징이다.

₩ 런치파스타코스(4만3천원), 런치스테이크소스(6만1천원), 디너파스타코스(5만9천원), 스테이크코스(등심 120g 9만3천원, 안심 120g 10만3천원)
⏲ 11:30~16:00/17:00~22:30 – 월요일 휴무
🔍 대구 중구 대봉로 200-25
☎ 053-421-1628 Ⓟ 가능

왕거미식당 생고기

신선한 생고기가 푸짐하게 나오는 생고기 전문점. 쫀득한 생고기를 참기름에 다대기를 넣은 양념장에 찍어 먹는다. 미리 구워서 나오는 양지머리와 오드레기 등도 술안주로 인기. 한정된 양만 판매하므로 일찍 찾아가는 편을 추천한다.

₩ 생고기, 오드레기, 양지머리(각 5만원), 대창, 혓바닥(각 4만원), 육회(3만5천원), 등골(3만원)
⏲ 16:00~21:00 | 금요일 15:00~21:00 – 일요일, 명절 휴무
🔍 대구 중구 국채보상로 696-8(동인동4가)
☎ 053-427-6380 Ⓟ 불가

원조할매곰탕집 곰탕

대구 스타일 곰탕을 내는 곳. 곰탕에 도가니와 스지가 푸짐하게 들어 있다. 곰탕 외에 도가니탕, 우족탕, 꼬리곰탕 등 다양한 부위의 국물을 맛볼 수 있다. 부드럽게 삶은 한우수육을 곁들이는 것도 좋다.

₩ 곰탕(1만4천원), 설렁탕(1만1천원), 도가니탕, 양곰탕, 살코기특곰탕, 특곰탕(각 1만7천원), 우족탕, 꼬리곰탕(각 2만2천원), 수육(소 3만원, 대 3만5천원), 모둠수육(6만원)
⏲ 08:00~21:00 – 연중무휴
🔍 대구 중구 종로 103(태평로3가)
☎ 053-255-1122 Ⓟ 가능

유창반점 일반중식

매운 짬뽕으로 유명한 곳으로, 작고 허름한 실내는 정겨운 느낌이 든다. 돼지고기, 양배추, 부추 등 각종 재료들이 한가득 들어간 짬뽕은 진하고 칼칼하여 해장용으로도 좋다. 불 맛을 살려 볶은 고기, 채소 등에 밥과 달걀프라이를 넣고 비벼 먹는 중화비빔밥도 별미. 오후 3시 이후에는 탕수육도 판매한다.

₩ 짬뽕, 중화비빔밥, 중화비빔면(각 8천5백원), 군만두(10개 6천원), 탕수육(미니 1만2천원, 소 2만원, 대 2만8천원), 중화짜장면(7천5백원)
⏲ 11:00~19:30(마지막 주문 19:00) – 명절 당일 휴무
🔍 대구 중구 명륜로 20(남산동)
☎ 053-254-7297 Ⓟ 불가

이모식당 순대 | 순댓국

60여 년 동안 지켜 온 순대국밥집이다. 막창에 순대 속을 넣어 만드는 막창순대를 사용하는 것이 특징. 깔끔한 국물 맛이 좋으며 순대국밥과 함께 순대, 수육이 조금씩 나오는 백반 메뉴를 추천할 만하다.

₩ 순대국밥, 돼지국밥, 섞어국밥(각 9천원), 백반(1만3천원), 막창순대, 수육, 모둠(각 소 2만9천원, 중 3만8천원, 대 4만8천원), 암뽕(2만9천원), 뼈갈비(소 2만9천원, 대 4만8천원)

10:00~22:00 – 연중무휴

대구 중구 서성로13길 9(서성로1가)

☎ 053-255-6971 Ⓟ 불가

인투 into 지중해식

30년 역사의 지중해 음식 전문점. 파스타를 비롯해 그라탱, 파에야, 리조토 등 유럽 지중해식에 기반을 둔 다양한 요리를 선보인다. 젊은이들에게 인기 있는 곳으로 통한다.

₩ 감바스카수엘라(1만원), 그랑키오크레마, 마르게리타, 파에야무르시아, 감베리리소토(각 1만5천원), 필레미뇽(4만1천원), 세트A(3만7천원), 세트B(5만1천원), 세트C(6만1천원)

12:00~15:00/17:00~21:00(마지막 주문 20:00) – 연중무휴

대구 중구 동성로4길 95(공평동)

☎ 053-421-3965 Ⓟ 불가

장미 rose soju 육사시미 | 육회

한우 뭉티기와 육회 전문점. 신선한 뭉티기와 냉장 숙성된 육회를 맛볼 수 있으며, 반반 메뉴를 주문해도 좋다. 주말과 공휴일은 뭉티기를 판매하지 않는다. 1980~90년대의 레트로 분위기에서 신선한 육고기와 함께 늦은 시간까지 소주를 즐길 수 있는 소주방이기도 하다.

₩ 뭉티기육회반반(4만8천원), 뭉티기(200g 4만원, 300g 5만8천원), 양지오드레기(소 4만원, 중 5만5천원)

18:00~02:00(익일) | 토, 일요일 17:00~02:00(익일) – 연중무휴

대구 중구 경상감영길 209(동문동) 1층

☎ 053-252-4712 Ⓟ 불가

잽엔헨리 ZAPP & HENRY 커피전문점

젊은 층이 좋아하는 분위기로 인테리어한 스페셜티커피 전문점. 에스프레소와 농후라테를 전문으로 한다. 농후라테는 우유의 수분을 30퍼센트 증발시켜 농축시킨 우유를 사용하는데, 고소함과 단맛을 극대화된다.

₩ 에스프레소, 아메리카노(각 4천원), 농후라테(4천5백원), 피스타치오바클라바(4천원)

11:00~20:00(마지막 주문 19:30) – 연중무휴

대구 중구 달구벌대로415길 39

☎ 0507-1343-0548 Ⓟ 불가

잽엔헨리

적두병 赤豆餠 팥빵

대구 달성공원의 명물. 찰떡, 밤빵 등의 간식거리가 유명하다. 대표 메뉴인 적두병은 속에 팥이 듬뿍 들어 있는 만주 모양의 빵으로, 담백한 맛이 일품이다. 구운 찰떡, 공갈빵, 밤빵 등도 인기다.

₩ 적두병(4개 3천원), 구운찰떡, 공갈빵, 밤과자, 밤빵(각 2천5백원)

08:00~22:00 – 연중무휴

대구 중구 달성공원로8길 10(대신동) 달성빌딩 101호

☎ 010-2526-5374 Ⓟ 불가

제일콩국 국수 | 분식

대구의 유명한 콩국집 중 하나로, 40여 년의 역사를 가지고 있다. 콩국에 튀긴 도너츠를 곁들여 먹는데, 원형은 화교들에 의해 소개된 중국 음식인 또우장과 요우티아오다. 현지에서 맛보는 것보다는 조금 더 걸쭉하고 고소한 맛이 강조되어 있다. 일반적으로 먹는 콩국이나 콩물과는 결이 조금 다른 별미다.

₩ 콩국(6천원), 찹쌀콩국(6천5백원), 토스트(4천원), 돈까스(9천원)

08:30~14:00/15:00~00:30(익일) – 목요일 휴무

대구 중구 남산로6안길 47 로하스남산

☎ 053-253-4863 Ⓟ 가능(가게 옆 무인주차장 1시간 지원)

종로숯불갈비 돼지갈비

진골목에서 오래되고 유명한 돼지갈빗집으로, 본래는 당대 부호의 저택이었다고 한다. 숯불에 구워 먹는 양념돼지갈비의 맛이 일품이며 한우갈빗살도 추천할 만하다.

₩ 한우갈빗살(100g 2만8천원), 한우버섯불고기(130g 1만7천원), 돼지갈비(200g 1만1천원), 한우육회(200g 3만원), 한우안창살(100g 3만5원), 육회비빔밥(1만5천원), 된장전골(8천원)

11:50~15:00/17:00~22:00(브레이크타임 상황에 따라 변동 가능) – 명절 휴무

대구 중구 종로 26(종로2가)

☎ 053-252-7197 Ⓟ 가능

주토피아 Jootopia 파스타 | 피자

나폴리 피자 협회에서 인증된 화덕피자를 하는 곳. 400도 이상의 고온에서 단시간에 구워낸 쫄깃하면서도 부드러운 도우 맛이 좋다.

₩ 기본샐러드, 주토피아샌드위치(각 1만7천원), 다테리노마르게리타(2만2천원), 카프리, 미모사꽃, 활봉골레파스타(각 2만8천원)
🕒 17:00~22:00(마지막 주문 21:00) – 월, 화요일 휴무
🔍 대구 중구 동덕로30길 141(동인동4가)
☎ 010-9321-6549 Ⓟ 불가

중앙떡볶이 떡볶이

40년 넘는 역사의 떡볶이집. 양배추와 어묵이 큼직하게 올라가는 떡볶이에 대구의 명물인 납작만두를 곁들인다. 큼지막한 가래떡을 그대로 사용하는 것이 특징.

₩ 쌀떡볶이, 만두, 순대(각 4천5백원)
🕒 11:30~19:00(재료 소진 시 마감) – 일요일 휴무
🔍 대구 중구 동성로2길 81(동성로2가) 1층
☎ 053-424-7692 Ⓟ 불가

중화반점 일반중식

야키우동이 유명한 집. 납작만두와 함께 대구10미 중 하나인 야키우동은 채소와 새우, 오징어, 돼지고기를 넣어 센 불에 매콤하게 볶아낸다. 육즙이 물씬 느껴지는 샤오롱바오도 인기 메뉴.

₩ 야키우동(1만1천원), 야키밥(1만1천5백원), 삼선우동(1만1천원), 샤오마이(9천원), 새우수정딤섬(9천원), 새우볶음밥(9천5천원), 탕수육(소 2만원, 대 3만6천원), 유산슬(4만5천원)
🕒 11:30~16:00/17:30~21:00 | 토, 일요일 11:30~15:30/16:30~21:00 – 월요일 휴무
🔍 대구 중구 중앙대로 406-12(남일동)
☎ 053-425-6839 Ⓟ 불가

진성식당 추어탕

경상도식의 맑은 추어탕을 맛볼 수 있는 곳으로, 미꾸라지와 배추가 듬뿍 들어가 시원한 국물이 일품이다. 미꾸라지를 갈아 곱게 걸러 뼈가 씹히지 않아 먹기 좋다.

₩ 추어탕(9천원), 산채비빔밥(8천원), 돌솥비빔밥(9천원), 소곱창전골(1만1천원)
🕒 09:00~15:00/17:00~20:00 | 토요일 09:00~15:00 | 일요일 10:00~22:00 – 연중무휴
🔍 대구 중구 국채보상로131길 34(동인동1가)
☎ 053-423-3141 Ⓟ 불가(시청 인근 유료주차장 이용)

태산만두 중국만두

화상이 운영하는 오래된 중국만두 전문점. 만두피가 두꺼운 스타일의 고기왕만두와 군만두가 인기 메뉴다. 군만두 위에 쫄면 양념을 올린 비빔만두와 탕수육 소스를 얹은 탕수만두도 별미로 즐기기 제격.

₩ 군만두, 고기왕만두, 찐만두, 물만두(각 7천원), 비빔군만두, 비빔찐만두, 탕수만두, 만둣국, 떡만둣국(각 8천원), 해물만둣국(9천원)
🕒 11:00~21:00 – 월요일 휴무
🔍 대구 중구 달구벌대로 2109-32(덕산동)
☎ 053-424-0449 Ⓟ 불가

포레스트 PHOREST 베트남식

베트남 쌀국수 전문점. 베트남 하노이에서 조리법을 전수받아 14시간 이상 한우뼈와 양지를 정성으로 우려내어 육수가 진하다. 소고기를 직화구이하여 만든 풍미 가득한 포레스트쌀국수가 시그니처 메뉴다.

₩ 포레스트쌀국수(1만1천5백원), 소고기쌀국수, 소고기볶음밥, 새우볶음밥(각 9천5백원), 소고기볶음면, 매운새우볶음면(각 1만원), 반쎄오(소 1만5천원, 대 2만4천원)
🕒 11:30~15:00/17:00~21:00(마지막 주문 20:30) | 토, 일요일 11:30~21:00(마지막 주문 20:30) – 명절 당일 휴무
🔍 대구 중구 동덕로14길 39(대봉동)
☎ 053-270-7773 Ⓟ 불가

한우장 설렁탕 | 소고기국밥

부산설렁탕, 마산설렁탕과 함께 일대에서 유명한 설렁탕집. 대구에서 흔치 않은대 뽀얀 국물의 설렁탕과 대구 고유의 따로국밥이 대표 메뉴다. 소고기수육도 인기.

₩ 설렁탕(1만원), 따로국밥(9천원), 도가니탕, 양탕(각 1만4천원), 꼬리곰탕(1만6천원), 도가니수육, 양수육, 소고기수육(각 4만원), 꼬리수육(6만원)
🕒 24시간 영업 – 연중무휴
🔍 대구 중구 국채보상로 567(전동)
☎ 053-257-1125 Ⓟ 가능

합천할매손칼국수 칼국수

서문시장 내에 있는 유명한 칼국숫집으로, 40여 년의 전통을 이어오고 있는 곳이다. 칼국수 면을 직접 만들어 사용하며 멸치로 깔끔하게 육수를 우려낸다. 고소한 깨와 호박고명이 올라가는 것이 특징. 시원한 냉콩국수도 별미로 통한다. 가격도 저렴하고 양도 푸짐해 오랜 시간 동안 사랑받고 있는 곳.

₩ 손칼국수, 잔치국수(각 5천원), 칼제비, 수제비, 비빔국수(2인 이상, 1인 6천원), 콩국수(6천원)
🕒 09:00~19:00 – 첫째, 셋째 주 일요일 휴무
🔍 대구 중구 큰장로28길 23(대신동)
☎ 053-252-2596 Ⓟ 불가

광주광역시

Gwangju Metropolitan City

광주광역시 **광산구**

구름곶 커피전문점
질 좋은 생두를 직접 로스팅하는 아담한 커피 전문점. 아몬드라테가 독특한 메뉴이며 아메리카노 및 커피 음료는 디카페인 원두도 선택할 수 있다. 한쪽 벽면에는 책이 가득 꽂혀 있다.

₩ 에스프레소, 아메리카노(각 4천원), 카페라테(4천5백원), 핸드드립커피(6천원대)

⏱ 08:00~20:00(마지막 주문 19:30) – 일요일 휴무

🔍 광주 광산구 왕버들로289번길 25(신창동)

☎ 062-952-2541 Ⓟ 불가

꽈르르 NEW KKWARERE 카페
다양한 맛의 꽈배기를 맛볼 수 있는 꽈배기 전문 카페. 가게의 외관과 내부는 파스텔 톤으로 인테리어 했다. 꽈르르라테는 크림라테 위에 미니 꽈배기를 올려서 내어준다. 매장 안쪽에 마련된 베이킹룸에서 직접 꽈배기를 만들어 선보인다.

₩ 꽈르르라테(7천원), 로투스꽈배기(3천3백원), 솔티드캐러맬(3천2백원), 말차마카다미아(3천5백원), 크림치즈꿀약과(3천6백원), 크림치즈쪽파(3천9백원), 인절미(3천8백원)

⏱ 11:00~22:00(마지막 주문 21:50) – 월요일 휴무(월요일이 공휴일일 경우 정상 영업)

🔍 광주 광산구 수완로50번길 59 (수완동)

☎ 010-7662-6923 Ⓟ 불가

내고향찐빵손만두 만두
60여 년 전통의 찐빵, 만두 전문점. 속이 비칠 정도로 얇은 만두피를 사용하는 것이 특징이다. 달지 않은 팥이 들어간 찐빵 맛도 좋다. 빵이 일찍 소진될 수 있으니 예약하고 방문하는 것이 좋다.

₩ 팥찐빵(5개 6천원, 10개 1만원), 채소찐빵(10개 1만원), 만두(16개 1만원, 추가시 8개 5천원)

⏱ 09:00~19:30 | 일요일 09:00~18:00 – 연중무휴

🔍 광주 광산구 목련로394번길 9-13(신가동)

☎ 062-955-1999 Ⓟ 불가

덴푸라코에루 NEW こえる 덴푸라 | 일식덮밥
신라호텔 출신의 셰프가 운영하는 일식 전문점. 런치에는 텐동, 디너에는 덴푸라오마카세를 선보인다. 디너인 덴푸라오마카세는 예약제로만 운영되고 있으니 참고 할 것. 텐동은 일 30인분 한정이다. 모든 좌석은 카운터석으로 구성되어 있으며 디너에는 주류 주문이 필수다.

₩ 덴푸라오마카세(6만원), 에비텐동(1만5천원), 코에로텐동(1만원)

⏱ 11:30~14:00(마지막 주문 13:30)/17:30~22:00 – 일요일 휴무

🔍 광주 광산구 첨단강변로87번길 5 아스텍타워 208호

☎ 010-4379-4838 Ⓟ 가능(아스텍타워 주차장 3시간 무료)

동성떡갈비 소떡갈비
송정 떡갈비골목에 있는 떡갈비 전문점. 송정 스타일로 네모로 만든 정통떡갈비는 물론, 매운떡갈비도 즐길 수 있다. 떡갈비를 시키면 1인 1그릇씩 식전 갈비탕이 제공된다. 최근 리뉴얼하여 쾌적한 분위기에서 식사할 수 있다

₩ 정통떡갈비(1만5천원), 매운떡갈비(1만7천원), 한우떡갈비(2만4천원), 한우육회(5만원), 육회야채비빔밥(1만원), 정통야채비빔밥(9천원), 물, 비빔냉면(각 1만원)

⏱ 10:00~21:00(마지막 주문 20:30) – 명절 휴무

🔍 광주 광산구 광산로29번길 16(송정동) 동성빌딩 1층

☎ 062-944-8686 Ⓟ 가능

라인벡 🎀 RHINEBECK 뉴아메리칸 | 컨템포러리
뉴욕, 샌프란시스코 등에서 요리를 했던 임정동, 전은혜 셰프의 컨템포러리 아메리칸 다이닝. 우리나라의 제철 식재료와 전통 음식을 적극 사용해 풀어나가는 창작 요리가 돋보인다. 시그니처인 토하젓 파스타는 꼭 맛볼 것을 추천한다.

₩ 코스요리(8만8천원)

⏱ 17:00~22:00(마지막 주문 20:00) – 일, 월요일 휴무

🔍 광주 광산구 수완로50번길 44-5

☎ 0507-1491-062 Ⓟ 불가(인근 공영주차장)

명화식육식당 애호박찌개
애호박찌개로 유명한 식당. 애호박찌개는 돼지고기와 애호박에 고추장을 넣어 끓이는 찌개로, 밥이 국밥처럼 말아 나오는 것이 특징이다. 광주에서는 옛날 국밥이라고도 불린다.

₩ 애호박국밥(1만원)

⏱ 11:00~21:00 – 일요일 휴무

🔍 광주 광산구 평동로 421(명화동)

☎ 062-943-7760 Ⓟ 가능

배리스키친 🎀 Baely's kitchen 베이커리
대구의 유명한 베이커리 르배의 형제가 운영하는 곳. 자연발효 효모종을 사용한 바게트 등 건강빵 종류가 여러 가지 있다. 가격대도 좋은 편이다.

₩ 찰떡소보로(3천원), 크림소보로(3천5백원), 양파치즈빵, 갈릭롱소세지(각 4천5백원), 딸기케이크(1호 3만8천원)

⏱ 11:00~13:20/14:30~20:20 – 월요일 휴무

🔍 광주 광산구 임방울대로 324(수완동) 1층

☎ 062-953-3367 Ⓟ 가능

서울곱창 돼지곱창
약 60년 전통의 돼지곱창 전문점으로, 독특한 모양새를 자랑한다. 소금과 간장 소스로 양념한 후 연탄에 조리되어 나온다. 쫄깃하면서도 고소한 맛을 느낄 수 있으며 과일 소스로 만든 달달한 양념장 맛이 독특하다. 기본으로 제공되는 내장국밥의 맛도 깔끔하다는 평.

₩ 곱창구이, 새끼보(각 2만1천원), 암뽕순대(1만4천원), 내장국밥(8천원)
⏲ 10:30~21:00 – 명절 휴무
🔍 광주 광산구 송정로15번길 71(송정동)
☎ 062-944-1135 Ⓟ 가능

송정떡갈비 소떡갈비 | 비빔밥

1976년 송정식당으로 시작하여 육회비빔밥으로 이름을 날리다가 떡갈비를 같이 하게 되었다. 지금은 떡갈비가 더 유명하다. 떡갈비는 갈빗살을 곱게 다져서 양념하여 치댄 후 간장, 설탕, 파, 마늘 등 갖은 양념장을 발라가며 구운 것으로, 연하고 부드러운 맛을 느낄 수 있다. 광주 떡갈비거리에서 원조집으로 통하는 곳 중의 하나다.

₩ 한우떡갈비(200g 2만4천원), 떡갈비(200g 1만5천원), 오리떡갈비(200g 1만6천원), 육회(300g 4만원), 육회비빔밥(1만원)
⏲ 09:30~21:30(마지막 주문 21:00) – 일요일, 첫번째 월요일 휴무(월요일이 공휴일인 경우 화요일 휴무)
🔍 광주 광산구 광산로29번길 1(송정동)
☎ 062-944-1439 Ⓟ 가능

수완지구폼 Fo_m 이탈리아식

아늑한 분위기의 이탈리안 레스토랑. 창문을 통해 보이는 나무들이 싱그러운 느낌을 준다. 계절마다 달라지는 제철 요리를 선보이고 있으며 사용한 재료와 요리의 설명은 인스타그램에서 확인할 수 있다.

₩ 제철요리(2만3천원~3만6천원)
⏲ 12:00~15:00(마지막 주문 14:00)/17:30~22:00(마지막 주문 21:00) – 일요일, 두번째, 네번째 월요일 휴무
🔍 광주 광산구 수완로10번길 94(수완동) 1층
☎ 062-431-1777 Ⓟ 가능

올데이우동 NEW ALLDAY UDON 일식우동

쫄깃하고 탱탱한 면발의 일식 우동 전문점. 매장 안에서 직접 우동 면을 제작하는 모습도 감상할 수 있다. 넓적한 면발을 한 가닥 들어 올려 육수에 담가 먹는 히모카와우동은 면에 배인 육수의 맛과 면발의 식감이 좋다는 평이다. 재료의 맛을 풍부히 느낄 수 있는 연어 후토마키도 추천 메뉴다.

₩ 붓가케우동, 자루우동(각 9천원), 츠쿠와붓가케우동(1만2천원), 히모카와우동(1만3천원), 토리텐붓가케우동(1만4천원), 올데이스페셜(1만5천원), 덴푸라마키(1만6천원), 연어후토마키(1만8천원)
⏲ 11:30~21:00(마지막 주문 20:00) | 토, 일요일 11:30~14:30/17:00~21:00(마지막 주문 20:00) – 연중무휴
🔍 광주 광산구 임방울대로800번길 71 아크레타 첨단 2층 206, 207호
☎ 0508-4265-8611 Ⓟ 가능

원조동곡식당 게장

꽃게장백반에 반찬으로 꼬막무침, 가오리와 생선, 생굴, 도토리묵, 계란찜, 오이무침, 파김치, 초미역, 더덕 등 30여 가지가 한 상을 가득 채운다. 꽃게장은 전라도 특유의 달착지근한 매운맛이 난다. 한 번 정도 리필이 가능하다.

₩ 꽃게장백반(1만4천원), 게장&영양돌솥밥(2만원)
⏲ 11:00~21:00(마지막 주문 20:00) – 명절 휴무
🔍 광주 광산구 동곡로185번길 9-1(하산동)
☎ 062-943-5005 Ⓟ 가능

유향 柳香 일반중식

바삭한 군만두가 서비스로 나오는 중식당. 해산물과 통오징어가 올려져 나오는 유향짬뽕이 대표 메뉴며, 춘장을 사용하지 않고 고추기름에 해물을 볶아 만든 사천짜장도 인기다. 웨이팅 공간에 마련된 놀이방, 안마의자 등 세심한 서비스가 돋보이는 곳이다. 가격 대비 만족도도 높은 편.

₩ 쟁반짜장(2인 1만8천원, 3인 2만8천원), 짬뽕, 짬뽕밥, 우동, 우동밥(각 1만1천원), 탕수육(소 2만1천원, 대 3만7천원)
⏲ 11:00~15:00(마지막 주문 15:00)/17:00~21:30(마지막 주문 20:30) – 월요일 휴무
🔍 광주 광산구 용아로400번길 33(하남동)
☎ 062-954-9530 Ⓟ 불가

화정떡갈비 돼지떡갈비 | 소떡갈비

송정동 떡갈비골목에서 원조로 치는 집 중 하나. 이곳의 떡갈비는 소고기와 돼지고기를 적당히 섞어서 만드는 것이 특징이다. 갈비뿐만 아니라 육회비빔밥도 별미다.

₩ 떡갈비(1만5천원), 한우떡갈비(2만4천원), 비빔밥(8천원), 육회비빔밥(1만원), 육회(4만원)
⏲ 09:30~22:00 – 명절 당일 휴무
🔍 광주 광산구 광산로29번길 6(송정동) ☎ 062-944-1275 Ⓟ 가능

광주광역시 남구

김명화서리태콩국수 콩국수 | 국수

담양에서 유명했던 콩국수 집으로, 광주로 이전한 뒤로도 여전한 인기를 끌고 있다. 국산 서리태로 꾸덕하게 만든 콩물이 일품이며, 계절에 따라 냉, 온 콩국수를 즐길 수 있다.

₩ 서리태콩국수(1만1천원), 팥칼국수(1만원), 서리태콩물1리터(1만3천원), 투명만두(6천원)
⏲ 11:00~15:00(마지막 주문 14:30)/17:00~20:00(19:30) – 9월~4월 일요일 휴무
🔍 광주 남구 천변좌로338번길 16(구동)
☎ 062-651-3232 Ⓟ 불가(광주공원 주차장 이용)

까사델커피 Casa Del Coffe 커피전문점

광주에서 커피가 맛있기로 손 꼽히는 커피 전문점이다. 진한 커피향과 너트의 고소함이 잘 어울러진 넛9가 시그니처 메뉴로, 플랫화이트도 인기가 많다.

₩ 아메리카노, 에스프레소, 플랫화이트(각 7천원), 라테(8천원), 넛9(5천원), 드립커피(변동)
⌚ 11:00~22:00 - 수, 목요일 휴무
🔍 광주 남구 중앙로110번길 31
☎ 0507-1397-3114 Ⓟ 가능(협소)

돌매순두부 순두부 | 전

직접 콩, 배추, 쌀 등의 농사를 지어 두부를 만들어 내놓는 식당이다. 대표 메뉴는 순두부찌개다. 새우, 바지락, 새송이버섯 등 싱싱한 재료를 넣어서 아침에 만든 두부를 끓여 내온 찌개의 맛이 일품이다. 고춧가루나 다른 양념을 넣지 않은 흰순두부찌개 맛도 좋다. 직접 만든 콩비지는 무료로 가져갈 수 있다.

₩ 순두부찌개, 청국장, 연두부, 해물파전, 모두부, 녹두전(각 1만원)
⌚ 11:30~20:30 - 일요일, 명절 휴무
🔍 광주 남구 송암로 57-1(송하동)
☎ 062-674-3355 Ⓟ 가능

라비올레따 La Violetta 이탈리아식

이탈리아 파르마 알마에서 수학하고 우르비노, 피렌체 등의 다이닝 레스토랑에서 근무하다 귀국한 양창호 셰프가 고향인 광주에 오픈한 이탈리안 파인 다이닝. 한국식 피자, 파스타, 스테이크가 아닌 전남 지역의 식재료를 활용한 본격적인 본토식 이탈리안 다이닝을 만날 수 있다.

₩ 부라타복숭아샐러드, 마르게리타피자(각 2만1천원), 비스크파스타(2만5천원), 라자냐(2만4천원), 양송이리조토, 고르곤졸라뇨키(각 2만3천원)
⌚ 12:00~15:00/18:00~22:00(마지막 주문 20:00) - 월요일 휴무
🔍 광주 남구 효천로92번길 40(임암동) 2층
☎ 062-652-1369 Ⓟ 가능

양인제과 yangin bake shop 카페 | 베이커리

앤티크한 분위기의 베이커리 카페. 직접 만든 천연발효종과 호주 청정 유기농 밀가루를 사용하며 화학 첨가물을 넣지 않아 속이 편안한 빵을 만날 수 있다. 달콤한 초콜릿이 흘러 나오는 초코식빵이 시그니처 메뉴. 크루아상도 많이 찾으며 이외에도 바게트, 크림치즈빵 등 다양한 빵을 선보인다.

₩ 크루아상(3천8백원), 크로슈(4천8백원), 앙버터크로(5천2백원), 크림치즈둥지파이(4천5백원), 스콘(3천5백원~3천8백원)
⌚ 09:30~18:30 - 월요일 휴무
🔍 광주 남구 제중로47번길 1(양림동)
☎ 062-651-8241 Ⓟ 불가

풀 puul 카페

양옥과 한옥을 리모델링하여 각각의 분위기를 살린 본관과 별관으로 이루어져 있는 카페. 별관인 한옥은 좌식 테이블을 자개상으로 사용하여 운치있다. 코코넛스무디커피, 달고나카페라테, 흑임자크림커피 등이 추천 메뉴며 쌍화차나 숨차 같은 전통차도 있다. 크로플이나 양갱케이크도 많이 찾는다.

₩ 아메리카노(4천5백원), 카페라테(5천원), 쑥커피, 달고나카페라테, 흑임자크림커피(각 5천5백원), 코코넛스무디커피, 쑥라테, 흑임자라테(각 6천원), 빙수(1만1천원~1만4천원), 쌍화차(8천원), 숨차(7천원), 경옥양갱(3천5백원), 양갱케이크(4천5백원~5천원), 크로플(8천원~9천5백원), 바나나푸딩(7천원)
⌚ 11:00~22:00 - 연중무휴
🔍 광주 남구 백서로 83-1(양림동)
☎ 062-676-3388 Ⓟ 불가

피트 NEW Pitt 프랑스식

호주에서 유학한 김도현 셰프가 한옥에서 선보이는 컨템포러리 코리안-프렌치 다이닝. 직접 담근 과하주와 술 지게미, 된장 등 발효 음식과 꼬막, 풋마늘, 두릅, 우리밀 등의 제철 식재료를 프렌치 테크닉으로 풀어낸다. 감각적이지만 가볍지 않고 진중하면서도 유쾌하게 잘 풀어낸 코스 요리는 완성도가 높다. 가격 또한 합리적인 편.

₩ 런치코스(2만9천원), 디너코스(5만5천원)
⌚ 12:00~22:00- 연중무휴
🔍 광주광역시 남구 양림로68번길 5-3 (양림동)
☎ 010-9426-6399 Ⓟ 불가(인근 공영주차장 이용)

피트

광주광역시 동구

1960청원모밀 메밀국수
가쓰오부시 국물이 아닌 멸칫국물로 쓰유를 만드는 한국식 메밀국수를 먹을 수 있는 곳. 60여 년의 내력을 자랑하는 집으로, 옛날식 유부초밥을 곁들이는 것도 좋다.
₩ 메밀국수, 짜장메밀, 마른메밀, 유뷰우동(각 7천원), 비빔메밀, 냉메밀, 유부메밀(각 8천원), 김치메밀(8천5백원), 유부초밥(6천원)
⏲ 10:30~20:00 – 명절 휴무
🔍 광주 동구 중앙로 174-1(충장로3가)
☎ 062-222-2210 Ⓟ 불가

가족회관 한정식
오랜 전통을 자랑하는 한정식 식당이다. 소고기, 생선회, 어패류, 나물 등 깔끔하고 맛있는 전라도 음식을 맛볼 수 있다. 자신의 입맛에 맞지 않는 음식은 손님에게도 내지 않는다는 주방장의 신념이 그대로 느껴지는 곳이다. 상견례나 잔치 등 각종 모임을 하기에 좋다.
₩ 점심특선(2만5천원), 저녁특선(3만원), 오찬정식(3만원), 정식(4만원), 가족정식(6만원), 황제정식(8만원), 신선정식(10만원)
⏲ 12:00~15:00/18:00~21:00 – 연중무휴
🔍 광주 동구 동명로 50(동명동)
☎ 062-222-3845 Ⓟ 가능

광양숯불구이 소불고기 | 소갈비
40여 년간 광양식으로 양념한 한우숯불구이를 팔고 있는 곳이다. 달착지근한 양념 맛으로 인해 남녀노소 모두 즐길 수 있다. 양념을 강하게 하고 일정 시간 재운 듯 색이 변해 있다. 밑반찬이 깔끔하게 나오는 편이다.
₩ 한우숯불구이(180g 3만7천원), 한우양념갈비(240g 4만4천원), 한우생갈비(200g 6만5천원), 한우안창살(130g 6만원), 한우꽃등심(130g 5만5천원)
⏲ 11:30~14:30/16:30~21:30 | 토, 일요일 11:30~21:30 – 연중무휴
🔍 광주 동구 필문대로 229(지산동)
☎ 062-226-9090 Ⓟ 가능

궁전제과 베이커리
광주에서 50여 년의 오래된 빵집으로, 광주 곳곳에 분점이 있을 정도로 유명한 곳이다. 오래된 빵집이지만 생크림케이크와 수제초콜릿 등 현대적인 트렌드의 제품들도 많이 발견할 수 있다. 페이스트리에 달콤한 시럽이 올라간 나비파이가 대표 메뉴다.
₩ 공룡알, 나비파이(각 3천5백원), 생크림버거(4천원), 생크림케이크(1호 2만7천원, 2호 3만2천원), 초코브라우니케이크(4천3백원)
⏲ 10:00~21:30 | 6~8월 10:00~22:00 – 명절 당일 휴무
🔍 광주 동구 충장로 93-6(충장로1가)
☎ 062-222-3477 Ⓟ 불가

김가원 홍어
톡 쏘는 홍어 맛이 일품인 흑산 홍어요리 전문점. 홍어회와 돼지고기를 묵은 김치로 감아 먹는 홍어삼합에는 삭힌 홍어와 삭히지 않은 홍어회 두 가지가 올라온다. 홍어를 푹 우려낸 홍어탕 역시 별미로 즐기기 좋다.
₩ 홍어회, 홍어삼합(각 5만원), 홍어회무침(3만원), 홍탕, 김치찌개, 동태탕(각 9천원), 김치찜(중 3만원 대 4만원), 묵은지수육(1만2천원)
⏲ 10:00~22:00 – 일요일 휴무
🔍 광주 동구 백서로 145-1 2층
☎ 062-382-8700 Ⓟ 가능

라롱드까레 la ronde carrée 프랑스식
프랑스와 이탈리아에서 유학하고 특히 파리의 라스트렁스에서 경력을 쌓은 김현우 셰프가 고향인 광주에 오픈한 레스토랑. 전남의 식재료를 사용하여 컨템포러리 프렌치 퀴진을 선보인다.
₩ 런치코스(4만5천원, 5만5천원), 디너코스(9만5천원)
⏲ 12:00~14:00/17:00~22:00 – 일, 월요일 휴무
🔍 광주 동구 의재로136번길 35(운림동)
☎ 062-232-3375 Ⓟ 불가(인근 공영주차장 이용)

막동이회관 소고기구이 | 생고기
가격대비 질 좋은 한우 고기를 푸짐하게 먹을 수 있는 곳. 고기를 시키면 기본으로 맑은 국물의 선짓국과 소고기전, 육사시미 등이 나온다. 고기 마블링이 예술이며 참숯 상태도 좋은 편. 생고기(육사시미)도 유명하다.
₩ 안심추리, 안창살(각 150g 5만원), 꽃등심(150g 4만7천원), 숙성등심(150g 4만2천원), 갈비살(150g 3만8천원), 생고기(150g 2만7천원), 갈비탕(1만5천원), 육개장(1만원)
⏲ 11:00~14:30/16:30~21:00 – 격주 일요일 휴무
🔍 광주 동구 남문로 614(소태동)
☎ 062-222-0840 Ⓟ 가능

메종조이초이 NEW maison JOYCHOY 프랑스식
프랑스 야닉 알레노 셰프의 레스토랑에서 수셰프를 역임하고, 국내 레스토랑에서도 활약한 최해영 셰프가 고향인 광주에 오픈한 캐주얼 프렌치 레스토랑. 에스카르고, 파테엉크루트, 치킨코르동블루 같은 클래식한 프렌치를 선보인다. 캐주얼한 요리지만 요리 곳곳에서 숨은 디테일이 돋보이며 맛도 훌륭하다. 일요일은 점심에만 영업하니 참고할 것.
₩ 코스(4만5천원, 8만5천원), 양파그라티네수프(1만2천원), 파테엉크루트(1만6천원), 에스카르고(1만5천원), 라자냐(1만8천원), 코르동블루(2만4천원), 크렘브륄레(6천5백원)
⏲ 10:30~22:00– 수요일 휴무
🔍 광주광역시 동구 구성로194번길 15-4 (대인동)
☎ 010-5381-7357 Ⓟ 불가(인근 공영주차장 이용)

메종조이초이

미미원 육전

광주에서 유명한 육전을 맛볼 수 있는 곳. 자리에 앉으면 소고기와 밑반찬이 나오고 즉석에서 소고기에 달걀옷을 얇게 입혀 구워준다. 육전에 파 무침을 곁들여 먹으면 더 감칠맛이 좋아진다. 식사는 돌솥밥과 반찬이 나온다.

₩ 육전(150g 2만9천원), 낙지탕탕이전, 새우전(각 2만8천원), 키조개전(2만7천원), 명태전(2만4천원)
🕒 11:30~15:00/17:00~21:30 – 명절 휴무
🔍 광주 동구 백서로 218(동명동)
☎ 062-228-3101 Ⓟ 가능

박순자녹두집 일반한식

35년 이상의 업력을 가진 노포지만, 리모델링해서 깔끔한 한식집. 남도식의 진한 김치맛도 훌륭하고 돼지비계와 김치를 넣어 부쳐낸 녹두전도 맛있다. 손으로 무심히 툭툭 뜯어 질감이 다채로운 수제비도 빼놓을 수 없다. 단골에게는 콩나물국밥이나 팥죽 등이 더 인기 있다.

₩ 원조수제비(6천원), 콩나물국밥, 팥죽(각 7천원), 파전(9천원), 빈대떡(1만2천원), 굴전, 쭈꾸미무침(각 1만5천원), 코다리찜(1만7천원)
🕒 11:30~21:00(마지막 주문 20:30)– 월요일 휴무
🔍 광주광역시 동구 구성로204번길 26 (대인동)
☎ 062-223-8694 Ⓟ 불가

반가사유 半跏思惟 커피전문점

레트로하고 차분한 분위기에서 커피와 함께 책을 읽거나 사색하기 좋은 공간이다. 직접 로스팅하는 다양한 필터 커피를 즐길 수 있으며, 에스프레소와 말차사유도 추천할 만하다. 입구에 간판이 없다는 점을 참고할 것.

₩ 아메리카노(A 3천8백원, S 4천5백원), 카페라테(4천5백원), 에이드, 밀크티(각 5천5백원), 말차사유, 호우지라테(각 5천원)
🕒 10:00~18:00 | 토요일 13:00~18:00 – 일요일 휴무
🔍 광주 동구 백서로153번길 6(서석동)
☎ 010-9234-2586 Ⓟ 불가

새반도정 일식

광주에서는 정종집이라고 부르는, 전형적인 한국식 일식집. 광주의 횟집답게 생고기와 육전 등이 곁들이 음식으로 나온다. 다양한 종류의 음식이 함께 나오는 정식과 메로와 고니를 넣고 푹 끓인 흑태탕을 추천할 만하다. 깔끔하고 풍부한 양으로 사랑받는 집.

₩ 회정식(1인 4만원, 5만원, 6만원), 흑태탕(1만7천원), 생선초밥(2만원), 상추백반(2만5천원)
🕒 12:00~22:00 – 연중무휴
🔍 광주 동구 독립로264번길 26-1(금남로5가)
☎ 062-223-9489 Ⓟ 가능

신락원 新樂園 일반중식

광주에서는 유명한 화상 중국집으로, 광주 시내 곳곳에 분점을 거느리고 있다. 비교적 고급스러운 중식을 맛볼 수 있는 곳이다. 짜장면과 얼큰한 짬뽕의 맛이 좋은 편이며 탕수육을 곁들이면 금상첨화.

₩ 짜장(8천원), 우동, 짬뽕, 볶음밥(각 1만원), 양장피(4만원), 깐풍기(소 3만원, 대 4만5천원), 탕수육(소 2만2천원, 대 3만5천원, 곱빼기 5만원)
🕒 11:00~15:00/16:30~21:00 – 명절 휴무
🔍 광주 동구 충장로 45-5(충장로5가)
☎ 062-223-6849 Ⓟ 가능

쌍학 일식

광주에서 가장 오래된 일식집으로 꼽힌다. 완도에서 올라오는 생선회를 비롯하여 다양한 해물과 홍어삼합, 초밥, 매운탕이 나오는 남도식 일식이다.

₩ 런치정식(2만8천원~3만5천원), 쌍학정식(4만5천원), 회정식(6만원), 대구탕(2만2천원), 굴비정식(2만원)
🕒 11:30~14:30/16:50~22:00 – 일요일 휴무
🔍 광주 동구 구성로152번길 13(수기동)
☎ 062-225-5200 Ⓟ 가능

알랭 alain 프랑스식

예약제로 운영되는 프렌치 레스토랑. 프리픽스 메뉴로 구성된 코스와 단품 메뉴를 선보이며 가격도 합리적인 편이다. 와인, 맥주 등 요리에 곁들이기 좋은 주류도 다양하게 갖추고 있다.

₩ 클래식코스(6만8천원), 알랭코스(8만8천원), 비건코스(5만5천원)
🕒 12:00~15:00/18:00~21:00(마지막 주문 19:00) – 일요일 휴무
🔍 광주 동구 동명로20번길 17-6(동명동)
☎ 062-228-2345 Ⓟ 가능

영안반점 永安飯店 일반중식

화상이 전통적인 북경요리를 전문으로 하는 곳으로, 산동식 옛날 짜장면 맛이 좋기로 광주 일대에는 소문나 있다. 간짜장에는

옛날식으로 면 위에 달걀프라이가 올라간다. 군만두도 곁들이면 좋다.
㉿ 짜장면(6천원), 군만두(7천원), 삼선짬뽕(9천원), 탕수육(소 1만8천원, 대 3만8천원)
🕒 10:30~15:00/16:30~21:00 – 명절 휴무
🔍 광주 동구 충장로 45-13(금남로5가)
☎ 062-223-6098 Ⓟ 불가(신흥주차장 이용)

예향식당 백반
전라도 한정식 백반집. 조기구이, 닭조림, 꽃게장, 오이무침, 마른반찬 등 30여 가지나 되는 반찬이 한상 가득 차려진다. 꽃게 집게발이 들어간 미역국도 시원하고 좋다. 가격대도 만족할 만하다.
㉿ 예향밥상(1인 1만1천원, 2인 2만원, 3인 2만9천원, 4인 3만8천원)
🕒 10:30~20:30(마지막 주문 20:00) – 일요일, 명절 휴무
🔍 광주 동구 중앙로 150-4(호남동)
☎ 062-234-7731 Ⓟ 가능(호남동공영주차장 30분 무료)

온천할머니집 보리밥
가마솥 보리밥에 10여 가지의 나물을 비벼 먹는 보리밥집. 메뉴는 보리밥뿐이다. 마무리로 아궁이에서 바로 떠주는 숭늉이 입안을 개운하게 해준다.
㉿ 보리밥(2인 이상, 1인 9천원)
🕒 10월~3월 11:30~15:00 | 4월~9월 11:30~15:00/17:00~19:30 – 월요일 휴무(비정기적 휴무 네이버 공지)
🔍 광주 동구 지호로127번길 29(지산동)
☎ 062-225-0776 Ⓟ 불가

제일반점 第一飯店 일반중식
짜장면이 맛있기로 유명한 집. 옛날짜장을 표방하는데, 특이하게도 짜장소스에 고구마가 들어간다. 면발이 쫄깃하고 짜장 고유의 달짝지근한 맛이 난다. 노릇하게 구운 군만두도 인기 메뉴. 오래된 화상 중국집으로, 60여 년의 역사를 자랑한다.
㉿ 짜장면(7천원), 제일짜장(1만1천원), 군만두(8천원), 백짬뽕(1만원), 석화짬뽕, 석화국밥(각 1만6천원), 수초면(1만5천원)
🕒 10:30~15:00/16:30~20:30 – 일요일 휴무
🔍 광주 동구 구성로 174(금남로5가)
☎ 062-223-6395 Ⓟ 가능

주정숙청국장 청국장
40년 넘는 전통의 손맛을 이어오는 집이다. 100% 국내산 황태로 직접 띄운 청국장을 뚝배기에 자글자글 끓여 내는데, 그 맛이 구수하다. 청국장이 나오면 큰 그릇에 여러 가지 밑반찬으로 나온 나물을 넣고 청국장에 비벼 먹는다.
㉿ 버섯야채청국장, 김치고기청국장, 순두부청국장(각 9천원), 홍어청국장(1만2천원)
🕒 11:30~20:00 – 일요일 휴무
🔍 광주 동구 독립로368번길 27(계림동)
☎ 062-224-3583 Ⓟ 가능

충장빈대떡집 빈대떡 | 홍어
30여 년이 넘게 충장로를 지키고 있는 노포 식당. 인기 메뉴인 녹두전 외에는 그날의 재료에 따라 추천을 받아 주문할 수 있다. 녹두의 일부는 거칠게 갈아 돼지고기와 부쳐내는데, 부드러우면서도 녹두가 씹히는 대비되는 질감이 독특하다. 생강 향이 감도는 직접 담근 동동주도 음식과 찰떡궁합.
㉿ 빈대떡, 파전(각 1만5천원), 홍어회(2만5천원), 홍어삼합(5만원)
🕒 저녁만 영업(전화 확인 필요) – 비정기적 휴무(전화 확인 필요)
🔍 광주 동구 필문대로 161
☎ 062-263-8771 Ⓟ 불가(인근 공영주차장)

퀴비 quivi 이탈리아식 | 뇨키
양옥집을 개조한 아늑한 분위기의 이탈리안 레스토랑. 버섯 풍미 가득한 크림소스를 듬뿍 넣은 뇨키가 시그니처 메뉴. 직접 반죽하여 쫄깃한 식감의 도우에 잠봉을 올린 잠봉피자도 많이 찾는 메뉴다.
㉿ 뇨키(1만8천원), 바질오일파스타(1만8천원), 알리오올리오(1만5천원), 스테이크리조토(1만8천원), 잠봉피자(1만9천원), 닭가슴살샐러드(1만5천원)
🕒 12:00~15:00(마지막 주문 14:00)/17:00~21:00(마지막 주문 20:00) – 연중무휴
🔍 광주 동구 동명로20번길 1 퀴비
☎ 010-5099-4209 Ⓟ 가능(acc부설주차장 1시간 무료)

평화식당 김치찌개 | 삼겹살
40년 가까이 김치찌개를 전문으로 하고 있다. 전라도 답게 밑반찬도 8~10가지가 맛깔스럽게 나온다. 저녁때는 삼겹살도 구워 먹는다. 고창복분자를 먹인 돼지고기를 사용한다.
㉿ 김치찌개(9천원), 애호박찌개(1만원), 삼겹살, 목살(각 180g 1만5천원), 가브리살(180g 1만6천원)
🕒 24시간 영업 – 연중무휴
🔍 광주 동구 서석로7번길 6-27(불로동)
☎ 062-226-6226 Ⓟ 가능

할매추어탕 추어탕
간판 없이 출입문 구실을 하는 미닫이 유리문에 추어탕이라고 쓰여 있다. 할머니가 추어탕을 끓인다 하여 할매추어탕이라 부르고 있다. 하루에 딱 50그릇만, 그것도 점심시간에만 판매한다는 점이 특징이다.
㉿ 추어탕(9천원)
🕒 11:00~15:00 – 일요일, 명절 휴무
🔍 광주 동구 구성로 269(계림동)
☎ 062-232-0897 Ⓟ 불가

황토길 한식주점

30년간 자리를 지켜온 전통주점. 등나무가 늘어져 있는 길을 걸어 입구에 들어서면 한옥과 고가구로 된 실내가 아늑한 느낌을 준다. 파전을 비롯한 여러 가지 전 종류와 잡채 등의 한식 안주는 전통주를 곁들이기 좋다. 10종류가 넘는 막걸리는 일반 막걸리부터 프리미엄 막걸리까지 가격대로 다양하게 즐길 수 있다.

₩ 도토리묵잡채, 골뱅이무침, 해물파전, 김치해물전(각 1만7천원), 도토리수제비(8천원), 반반전(1만8천원), 모둠전(2만5천원), 막걸리(4천원~2만5천원)

🕒 17:00~24:00 | 금, 토요일 17:00~02:00(익일) – 일요일 휴무

🔍 광주 동구 동명로26번길 5-1(동명동)

☎ 062-226-1550 Ⓟ 불가

광주광역시 북구

석암돌솥밥 솥밥

돌솥밥이 대표 메뉴인 곳. 다시마 등 여섯 가지의 재료를 우려낸 물로 돌솥밥을 짓는다. 여기에 갖가지 양념장이나 토하젓을 넣고 비벼 먹는 맛이 일품이다. 돌솥밥을 주문하면 돼지고기 수육을 비롯해 다양한 반찬이 푸짐히 곁들여져 나온다.

₩ 영양돌솥밥(1만2천원), 삼계탕(1만6천원), 옻삼계탕(1만8천원), 석갈비찜(4만5천원)

🕒 11:00~21:00 – 명절 휴무

🔍 광주 북구 대천로139번길 8-1(문흥동)

☎ 062-262-2222 Ⓟ 가능

영광오리탕 오리탕 | 오리로스

뚝배기에 미나리 등 각종 채소와 들깻가루를 함께 넣어 끓여낸 오리탕은 국물이 걸쭉하면서 칼칼하고 고소하다. 오리고기는 초장과 들깻가루를 버무린 양념장에 찍어 먹는다. 뼈를 발라내 살코기만 구워 먹는 오리로스구이도 좋다. 한약재를 넣어 끓인 약

영광오리탕

오리는 방문 4시간 전 예약해야 한다.

₩ 오리탕(반마리 4만원, 한마리 6만원), 오리주물럭, 오리로스(각 6만1천원), 약오리(7만원)

🕒 09:00~22:00 – 연중무휴

🔍 광주 북구 경양로119번길 18(신안동)

☎ 062-524-0443 Ⓟ 가능

영미오리탕 오리탕 | 오리로스

오리탕골목에서 가장 오래된 집으로, 50년이 넘는 역사를 자랑한다. 오리탕은 들깨를 풀어서 걸쭉하게 끓이며 미나리가 향긋한 맛을 더한다. 육수는 무료로 1회 추가해준다.

₩ 오리탕(반마리 4만원, 한마리 6만원), 오리로스, 오리주물럭(각 6만1천원), 미나리추가(3천원)

🕒 11:00~15:00(마지막 주문 14:00)/16:00~21:00(마지막 주문 20:00) – 첫째 주 월요일 휴무

🔍 광주 북구 경양로 126(유동)

☎ 062-527-0248 Ⓟ 가능

영발원 永發園 일반중식

1955년부터 시작한 화상 중식당으로, 현재는 아들이 이어받아 운영하고 있다. 짜장면 맛이 일품이며 투명한 소스에 바삭하게 튀겨낸 고기가 조화를 이루는 옛날식 탕수육도 추천메뉴다.

₩ 짜장면(7천원), 짬뽕, 백짬뽕(각 9천원), 건짬뽕(1만2천원), 탕수육(소 2만원, 중 3만원, 대 4만원), 유산슬, 팔보채(각 소 3만원, 대 4만원), 깐풍육(소 2만5천원, 대 3만5천원)

🕒 11:00~14:00/17:00~20:30(마지막 주문 20:00) – 일요일, 첫째, 셋째 주 월요일 휴무

🔍 광주 북구 서림로 141(임동)

☎ 062-525-7436 Ⓟ 가능

창억떡집 떡카페 | 떡

60여 년의 역사를 자랑하는 떡집. 인절미치즈스틱, 기정떡샌드위치 등 전통과 현대를 접목한 퓨전 스타일의 떡도 선보인다. 빨간떡볶이, 크림치즈떡볶이는 식사로도 가능하다.

₩ 호박인절미(230g 3천9백원, 1kg 1만8천원), 코코아설기(200g 3천1백원, 1kg 1만4천원), 팥설기(200g 3천1백원, 1kg 1만4천원), 인절미치즈스틱(3천5백원), 크림치즈떡볶이(6천5백원), 빨간떡볶이(4천9백원)

🕒 06:00~21:00 – 명절 당일 휴무

🔍 광주 북구 경열로 242(중흥동)

☎ 062-520-6000 Ⓟ 가능

해송 낙지

매일 무안에서 공수해 온 낙지가 들어간 낙지볶음이 유명하다. 낙지의 싱싱함이 느껴지는 쫄깃하고 부드러운 식감이 좋다. 연포탕도 시원하다.

₩ 낙지비빔밥(1만6천원), 연포탕(1만8천원), 낙지볶음, 낙지회무침,

낙지전골(각 중 5만5천원, 대 6만5천원)
11:30~15:00/17:00~21:00 – 일요일 휴무
광주 북구 서양로41번길 9(신안동)
062-523-0204 Ⓟ 가능

광주광역시 서구

가매일식 佳梅 일식

모던하고 깨끗한 인테리어의 대형 일식집. 고급스럽고 수준 높은 일식을 맛볼 수 있다. 일본 사케도 여러 가지가 준비되어 있다. 김대중 전대통령이 방문하여 유명해진 집으로, 연예인의 사인도 한쪽 벽면에 가득 붙어 있다.

₩ 오마카세(C코스 6만원, B코스 8만원, A코스 10만원), 가매런치정식(B코스 3만8천원 A코스 4만8천원)
11:30~14:00/17:30~21:30 – 일요일, 명절 휴무
광주 서구 상무대로 1104-26(농성동)
062-352-7711 Ⓟ 가능

갯마을산장어숯불구이 장어

여수식 장어구이를 맛볼 수 있는 곳. 소금구이와 양념구이 중 선택할 수 있다. 장어가 익는 시간을 가늠해서 주인이 직접 뒤집어 주기 때문에, 편안히 먹을 수 있는 것이 장점이다. 개운한 맛이 일품인 장어탕은 식사메뉴로 추천할 만하다. 오후 3시 이후에는 장어탕을 판매하지 않는다.

₩ 소금구이, 양념구이, 통구이(각 200g 2만5천원), 장어탕(1인 1만5천원)
11:30~15:00/17:00~22:00 – 일요일 휴무
광주 서구 금부로 111(금호동)
062-373-3367 Ⓟ 불가

광명식당 생고기

생고기가 유명한 집이다. 앞다리살을 주로 사용하여 생고기를 가늘게 채 썬 후, 양념장이나 묵은지와 함께 먹는다. 참기름과 고추장에 비빈 생고기 비빔밥도 식사메뉴로 인기가 많다.

₩ 생고기(360g 3만6천원), 한우구이(300g 4만4천원), 특비빔밥(1만원), 후식비빔밥(6천원)
11:30~15:00/17:00~21:00 – 일요일, 공휴일 휴무
광주 서구 월드컵4강로28번길 50-17(화정동)
062-367-2085 Ⓟ 불가

광주옥1947 光州屋 소불고기 | 만두 | 평양냉면

100% 순메밀로 제면하여 만드는 냉면 전문점. 70년 전통이 있는 곳이다. 평양냉면을 맛볼 때는 육수를 먼저 맛본 후, 식초는 면에 뿌려 먹고, 메밀면은 자르지 않은 상태로 먹다가 편육으로 마무리하는 것이 맛있게 먹는 방법이다.

₩ 평양냉면, 비빔냉면(각 1만1천원), 바싹돼지불고기(1만3천원), 큰갈비탕(1만5천원), 한우불고기(1만5천원), 녹두빈대떡(1장 9천원), 평양만두(6천원)
11:00~15:00/17:00~21:00 – 연중무휴
광주 서구 상무대로 1104-20(농성동)
062-362-1616 Ⓟ 가능

그리지오 grigio 카페

곳곳에 걸려 있는 미술작품을 감상할 수 있는 대형 베이커리 카페. 의자와 테이블도 각기 다른 모습의 다양한 형태로 구비되어 있어 가구 전시장 같은 느낌이다. 아이스 커피 음료를 주문하면 들어 있는 곰돌이 모양의 얼음이 인기 있다. 크로플이나 케이크 같은 디저트를 곁들여도 좋다.

₩ 에스프레소(3천8백원), 아메리카노(4천2백원), 라테(4천5백원), 아몬드라테(4천7백원), 레몬에이드(5천3백원), 어니언베이글(4천5백원), 마카롱(2천8백원), 크로플(7천원), 오레오밀크케이크(6천5백원)
09:00~23:00 | 토, 일요일 11:00~23:00 – 연중무휴
광주 서구 서광주로 181(마륵동)
062-376-9930 Ⓟ 가능

나정상회 돼지갈비

1971년부터 2대째 내려오는, 50여 년의 역사를 자랑하는 돼지갈비 전문점. 갈비를 소스에 조리듯이 연탄불에 오랫동안 익혀 내오기 때문에 시간이 걸린다. 갈비는 기름기가 빠져 담백한 맛을 자랑하며 동치미와 된장국을 곁들여도 깔끔하고 좋다.

₩ 돼지갈비(200g 1만7천원), 비빔밥(4천원)
11:00~22:00(마지막 주문 21:20) – 명절 휴무
광주 서구 상무자유로 24(치평동)
062-944-1489 Ⓟ 가능

낙지한마당 낙지

낙지전골을 비롯해 낙지볶음, 철판구이, 낙지회무침, 마른연포, 연포탕, 낙지비빔밥, 산낙지 등 다양한 메뉴가 있다. 낙지회무침은 낙지를 팔팔 끓는 뜨거운 물에 살짝 데친 후 비벼 주는데 양념장 맛이 일품이다. 양념장은 과일, 고추장 등 10여 가지의 양념을 넣어 일주일간 숙성시킨다.

₩ 산낙지(소 3만5천원, 중 4만5천원, 대 5만5천원), 회무침, 낙지전골, 낙지볶음(각 중 5만원, 대 6만원), 비빔밥(1만5천원)
11:30~22:00 – 명절 휴무
광주 서구 월드컵4강로181번길 45(쌍촌동)
062-375-3700 Ⓟ 가능

대광식당 大光 육전

전에 관해서는 광주 최고라고 일컬어지는 육전이 간판메뉴다. 육전은 육질이 좋은 아롱사태를 얇게 저며서 찹쌀가루를 살짝 묻힌 뒤 계란 옷을 얇게 입혀 굽는다. 자리마다 놓인 전기 팬에

서 바로 구워 먹는 것이 특징이다.

₩ 육전(3만원), 산낙지전, 키조개전(각 2만9천원), 대구전, 굴전(각 2만8천원), 돌솥밥(5천원)

🕒 11:30~14:00/16:30~21:30 – 일요일, 명절 휴무

🔍 광주 서구 상무대로695번길 15(마륵동)

☎ 062-226-3939 Ⓟ 가능

동경화로 소고기구이

질 좋은 한우를 먹을 수 있는 한우구이 전문점이다. 한우구이는 백탄의 최고급품인 비장탄에 굽는다. 곁들임 소스로 제공되는 홀그레인 머스타드, 와사비, 마늘소스 등과 곁들어 먹으면 좋다. 신선한 육사시미도 꼭 맛보아야 한다.

₩ 프리미엄세트(520g 13만9천원), 동경세트(400g 10만8천원), 화로세트(300g 8만3천원), 한우안심(150g 4만5천원), 한우새우살(4만8천원), 한우등심, 한우갈빗살(각 150g 3만9천원), 한우육사시미(3만8천원)

🕒 16:00~24:00 | 금, 토요일 16:00~01:00(익일) – 연중무휴

🔍 광주 서구 시청로60번길 21-9(치평동) 콜럼버스시네마

☎ 062-383-7567 Ⓟ 가능(메가박스 주차장 이용, 주차 등록 시 2시간 무료 확인)

로지에 L'osier 케이크 | 디저트카페

프랑스 호텔 제과학교 에꼴 리츠 에스코피에를 졸업한 김아련 파티시에의 슈크림, 케이크 전문점. 밀가루, 버터, 초콜릿 모두 프랑스산을 공수해서 쓴다. 크리미하고 리치한 슈크림과 발로나 초콜릿을 사용한 케이크 모두 수준급이다. 일주일 중 3일만 영업하니 주의해서 방문할 것.

₩ 아메리카노(4천5백원), 카페라테(5천원), 천연바닐라슈(3천원), 파리브레스트슈(4천원), 슈8개세트(3만5백원), 프레지에(1만1천원),

🕒 12:30~19:00 – 월, 화, 수, 목요일 휴무

🔍 광주 서구 유림로50번길 9

☎ 0507-1397-3609 Ⓟ 가능(6대)

맥문동 麥門冬 이탈리아식 | 카페 | 브런치카페

계절감 있는 현지 식재료를 활용한 다이닝과 스페셜티커피를 선보이는 곳. 1층은 다이닝 레스토랑으로, 브런치, 파스타, 피자 등을 즐길 수 있다. 카페&라운지로 운영되는 2층에서는 스페셜티커피와 시즌 디저트를 맛볼 수 있다.

₩ 아보카도문어타르타르(1만8천5백원), 안심롤샐러드(2만5백원), 송화버섯피자(1만9천5백원), 라벨레시즌파스타(2만8백원), 딸기쇼트케이크(8천원), 라즈베리파리브레스트(9천5백원), 아메리카노(4천6백원), 맥넛라테(6천3백원)

🕒 1층 다이닝룸 11:00~15:30/17:00~22:00(마지막 주문 21:00) | 2층 라운지 11:00~23:00(마지막 주문 22:30) – 월요일 휴무(월 1회)

🔍 광주 서구 마륵로 24(마륵동)

☎ 062-373-0895 Ⓟ 가능

명송생복집 복

50여 년 전통의 복요리 전문집. 가격대가 높은 편이지만, 신선한 재료를 사용한다. 복사시미를 시키면 복튀김, 복어무침, 복양념구이, 복어죽과 복어지리, 회와 초밥 등이 함께 나온다.

₩ 코스(6만원, 8만원, 10만원), 활어복(4만5천원)

🕒 09:00~21:30 – 연중무휴

🔍 광주 서구 치평로 124(치평동) 케이원오피스타운

☎ 062-452-3355 Ⓟ 가능

베비에르과자점 verviers 베이커리

광주에서 유명한 베이커리 중 하나. 유기농 밀 등의 유기농 재료와 천연발효 효모종을 사용한다. 하루에 두 번 빵을 구워내기 때문에 항상 신선한 빵을 맛볼 수 있다. 빵 종류도 매우 다양하다.

₩ 마왕파이(낱개 1천3백원, 8개 1만원), 호두마켓(4천8백원), 블루베리파이(2천7백원), 팥드러슈(2천9백원)

🕒 07:00~22:00 – 연중무휴

🔍 광주 서구 풍암중앙로 37(풍암동) 그랜드프라자

☎ 062-682-0696 Ⓟ 가능

브우디엔 NEW BUU DIEN 베트남식

베트남 현지풍으로 고급스럽게 꾸민 베트남 음식 전문점. 현지 음식의 느낌을 잘 살려낸 아롱사태 쌀국수, 베트남식 맑은 조개탕, 전통 닭튀김 요리 등을 맛볼 수 있다. 식전에는 간단하게 재스민 차와 단무지가 나온다. 매장도 넓은 편.

₩ 퍼토다(1만8천원), 아롱사태쌀국수(1만3천원), 퍼싸오보(1만3천원), 퍼싸오욘(1만3천원), 퍼싸오하이산(1만4천원), 칸가친늑맘(1만5천원), 니우합싸(1만5천원)

🕒 11:00~15:00/17:00~21:00(마지막 주문 20:30) | 토요일 11:00~12:00 – 격주 월요일 휴무

🔍 광주 서구 시청서편로4번길 19-22 MVG

☎ 062-373-2744 Ⓟ 가능

삼희불낙 낙지

무안과 보성, 장흥 등지에서 올라오는 낙지를 사용하는 낙지 전문점. 매콤한 양념이 더해진 삼희불낙이 대표 메뉴며 그 밖의 다양한 낙지요리도 추천할 만하다.

₩ 삼희불낙(2인 이상, 1인 1만9천원), 낙지전골(소 4만3천원, 대 6만3천원), 낙지볶음(각 소 4만3천원, 중 5만3천원, 대 6만3천원), 낙지호롱구이(1만5천원), 마른연포(중 4만3천원, 대 5만3천원), 세트(8만3천원~12만7천원)

🕒 10:30~22:00 – 연중무휴

🔍 광주 서구 상무누리로 143(치평동)

☎ 062-383-3233 Ⓟ 가능

연화 육전

광주에서 별미로 통하는 육전 전문점이다. 실내가 모두 룸으로 구성되어 있는 것이 특징이며 예약하는 것이 좋다. 맛깔스러운 전라도식 달걀 옷을 얇게 입혀 부쳐낸 육전이 넉넉한 한상으로 나온다. 테이블마다 놓인 전기 그릴에 직접 구워 곧바로 따뜻하게 먹을 수 있다.

Ⓦ 육전, 키조개전, 굴전, 새우전, 전복전, 낙지전, 더덕전(각 2만9천원), 조기탕(2만5천원), 굴비정식(2만7천원)

🕒 11:30~15:30/17:30~21:30 – 일요일 휴무

🔍 광주 서구 마륵복개로 147(치평동)

☎ 062-384-1142 Ⓟ 가능

육전명가 육전

전통적인 분위기의 실내에서 광주 육전을 즐길 수 있다. 이곳의 가장 큰 특징은 육전이 주방에서 조리되어 나오는 것이 아니라 즉석에서 고기에 계란을 묻혀 구워 준다는 점이다. 자리에서 바로 구워 먹기 때문에 육전 맛이 더욱 좋다. 낙지전은 전날 주문 예약시 맛볼 수 있으며 육전은 2인분 단위로 주문할 수 있다.

Ⓦ 육전(2인 이상, 1인 2만9천원), 낙지전, 맛전, 키조개전(각 2만9천원), 새우전, 굴전(각 2만8천원), 홍어전(2만8천원), 명태전(2만6천원)

🕒 11:30~22:00 – 명절 휴무

🔍 광주 서구 상무자유로 174(치평동)

☎ 062-384-6767 Ⓟ 가능

카페304 304 COFFEE 커피전문점

광주의 상징적 스페셜티 커피 전문점. 핸드드립을 전문으로 하며 다양한 스페셜티커피 원두를 맛볼 수 있다. 로스팅도 직접 하고 있다. 넓고 탁 트인 카페 내부에 식물 화분을 늘어뜨린 인테리어와 은은한 커피 향이 매력적이다.

Ⓦ 핸드드립커피(6천5백원~1만원), 에스프레소, 아메리카노(각 5천원), 카페라테(5천5백원), 너티봉봉(6천원), 304라테(6천5백원), 딸기라테(6천원), 패션후르에이드(6천5백원), 딸기케이크(7천원), 소금빵(3천2백원)

🕒 10:00~21:30 – 연중무휴

🔍 광주 서구 상무누리로 15(마륵동)

☎ 062-385-0304 Ⓟ 가능

테이트모던 Tate Modern 캐주얼다이닝 | 브런치카페

자연주의 다이닝을 콘셉트로 하는 브런치 레스토랑. 자동차 공장을 개조한 건물을 활용하고 있다. 신선한 다섯 가지 해산물과 직접 만든 캐슈너트 오리엔탈 소스가 어우러진 푸른 바다 한 소반이 시그니처다. 숯불에 구운 스테이크와 취나물밥, 루콜라, 한국식 지미추리 소스를 곁들인 채끝 스테이크 비빔밥도 인기 메뉴다.

Ⓦ 농부샐러드(1만8천9백원), 푸른바다한소반샐러드(2만5천9백원), 돌문어오일파스타(1만9천원), 숙성스테이크부빔밥(1만9천8백원), 꽃송이차돌리조토(1만9천5백원), 한우채끝스테이크(220g 5만3천원), 런던플래터브런치(2만3천5백원), 버거(1만6천5백원)

🕒 11:00~15:30/17:00~23:00(마지막 주문 21:30) | 토, 일요일 11:00~16:00/17:00~23:00(마지막 주문 21:30) – 마지막 주 월요일 휴무

🔍 광주 서구 상무대로673번길 24(마륵동)

☎ 062-383-0895 Ⓟ 가능

홍아네 한정식 | 홍어 | 굴비

전형적인 전라도식 밥상을 받아볼 수 있다. 식사로는 조기탕과 굴비 백반을 추천할 만하다. 한 상 가득 맛깔스러운 반찬이 차려지며 특히 멸치젓의 맛을 잘 살렸다. 현지인에게 더 유명한 집이며 예약을 해야 방문이 쉬우니 참고할 것.

Ⓦ 전복(8만원), 조기탕(2만원), 굴비백반(2만5천원), 키조개구이(6만5천원), 흑산홍어삼합(15만원)

🕒 11:30~14:30/17:30~21:30 – 일요일, 공휴일 휴무

🔍 광주 서구 마륵복개로150번길 7(치평동)

☎ 062-384-9401 Ⓟ 가능

화이트셔츠커피

WHITE SHIRTS COFFEE 커피전문점

다양한 싱글오리진의 필터커피를 즐길 수 있는 커피 전문점. 작은 입구 계단을 통해 지하로 내려가면 아늑하면서도 쾌적한 공간이 카페로 꾸며져 있다. 라운드의 바 좌석에서 바리스타가 직접 추천하고 내려주는 커피를 맛보아도 좋다.

Ⓦ 필터커피(6천원~9천), 에스프레소, 아메리카노, 카페라테(각 4천5백원), 파이브캣츠, 그레이트블루, 밀크티(각 5천5백원), 치즈케이크(6천원), 쿠키(3천원)

🕒 12:00~22:00(마지막 주문 21:30) | 수요일 12:00~18:00(마지막 주문 17:30) – 연중무휴

🔍 광주 서구 월드컵4강로182번길 21(내방동) 지하 1층

☎ 010-6496-0606 Ⓟ 불가

대전광역시

Daejeon Metropolitan City

대전광역시 대덕구

글레버 GLEVER 카페
넓은 유리창을 통해 대청호가 보이는 카페. 카페 앞에 있는 산책로도 좋다. 직접 만드는 다양한 디저트와 함께 음료를 즐길 수 있다.

₩ 에스프레소(5천5백원), 아메리카노(6천원), 스무디, 주스(각 7천원), 밀크티, 리얼딸기라테(각 7천원), 크로플, 허니무슈, 허니버터브레드(각 8천5백원), 불고기, 고르곤졸라씬피자(각 1만5천원), 아몬드고르곤케사디야, 핫치킨케사디야(각 1만2천원)
🕒 10:30~21:00 | 토, 일요일 10:00~21:00 – 연중무휴
🔍 대전 대덕구 대청로424번안길 49(삼정동)
☎ 042-671-1005 Ⓟ 가능

나루터장어 장어 | 민물매운탕
장어와 매운탕 전문점. 장어를 시키면 깔끔한 반찬이 여러 가지 나오며 새우탕도 맛이 좋다. 겉에서 보기에도 웅장한 한옥과 금강이 내려다보이는 전망도 훌륭하다.

₩ 장어구이(3만원), 새우탕(2인 이상, 1인 1만5천원), 냉면, 소면(각 4천원), 장어탕(6천원)
🕒 11:00~21:00(마지막 주문 20:00) | 화요일 11:00~15:00(마지막 주문 14:00) – 비정기적 휴무
🔍 대전 대덕구 대청로 264(용호동)
☎ 042-932-2404 Ⓟ 가능

띠울석갈비 소갈비 | 돼지갈비
다른 지역에서 찾아보기 어려운 석갈비가 유명한 곳. 석갈비는 숯불에 구운 갈비를 뜨거운 돌판 위에 내오는 것을 말한다. 다 익은 상태로 나와 먹기 좋으며 먹는 동안 식지 않는 것이 장점.

₩ 소석갈비(250g 2만9천원), 돼지석갈비(250g 1만7천원), 고추장석갈비(250g 1만8천원), 왕갈비탕(1만5천원), 냉면(1만원)
🕒 11:30~22:00 – 연중무휴
🔍 대전 대덕구 신탄진로 209(신대동)
☎ 042-627-4242 Ⓟ 가능

띠울석갈비

맛집부추해물칼국수 칼국수
부추해물칼국수로 유명한 곳. 조개와 새우 등을 넣고 시원하게 끓인 국물 맛이 일품이며 양도 매우 푸짐하다. 미니족발을 곁들여도 좋으며 주꾸미볶음도 인기다.

₩ 칼국수(1만1천원), 맛보기족발(9천원), 주꾸미(2만5천원)
🕒 10:00~17:00 | 토, 일요일 10:00~20:00 – 연중무휴
🔍 대전 대덕구 신탄진로804번길 31(신탄진동)
☎ 042-934-5656 Ⓟ 가능

보성식당 청국장 | 돼지두루치기
청국장게장백반이 유명한 집. 구수한 청국장과 같이 나오는 게장이 별미다. 나물, 겉절이, 멸치조림 등의 반찬도 맛깔스럽다. 매콤한 돼지고기두루치기도 인기다. 꽃게장만 따로 구매할 수도 있다.

₩ 청국장게장백반(2인 이상, 1인 9천원), 청국장게장고등어정식(2인 이상, 1인 1만3천원), 돼지고기두루치기(2만2천원)
🕒 11:00~21:00(마지막 주문 20:00) – 명절 휴무
🔍 대전 대덕구 석봉로37번길 60-7(석봉동)
☎ 042-932-7494 Ⓟ 가능

야호정 민물매운탕 | 장어
각종 민물생선 요리를 전문으로 하는곳. 쏘가리, 빠가사리, 메기, 향어 등의 매운탕은 깔끔한 국물 맛이 일품. 직접 담근 고추장 양념을 바른 장어구이도 맛이 좋다.

₩ 장어구이(1kg 9만9천원, 1인분 3만3천원), 쏘가리탕(소 6만원, 중 9만원, 대 12만원), 빠가탕(소 4만원, 중 5만5천원, 대 7만원), 메기탕(소 3만5천원, 중 4만5천원, 대 5만5천원), 향어쏘가리매운탕(12만원)
🕒 11:30~15:00/17:00~21:30(마지막 주문 20:00) – 월요일 휴무
🔍 대전 대덕구 대청호수로 1869(삼정동)
☎ 042-932-0661 Ⓟ 가능

에이디카페 AD CAFE 카페 | 햄버거
대청호 뷰가 한 눈에 보이는 넓은 규모의 카페. 패티 굽기 정도를 조절할 수 있는 프리미엄 수제버거를 함께 맛볼 수 있는 곳이다. 다양한 디저트와 크로플 종류도 즐길 수 있으며, 확 트인 루프탑 전망도 좋다.

₩ 에스프레소, 아메리카노(각 5천원), 카페라테(6천원), AD구름스무디, AD레인보우에이드(각 8천원), 더블치즈베이컨버거(1만1천원, 세트 1만6천원), 시나몬크로플(1만1천원)
🕒 10:00~22:00(마지막 주문 21:30) – 연중무휴
🔍 대전 대덕구 대청로 260(용호동)
☎ 042-935-5118 Ⓟ 가능

영화반점 일반중식
오랫동안 짜장면과 탕수육으로 인기를 끌고 있는 집. 부추가 들어간 간짜장과 홍합과 해물이 듬뿍 들어간 짬뽕 맛도 일품이다. 탕수육에 감자튀김이 올라가는 것이 독특하다.

Ⓦ 간짜장, 볶음밥, 짜장밥(각 9천원), 해물짬뽕(1만원), 탕수육(소 1만 8천원, 대 2만8천원)
⏲ 11:00~15:00(마지막 주문 14:30)/17:00~20:00(마지막 주문 19:30) – 일요일, 명절 휴무
🔍 대전 대덕구 신탄진동로23번길 46(신탄진동)
☎ 042-931-4158 Ⓟ 불가

청주남주동해장국

선지해장국 | 콩나물국밥 | 뼈다귀해장국

뼈다귀해장국과 선지해장국, 콩나물해장국이 주메뉴로, 푸짐한 뚝배기에 담긴 칼칼하고 진한 국물 맛이 일품이다. 소뼈, 꼬리, 방광 등을 가마솥에 넣고 진한 국물을 만들어 사용한다.

Ⓦ 콩나물해장국(8천원), 뼈다귀해장국, 소고기선지해장국, 소고기우거지해장국(각 9천원), 한우왕갈비탕(1만3천원)
⏲ 05:00~22:00 – 연중무휴
🔍 대전 대덕구 대덕대로1458번길 9(목상동)
☎ 042-935-9575 Ⓟ 가능

향미각 일반중식

꼬막짬뽕으로 인기 있는 중식당. 홍합과 돼지고기가 어우러져 국물 맛을 낸다. 탕수육도 인기가 있으며 고기와 야채를 잘게 다져 만든 유니짜장면도 맛볼 수 있다.

Ⓦ 유니짜장(6천원), 알꼬막짬뽕(1만원), 꼬막볶음면(3만3천원), 새우볶음밥(8천원), 등심탕수육(소 1만5천원, 대 2만1천원)
⏲ 10:30~20:30(마지막 주문 20:20) – 연중무휴
🔍 대전 대덕구 쌍청당로 14(중리동)
☎ 042-626-8252 Ⓟ 가능(협소)

대전광역시 동구

개천식당 만두

80여 년의 역사를 지닌 연륜의 만둣국집. 대표 메뉴인 만둣국은 사골국물에 함경도식으로 손으로 빚은 만두를 넣어 만든다. 당면과 속 재료를 푸짐히 넣은 만두의 맛이 일품이며 국물 맛도 깔끔하다. 만둣국 위에 기본으로 고춧가루를 뿌려 내는 것이 특징. 영업시간과 상관없이 만두가 다 떨어지면 문을 닫는다.

Ⓦ 만둣국, 떡만둣국, 떡국, 국밥(각 9천원), 부추만두튀김, 개천김치만두, 부추고기만두(각 8천원)
⏲ 11:00~20:30 – 연중무휴
🔍 대전 동구 대전로779번길 39-2
☎ 042-256-5627 Ⓟ 불가(인근 공영 주차장 이용)

금성삼계탕 삼계탕

대전에서 40년 넘게 삼계탕을 선보이는 곳. 뚝배기에 팔팔 끓여 나오며 닭고기 육질이 부드럽다. 바닥에 있는 닭죽을 긁어 먹는 재미도 있다.

Ⓦ 삼계탕(1만5천원), 건강닭죽(7천원)
⏲ 10:30~21:30(마지막 주문 20:30) – 연중무휴
🔍 대전 동구 선화로196번길 44(중동)
☎ 042-254-3422 Ⓟ 가능(인근 공영 주차장 1시간 무료)

명랑식당 육개장

육개장 한 가지 메뉴로 40년 넘는 전통을 이어온 식당이다. 기름기를 제거한 고기는 결대로 길게 찢어 그릇에 담겨 나온다. 얼큰하면서도 담백한 국물에 부드러운 양지머리 고기가 육개장의 참맛을 보여준다. 오후 3시까지만 영업하니 방문 시 참고할 것.

Ⓦ 육개장(1만원)
⏲ 11:00~15:00 – 일요일, 공휴일 휴무
🔍 대전 동구 태전로 56-20(삼성동)
☎ 042-623-5031 Ⓟ 불가

별난집 두부두루치기

두부두루치기를 전문으로 하는 곳. 두부두루치기는 육수와 두부를 넣고 대파, 참기름, 고춧가루 등으로 양념하는 것이 특징이며 당면과 쫄면을 넣어 만든다. 매콤한 맛이 일품이며 자박한 국물에 밥을 비벼 먹으면 좋다. 40년 넘는 전통을 자랑하는 곳.

Ⓦ 두부두루치기(1만6천원), 녹두지짐(1만5천원)
⏲ 11:30~15:00(마지막 주문 14:30)/16:00~21:00(마지막 주문 20:30) – 마지막 주 수요일 휴무
🔍 대전 동구 중앙로193번길 8(중동) 1층
☎ 042-252-7761 Ⓟ 불가

삼대째전통칼국수 칼국수

유명 칼국숫집인 신도칼국수 주인장가족이 운영하는 칼국숫집. 멸치를 사용해 육수가 시원하며, 칼국수 위에 올라가는 들깻가루와 잘 어울린다. 넉넉한 양의 수육을 곁들이는 것도 좋다. 여름에는 콩국수를 계절 메뉴로 판매한다.

Ⓦ 칼국수(7천원, 곱빼기 8천원), 수육(소 1만7천원, 중 2만2천원)
⏲ 09:00~20:30 – 연중무휴
🔍 대전 동구 대전로825번길 13(정동)
☎ 042-257-5432 Ⓟ 불가(인근 유료 주차장 이용)

신도칼국수

칼국수 | 수육 | 두부두루치기

공주분식과 함께 대전 칼국수의 양대산맥을 이루는 곳. 멸치로 육수를 내며 담백하면서도 진한 국물 맛이 특징이다. 취향에 따라 양념장을 가미해도 좋으며, 잡내 없는 쫄깃한 수육도 맛이 좋다.

Ⓦ 칼국수(7천원, 곱빼기 9천원), 수육(소 2만원, 대 2만5천원), 두부두루치기(2만5천원)
Ⓣ 10:00~20:00 – 연중무휴
Ⓠ 대전 동구 대전로825번길 11(정동)
☎ 042-253-6799 Ⓟ 불가(인근 공영 주차장 이용)

신미식당 선지해장국 | 칼국수

선지국밥과 칼국수가 맛있기로 유명한 곳. 칼국숫집으로 시작했지만 지금은 선지국밥이 더 유명하다. 선지국밥은 소머리 육수에 된장을 풀고 우거지와 시래기, 부추를 넣고 끓인다. 저렴한 가격에 진한 국밥을 맛볼 수 있어 인기가 많다. 40년 넘는 전통을 자랑하며 점심시간이면 줄을 서야 할 정도로 인기다.

Ⓦ 선지국밥, 손칼국수(각 6천원), 선지전골(1만8천원), 파전(8천원)
Ⓣ 11:30~20:30(마지막 주문 19:30) – 일요일 휴무
Ⓠ 대전 동구 우암로85번길 35(삼성동)
☎ 042-672-5728 Ⓟ 가능

오씨칼국수 칼국수

줄을 서서 먹어야 할 정도로 인기 있는 칼국숫집. 쫄깃한 면에 신선한 물총조개가 푸짐하게 들어 있다. 보통 물총을 주문해서 반쯤 먹은 뒤 칼국수를 추가해서 먹는다. 매콤한 김치를 곁들이면 더욱 맛있다.

Ⓦ 손칼국수(8천원), 물총(1kg 1만3천원), 해물파전(1만1천원)
Ⓣ 11:00~21:00 – 월요일 휴무
Ⓠ 대전 동구 옛신탄진로 13(삼성동)
☎ 042-627-9972 Ⓟ 가능

온천집 일식샤부샤부 | 일식

새로 개발된 대전역 뒷편 소제동에 있는 곳으로, 일본 온천장을 재현했다. 퓨전 샤부샤부를 즐길 수 있다. 1인씩 세팅되는 정식이기 때문에 2명이 서로 다른 메뉴를 주문할 수 있다.

Ⓦ 차돌된장샤부부(1인 3단 2만8천원, 4단 3만5천), 차돌얼큰샤부샤부(1인 3단 2만9천원, 4단 3만6천원), 로스트비프스테이크덮밥(2만5천원), 트러플튀김덮밥(2만원)
Ⓣ 11:30~15:00(마지막 주문 14:00)/17:00~21:30(마지막 주문 20:30) – 연중무휴
Ⓠ 대전 동구 수향길 17(소제동)
☎ 042-625-0906 Ⓟ 불가

왕관식당 콩나물밥

50여 년의 전통을 자랑하는 콩나물밥집. 시어머니와 며느리, 2대에 걸쳐 가업을 잇고 있다. 콩나물밥에 육회를 넣고 양념장과 함께 비벼 먹는 스타일이다. 반찬은 된장국과 깍두기로 단출한 편. 점심시간 두 시간만 영업하는 곳으로도 유명하다. 동절기에는 무시래기를, 하절기에는 배추시래기를 직접 만든다. 손바닥만한 간판은 눈여겨보지 않으면 그냥 지나치기 쉽다.

Ⓦ 콩나물밥(5천원), 육회(소 7천원, 대 1만원)
Ⓣ 12:00~14:00(재료 소진 시 마감) – 일요일 휴무
Ⓠ 대전 동구 선화로196번길 6(중동)
☎ 042-221-1663 Ⓟ 불가

은골할먼네 민물새우

시골 할머니집에 온 것 같은 분위기의 민물새우탕집. 야외 자리에서는 대청호를 보며 식사할 수 있다. 수제비가 들어간 민물새우탕 맛이 일품이며 제철에 맞는 다양한 밑반찬이 함께 나온다.

Ⓦ 민물새우탕(소 2만원, 중 2만5천원, 대 3만원)
Ⓣ 11:30~18:00 – 월, 화, 수, 목요일 휴무
Ⓠ 대전 동구 냉천로152번길 291(마산동)
☎ 042-274-7107 Ⓟ 가능

인동왕만두 만두

40년 넘는 역사를 자랑하는 만둣집. 채소와 고기로 만든 만두소가 푸짐하게 들어간다. 고기는 돼지고기와 소고기를 반반씩 섞는 것이 특징. 만두피가 두껍지 않아 부담없이 먹을 수 있다. 매장이 협소한 편이어서 포장해가는 손님이 많다.

Ⓦ 고기만두, 김치만두, 튀김만두, 통만두, 찐빵, 왕만두(각 6천원)
Ⓣ 09:00~21:00 | 일요일 09:00~20:00 – 연중무휴
Ⓠ 대전 동구 대전로 697(인동)
☎ 042-285-5060 Ⓟ 가능(건물 뒷편 공영 주차장 이용시 주차권 지원)

인동왕만두

적덕식당 족발

족발양념구이로 40년 넘게 영업해온 곳이다. 돼지족을 생강, 마늘, 맛술을 넣고 푹 삶아낸 후 숯불에 살짝 구워 고추장 양념에 버무린 것이다. 매콤하면서도 달달한 맛이 일품이다. 두부두루치기, 오징어두루치기, 칼국수 사리가 들어가는 두부오징어도 인기 메뉴다.

Ⓦ 양념족발(소 1만5천원, 중 2만원, 대 2만5천원), 두부오징어+사리(9천원), 우동칼국수(5천원)
Ⓣ 10:40~21:40 – 연중무휴
Ⓠ 대전 동구 우암로 220-3(가양동) ☎ 042-633-4293 Ⓟ 가능

챔프스페이스 커피전문점 | 디저트카페

국가 대표 굿스피릿 챔피언 강민규 바리스타의 로스터리 카페. 구옥을 개조한 곳으로 구옥의 아늑함은 살리고, 현대식으로 깔끔하게 한 인테리어가 시각적인 요소도 훌륭하다. 브라질 세계대회에서 만들었던 커피칵테일을 재해석한 메뉴가 시그니처 음료다.

₩ 에스프레소, 아메리카노(각 5천원), 카페라테(5천5백원), 시그니처커피칵테일(1만3천원), 챔프슈페너(7천원)
🕒 11:00~21:00 – 설날 당일 휴무
🔍 대전 동구 수향길 97
☎ 0507-1425-5388 Ⓟ 불가

챔프스페이스

태화장 泰華莊 일반중식

대전에서 가장 오래된 중국집 중 하나로, 70여 년의 역사를 자랑한다. 짜장면, 짬뽕, 탕수육 등의 메뉴부터 수준 높은 공력을 자랑하는 요리 메뉴도 인기가 많다. 오붓하게 식사할 수 있는 룸이 많이 있어서 각종 모임에 좋다.

₩ 짜장면(7천원), 짬뽕, 볶음밥(각 8천원), 사천탕수육(2만8천원), 라조기, 양장피(각 3만8천원), 팔보채(4만원)
🕒 11:30~15:00/17:00~21:00 – 첫째, 셋째 주 월요일 휴무
🔍 대전 동구 중앙로203번길 78(정동)
☎ 042-256-2407 Ⓟ 가능

평양숨두부 닭백숙 | 순두부

70여 년에 걸쳐 3대가 운영해 온 숨두붓집. 숨두부는 순두부의 황해도식 방언으로, 담백한 맛이 좋다. 감칠맛 나는 양념장을 곁들여도 별미. 순두부를 만드는 콩은 충청남도와 전라도 지방에서 가져와서 사용한다.

₩ 숨두부(6천원), 삼계탕(1만5천원), 토종닭옻백숙, 오리한방백숙(각 5만8천원), 토종닭백숙, 토종닭볶음탕(각 5만3천원)
🕒 10:00~22:00 – 월요일, 명절 휴무
🔍 대전 동구 대전로 381(대성동)
☎ 042-284-4141 Ⓟ 가능(협소)

한밭식당 설렁탕 | 수육

70여 년간 설렁탕을 전문으로 해 온 집으로, 대전뿐만 아니라 전국적으로도 오래된 음식점으로 꼽히는 곳 중 하나다. 설렁탕은 주방에 걸린 큰 가마솥 3개를 옮겨가며 세 차례에 걸쳐 5시간 이상 끓여 낸다고 한다. 그 덕분에 나이 든 세대들이 좋아할 묵직한 맛이 난다. 뽀얀 설렁탕 한 그릇에 곁들여 먹는 깍두기 맛도 좋다.

₩ 설렁탕(1만원, 특 1만2천원), 갈비탕, 도가니탕(각 1만4천원, 특 1만7천원), 소머리수육, 도가니수육(각 3만2천원), 항아리갈비탕(5만8천원), 함흥냉면(6~8월 평일점심만 가능, 8천원)
🕒 10:00~20:30 – 연중무휴
🔍 대전 동구 태전로 3(중동)
☎ 042-256-1565 Ⓟ 가능(공영 주차장 주차권 지원)

대전광역시 서구

공주떡집 떡 | 떡카페

60여 년의 역사를 자랑하는 떡집. 국내산 재료를 전국 곳곳에서 엄선하여 가져다 쓰고 있다. 전통적인 떡에 현대적인 재료와 맛을 가미하여 새롭게 선보인다. 흑임자인절미가 특히 인기다.

₩ 4색영양떡(5천5백원), 콩인절미, 쑥인절미(각 4천5백원), 흑임자인절미, 호박인절미(각 5천원), 백설기(3천5백원)
🕒 08:00~22:00 – 연중무휴
🔍 대전 서구 용문로 89(용문동)
☎ 1566-4108 Ⓟ 불가

귀빈돌솥밥 솥밥

돌솥밥이 맛있기로 유명한 곳. 갓 지은 밥에 20여 가지의 나물을 넣고 비벼 먹는다. 나물의 식감과 향이 어우러져 고소한 맛이 좋다. 석갈비, 떡갈비 등의 메뉴도 인기.

₩ 돌솥밥(1만7천원), 소떡갈비(160g 1만5천원), 소석갈비(200g 2인 이상, 1인 2만5천원), 소석갈비정식(180g 2인 이상, 1인 3만5천원)
🕒 11:00~15:00/17:00~20:30(마지막 주문 20:10) – 연중무휴
🔍 대전 서구 만년로68번길 21(만년동) 1층
☎ 042-488-3340 Ⓟ 가능(1시간 30분 무료)

대선칼국수 칼국수 | 두부두루치기

대전의 유명한 칼국숫집. 칼국수 반죽은 콩가루를 섞어 직접 손으로 만들고 썰기 때문에 면이 부드럽고 고소하다. 칼국수와 더불어 수육, 오징어두루치기도 인기가 좋다. 60여 년의 역사를 자랑하는 곳.

₩ 칼국수(8천원), 비빔국수, 냉비빔국수(각 8천5백원), 수육(소 2만8천원, 중 3만3천원, 대 3만8천원), 오징어두루치기(2만8천원), 두부두루치기(2만5천원)

⏲ 11:30~15:30/17:00~22:00(마지막 주문 21:30) - 연중무휴
🔍 대전 서구 둔산중로40번길 28(둔산동) 오성빌딩 2층
☎ 042-471-0317 Ⓟ 가능

대성콩국수 콩국수

대전에서 40년 넘게 자리를 지키고 있는 유명한 콩국숫집. 청양, 금산, 연천, 논산 등에서 직접 수매해 아침마다 콩물을 뽑아내는데, 그 콩물이 고소하고 담백한 맛이 일품이다. 직접 제면하는 중면 굵기의 쫄깃한 식감의 면은 콩국수의 맛을 배가 시킨다.

₩ 콩국수, 비빔국수(각 1만원), 생두부, 달걀말이(각 8천원), 면사리(4천원)
⏲ 11:20~19:00 - 연중무휴
🔍 대전 서구 도산로 141(도마동)
☎ 042-533-4586 Ⓟ 가능

동원칼국수 칼국수 | 두부두루치기

두부두루치기가 인기 있는 칼국수 전문점. 두부두루치기는 두툼하게 자른 두부와 채소를 함께 넣고 매콤한 양념에 졸여 낸다. 칼국수는 바지락 육수에 김과 쑥갓을 올려 맛과 향이 좋다. 여름철에만 선보이는 콩국수도 별미다.

₩ 칼국수(8천원), 비빔국수, 콩국수(각 8천5백원), 두부두루치기(1만4천원), 오징어두부두루치기(2만5천원), 보쌈(소 1만3천원, 중 2만5천원, 대 3만5천원)
⏲ 11:00~22:00(마지막 주문 21:00) - 연중무휴
🔍 대전 서구 청사서로54번길 11(월평동)
☎ 042-484-9075 Ⓟ 불가(갓길 주차)

라드커피 LAD COFFEE BAR 커피전문점

직접 로스팅한 원두를 사용하는 로스터리 카페. 카페라테와 아메리카노, 블루레몬에이드가 들어가는 독특한 커피인 블루카페오레가 인기 있다. 원두는 두 가지 중 선택할 수 있다. 더치커피와 우유, 큐라소시럽 등이 어우러진 블루카페오레와 더치커피, 우유, 그레나딘 등이 들어간 레드카페오레 등의 시그니처 음료도 유명하다.

₩ 에스프레소스페셜(4천5백원~6천3백원), 아메리카노(4천5백원), 카페라테, 카푸치노(각 4천9백원), 블루베리루이보스, 히비스커스, 자몽청(각 4천9백원), 제주말차빙수(1만5백원)
⏲ 11:00~21:00 - 연중무휴
🔍 대전 서구 대덕대로233번길 36(둔산동) 라온채빌딩
☎ 070-4143-1424 Ⓟ 불가

리리컬디저트 LYRICAL 마카롱 | 디저트카페

화사한 분위기의 디저트 카페. 파운드케이크, 피낭시에, 마들렌 등의 수제 구움과자를 맛볼 수 있다. 필링을 두툼하게 채운 일명 '뚱카롱' 스타일의 마카롱도 다양하게 선보이는데, 쫀득한 코크와 부드러운 필링이 잘 어울린다. 마카롱은 스페셜데이에만 나오며 판나코타, 케이크, 무스타르트도 맛볼 수 있다.

₩ 파운드케이크(4천원), 약과쿠키(4천5백원), 피낭시에(2천8백원~3천원), 마들렌(2천8백원~3천2백원), 쇼콜라딸기우유크림케이크(7천4백원), 아메리카노(4천원), 카페라테(4천5백원), 바닐라라테, 모카마시멜로우, 아포가토(각 5천5백원), 서머라테(6천5백원)
⏲ 12:00~21:00(마지막 주문 20:00) - 월요일 휴무
🔍 대전 서구 문정로2번길 113 탑스빌 1층 102호
☎ 042-0123-4567 Ⓟ 불가(인근 공영주차장 이용)

만촌 생선회 | 세꼬시

고급 일식점을 연상케 하는 고급스러운 분위기의 자연산 회 전문점. 낙지, 돌 멍게, 낙지 볶음 등 제철에 맞는 다양한 해산물 요리가 곁들여져 나온다. 룸이 있어 모임을 하기에도 적당하며, 가격대는 높지만, 서비스가 좋은 편이다.

₩ 세꼬시(소 8만7천원, 중 12만5천원, 대 14만5천원), 자연산생선회(1인 5만5천원부터), 회+세꼬시(중 13만원, 대 15만5천원, 특별 20만원)
⏲ 10:00~14:00/17:00~22:00(마지막 주문 20:30) - 일요일 휴무
🔍 대전 서구 만년로 81(만년동)
☎ 042-472-8777 Ⓟ 가능

박선희황태어글탕 황태

뽀얀 국물의 황태 어글탕을 맛볼 수 있는 곳. 따로 나오는 두부를 탕에 넣고 새우젓으로 간을 하여 먹는다. 담백한 국물맛이 일품이며, 취향껏 다진 청양고추를 넣어 먹어도 맛있다.

₩ 황태어글탕(1만2천원), 황태전복어글탕(1만5천원), 황태구이(1만3천원), 돈가스(8천원)
⏲ 11:00~15:00/17:00~21:30 - 일요일 휴무
🔍 대전 서구 한밭대로707번길 30(월평동)
☎ 042-482-7003 Ⓟ 가능

베이크오프 BAKE-OFF 베이커리

유기농 밀가루와 프랑스 버터를 사용하는 식사빵 전문점. 대표 메뉴인 아보카도샌드위치는 1인 1개 한정 판매다. 올리브치즈치아바타와 잠봉뵈르도 인기. 11시 30분 오픈 전부터 웨이팅 줄이 있으며, 빵이 다 팔리면 조기 마감하므로 인스타그램으로 확인하기를 추천한다.

₩ 아메리카노(3천원), 카페라테(4천원), 바닐라라테(4천5백원), 프렌치샌드위치(7천5백원), 소금빵(2천7백원), 잠봉뵈르(6천5백원), 올리브치즈치아바타(4천5백원), 팽오쇼콜라(4천원), 크루아상(3천5백원)
⏲ 11:00~17:00(빵 소진 시 마감) - 수, 목요일 휴무
🔍 대전 서구 관저남로25번길 23-69(관저동)
☎ 070-4306-0329 Ⓟ 불가

설천순대국밥 순대국밥

대전을 대표하는 순댓국집 중 하나다. 우거지가 들어가 시원한 국물에 정구지(부추)를 넣어 먹으면 해장이 절로 된다.

Ⓦ 순대국밥(9천원, 특 1만원), 모둠순대(소 2만5천원, 중 3만원), 맛순대(9천원), 곱창전골(소 3만원, 중 3만5천원)
Ⓛ 05:00~01:00(익일) – 연중무휴
Q 대전 서구 둔산로51번길 66(둔산동)
☎ 042-482-4801 Ⓟ 불가(해당 건물 유료주차장 이용)

스시호산 虎山 스시

신라호텔 아리아께에서 경력을 쌓은 조리장이 쥐는 스시야. 기대할 만한 수준의 스시를 맛볼 수 있는 곳. 대전에서는 최고의 스시로 손꼽을 수 있는 곳이다. 예약제로 디너 오마카세만 운영하니 방문 시 참고할 것.

Ⓦ 디너오마카세(25만원)
Ⓛ 19:00~22:00 – 금, 토, 일, 월요일 휴무
Q 대전 서구 대덕대로 366(만년동) 해가든센트럴파크 1층
☎ 042-482-0053 Ⓟ 가능

스웨이 Sway 파스타

수제로 만든 생면 파스타를 전문으로 하는 곳. 식재료 본연의 맛을 살린 요리를 선보인다. 시금치로 만든 면에 4가지 치즈, 새우로 속을 채운 라비올리를 맛볼 수 있다. 와인을 페어링 해서 먹기도 좋다.

Ⓦ 라비올리(2만4천원), 스칼피노, 감자뇨키(각 2만3천원), 봉골레(2만6천원), 한우1++소목심라구마팔디네(3만원)
Ⓛ 변동(인스타그램 공지) – 화요일 휴무(임시 휴일은 인스타그램 공지)
Q 대전 서구 문정로150번길 31-6(탄방동)
☎ 010-4376-4347 Ⓟ 불가

여자만장어구이 장어

대형 장어구잇집으로, 민물장어와 바닷장어 모두 취급하고 있다. 장어는 기본 2인 이상 주문해야 하며 양념과 간장, 소금구이 중 선택할 수 있다. 일반 장어구이 외에도 몸에 좋은 산삼, 동충하초, 더덕 등을 곁들인 메뉴도 인기가 많다.

Ⓦ 양념민물장어, 간장민물장어, 소금민물장어(각 1인 3만3천원), 동충하초민물장어, 산삼배양근민물장어(각 1인 4만원), 더덕민물장어(1인 4만3천원), 평일점심장어정식(1인 2만3천원)
Ⓛ 11:30~21:30(마지막 주문 20:45) – 연중무휴
Q 대전 서구 만년로68번길 38(만년동)
☎ 042-486-2486 Ⓟ 가능

월광박속낙지탕 낙지

복지리 육수를 사용하여 시원한 국물의 박속 낙지탕을 맛볼 수 있다. 신선한 산낙지를 테이블에서 바로 냄비에 넣어 끓여준다. 박속과 청경채, 배추 등이 들어가 국물 맛을 깊게 해준다.

Ⓦ 박속낙지탕(2인 이상, 1인 2만4천원), 낙지볶음(2인 이상, 1인 1만4천원), 탕탕이(산낙지)(2인 이상, 1인 2만4천원), 호롱구이(2인 이상, 냉동4마리 2만4천원, 산낙지1마리 2만4천원)
Ⓛ 11:30~22:30 – 연중무휴
Q 대전 서구 한밭대로707번길 27(월평동) 2층
☎ 042-487-8253 Ⓟ 불가

인디 INDY 인도식

15년 가까이 대전 지역에서 인기를 끌어온 인도음식점이다. 인도 현지 셰프가 요리하는 40여 종류의 커리와 정통 인도 요리를 맛볼 수 있으며, 실내 인테리어도 이국적이다. 커리, 샐러드, 난 등이 나오는 실속세트가 가격대비 구성이 좋으며, 할랄 푸드 인증 레스토랑이다.

Ⓦ 탄두리치킨(2만6천원), 치킨 마크니(2만원), 인디실속세트(A세트 1만7천원, B세트 1만9천원, C세트 2만5천원), 그린샐러드(1만5천원), 탄두리치킨샐러드(2만1천원), 머시룸스프(7천원), 난(3원~6천원)
Ⓛ 11:30~15:00/17:30~22:00 | 토, 일요일 11:30~22:00 – 명절 휴무
Q 대전 서구 대덕대로 246(둔산동)
☎ 042-471-7052 Ⓟ 가능

일정 一廷 굴비 | 한정식

법성포 굴비 전문점으로, 남도식 한정식을 내는 곳이다. 굴비정식을 시키면 보리굴비와 함께 맛깔스러운 반찬이 한 상 가득 차려진다. 녹찻물에 밥을 말아 굴비를 곁들이면 그 맛이 일품이다. 실내 분위기도 조용하고 고급스러워 손님 접대나 상견례에도 좋다.

Ⓦ 굴비정식(점심특선 2만9천원, 저녁 3만5천원, 4만5천원, 5만5천원), 한정식코스(6만원~8만원), 비지니스코스(8만원~15만원), 상견례코스(4만5천원,5만5천원), 흑산도홍어삼합(8만원), 갈비찜, 병어조림, 전복(각 6만원)
Ⓛ 09:30~14:00/17:00~21:30 – 연중무휴
Q 대전 서구 만년로67번길 18-9(만년동)
☎ 042-489-8877 Ⓟ 가능

정든밥 비빔밥 | 막국수

속초식 비빔밥을 내세우는 곳으로, 속초 명물이라는 씨앗 오징어젓갈을 넣은 비빔밥을 맛볼 수 있다. 메뉴는 비빔밥과 들기름 막국수 두 가지뿐. 직접 쌀을 도정하고 들기름도 매일 착유해서 사용한다고 한다. 오징어젓갈과 들기름은 판매도 하고 있다.

Ⓦ 속초식씨앗오징어젓갈비빔밥(1만3천원), 들기름메밀막국수(1만원), 한식샐러드(6천원)
Ⓛ 11:00~21:00(마지막 주문 20:30) | 토, 일요일 11:00~20:00(마지막 주문 19:30) – 연중무휴
Q 대전 서구 둔산로31번길 72(둔산동) 홀리뷰빌딩 1층
☎ 010-8524-5778 Ⓟ 불가

참숯향생선구이 생선구이

참숯으로 구운 생선구이를 즐길 수 있는 곳. 도톰한 생선살을 와사비간장에 찍어 먹으면 맛이 좋다. 생선조림, 대구뽈지리도 인기가 좋으며 숙성회는 하루 전에 예약해야 한다.

㊙ 생선구이, 생선조림(각 1만1천원~1만5천원), 대구뽈매운탕, 대구뽈지리탕(각 1인 1만2천원), 왕갈치구이(8만원), 왕갈치조림(9만원), 새뱅이부추전, 김치전(각 1만원)

⊕ 11:00~15:00/17:00~21:00(마지막 주문 20:30) – 첫째, 셋째 주 일요일 휴무

Q 대전 서구 둔산로74번길 29(둔산동) ☎ 042-485-4122 Ⓟ 가능

천년의정원 일반중식

고대 중국의 정원 느낌을 살린 인테리어가 뛰어나다. 특급호텔 출신의 조리사가 만들어 내는 요리들도 고급스러운 편. 퓨전이 약간 가미되어 있는 요리를 즐길 수 있다.

㊙ 짜장면(1만1천원), 짬뽕(1만4천원), 사천탕면(1만2천원), 우육탕면(1만5천원), 탕수육(소 2만7천원, 중 3만3천원, 대 4만8천원), 런치코스(1인 3만원~6만5천원), 디너코스(1인 3만8천원~15만원)

⊕ 11:30~21:30 – 명절 휴무

Q 대전 서구 만년로67번길 18-13(만년동)

☎ 042-485-1796 Ⓟ 가능

천복순대국밥 순댓국

오랫동안 이어져 온 순대국밥 전문점. 밥을 말아 내오며 순대와 내장이 듬뿍 들어 있다. 내장을 원하지 않으면 순대만 달라고 하면 된다. 취향에 따라 테이블 위에 있는 들깻가루를 넣어 먹으면 좋다. 순대에는 채소가 들어 있어 아삭한 맛이 나는 것이 특징.

㊙ 순대국밥, 편육(각 8천원), 모둠순대(소 8천원, 중 1만3천원), 콩나물국밥(6천원)

⊕ 09:00~21:00 – 연중무휴

Q 대전 서구 관저남로25번길 23-1(관저동)

☎ 042-586-1090 Ⓟ 불가

케이브파스타바 NEW cave PASTA BAR 파스타

매일 직접 반죽한 생면으로 요리한 파스타를 선보이는 다이닝 바. 파스타에 사용되는 육수와 소스도 직접 만든다. 카운터석과 마주한 오픈 주방을 통해 요리하는 과정을 현장감 있게 엿볼 수 있다. 두 가지 치즈를 곁들인 새우 라비올리가 시그니처 메뉴다. 예약 우선제로, 점심은 15분 단위에 한 팀, 디너는 20분 단위로 한 팀씩 가능하다.

㊙ 라구비앙코(2만원), 화이트트러플크림뇨키(1만9천원), 두가지치즈와새우라비올리(2만4천원), 봉골레시금치생면(2만1천원), 성게알먹물생면(2만3천원), 알리오올리오(1만4천원), 카르보나라(1만6천원), 포모도로(1만9천원)

⊕ 17:20~01:00(익일)(마지막 주문 23:30) | 토, 일요일 12:00~15:00/17:20~01:00(익일)(마지막 주문 13:45, 23:30) – 비정기적 휴무

Q 대전 서구 갈마역로25번길 9-9

☎ 010-8131-3417

Ⓟ 불가(올림픽기념국민생활관 주차장 이용, 15분 3백원)

케이브파스타바

토미야 とみや 일식우동

가케우동, 덴푸라우동, 자루우동 등을 맛볼 수 있는 일식 우동 전문점. 우동면을 직접 제면하는 과정을 볼 수 있으며, 토리텐붓가케 우동과 덴푸라 우동을 많이 찾는 편이다. 사이드 메뉴로 야채튀김과 토리텐을 주문할 수 있다.

㊙ 가케우동(7천원), 붓가케우동, 자루우동(각 8천원), 덴푸라우동, 토리텐붓케우동(각 9천원), 야채튀김(1천원), 토리텐(1천5백원)

⊕ 11:00~15:00/17:00~20:00(마지막 주문 19:30) – 일요일 휴무

Q 대전 서구 청사서로 14

☎ 042-471-1153 Ⓟ 불가

톨드어스토리 TOLD A STORY 커피전문점

대전을 대표하는 스테셜티커피 매장. 하이엔드 로스터리 카페로, 커피 공장으로 사용하다 매장의 반을 나누어 카페로 오픈하였다. 브라질 스페셜티 커피 협회에서 인증받은 커피를 사용하며 다른 커피 전문점에 비해 합리적인 가격에 좋은 원두의 커피를 맛볼 수 있다. 신선한 원두와 드립 기구 등도 판매한다.

㊙ 에스프레소, 아메리카노(각 4천원), 카페라테(5천원), 바닐라라테(5천5백원)

⊕ 10:30~18:30(마지막 주문 18:00) | 토, 일요일 11:00~ 19:00(마지막 주문 18:30) – 명절 휴무

Q 대전 서구 갈마역로25번길 31(갈마동) 1층

☎ 042-867-2335 Ⓟ 불가

트리니티비스트로 Trinity Bistro 이탈리아식

1인 셰프가 운영하고 있는 이탈리안 비스트로. 블루치즈 트러플 뇨키, 해산물버터크림링귀니 등이 추천 메뉴다. 음식의 풍미를 위해 간을 세게 하는 편으로, 와인과 함께 즐기기 좋다.

㊙ 화이트발사믹부라타샐러드(1만6천원), 오징어새우해산물튀김, 트러플감자튀김(각 1만원), 블루치즈트러플리조토, 아마트리치아나(각 1만8천원), 채끝스테이크(3만9천원)

⊕ 11:30~14:30/17:30~21:00(마지막 주문 20:00) – 수요일 휴무

대전 서구 계룡로583번길 60(탄방동)
☎ 010-9090-4631 Ⓟ 가능

포레디 foredi restaurant 와인바 | 파스타

1인 셰프가 운영하는 레스토랑. 매일 아침 반죽한 생면으로 만드는 파스타를 맛볼 수 있다. 최근 이전하면서 저녁때는 와인바로 이용되며 와인은 물론 소주, 맥주 등의 주류도 갖추고 있는 것이 특징이다.

₩ 폴포(1만6천원), 독일소시지(1만8천원), 먹물리조토(1만8천원), 우니파스타(2만원), 화이트라구파스타(1만8천원), 트러플크림뇨키(1만9천원)
17:00~01:00(마지막 주문 11:30) - 일요일 휴무
대전 서구 도안동로11번길 54 비전타워1동 201호
☎ 010-9092-1816 Ⓟ 가능(지하주차장 이용)

향옥찻집 NEW 카페 | 전통차전문점

다양한 전통차를 비롯해 현대식으로 해석한 음료 메뉴를 갖춘 카페. 음료를 주문하면 웰컴디저트부터 음료와 함께 먹기 좋은 구운쌀가래떡 디저트까지 같이 내어준다. 음료 한 잔에 푸짐하게 대접 받는 경험을 할 수 있다.

₩ 대추차, 쌍화차, 찐생강차(각 6천8백원), 동충하초차, 유자차(각 6천3백원), 대추호박약과(2조각 3천8백원)
09:00~19:00 - 명절 휴무
대전 서구 원도안로242번길 28
☎ 042-543-4916 Ⓟ 가능(전용주차장)

홍운장 鴻運莊 일반중식

도마시장 골목에 자리한 중식당. 화교가 20년 넘게 운영하고 있는 곳이다. 옛날 스타일의 짜장면, 짬뽕, 탕수육 등을 맛볼 수 있으며 전반적으로 자극적이지 않은 맛이 특징이다. 직접 만두피를 빚어 만드는 군만두도 인기다.

₩ 짜장면(6천원), 간짜장, 짬뽕(각 7천원), 삼선짬뽕, 삼선복음밥(각 1만1천원), 탕수육(소 1만8천원, 중 2만3천원, 대 2만8천원), 기스면(1만원), 양장피(3만원), 군만두(6천5백원)
11:30~15:00/17:00~20:00 - 연중무휴
대전 서구 사마6길 35(도마동)
☎ 042-523-4791 Ⓟ 불가(인근 공영 주차장 이용)

대전광역시 유성구

가남지 迦南地 베트남식

대전에서는 오래된 베트남 요리 전문점. 다양한 쌀국수 메뉴와 월남쌈, 짜조 등을 즐길 수 있다. 반찬과 주스 등은 셀프로 가져다 먹을 수 있다.

₩ 쌀국수(1만1천원~1만2천원), 분짜(1만3천원), 파인애플볶음밥(1만3천원), 월남쌈(소 2만7천원, 대 3만7천원), 짜조(7천원)
11:00~15:00/16:00~21:00 | 토요일 11:30~21:00 - 일요일 휴무
대전 유성구 대덕대로 588(도룡동)
☎ 042-861-7557 Ⓟ 가능

강경옥 웅어 | 복

50여 년 역사의 복요리, 우여(웅어)회 전문점. 생복전골과 복해장국 등을 먹을 수 있다. 직접 담근 된장으로 복국 맛을 내는 것이 맛의 비결. 코스를 주문하면 우여회를 비롯해 생복요리를 한번에 맛볼 수 있다.

₩ 활참복사시미(7만원), 복어+민어(5만원), 우여회(3만5천원), 코스(변동)
11:00~15:00/17:00~22:00(마지막 주문 21:00) - 연중무휴
대전 유성구 유성대로 580-5(구암동)
☎ 042-824-2508 Ⓟ 가능

곰에스프레소

GOM ESPRESSO 커피전문점 | 브런치카페

직접 원두를 볶는 로스터리 카페로, 다양한 에스프레소 베이스 커피를 즐길 수 있다. 엑설런트 아이스크림이 올라가는 대전토박이 라테가 독특한 메뉴. 커피와 어울리는 피낭시에나 마들렌 등의 구움과자도 있으며 샌드위치 같은 단한 브런치를 즐길 수 있다. 별바라기공원이 근처에 있어 산책길에 들러도 좋다.

₩ 아메리카노(4천5백원), 카페라테(5천원), 에스프레소(4천원, 천5백원), 대전토박이라테(6천5백원), 레몬마들렌(2천9백원), 베리크럼블(4천8백원), 에그애플샌드위치(8천4백원)
10:30~22:00 - 연중무휴
대전 유성구 봉명서로 15(봉명동) 벨엘하우스
☎ 042-825-8515 Ⓟ 불가

구즉묵집 묵

호남고속도로 북대전IC 인근에 형성된 구즉묵촌에 있는 묵밥집. 묵을 썬 뒤 멸치장국을 부어 내주는 도토리묵밥이 대표 메뉴다. 잘게 썬 김치, 들깨, 김을 고명으로 얹고 삭힌 풋고추로 간을 맞춘다. 이 외에도 도토리를 넣은 닭볶음탕도 별미.

₩ 도토리묵밥, 보리밥, 도토리모묵(각 9천원), 도토리빈대떡, 손두부(각 1만2천원), 도토리토종닭볶음탕(5만2천원)

⏱ 11:00~15:00/17:00~20:00 | 토, 일요일 11:00~20:00 – 연중무휴
🔍 대전 유성구 대덕대로 1091-25(송강동)
☎ 042-935-2016 Ⓟ 가능

꾸드뱅

QUEDEPAIN BAKERY CAFE 베이커리 | 카페

천연 발효종으로 만든 다양한 빵을 만날 수 있는 베이커리. 개량제와 화학첨가제를 사용하지 않으며, 프랑스산 밀가루와 유기농 통밀, 호밀 등 좋은 재료를 사용해 건강한 빵을 선보인다. 부드러운 크루아상과 버터프레즐, 그리고 바게트 안에 리코타치즈와 토마토, 바질 등을 넣은 빵이 인기다.

₩ 연유버터프레즐(4천5백원), 통밀치즈캉파뉴(4천8백원), 옥수수크루아상(4천7백원), 고메버터소금빵(2천8백원), 앙버터(4천7백원), 티라미수데니쉬(4천8백원)
⏱ 08:30~21:30 – 연중무휴
🔍 대전 유성구 지족동로 146(지족동) 계룡프라자
☎ 042-825-3033 Ⓟ 가능

누오보나폴리 Nuovo Napoli 피자 | 파스타

나폴리 정통 피자를 선보이는 곳. 이탈리아의 엄선된 밀가루와 시칠리아산 소금, 생효모만으로 반죽해 나폴리 본연의 피자 맛을 살리고 있다. 장작 화덕에 구워 풍미를 느낄 수 있으며 파스타도 추천할 만하다.

₩ 그란데알리오(2만2천원), 비스마르크(2만6천원), 카프리초사(2만9천원), 포르치니풍기크레마, 라구사프란(각 2만2천원), 페스카토레(2만원)
⏱ 11:00~15:00(마지막 주문 14:30)/17:00~22:00(마지막 주문 21:30) | 토, 일요일 11:00~16:00(마지막 주문 15:30)/17:00~22:00(마지막 주문 21:30) – 월, 화요일 휴무
🔍 대전 유성구 농대로 15(궁동) 3층 ☎ 042-322-9582 Ⓟ 가능

대연각 일반중식

50여 년 전통의 중국집. 짜장면, 짬뽕 등의 식사메뉴를 비롯해 불 맛이 살아 있는 바삭한 탕수육도 인기다.

₩ 짜장면(7천원), 짬뽕, 간짜장, 볶음밥(각 8천원), 삼선짬뽕, 삼선우동, 삼선간짜장(각 1만원), 탕수육(소 1만7천원, 중 2만3천원, 대 3만원), 양장피(3만원)
⏱ 10:40~20:00 – 일요일 휴무
🔍 대전 유성구 엑스포로539번길 209(탑립동)
☎ 042-936-9200 Ⓟ 가능

더한다이닝 The Han dinning 모던한식

프렌치에 한식 식재료를 가미한 모던한식을 경험할 수 있는 파인다이닝 레스토랑. 타르트지에 수육과 막걸리 소스로 마무리한 보쌈 타르트와 같은 창의적인 요리를 맛볼 수 있다. 시즌마다 달라지는 메뉴를 즐기는 것도 좋다.

₩ 단일코스(10만원)
⏱ 17:30~22:00 – 월요일, 격주 화요일 휴무
🔍 대전 유성구 원신흥로40번길 81(원신흥동)
☎ 042-826-8117 Ⓟ 불가(힐탑교회 앞쪽 주차장 이용)

동해원 일반중식

공주 동해원 주인장의 아들이 운영하는 곳으로, 칼칼한 짬뽕이 맛있기로 유명하다. 돼지뼈를 48시간 푹 고아 만든 육수에 채썬 돼지고기와 오징어와 채소를 넣은 전통 방식의 짬뽕을 맛볼 수 있다. 짜장면은 큼직한 감자가 들어간 옛날식 짜장 제조법을 고수하고 있다.

₩ 짬뽕, 짬뽕밥(각 9천원, 곱빼기 1만원), 짜장면(7천원, 곱빼기 8천원)
⏱ 11:00~15:00| 토요일 11:00~16:00 – 일요일 휴무
🔍 대전 유성구 궁동로14번길 14(궁동)
☎ 042-823-3495 Ⓟ 불가

랑골로 LANGOLO 파스타

이탈리아에서 공부한 셰프가 만드는 생면 파스타 전문점이다. 메뉴는 파스타만 있으며 다양한 해산물이 들어간 뚝배기파스타와 트레네테 파스타면에 시금치를 첨가해 시각적 즐거움을 살린 딱새우봉골레파스타가 인기다.

₩ 카르보나라비골리, 비골리아마트리치아나(각 2만원), 리가토니화이트라구(2만1천원), 스카모차리조토(2만4천원), 수비드채끝등심스테이크(9만5천원)
⏱ 11:30~15:00/17:30~22:00(마지막 주문 20:30) | 월요일 17:30~22:00(마지막 주문 20:00) – 연중무휴
🔍 대전 유성구 엑스포로151번길 19(도룡동) D102, D103호
☎ 070-8826-1111 Ⓟ 가능

랑골로

리코제이 RICO'J 파스타 | 이탈리아식

앤티크한 인테리어가 돋보이는 이탈리안 레스토랑. 식전빵과 히비스커스 차가 기본으로 나오며 해산물토마토파스타와 포르치니크림파스타가 대표 메뉴다. 수비드로 익힌 스테이크를 선보이며, 와인 리스트도 좋은 편이다.

₩ 해산물토마토파스타, 트러플포르치니크림파스타(각 2만원), 카수엘라파스타(1만9천원), 블랙크림리조토, 소고기로제리조토(각 2만1천원), 한우안심스테이크(5만9천원)
🕒 11:30~15:00/17:00~22:00(마지막 주문 20:30) | 토, 일요일 11:30~22:00(마지막 주문 20:30) – 연중무휴
🔍 대전 유성구 대덕대로 598(도룡동) 101호
☎ 010-8487-6672 Ⓟ 가능

만나한우복수집 🎀 소고기구이

모둠소고기를 시키면 등심, 차돌박이, 안창, 삼겹양지, 치마양지, 부채살 등이 나와 부위별로 다른 맛을 볼 수 있다. 후식으로는 시래기 된장국을 구수하게 끓여 준다. 소뼈를 고아 육수를 한 솥 가득 만들어 놓는다.

₩ 등심(200g 2만6천원), 업진살, 치마살(각 200g 2만8천원), 육사시미(200g 2만원), 토시살(한마리 15만원)
🕒 17:00~22:00 – 일요일 휴무
🔍 대전 유성구 도안대로577번길 12(봉명동)
☎ 042-825-0409 Ⓟ 가능

바질리코 🎀 Basilico 이탈리아식 | 파스타 | 피자

분위기 좋은 이탈리안 레스토랑. 아담한 3층 건물의 옥상은 허브밭으로 꾸며 신선한 허브를 사용한 요리를 낸다. 겨울에는 여름에 재배해 둔 허브를 냉동해 두었다가 사용한다.

₩ 볼로네제파스타, 로제라구(각 1만7천원), 파네로제감베로스파게티(1만8천원), 매콤한관자영양덮밥(2만1천원), 멕시칸콤비네이션페이스트리피자, 고르곤졸라피자(각 2만원)
🕒 11:30~15:00/17:00~20:40 – 명절 휴무
🔍 대전 유성구 한밭대로313번길 10(장대동)
☎ 042-825-2825 Ⓟ 가능

방동가든 🎀 돼지갈비 | 소갈비

양념이 쏙 밴 돼지주물럭(돼지갈비)이 맛있기로 유명한 곳. 숯불에 구워 먹는 맛이 좋으며, 함께 나오는 밑반찬도 맛있다. 질 좋은 생갈비와 양념소갈비도 인기 메뉴. 바로 앞에 방동저수지가 있어 식사 후 근처를 산책하는 것도 좋다.

₩ 돼지주물럭(국내산 200g 1만6천원, 미국산 200g 1만4천원), 양념소갈비(미국산 3만원), 소생갈비(미국산 150g 3만4천원), 비빔냉면(8천5백원), 물냉면(8천원)
🕒 11:30~21:30(마지막 주문 20:00) – 명절 휴무
🔍 대전 유성구 성북로 58(방동)
☎ 042-544-3000 Ⓟ 가능

백마강 🎀 장어

참숯에 굽는 민물장어 전문점. 질 좋은 민물장어를 사용하며 직원이 먹기 좋게 구워주므로 편하게 먹을 수 있는 장점이 있다. 함께 나오는 생강채나 묵은지에 싸 먹으면 별미. 구수한 장어탕으로 식사를 마무리한다.

₩ 민물장어(반판 3만5천원, 한판 6만9천원), 장어탕(소 5천원, 대 8천원)
🕒 11:00~22:00(마지막 주문 21:00) – 연중무휴
🔍 대전 유성구 도안대로567번길 3(봉명동)
☎ 042-825-1881 Ⓟ 가능

부산식당 순댓국

한 자리에서 50여 년 동안 부담없는 가격으로 순대국밥을 팔고 있는 집. 국밥에 들어가는 순대를 직접 만들며 고기도 푸짐하게 들어가 있다. 순대를 비롯해 다양한 부위가 나오는 모둠안주도 인기며, 새콤한 머릿고기무침도 별미다. 가게 내부는 허름하지만 시장의 역사와 발자취를 볼 수 있는 글과 사진이 정겹다.

₩ 순대국밥(7천원), 순대국수(5천원), 모둠안주(소 1만원, 대 1만5천원), 머릿고기무침(1만5천원)
🕒 07:30~21:00 – 연중무휴
🔍 대전 유성구 유성대로730번길 34(장대동)
☎ 042-822-2618 Ⓟ 불가(인근 공영 주차장 이용)

산골묵집 묵 | 닭백숙

흙으로 지은 오래된 초가집에서 시작한 집으로, 담백한 도토리묵이 유명한 곳이다. 물묵뿐만 아니라 칡이나 옻을 넣고 삶은 백숙도 좋다. 백숙을 주문하면 나중에 고기를 다 먹은 후 국물에 넣어 죽을 만들어 먹을 찰밥이 별도로 용기에 담겨 나온다.

₩ 채묵, 보리밥(각 9천원), 파전(1만2천원), 두부김치(1만1천원), 묵무침(1만2천원), 칡백숙, 닭볶음탕(각 5만원), 옻닭(5만5천원)
🕒 10:30~15:00/16:30~20:30 – 연중무휴
🔍 대전 유성구 관용로63번길 47(관평동)
☎ 042-935-9900 Ⓟ 가능

산밑할머니묵집 묵 | 비빔밥

묵채가 유명한 곳. 채 썬 묵에 멸치, 다시다, 무로 만든 육수를 부어 잘게 썬 김치와 김을 섞어 먹는 맛이 별미다. 가격대도 낮고 양도 푸짐한 편. 구수한 보리숭늉으로 식사를 마무리한다.

₩ 묵, 보리밥, 두부(각 9천원), 안주묵(1만원), 백숙(5만원), 닭볶음탕(5만5천원), 도토리채소전(1만5천원)
🕒 11:00~20:00 – 연중무휴
🔍 대전 유성구 관용로 33(관평동)
☎ 042-935-2947 Ⓟ 가능

솔밭묵집 🎀 묵 | 닭백숙 | 닭볶음탕

구즉도토리묵 거리에 있는 묵집 중의 하나. 도토리묵의 텁텁하고 진한 맛을 볼 수 있다. 큼지막한 대접에 도토리묵을 채 썰어 담고 잘게 썬 김치와 김, 깨소금을 고명으로 얹어 국물을 부어 낸다. 자극적인 맛을 원하면 삭힌 풋고추를 첨가하면 매콤하다. 묵과 함께 나오는 보리밥도 별미다.

₩ 채묵(중 6천원, 1인 9천원), 보리밥(9천원), 두부김치(1만1천원), 묵전(6천원), 파전(1만2천원), 묵무침(1만3천원), 닭백숙(4만5천원), 닭볶음탕(5만2천원)

⏲ 10:30~20:30 – 연중무휴
🔍 대전 유성구 관용로 51(관평동)
☎ 042-935-5686 Ⓟ 가능

숯골원냉면 평양냉면 | 닭백숙

1·4 후퇴 때 평양에서 월남하여 4대에 걸쳐 일궈 놓은 평양냉면 전문점이다. 강원도 평창군 내 농가들과 계약 재배한 메밀을 사용하며, 국수를 누를 때 10% 정도 전분을 섞는다. 순메밀을 눌러 달라고 하면 순메밀국수도 말아준다. 면발이 깔깔하면서도 메밀 향을 잘 살리고 있다. 육수는 소고기가 아닌 닭고기를 사용하며, 거기에 알맞게 익힌 동치미 국물만 가미해서 약간 밍밍한 편이다. 고명으로 닭고기가 올라가는 것이 특징.

Ⓦ 물냉면(1만1천원), 비빔냉면(1만2천원), 꿩냉면, 꿩온면, 꿩만둣국(각 1만5천원), 평양식왕만두(8천원), 토종닭백숙(4만원)
⏲ 11:00~15:30/16:30~20:00 – 연중무휴
🔍 대전 유성구 신성로84번길 18(신성동)
☎ 042-861-3287 Ⓟ 가능

숯골원냉면

숯골원조냉면 평양냉면

50여년 오랜 전통의 평양냉면집. 직접 담근 동치미 육수를 사용해 슴슴하면서도 깊은 맛이 나며, 자가제면한 메밀면을 사용해 면이 질기거나 끊어지지 않고 쫄깃하다.

Ⓦ 물냉면(1만원), 비빔냉면(1만1천원), 갈비탕, 파전(각 1만3천원), 메밀왕만두, 김치메밀전병(각 5천원)
⏲ 11:00~21:00 – 연중무휴
🔍 대전 유성구 신성로 121(신성동)
☎ 042-861-6730 Ⓟ 가능

스시아이 すし愛 스시

엄선된 식재료로 만든 스시 오마카세 코스를 즐길 수 있는 곳. 스시의 완성도가 높은 편이며 만족도가 높다. 기본 상차림으로 초생강과 우엉조림이 나오며 10년 이상 묵은 천일염과 강원도 철원산 고추냉이가 곁들여진다.

Ⓦ 런치코스(7만원), 디너오마카세(13만원)
⏲ 12:00~14:00/18:00~22:00(마지막 주문 19:30) – 일요일 휴무
🔍 대전 유성구 온천로 26(봉명동) 리베라아이누리 110호
☎ 042-482-1005 Ⓟ 가능

스시정수 すし正手 스시

1인 셰프가 운영하는 스시야로, 퀄리티 좋은 스시를 오마카세로 즐길 수 있다. 가격 대비 만족도가 높은 곳. 점심 2팀, 저녁 5팀만 예약을 할 수 있으며, 여섯 석의 다치 자리만 갖추고 있어 반드시 예약하고 방문해야 한다.

Ⓦ 런치스시오마카세(5만8천원), 디너스시오마카세(9만6천원)
⏲ 12:00~14:00/18:00~21:00 | 월요일 18:00~21:00 – 일요일 휴무
🔍 대전 유성구 상대동로2번길 67-10(상대동) 101호
☎ 010-8299-8199 Ⓟ 가능(협소)

아마레 Amare 파스타 | 이탈리아식

이탈리안 다이닝을 합리적인 가격대로 즐길 수 있는 캐주얼 레스토랑이다. 다양한 메뉴들을 맛볼 수 있는 코스가 있으며, 3개월에 한 번씩 시즈널 메뉴를 선보인다. 코스 외에 단품으로도 즐길 수 있다.

Ⓦ 시즈널 코스(8만9천원), 구운감자뇨끼(2만원), 멜란자네라자냐(2만2천원), 양갈비스테이크(300g 4만9천원), 1++한우안심스테이크(160g 6만5천원)
⏲ 11:30~15:00/17:30~21:30 – 화요일 휴무
🔍 대전 유성구 엑스포로151번길 19(도룡동) 도룡하우스디어반 상가 D118호
☎ 070-4233-5135 Ⓟ 가능

연래춘대반점 燕來春 일반중식

고급스러운 분위기에서 중식을 즐길 수 있는 곳. 한국 전통 입맛에 맞춘 중식을 선보인다. 짜장면과 볶음밥 등의 식사 메뉴 외에도 전가복, 깐풍기 등의 요리 메뉴도 맛이 좋다.

Ⓦ 짜장면(9천원), 삼선짜장, 삼선짬뽕(각 1만2천원), 새우볶음밥, 삼선짬뽕밥(각 1만3천원), 사천탕수육(3만5천원), 깐풍기(3만8천원), 전가복(8만5천원)
⏲ 11:00~15:00/17:00~21:40(마지막 주문 20:40) – 연중무휴
🔍 대전 유성구 대학로 78(궁동)
☎ 042-825-1177 Ⓟ 가능

예이제448 카페

산 아래에 위치하여 쉬어 가기 좋은 한옥 카페. 과일 착즙 주스와 빙수가 생망고 빙수가 인기 있다. 야외에도 파라솔과 함께 테이블이 마련되어 있다.

Ⓦ 아메리카노(5천5백원), 카페라테, 카푸치노(각 5천9백원), 예이제크로플(9천9백원), 생망고빙수(2만5천9백원), 바나나우유, 수박주스, 감귤주스(각 6천5백원)
⏲ 10:30~19:00 – 연중무휴
🔍 대전 유성구 북유성대로487번길 37
☎ 0507-1314-1226 Ⓟ 가능

오한순손수제비 일반한식 | 수제비

민물새우가 가득 들어간 얼큰한 수제비를 먹을 수 있는 곳. 수제비는 손으로 얇게 뜯어 쫀득한 맛이 좋다. 세트로 시키면 수육도 맛볼 수 있어 추천한다.

₩ 세트A(3만5천원), 세트B(4만8천원), 민물새우손수제비(소 1만9천원, 중 2만7천원, 대 3만6천원), 부추손수제비(8천원), 수육(맛보기 1만2천원, 소 2만4천원, 대 3만8천원)

🕒 11:00~15:00/17:00~21:30(마지막 주문 20:30) – 토요일 휴무

🔍 대전 유성구 죽동로279번길 89(죽동)

☎ 042-826-3373 Ⓟ 불가

온천칼국수 칼국수

자가제면한 면으로 칼국수를 선보이는 곳으로, 24시간 끓인 육수를 사용한다. 동죽조개가 들어간 물총칼국수에 직접 담근 매운 김치를 곁들여 먹는다. 동죽이 가득 들어간 물총탕의 국물이 개운하다.

₩ 물총칼국수(8천5백원), 주꾸미볶음(2인 이상, 1인 9천5백원), 물총탕, 수육(각 1만4천원)

🕒 11:00~15:30/16:10~21:30 – 연중무휴

🔍 대전 유성구 온천북로59번길 2

☎ 042-824-6668 Ⓟ 가능

용진식당 🎀 소고기구이

주택을 개조하여 만든 한우 특수부위 전문점이다. 비교적 가격대가 높은 편이지만, 맛이 좋아 단골층이 두텁다. 부위 중 안창살이 인기며, 토시살도 추천할 만하다. 오랫동안 끓여 깊고 진한 맛을 내는 소고기뭇국에 밥을 말아 마무리하면 좋다.

₩ 안창살, 토시살(각 130g 4만5천원), 치마살, 부채살, 업진살(각 150g 3만5천원), 탕국(2천원)

🕒 11:30~21:30 – 일요일 휴무

🔍 대전 유성구 박산로140번길 201-2(구암동)

☎ 042-823-8181 Ⓟ 가능

유성복집 🎀 복

40년 넘는 역사의 복요리 전문점. 가게 앞의 수족관에서 헤엄치는 활복을 사용하여 신선한 회를 맛볼 수 있다. 다양한 요리로 구성된 코스 메뉴도 인기.

₩ 복국(1만3천원~4만5천원), 전골(1만3천원~4만5천원), 복튀김(2만3천원~12만원), 특선정식(2만4천원~8만원), 코스(2인 이상, 1인 3만5천원~4만9천원)

🕒 10:00~14:30/16:30~22:00(마지막 주문 21:20) | 일요일 09:00~14:30/16:30~21:00(마지막 주문 20:20) – 명절 당일 휴무

🔍 대전 유성구 온천서로 24(봉명동) 2층

☎ 042-823-5388 Ⓟ 불가

청주해장국 선지해장국 | 콩나물국밥

80년 넘는 전통의 해장국집. 깔끔하고 진한 국물로 사랑받는 곳이다. 선지해장국 외에도 소고기해장국, 콩나물해장국 등 해장국 메뉴를 다양하게 갖추고 있어 종류별로 해장국을 선택해 즐기는 맛이 있다.

₩ 선지해장국, 콩나물해장국(각 8천9백원), 황태해장국, 등뼈해장국, 소고기해장국, 소내장탕(각 9천9백원), 도가니탕(1만3천9백원), 소곱창내장전골, 묵은지등뼈전골(각 중 3만9천원, 대 3만4천원)

🕒 24시간 영업 – 연중무휴

🔍 대전 유성구 온천로 63(봉명동)

☎ 042-822-0050 Ⓟ 가능

코이누르 KOH I NOOR 다이닝바 | 와인바

와인을 2백여 병 보유한 다이닝 와인바. 입구를 들어서면 중앙에 보이는 와인 리스트가 다양하다. 병당 3만원으로 콜키지도 가능하며, 전문 소믈리에가 주문한 음식과 페어링하기 좋은 와인을 추천해준다. 분위기 좋은 레스토랑으로도 추천할 만한 곳이다.

₩ 디너코스(7만8천원), 트러플크림감자뇨끼(2만8천원), 화이트라구파스타(2만6천원), 오리가슴살스테이크(4만8천원), 양갈비스테이크(5만1천원) 호주와규럼프스테이크(5만8천원)

🕒 18:00~01:00(익일)(마지막 주문 24:00) – 연중무휴

🔍 대전 유성구 온천북로33번길 36-34(봉명동)

☎ 010-2201-6672 Ⓟ 가능

태평소국밥 🎀 소고기국밥 | 육사시미 | 소내장탕

대전 유성구에서 지역주민들이 모르는 이가 없을 정도로 유명한 곳이다. 내장수육, 소국밥과 따로국밥, 내장탕, 갈비탕, 육사시미 등 신선하고 질 좋은 한우 요리를 비교적 저렴한 가격대로 즐길 수 있다.

₩ 소국밥(8천5백원), 소내장탕(8천5백원, 특 1만원), 따로국밥(9천원), 소갈비탕(1만5백원), 한우육사시미(100g 1만1천원, 150g 1만6천5백원), 소머리수육(1만9천5백원), 소갈비찜(750g 2만8천원, 1110g 3만7천원)

🕒 08:30~01:20(익일) – 연중무휴

🔍 대전 유성구 문화원로 140(봉명동) 하이랜드Ⅲ

☎ 042-472-8592 Ⓟ 불가

트레비 🎀 TREVI 이탈리아식 | 파스타

이탈리아에서 유학한 셰프가 만드는 정통 이탈리아 요리를 맛볼 수 있다. 파스타에 사용하는 생면과 다른 요리에 들어 가는 리코타치즈, 소시지 등을 모두 직접 만든다. 대전에서 제대로 된 이탈리아 요리를 먹을 수 있는 곳 중 하나라는 평을 받고 있다.

₩ 런치세트(3만원~3만5천원), 세트(6만원), 파스타단품(3만원~3만5천원)

🕒 11:30~14:00(마지막 주문 13:00)/16:30~21:30(마지막 주문 20:30) – 일요일 휴무

🔍 대전 유성구 유성대로1689번길 8-8(전민동)
☎ 042-862-9300 Ⓟ 가능(협소)

플랙스다이너 FLEX DINER 와인바

내추럴 와인을 즐길 수 있는 무국적 비스트로. 생면 파스타인 레몬 소스 탈리아텔레는 와인과 페어링 하기도 좋다. 좌석은 'ㄷ'자 바 테이블 구조며, 예약하고 방문할 것을 추천한다.

Ⓦ 그린샐러드(1만원), 리코타치즈토마토, 아란치니(각 1만2천원), 감자튀김(7천원), 포모도로오일파스타(1만8천원), 해산물스튜, 돼지고기등심(각 3만9천원), 램럼프구이(4만원), 소고기채끝등심(4만7천원), 레몬소스탈리아텔레(1만5천원)
🕒 18:00~24:00(마지막 주문 23:00) - 월요일 휴무
🔍 대전 유성구 대학로163번길 19 ☎ 070-8777-0205 Ⓟ 가능

플랙스다이너

피제리아다알리 Pizzeria da ALI 피자 | 파스타

알리네 피자집이라는 뜻의 레스토랑으로, 나폴리피자 인증을 받은 곳이다. 장시간 숙성한 도우로 피자를 만들며 참나무 화덕에 구워 담백한 맛을 느낄 수 있다. 감자튀김과 소시지를 듬뿍 올린 파타테&우스텔피자, 네 가지 치즈가 들어간 콰트로 포르마지오피자 등이 인기 메뉴다.

Ⓦ 파타테피자(2만3천원), 파타테에우스텔, 콰트로포르마지오피자(각 2만5천원), 부팔라피자(2만6천원), 오리지널카르보나라(1만8천원), 네로파스타(1만9천5백원)
🕒 11:30~15:00/17:00~21:30 | 토요일 11:30~21:30 - 일요일 휴무
🔍 대전 유성구 지족로349번길 40-5(지족동) 1층
☎ 042-825-8308 Ⓟ 불가

한우김삿갓 소고기구이 | 육사시미 | 육회

정육식당을 겸하고 있는 한우전문점. 소고기 질이 좋기로 유명한 집으로, 다양한 부위를 맛볼 수 있는 것이 특징이다. 숯불에 구워 먹는 고기 맛이 좋다. 인기가 높은 안창살은 저녁 일찍 재료가 다 떨어진다고 한다.

Ⓦ 한우명품꽃등심, 명품꽃살, 안심, 명품생갈비(각 150g 4만5천원), 한우낙엽살, 한우갈빗살(각 150g 3만9천원), 차돌박이(150g 2만7천원)
🕒 11:00~21:30(마지막 주문 20:30) | 토, 일요일 11:00~21:00(마지막 주문 20:00) - 명절 휴무
🔍 대전 유성구 유성대로1184번길 11-27(신성동)
☎ 042-863-6076 Ⓟ 가능

할머니묵집 묵 | 닭백숙

80여 년 전통의 도토리묵과 메밀묵을 맛볼 수 있다. 가을철 마른 도토리 알맹이를 절구에 넣고 빻아서 4~5일 동안 물에 담가 떫은맛을 빼내기 때문에 맛이 부드럽다. 삭힌 풋고추와 참기름 섞인 조선간장으로 간을 해서 먹는 묵사발을 추천한다. 토종닭으로 만든 백숙도 좋으며 미리 예약하면 옻닭도 맛볼 수 있다.

Ⓦ 도토리묵사발, 메밀묵사발, 보리밥(각 9천원), 묵무침(1만3천원), 도토리전(8천원)
🕒 10:30~20:00(비정기적) - 연중무휴
🔍 대전 유성구 금남구즉로 1378(봉산동)
☎ 042-935-5842 Ⓟ 가능

흑룡산촌두부 두부 | 순두부

국산콩을 사용해 재래식 방법으로 두부를 만드는 두부 전문점. 부드러운 두부의 맛이 좋다. 정식메뉴를 주문하면 두부김치, 도토리묵, 청국장 등 다양한 종류의 음식이 한상 가득 푸짐히 차려진다.

Ⓦ 촌두부한상(2인 3만6천원, 3인 5만3천원, 4인 7만원), 순두부, 청국장(각 1만원), 어리굴젓두부보쌈(3만5천원), 순두부전골(중 4만원, 대 5만원), 순두부두루치기(중 3만원, 대 4만원)
🕒 11:00~15:00/16:00~21:00 - 마지막 주 화요일 휴무
🔍 대전 유성구 수통골로 65-7(덕명동)
☎ 042-824-0511 Ⓟ 가능

대전광역시 중구

광천식당 오징어 | 수육 | 두부두루치기

50여 년 전통의 두부두루치기 전문점. 40대, 50대 단골손님들이 많이 찾는다. 미리 만들어 놓지 않고 주문하면 바로 조리해서 내온다. 두루치기를 먹은 후 남은 양념에는 면 사리나 공깃밥을 비벼 먹는다.

Ⓦ 두부두루치기(2인 1만4천원), 오징어두루치기(2인 2만2천원), 수육(소 2만원, 대 3만5천원), 양념면(7천원), 칼국수(6천원)
🕒 10:30~15:00/17:00~21:30(마지막 주문 20:30) - 월요일, 명절 휴무
🔍 대전 중구 대종로505번길 29(선화동)
☎ 042-226-4751 Ⓟ 가능(새마을금고 옆 공영주차장 이용 시 할인)

대들보함흥면옥 함흥냉면 | 소불고기

대전 최초의 냉면집으로 알려진 곳으로, 함흥식 비빔냉면을 맛볼 수 있다. 매콤한 회무침이 고명으로 올라가는 회냉면이 별미로 통한다. 주재료인 고구마 전분을 익반죽해 숙성시킨 다음 평양식 메밀을 섞어 만들고 있는 것이 특징. 육수는 한우양지, 사태, 각종 채소 등을 우려낸 국물에 동치미를 배합해 맛을 낸다. 한우를 사용하는 불고기도 인기 메뉴다. 3대를 이어온, 70여 년의 역사를 자랑한다.

Ⓦ 물냉면, 비빔냉면(각 1만1천원), 회냉면(1만2천원), 한우양념불고기(150g 2만9천원), 생버섯불고기(170g 1만9천원)
Ⓛ 11:00~21:30(마지막 주문 20:30) – 명절 당일 휴무
Q 대전 중구 계백로1583번길 39(유천동)
☎ 042-522-5900 Ⓟ 불가

대전갈비집 돼지갈비

진하지 않은 양념으로 고기를 숙성시켜 숯불에 구워 먹는 돼지갈빗집. 갈빗대에 고기가 붙어 있는, 진짜 돼지갈비를 맛볼 수 있다. 돼지갈비는 기본 3인분 이상 주문해야 한다. 40년 넘는 역사를 자랑하는 오래된 곳.

Ⓦ 돼지갈비(250g 1만2천원), 돼지불고기(200g 9천원), 삼겹살(150g 1만2천원), 냉면(5천원)
Ⓛ 11:00~22:00 – 연중무휴
Q 대전 중구 대흥로175번길 28(대흥동)
☎ 042-254-0758 Ⓟ 가능

도어블 doAble 일반중식

모던한 분위기에서 중화요리와 술을 함께 즐기는 중국식 요리주점. 푸짐하게 나오는 유린기가 시그니처 메뉴다. 중국 술뿐 아니라 와인도 갖추고 있다.

Ⓦ 포레스트유린기(2만9천원), 동파육(5만원), 은이버섯누룽지탕(3만8천원), 팔보채(3만5천원), 양장피, 토마토칠리새우(각 3만8천원), 삼선짬뽕면(1만2천원), 짜장면(7천원)
Ⓛ 11:30~15:00(마지막 주문 14:00)/17:30~21:30(마지막 주문 20:00) – 월요일 휴무
Q 대전 중구 대흥로 117(대흥동)
☎ 010-3202-3531 Ⓟ 불가

만나대흥본점 일식샤부샤부 | 샤부샤부 | 스키야키

오사카식 스키야키를 경험할 수 있는 곳이다. 달달한 간장 베이스의 와리시타 소스와 깔끔한 육수 베이스의 시로다시 소스 2가지가 나온다. 신선한 채소와 고기를 고소한 계란 노른자에 찍어 먹는다. 점심과 저녁 메뉴는 가격과 양에서 차이가 난다. 상추쌈샤부도 인기 메뉴다.

Ⓦ 오사카식스키야키(목심150g 1만8천9백원, 부채살150g 2만2천9백원, 한우150g 2만6천원), 상추쌈샤부(수제떡갈비 1만8천9백원, 석갈비 2만2천9백원)
Ⓛ 11:00~14:00/17:00~21:00(마지막 주문 20:00) – 월요일 휴무
Q 대전 중구 대흥로 138(대흥동) 혜화빌딩
☎ 042-254-2540 Ⓟ 가능

뮤제 MuSée 베이커리 | 카페

박물관이라는 뜻의 베이커리 카페. 매장에 들어서면 빵 냄새와 함께 예술 작품처럼 일렬로 진열되어 있는 빵들이 이목을 끈다. 탁트인 모던한 공간에서 당일 만든 빵과 함께 커피를 즐길 수 있는 곳.

Ⓦ 에스프레소(4천5원), 아메리카노(4천5백원), 카페라테(4천9백원), 팔미에(4천5백원), 플레인피낭시에(2천5백원), 쑥마들렌, 카카오마들렌(각 3천3백원), 스트로베리쇼콜라플랑(8천5백원)
Ⓛ 11:00~22:00(마지막 주문 21:30) – 수요일 휴무
Q 대전 중구 대흥로121번길 44(대흥동)
☎ 042-222-1837 Ⓟ 불가(인근 공영 주차장 이용)

뮤제

사리원면옥 황해도냉면 | 소불고기

1952년부터 4대째 내려오는 전통의 냉면집으로, 실질적으로 대전 냉면의 원조라 할 수 있다. 황해도식을 기본으로 한 깔끔한 육수가 특징이다. 메밀과 전분을 섞어 면을 만드는 것이 특징. 냉면에 곁들이기 좋은 달큰한 소불고기도 꾸준히 인기가 있는 메뉴다.

Ⓦ 물냉면, 비빔냉면(각 1만1천원), 갈비탕(1만5천원), 찐만두(4개 4천5백원, 8개 9천원), 만둣국(1만원), 소불고기(2인 이상, 1인 300g 1만7천원), 돼지양념갈비(2인 이상, 1인 250g 1만6천원), 소양념갈비(2인 이상, 1인 280g 3만3천원)
Ⓛ 11:00~21:30 – 연중무휴
Q 대전 중구 중교로 62(대흥동)
☎ 042-256-6506 Ⓟ 가능

성심당 聖心堂 베이커리

대전을 상징하는 오래된 빵집. 유산균을 발효시켜 만든 다양한 빵들을 먹을 수 있는 곳이다. 팥 앙금이 들어간 튀김소보로가 가장 유명하다. 70년 가까운 역사를 자랑한다.

ⓦ 튀김소보로(1천7백원), 야키소바빵(4천원), 작은메아리(3천원), 올리브치아바타(3천5백원), 키다리트위스트(3천원), 크리미튀소(2천8백원), 부르스약과(5개 6천5백원), 애플파이(3천원), 야채고로케(2천3백원), 단팥빵(1천7백원)
ⓒ 08:00~22:00 – 연중무휴
Q 대전 중구 대종로480번길 15(은행동)
☎ 1588-8069 Ⓟ 가능

소나무집 칼국수

두부부침과 오징어칼국수를 하는 곳. 오징어와 총각김치를 넣어 끓여낸 오징어찌개에 칼국수를 넣어 먹는다. 합리적인 가격에 푸짐한 식사를 할 수 있는 것이 장점. 칼국수를 다 먹은 후에는 남은 국물에 밥을 비벼 먹는다.

ⓦ 오징어찌개(7천원), 사리, 공기밥(각 1천원), 두부부침(2천5백원)
ⓒ 11:30~15:30(마지막 주문 15:00)/17:30~21:00(마지막 주문 20:30) – 첫째, 셋째 주 월요일 휴무
Q 대전 중구 대종로460번길 59(대흥동)
☎ 042-256-1464 Ⓟ 불가

예지원 한정식

깔끔한 한정식을 즐길 수 있는 곳으로, 접대하기에도 좋다. 메뉴는 한정식 한 가지뿐으로, 한상 가득 맛깔스러운 반찬이 나온다. 예약은 꼭 하고 가야 한다.

ⓦ 평일정식(3만3천원), 주말정식(3만8천원)
ⓒ 12:00~15:00/18:00~21:00 – 일요일 휴무
Q 대전 중구 중앙로16번길 27-17(문화동)
☎ 042-222-3522 Ⓟ 가능(협소)

오류옥천가 소고기구이

대전에서 한우구이로 유명한 곳. 차돌박이, 치마살, 갈빗살 등의 다양한 부위가 나오는 한우알아서 메뉴가 특히 인기다. 청국장에 고기 파지를 듬뿍 넣고 밥을 말아 내는 사장밥도 별미로 통한다.

ⓦ 한우알아서(150g 3만5천원), 한우생갈비(150g 3만8천원), 한우생등심(150g 3만5천원), 모둠생고기(150g 2만원), 사장밥(6천원), 한우설렁탕(1만원)
ⓒ 11:30~15:00/17:00~22:00 – 연중무휴
Q 대전 중구 계룡로874번길 87(오류동)
☎ 042-532-5658 Ⓟ 불가(건물 앞 유료주차)

진로집 두부두루치기

대전을 대표하는 음식인 두부두루치기는 국물이 거의 없이 졸여 내는 것이 특징이다. 밑반찬은 맑은 국물김치와 열무김치뿐. 잘 부쳐낸 두부전은 잘게 썬 파, 깨 등으로 양념한 간장 양념과 함께 먹는다. 50년 역사를 자랑한다.

ⓦ 두부두루치기(소 1만2천원, 중 1만8천원, 대 2만4천원), 두부+오징어(1만8천원), 수육(소 1만7천원, 중 2만4천원, 대 3만3천원), 두부전, 부추전(각 6천원), 두부김치전(7천원)
ⓒ 11:30~15:00/16:30~22:00 – 화요일 휴무
Q 대전 중구 중교로 45-5(대흥동)
☎ 042-226-0914 Ⓟ 불가(인근 공영 주차장 이용)

한밭칼국수 칼국수 | 두부전골

두부를 넣고 얼큰하게 끓인 두부탕을 어느 정도 먹은 다음에 칼국수를 말아 먹는다. 진한 국물 맛이 특징이며 양도 매우 푸짐하다. 함께 나오는 김치를 곁들이면 칼칼한 맛이 좋다. 볶음밥으로 마무리하는 것도 추천할 만하다. 오픈시간부터 손님이 많기 때문에 웨이팅은 필수다.

ⓦ 칼국수(6천원), 두부탕(1만원), 닭볶음탕(3만원)
ⓒ 11:00~20:00 | 토요일, 공휴일 11:00~15:00/16:00~20:00 – 일요일 휴무
Q 대전 중구 목척4길 6(은행동)
☎ 042-254-9350 Ⓟ 가능(협소)

한영식당 닭볶음탕

매콤하고 구수한 닭볶음탕이 대표 메뉴다. 쫄깃하게 씹히는 육질, 잘 익은 감자, 큼직하게 썰어 넣은 양파 등의 식감이 좋다. 닭볶음탕에 들어가는 간장과 고추장을 재래식으로 직접 담그는 것이 특징. 볶음밥으로 식사를 마무리 하는 것도 추천할 만하다. 70여 년의 역사를 자랑한다.

ⓦ 닭볶음탕(소 3만1천원, 대 4만5천원)
ⓒ 11:00~21:30(마지막 주문 20:30) – 월요일 휴무
Q 대전 중구 계룡로874번길 6(오류동)
☎ 042-533-2644 Ⓟ 불가

희락반점 喜樂飯店 일반중식

옛날식 탕수육으로 인기가 있는 곳. 바삭하게 튀긴 탕수육의 맛이 좋으며 다른 요리도 수준 높은 공력을 자랑한다. 식사메뉴로는 유니짜장을 단연 추천한다.

ⓦ 짜장면(6천원), 유니짜장, 간짜장, 우동, 울면 짬뽕, 볶음밥(각 7천원), 탕수육, 고기튀김(각 1만7천원), 고추잡채(3만2천원), 새우튀김(3만4천원)
ⓒ 11:00~14:40/16:30~21:00 – 첫째, 셋째 주 일요일 휴무
Q 대전 중구 중앙로129번길 21(선화동)
☎ 042-256-0273 Ⓟ 가능

울산광역시

Ulsan Metropolitan City

울산광역시 남구

갓포이찌 이자카야
신선한 모둠회를 맛볼 수 있는 곳. 오마카세로도 즐길 수 있다. 기본 찬으로 작게 모치리도후를 내어준다. 생선회를 제외하고서도 튀김과 조림, 그리고 국물요리도 매우 훌륭하다는 평.

₩ 오마카세(1인 6만원), 모둠회(1인 3만원, 2인 4만5천원), 일본식스지수육(1만8천원) 후토마키(하프 8천원, 기본 1만6천원), 모둠초밥(10pcs 2만원), 스지오뎅나베, 나가사키짬뽕, 일본식소고기전골, 탄탄나베(2만5천원), 난코츠가라아게(1만2천원), 왕새우튀김(7ea 2만원)
17:30~23:30 – 일요일 휴무
울산 남구 왕생로20번길 19 (달동)
☎ 052-256-5567 Ⓟ 불가

고래고기원조할매집 고래
울산을 대표하는 고래고기 전문점으로, 3대째 대를 잇고 있다. 다양한 부위를 판매하고 있으며, 각 부위에 어울리는 양념이 준비된다. 4인 이상일 경우 수육, 육회, 생고기, 우네, 오베기가 한 접시에 나오는 모둠을 추천한다.

₩ 수육(소 6만원, 중 8만원 대 10만원), 육회, 생고기(각 5만원), 우네, 오베기(각 6만원), 모둠(소 8만원, 대 10만원, 특대 15만원), 찌개(소 2만원, 중 3만원, 대 4만원)
10:00~21:00 – 월요일 휴무
울산 남구 장생포고래로 135(장생포동)
☎ 052-261-7313 Ⓟ 가능

고래명가 고래
다양한 부위의 고래고기를 먹을 수 있는 곳으로, 밍크고래만을 다룬다. 일행이 많다면 다양한 부위가 한 접시에 나오는 모둠을 추천한다. 얼큰하게 끓여낸 고래찌개의 맛도 좋다는 평이다.

₩ 수육(소 5만원, 중 7만원, 대 10만원), 생우네, 오베기(각 5만원), 모둠(소 8만원, 중 10만원, 대 15만원), 생고기, 육회(각 5만원), 찌개(소 2만원, 대 3만원)
10:00~22:00 – 월요일 휴무
울산 남구 장생포고래로 207(장생포동)
☎ 052-269-2361 Ⓟ 가능

고래향 고래
울산을 대표하는 음식인 고래고기를 맛볼 수 있는 곳. 부드럽게 삶은 수육이 대표 메뉴다. 막찍기는 육사시미처럼 고래고기를 생으로 손질한 음식으로 별미다.

₩ 수육(중 11만원, 대 15만원, 특대 20만원), 육회, 막찍기(각 5만원)
16:00~02:00(익일) – 연중무휴
울산 남구 도산로139번길 5(달동)
☎ 052-272-7373 Ⓟ 가능

도쿄참치 참치
울산에서 고급스럽게 참치를 즐길 수 있는 집. 코스를 주문하면 고노와다와 낫토 등이 애피타이저로 나오고, 다양한 부위의 참치가 접시에 담겨 나온다. 직접 갈아 만든 생와사비를 얹어 먹으면 그 맛이 일품이다. 울산의 명물인 고래고기와 제철 해산물도 푸짐히 나온다.

₩ 도쿄코스(7만5천원, 9만5천원), 오마카세(12만원, 15만원), 어린이메뉴(1만원)
16:00~22:00(마지막 주문 20:30) – 일요일 휴무
울산 남구 남중로74번길 5(삼산동)
☎ 052-903-8008 Ⓟ 가능

디앤유커피팩토리
DNU COFFEE FACTORY 커피전문점

한옥으로 된 건물의 운치 있는 카페. 소금맛이 나는 라테 사이렌의 유혹과 스페인식 라테인 코르타도가 추천 메뉴. 원두의 블렌드 정도를 세 가지 중에서 선택할 수 있는 것이 특징이다. 유리 창 밖으로 푸른 숲이 보이는 전망이 훌륭하다.

₩ 디엔유스페셜티(6천원), 아메리카노(4천5백원), 카페라테(5천원), 콜드브루(4천5백원~7천원), 베트남연유커피(6천원~6천5백원), 차(7천원~8천원), 에이드, 과일주스, 스무디(각 7천원)
10:30~19:00 – 연중무휴
울산 남구 남부순환도로626번길 8(두왕동) 2층
☎ 052-293-5565 Ⓟ 가능

라피콜라이탈리아
La piccola italia 와인바 | 파스타 | 이탈리아식

벽에 걸려있는 미술 작품들이 미술관에 온 듯한 느낌을 주는 이탈리안 레스토랑. 모든 요리에 재료를 아낌없이 넣었으며, 와인과도 잘 어울린다. 버섯이 듬뿍 들어간 꾸덕한 버섯 리조토가 인기 메뉴다. 저녁에는 와인바로도 운영된다.

₩ 봉골레파스타(2만5천원), 라자냐(2만9천원), 라구알라볼로네제(2만8천원), 잠봉샐러드(2만3천원), 트러플파스타(4만5천원), 버섯리조토(2만4천원), 샤퀴테리플레이트(3만5천원), 하몽플레이트(4만7천원),치즈플레이트(2만9천원), 감바스알아히요(2만2천원), 찹스테이크(3만9천원), 안심스테이크(220g 8만2천원), 티라미수(6천원)
17:00~01:00(익일) – 일요일 휴무
울산 남구 달삼로 58(달동) 2층
☎ 0507-1400-2825 Ⓟ 가능(삼산공영주차장 이용, 주차권 2시간 지원)

런던티 London Tea 브런치카페
울산대공원 옆에 자리한 브런치 카페. 속재료를 넣고 반달 모양으로 곱게 접어 내는 오믈렛과 부드러운 프렌치토스트가 대표 메뉴다. 브런치 메뉴와 함께 즐길 수 있는 다양한 티 종류도 갖추고 있다.

Ⓦ 단호박수프(8천원), 훈제연어오믈렛(1만6천원), 런던티프렌치토스트(1만1천원), 아보카도샐러드, 바나나팬케이크(각 1만원), 사과체다치즈샌드위치(1만2천원)
Ⓒ 11:00~18:00(마지막 주문 17:00) – 수, 목요일 휴무
Q 울산 남구 대공원로115번길 10(옥동) 동덕상가 5호
☎ 052-268-4542 Ⓟ 불가

본여우&본정 本情 일식우동 | 소바

본정이라는 상호로 운영하던, 3대째 이어 내려오는 한국 스타일 우동집. 멸칫국물에 다시마, 가쓰오부시를 넣어 맛을 낸 여우우동이 대표 메뉴다. 우동과 초밥으로 구성된 정식메뉴는 가격대비 만족도가 높다.

Ⓦ 여우우동(소 4천원, 중 8천5백원, 대 1만원), 여우소바, 냉소바(각 소 5천5백원, 중 1만1천원, 대 1만3천원), 군만두(7개 6천원), 본여우정식(1만5백원~1만5천5백원), 본정돈가스, 여우돈가스(각 1만1천원)
Ⓒ 11:30~20:00 – 일요일 휴무
Q 울산 남구 왕생로120번길 5(달동)
☎ 052-268-1164 Ⓟ 불가

부조화 MISMATCHE 이탈리아식

풍기 크림 파스타, 라쟈나, 뇨키, 마제파스타 등을 맛볼 수 있는 레스토랑. 뇨키를 많이 찾으며, 식전 빵과 피클을 먼저 내어준다. 매장은 1층과 2층의 분위기를 다르게 인테리어 하였다.

Ⓦ 양갈비스테이크, 안심스테이크(각 4만5천원), 한우떡갈비스테이크(3만4천원), 라자냐, 풍기크림스파게티니, 뇨키, 마제파스타, 청양스파게티(각 1만9천원)
Ⓒ 11:00~15:00(마지막 주문 14:20)/17:00~22:00(마지막 주문 21:00) – 월요일 휴무
Q 울산 남구 돋질로239번길 29-1 (달동)
☎ 010-4941-1317 Ⓟ 불가

브레드앤버터크로아상

Bread and Butter Croissant 크루아상 | 페이스트리

부산 디저트시네마의 울산점으로, 신정동 주택가 사이에 있다. 대표 메뉴는 본점과 마찬가지로 크루아상이다. 재료가 소진되면 일찍 닫기 때문에 서둘러야 한다.

Ⓦ 오리지널크루아상(3천8백원), 팽오쇼콜라, 초코팽오, 초코크루아상(각 4천8백원), 핸드드립커피(5천원), 차, 패션후르츠에이드(각 6천원), 초코스틱(5천원), 소보로페이스트리(4천3백원), 소시지페이스트리(4천8백원)
Ⓒ 12:00~19:00 – 일, 월요일 휴무
Q 울산 남구 중앙로284번길 14(신정동)
☎ 052-272-7855 Ⓟ 불가

사이먼스테이크 SIMON STEAK 스테이크

삼산동에서 인기 있던 스테이크 전문점으로, 롯데백화점 울산점이 오픈하면서 백화점으로 이전하였다. 랍스터 코스와 스테이크 7코스가 준비되어 있으며, 스테이크 코스 메인은 호주 안심, 한우 안심, 살치살 중 고를 수 있다.

Ⓦ 랍스터코스(9만8천원), 7코스(5만5천원), 세트메뉴(3만2천원, 4만9천원), 안심스테이크(200g 3만4천원), 큐브스테이크(200g 2만6천원), 미트볼토마토리조토(1만6천원), 새우토마토파스타(1만8천원), 연어샐러드(1만3천원), 아란치니(8천원)
Ⓒ 10:30~16:00(마지막 주문 14:30)/17:30~22:30(마지막 주문 20:30) – 백화점 휴무일과 동일
Q 울산 남구 삼산로 288(삼산동) 롯데백화점 8층
☎ 052-269-3883 Ⓟ 가능

사이먼스테이크

세비로 CAFE SEBIRO 카페

앤티크한 분위기의 카페. 커피잔과 인형 등 소품도 모두 앤티크하다. 테이블 간격이 넓어 시원한 분위기며 버터라테와 홍콩식와플이 인기 메뉴.

Ⓦ 에스프레소, 아메리카노(각 5천원), 카페라테(5천5백원), 바닐라라테(6천원), 아인슈페너(6천원), 아포카토(6천5백원) 세비로 버터라테(6천원~6천5백원), 딸기슈페너(8천원), 에이드(7천원), 티(8천원), 세비로와플(9천원)
Ⓒ 12:00~21:00 | 토, 일요일 11:00~21:00 – 연중무휴
Q 울산 남구 왕생로45번길 17(달동)
☎ 052-227-2019 Ⓟ 불가

시그너스커피바 cygnus coffee 커피전문점

버건디색 벽지의 차분한 분위기의 로스터리 카페. 다양한 원두의 핸드드립 커피를 맛볼 수 있으며 커피를 주문하면 원두 소개 카드가 함께 제공된다.

Ⓦ 에스프레스(4천5백원), 아메리카노(4천5백원), 카페라테(5천원), 에스프레스 콘 판나(5천원) 아인슈페너, 커피젤리라테(각 6천5백원), 진저라테(6천원), 레어치즈케이크(6천원), 피칸볼(4개 3천5백원)
Ⓒ 08:00~18:00(마지막 주문 17:30) | 토요일 10:00~18:00(마지막 주문 17:30) – 일요일 휴무
Q 울산 남구 번영로 119(달동) 1층
☎ 070-4228-9292 Ⓟ 가능

아니마 ANIMA 이탈리아식 | 파스타

분위기 좋은 이탈리안 레스토랑으로, 직접 뽑은 생면으로 만든 다양한 파스타를 선보인다. 블루크랩 파스타, 트러플오일과 소등심이 들어간 트러플리조토를 비롯해 부채살 스테이크가 대표 메뉴다. 파스타를 비롯해 다양한 음식이 나오는 세트 메뉴도 추천.

Ⓦ 슈림프로제파스, 트러플소고리조토, 제철해산물생면파스타(각 1만9천원), 부채살스테이크(3만2천원)
Ⓣ 11:30~14:30/17:30~21:00 | 토, 일요일 11:30~21:00 – 수요일 휴무
Q 울산 남구 왕생로66번길 13(달동)
☎ 052-903-0106 Ⓟ 가능

엘라토 EL RATO 멕시코식

라탄 조명과 곳곳에 초록 식물들이 이국적인 분위기를 선사하는 멕시코 식당. 풍미 가득한 고기를 취향대로 싸먹는 대표 메뉴인 파히타의 토르티야와 소스는 리필이 가능하다. 모든 메뉴엔 고수가 기본적으로 들어가지 않으니 필요시 요청할 것.

Ⓦ 파히타(2인분 3만7천원), 해초연어보울(1만4천5백원), 비프보울(1만3천5백원), 부리토(1만2천5백원~1만3천5백원), 과카몰레&나초(1만3천5백원), 케사디야(1만4천5백원), 타코(1만5백원)
Ⓣ 11:30~15:00/17:00~21:00(마지막 주문 20:20) – 화요일 휴무
Q 울산 남구 삼산중로84번길 3 리더스빌딩 B동 201호
☎ 070-7755-9021 Ⓟ 가능(바로 옆 주차타워 2시간)

오사카멘치 osaka-menchi 일식돈가스

신선한 최상급 돼지고기를 사용하는 일본식 돈가스 전문점. 부드러운 고기의 식감과 히말라야 암염의 조합이 좋다.

Ⓦ 특로스가스정식, 멘치가스정식(각 1만3천원), 특히레가스정식(1만4천원), 극상로스가스정식, 모둠돈가스정식(각 1만6천원)
Ⓣ 11:30~15:00/17:00~21:00 – 일요일 휴무
Q 울산 남구 왕생로72번길 19(달동)
☎ 052-963-4164 Ⓟ 가능

울산돼지국밥 돼지국밥

깔끔한 맛의 돼지국밥을 맛볼 수 있는 곳. 적당히 기름진 국물에 돼지고기와 부추, 파 등이 푸짐하게 들어간다. 따로 국수사리가 나와 국밥에 넣어 먹어도 좋다. 부드럽게 삶은 수육도 인기 메뉴.

Ⓦ 돼지국밥, 순대국밥(각 9천원), 항정살국밥(1만1천원), 순대모둠수육(소 2만5천원, 대 3만원), 돼지수육(소 2만8천원, 대 3만3천원), 항정살수육(소 3만원, 대 3만5천원), 내장국밥(9천5백원)
Ⓣ 24시간 영업 – 연중무휴
Q 울산 남구 달삼로 55(달동)
☎ 052-273-1195 Ⓟ 가능

울산언양불고기 돼지불고기

소고기를 잘게 다져서 숯불에 구워 먹는 전통 언양식 불고기를 전문으로 하는 정육 식당. 불고기 외의 부위는 정육점에서 구입하여 상차림비를 내고 구워 먹는 시스템이다. 돌솥정식이나 한우국밥 등 점심특선 메뉴도 인기가 있다.

Ⓦ 언양불고기(180g 1만9천원), 한우양념갈비(시가), 막찌기, 육사시미(200g 3만원, 300g 4만원), 한우육회(200g 3만원, 300g 4만원), 돌솥정식(2만1천원), 한우국밥(1만원)
Ⓣ 11:30~15:00/17:00~22:00 – 연중무휴
Q 울산 남구 월평로 205(삼산동)
☎ 052-267-2645 Ⓟ 가능

원조집 양곱창 | 곱창전골 | 선지해장국

고소한 한우 곱창을 전문으로 하는 곳. 철판에 구워 먹는 곱창의 맛이 좋으며 얼큰한 곱창전골도 인기가 많다. 투박한 뚝배기에 담겨 나오는 선지해장국은 새벽 내내 끓인 사골 국물에 선지가 가득 담겨 나온다.

Ⓦ 곱창전골(2인 이상, 1인 1만4천원), 곱창구이(160g 1만4천원), 토시살불고기(100g 2만4천원), 전골볶음밥(2천원), 사골선짓국(9천원) , 횟간(1만원)
Ⓣ 11:00~22:00 – 둘째 주 화요일, 명절 휴무
Q 울산 남구 남산로 20(무거동)
☎ 052-277-1453 Ⓟ 가능

윤우나기 일식장어

일본식 민물장어덮밥 전문점으로, 살이 튼실한 국내산 자포니카만을 사용한다. 굽고, 찌고를 반복해 부드러운 식감의 동경식 우나쥬와 초벌 장어를 한번 더 구워 재료 본연의 맛을 살린 나고야식 히쓰마부시
모두 맛볼 수 있다.

Ⓦ 우나쥬(3만9천원), 히쓰마부시(3만6천원), 가바야키(3만6천원)
Ⓣ 11:30~15:00(마지막 주문 14:30)/17:30~21:00(마지막 주문 20:30)– 월요일 휴무
Q 울산 남구 대공원로 231-3 (신정동)
☎ 070-4647-0674 Ⓟ 불가

제1능이버섯삼산점 닭백숙

테이블 자리와 룸이 따로 있어서 가족끼리 외식하기에 좋다. 주말에는 미리 예약을 해야할 만큼 인기가 좋다. 국물도 계속 리필 가능하며 마무리로 죽을 먹는다. 능계탕은 예약이 필수다.

Ⓦ 능이토종닭백숙, 능이토종볶음탕(각 8만원), 능이오리백숙(8만5천원), 능이전골(중 4만원, 대 5만원), 능계탕(2만원), 능이회(4만원)
Ⓣ 10:00~21:30 – 연중무휴
Q 울산 남구 남중로108번길 33(삼산동)
☎ 052-260-1140 Ⓟ 가능

차일품 車一品 한정식
30여 년 된 한정식집으로, 울산 지역에서는 꽤 알려진 곳이다. 한정식을 주문하면 맛깔스러운 반찬이 한상 가득 나온다. 코스 구성은 주기적으로 바뀌며 예약하고 방문하는 편을 추천한다.

₩ 코스(5만5천원, 6만5천원, 8만원, 10만원), 점심특선(3만원)
🕒 12:00~14:30/16:00~21:00 – 명절 휴무
🔍 울산 남구 삼산로352번길 14
☎ 052-227-1571 Ⓟ 가능

터미날식당 백반
울산에서 유명한 백반집. 반찬으로 두부된장국, 가오리찜, 생선구이, 양념게장, 멸치액젓 등이 나오며 계절에 따라 수시로 바뀐다. 삼겹살과 두루치기는 한정식을 주문한 뒤에 추가메뉴로만 판매한다.

₩ 정식(1만원), 두루치기(1만5천원), 삼겹살(120g 1만원)
🕒 07:00~21:30 – 명절 당일 휴무
🔍 울산 남구 봉월로 164(신정동)
☎ 052-275-8808 Ⓟ 가능

파티세리오브 🎀 patisserie aube 디저트카페
프렌치 디저트 전문점. 피에르에르메와 동경제과 출신 오너 셰프가 만드는 마카롱과 각종 구움과자를 맛볼 수 있다. 앙증맞은 모양의 케이크가 만들어져 나오는 시간은 11시니, 방문 시 참고하는 것이 좋다.

₩ 마카롱(2천8백원~3천2백원), 카늘레(3천원), 마들렌, 피낭시에(각 3천3백원), 머랭쿠키(3천5백원), 이스파한(7천3백원), 에클레르(8천2백원), 커피(4천원~5천5백원), 티(6천원), 프리미엄티(8천원), 에이드(5천5백원)
🕒 09:00~22:00 – 명절 당일 휴무
🔍 울산 남구 삼산로241번길 34 (달동)
☎ 010-2925-6207 Ⓟ 불가

표식 🎀 모던재패니즈 | 이자카야
깔끔한 인테리어의 분위기 좋은 이자카야. 제철 식재료를 사용한 일식 요리를 사케와 즐길 수 있다. 다양한 종류의 생선이 나오는 사시미, 이소베마키, 고등어봉초밥 등이 추천 메뉴. 주문과 동시에 바로 재료를 손질하여 요리한다.

₩ 사시미(1만7천원), 이소베마키, 생선살후라이(각 1만6천원), 닭다리살가라아게(1만5천원), 대하구이(1만3천원), 오뎅국물요리(1만5천원), 고등어봉초밥(1만2천원)
🕒 18:00~01:00(익일)(마지막 주문 24:00) – 일요일 휴무
🔍 울산 남구 삼산로211번길 3(달동)
☎ 0507-1433-1578 Ⓟ 불가

풍로옥 🎀 평양냉면 | 이북음식
정통 이북 음식을 선보이는 곳으로, 한우와 국내산 재철 채소만을 사용한다. 대표 메뉴인 평양냉면은 메밀 80% 함량의 면과 육향 가득한 육수가 조화를 이룬다. 평양냉면에 식초나 겨자를 뿌리지 않고 그대로 먹는 것 추천.

₩ 평양냉면, 비빔냉면, 온면(각 1만3천원), 양지곰탕(1만2천원 특 1만5천원), 육개장(1만2천원), 접시만두(3개 7천원, 6개 1만3천원), 만둣국(1만3천원), 제육(280g 2만8천원, 140g 1만4천원), 불고기(2인 이상, 1인 160g 2만8천원), 어복쟁반(중 6만5천원, 대 8만5천원)
🕒 11:30~14:40/17:00~21:00(마지막 주문 20:30) – 일요일 휴무
🔍 울산 남구 돋질로239번길 6(달동) 1층
☎ 052-266-0210 Ⓟ 가능

풍로옥

함양집 🎀 비빔밥
울산에서 가장 오래된 식당 중 하나로, 4대째 내려오는 90년 넘는 역사를 자랑한다. 비빔밥을 전문으로 하며 밥그릇과 국그릇도 옛날식 그대로 놋그릇을 사용한다. 소고기를 고아 낸 국물과 끼미(양념장)를 밥에 넣어 밑간을 하고 나서 고사리와 콩나물, 시금치나물, 등을 올리고 그 위에 육회와 전복회, 참기름과 고추장 등을 얹어 비벼 먹는다. 무와 소고기, 홍합을 넣고 끓인 탕국도 같이 나온다.

₩ 전통비빔밥(보통 1만4천원, 곱빼기 1만5천원, 특 1만6천원), 한우물회(보통 1만4천원, 곱빼기 1만6천원), 소고기국밥, 곰탕(각 1만원), 묵채(보통 6천원 곱빼기 7천원), 석쇠불고기(190g 3만원), 육회(200g 3만원, 300g 4만원), 파전(1만8천원)
🕒 11:00~15:00/17:00~21:30 – 일요일, 명절 휴무
🔍 울산 남구 중앙로208번길 12(신정동)
☎ 052-275-6947 Ⓟ 가능

울산광역시 동구

나고야일식 なごや 일식
현대중공업 인근에 자리한 깔끔한 일식집. 코스메뉴에 나오는 음식이 신선하고 다양하다. 두껍게 썰어 나오는 회가 일품이며

해물뚝배기, 대구탕 등의 식사메뉴도 추천할 만하다.
₩ 코스(1인 4만원, 5만5천원, 7만원), VIP코스(9만원), 점심코스(1인 3만원)
🕒 11:00~14:30(마지막 주문 14:00)/16:00~22:30(마지막 주문 22:00) – 명절 휴무
🔍 울산 동구 방어진순환도로 683(일산동)
☎ 052-233-6009 Ⓟ 가능

남일횟집 생선회
주전해수욕장 인근에 있는 횟집으로, 자연산 회를 맛볼 수 있다. 밑반찬은 단출한 편. 여러 종류의 생선회가 한 접시에 나오는 모둠회도 추천할 만하다.
₩ 모둠회(소 6만원, 중 8만원, 대 10만원, 특대 13만원), 돔, 농어(각 소 8만원, 중 10만원, 대 12만원, 특대 15만원), 물회(2만원, 특 2만5천원)
🕒 10:00~22:00 – 마지막 주 월요일, 명절 휴무
🔍 울산 동구 주전해안길 107(주전동)
☎ 052-251-6001 Ⓟ 가능

울산광역시 북구

나인유 NINE U 카페
바다가 보이는 대형 베이커리 카페. 나인유크림라테, 비포선셋, 블루하와이가 시그니처 메뉴며 페이스트리와 케이크 종류를 다양하게 갖추고 있다. 바다를 향해 나란히 놓여 있는 1인 소파에 앉아 바다를 전망해보는 것도 추천. 야외 테라스 자리도 인기 있다.
₩ 아메리카노(6천원), 카페라테(6천5백원), 나인유크림라테, 비포선셋, 블루하와이(각 8천원), 새우로제포카치아, 맘모스빵, 블루베리크런치(각 7천원), 엘리게이터파이, 소금빵앙버터(각 5천원), 팡도르(8천원~9천원), 조각케이크(7천5백원~9천5백원)
🕒 10:00~22:00– 연중무휴
🔍 울산 북구 동해안로 1321 (구유동)
☎ 052-233-4980 Ⓟ 가능

카페은린 카페
한옥 스타일의 카페로 깔끔하고 조용한 분위기며 애견 동반이 가능하다. 커피넛라테와 말차슈페너가 인기 메뉴.
₩ 아메리카노(5천5백원), 카페라테(6천원), 연유라테, 바닐라라테, 고구마라테(각 6천5백원), 아인슈페너, 말차슈페너(각 7천원)
🕒 11:00~21:00 | 토, 일요일 11:00~22:00 – 연중무휴
🔍 울산 북구 아름1길 11(어물동)
☎ 052-911-1020 Ⓟ 가능

히츠지 Hitsuzi 일식징기스칸
일본 북해도식 양고기 화로구이 전문점. 1년 미만의 어린 양고기만 취급하며 양갈비, 양제비추리, 양등심, 양프렌치렉 등 다양한 부위를 맛볼 수 있다. 히츠치 양고기 전골과 수육도 추천할 만한 메뉴. 주류 메뉴도 다양하게 준비되어 있으며, 양고기는 소금, 카레 가루, 고추냉이를 곁들여 먹는다.
₩ 양갈비(130g 1만5천5백원), 양갈비살, 양등심(각 100g 1만5천원), 양프렌치렉(110g 1만6천원), 히츠지양고기전골, 히츠지양고기수육(각 3만5천원)
🕒 17:00~23:00(마지막 주문 22:30)– 명절 당일 휴무
🔍 울산 북구 당수골12길 13 (호계동)
☎ 010-4580-1985 Ⓟ 가능

울산광역시 울주군

갈비구락부 소고기구이
울산에서 유명한 소고기구이 전문점. 질 좋은 한우를 숯불에 구워 먹을 수 있는 곳으로, 갈빗살을 추천할 만하다. 감칠맛 나는 양념이 인상적인 언양불고기도 맛이 좋다는 평.
₩ 언양불고기(200g 2만2천원), 꽃등심, 갈빗살(각 110g 3만2천원), 특미모둠(110g 2만8천원)
🕒 10:00~21:00 – 연중무휴
🔍 울산 울주군 삼남면 남상평2길 34-12
☎ 052-264-4747 Ⓟ 가능

공원불고기 소불고기 | 소고기구이
언양의 대표적인 음식인 언양불고기를 맛볼 수 있다. 다진 소고기를 석쇠 위에 구워 먹는 맛이 일품이며 파절임 등에 싸서 먹으면 더욱 맛있다. 채 썬 배를 올린 육회도 추천할 만하다.
₩ 석쇠불고기(180g 2만1천원), 꽃등심, 갈빗살, 낙엽살(각 100g 2만6천원), 양념갈비(1인분 2만6천원), 특수부위(100g 2만8천원)
🕒 09:00~21:00 – 명절 당일 휴무
🔍 울산 울주군 언양읍 헌양길 32
☎ 052-262-0421 Ⓟ 가능

기와집숯불고기 소고기구이 | 육회
봉계한우불고기특구 내에 자리한 고깃집. 소금을 뿌린 고기를 숯불 위 석쇠에 구워 먹는 맛이 좋다. 고소한 육회도 별미다. 멸칫국물로 맛을 낸 된장찌개를 곁들여도 좋다.
₩ 소금구이(100g 2만원), 양념구이(100g 2만원), 육회(소 2만원, 대 3만원), 된장찌개+밥(2천원)
🕒 09:00~21:00 – 월요일 휴무
🔍 울산 울주군 두동면 계명1길 27
☎ 052-262-7288 Ⓟ 가능

남도돼지국밥 돼지국밥

돼지곰탕처럼 맑은 국물의 울산 돼지국밥을 맛볼 수 있는 곳. 뽀얀 국물이 아니라 맑은 국물이 특징으로, 내장을 비롯한 고기와 부추가 뚝배기 가득 푸짐하게 나온다. 쫄깃하게 삶은 수육을 곁들이면 더욱 좋다.

Ⓦ 돼지국밥, 내장국밥(각 9천원), 순대국밥, 섞어국밥(각 1만원), 3가지섞어(1만1천원), 수육(3만3천원)
⏲ 07:00~22:00 – 연중무휴
🔍 울산 울주군 범서읍 장검길 9-9
☎ 052-277-3312 Ⓟ 가능

도동산방 한정식

고풍스러운 한옥 건물이 인상적인 한정식 전문점. 궁중음식을 기초로 한 현대적인 한정식을 낸다. 음식이 대체로 정갈하며 요리에 들어가는 다양한 장은 직접 담가 사용한다. 식사를 마치면 식당과 연결된 전통찻집에서 무료로 차를 마실 수 있다. 연못과 정원을 거닐면서 운치를 즐기기 좋다.

Ⓦ 수라한정식(3만3천원), 단오한정식(5만5천원), 방자한정식(7만7천원), 궁중한정식(11만원)
⏲ 12:00~16:00(마지막 주문 15:00)/17:00~20:30(마지막 주문 19:00) – 월요일 휴무
🔍 울산 울주군 상북면 송락골길 133
☎ 052-254-7076 Ⓟ 가능

마시미로스터스

MASIMI ROASTERS 커피전문점

울산에서 몇 안 되는 스페셜티 커피 전문점으로, 로스팅도 직접 하고 있다. 핸드드립으로 내린 커피 맛이 일품. 커피 CSP 과정을 진행하여 커피 관련 전문적인 수업을 들을 수도 있다.

Ⓦ 스페셜티커피(6천원), 프리미엄스페셜티커피(7천원), 아메리카노(4천원), 카페라테, 플랫화이트, 허브티(각 4천5백원), 카푸치노(5천원) 차(6천원)
⏲ 12:30~20:30 – 명절 휴무
🔍 울산 울주군 범서읍 굴화길 51-2
☎ 010-9204-2043 Ⓟ 가능

만복래숯불구이 소불고기 | 소고기구이 | 육회

언양과 함께 경상도의 대표적인 불고기촌인 봉계한우불고기특구 내에 자리한 고깃집. 한우에 굵은 왕소금을 뿌려 숯불에 굽는 불고기가 유명하다. 깍두기 모양으로 손질한 깍두기육회도 인기. 참기름을 두른 고추장에 찍어 먹는 것이 특징이다.

Ⓦ 소금구이(120g 2만4천원), 양념불고기(120g 2만2천원), 갈빗살(120g 2만7천원), 깍두기육회, 육회(각 소 2만원, 대 3만5천원)
⏲ 11:00~21:00(마지막 주문 20:30) – 둘째, 넷째 주 월요일, 명절 당일 휴무
🔍 울산 울주군 두동면 두동로 1789 ☎ 052-262-7255 Ⓟ 가능

베테랑바베큐 소고기구이 | 돼지고기구이

바비큐 드럼통에 흑우와 흑돼지고기를 숯불 바비큐해서 먹는 곳. 질이 좋은 백탄을 사용한다. 밑반찬과 함께 나오는 묵국이 독특하며 식사 메뉴로는 쌈장찌개와 섞기냉면이 있다. 건물 옆에는 호수가 있어 산책을 즐기기에도 좋다.

Ⓦ 안거미(150g 2만8천원), 본갈비(150g 3만2천원), 꽃갈비(150g 2만7천원), 돼지목살(200g 2만원), 쌈장찌개(7천원), 뼈다귀라면(1만3천원)
⏲ 12:00~22:00(마지막 주문 21:00) – 연중무휴
🔍 울산 울주군 서생면 해맞이로 924
☎ 052-239-5515 Ⓟ 가능

봉계전통숯불구이 소고기구이 | 육사시미 | 육회

봉계에서 숯불구이로 유명한 집. 소금구이와 양념구이 두 종류 중 선택할 수 있다. 깍두기 모양으로 썬 깍두기육회도 별미로 통하며 육회비빔밥도 맛이 좋은 편이다.

Ⓦ 소금구이(120g 2만4천원), 양념숯불구이(120g 2만2천원), 차돌박이(120g 2만원), 육회(200g 2만원), 육회비빔밥(보통 1만원, 특 1만5천원), 깍두기육회(200g 2만원)
⏲ 10:00~21:00 – 둘째 주 월요일 휴무
🔍 울산 울주군 두동면 두동로 1838
☎ 052-262-9088 Ⓟ 가능

언양기와집불고기 소불고기 | 소고기구이 | 육회

100년된 기와집을 개조해 만든 곳으로, 40여 년간 한우만을 다루고 있다. 불고기는 양념에 재워둔 소고기를 석쇠에 구워 상에 낸다. 질기지 않고 부드러운 한우의 맛이 좋으며, 반찬과 고기는 모두 천연 옥으로 만든 그릇에 담아 나온다.

Ⓦ 언양불고기(180g 2만2천원), 알등심(120g 3만원), 부채살(120g 3만2천원), 토시살, 새우살, 살치살(각 120g 3만5천원), 물, 비빔막국수(각 5천원)
⏲ 11:00~20:50(마지막 주문 20:00) – 명절 전날, 당일 휴무
🔍 울산 울주군 언양읍 헌양길 86
☎ 052-262-4884 Ⓟ 가능

언양기와집불고기

언양불고기 소불고기

언양식 석쇠불고기를 전문으로 하는 곳. 초벌구이해서 나오는 불고기를 불판 위에 올려 먹는다. 함께 깔리는 찬도 정갈하여 고기와 함께 곁들이기 좋다.

Ⓦ 언양불고기(180g 2만2천원), 특미구이(100g 3만2천원), 모둠구이, 갈빗살, 꽃등심, 낙엽살(각 100g 2만7천원), 육회(소 3만원, 대 4만원)
Ⓛ 10:30~21:00 – 월요일 휴무
Q 울산 울주군 언양읍 읍성로 104
☎ 052-263-5300 Ⓟ 가능

언양한우불고기 소불고기 | 소고기구이 | 육회

한우 암소를 이용한 언양불고기를 맛볼 수 있는 집. 40여 년 된 내력을 자랑한다. 직접 운영하는 농장에서 암소를 선별하여 양념 및 숙성 후 석쇠에 구워낸다.

Ⓦ 언양불고기(180g 2만2천원), 갈빗살(110g 2만9천원), 낙엽, 특수부위(각 110g 3만원), 육회(소 200g 3만원, 대 300g 4만원), 육회비빔밥(1만8천원)
Ⓛ 11:00~20:30 – 격주 월요일 휴무
Q 울산 울주군 언양읍 헌양길 87-3
☎ 052-262-0376 Ⓟ 가능

원조옛날곰탕 곰탕

언양시장에서 곰탕으로 유명한 집. 깔끔한 맛의 고기가 푸짐하게 들어가 든든한 한 끼 식사로 좋다. 부드러운 수육과 곰탕이 함께 나오는 수육백반도 추천메뉴.

Ⓦ 곰탕(1만원), 특곰탕(1만3천원), 수육백반(1만7천원), 수육(중 3만5천원, 대 4만원)
Ⓛ 07:00~20:30 – 매달 10일, 20일, 30일 휴무(토, 일요일인 경우 정상 영업)
Q 울산 울주군 언양읍 장터2길 11-5
☎ 052-262-5752 Ⓟ 가능

유통불고기 소불고기 | 소고기구이 | 육회

봉계한우불고기특구 내에서 오랫동안 인기가 많은 집. 가격도 다른 집보다 합리적인 편이다. 참숯에 구운 고기를 천일염에 찍어 먹는 맛이 좋다. 석쇠불고기 외에 갈빗살, 꽃등심 등의 한우도 맛볼 수 있다.

Ⓦ 석쇠불고기, 양념불고기(각 170g 2만원), 육회(200g 2만원), 특수부위(100g 2만8천원), 꽃등심, 갈비늑간살(각 120g 2만4천원), 육사시미(200g 2만원)
Ⓛ 09:30~20:00 – 셋째 주 월요일 휴무
Q 울산 울주군 두동면 계명로 96
☎ 052-262-7477 Ⓟ 가능

종점숯불구이 소불고기 | 소고기구이 | 육회

봉계한우불고기특구 내에서 잘 알려진 고깃집. 안심, 채끝등심 등의 부위를 다지지 않고 저며서 양념을 한 후 석쇠에 구운 양념불고기를 즐길 수 있다. 봉계에서는 고기를 도톰하게 썰어 숯불 석쇠 위에 올리고 소금을 뿌려가며 굽는 소금구이가 인기가 있다.

Ⓦ 소금구이(120g 2만4천원), 특수부위(시가), 양념구이(150g 2만원), 떡갈비(200g 2만원), 육회, 깍두기 육회(150g 1만5천원, 300g 3만원), 암소 반마리(300g 5만1천원, 500g 8만5천원)
Ⓛ 10:00~21:00 – 두번째 월요일 휴무
Q 울산 울주군 두동면 계명로 120
☎ 052-262-7279 Ⓟ 가능

진미불고기 소고기구이

신선한 한우 암소고기를 즐길 수 있는 곳. 잘 다진 고기를 석쇠에 구워 먹는 불고기가 대표 메뉴다. 생고기로 만드는 깍두기육회를 즐기려면 전화로 문의하고 가는 것이 좋다.

Ⓦ 언양석쇠불고기(180g 2만2천원), 특수부위(100g 3만5천원), 꽃등심, 갈빗살, 낙엽살(각 100g 2만7천원), 육회(소 150g 2만5천원, 대 250g 3만5천원)
Ⓛ 10:30~21:00 | 금, 토, 일요일 10:30~20:30 – 명절 당일 휴무
Q 울산 울주군 언양읍 동문길 47
☎ 052-262-5550 Ⓟ 가능

헤이메르 Hey-mer 베이커리 | 카페

울산 간절곶이 보이는 언덕에 자리한 카페. 피스타치오라테와 시나몬아인슈페너가 시그니처 메뉴다. 낮에는 오션뷰가, 밤에는 야경이 예쁜 곳으로 유명하다. 반려견을 동반할 수 있으며 2층은 노키즈존으로 운영된다.

Ⓦ 아메리카노(5천5백원), 카페라테(6천원), 카푸치노(6천5백원), 바닐라라테(6천5백원) 차, 에이드(각 7천원), 초코라테, 밀크티라테, 고구마라테(각 6천5백원) 멜트크림라테, 솔트크림콜드브루(각 7천5백원), 아마타임사과주스주스, 천혜향주스(각 6천원), 크니쁘니포도주스(2천5백원)
Ⓛ 10:30~22:30 – 연중무휴
Q 울산 울주군 서생면 잿골길 72
☎ 052-238-0333 Ⓟ 가능

효정밥상 게장

합리적인 가격에 게장백반을 즐길 수 있는 곳. 감칠맛 나는 간장에 절인 간장게장의 맛이 일품이며, 살도 꽉 차있다. 생선구이정식과 두루치기도 인기 메뉴다. 함께 나오는 반찬도 깔끔하다.

Ⓦ 게장정식, 생선구이정식, 간장새우(각 1만원), 두루치기(소 2만원, 중 2만5천원, 대 3만원)
Ⓛ 10:00~20:30 | 토, 일요일 10:00~20:00 – 명절 휴무
Q 울산 울주군 청량읍 신덕하1길 9
☎ 052-227-4995 Ⓟ 가능

울산광역시 중구

가미닭갈비913 닭갈비

20년 넘게 운영 중인 닭갈비 전문점. 젊음의 거리에 자리 잡고 있다. 주문 시 기본으로 나오는 치즈 감자 옥수수콘을 팬에 직접 익혀 먹는 방식이 독특하다. 창밖으로 보이는 강변 뷰가 좋은 곳.

₩ 닭갈비(1인분 9천원), 콘치즈닭갈비(1인분 1만원), 볶음밥(2천원)
🕒 11:00~22:00(마지막 주문 21:00) – 둘째 주 수요일, 명절 당일 휴무
🔍 울산 중구 젊음의2거리 29(성남동) 웰컴시티 9층
☎ 052-245-3007 Ⓟ 가능(웰컴시티 지하주차장 이용)

궁중삼계탕 삼계탕

울산에서 가장 오래된 삼계탕집 중 한 곳으로, 약 50여 년의 역사를 자랑한다. 조미료나 잡다한 재료를 사용하지 않아 국물 맛이 시원하면서도 깔끔하다. 아삭한 깍두기와 된장에 무친 오이고추를 곁들이면 맛있다.

₩ 삼계탕(1만6천원), 옻삼계탕(1만9천원), 전복삼계탕(2만3천원), 전복죽, 닭똥집볶음(각 1만6천원)
🕒 10:00~22:00(마지막 주문 21:00) – 명절 휴무
🔍 울산 중구 먹자거리 6(성남동)
☎ 052-244-1156 Ⓟ 불가(인근 공영주차장 1천원 주차권 증정)

금강장어 장어

울산에서 수준 높은 장어 전문점으로 손꼽히는 곳. 태화강 주변은 옛날부터 민물장어가 많이 서식하여 장어구이로 유명했던 곳인데, 현재는 태화강에서 민물장어가 잘 잡히지 않아 부산 등지에서 직송한 민물장어를 사용하고 있다.

₩ 장어구이(1인 180g 2만6천원), 소면(3천원), 된장+공깃밥(2천원)
🕒 11:00~21:20 – 둘째, 넷째 주 월요일 휴무
🔍 울산 중구 산전길 8-1(남외동)
☎ 052-297-9205 Ⓟ 가능

나마스까르 Namaskar 인도식

인도 호텔 주방장 출신의 셰프가 만드는 정통 인도 음식을 맛볼 수 있다. 다양한 종류의 커리를 선보이며 계속해서 따뜻하게 먹을 수 있도록 양초에 받쳐 나온다. 탄두리치킨과 커리를 한 번에 즐길 수 있는 세트메뉴도 추천할 만하다.

₩ 샐러드, 수프(4천원~1만2천원), 커리(1만1천원~1만4천원), 2인세트(2만원~3만5천원), 탄두리치킨(1만8천원), 치킨티카(1만3천원), 치킨칠리(1만5천원)
🕒 11:00~15:00/17:00~22:00 – 명절 휴무
🔍 울산 중구 젊음의거리 40-3(성남동)
☎ 070-8832-5585 Ⓟ 불가

대일함흥냉면 함흥냉면

함남 함흥에서 월남한 실향민이 정착하여 만든 함흥냉면집으로, 40년 넘는 역사를 자랑한다. 함흥식 비빔냉면과 평양식 물냉면 중 선택할 수 있으며 두 냉면이 반반씩 나오는 두칸냉면도 인기가 많다.

₩ 물냉면, 비빔냉면(각 1만원, 곱빼기 1만2천원), 갈비탕(1만3천원), 두칸냉면, 채소냉면(각 1만2천원), 왕만두(5천원), 돌판비빔밥(1만원)
🕒 하절기(3~9월) 11:00~21:00(마지막 주문 20:40) | 동절기(10~2월) 11:00~19:30 – 명절 휴무
🔍 울산 중구 명정4길 13(태화동)
☎ 052-249-5836 Ⓟ 가능

덕클 DUCKLE 퓨전중식

중식을 기반으로 하는 아시안 퓨전 음식점. 소고기 살치살과 채소를 함께 볶은 몽골리안 비프, 에그면에 사천식 소스를 부어 먹는 크리스피 에그누들, 계란 볶음밥과 게살 수프를 함께 먹는 원앙 볶음밥 등을 맛볼 수 있다. 통깨를 올려 고소한 맛을 살린 멘보샤도 추천할 만하다.

₩ 몽골리안비프(3만2천원), 크리스피에그누들(1만4천원), 원앙볶음밥, 돼지고기볶음면(각 1만3천원), 마파두부덮밥(1만1천원), 깨보샤(1만원)
🕒 11:30~15:00/17:00~21:00(마지막 주문 20:20) – 연중무휴
🔍 울산 중구 신기4길 18 1층
☎ 0507-1348-4794 Ⓟ 불가

데미안 DEMIAN 커피전문점

클래식 음악과 함께 핸드드립 커피를 마실 수 있는 복합문화공간이다. 다양한 베이커리도 선보이고 있다. 가게명은 헤르만 헤세 소설 데미안의 이름을 따서 지었다.

₩ 핸드드립(7천원~1만2천원), 에스프레소(4천원), 아메리카노(4천5백원), 티(5천원~7천원), 아몬드쿠키(5천원), 소금빵, 쌀크렌베리쿠키(3천원)
🕒 09:00~22:00 – 월요일 휴무
🔍 울산 중구 중앙길 130 1층
☎ 052-268-7515 Ⓟ 가능(공영주차장 1시간 주차권 제공, 유료주차장 2천원 지원)

로바타요지 ろばたようじ 이자카야

닭꼬치를 비롯하여 해물, 야채 등 다양한 재료의 구이를 맛볼 수 있는 로바다야키. 사시미와 다른 요리도 준비되어 있다. 오마카세로 시키면 오토시부터 사시미, 구이, 튀김 등 모든 메뉴를 맛볼 수 있으며 구성은 계절별로 바뀐다.

₩ 소고기다타키(2만8천원), 모둠야키(5종 2만2천원, 10종 4만원), 알탕(1만2천원), 해물야키우동(2만2천원), 연어사시미(2만8천원), 연어소금구이(2만3천원), 닭연골가라아게(1만8천원), 오마카세(1인 5만원)
🕒 17:00~02:00(익일) | 금, 토, 일요일17:00~03:00(익일) – 연중무휴

🔍 울산 중구 학성로 73(성남동)
☎ 052-244-9939 Ⓟ 불가(성남동 공영주차장 이용)

만당 짬뽕전문점

해물짬뽕이 전문인 중국집. 입구에 수족관을 두고 사용하는 곳으로, 신선한 해산물을 자랑한다. 동그란 장독 뚜껑 모양의 뚝배기에 담겨져 나오는 스페셜짬뽕이 대표 메뉴며, 가리비짬뽕과 하얀 국물의 낙지짬뽕도 많이 찾는다.

₩ 장독짜장(8천원), 가리비짬뽕, 키조개짬뽕(각 1만1천원), 전복짬뽕(1만3천원), 낙지짬뽕(1만6천원), 볶음짬뽕(1만원)
🕒 11:00~21:00 – 월요일 휴무
🔍 울산 중구 태화강국가정원길 231-9(태화동)
☎ 052-244-1337 Ⓟ 불가

무주골 장어

장어구이로 유명한 집. 40년 넘는 역사를 자랑한다. 토종 치어로 키운 국산 장어만을 사용하며 참숯에 구워 맛이 더욱 좋다. 장어는 초벌구이 해서 나오며 간장 양념, 고추장 양념, 소금구이 중 선택할 수 있다.

₩ 장어구이(240g 4만2천원), 점심특선(120g 2만3천원, 180g 3만원), 더덕구이(2만원), 우거지된장찌개, 잔치국수(각 5천원)
🕒 11:30~14:00/16:30~21:30 | 토, 일요일 11:30~14:30/16:30~21:00 – 월요일, 명절 휴무
🔍 울산 중구 종가6길 32(우정동) KL빌딩 6층
☎ 052-243-2842 Ⓟ 가능

미미옥울산점 MIMIOK 국수

경기도 이천의 쌀을 사용하여 만든 쌀국수 전문점. 한국식으로 재해석하여 고수 대신 방아잎을 사용하는 것이 특징이다. 소, 닭, 버섯을 각각 따로 육수를 내어 블렌딩하여 깔끔하고 깊은 맛을 낸다.

₩ 서울쌀국수(8천8백원, 반상 1만3백원), 비빔쌀국수, 우삼겹비빔밥(각 9천4백원), 매콤새우감자고로케(4천5백원)
🕒 10:30~15:00(마지막 주문 14:30)/17:00~21:00(마지막 주문 20:30) – 연중무휴
🔍 울산 중구 동천1길 40(서동) 세영이노세븐 C동 160호
☎ 052-708-0818 Ⓟ 가능

손가 孫家 일반중식

3대째 손맛을 잇는 대만식 중화요리 전문점. 매콤한 해물짜장면, 시원한 백짬뽕이 인기 메뉴며, 유린기와 만두도 맛 보기를 추천한다. 모던하고 깔끔한 인테리어에 입식과 좌식의 단독룸도 갖추고 있다.

₩ 유니짜장(7천원), 해물짜장면(9천원), 통낙지짬뽕(1만5천원), 생고기탕수육(2만5천원), 레몬크림새우, 유린기(각 2만7천원), 멘보샤(2만2천원), 유산슬(3만원)
🕒 11:30~22:00(마지막 주문 21:30) – 월요일 휴무
🔍 울산 중구 문화의거리 12(옥교동) 1층
☎ 052-244-5046 Ⓟ 가능

수림복국 복

다양한 종류의 복요리를 맛볼 수 있는 곳. 복국을 주문하면 복튀김이 서비스로 나온다. 콩나물, 미나리 등이 푸짐하게 들어가 시원하게 속을 풀기에 제격이다. 2층은 복 전문점, 3~4층은 회를 전문으로 하는 공간으로 나뉘어 있다.

₩ 복국(은복 1만7천원, 밀복 2만1천원, 까치복 2만3천원, 생참복 3만5천원), 복코스(3만5천원~9만원), 복불고기정식(2만5천원), 복불고기(계절생복 3만5천원, 까치복 3만원, 밀복 2만5천원)
🕒 11:00~22:00 – 일요일 휴무
🔍 울산 중구 종가6길 26(우정동) 유성프라자 8층
☎ 052-224-0235 Ⓟ 가능

심돈 돼지고기구이

한판구이를 시키면 다 구워진 돼지고기가 솥뚜껑에 채소와 함께 올려져 나오는 곳. 파절임, 김치, 콩나물, 양파, 버섯, 가래떡, 파인애플, 마늘이 함께 구워져 나온다. 듀록돼지 품종을 사용하여 풍부한 육즙을 즐길 수 있다

₩ 심돈모둠한판구이(600g 3만9천원, 850g 5만4천원), 꽃목살한판구이, 통삼겹한판구이(각 600g 3만8천원), 갓지은솥밥(2천5백원), 폭탄치즈계란찜(4천원), 된장술밥(6천원), 소고기솥밥(점심 1만4천원)
🕒 11:00~14:30/17:00~22:00| 토, 일요일 11:00~22:00 – 연중무휴
🔍 울산 중구 종가6길 8-18(우정동) 럭키빌딩 1층 심돈
☎ 052-707-6262 Ⓟ 가능

엄지식육식당 소고기구이

울산에서 유명한 식육식당으로, 한우 암소만 취급하며 가격도 비교적 합리적인 편이다. 싱싱한 채소와 파절임이 함께 나온다. 된장찌개도 칼칼하고 맛있다.

₩ 한우모둠세트(100g 1만4천원, 600g 8만4천원), 채끝살(각 100g 1만5천원), 한우갈빗살(100g 2만원), 차돌박이(100g 1만4천원), 한돈생삼겹살(100g 9천원), 목살(100g 9천원), 대패삼겹살(500g 2만원)
🕒 16:00~22:30 – 일요일 휴무
🔍 울산 중구 옥교3길 119(학성동)
☎ 052-297-1351 Ⓟ 불가

원조대구막창1번지 돼지막창

잘 익은 돼지막창을 상추에 올리고 땅콩가루, 청양고추, 실파 다진 것을 섞은 양념과 함께 싸 먹는 맛이 별미다. 생막창을 사용하는 것이 특징. 신선한 쌈 채소가 종류별로 제공되며 막창은 기본 3인분부터 주문할 수 있다. 양이 푸짐히 나오는 편이며 서비스로 제공되는 칼국수가 유명하다.

₩ 돼지생고기막창(180g 1만1천원)
🕒 16:00~24:00 – 월요일 휴무
🔍 울산 중구 곽남1길 35(남외동)
☎ 052-297-5856 Ⓟ 불가

세종특별자치시

Sejong City

뇨끼온떨스데이 Gnocchi on thursday 이탈리아식

매일 아침 직접 제면한 생면 파스타와 뇨키를 맛볼 수 있는 곳. 뇨키와 파스타의 종류가 다양하며 화이트치킨뇨키스튜, 겨울 대방어 카르파초 등 주말한정, 겨울한정으로 맛볼 수 있는 메뉴도 있다.

Ⓦ 초리조토마토감자뇨키(1만9천원), 트러플버섯감자뇨키(2만1천원), 오리라구버섯뇨게티, 한우화이트라구탈리올리니(각 2만3천원), 화이트치킨뇨키스튜(2만원), 홍새우오일먹물탈리올리니(2만1천원)
🕒 11:30~15:00/18:00~22:00(마지막 주문 20:30) – 격주 월요일 휴무
🔍 세종 나성북1로 51 나릿재마을 6단지
Ⓟ 044-863-0032 Ⓟ 가능

디앨리스 The Alice 이탈리아식

46층 고층에서 강을 바라보며 식사를 할 수 있는 곳. 스테이크와 랍스터, 타이거 새우 등을 함께 맛볼 수 있는 스테이크 플래터가 대표 메뉴다. 스테이크 부위는 안심, 채끝, 립아이 중 고를 수 있다. 파스타와 리조토도 추천할 만하다.

Ⓦ 시그니처스테이크플래터(10만9천원~14만3천원), 파스타(1만5천원~2만7천원), 스테이크(4만5천원~5만5천원), 리조토(2만원~2만2천원)
🕒 11:30~15:00/17:00~22:00 – 월요일 휴무
🔍 세종 어울누리로 67 (나성동)
☎ 044-866-2243 Ⓟ 가능

뜨라또리아일페노메논 NEW

Trattoria il phenomenon 이탈리아식

클래식한 이탈리안 요리를 맛볼 수 있는 레스토랑. 자가제면한 생면 파스타, 웻에이징 한 채끝스테이크 등 다양하게 준비되어 있다. 한우와 한돈을 사용해 푹 끓여 풍미를 낸 라구 소스를 활용한 라자냐가 인기 메뉴.

Ⓦ 멜란자네(1만7천원), 라자냐(2만6천원), 카르보나라(2만2천원), 채끝스테이크(5만8천원), 티라미수(9천원)
🕒 11:30~15:00/17:00~22:00(마지막 주문 14:00, 20:30) | 토요일 11:30~16:00/17:00~22:00(마지막 주문 14:00, 20:30) – 일요일 휴무
🔍 세종 법원2로 12 거북선빌딩 1층
Ⓟ 044-865-6631 Ⓟ 가능

뜨라또리아일페노메논

르비엣 LeVIET 베트남식

호주산 청정우를 15시간 이상 끓인 육수로 맛을 낸 쌀국수 전문점. 스페셜 쌀국수에는 한우 생고기, 힘줄, 양지 토핑이 잔뜩 들어있어서 웬만한 곰탕보다 든든하게 고기를 맛볼 수 있다는 평.

Ⓦ 르비엣쌀국수(S 1만원, L 1만1천5백원), 직화소고기볶음밥(1만5백원), 베트남식깐풍기(S 1만2천5백원, L 2만2천원), 르비엣월남쌈(3만5천원)
🕒 11:30~15:00/17:00~21:00(마지막 주문 14:00/20:00) – 연중무휴
🔍 세종 호려울로 29 세종시드니 2F
Ⓟ 044-862-2820 Ⓟ 가능(상가 지하주차장)

르비엣

르비프 LE BEEF 소고기구이

최상급 한우를 숙성고에서 21일 이상 저온 숙성한 한우 레스토랑. 깔끔하고 모던한 분위기. 창가 자리는 금강 보행교를 마주하고, 한 편에는 와인 다이닝 바도 마련되어 있다. 샐러드부터 한우 특수부위 모둠, 그리고 쌀국수 또는 볶음밥과 같은 식사류가 포함된 평일 런치메뉴도 즐길 수 있다.

Ⓦ 꽃새우등심, 샤토브리앙(각 150g 5만2천원), 플랫아이언(150g 4만8천원), 한우안심(150g 4만6천원), 한우등심(150g 4만5천원), 한우채끝(150g 4만4천원), 꽃새우살(150g 5만5천원), 스페셜플레터(160g 4만2천원), 한우육회(150g 3만원), 한우김치즈볶음밥2인(1만4천원), 평일런치세트(1인 3만원)
🕒 11:30~15:00/17:00~21:30(마지막 주문 20:30) – 일요일 휴무
🔍 세종 시청대로 167 세종드림빌딩 3F
Ⓟ 044-868-2825 Ⓟ 가능(건물 지하주차장)

메타45카페 META45 카페

지상에서 200m 높이에 위치한 초고층 카페. 세종시의 랜드마크인 호수공원, 이응다리, 세종청사 등 한눈에 내려다보며 힐링할 수 있는 곳. 화장실마저도 뷰를 만끽할 수 있다는 평이다. 시그

니처는 부드러운 크림이 올라간 아인슈페너.

₩ 에스프레소(6천원), 아메리카노(7천원), 카페라테(8천원), 바닐라라테(8천5백원), 아인슈페너(8천원), 밀크티(8천원), 생과일에이드(8천5백원), 블렌디드(8천원~9천원),
⏲ 11:00~23:00(마지막 주문 22:00) – 연중무휴
🔍 세종 나성북1로 51
☎ 044-862-4502 Ⓟ 가능

바이핸커피 by Hand Coffee 커피전문점

수준급의 로스터리 카페. 핸드드립으로 내린 스페셜티 커피를 맛볼 수 있으며 20여 가지 이상의 갓 볶은 원두도 구매할 수 있다.

₩ 에스프레소, 아메리카노(각 4천원), 카페라테, 카페모카, 캐러멜마키아토(각 4천5백원), 핸드드립커피(6천원)
⏲ 10:00~24:00 – 일요일 휴무
🔍 세종 절재로 172(어진동) 태한프레스센터 1층
Ⓟ 044-863-7927 Ⓟ 가능

부강옥 富强玉 순댓국

3대를 이어온 55년 전통의 순댓국집. 전통방식으로 만든 수제순대를 맛볼 수 있다. 잡내없고 부드러운 모둠수육에는 머릿고기와 수육, 순대가 나온다. 식사 메뉴를 2인 이상 주문하면 맛보기수육 주문이 가능하다.

₩ 명품순댓국(1만원, 특 1만3천원), 수제돈가스(1만3천원), 수제순대(소 1만5천원, 중 2만2천원), 모둠수육(소 3만3천원, 중 3만8천원), 맛보기수육(1만5천원)
⏲ 08:00~20:00(마지막 주문 19:30) – 화요일 휴무
🔍 세종 부강면 부강외천로 103
Ⓟ 044-866-3362 Ⓟ 가능

산장가든 돼지갈비

숯불에 구운 갈비와 떡갈비를 맛볼 수 있는 곳. 숯불갈비는 매운맛으로도 선택이 가능하다. 고기는 구워져서 나오며, 그릇 아래 양초를 피워 고기를 따뜻하게 유지해준다. 기본 반찬은 셀프바에서 가져다 먹을 수 있고, 공깃밥을 주문하면 시래기 된장국을 함께 내어준다.

₩ 원조숯불갈비, 매운숯불갈비(각 1만9천원), 숯불떡갈비(1만7천원), 비빔냉면, 물냉면(각 9천원), 동치미메밀국수(8천원), 영양들깨수제비(1만원), 공깃밥(2천원)
⏲ 11:00~15:00/16:00~21:00 – 명절 당일 휴무
🔍 세종 연서면 도신고복로 1131-7
Ⓟ 044-867-3333 Ⓟ 가능

쇼페 Chauffer 프랑스식

서승호 셰프의 제자이며 시옷빵집을 운영하던 이리나 셰프가 오픈한 프렌치 레스토랑. 제철 재료를 사용한 섬세한 요리를 맛볼 수 있다. 코스 위주로 운영된다.

₩ 코스A(런치 10만원), 코스B(런치, 디너 15만원)
⏲ 11:30~22:30 – 연중무휴
🔍 세종 마음로 233(고운동) GSD빌딩 2층
Ⓟ 044-866-1634 Ⓟ 가능(건물 뒷편)

아호정 일반중식

모던한 분위기의 중식 레스토랑. 단품 중식요리부터 코스요리까지 주문 가능하다. 튀긴 닭다리살에 수북히 올린 파, 채소, 새콤한 간장소스가 뿌려진 유린기가 인기 메뉴중 하나.

₩ 유린기(2만7천원), 어향가지(2만6천원), 마파두부(2만원), 탕수육(소 2만원, 중 2만9천원), 동파육(4만6천원), 짜장면(9천원), 삼선짬뽕(1만3천원)
⏲ 11:30~15:30(마지막 주문 14:30)/17:30~21:30(마지막 주문 20:30) – 넷째 주 일요일 휴무
🔍 세종 가름로 232(어진동) 세종비즈니스센터 B동 102호
Ⓟ 044-998-0978 Ⓟ 가능

왕천파닭 프라이드치킨

세종전통시장에서 파닭이 맛있기로 소문난 곳. 파닭을 먹기 위해 멀리서도 손님이 찾아오는 집이다. 바삭하게 튀긴 위에 파채와 마늘, 레몬이 올라가는 것이 특징. 시간이 많이 지나도 바삭하며 퍽퍽하지 않다. 포장 판매만 하고 있다. 전화로 주문예약 후 방문하는 것이 좋다.

₩ 파닭(2만2천원), 양념소스(5백원)
⏲ 11:00~23:30 – 월요일 휴무
🔍 세종 조치원읍 조치원8길 16
Ⓟ 044-862-7405 Ⓟ 불가(인근 공영주차장 이용)

원두막매운탕 민물매운탕

고풍스러운 한옥 건물에서 민물매운탕, 장어구이, 메기, 쏘가리, 참게 등 다양한 민물생선요리를 맛볼 수 있다. 매운탕의 마무리는 수제비로 한다. 보양식으로 제격인 민물장어소금구이도 인기메뉴.

₩ 메기매운탕(소 2만5천원, 중 3만5천원, 대 4만5천원), 빠가매운탕, 잡어매운탕(각 소 3만5천원, 중 5만5천원, 대 7만5천원), 민물장어소금구이(1마리 3만원), 민물참게(1만원)
⏲ 11:00~20:30 – 둘째, 넷째 주 월요일, 설날 휴무
🔍 세종 부강면 부강외천로 166-5
Ⓟ 044-269-0006 Ⓟ 가능

이한빵집 leehan bakery 베이커리

오월의종 출신 셰프가 세종시에 문을 연 베이커리. 갓 구워낸 담백한 빵을 합리적인 가격으로 즐길 수 있는 곳이다. 정기 휴무일 외에도 영업을 하지 않는 날이 있기도 하니 매달 말 SNS를 통해 공지하는 휴무 일정을 참고하는 것이 좋다.

₩ 플레인치아바타, 크랜베리바게트(각3천5백원), 크랜베리호밀빵(6천2백원), 올리브포카치아(3천원), 옥수수크림치즈베이글(2천7백원),

찰떡바게트(4천5백), 초코캉파뉴(4천5백원), 호밀곡물식빵(5천원)
⌚ 09:00~16:00(재료 소진 시 마감) – 일, 월요일 휴무
🔍 세종 마음로 272-3(고운동) 102호
Ⓟ 044-866-1391 Ⓟ 가능

카페더코너 The corner 카페

부담 없는 가격에 수준 있는 커피를 맛볼 수 있는 곳으로, 수동 머신으로 내린 스페셜티 커피를 선보인다. 가격대도 합리적인 편이며 내부 인테리어도 깔끔하게 꾸몄다.

₩ 에스프레소, 아메리카노(각 2천8백원~3천3백원), 카페라테(3천8백원~4천3백원), 카푸치노(3천8백원), 레몬차(4천8백원), 키위주스(5천3백원)
⌚ 11:00~01:00(익일) – 연중무휴
🔍 세종 보듬3로 8-20(도담동) 한신휴시티 1층 140호
Ⓟ 044-998-4847 Ⓟ 가능

테이블레이 TABLE LAY 이탈리아식

생면 파스타와 드라이에이징 스테이크를 전문으로 하는 이탈리안 레스토랑. 미리 예약해야 하는 파스타오마카세는 여러 종류의 파스타를 코스로 맛볼 수 있다. 유럽의 갤러리를 모티브로 한 실내 분위기에서 쾌적하게 식사를 즐길 수 있다.

₩ 파스타오마카세(3일 전 예약, 1인 4만5천원), 올데이세트(2인 6만8천2백원, 3인 9만5천2백원), 푸타네스카(1만8천9백원), 수제베이컨오일(1만9천5백원), 1++한우 화이트라구(2만3천원), 트러플 크림 감자뇨끼(2만1천원), 보성녹돈목살스테이크(3만원), 드라이에이징1++한우채끝스테이크(5만4천원)
⌚ 11:30~15:00(마지막 주문 14:00) | 주말 및 공휴일 11:30~15:30(마지막 주문 14:30)/17:30~21:00(마지막 주문 20:00) – 비정기적 휴무(인스타그램 공지)
🔍 세종 다정중앙로 39(다정동) 다정센터프라자2 207호
Ⓟ 044-866-7220 Ⓟ 가능(2시간 무료)

피제리아지알로 Pizzeria Giallo 피자 | 파스타

금강 주변에 위치한 전망 좋은 피자 전문점. 나폴리 방식으로 참나무 장작 화덕에 구운 피자를 맛볼 수 있다. 버팔로 모차렐라가 올라간 마르게리타 피자가 추천 메뉴. 파스타 종류도 여러 가지 갖추고 있다.

피제리아지알로

₩ 라치오피자(2만2천원), 카포나타샐러드, 마르게리타콘부팔라피자(각 2만원), 비아톨레도피(2만3천원), 포모도리(1만8천원), 화이트라구(2만2천원), 포르치니리조토(2만4천원)
⌚ 11:30~15:00(마지막 주문 14:00)/17:00~22:00(마지막 주문 20:30) | 토, 일요일 11:30~16:00(마지막 주문 14:00)/17:00~22:00(마지막 주문 20:30) – 연중무휴
🔍 세종 시청대로 137(보람동) 리버피크닉 205호
Ⓟ 044-865-6641 Ⓟ 가능

홍카페 HONG coffee & tea 카페

분위기 좋은 카페로, 복층으로 꾸며 천장이 높고 좌석도 많다. 전망이 좋고 한적하여 편안한 분위기 속에서 음료를 즐길 수 있는 곳이다. 특이한 디자인의 의자가 많아 보는 재미를 더한다. 1인 1주문을 원칙으로 한다.

₩ 아메리카노(4천원), 카페라테(4천5백원), 크림아메리카노(5천원), 크림라테(5천5백원),
⌚ 10:00~23:00 – 연중무휴
🔍 세종 조치원읍 섭골길 31
Ⓟ 044-866-5504 Ⓟ 불가

힛유어텅 HIT YOUR TONGUE 다이닝바

다양한 요리를 즐길 수 있는 다이닝바. 양갈비, 비스크파스타, 우니 페이스트와 조갯살, 감태 등을 넣어 맛을 낸 우니감태파스타 등이 인기 메뉴. 링귀니, 가지 튀김, 초리조, 그린 올리브, 직접 만든 토마토 소스가 들어간 초리조가지 튀김파스타도 추천할 만하다.

₩ 우니감태파스타(3만6천원), 양갈비(4만5천원), 소살치살(4만2천원), 비스크파스타(2만7천원), 초리조가지튀김파스타(2만6천원), 주꾸미냉이파스타(3만1천원)
⌚ 18:00~24:00 – 일, 월요일 휴무
🔍 세종특별자치시 새롬로 56 (새롬동)
☎ 0502-1920-0573 Ⓟ 가능(아파트 지하 주차장 이용)

경기도

Gyeonggi-do Province

경기도 가평군

가평냉면부손설악본점 막국수 | 평양냉면

순메밀면으로 만든 막국수와 평양냉면을 맛볼 수 있다. 평양냉면은 슴슴한 국물 맛이 면과 잘 어울린다는 평이다. 쫄깃한 감자전이나 수육을 곁들여도 좋다.

₩ 평양냉면, 평양온반, 시래기온반, 시래기들기름국수, 평양면반, 평양식들국수, 부손비빔국수(각 1만2천원), 감자전(1만3천원), 부손냉수육(1인 1만3천원, 2인 2만1천원, 3인 3만원)
⏲ 11:00~16:00(마지막 주문 15:45) | 토, 일요일 11:00~18:00(마지막 주문 17:45) – 화요일 휴무
🔍 경기 가평군 설악면 유명로 1818-13
☎ 031-584-7772 Ⓟ 가능

금강막국수닭갈비 막국수 | 닭갈비

가평 아침고요수목원 근처에서 막국수와 닭갈비를 맛있게 하는 집. 순메밀을 바로바로 멧돌에 갈아 국수를 뽑아낸다. 메밀 향이 메밀국수의 맛을 살린다. 푸짐하게 나오는 닭갈비도 인기며 메밀쌈에 싸먹는 숯불닭갈비도 추천할 만하다. 닭갈비에 치즈퐁뒤를 추가해 즐길 수도 있다.

₩ 특수부위, 모둠구이, 고추장닭갈비, 간장닭갈비(각 1만6천원), 막국수(1만1천원)
⏲ 10:30~21:30 – 연중무휴
🔍 경기 가평군 상면 수목원로 16
☎ 031-584-5669 Ⓟ 가능

나무아래오후N 카페 | 브런치카페

아침고요수목원 가는 길목에 자리한 베이커리 및 브런치 카페. 다양한 종류의 빵, 디저트와 샥슈카, 라자냐, 샌드위치와 같이 간단히 식사할 수 있는 올데이 브런치도 선보인다. 클래식을 들을 수 있는 작은 별관과 빈백을 비치한 야외 자리도 마련되어 있다.

₩ 에스프레소, 아메리카노(각 7천5백원), 카페라테(8천3백원), 치아타바샌드위치(1만8천원), 샥슈카(2만3천원), 라자냐(2만1천원)
⏲ 10:00~18:00 | 토, 일요일 10:00~19:00 – 연중무휴
🔍 경기 가평군 상면 수목원로 204
☎ 031-584-9300 Ⓟ 가능

네자매평강막국수 막국수

쫄깃한 식감의 메밀 막국수를 맛볼 수 있는 곳. 비빔막국수와 물막국수 중에 선택할 수 있으며, 육수가 주전자에 따로 담겨 있어 취향에 따라 더 넣어 먹으면 된다. 명태회 무침이 올라간 회국수도 별미로 통한다.

₩ 막국수(1만1천원), 회막국수(1만4천원), 감자전(1만7천원), 메밀전(9천원), 편육(소 3만5천원, 대 4만8천원)
⏲ 10:00~19:00 – 수요일 휴무
🔍 경기 가평군 설악면 한서로 87
☎ 031-585-1898 Ⓟ 가능

달과6펜스베이커리카페 moon&6pence 카페

야생화와 나무, 정자, 그리고 시계를 활용해 감각적으로 꾸민 카페 앞 정원이 눈길을 끄는 곳. 실내 인테리어 역시 정원 분위기가 그대로 이어져 편안하고 아늑하다.

₩ 아메리카노(5천원), 카페라테(6천원), 블루레몬에이드(6천5백원), 단팥빵(3천5백원)
⏲ 12:00~20:00(마지막 주문 19:30) – 월, 화요일 휴무
🔍 경기 가평군 청평면 상지로 107
☎ 070-4124-2577 Ⓟ 가능

델씨엘로 DEL CIELO 피자 | 파스타

청평 쪽으로 드라이브하다가 들르면 좋은 화덕 피자와 파스타 전문점. 지중해 풍의 흰 기둥과 벽으로 공간이 분리되어 이국적인 분위기에서 편안하게 식사할 수 있다. 아기를 위한 '아기 토마토 파스타'를 무료로 제공하고 있는 것이 특징.

₩ 클래식라구(2만1천원), 남해해산물뚝배기파스타(2만2천원), 클래식마르게리타(2만원), 바질클래시카(2만3천원)
⏲ 11:00~20:00 – 연중무휴
🔍 경기 가평군 청평면 경춘로 1031
☎ 031-584-1767 Ⓟ 가능

들풀 한정식

설악에서 재배한 콩만 사용하는 정갈하고 건강한 한식집. 청국장이 대표 메뉴로 숯 황토방에서 띄우고 장독대에서 맛있게 익혀 사용한다. 된장, 간장, 들기름 등도 직접 만들고, 장아찌류와 나물 등 밑반찬은 리필하여 먹을 수 있다. 식사 후 주변을 산책하기에도 좋다.

₩ 민들레정식(2인 이상, 1인 1만8천원), 달맞이정식(4인 이상, 1인 2만1천원), 연꽃정식(4인 이상, 1인 3만원)
⏲ 10:30~20:00(마지막 주문 19:15) – 화요일, 명절 휴무
🔍 경기 가평군 설악면 한서로124번길 16-12
☎ 031-585-4322 Ⓟ 가능

명지쉼터가든 국수

잣으로 유명한 가평의 잣을 이용해 만든 잣국수가 별미다. 잣가루와 밀가루를 섞어 만드는 잣국수는 일반국수보다 면발이 매끄럽고 탄력 있다. 우유처럼 뽀얀 잣국물은 고소하고 진국이다. 잣국수 외에도 잣죽, 잣곰탕 등의 메뉴를 선보인다.

₩ 잣국수, 잣죽(각 1만4천원), 잣곰탕(1만6천원), 수육전골(5만원), 감자부침, 도토리묵, 잣해물짬뽕(각 1만3천원), 산채비빔밥(각 1만1천원)
⏲ 하절기 10:00~17:00(마지막 주문 16:00) | 동절기 10:00~15:00 – 연중무휴
🔍 경기 가평군 북면 가화로 777
☎ 031-582-9462 Ⓟ 가능

방일해장국 소내장탕 | 선지해장국 | 수육

유명산 인근에서 인기를 끌다가 현재의 위치로 이전한 해장국집. 선지와 내장이 푸짐하게 들어간 방일해장국이 대표 메뉴며 청양고추절임이 느끼한 맛을 잘 잡아준다. 전국적으로 체인점이 많이 있지만, 본점이 가장 뛰어나다는 평이다.

₩ 선지해장국, 소고기해장국(각 1만원), 내장탕(1만2천원), 수육, 내장볶음(각 3만5천원)

⏲ 하절기 05:00~15:00/17:00~(마지막 주문 18:30) | 동절기 06:00~15:00/17:00~(마지막 주문 18:30) – 둘째, 넷째 주 월요일 휴무

🔍 경기 가평군 설악면 신천중앙로 151

☎ 031-584-3116 Ⓟ 가능

본가장작불곰탕해장국 선지해장국 | 도가니탕 | 곰탕

곰탕과 막국수 맛이 좋아 인기 있는 곳이다. 곰탕에 들어가는 육수는 장작불을 피워 가마솥에서 오랜 시간 고아내 진한 맛을 낸다. 메밀로 만든 막국수는 구수한 맛을 느낄 수 있다.

₩ 본가곰탕, 선지해장국(1만1천원), 사골우거지해장국, 메밀막국수(각 9천원), 메밀전(6천원), 도가니수육(5만5천원)

⏲ 05:00~23:00 – 연중무휴

🔍 경기 가평군 청평면 경춘로 712

☎ 031-584-1987 Ⓟ 가능

산골농원 닭볶음탕

장작불에 올린 솥뚜껑에 자글자글 끓여 먹는 닭볶음탕으로 유명한 곳. 달짝지근한 국물맛과 쫄깃한 토종닭의 맛이 인상적이다. 끓일수록 국물 맛이 깊고 진해져 식사를 마칠 때까지 맛있게 먹을 수 있다. 수제비나 라면 사리를 넣어 먹는 것도 추천.

₩ 솥뚜껑닭볶음탕(1마리 8만원), 반마리추가(4만원), 주먹밥(3천원)

⏲ 10:30~20:00(마지막 주문 18:00) | 토, 일요일 10:00~20:00(마지막 주문 18:00) – 화요일 휴무

🔍 경기 가평군 설악면 어비산길99번길 75-7

☎ 031-584-7415 Ⓟ 가능

산장대통령 山莊大通嶺 닭백숙

산장 규모만 3천 평으로, 식당 외부에는 개울 옆에 앉아 먹을 수 있는 야외 평상 자리와 방갈로 등이 있다. 백숙 재료인 장닭은 생후 5개월 된 닭을 사용하여 쫄깃하고, 각종 한약재를 넣어 끓인 육수가 시원하고 개운하다. 백숙을 다 먹고 나면 칼국수를 넣어준다. 도착하기 30~40분 전에 예약하는 것이 좋으며, 동절기에는 문을 닫는다.

₩ 장닭한방백숙정식, 장닭볶음탕정식(각 8만원), 장닭한방백숙, 장닭볶음탕(각 7만원), 참나무장작구이삼겹살, 참나무장작구이닭갈비(각 200g 1만5천원)

⏲ 10:30~19:00(마지막 주문 17:30) – 동절기(1~2월), 명절 휴무

🔍 경기 가평군 상면 비룡로 1745

☎ 031-585-2081 Ⓟ 가능

서호식당 송어 | 민물매운탕 | 민물생선튀김

강을 바라보며 송어회를 즐길 수 있는 곳. 적당한 두께로 썬 송어회는 쫄깃하고 비린 맛이 없다. 두껍게 썬 송어를 튀긴 송어튀김과 쫄깃한 수제비를 넣은 진한 매운탕도 평이 좋다. 장어구이도 추천할 만하다.

₩ 쏘가리회(시가), 송어회(1kg 5만원), 쏘가리매운탕(2인 7만원), 빠가사리매운탕(2인 5만원), 메기매운탕(2인 3만원), 빙어튀김(2만원), 송어튀김(2만5천원)

⏲ 09:00~21:00(마지막 주문 20:00) – 명절 휴무

🔍 경기 가평군 설악면 유명로 2343

☎ 031-584-0446 Ⓟ 가능

소희네묵집 묵

도토리로 만든 묵, 전, 면류의 요리를 맛볼 수 있는 곳이다. 도토리 고유의 질감과 향과 맛을 잘 살리고 있다. 정식 코스는 예약이 필수다. 실내 분위기도 아기자기하게 예쁘다.

₩ 도토리묵밥, 도토리수제비, 도토리막국수(각 1만원), 도토리묵무침(1만8천원), 도토리정식(2만2천원)

⏲ 09:00~21:00 – 연중무휴

🔍 경기 가평군 조종면 운악청계로 387

☎ 031-585-5321 Ⓟ 가능

송원막국수 막국수 | 수육

메밀을 쌓아 놓고 있다가 일주일 단위로 정미소에서 빻아 사용하기 때문에 메밀 향이 살아 있다. 주문을 받고 반죽을 하는 곳이라 면발이 좋다. 이전하기 전에는 손 반죽만 했었는데 지금은 기계 반죽을 한 후 손 반죽을 하고 있다.

₩ 막국수(소 9천원, 대 1만원), 수육(2만5천원)

⏲ 10:30~18:00 – 화요일 휴무

🔍 경기 가평군 가평읍 가화로 76-1

☎ 031-582-1408 Ⓟ 가능(1시간 무료)

솥뚜껑닭볶음탕 닭볶음탕

마당에서 장작불에 대형 솥뚜껑을 올려 끓여주는 닭볶음탕을 맛볼 수 있다. 어비계곡 근처에 위치하여 물놀이 후 먹으면 맛이 일품이다. 토종닭을 사용하여 큼지막하고 부드럽다. 식사 후 솥뚜껑에 볶아주는 볶음밥도 식사 마무리로 좋다. 주문하면 끓이기 시작하기 때문에 40분 정도는 기다려야 한다.

₩ 솥뚜껑닭볶음탕한마리, 누룽지한방백숙한마리(각 8만5천원)

⏲ 10:00~20:00 – 수요일 휴무

🔍 경기 가평군 설악면 어비산길 130-18

☎ 010-5261-4503 Ⓟ 가능

쉐누 chez nous 프랑스식

컬러풀한 외관의 프랑스 가정식을 맛볼 수 있는 소박한 레스토랑. 프랑스 시골 가정집에 온 듯한 분위기다. 라클레르와 스테이

크가 대표 메뉴. 텃밭에서 직접 가꾼 채소와 허브를 사용한다.
Ⓦ 라클레르와스테이크, 라클레르와생자크(2인 이상, 각 1인 2만9천원), 라클레르와스테이크+생자크(2인 이상, 1인 3만7천원), 코코뱅(2만원), 뵈프브르기뇽(1만9천원), 풀레파네(각 1만7천원), 스테이크와 라타투이(2만1천원)
Ⓣ 11:00~15:00/17:00~21:00 | 일요일 11:00~15:00/17:00~20:00 – 월, 화요일 휴무
Q 경기 가평군 청평면 잠곡로91번길 29
☎ 031-584-5865 Ⓟ 가능

유명산가마솥할머니해장국

선지해장국 | 곱창전골

인근 골프장을 찾는 사람들 사이에서 유명한 해장국집. 해장국에는 김치와 내장, 선지 등이 들어가 있다. 김치와 열무김치, 깍두기 반찬과 함께 먹는다. 직접 만든 두부가 들어간 전골도 좋다.

Ⓦ 해장국(1만2천원 특 1만5천원), 모두부(1만원), 두부전골(2인이상 1만원), 곱창전골(소 4만원, 중 5만원 대 6만원), 내장무침(소 4만원, 중 5만원, 대 6만원)
Ⓣ 05:00~15:00 – 수요일, 명절 휴무
Q 경기 가평군 설악면 유명로 883
☎ 031-584-9341 Ⓟ 가능(1시간 무료)

유명숯불닭갈비 닭갈비

초벌된 닭갈비를 숯불에 구워 먹는 닭갈비 전문점. 간장 양념의 맛이 과하지 않아 부드러운 닭갈비를 맛볼 수 있다. 별도의 샐러드바가 있어 신선한 야채와 반찬을 마음껏 먹을 수 있으며, 자가제면한 면을 사용한 막국수와 쫀득 바삭한 식감의 감자전도 추천할 만하다.

Ⓦ 숯불닭갈비(250g 1만4천원), 메밀막국수(9천원), 감자전(1만4천원), 메밀만두(8개 6천원)
Ⓣ 10:00~21:00(마지막 주문 20:00) – 연중무휴
Q 경기 가평군 설악면 신천중앙로 15
☎ 031-584-3381 Ⓟ 가능

유일닭강정 닭강정

가평의 명물 잣을 이용한 잣닭강정 전문점. 닭다리살만 사용한 프리미엄유일잣닭강정이 추천 메뉴. 간장베이스의 오리지널 맛과 매운맛 중에서 선택할 수 있다. 가평에서 만든 수제맥주를 곁들여 치맥을 즐겨도 좋다.

Ⓦ 유일닭강정(중 1만9천원, 대 2만6천원), 프리미엄유일닭강정(2만4천원), 껍질튀김(4천원), 유일수제맥주(6천원)
Ⓣ 11:00~20:00 – 연중무휴
Q 경기 가평군 가평읍 가화로 122
☎ 031-581-6161 Ⓟ 가능

유일닭강정

이경숙할머니음식점 장어

매운탕과 장어구이가 맛있는 곳으로, 매운탕 주문 시 팽이버섯과 쑥갓, 수제비 등이 든 냄비가 나온다. 그밖에 쫄깃하고 시원한 수제비와 가평산 쌀로 지은 밥, 그리고 장어구이도 즐길 수 있다.

Ⓦ 장어구이(2인 7만5천원), 쏘가리매운탕(2인 8만원), 빠가사리매운탕(2인 4만5천원, 3인 6만5천원, 4인 8만5천원), 메기매운탕(2인 4만원, 3인 6만원, 4인 8만원)
Ⓣ 09:00~22:00(마지막 주문 21:30) – 연중무휴
Q 경기 가평군 청평면 북한강로 2092
☎ 031-584-0064 Ⓟ 가능

청평호반닭갈비막국수 막국수 | 닭갈비

가평에서 인기 있는 철판닭갈빗집으로, 야들야들한 닭갈비와 막국수를 즐길 수 있다. 함께 나오는 기본 찬이 맛깔스러우며, 우동사리를 추가해서 먹는 것도 별미다. 가격 대비 만족도가 높은 편.

Ⓦ 닭갈비, 닭내장(각 1만3천원), 막국수(8천원)
Ⓣ 09:30~15:30/16:30~20:30(마지막 주문 19:30) – 화요일, 명절 휴무
Q 경기 가평군 청평면 강변로 45-7
☎ 031-585-5921 Ⓟ 가능

경기도 고양시

대자골토속음식 추어탕

통미꾸라지와 수제비 등을 넣고 끓이는 미꾸라지 매운탕의 일종인 털레기탕을 하는 곳. 경기 북부 지방에서 많이 먹던 것으로, 원래는 통미꾸라지로 만들었지만 요즘은 갈아서 만든 것도 있다. 수제비와 국수는 사리를 추가할 수 있다.

Ⓦ 털레기탕(소 2만5천원, 중 3만5천원, 대 4만원), 백숙(5만9천원), 감자전(1만원)
🕒 10:00~22:00 – 둘째, 넷째 주 일요일 휴무
🔍 경기 고양시 덕양구 동헌로 199-11(대자동)
☎ 031-962-8545 Ⓟ 가능

더더간장게장 게장

간장게장을 무한리필로 먹을 수 있는 곳. 게살이 꽉 차 있고 비린 맛도 없고 간도 짜지 않다는 평이다. 마른 김에 밥과 날치알을 올려 먹는 것도 별미. 대기 줄이 있을 수 있다.

Ⓦ 간장게장무한리필세트(2만1천9백원), 한마리정식(1만3천원), 떡갈비(8천원), 꽃게탕(5천원)
🕒 11:00~15:20/16:20~21:20(마지막 주문 20:30) – 연중무휴
🔍 경기 고양시 덕양구 원당로 357-1(원당동)
☎ 031-969-8848 Ⓟ 가능

민쿡앞바당 솥밥 | 생선구이

제철 생선 요리 정식을 맛볼 수 있는 한식당. 밑반찬이 다양하게 나오며, 부족한 경우 셀프바에서 추가로 가져다 먹을 수 있다. 고등어구이와 갈치구이 등 생선구이를 많이 찾는 편.

Ⓦ 제철생선구이(2인이상 1인 2만원), 고등어구이정식(1만9천원), 전복장정식(2만2천원), 갈치구이정식(300g 내외 2만9천원), 갈치조림정식(200g 내외 2만5천원)
🕒 10:00~15:30/16:30~21:00(마지막 주문 20:00) | 토요일 10:00~15:30/16:00~21:00(마지막 주문 20:00) | 일요일 10:00~15:30/16:00~20:30(마지막 주문 19:30) | 월요일 10:00 ~15:30(마지막 주문 14:30) – 연중무휴
🔍 경기 고양시 덕양구 흥도로415번길 60-1
☎ 031-978-7782 Ⓟ 가능(매장 앞 공터 주차)

민쿡앞바당

서삼릉보리밥 일반한식 | 보리밥

텃밭에서 직접 재배한 채소로 만드는 시골풍 건강식을 맛볼 수 있는 곳이다. 보리밥정식 외에도 쫄깃한 코다리가 인기 메뉴다. 보리밥과 함께 나오는 된장찌개도 별미.

Ⓦ 옛날보리밥, 녹두전(각 1만원), 코다리구이(9천원), 도토리묵, 주꾸미볶음(각 1만3천원), 우거지수제비(2인 2만원)
🕒 11:00~19:00 – 수요일, 명절 휴무
🔍 경기 고양시 덕양구 서삼릉길 124(원당동)
☎ 031-968-5694 Ⓟ 가능

서오릉메카다슬기 다슬기

다슬기전, 죽, 수제비, 칼국수 등 다양한 다슬기 메뉴가 있다. 해장국도 토장탕, 맑은탕, 깨탕 세 가지가 있을 정도다. 모든 메뉴가 다 독특하고 맛있다.

Ⓦ 다슬기토장탕, 다슬기맑은탕(각 1만2천원), 다슬기깨탕(1만4천원), 다슬기칼국수(1만2천원), 다슬기전(1만8천원), 다슬기두부김치, 다슬기무침(각 중 2만원, 대 3만원)
🕒 24시간 영업 – 연중무휴
🔍 경기 고양시 덕양구 서오릉로 437(용두동)
☎ 02-357-4779 Ⓟ 가능

수비토 SUBITO 이탈리아식 | 피자 | 파스타

생면을 사용한 파스타와 피자를 맛볼 수 있는 곳. 1인 셰프 업장으로, 모든 좌석은 카운터석으로 되어 있다. 고구마크림뇨키, 바질페스토파스타, 모르타델라피자가 시그니처 메뉴다. 생면은 물론, 피자도우, 치킨스톡, 치아바타, 올리브절임, 토마토소스, 바질페스토 등도 모두 직접 만들고 있다. 자리가 많지 않으므로 예약 필수.

Ⓦ 파스타(1만3천원~1만8천원), 피자(1만5천원~1만8천원), 가지&로메스코(1만3천원), 닭다리살스테이크(350g 2만4천원), 살치살스테이크(250g 4만1천원)
🕒 11:30~15:00/17:00~21:00 | 토, 일요일 12:00~21:00(마지막 주문 20:00) – 월요일 휴무
🔍 경기 고양시 덕양구 충장로 2(행신동) 센트럴빌딩 1층 118호
☎ 010-8366-6625 Ⓟ 가능(매장 건물 주차장 1시간 무료)

신호등장작구이 닭구이 | 닭강정

겉을 바삭하게 구운 닭 장작구이를 맛볼 수 있는 곳이다. 닭 내장을 제거한 자리에는 찹쌀, 인삼, 마늘, 대추, 은행 등이 들어 건강하고 든든한 식사를 할 수 있다.

Ⓦ 닭장작구이, 골뱅이(각 2만2천원), 불닭발(1만7천원)
🕒 12:00~24:00 – 연중무휴
🔍 경기 고양시 덕양구 서오릉로 396-14(용두동)
☎ 02-382-4536 Ⓟ 가능

오롯 이자카야

퓨전 이자카야를 표방하는 곳으로, 사시미는 물론 우니한판, 치킨난반, 게내장크림파스타 등 직접 만드는 다양한 요리를 맛볼 수 있다. 하이볼을 곁들이면 더욱 좋다. 빔프로젝터로 영상을 틀어 놓는 등 실내 분위기도 힙하다.

Ⓦ 사시미모리아와세(2인 3만5천원, 3인 5만5천원, 4인 7만), 제철

우니한판세트(6만5천원), 치킨난반(2만원), 게내장크림파스타(1만8천원), 마라야키소바(1만8천원), 관동식스키야키(2만원)
⏲ 17:00~24:00(마지막 주문 23:30) – 일요일 휴무
🔍 경기 고양시 덕양구 충장로 22(행신동) 탑프라자 106호
☎ 010-3101-5707 Ⓟ 불가

옥루 퓨전중식

눈꽃찹쌀탕수육을 맛볼 수 있는 중국집. 일반 짜장보다 해물이 더 들어간 옥루 짜장, 문어 한 마리가 통째로 들어간 옥루짬뽕, 탕수육에 치즈가루와 인절미가루가 곁들여진 눈꽃찹쌀탕수육이 대표 메뉴다. 2인세트를 주문하면 세 가지를 골고루 맛볼 수 있다.

₩ 짜장(7천원), 옥루짜장(8천원), 해물우동(9천원), 옥루짬뽕(1만3천원), 옥루특밥(1만원), 눈꽃찹쌀탕수육(소 2만원, 중 2만8천원, 대 3만6천원)
⏲ 11:00~21:00 – 화요일 휴무
🔍 경기 고양시 덕양구 충장로 122(행신동) 1층 101호, 113호
☎ 031-978-5959 Ⓟ 가능

원당헌 元堂軒 뼈다귀해장국

일산에서는 잘 알려진 개운한 국물의 뼈다귀해장국집. 뼈다귀와 배추우거지가 듬뿍 들어가 있다. 해장국에 곁들이는 깍두기 맛이 일품이다.

₩ 뼈해장국(1만원), 뼈해장국, 감자탕(각 소 3만원, 중 3만5천원, 대 4만원)
⏲ 09:00~21:00 – 연중무휴
🔍 경기 고양시 덕양구 원당로 390(원당동)
☎ 031-965-0721 Ⓟ 가능

윌커피로스터스 Will Coffee Roasters 카페

스페셜티 커피 전문점으로, 향과 산미를 느낄 수 있는 원두와 단맛과 바디감을 느낄 수 있는 원두 중 선택하여 주문할 수 있다.

₩ 에스프레소, 아메리카노(각 4천원), 카푸치노, 카페라테, 더치리카노(각 4천5백원), 바닐라빈라테, 아인슈페너, 카페모카(각 5천원)
⏲ 08:00~22:00 | 금요일 08:00~23:50 | 토, 일요일 09:00~23:50 – 연중무휴
🔍 경기 고양시 덕양구 행신로143번길 24(행신동)
☎ 031-973-5874 Ⓟ 가능

일미정 장어

50년 넘는 내력의 장어집. 여러 가지 한방재료를 넣고 달여서 만든 양념장이 맛의 비결이다. 양념장을 열 번 이상 발라 색깔과 맛을 제대로 낸다. 닭볶음탕과 백숙은 예약 필수.

₩ 일미장어정식(2인 이상, 1인 5만원), 양념구이, 소금구이, 고추장구이(각 1인 4만6천원), 민물매운탕(중 6만원, 대 7만원), 닭백숙(7만원), 닭볶음탕(7만원)
⏲ 11:30~22:00 – 연중무휴
🔍 경기 고양시 덕양구 행주산성로 168(행주외동)
☎ 031-974-0123 Ⓟ 가능

자유로민물장어웅어회 웅어 | 장어

고양시의 대표적인 먹거리라고 할 수 있는 웅어회를 맛볼 수 있다. 웅어는 지방에 따라 우어, 위어, 위여 등으로 불리기도 한다. 가을에는 전어, 봄에는 웅어라고 비유될 정도며 4~5월이 제철이다. 웅어철이 아닐 때는 장어를 선보인다.

₩ 웅어회(소 4만원, 중 4만5천원, 대 5만원), 장어구이(5만4천원), 복매운탕(5만원), 복해장국(1만원), 웅어회덮밥(8천원)
⏲ 10:00~22:00 – 연중무휴
🔍 경기 고양시 덕양구 토당로12번길 2(토당동)
☎ 031-971-0418 Ⓟ 가능

지리산어탕국수 어탕국수

행주산성에서 유명한 어탕 국숫집. 그날 잡히는 여러 가지 민물고기를 푹 고아 끓인 어탕국수는 한여름에 보양식으로도 그만이다. 어탕국수는 면을 먼저 건져 먹어야 국물이 걸쭉해지지 않는다. 재료가 소진되면 문을 닫으니 방문 전 미리 전화해 보는 것이 좋다.

₩ 어탕국수(8천원), 어탕포장(1만원)
⏲ 08:00~17:00 – 월요일 휴무
🔍 경기 고양시 덕양구 행주로15번길 13(행주내동)
☎ 031-972-6736 Ⓟ 가능

티나의식빵 Tina's bread&coffee 식빵 | 베이커리

식빵을 전문으로 판매하는 곳. 초코식빵, 시나몬식빵, 모카롤식빵, 밤식빵 등 다양한 재료를 사용한 식빵을 맛볼 수 있다. 초코식빵이 인기 메뉴. 식빵은 12시부터 차례대로 구워져 나오며 12시 이전에는 단팥빵, 초코빵과 같은 빵 종류를 만나볼 수 있다. 당일 생반죽하여 당일 판매하는 것을 원칙으로 한다.

₩ 초코식빵, 롤체다치즈식빵, 시나몬식빵, 블루베리잼식빵(각 3천8백원), 우유식빵(4천5백원), 러스크(2천5백원), 소보로빵(1천5백원), 초코빵(1천2백원)
⏲ 08:00~20:30 – 일요일 휴무
🔍 경기 고양시 덕양구 세솔로 110-1(삼송동)
☎ 02-353-7238 Ⓟ 불가

포레스트피크닉 FOR:REST PICNIC CAFE 카페

숲속에 소풍 온 듯한 기분을 내는 카페. 넓은 잔디밭과 야외 테이블, 테라스 등 탁트인 뷰가 인상적이다. 커피 한 잔의 여유와 함께 힐링하기 좋다.

₩ 아메리카노(4천9백원), 카페라테(6천원), 흑임자라테(6천9백원), 차(7천8백원), 에이드, 요거트, 밀크(각 6천9백원), 주스(7천원)
⏲ 11:00~22:00(마지막 주문 21:40) – 비정기적 휴무
🔍 경기 고양시 덕양구 서오릉로 317(용두동)
☎ 02-3157-8820 Ⓟ 가능

프로메나드 Promenade Castle 카페

통 삼겹살을 통째로 훈연한 바비큐 브런치 플래터와 커피를 함께 맛볼 수 있는 카페. 버터스카치라테와 무지개 건강주스도 추천할 만하며 이외에도 다양한 디저트와 음료가 준비되어 있다. 반려견 동반도 가능하며, 1층과 2층에서 가능하다. 루프탑도 마련되어 있다.

₩ 에스프레소(6천원), 에스프레소콘판나, 아메리카노(각 6천5백원), 버터스카치라테(8천원), 버터스카치슈페너(8천5백원), 무지개건강주스(1만5천원), 살구셔벗(1만1천원), 노마드브렉퍼스(3만6천원), 크림베리피낭시에(2pcs 9천9백원), 슈가코팅크로플(2pcs 1만3천9백원), 추로스퐁듀(1만2천9백원)

🕒 11:00~21:00- 수요일 휴무

🔍 경기 고양시 덕양구 행주산성로120번길 43 (행주외동)

☎ 010-3936-0013 Ⓟ 가능(매장 내/20대 미만)

프로메나드

행주만리 일식장어 | 일식덮밥

일본식 민물장어덮밥인 히쓰마부시 전문점. 3면의 큰 창이 있어 어느 자리에 앉아도 한강을 조망하며 식사 가능하다. 된장국, 샐러드, 계란찜 등을 포함, 디저트로 먹을 방울토마토절임까지 한 상 차림으로 제공된다. 다 먹어 갈 때쯤 녹차를 부어 오차즈케로 먹는 것도 좋다.

₩ 장어덮밥(3만9천원, 특 5만2천원), 사케동(2만5천원)

🕒 11:00~16:00/17:00~21:00(마지막 주문 19:00) – 화요일 휴무

🔍 경기 고양시 덕양구 행주산성로120번길 29 3층

☎ 031-978-4980 Ⓟ 가능(전용 주차장)

화정가든 굴비

녹찻물에 재운 보리굴비가 대표 메뉴다. 보리굴비정식을 주문하면 18가지 기본찬이 깔리며, 반찬은 모두 전라도에서 받아온다.

₩ 보리굴비정식(1인 2만2천원)

🕒 11:00~20:30 – 연중무휴

🔍 경기 고양시 덕양구 행주로15번길 49-12(행주내동)

☎ 031-972-7705 Ⓟ 가능

화정맛집민쿡다시마 스시 | 일식돈가스

깔끔한 분위기의 초밥집. 5일 이내에 도정한 쌀을 사용하는 것이 특징으로, 제철 식재료를 사용한 초밥을 선보인다. 모둠초밥이 인기며, 돈가스와 가쓰동 등의 식사메뉴도 추천할 만하다. 점심에는 좀 더 할인된 가격에 맛볼 수 있다.

₩ 한우스키야키정식(1만9천5백원), 나베우동정식, 연어구이정식, 삼치된장구이정식(각 1만9천원), 스페셜정식(1인 3만9천원), 민쿡정식(3만3천원), 돈가스정식(1만6천5백원), 모둠특초밥(12P 2만5천원)

🕒 10:00~15:00/17:00~20:30 – 수요일 휴무

🔍 경기 고양시 덕양구 화신로260번길 37(화정동) 진솔그린프라자 110호

☎ 031-978-3236 Ⓟ 가능(화정이마트 주차, 1시간 무료)

경기도 고양시(일산)

고향옥얼큰순대국본점 순댓국

24시간 운영하는 순댓국 전문점. 알사골과 황칠나무, 그리고 여러 가지 한약재를 진하게 우려낸 육수를 사용한다. 셀프 코너에선 소면이 무한리필인 점이 장점. 숭덩숭덩 큼직하게 썰어 넣은 고기들과 시래기 양도 푸짐해서 단골이 많다.

₩ 얼큰순댓국, 얼큰내장국밥(각 1만1천원), 황태해장국, 순댓국, 시래기순댓국(각 1만원), 추억의함박(9천원), 수육(1만6천원), 순대, 메밀전병, 미니보쌈, 명태회무침(각 7천원), 술국(2만1천원)

🕒 24시간 영업 | 토요일 00:00~15:00/17:00~24:00 | 일요일 00:00~15:00/17:00~22:00 | 월요일 10:00~24:00 – 연중무휴

🔍 경기 고양시 일산동구 무궁화로 8-38 1층

☎ 031-901-5110 Ⓟ 가능(호수그린오피스텔 2시간 지원)

군원 群苑 일반중식

20년 넘게 운영해 온 정통 중식 레스토랑. 시그니처는 삼선흰짬뽕면으로, 신선한 해산물과 얼큰한 국물 맛이 깔끔하다. 부드러운 낙지가 푸짐하게 올려진 낙지짬뽕도 추천 메뉴.

₩ 삼선흰짬뽕면(1만1천원), 삼선낙지짬뽕면(1만3천원), 삼선콩짜장면(1만원), x.o.게살볶음밥(1만4천원), 소고기새송이덮밥(각 1만5천원)

🕒 11:30~15:30/17:00~22:00 | 토, 일요일 11:30~22:00 – 연중무휴

🔍 경기 고양시 일산동구 중앙로 1160(마두동)

☎ 031-908-4057 Ⓟ 가능

꿀양집 양곱창

대화동 먹자골목에 있는 곱창 전문점. 합리적인 가격으로 고품질의 곱창을 맛볼 수 있다. 짚향으로 초벌해서 나오며, 곁들임 소스로 꿀을 찍어 먹는 것이 독특하다. 곱창을 다 먹고 나면 양밥도 추천할 만하다.

₩ 특양구이(150g 2만3천원), 한우곱창(300g 2만5천원), 한우대창(170g 2만3천원), 한우홍창(170g 2만1천원), 한우우설(150g 2만5천원), 막국수(7천원), 양밥(1만원)
⏲ 16:00~23:00 | 토,일요일 12:00~23:00 - 월요일 휴무
🔍 경기 고양시 일산서구 대산로211번길 7-17(대화동)
☎ 031-923-3590 Ⓟ 가능

다루마야 だるま屋 일식징기스칸

삿포로식 양고기구이를 전문으로 하는 곳으로, 가운데가 볼록한 화로에 구워 먹는다. 양갈비가 가장 인기 있는 메뉴. 직원이 채소와 고기를 먹기 좋게 구워 미니 화로에 따뜻하게 올려준다. 양고기는 다루마야의 특제 소스에 찍어 먹는다.

₩ VIP양갈비(220g 3만2천원), 양생등심(160g 2만6천원), 고급양갈비(220g 2만8천원), 어묵탕(2만원), 통오징어해물짬뽕탕(2만8천원)
⏲ 17:00~24:00 - 일요일, 명절 휴무
🔍 경기 고양시 일산동구 무궁화로 18(장항동) 남정 씨티프라자Ⅱ, 112호
☎ 031-907-1414 Ⓟ 불가

달빛과자상점 스콘 | 베이커리

스콘 전문점. 오븐에 갓 구운 가지각색의 고소한 스콘을 맛볼 수 있다. 용기에 스콘을 깔고, 그 위에 생크림과 과일을 얹어 숟가락으로 떠 먹는 퍼묵스콘도 독특한 메뉴로 사랑받고 있다.

₩ 스콘(3천3백원~3천6백원), 생딸기퍼묵스콘(9천5백원), 팥스콘, 사과스콘(4천5백원)
⏲ 11:30~17:00 - 월, 화요일 휴무
🔍 경기 고양시 일산동구 일산로394번길 34(정발산동)
☎ 031-811-3128 Ⓟ 불가

대동관 평양냉면

평양냉면과 평안도식 만두를 맛볼 수 있는 곳. 냉면 면발이 좋은 편이며 국물은 맑아 보이지만 맛을 보면 진한 육향이 느껴진다. 취향에 따라 얼음 없이 나오는 거냉면을 주문하는 것도 좋다.

₩ 평양냉면, 비빔냉면, 거냉면, 온면, 만둣국, 접시만두(각 1만4천원), 제육(2만9천원), 어복쟁반(중 7만3천원, 대 8만9천원)
⏲ 11:00~21:30 - 명절 전날 휴무
🔍 경기 고양시 일산동구 중앙로 1199(장항동) 2층
☎ 031-908-6660 Ⓟ 가능

대박각 일반중식

호텔 출신 셰프가 운영하는 곳으로, 짜장면과 짬뽕, 탕수육을 전문으로 한다. 주문 즉시 면을 뽑고, 고기를 튀기기 때문에 시간이 오래 걸릴 수는 있지만 불 향 가득하고 신선한 요리를 맛볼 수 있다. 배달이나 예약도 받지 않는다.

₩ 삼선갓짜장(9천원), 찐차돌짬뽕(1만2천원), 조선탕수육(소160g 1만6천원, 대180g 2만8천원)

⏲ 11:00~15:00(마지막 주문 14:00)/17:00~21:00(마지막 주문 20:00) - 월, 화요일 휴무
🔍 경기 고양시 일산서구 강성로 115 115호
☎ 031-906-9603 Ⓟ 가능

동무밥상 이북음식 | 평양냉면

평양 옥류관 출신의 요리사가 만드는 평양냉면을 맛볼 수 있는 곳이다. 면발에는 메밀과 감자전분이 들어가는 것이 특징이며, 꿩과 닭을 우린 육수를 사용한다. 속이 알차게 찬 만두도 추천할 만하며 명태식해 등 이북 음식도 인기가 많다. 2022년 10월 합정동에서 일산으로 이전하였다.

₩ 평양냉면(1만4천원), 평양식회냉면(1만7천원), 찹쌀순대(1만3천원), 명태식해(1만5천원), 어복쟁반(8만원), 굴림만두(1만2천원), 수육(150g 1만5천원, 250g 2만5천원)
⏲ 11:30~15:00/17:00~21:00 - 월요일 휴무
🔍 경기 고양시 일산동구 고양대로 1032(식사동)
☎ 02-322-6632 Ⓟ 가능(1시간 무료)

두리원손두부 순두부 | 두부

충북 충주에서 계약재배한 콩으로 오전, 오후에 하루에 두 번 두부를 만들어 쓰는 손두부 전문점. 신선한 두부가 부드러우면서 맛이 진하다. 무나물, 고추장아찌, 감자조림, 빈대떡 등 맛깔스러운 밑반찬도 괜찮다. 여름에만 판매하는 콩국수도 추천할 만하다. 보쌈의 경우 제조 시간이 오래 걸리기 때문에 예약이 필수다.

₩ 황태순두부정식(1만4천원), 순두부정식, 고기김치순두부정식, 콩비지정식(각 1만3천원), 두부보쌈(5만원), 두부전골(1인 1만7천원), 순두부전골(1인 1만5천원)
⏲ 11:00~15:00 - 월, 화요일 휴무
🔍 경기 고양시 일산동구 장진천길46번길 22-11(설문동)
☎ 031-976-6009 Ⓟ 가능

떼네룸 TTENEROOM 파스타

1인 셰프가 운영하는 작은 공간에서 생면 파스타를 맛볼 수 있는 곳. 계란과 밀가루만을 사용하여 직접 반죽하여 만든 생면은 하루 숙성 후 사용한다. 살치살 스테이크도 와인과 잘 어울리며 특별한 날에 방문하기 좋다.

₩ 오리가슴살스테이크(3만8천원), 양갈비스테이크(3만9천원), 살치살스테이크(4만1천원), 시금치크림가지라구라자냐(2만3천5백원), 보타르가어란오일카펠리니(2만1천5백원)
⏲ 12:00~15:30 | 17:00~22:00 - 월요일 휴무
🔍 경기 고양시 일산동구 대산로11번길 5-9 1층 떼네룸
☎ 0507-1425-1294 Ⓟ 가능(4대)

레오네 LEONE 이탈리아식 | 파스타

고급스러운 분위기의 이탈리안 레스토랑. 한쪽 벽면을 차지하고 있는 와인셀러가 인상적이다. 최고급 파스타면과 이탈리아 쌀을

사용한 리조토, 제대로 숙성된 치즈를 사용하여 이탈리아 본토의 맛을 최대한 재현하고 있다.

₩ 2인세트(15만원, 15만7천원), 레오네감바스카수엘라(2만2천원), 코코넛마늘크림새우(2만3천원), 트러플크림파스타(2만9천원), 숙성한우1++ 채끝(200g 8만5천원)
⏲ 11:30~15:00/17:00~22:00(마지막 주문 21:00) – 수요일 휴무
🔍 경기 고양시 일산동구 경의로 461(정발산동)
☎ 031-902-0907 Ⓟ 가능(4대)

로얄인디아 ROYAL INDIA 인도식

인도 요리를 전문으로 하는 곳. 인도 전통 향신료에 잰 치킨을 탄두에 구운 탄두리치킨이 대표 메뉴며 케밥도 현지의 맛을 잘 살린다. 점심에는 바비큐와 커리, 난, 밥 등으로 구성된 세트메뉴를 저렴한 가격에 판매하고 있다.

₩ 탄두리치킨(half 1만2천원, full 2만2천원), 커리(1만2천원~1만6천원), 난(2천5백원~7천원), 런치세트(1만원), 스페셜세트(4만5천원)
⏲ 12:00~23:00 – 화요일 휴무
🔍 경기 고양시 일산동구 무궁화로 20-11(장항동) 라페스타 F동 207호
☎ 031-816-6692 Ⓟ 가능

마쓰야키토리 松やきとり 일식꼬치

부담 없는 가격의 꼬치구이를 선보이는 정통 일본 꼬치구이 전문점. 꼬치구이 주문 시, 바로 비장탄에 하나씩 구워 내 시간이 걸리지만, 그 맛은 보장할 수 있다.

₩ 야키토리오마카세(1인 3만5천원)
⏲ 18:00~24:00(마지막 주문 23:00) – 비정기적 휴무
🔍 경기 고양시 일산동구 강송로113번길 54-1(백석동)
☎ 031-936-9292 Ⓟ 불가

메기일번지 민물매운탕 | 메기

참게와 민물 새우가 듬뿍 들어간 메기매운탕을 맛볼 수 있는 곳. 양이 푸짐하며 얼큰한 국물 맛이 일품이다. 남은 국물에 소면을 말아 어탕국수를 만들어 먹을 수도 있다. 소면과 수제비는 무제한 리필되는 것이 특징. 매운탕과 메기구이로 구성된 세트메뉴도 추천할 만하다.

₩ 메기매운탕(2인 3만6천원, 3인 5만1천원, 4인 6만4천원), 메기구이(3마리 3만5천원), 메기구이세트(5만원~8만1천원), 코다리찜, 꼬막비빔밥(각 2인이상 1만2천원)
⏲ 11:30~22:00(마지막 주문 20:30) – 둘째, 넷째 주 월요일 휴무
🔍 경기 고양시 일산서구 멱절길 22(법곳동)
☎ 031-918-3838 Ⓟ 가능

명가누룽지 한정식

약호박밥 전문점. 단호박에 꼭지와 씨를 긁어낸 후 찹쌀, 멥쌀, 조, 수수, 흑미, 밤, 대추, 은행 등을 넣어 육수를 부어 50분간 찐다. 약호박밥 외에도 바지락국과 갖가지 산나물, 버섯, 누룽지로 만든 음식이 한 상 차려진다. 자극적인 향신료를 사용하지 않아서 맛이 담백하다.

₩ 한정식(1만8천원, 2만5천원, 3만8천원), 점심특선(1만1천원)
⏲ 11:30~22:00 – 명절 휴무
🔍 경기 고양시 일산동구 애니골길 127(풍동)
☎ 031-907-5048 Ⓟ 가능

미도향 만두

일산에서 만두로 유명한 곳으로, 30여 년 역사의 꽤 오래된 만둣집이다. 사골육수로 만드는 만두전골이 대표 메뉴다. 전골에 들어가는 만두는 직접 빚으며, 전골을 다 먹고 남은 국물에 밥을 볶아 먹어도 좋다. 준비된 만두가 소진되면 일찍 문을 닫으니 전화 확인 후 방문하는 편을 추천한다.

₩ 만두전골(소 2만9천원, 중 3만9천원, 대 4만8천원), 고기왕만두, 김치왕만두, 물만두(각 9천원), 만둣국, 떡만둣국, 얼큰만둣국(각 1만원)
⏲ 11:00~20:30 – 월요일, 명절 휴무
🔍 경기 고양시 일산서구 대산로223번길 8-4(대화동)
☎ 031-918-5332 Ⓟ 가능

밤가시버거 BAMGASI BURGER 햄버거

직접 구운 번을 사용하는 수제버거 전문점. 번은 우리밀과 유기농 밀가루를 사용한다. 통통한 새우와 어니언링이 들어가는 슈림프버거가 유명하다. 브레이크 타임이 없는 것도 장점으로 꼽힌다.

₩ 아메리칸치즈버거(7천3백원), 밤가시오리지널버거(9천4백원), 더블치즈버거, 오리지널칠리버거(각 9천3백원), 머시룸치즈버거(9천8백원), 슈림프버거(1만3백원)
⏲ 11:00~20:00(마지막 주문 19:30) – 비정기적 휴무
🔍 경기 고양시 일산동구 일산로372번길 46(정발산동)
☎ 031-813-9010 Ⓟ 가능

베이징코야

Beijingkoya 북경식중식 | 일반중식 | 북경오리

세계 3대 요리로 꼽히는 북경오리를 전문으로 한다. 북경 현지의 요리법을 재현하고 있으며 전기구이나 가스불이 아닌 전통의 불가마에서 40~50분간 구워낸 오리를 조리사가 직접 잘라서 서빙해 준다. 북경오리 외에 다양한 중식 요리도 맛볼 수 있다.

₩ 북경오리구이(7만8천원), 궁보기정(소 2만8천원, 대 3만7천원), 코스(3만9천원~8만원), 소고기탕수육(소 2만8천원, 대 4만원)
⏲ 11:30~15:00/17:00~22:00 | 토, 일요일, 공휴일 11:30~22:00 – 명절 당일 휴무
🔍 경기 고양시 일산서구 중앙로 1376(주엽동) 한양상가 3층
☎ 031-917-5292 Ⓟ 가능

부부0325 한식주점 | 막걸리전문점

전국 팔도의 다양한 막걸리를 만날 수 있는 한식주점. 신선한 제철 식재료로 만든 맛깔스러운 안주가 술을 부른다. 엄선된 막걸리를 비롯해 증류 소주, 청주 등 다양한 전통주를 갖추고 있다.

₩ 부부대파보쌈(2만8천원), 제육볶음(2만3천원), 오징어부추전(1만8천원), 오징어볶음(2만5천원), 두부김치(2만원), 바지락새우버터술찜(2만2천원)
🕒 17:00~02:00(마지막 주문 00:45) - 일요일 휴무
🔍 경기 고양시 일산동구 무궁화로93번길 29(정발산동)
☎ 070-8272-3108 Ⓟ 불가

비스트로쎄봉 Bistrot C'est Bon 프랑스식

프렌치 코스요리를 프라이빗한 분위기에서 즐길 수 있는 곳으로, 플레이팅부터 맛까지 만족도가 높다. 서강대 앞에서 인기를 끌었던 프렌치레스토랑 델리지오제의 김형준 셰프가 운영하고 있으며 예약제로만 운영된다.

₩ 런치코스(6만5천원), 디너코스(11만원), 셰프스페셜(13만5천원)
🕒 12:00~14:30/18:00~22:00(마지막 주문 20:00) - 연중무휴
🔍 경기 고양시 일산동구 강촌로26번길 15-17(백석동)
☎ 031-901-0898 Ⓟ 가능(협소)

비스트로온 BISTRO ON 이자카야 | 일식

편안한 분위기의 재패니즈 다이닝. 신선한 숙성회와 일본식 조리 기법으로 제철 요리를 선보인다. 하이볼 한잔 곁들이기 좋으며, 와인과 사케 리스트도 좋은 편.

₩ 모둠숙성사시미(3만8천원~7만5천원), 숙성연어사시미(3만원), 시메사바(1만9천원), 전복게우파스타(2만3천원), 우니반판/한판(3만2천원~5만9천원), 참소라돌문어카펠리니(2만원), 연어그라브락스(2만7천원)
🕒 17:00~24:00(마지막 주문 23:00) - 월요일 휴무
🔍 경기 고양시 일산동구 위시티2로11번길 16(식사동) 104호
☎ 031-967-0906 Ⓟ 불가(식사동 주민센터 또는 유료주차장 이용)

비스트로이니 Bistro ini 파스타

화이트톤의 깔끔한 외관, 내부는 알록달록한 컬러 포인트로 통통 튀는 분위기를 선사하는 곳. 미국식 이탈리안 요리를 지향한다. 꼬릿하고 진한 풍미를 가진 페코리노 치즈를 활용한 화이트라구 파스타가 인기 메뉴.

₩ 리코타치즈샐러드(1만3천원), 스테이크샐러드(2만5천원), 콰트로치즈라자냐(1만7천원), 화이트라구파스타, 버터새우오일파스타(각 1만9천원), 살치살스테이크(4만2천원)
🕒 11:00~15:00/17:00~22:00(마지막 주문 20:30) - 수요일 휴무
🔍 경기 고양시 일산동구 무궁화로93번길 20
☎ 031-812-2533 Ⓟ 가능(매장 앞 2대)

빠니스비떼 Panis Vitae 베이커리

일산의 소문난 빵집으로 메이플 갈릭 바게트, 밀푀유 크림 바게트 등을 맛볼 수 있으며 빵 종류가 다양하다. 소금빵과 바게트를 많이 찾으며 천연 효모종으로 저온 발표 시켜 빵을 만드는 것이 특징이다.

₩ 메이플갈릭바게트(5천4백원), 밀푀유크림바게트(4천9백원), 소금빵(2천5백원), 국산팥단팥빵(2천5백원), 캄파뉴(6천8백원), 유기농현미쌀빵(4천3백원)
🕒 08:00~22:30 - 연중무휴
🔍 경기 고양시 일산동구 일산로 243(마두동) 도헌프라자 1층
☎ 031-904-0505 Ⓟ 가능

빠니스비떼

사적인접시 파스타 | 이탈리아식

달마다 바뀌는 파스타와 브런치를 맛볼 수 있는 곳. 오픈키친의 구조로 되어 있으며, 50cm 바게트피자가 시그니처 메뉴다. 이탈리아 전통 레시피의 파스타를 선보이며, 식사 후 음료와 디저트까지 주문이 가능하며 와인 페어링을 곁들여도 좋다.

₩ 이달의파스타(변동), 이달의브런치(변동), 콩피한부채살스테이크(4만3천원), 양갈비스테이크(5만7천원), 티라미수(7천)
🕒 10:00~15:00/16:30~22:00(마지막 주문 21:00) | 토, 일요일 10:00~22:00(마지막 주문 21:00) - 연중무휴
🔍 경기 고양시 일산서구 일현로 97-11(탄현동) 제니스 1동 174호
☎ 010-9143-4455 Ⓟ 가능

서동관 瑞東館 곰탕 | 수육

놋그릇에 나오는 곰탕이나 깍두기의 모습이 서울 하동관 스타일의 곰탕을 연상시킨다. 메뉴도 거의 비슷한 편. 메뉴가 하동관만큼 다양하지는 않지만, 맛은 거의 비슷한 만족도를 준다는 호평을 받고 있다. 건물이 두개로 나뉘어져 있어 왼쪽은 좌식, 오른쪽은 의자식 테이블에서 식사할 수 있다.

₩ 곰탕(1만7천원), 양곰탕(1만9천원), 특곰탕(2만원), 특양곰탕(2만2천원), 이오공탕(2만5천원), 수육(6만원)
🕒 09:00~15:30/17:00~21:00(마지막 주문 20:30) - 화요일, 명절 휴무

경기 고양시 일산서구 호수로856번길 7-7(대화동)
031-922-7463 Ⓟ 가능

성심어린 양고기

숙성한 양갈비를 전문으로 하는 곳. 프렌치랙(양등갈비), 숄더랙(양생갈비), 양생등심 등 다양한 부위로 양고기를 즐길 수 있다. 인기 메뉴인 가지튀김을 비롯한 사이드 메뉴도 여러 가지 있어 양고기에 곁들이면 좋다. 식사로는 볶음밥, 볶음면 등이 있다.

₩ 양등갈비(200g 3만원), 양생갈비(250g 2만8천원), 양생등심, 사과양념등심(각 200g 2만8천원), 가지튀김(1만2천원), 가리비새우버터구이(2만5천원), 바지락해물짬뽕(2만2천원), 대파구이(4천원), 마늘꼬치(2천원), 양철판볶음밥(7천원), 양철판볶음면(6천원)
16:00~23:00(마지막 주문 21:50) | 토, 일요일 12:00~15:00/16:00~22:00(마지막 주문 20:50) - 월요일 휴무
경기 고양시 일산동구 중앙로1275번길 86-1(장항동) 중앙하이츠빌 108호
031-908-5666 Ⓟ 가능

속초어시장 생선회

해삼, 피문어 등 신선한 해물을 먹을 수 있는 곳. 여름에는 매콤새콤한 국물과 회를 같이 먹을 수 있는 물회가 인기 있다. 강원의 특산품 물곰도 맛볼 수 있다.

₩ 광어회(소 6만원, 중 7만5천원, 대 9만원), 자연산가자미회(소 12만원, 중 17만원, 대 22만원), 도다리세꼬시(소 6만원, 중 8만원, 대 10만원), 전복물회(1인 2만원)
11:30~23:00 - 일요일, 명절 휴무
경기 고양시 일산동구 무궁화로 32-23(장항동) 우림보보카운티2차 1층
031-918-1325 Ⓟ 불가

숏컷로스터스

shortcut roasters 커피전문점 | 카페 | 베이커리

모던한 분위기로 꾸민 커피 전문점으로, 카페 옆 로스터리에서 로스팅한 원두를 사용한다. 콜드브루라테에 사탕수수를 더한 성석, 검은콩 페이스트에 크림을 더한 진밭 등 개성있는 커피를 선보인다. 논과 밭이 창밖 너머로 보이고 좌석과 공간이 널찍하여 시간을 보내기 좋다.

₩ 에스프레소, 아메리카노(각 5천원), 필터커피(7천원~9천원), 성석(6천원), 구이, 곡이, 블랙서머(각 7천원), 아포가토(6천원), 플랫화이트, 카페라테, 카푸치노(각 5천5백원)
11:00~18:30(마지막 주문 18:00)| 토, 일요일 13:00~21:00(마지막 주문 20:30) - 마지막 주 수요일 휴무
경기 고양시 일산동구 성석로 218-16(성석동)
010-5281-8236 Ⓟ 가능

슈라즈케이크 shuraz cake 타르트 | 케이크 | 디저트카페

다양한 종류의 케이크가 전문인 디저트 카페. 기본 케이크 외에 콩고물케이크, 쑥고물케이크, 우도땅콩롤 등 특색 있고 독특한 맛의 케이크도 맛볼 수 있다. 필링이 아주 두껍고 부드러운 에그타르트도 인기 메뉴다.

₩ 바스크치즈케이크(6천원), 콩고물케이크(7천원), 생그림딸기케이크(7천5백원), 딸기프레지에(8천5백원), 에스프레소(3천원), 아메리카노(4천원), 페퍼민트티(4천원), 에이드(6천원)
09:00~21:00 - 연중무휴
경기 고양시 일산서구 호수로856번길 34-4(대화동) 1층
070-4007-4574 Ⓟ 가능(3~4대)

아소산 阿蘇山 일식

고급스러운 분위기의 일식당. 생선회부터 초밥을 포함해서 복요리, 장어요리 등 다양한 메뉴가 있다. 모던한 스타일의 외관과 잘 꾸며져 있는 실내 정원 등이 돋보인다.

₩ 정식(6만9천원 특 7만9천원 특상 9만5천원), 셰프특선(14만원), 점심특선(진 4만3천원 특 5만3천원 특상 6만3천원), 생선초밥(4만5천원~9만3천원)
11:30~15:00/17:00~21:30(마지막 주문 20:00) - 명절 휴무
경기 고양시 일산동구 정발산로 128(마두동)
031-903-5333 Ⓟ 발레 파킹

아시아아시아 Asia Asia 인도식

인도 요리를 맛볼 수 있는 곳. 치킨, 양고기, 해산물 커리 등 다양한 종류의 커리를 선보인다. 탄두리에 구운 탄두리치킨과 탄두리킹프라운도 추천 메뉴. 은은한 마늘 향이 풍기는 갈릭난을 곁들이면 좋다.

₩ 탄두리치킨(2만3천원), 커리(1만7천원~2만원), 탄두리킹프라운(3만9천원), 난(2천5백원~5천원), 디너세트(4만원, 4만5천원)
11:30~22:00 - 연중무휴
경기 고양시 일산동구 정발산로 24(장항동) 웨스턴돔 2층
031-901-0086 Ⓟ 가능

야키토리야타이 일식꼬치

야키토리를 오마카세로 경험할 수 있는 곳. 카운터석에 앉으면 꼬치가 노릇하게 익어가는 과정을 지켜볼 수 있다. 작은 요리로 판매되는 구운 명란이 올라간 명란크림우동을 곁들이면 좋다.

₩ 야키토리오마카세(3종 1만원, 5종 1만6천원, 7종 2만2천원), 대파다리꼬치, 목심꼬치, 안심꼬치, 염통꼬치, 날개꼬치, 가슴연골꼬치(각 2ps, 7천원), 돈코쓰우동(1만2천원), 명란크림우동(1만원), 감자사라다(5천원), 키리모치(3천원)
18:00~01:00(익일)(마지막 주문 00:30) - 일요일 휴무
경기 고양시 일산동구 고봉로 32-12 1층
0507-1427-3332 Ⓟ 가능

양수면옥 육회 | 소고기구이 | 소갈비

일산에서 유명한 고깃집. 파주에 있는 직영 농장에서 사육한 한우만을 취급하기 때문에 고기 품질은 믿을 수 있다. 지방이 부드럽게 녹아있는 소금구이가 인기가 좋다. 점심시간에는 청국장 정식을 비롯한 점심특선메뉴를 판매한다. 매년 직접 담그는 청국장은 포장 판매도 한다.

Ⓦ 생갈비(200g 7만2천원), 안창살(130g 7만원), 꽃등심(130g 5만7천원), 점심특선(1만4천원~2만7천원)
🕒 11:20~22:00 – 명절 당일 휴무
🔍 경기 고양시 일산동구 애니골길 34(풍동)
☎ 031-901-3377 Ⓟ 발레 파킹

양촌리아구 아귀

쫄깃한 아귀 내장을 함께 넣은 아귀찜을 시원한 시골 동치미 국물과 함께 먹는 맛이 그만이다. 마지막에 볶아 주는 볶음밥도 놓치지 말아야 한다. 점심때는 사람들이 많아 번호표를 받고 기다려야 한다.

Ⓦ 아귀찜, 아귀탕, 지리탕, 아귀뽈찜(각 소 3만5천원, 중 5만원, 대 6만5천원)
🕒 11:30~15:30/16:30~21:00(마지막 주문 20:30) – 일요일, 명절 휴무
🔍 경기 고양시 일산서구 대화2로 152(대화동)
☎ 031-911-0430 Ⓟ 가능

어랑생선구이 생선구이 | 생선조림

일산에서 생선구이로 이름을 높이고 있는 곳. 구이 외에도 탕, 조림, 전골 등의 다양한 생선 요리를 맛볼 수 있다. 고등어, 삼치는 물론, 임연수어, 갈치 등 생선 종류도 많이 갖추고 있다.

Ⓦ 고등어, 삼치(각 1만3천원), 갈치, 임연수어(각 1만5천원), 김치고등어조림, 갈치조림, 동태내장탕, 대구탕(각 1만3천원)
🕒 07:00~21:45(마지막 주문 21:00) – 연중무휴
🔍 경기 고양시 일산동구 정발산로 31-9(장항동) 레이크프라자 1층
☎ 031-907-9295 Ⓟ 가능

엘리수피자 ellysoo pizza 미국식피자

합리적인 가격에 아메리칸 스타일의 피자를 맛볼 수 있는 피자 전문점으로, 가게의 이름을 붙인 엘리수피자가 유명하다. 매장에서 직접 도우와 소스를 만들며, 모든 피자는 반반토핑이 가능하다. 그밖에도 파스타와 스테이크 또한 선보이고 있다.

Ⓦ 엘리수피자, 비프고르곤졸라(각 3만3천원), 맥앤치즈피자(3만2천원), 감자튀김, 수프(각 7천원), 채끝등심스테이크(250g 3만8천원), 미트크림파스타(1만7천원)
🕒 12:00~16:00(마지막 주문15:20)/17:30~21:30(마지막 주문21:00) – 월요일 휴무
🔍 경기 고양시 일산동구 무궁화로75번길 18(정발산동)
☎ 070-4098-0215 Ⓟ 가능(2~3대)

오오마참치 オオママグロ 참치

일산 근처에서 제대로 된 참치를 맛볼 수 있는 곳 중 하나로, 오랫동안 사랑을 받고 있는 참치 전문점이다. 참치 맛이 좋은 것은 물론, 양도 푸짐하다.

Ⓦ 참치회(1인 4만8천원~10만원), 초밥(1만5천원~3만원), 알탕, 대구탕, 회덮밥(각 1만원)
🕒 11:00~15:00/16:30~23:00(마지막 주문 21:00) – 명절 당일 휴무
🔍 경기 고양시 일산동구 중앙로1275번길 60-21(장항동) 크리스탈빌딩 109호
☎ 031-901-1014 Ⓟ 가능

오향선 五香仙 훠궈 | 일반중식

중국식으로 오향이 들어간 족발로 알려진 곳이다. 레몬소스와 간장소스에 찍어 먹으면 독특한 맛을 더 잘 느낄 수 있다. 사천식 훠궈(중국식 샤부샤부)도 맛볼 수 있으며 홍탕, 백탕 중 선택할 수 있다. 원하는 고기나 야채를 골라 추가 후 먹으면 된다.

Ⓦ 오향족발(중 3만9천원, 대 4만3천원), 냉채족발, 마늘족발, 매운족발(각 4만4천원), 훠궈(1인 1만9천원, 고기추가 1만2천원)
🕒 11:30~15:30/16:30~22:50(마지막 주문 22:00) – 월요일 휴무
🔍 경기 고양시 일산서구 중앙로 1493(주엽동) 애비뉴상가 1055호
☎ 031-917-1955 Ⓟ 가능

옥류담 평양냉면 | 꿩

이북음식 전문점이었던 모란각의 주방장이 독립해서 만든 냉면집. 순면의 함량을 높여 달라고 하면 순면으로도 해준다. 꿩으로 만든 육수가 특징이다. 꿩냉면에는 꿩고기가 고명으로 올라간다. 꼬들꼬들한 식감의 만두도 함께 곁들이면 좋다.

Ⓦ 평양냉면, 비빔냉면(각 1만3천원), 온면, 꿩냉면, 회냉면, 갈비탕(각 1만5천원), 꿩만두(9천원), 한우국밥(1만원)
🕒 11:30~21:00(마지막 주문 20:30) – 연중무휴
🔍 경기 고양시 일산동구 호수로 672(장항동) 대우메종리브르 1층, 101호
☎ 031-912-8222 Ⓟ 가능

우블리 woobulli 한우오마카세

본앤브레드에서 독립한 이순한 셰프가 운영하는 한우 오마카세 전문점으로, 화려한 인테리어를 자랑하는 곳이다. 본앤브레드의 고기를 사용하며, 코스 메뉴에 대창 등의 내장류가 포함되어 차별화된 오마카세를 즐길 수 있다. 늦은 저녁에는 단품 메뉴의 주문이 가능하다.

Ⓦ 런치우블리코스(6만5천원), 디너우블리코스(14만원)
🕒 12:00~13:20/13:30~14:50/18:00~19:50/20:00~22:00 – 월요일 휴무
🔍 경기 고양시 일산동구 경의로 19(백석동) 현대밀라트 C동 1층
☎ 010-2412-8292 Ⓟ 가능(3시간 무료)

윤몽 Yunmong 파스타

한옥을 콘셉트로 한 현대적인 분위기에서 생면 파스타를 즐길 수 있다. 생면을 사용하여 탱탱한 파스타면이 일품이다. 유자와 바질로 맛을 낸 연어 스테이크와 양갈비 스테이크, 베리소스를 곁들인 오리가슴살 스테이크도 선보인다.

₩ 봉골레파스타, 국물파스타(각 1만8천원), 토마토라구파스타, 리조토(각 1만9천원), 연어스테이크(3만3천원), 오리가슴살스테이크(3만4천원), 양갈비스테이크(3만9천원)

🕒 12:00~15:00(마지막 주문 14:00)/17:30~21:00(마지막 주문 20:00) – 화요일 휴무

🔍 경기 고양시 일산동구 대산로31번길 5–16(정발산동)

☎ 010–2743–2118 Ⓟ 가능(2대)

윤몽

이노루 いのる 이자카야

철에 따라 구성이 조금씩 달라지는 숙성회 사시미를 맛볼 수 있는 조그만 이자카야. 사케 소믈리에인 사장님이 다양한 사케를 보유하고 있다.

₩ 사시미모리아와세(4만2천원), 5종사시미(2만8천원), 시로미고노와다(3만2천원)

🕒 17:00~24:00(마지막 주문 23:00) | 금, 토요일 17:00~01:00(익일)(마지막 주문 24:00) – 일요일 휴무

🔍 경기 고양시 일산동구 백석로72번길 31–6

☎ 070–4224–2022 Ⓟ 불가

일산칼국수 칼국수

작은 칼국숫집에서 시작하여 지금은 빌딩까지 세울 정도로 인기가 있다. 면발은 직접 반죽하여 쫄깃함이 살아 있고, 국물은 닭고기가 들어가 진한 맛이다. 칼국수에 파와 김치를 곁들여 먹는다. 메뉴는 닭칼국수뿐이지만, 단골이 많다.

₩ 닭칼국수(1만원)

🕒 10:00~19:30 | 토, 일요일, 공휴일 10:00~19:00 – 대체 공휴일, 명절 휴무

🔍 경기 고양시 일산동구 경의로 467(정발산동)

☎ 031–903–2208 Ⓟ 가능

장충동한양할머니족발 족발

돼지 족발 전문점. 고기의 잡내가 나지 않으며 육질이 찰지고 쫀득쫀득하여 족발 고유의 맛을 즐길 수 있다. 바삭바삭한 녹두빈대떡과 콩나물국이 서비스로 제공된다. 매콤하면서도 새콤한 막국수와 곁들여도 좋다.

₩ 족발(소 3만3천원, 중 3만8천원, 대 4만3천원), 쟁반막국수(소 1만5천원, 대 1만8천원), 막국수(6천원), 녹두빈대떡(7천원), 해물파전(1만5천원)

🕒 11:00~24:00(매장 영업 22:30, 재료 소진 시 단축 영업) – 일요일 휴무

🔍 경기 고양시 일산동구 백석로72번길 5–5(백석동)

☎ 031–908–2249 Ⓟ 가능

재이식당 J KITCHEN 베트남식

베트남식 샌드위치인 반미가 특히 인기인 베트남 음식 전문점. 새콤하고 매콤한 분보싸오와 모닝글로리볶음도 맛이 좋다는 평이다. 반미는 한정수량으로 판매하니 늦지 않게 방문하는 것이 좋다.

₩ 쌀국수(1만1천원), 분보싸오(1만3천원), 코코넛커리(1만2천원), 보코(1만5천원), 볶음밥(1만5백원), 짜조(7천원), 반미팃(7천5백원)

🕒 11:00~15:00(마지막 주문 14:30)/17:00~21:00(마지막 주문 20:00) – 월요일 휴무

🔍 경기 고양시 일산동구 일산로380번길 53(정발산동)

☎ 070–7763–1036 Ⓟ 불가

제주은희네해장국일산본점 선지해장국

해장국, 내장탕이 유명한 곳이다. 사골로 장시간 우려낸 육수에 선지, 소고기, 우거지, 콩나물, 당면 등을 푸짐하게 넣어 만든 해장국이 대표 메뉴며 얼큰하고 개운한 맛을 낸다. 공깃밥은 흰쌀밥이 아닌 흑미밥이 제공되며 무료로 추가할 수 있다.

₩ 해장국(1만원), 내장탕(1만2천원), 돔베고기(소 1만2천원, 중 2만3천원, 대 3만4천원), 양무침(1만5천원), 돔베모둠(3만8천원)

🕒 07:00~19:00 – 연중무휴

🔍 경기 고양시 일산동구 고양대로 946(식사동)

☎ 031–969–0831 Ⓟ 가능

젠틀비 Gentle B 베이커리

잠봉 뵈르, 무화과 크림치즈 바게트와 사워도우 등을 맛볼 수 있는 베이커리다. 잠봉뵈르는 오리지널과 루콜라가 들어간 것 중에 선택할 수 있다. 소금빵도 많이 찾는다.

₩ 소금빵(3천원), 블랙치즈소금빵(3천5백원), 애플시나몬스콘(4천5백원), 시나송이페이스트리(4천원), 무화과크림치즈바게트(6천5백원), 잠봉뵈르(오리지널 9천원, 루콜라 1만1천원), 바게트(4천원), 오트밀사워도우(1만원)

🕒 10:00~18:00 – 월, 화요일 휴무

🔍 경기 고양시 일산서구 킨텍스로 255 대방디엠시티 126호

☎ 031–922–8847 Ⓟ 가능(1시간 무료 주차 지원)

초대창백석본점 CHO DAE CHANG 양곱창

양대창 전문점으로, 대창, 막창, 특양까지 모두 맛볼 수 있는 모둠구이가 인기. 단품은 최초 주문 시 3인분부터 가능하다 직접 조합한 3종류의 소스가 구이와 잘 어우러진다는 평. 디저트로 아이스크림을 내어준다.

㉿ 모둠구이A(640g 6만6천원), 모둠구이B(510g 5만7천원), 대창구이(200g 1만8천원), 막창구이(180g 2만원), 특양구이(130g 2만1천원), 염통구이(130g 1만2천원), 매운대창구이(200g 2만원), 갈빗살구이(150g 1만8천원), 대창전골(2만8천원), 한우육회(2만6천원), 양볶음밥(1만3천원), 된장찌개(5천원), 김치말이국수(7천원), 얼큰된장술밥(7천원)

🕒 16:00~24:00(마지막 주문 23:20) | 일요일 16:00~23:00(마지막 주문 22:20) – 연중무휴

🔍 경기 고양시 일산동구 강송로87번길 39

☎ 031-903-7879 Ⓟ 가능(매장 앞)

키오쿠 キオク 에그타르트 | 카페 | 베이커리

크루아상과 카늘레, 포르투갈에서 직접 배운 에그타르트가 맛있는 베이커리 카페. 도쿄에서 빵과 제과를 배운 셰프가 운영하는 곳으로, 프랑스식 디저트지만 상호나 인테리어에서는 따뜻한 일본 감성이 느껴진다. 오전 9시 구움과자를 시작으로 11시 반까지 정해진 시간에 빵이 나오니 참고할 것.

㉿ 에스프레소, 아메리카노(각 4천원), 카페라테(4천5백원), 크루아상(3천6백원~5천8백원), 카눌레(2천4백원~2천8백원), 에그타르트(3천2백원), 프레첼(4천6백원), 식빵(4천6백원~6천원)

🕒 09:00~19:00 | 토, 일요일 09:00~20:00 – 월, 화요일 휴무

🔍 경기 고양시 일산동구 일산로330번길 45(마두동) 1층

☎ 031-901-9015 Ⓟ 가능

파스타가든 Pasta Garden 이탈리아식

분위기 좋은 이탈리안 레스토랑으로, 오랜 기간 한식을 했던 셰프가 한식 재료를 응용해 만드는 독특하고 신선한 파스타를 맛볼 수 있다. 고사리가 들어간 알리오올리오, 가지튀김파스타 등이 추천 메뉴며 시즌별로 새로운 에피소드를 선보인다. 예약제로만 운영한다.

㉿ 양송이포르치니트러플크림파스타, 토마토가지튀김파스타(각 1만5천9백원), 베이컨고사리알리오올리오(1만4천원), 감자바질펜네파스타(1만4천9백원), 양송이새우리조토(1만5천9백원), 먹물고르곤졸라피자(1만4천5백원), 트러플오일풍기피자(1만8천5백원)

🕒 11:30~14:30/17:00~21:00(마지막 주문 20:30) – 일요일 휴무

🔍 경기 고양시 일산동구 강송로73번길 8-11(백석동)

☎ 031-902-0148 Ⓟ 가능(3대)

평양냉면양각도 평양냉면

이북 출신 윤선희 셰프의 현대식 평양냉면 전문점. 소고기, 돼지고기, 토종닭으로 육수를 내고 고기, 과일, 야채, 김치 등의 고명을 올려 낸다. 육수를 처음 먹을 때는 삼삼하지만 먹을수록 깊은 맛이 느껴진다는 평. 옥류관 스타일을 체험할 수 있는 옥류관쟁반냉면도 인기다.

㉿ 평양냉면, 비빔냉면(각 1만4천원), 평양불고기(2인 이상, 1인 2만5천원), 장국밥, 만두(각 1만2천원), 어복쟁반(중 7만원 대 9만원)

🕒 11:00~15:30/17:00~21:00(마지막 주문 20:30) – 일요일 휴무

🔍 경기 고양시 일산동구 호수로 640(장항동) 청원레이크빌 1층 103~106호

☎ 031-923-9913 Ⓟ 가능

포레스트아웃팅스

forsetoutings 카페 | 베이커리 | 북카페

정원이나 숲 속에 들어온 듯한 인테리어로 인기를 끌고 있는 대형 카페. 작은 연못과 다리 등 실내에서 산책할 수 있는 분위기다. 베이커리 카페답게 빵 종류도 다양하게 갖추고 있으며 파스타 등의 식사 메뉴도 즐길 수 있다.

㉿ 아메리카노(다크 6천8백원, 쥬시 7천5백원), 카페라테(7천5백원), 베르데크랩오일파스타(2만4천원), 소갈빗살버섯리조토(2만7천원), 포레스트루콜라피자(2만4천원), 흑당프렌치토스트(2만2천원)

🕒 10:00~22:00(마지막 주문 식사 20:00, 음료 21:00) – 연중무휴

🔍 경기 고양시 일산동구 고양대로 1124(식사동)

☎ 031-963-0500 Ⓟ 가능

포폴로피자 Pizzeria del Popolo 피자 | 파스타

이탈리아 정통 화덕 피자 전문점. 참나무 장작 화덕에서 나폴리 정통 스타일로 구워내어, 도우가 쫄깃하다. 도우 위에 토핑을 올리고 반달 모양으로 접어 구운 칼조네도 선보이고 있다. 매장이 협소하여, 줄 서는 것을 감수해야 한다.

㉿ 포폴로클라시카(2만3천7백원), 마리나라(9천2백원), 마리나라포폴로(1만5천8백원), 노르마(1만7천8백원), 마르게리타콘부팔라(1만6천원), 스파게티알페스토디루콜라(1만7천8백원), 풍기아란치니(8천2백원)

🕒 11:30~15:30(마지막 주문 14:30)/17:00~21:30(마지막 주문 20:30) | 토, 일요일, 공휴일 11:30~21:30(마지막 주문 20:30) – 월요일 휴무

🔍 경기 고양시 일산동구 정발산로 43-20(장항동) 센트럴프라자 102, 103호

☎ 031-932-9337 Ⓟ 가능

해오름한정식 한정식

정갈한 코스로 내어주는 한정식 전문점. 맞이요리, 처음요리, 본요리로 구성되어 다채로운 종류의 음식을 맛볼 수 있다. 프라이빗 룸도 있어 특별한 날 방문하기 좋다.

㉿ 런치(A 2만9천원, B 4만5천원), 코스(A 5만2천원, B 7만5천원)

🕒 11:30~15:30/17:30~21:30 – 연중무휴

🔍 경기 고양시 일산동구 중앙로 1079 백석역 더리브 스타일 2층

☎ 031-932-8677 Ⓟ 가능

경기도 과천시

경마장오리집 오리

건강에 좋은 유황오리진흙구이를 주메뉴로 하고 있다. 진흙구이는 3시간 이상 구워야 하기 때문에 최소 3시간 전 전화 예약이 필수다. 건강한 재료를 가득 넣어 푹 끓인 오리 한방백숙은 깊고, 진한 국물의 맛이 일품인데다가 양도 푸짐하다.

₩ 유황오리진흙구이(8만5천원), 오리한방백숙, 오리들깨전골(각 8만원), 오리연훈제(7만8천원), 감자옹심이(1만2천원), 국수(8천원)
🕒 11:30~21:30 – 명절 당일 휴무
🔍 경기 과천시 궁말로 20-4(과천동)
☎ 02-502-7500 Ⓟ 가능

동성회관 선지해장국 | 도가니탕 | 갈비탕

과천에서 도가니탕으로 이름을 날리고 있는 곳. 진한 국물 맛이 좋으며, 꼬리곰탕과 선지해장국, 갈비탕 등의 메뉴도 인기가 좋다. 왕갈비탕에는 큼직한 갈비가 여러 토막 들어가 있어 가격대비 만족도가 높다.

₩ 도가니탕(1만9천원), 꼬리곰탕(2만5천원), 선지해장국(1만원), 왕갈비탕(1만5천원), 꼬리찜(중 5만5천원, 대7만5천원), 도가니편육(중 5만5천원, 대 7만원), 모둠수육(중 4만5천원, 대 6만원)
🕒 09:00~22:00 – 명절 휴무
🔍 경기 과천시 새술막길 36(중앙동) 동성빌딩 1층
☎ 02-502-1333 Ⓟ 불가

엘올리보 El Olivo 스페인식

스페인 셰프가 만드는 정통 스페인 요리를 맛볼 수 있는 곳이다. 세트 메뉴는 런치, 디너, 스페셜로 나누어져 있다. 런치와 디너 세트를 주문하면 엔살라다와 타파스, 메인메뉴를 맛볼 수 있다. 스페셜 세트에는 빠에야가 나온다. 스페인에서 직접 수입한 와인도 맛볼 수 있다.

₩ 런치세트(1인기준 A 3만5천원, B 54만5천원, C 6만5천원), 디너세트(1인기준 세르반테 6만5원, 달리 11만원), 셰프스페셜코스(1인기준 15만원), 파스타(2만6천원), 베렌헤나스아사르(2만3천원)
🕒 11:30~15:30/17:30~22:00 | 토, 일요일 11:30~15:30/17:30~22:00 – 명절 휴무
🔍 경기 과천시 뒷골2로 16(과천동) 에스엠케이 1층
☎ 02-502-1156 Ⓟ 가능

토정 한정식 | 산채정식

과천에서는 꽤 오래된 한정식집. 전북 진안 출신 주인장의 손맛이 좋다. 자연산 산채를 많이 사용해서 건강식으로 즐겨 찾는다. 찾는 사람이 많아 방문 전 예약이 필수다.

₩ 점심정식(2만1천원~3만원), 저녁정식(3만원~5만5천원)
🕒 09:00~15:00/17:00~21:00 – 월, 화요일 휴무
🔍 경기 과천시 새술막길 10-13 태양빌딩 3층
☎ 02-502-1374 Ⓟ 불가

통나무집 부대찌개 | 족발

소시지와 햄이 듬뿍 들어간 푸짐한 양의 부대찌개를 맛볼 수 있는 곳으로, 과천에서는 오래된 맛집으로 통한다. 얼큰한 국물 맛이 일품. 쫄깃한 족발도 많이 찾는다.

₩ 부대찌개(1인 1만2천원), 왕족발(4만원)
🕒 11:00~22:00 – 토요일, 명절 휴무
🔍 경기 과천시 새술막길 38(중앙동) 중앙빌딩 1층
☎ 02-503-9555 Ⓟ 불가

경기도 광명시

르꾸떼 regoûter 구움과자 | 디저트카페

다양한 구움과자와 케이크를 맛볼 수 있는 디저트카페. 다크초코, 무화과 크림치즈, 솔티드 캐러멜 등 다양한 맛의 피낭시에가 인기 메뉴다. 화이트톤으로 아늑하게 꾸민 매장은 커피와 디저트를 즐기기 좋은 분위기다.

₩ 아메리카노(4천5백원), 카페라테(5천원), 더티클라우드, 밀크티, 레모네이드(각 6천원), 쇼콜라라테(7천5백원), 피낭시에(2천8백원~3천5백원), 스콘(3천원~3천2백원)
🕒 11:00~22:00(마지막 주문 21:30) – 일, 월요일 휴무
🔍 경기 광명시 소하로109번길 19(소하동) 서울프라자 303호
☎ 070-8244-0242 Ⓟ 가능(건물 내 주차)

북해도목장 일식징기스칸

다양한 양고기 부위를 맛볼 수 있는 일식 징기스칸 전문점. 모든 양고기는 직접 구워준다. 비법 레시피로 만든 간장소스와 잘 구워진 양고기를 함께 맛볼 수 있으며 토르티야와 다양한 채소, 소스를 곁들여 먹기도 한다. 양파, 마늘, 가지, 새송이버섯, 대파, 옥수수 등이 기본으로 나오며 양고기와 함께 구워 먹는다.

₩ 목장세트(2인 6만2천원), 북해도세트(2~3인 6만4천원), 북해도목장세트(3~4인 8만8천원), 양갈비, 양토시살(각 120g~130g 1만6천원), 양살치살, 양등심(각 120g~130g 1만5천원), 북해도짬뽕, 명란구이(각 1만원), 마늘밥, 간장계란밥(각 3천5백원)
🕒 16:00~01:00(마지막 주문 24:00) | 토, 일요일 13:00~01:00(마지막 주문 24:00) – 연중무휴
🔍 경기 광명시 오리로854번길 16-11 삼희빌딩 1층
☎ 0507-1423-1592 Ⓟ 가능(철산 12단지 공영주차장 무료 이용)

스너그로스터리

Snug Roastery 커피전문점 | 카페

스페셜티 커피 전문점으로, 자체 로스팅 작업을 하며, 자체 블렌

딩 원두를 사용하고 있다. 코지블렌드, 다락방블렌드, 디카페인 중 선택이 가능하다. 최근에는 티라미수, 마들렌, 쿠키슈 등의 디저트 메뉴도 강화하였다.

₩ 에스프레소, 아메리카노(각 4천5백원), 카페라테(5천원), 바닐라크림라테(6천원), 플랫화이트, 카푸치노, 티(각 5천원), 라임모히토(5천5백원), 생과일주스(6천5백원), 마들렌(2천8백원), 티라미수(7천8백원)
⏲ 08:00~22:00(마지막 주문 21:30) – 연중무휴
🔍 경기 광명시 시청로 50 상가 A동 AA123호
☎ 02-3666-2010 Ⓟ 가능

이나까 いなか 갓포요리

그날의 모둠숙성사시미를 내는 갓포요리 전문점. 셰프가 직접 요리를 가져와서 설명을 해준다. 하루 전에 미리 숙성하는 사시미가 대표 메뉴며, 아마에비와생가리비도 셰프 추천 메뉴다. 메로구이도 인기가 많고 안주 메뉴도 다양하다.

₩ 모둠숙성사시미(2인 4만5천원), 마구로우니화산마키(2만8천원), 생가리비와아마에비세비체(3만원), 메로구이(2만6천원)
⏲ 17:00~24:00(마지막 주문 23:30) | 금, 토요일 17:00~01:00(익일) – 일요일 휴무
🔍 경기 광명시 오리로856번길 26(철산동) 영일빌딩 2층
☎ 02-518-3185 Ⓟ 가능

이학순베이커리 LEE HAK SOON BAKERY 베이커리

몽블랑, 앙버터, 버터프레첼, 연유나 마늘 바케트 등 다양한 빵을 구비하고 있다. 카페를 겸하고 있어 음료와 함께 빵을 즐기기에도 좋다.

₩ 바닐라빈라테, 자몽허니블랙티(5천원), 딸기요구르트스무디(6천5백원), 동백꽃아이스티(5천5백원), 몽블랑(7천원), 버터프레첼(4천5백원), 앙버터크루아상(5천5백원)
⏲ 09:00~22:00 – 연중무휴
🔍 경기 광명시 소하로 77(소하동) 골든프라자 1층
☎ 02-899-0807 Ⓟ 가능

정인면옥평양냉면 평양냉면 | 수육

서울 인근 지역에서 먹을 수 있는 평양냉면 중 손꼽을 만한 곳이다. 가격을 고려한다면 더욱 만족스럽다. 평양냉면뿐만 아니라 수육도 맛있는 것으로 유명하다.

₩ 물냉면, 비빔냉면, 들기름메밀면(각 1만원), 녹두전(7천원), 차돌박이수육(소 1만6천원, 대 3만원)
⏲ 11:30~16:00/17:00~21:00(마지막 주문 20:30) – 월요일 휴무
🔍 경기 광명시 목감로268번길 27-1(광명동)
☎ 02-2683-2612 Ⓟ 불가

조선식탁오정족발 족발

매일 3시간 동안 압력 솥으로 삶은 족발과 보쌈을 맛볼 수 있는 곳. 사과, 오이, 양파를 갈아 넣어 만든 쟁반 막국수도 함께 곁들여 먹기 좋다. 냉채소스, 족발 양념 등 모든 메뉴에 들어가는 소스를 직접 만드는 것이 특징.

₩ 조선한상세트(중 4만9천원, 대 6만원), 굴보쌈(4만2천원), 오정족발(앞발 4만2천원, 뒷발 3만7천원), 불족발, 보쌈(각 중 3만7천원, 대 4만2천원), 냉채족발(중 3만9천원, 대 4만5천원), 쟁반막국수(1만2천원)
⏲ 11:00~01:00(익일)(마지막 주문 24:00) – 연중무휴
🔍 경기 광명시 오리로854번길 16-11 삼희빌딩
☎ 0507-1385-6980 Ⓟ 가능(철산 12단지 공영주차장 무료)

철산명가가마솥밥상 한정식

집에서 먹는 듯한 푸짐한 한 상을 받을 수 있는 곳이다. 밥은 솥에서 직접 지어 내며, 한 상 가득히 나오는 반찬이 깔끔하다. 작은 가마솥에 끓여먹는 누룽지가 일품이다.

₩ 가마솥밥상(2인 이상, 1인 평일 2만2천원, 주말,공휴일 2만3천원), 행복한밥상(2인 이상, 1인 평일 3만원, 주말 3만2천원), 명가밥상(2인 이상, 1인 평일 3만6천원, 주말 3만8천원), 보리굴비밥상(2만8천원)
⏲ 11:30~21:30(마지막 주문 20:30) – 연중무휴
🔍 경기 광명시 안양천로 459(철산동) 2층
☎ 02-2060-9219 Ⓟ 발레 파킹

경기도 광주시

강마을다람쥐 일반한식 | 묵

도토리로 만든 음식을 전문으로 하고 있다. 도토리로 만든 음식을 선보이고 있으며 다람쥐소풍세트를 시키면 도토리 음식을 전부 맛볼 수 있다. 식사 후 강가를 산책하거나 정원에서 놀기에도 좋다. 평일에도 대기표를 받고 기다려야 할 정도라 예약은 받지 않는다.

₩ 도토리물국수, 도토리비빔국수, 도토리묵사발, 도토리묵밥, 도토리새싹비빔밥(각 1만3천원), 도토리들깨칼국수(2인 2만6천원) 도토리전(8천원), 도토리전병, 도토리묵무침(1만8천원), 한방수육(3만원)
⏲ 11:00~16:30/17:30~19:30(마지막 주문 18:30) | 토, 일요일 11:00~19:00(마지막 주문 18:00) – 연중무휴
🔍 경기 광주시 남종면 태허정로 556
☎ 031-762-5574 Ⓟ 가능

건강한밥상 곤드레밥 | 오리백숙 | 닭백숙

남한산성 자락 경치 좋은 곳에 있는 한식당. 엄나무를 넣고 정성스럽게 고아낸 오리백숙, 닭백숙, 매콤하고 알싸한 닭볶음탕의 맛이 좋다. 강원도 정선의 곤드레나물로 지은밥과 나물 반찬이 한 상 차려지는 곤드레밥상도 인기 메뉴. 문을 닫는 시간이 유동적이므로 가기 전에 전화를 해보는 것이 좋다.

₩ 곤드레밥상(2인 이상, 1인 1만2천원), 누룽지엄나무오리백숙, 토종

닭백숙, 토종닭볶음탕(각 6만5천원), 맷돌녹두전, 도토리묵, 담양떡갈비(각 1만5천원)
🕒 11:30~21:00(마지막 주문 20:00) – 비정기적 휴무
🔍 경기 광주시 남한산성면 남한산성로 731-23
☎ 070-8883-3080 Ⓟ 가능

건업리보리밥 보리밥 | 돼지두루치기

현지 산꾼도 단골로 찾는 업소로, 경기 연천과 충북 제천에서 생산된 국산 콩만으로 직접 담근 된장과 청국장이 유명하다. 청국장은 보리밥을 주문하면 함께 나온다. 돼지고기에 더덕을 넣어 구워 먹는 두루치기도 곁들이면 좋다. 된장과 고추장, 청국장과 반찬류 등은 포장과 택배 가능하다.

₩ 보리밥(1만5천원), 영양솥밥(2인 이상, 1인 2만8천원), 건업리특정식(2인 이상, 1인 2만원), 소불고기(2인 이상, 1인 1만7천원), 두부부침, 녹두전(각 1만2천원), 돼지석쇠구이, 보리굴비구이(각 1만5천원)
🕒 09:00~21:00 – 명절 당일 휴무
🔍 경기 광주시 곤지암읍 광여로 841
☎ 031-761-8148 Ⓟ 가능

골목집소머리국밥 소머리국밥 | 수육

곤지암을 전국 최강의 소머리국밥촌으로 만든 집이다. 진한 국물이 속을 확 풀어준다. 그 안에 동동 뜬 소머리 부위를 씹고 있으면, 국밥보다는 우탕에 가까운 소머리국밥의 묘미가 잘 살아난다. 푹 고아낸 국물과 부드럽게 씹히는 소머릿고기의 맛이 잘 어울린다.

₩ 국밥(1만4천원, 특 1만7천원), 수육(소 4만5천원, 대 5만5천원)
🕒 06:00~21:00(마지막 주문 20:30) – 화요일 휴무
🔍 경기 광주시 곤지암읍 경충대로 621
☎ 031-762-6265 Ⓟ 가능

광현가든 소고기구이

저렴하게 곤지암산 소고기를 맛볼 수 있어 곤지암 주민들이 많이 찾는 곳이다. 600g 한 근 단위로 판매한다. 토시살, 치맛살 등 특수부위는 소 한 마리를 잡아도 2~3근밖에 나오지 않아 없는 날도 있으니 미리 전화해 볼 것. 반찬은 김치뿐이다.

₩ 특수부위모둠(600g 6만9천원), 한우육회, 육사시미(각 300g 1만8천원), 육회비빔밥(1만4천원), 냉면(8천원), 된장찌개, 계란찜(각 5천원)
🕒 11:00~22:00 – 둘째, 넷째 주 일요일, 명절 휴무
🔍 경기 광주시 곤지암읍 신만로 7
☎ 031-763-5364 Ⓟ 가능

구일가든 소고기국밥

정직하게 끓여낸 소머리국밥을 맛볼 수 있는 곳. 비교적 덜 알려져 있지만 나름 찾는 사람이 많다. 모든 재료는 국내산을 이용하며 좋은 부위의 고기가 제법 푸짐하게 들어가 깔끔하면서 구수한 맛을 느낄 수 있다.

₩ 소머리국밥(1만4천원, 특 1만7천원), 수육(소 4만5천원, 대 5만5천원)
🕒 06:00~21:00 – 수요일 휴무
🔍 경기 광주시 곤지암읍 경충대로 540
☎ 031-763-6366 Ⓟ 가능

나래한옥레스토랑 이탈리아식

아늑한 한옥에서 스테이크, 리조토, 파스타 등 다양한 양식 메뉴를 맛볼 수 있으며, 레스토랑 안에 있는 카페에서 커피와 전통차도 즐길 수 있다. 소담한 정원과 한옥이 고즈넉한 정취를 풍긴다.

₩ 안심스테이크(6만원), 새우안초비오일파스타(2만원), 새우바질크림파스타(2만1천원), 마르게리타피자(1만9천원), 나래샐러드(1만9천원), 아메리카노(6천원)
🕒 11:00~21:00(마지막 주문 20:00) – 격주 수요일 휴무
🔍 경기 광주시 곤지암읍 광여로313번길 22
☎ 031-766-7786 Ⓟ 가능

남강집 南江 민물매운탕 | 장어 | 붕어찜

붕어찜, 메기매운탕, 민물장어 등 민물생선요리를 전문으로 한다. 장어구이를 시키면 주방에서 구워 돌판에 담겨 나온다. 각종 상차림 반찬의 맛이 깔끔하다. 팔당호가 한눈에 보여 전망이 좋다.

₩ 장어구이(2인 7만8천원), 참붕어찜, 메기매운탕(각 2인 4만원), 송어회(2인 5만6천원)
🕒 10:00~21:00 – 명절 당일 휴무
🔍 경기 광주시 남종면 산수로 1668
☎ 031-767-9217 Ⓟ 가능

두레 닭백숙 | 오리백숙

남한산성 꼭대기 계곡 앞에서 닭백숙이나 오리백숙을 먹을 수 있는 곳. 백숙은 끓이는 데 시간이 걸리므로 미리 예약을 하고 가는 것이 좋다. 더덕정식이나 두부전골 같은 식사 메뉴도 많이 찾는다.

₩ 능이누룽지닭백숙, 능이오리백숙(각 8만원), 능이더덕닭백숙, 능이더덕오리백숙, 능이옻나무오리백숙, 능이옻나무닭백숙(각 9만원), 닭볶음탕(6만원), 오리볶음탕, 오리백숙(각 7만원), 옻나무닭백숙(7만5천원)
🕒 11:00~20:00(마지막 주문 18:00) | 토, 일요일 10:00~20:00(마지막 주문 18:00) – 연중무휴
🔍 경기 광주시 남한산성면 남한산성로 731-14
☎ 031-744-3532 Ⓟ 불가(중앙주차장 유료이용, 50% 할인권 제공)

라그로타 La Grotta 파스타 | 이탈리아식

곤지암리조트 안에 있는 이탈리안 레스토랑으로, 아늑한 동굴 모양으로 꾸며 동굴레스토랑이라는 애칭으로도 불린다. 파스타를 비롯해 스테이크 등 다양한 이탈리아 요리를 맛볼 수 있다.

8백 여 종의 와인이 있는 셀러도 갖추고 있어 와인을 즐기기에도 좋다. 스키시즌에는 사람들이 더 붐빈다.

₩ 함박토마토파스타(2만6천원), 굴파스타(2만5천원), 그릴드스테이크와버섯크림리조토(2만9천원), 마늘새우와바질크림리조토(2만8천원), 소안심스테이크(호주산 200g 6만원, 한우 200g 8만원)

11:30~14:30/17:30~21:00(마지막 주문 20:00) | 11:30~14:30/17:30~22:00(마지막 주문 21:00) - 월요일 휴무

경기 광주시 도척면 도척윗로 278

031-8026-5566 Ⓟ 가능

라체나 LA CENA 피자 | 파스타

72시간 숙성시킨 도우로 만든 피자를 참나무장작을 사용한 화덕에서 485도의 고온에 구워낸 화덕피자와 파스타를 맛볼 수 있는 곳. 아침 신선한 우유로 만든 리코타 치즈가 들어간 루콜라리코타피자가 인기 메뉴 중 하나.

₩ 루콜라리코타피자(2만6천8백원), 마르게리타클라시카(1만9천8백원), 트리플풍기피자(2만4천8백원), 카르보나라파스타(1만9천8백원), 볼로네제파스타(2만3천8백원)

11:30~15:00/17:00~21:00(마지막 주문 20:00) - 월요일 휴무

경기 광주시 퇴촌면 천진암로 360

031-798-7981 Ⓟ 가능

라체나

란이네가든 소고기구이

한우가 맛있는 곳. 고기 질이 좋은 편이며 함께 나오는 반찬과 김치 맛이 일품이다. 고기를 먹고 밥을 시키면 청국장이나 누룽지탕, 고등어찌개는 서비스로 나온다. 깔끔한 실내에는 별실도 따로 마련되어 있다.

₩ 안심(120g 7만원), 안창살(120g 7만7천원), 꽃등심, 갈비살, 살치살(120g 6만5천원), 간장게장(5만원), 고등어김치찌개+청국장(1만원), 후식냉면(6천원)

10:00~21:30 - 연중무휴

경기 광주시 곤지암읍 광여로 849-11

031-798-6598 Ⓟ 가능

마당넓은집 소고기구이

투플러스 등급 이상의 한우만 취급하는 한우구이 전문점. 살아있는 마블링과 담백한 육질을 자랑하며, 기본 찬으로 직접 담근 김치와 나물 반찬을 내준다. 식사로 나물밥과 해물 된장도 추천 메뉴.

₩ 꽃등심(130g 6만원), 모둠특수부위(130g 6만3천원), 버섯불고기(250g 3만원), 소양념갈비(250g 4만원), 냉면, 된장찌개, 청국장(각 1만1천원), 나물밥(5천원), 해물된장(2인 5천원, 3인 1만원)

11:00~22:00 - 연중무휴

경기 광주시 곤지암읍 광여로 817

031-763-9255 Ⓟ 가능

메종드포레 Maison de foret 카페

경치가 좋은 갤러리 카페. 커피를 비롯해 직접 담근 수제청으로 만든 차, 주스 등을 다양하게 즐길 수 있다. 실내에 미술 작품이 곳곳에 걸려 있으며, 야외 정원과 테라스도 갖추고 있다.

₩ 블랜딩아메리카노(6천원~7천원), 싱글아메리카노(7천원~8천원), 카페라테(7천5백원~8천원), 핸드드립(변동), 수제청차(8천원~8천5백원), 수제청에이드(8천5백원), 케이크(7천원), 바게트볼(1만원)

월요일 11:00~18:00 | 화, 수, 목요일 10:00~17:00 | 토, 일요일 10:00~18:00 - 금요일 휴무

경기 광주시 남한산성면 검복길 75

031-743-6625 Ⓟ 가능

바스트로37 barstro37 아르헨티나식 | 바비큐

아르헨티나 전통 바베큐 소갈비 아사도 그리고 수제 치미추리 소스의 파스타, 1.8kg 짜리 토마호크 스테이크 ,직접 만들어내는 베이컨 등 다양한 고기 요리를 즐길 수 있는 곳이다. 오래된 주택을 개조한 분위기에 루프탑에서는 바비큐 파티도 가능하다.

₩ 수제베이컨(400g 4만원), 아르헨티나아사도바베큐(1kg 13만원), 토마호크 스테이크 & 그릴드 채소구이 (1.8kg 20만원), 플렛아이언스테이크(400g 4만5천원)

18:00~05:00(익일) - 일요일 휴무

경기 광주시 문형산길 58

010-5929-8134 Ⓟ 가능

백제장 산채정식 | 소고기구이

남한산성 자락에 자리 잡고 있어 경치 좋고 공기 맑은 한식집이다. 산채정식이 주메뉴로, 취나물, 더덕잎, 참나물, 고사리, 우엉뿌리, 달래무침 등 10여 가지의 나물무침과 닭볶음, 동태부침, 묵, 된장찌개가 곁들여 나온다. 불고기, 더덕구이 등을 추가로 시켜도 좋다. 옛 대갓집의 구조를 그대로 살려 고풍스러운 분위기며 식당 뒷동산은 서울이 한눈에 보이는 운치 있는 옛길 수어장대 길로 통한다. 50년 넘는 역사를 자랑한다.

₩ 산채정식(2인 이상, 1인 2만1천원), 숯불불고기(200g 1만8천원), 녹두빈대떡(1만5천원), 숯불더덕구이(1만6천원), 도토리묵(1만1천원)

11:00~21:00 - 연중무휴

🔍 경기 광주시 남한산성면 남한산성로780번길 3
☎ 031-746-4296 Ⓟ 가능

산성대가 오리백숙 | 닭백숙

남한산성 부근의 한옥으로 된 식당. 경치 좋고 운치 있는 곳에서 맛있는 음식을 즐길 수 있다. 닭백숙과 오리백숙 등 몸에 좋은 보양식 메뉴가 인기다.

₩ 닭도가니, 닭볶음탕, 엄나무닭백숙(각 6만5천원), 능이버섯닭백숙(7만5천원) 오리로스, 오리주물럭, 오리훈제(각 6만8천원), 오리백숙(엄나무/황기 각 7만원, 능이버섯 8만원), 감자전, 도토리묵, 파전(각 1만5천원)
🕒 11:00~19:00(마지막 주문 18:00) – 명절 당일, 월요일 휴무
🔍 경기 광주시 남한산성면 남한산성로792번길 11-12
☎ 031-743-6559 Ⓟ 가능

송유향 🎀 宋侑鄕 일반중식

호수가 보이는 전망 좋은 중식당으로, 다양한 일품 요리부터 코스 요리까지 선보이고 있는 곳이다. 채소와 해산물이 가득해 진하고 얼큰한 삼선짬뽕이 인기 메뉴 중 하나다.

₩ 삼선짬뽕(1만2천원), 해물볶음짜장(1만1천원), 삼선간짜장(1만원), 탕수육(소 2만5천원, 중 3만2천원), 크림중새우(소 3만5천원, 중 4만8천원)
🕒 11:30~15:00/17:00~21:15(마지막 주문 20:35) – 연중무휴
🔍 경기 광주시 순암로 270(중대동)
☎ 031-765-1171 Ⓟ 가능

수레실가든 🎀 오리 | 삼겹살

오리고기구이 전문점. 황토와 한지로 지어진 집으로, 산장에 와서 먹는 듯한 분위기다. 널찍한 화강암 돌판 위에 독에서 꺼낸 시원한 김치를 포기째 올리고 감자, 양파, 버섯을 함께 고기를 구워 먹는다. 고기를 먹은 후에는 돌판에 밥을 볶아 주는데, 밥을 누룽지가 될 때까지 눌게 한 뒤 돌돌 말아 잘라 준다. 오리구이가 전문이지만 삼겹살도 먹을 수 있다.

₩ 돌판오리구이(1kg 6만8천원), 돌판삼겹살(200g 2만6천원)
🕒 11:30~21:30 – 화요일 휴무
🔍 경기 광주시 오포읍 수레실길 129
☎ 031-718-5292 Ⓟ 가능

수제순대신주옥미 순댓국 | 순대전골

15가지 재료로 매일 아침 직접 만드는 순대를 선보이는 곳. 순댓국은 공깃밥이 따로 나오는 것과 밥이 말아져 나오는 토렴식을 선택할 수 있다. 고사리가 듬뿍 들어간 순댓국이 인기. 진한 육수에 푹 삶아진 부드러워진 고사리, 머릿고기와 순대를 잔뜩 넣어준다.

₩ 고사리얼큰순댓국(1만1천원), 수제정품순댓국(1만원), 고사리상황순댓국(1만2천원), 고사리상황돼지국밥(1만3천원), 모둠순대(반접시 1만1천원, 한접시 1만8천원)
🕒 08:00~21:30(마지막 주문 21:00)| 토, 일요일 07:00~21:30(마지막 주문 21:00) – 화요일 휴무
🔍 경기 광주시 순암로 44
☎ 031-761-6969 Ⓟ 가능

쉐프깐딴떼 Chef Cantante 피자 | 파스타

이탈리아 정통 요리를 즐길 수 있는 곳. 나폴리피자장인협회(A.P.N)에서 인증 받은 화덕 피자 전문점이며 쫄깃한 도우가 맛있다.

₩ 피자(1만9천5백원~2만3천원), 파스타(1만4천5백원~1만7천5백원), 가정식샐러드(소 1만2천5백원, 중 1만5천5백원)
🕒 17:30~21:00 | 토요일 12:00~15:30/17:30~21:00 | 일요일 16:00~21:00(마지막 주문: 20:10) – 월, 화요일 휴무
🔍 경기 광주시 순암로 55(장지동)
☎ 031-769-9239 Ⓟ 가능

쌍령해장국 🎀 선지해장국

규모가 큰 해장국 전문점. 선지와 내포, 콩나물 등이 듬뿍 들어가 있는 선지해장국 맛이 좋다. 국물이 진하면서도 얼큰하다. 가격대도 착한 편이다.

₩ 선지해장국, 황태해장국(각 1만1천원), 편육(1만2천원), 갈비탕(1만5천원)
🕒 06:00~21:00 – 명절 당일 휴무
🔍 경기 광주시 초월읍 현산로 12
☎ 031-766-7823 Ⓟ 가능

아라비카 Arabica 카페

깊은 산 속 산장 풍의 카페 내부는 아기자기한 소품으로 가득 차 있다. 겨울에는 참나무 장작으로 난로에 불을 지피기 때문에 아늑하고 따뜻하다. 전면이 통유리로 되어 있어 밖의 경치를 감상하기 좋다.

₩ 핸드드립커피(8천원~9천원), 에스프레소, 아메리카노(각 7천원), 카페라테(8천원), 티(7천5백원), 치즈케이크(7천원), 티라미수(7천5백원)
🕒 10:00~23:00(마지막 주문 22:30) – 연중무휴
🔍 경기 광주시 남한산성면 남한산성로 536-27
☎ 031-746-5956 Ⓟ 가능

어썸브로 awesomebro 커피전문점 | 베이커리

곤지암천 인근의 스페셜티 커피 전문점. 직접 로스팅한 원두를 사용하고, 빵도 매장에서 만든다. 작은 크기의 정원과 테라스에서 여유롭게 커피를 즐길 수 있다.

₩ 상하목장더위사냥(6천원), 상하목장아이스크림(3천5백원), 상하목장아포카토(5천5백원), 아메리카노(4천원), 카페라테(4천5백원)
🕒 10:00~22:00 – 연중무휴
🔍 경기 광주시 곤지암읍 곤지암로 102-54
☎ 010-4080-6124 Ⓟ 가능

엄지매운탕 민물매운탕

잡어매운탕이 유명한 집. 매운탕에 넣어 끓여 먹는 수제비의 맛이 일품이다. 주문하면 바로 고기를 손질해서 탕을 끓이기 때문에 미리 전화를 해두는 것이 좋다.

₩ 잡고기매운탕(1인 1만7천원), 메기매운탕(1인 1만9천원)
⏲ 10:00~21:00 – 연중무휴
🔍 경기 광주시 퇴촌면 천진암로 336
☎ 031-767-5839 Ⓟ 가능

예전한정식 한정식

운치 있는 한옥에서 자연을 느끼며 정갈하고 깔끔한 음식을 맛볼 수 있는 곳이다. 상견례나 비즈니스 접대에도 좋은 분위기다.

₩ 솔정식(2만6천원), 예전한정식(3만6천원), 예전특정식(4만6천원), 궁중정식(5만8천원), 진어정식(7만8천원), 예전수라상(13만원), 평일점심특선(1만8천원)
⏲ 11:00~16:00/17:00~21:00(마지막 주문 20:00) – 명절 휴무
🔍 경기 광주시 퇴촌면 천진암로 515-14
☎ 031-767-0242 Ⓟ 가능

옛날순두부집 순두부 | 두부

남한산성의 손두부 원조집으로, 육수와 양념을 넣어 짜박하게 졸여서 먹는 짜박두부가 유명하다. 짜박두부를 먹은 후에 만들어 먹는 볶음밥도 별미다. 1930년에 산성손두부로 시작하여 4대째 내려오는 1백여 년의 전통의 두부집이다.

₩ 짜박두부(2인 이상, 1만2천원), 원조얼순(1만2천원), 초당순두부(1만원), 옛날모두부(1만6천원), 모두부반모(8천원), 두부전골(소 2만9천원, 중 3만9천원, 대 4만9천원)
⏲ 10:00~20:00(마지막 주문 19:30) | 토, 일요일, 공휴일 09:00~20:00(마지막 주문 19:30) – 월요일 휴무
🔍 경기 광주시 남한산성면 남한산성로 732
☎ 031-745-4619 Ⓟ 가능(3~4대, 남한산성 주차장 이용시 50% 할인권 제공)

오복손두부 닭도가니탕 | 순두부 | 닭백숙

90여 년 동안 3대째 내려오는 곳. 직접 만든 순두부에 양념간장을 넣어서 먹는 순두부백반이 대표 메뉴다. 도토리묵과 감자전도 별미다.

₩ 순두부백반(9천원), 주먹두부, 감자전, 도토리묵(각 1만2천원), 두부전골(중 2만6천원, 대 3만5천원), 산채비빔밥(9천원), 닭백숙, 닭볶음탕, 닭도가니탕(각 5만원), 오리백숙, 오리탕(각 5만5천원)
⏲ 07:00~19:00 – 월요일 휴무
🔍 경기 광주시 남한산성면 남한산성로 745-10
☎ 031-746-3567 Ⓟ 가능

오복손두부

와궁 瓦宮 소갈비

참숯불에 구워 먹는 소갈비 맛이 일품인 곳. 정식을 시키면 반찬이 열 가지가 넘게 정갈하게 깔린다. 식사 후에는 물레방아가 있는 연못 앞에 앉아 차를 마시면 좋다. 단체를 위한 별채와 널찍한 야외 좌석도 마련되어 있다.

₩ 양념소갈비(280g 3만4천원), 갈빗살(150g 3만4천원), 한우꽃등심(150g 4만8천원), 한우생등심(150g 4만3천원), 한우육회(200g 3만원)
⏲ 10:00~22:00(마지막 주문 21:15) – 연중무휴
🔍 경기 광주시 오포읍 신현로 21
☎ 031-713-2277 Ⓟ 발레 파킹

용마루 닭백숙

50년 전통을 이어온 백숙 전문점으로, 요리에 조미료를 일절 사용하지 않는다고 한다. 용마루의 시그니처 메뉴인 산나물 정식은 봄철 한정 메뉴로 4~6월까지 주문 가능하다.

₩ 능이오리백숙(8만원), 능이버섯백숙, 누룽지오리백숙(각 7만원), 누룽지닭백숙(6만5천원), 계절나물정식(2인이상 1인 1만8천원)
⏲ 11:00~18:00 | 토, 일요일 11:00~18:30 – 월요일, 명절 휴무
🔍 경기 광주시 남한산성면 남한산성로780번길 35
☎ 031-746-9206 Ⓟ 가능

원조분원붕어찜 붕어찜 | 민물매운탕

1976년 분원에서 처음으로 붕어찜을 메뉴로 내놓은 곳이다. 붕어에 시래기를 듬뿍 넣고 갖은 양념으로 비린내를 없애 부드러우면서 담백한 맛이 별미다. 붕어찜을 제대로 먹으려면 미리 예약하는 것이 좋다.

₩ 붕어찜(소 4만원, 중 4만5천원, 대 5만원), 빠가사리매운탕(소 5만원, 중 6만원, 대 7만원), 쏘가리매운탕(소 8만5천원)
⏲ 10:30~21:00 – 비정기적, 명절 당일 휴무
🔍 경기 광주시 남종면 산수로 1633
☎ 031-767-9055 Ⓟ 가능

장지리가마솥해장국 선지해장국

가마솥해장국 한 가지만 전문으로 한다. 선지, 천엽 등 내용물이 충실하게 들어 있는 해장국을 맛볼 수 있다. 국물은 진하지만 자극적이지 않은 편이다.

₩ 특선사골해장국(1만3천원)
◷ 06:00~20:00 – 월요일 휴무
경기 광주시 순암로 150(중대동)
☎ 031-767-8386 Ⓟ 가능

진짜무릎도가니탕&설농탕 설렁탕 | 도가니탕

진하고 뽀얀 국물의 도가니탕이 대표 메뉴. 국수와 고기가 푸짐하게 들어 있다. 매장으로 들어서면 한쪽에 국물이 가득 담긴 채 펄펄 끓고 있는 가마솥을 볼 수 있다.

₩ 설렁탕(1만3천원, 특 1만5천원), 도가니탕(2만2천원), 꼬리곰탕(2만5천원), 모둠수육, 도가니수육(각 소 5만원, 대 6만원)
◷ 08:00~22:00 – 명절 당일 휴무
경기 광주시 이배재로 141(탄벌동)
☎ 031-765-3055 Ⓟ 가능

천현한우집 소고기구이 | 소갈비

서울의 유명 갈빗집에 한우를 납품하다 직접 한우구잇집을 차린 곳이다. 고기의 질은 그만큼 명품이라 할 수 있다. 경기 양평과 광주에서 직접 한우를 키우고 있으며 직접 재배한 채소로 만든 반찬도 맛깔스럽다.

₩ 스페셜특꽃심(160g 4만2천원), 꽃심(160g 3만4천원), 모둠구이(160g 2만5천원), 육회(220g 3만원), 생갈비(1대 5만5천원), 불고기전골(1만4천원), 육회비빔밥, 곰탕(각 1만원)
◷ 11:00~15:00/17:00~21:30 | 토, 일요일 11:00~21:00 – 명절 당일 휴무
경기 광주시 초월읍 무갑길 68
☎ 031-763-5762 Ⓟ 가능

천현한우집

최미자소머리국밥 소머리국밥 | 수육

원래 사골국이라 불렀던 소머리국밥이 오늘날 곤지암의 명물이 된 것은 40여 년 동안 노력해온 이곳의 역할이 컸다고 할 수 있다. 옹기 그릇에 담아 나오는 신선한 겉절이 배추김치와 깍두기 김치가 국밥의 감칠맛을 더해준다. 재료 소진 시 일찍 문을 닫는다.

₩ 소머리국밥(1만4천원), 수육(소 4만5천원, 대 5만5천원)
◷ 06:00~18:00(마지막 주문 17:45) – 월요일, 명절 휴무
경기 광주시 곤지암읍 도척로 58
☎ 031-764-0257 Ⓟ 가능

카페인신현리포레스트

샤퀴테리 | 크래프트맥주바 | 카페

카페인신현리가 수제맥주와 전남 구례의 상남치즈, 블루메쯔의 샤퀴테리와의 콜라보를 통해 카페인신현리포레스트로 변신하였다. 1층에는 양조장, 2층은 샤퀴테리 숙성 시설과 기센코리아 트레이닝랩도 들어가 있다. 기존의 베이커리와 카페 기능도 그대로 유지된다. 다양한 버거, 샐러드, 피자를 맛볼 수 있다. 직접 홉 농장도 운영하고 있으니 독특한 크래프트 맥주를 먹어보는 것도 추천한다.

₩ 치즈베네딕트(2만1천원), 콥샐러드(1만9천원), 샌드위치(1만7천원), 통새우버거번(1만7천원), 잠봉피자(2만5천원), 소시지플래터(2만5천원), 감바스(2만2천원), 에이드(7천5백원), 아메리카노(5천5백원), 카페라테(6천5백원), 과일크레이프(8천5백원)
◷ 10:30~18:00(마지막 주문 17:00) | 월요일 10:30~17:00(마지막 주문 16:00) – 연중무휴
경기 광주시 오포읍 새말길167번길 68 카페인신현리
☎ 070-5073-2424 Ⓟ 가능

함지박 오리백숙 | 닭백숙

남한산성 백숙 거리에서도 꽤나 규모 있는 식당 중 한 곳으로, 오리백숙과 닭백숙을 전문으로 한다. 자연 경관뿐만 아니라 고풍스러운 소품들로 운치를 내어 볼거리도 두루 갖춰져 있다. 오리 또는 닭이 푹 우러난 진한 백숙 육수에 실한 고기와 정갈한 밑반찬까지 푸짐하게 맛볼 수 있다.

₩ 능이누룽지백숙, 능이백숙(각 8만원), 옻백숙(7만5천원), 토종닭도리탕/백숙/도가니(각 6만5천원), 더덕구이(2만5천원)
◷ 10:00~20:00 – 연중무휴
경기 광주시 남한산성면 남한산성로 731-15
☎ 031-744-7462 Ⓟ 가능(전용주차장)

향촌건업리묵집 묵 | 닭백숙

직접 만든 도토리묵과 메밀묵을 잘한다. 도토리묵밥은 묵이 가득 들어간 그릇에 오이, 상추, 김, 깨 등이 고명으로 올라간다. 잘게 썬 김치를 넣고 비벼 먹는다. 직접 기르는 토종닭백숙을 먹으려면 미리 예약해야 한다.

Ⓦ 도토리묵밥(9천원), 도토리묵무침(2만원), 꿩찐만두(6천원), 전복한방백숙, 전복닭볶음탕(각 7만원)
Ⓣ 10:00~21:00 – 둘째, 넷째 주 월요일 휴무
Q 경기 광주시 곤지암읍 광여로 826
☎ 031-762-8467 Ⓟ 가능

흙토담골 한정식

두 채의 기와집과 추가집이 대청마루로 이어져 있는 운치 있는 한정식집. 한정식을 시키면 간장게장, 더덕구이 등 여러 가지 반찬과 돌솥밥이 나온다. 옛날 가구와 병풍, 놋그릇 등으로 장식되어 있는 실내 분위기도 고풍스럽다.

Ⓦ 토담골한정식(2인 이상, 1인 3만5천원), 꽃게간장게장정식(1인 5만7천원), 보리굴비정식(1인 3만7천원)
Ⓣ 11:00~15:30/16:30~21:00(마지막 주문 20:00) | 토, 일요일 11:00~21:00(마지막 주문 20:00) – 수요일 휴무
Q 경기 광주시 퇴촌면 석둔길 3 ☎ 031-767-2855 Ⓟ 가능

경기도 구리시

모던기와 카페

한옥으로 된 카페. 아늑한 분위기에서 커피를 즐길 수 있다. 다양한 커피를 비롯해 오미자차, 레몬차 등 음료 종류도 다양하다. 정원에 있는 야외 테라스에서는 한강과 강변북로가 보여 전망이 좋다.

Ⓦ 에스프레소(5천원), 아메리카노(5천원), 카페라테(5천5백원), 오미자차, 레몬차(각 6천3백원)
Ⓣ 10:30~18:00 – 연중무휴
Q 경기 구리시 아차산로 37(아천동)
☎ 02-2049-0118 Ⓟ 가능

묘향만두 만두

두부가 들어간 담백한 손만두를 맛볼 수 있는 곳. 한약재 향이 나는 만둣국 국물이 일품이다. 만두소를 으깨 넣어 끓인 묘향뚝배기는 육개장처럼 얼큰해 인기가 많다. 새콤한 오이소박이국수도 별미.

Ⓦ 손만둣국, 찐만두(각 1만1천원), 묘향뚝배기(1만2천원), 만두전골(4만원), 오이소박이국수(9천원), 녹두빈대떡(1만5천원)
Ⓣ 09:00~21:30(마지막 주문 21:00) – 월요일 휴무
Q 경기 구리시 아차산로 63(아천동)
☎ 02-444-3515 Ⓟ 가능

양평해장국 선지해장국

선지와 콩나물을 넣어 시원한 해장국을 맛볼 수 있다. 대표 메뉴인 양평해장국에는 콩나물과 선지, 그리고 큼직한 양이 푸짐하게 들어가 있어 맛이 무척 깊고 부드럽다.

Ⓦ 양평해장국(1만1천원), 선지해장국, 콩나물해장국(각 1만원), 북어해장국(1만2천원), 내장탕(1만5천원)
Ⓣ 24시간 영업 – 연중무휴
Q 경기 구리시 아차산로 188-4(아천동)
☎ 031-562-9145 Ⓟ 가능

충북추어탕 추어탕

구리시장에서 40년이 넘게 추어탕만을 팔고 있는 곳. 메뉴는 추어탕 하나며, 양은냄비에 매콤한 추어탕이 나온다. 매운탕에 가까운 스타일이며 매콤한 맛이 일품이다.

Ⓦ 추어탕갈아서/통으로(각 1만원), 추어부추전(1만3천원)
Ⓣ 10:00~20:00 – 명절 휴무
Q 경기 구리시 안골로57번길 36-8(수택동)
☎ 031-563-2393 Ⓟ 불가

크리밀크 Creamilk 젤라토

원재료 맛을 그대로 담은 젤라토를 즐길 수 있는 곳. 젤라토는 매장에서 직접 만든다. 진한 우유 맛의 크리밀크와 골든퀸 3호 쌀로 만들어 구수함과 쫀득함을 느낄 수 있는 쌀R이 가장 인기 있다.

Ⓦ 젤라토컵(두 가지 맛, 5천원), 젤라토포장(소 300g 1만3천원, 중 420g 1만7천원, 대 600g 2만2천원)
Ⓣ 12:00~22:00(마지막 주문 21:25) – 화요일 휴무
Q 경기 구리시 안골로63번길 39(수택동)
☎ 070-7743-0109 Ⓟ 불가

경기도 군포시

군포식당 설렁탕 | 수육

양지로만 우려낸 맑은 양지탕이 유명하다. 고기도 푸짐하게 들어 있고 겉절이, 무김치와 같이 먹는 맛이 일품이다. 양지보쌈은 양지수육에 보쌈을 곁들인 것으로, 보쌈김치 맛이 좋다. 60년 넘는 역사를 자랑한다. 명절 연휴에는 영업시간이 다르기 때문에 문의하고 방문해야 한다.

Ⓦ 한우양지설렁탕(1만2천원, 특 1만5천원), 한우양지수육(소 3만4천원, 대 4만7천원), 보쌈제육(소 2만9천원, 대 3만9천원)
Ⓣ 08:00~15:00(마지막 주문 14:30)/16:00~20:30(마지막 주문 20:00) – 일요일, 명절 당일 휴무
Q 경기 군포시 군포로556번길 6(당동)
☎ 031-452-0025 Ⓟ 가능

달보드레파스타 Dalbodre Pasta 파스타

가지각색의 파스타를 맛볼 수 있는 곳. 신선한 채소와 해산물, 그리고 직접 끓인 소스를 사용하고 있으며, 매콤한 파스타 종류가 많다. 매콤한 오일 소스와 해산물, 면이 잘 어우러진 달콤살벌파스타가 인기 메뉴 중 하나다.

Ⓦ 달콤살벌파스타(1만3천원), 마르게리타씬피자(1만4천5백원), 머시룸치킨리조(1만3천원), 봉골레파스타(1만4천원), 아라비아타(1만1천원), 치킨알리오올리오(1만1천5백원)

🕒 11:00~22:00 | 일요일 12:00~21:00(마지막 주문 21:30) – 연중무휴

🔍 경기 군포시 번영로 497(산본동) 금화프라자 2층 안쪽

☎ 070-7543-1201 Ⓟ 불가(건물 앞 공영주차장 이용)

숨두부촌 콩비지 | 김치찌개 | 순두부

직접 만든 두부와 콩을 넣은 다양한 찌개를 부담 없는 가격에 먹을 수 있는 곳이다. 진득한 국물의 콩비지 찌개가 인기 있다. 가까운 거리에 수리산이 있어 하산 후 등산객들이 두부보쌈을 찾기도 한다.

Ⓦ 콩비지, 청국장, 숨두부찌개, 김치찌개, 콩국수, 콩비지찌개(각 9천원), 모두부(1만원), 도토리묵(1만5천원), 두부김치(2만원), 두부보쌈(4만원)

🕒 10:00~21:00 | 토, 일요일 09:00~21:00 – 월요일 휴무

🔍 경기 군포시 산본로482번길 7(산본동)

☎ 031-394-0292 Ⓟ 가능

요요연연 🎀 夭夭娟娟 베이커리

당일 생산한 빵을 당일 판매하는 군포의 작은 빵집. 담백한 팥앙금과 버터, 프레첼이 조화로운 앙버터를 선보이고 있다. 빵 소진 시 영업을 종료하니, 확인 후 방문하는 것이 좋다.

Ⓦ 앙버터프레첼, 호두브라우니(각 4천원), 플레인식빵(5천원), 초코스콘(3천5백원), 아메리카노(3천원), 카페라테(3천5백원)

🕒 11:00~19:00 – 월, 화, 수요일 휴무

🔍 경기 군포시 산본천로 18(산본동) 을지아파트 상가

☎ 010-3952-3306 Ⓟ 가능

조상일커피 커피전문점

스페셜티 커피 전문점으로, 에스프레소와 핸드드립을 맛볼 수 있다. 코코넛 커피와 아인슈페너를 많이 찾는다. 디저트 메뉴는 트리플 초코 크로플을 맛볼 수 있다.

Ⓦ 핸드드립커피(7천원), 코코넛커피(6천5백원), 아메리카노(4천원), 카페라테(5천원), 바닐라라테, 아인슈페너, 트리플초코크로플(각 5천5백원)

🕒 09:30~21:00(마지막 주문 20:30) | 일요일 11:00~18:00(마지막 주문17:30) – 연중무휴

🔍 경기 군포시 고산로185번길 4 황토빌딩 1층, 2층

☎ 010-4628-2048 Ⓟ 가능(한세대 주차장 이용, 3시간 무료)

경기도 김포시

갈비본질프리미엄 소갈비 | 돼지갈비

마블링이 짙은 소갈비와 특제 양념에 72시간 저온 숙성한 수제 돼지갈비를 선보이는 곳. 프리미엄 비장탄에 구워 부드럽고 촉촉한 고기를 맛볼 수 있다. 기본 찬도 푸짐한 편이며, 사이드 메뉴로 냉면과 함께 고기를 얹어먹는 것도 별미.

Ⓦ 한돈돼지왕갈비(300g 1만8천원), 한돈돼지생갈비(230g 1만9천원), 본질소왕갈비(3만1천원), 본질소생갈비(220g 3만3천원)

🕒 11:00~15:00/16:30~22:00 | 토, 일요일 11:30~23:00 – 연중무휴

🔍 경기 김포시 양촌읍 김포한강4로 317

☎ 031-986-1223 Ⓟ 가능

구스타프커피 gustav coffee roasters 커피전문점

직접 볶은 원두를 합리적인 가격에 맛볼 수 있는 로스터리 카페. 흰색과 우드 계열의 인테리어를 활용하여 규모는 작지만 아늑하고 깔끔하다. 테이크 아웃 손님이 많다.

Ⓦ 스페셜티아메리카노(2천5백원), 콜드브루(3천원), 라테, 플랫화이트(3천5백원), 바닐라빈라테(4천원)

🕒 12:00~18:00 | 월, 목, 금요일 10:00~20:00 – 연중무휴

🔍 경기 김포시 김포한강11로 312(운양동)

☎ 010-7474-9962 Ⓟ 가능

규원 🎀 揆遠 한우오마카세

김포에서 최상급의 투뿔 한우를 오마카세로 즐길 수 있는 곳. 티본과 엘본의 뼈고기와 다양한 특수부위가 코스에 포함되며, 구성도 좋은 편이다. 애피타이저와 채끝등심, 특수부위, 버거로 구성되는 런치A는 부담없는 가격에 즐길 수 있다.

Ⓦ 런치한우오마카세(8만9천원), 디너한우오마카세(15만원, 룸 22만원)

🕒 12:00~15:00/17:30~01:00(마지막 주문 00:30(익일) – 연중무휴

🔍 경기 김포시 김포한강11로140번길 15-18(운양동) –

☎ 031-998-8091 Ⓟ 가능(만차시 이용 주차장: 경기 김포시 김포한강11로 139-8)

그집 주꾸미

주꾸미가 맛있는 집. 통통한 주꾸미와 매콤한 양념이 일품이며 숯불에 구워 더 맛이 좋다. 대접에 나오는 밥에 주꾸미를 넣고 비벼 먹으면 일품이다. 새우튀김도 별미로 곁들여 먹기 좋다.

Ⓦ 주꾸미볶음(1만원), 황태구이, 더덕구이, 도토리무침(각 1만1천원)

🕒 11:10~21:00(마지막 주문 20:30) – 명절 휴무

🔍 경기 김포시 양촌읍 구래로87번길 137

☎ 031-981-7111 Ⓟ 가능

김포한탄강 민물매운탕

메기매운탕으로 널리 알려진 집. 매운탕은 기본 양념을 해서 나오지만 다진양념, 소금 등은 자기 입맛에 맞추어 넣게 되어 있는 것이 독특하다. 매운탕 양이 푸짐한 편이며 수제비와 라면, 떡사리가 기본으로 나온다.

₩ 메기매운탕(소 3만6천원, 중 4만8천원, 대 5만8천원), 참게+빠가사리매운탕(소 4만5천원, 중 6만2천원, 대 7만8천원), 메기+참게+빠가사리 (중 5만4천원, 대 7만원)
🕒 10:30~21:00 – 연중무휴
🔍 경기 김포시 김포대로 1466(운양동)
☎ 031-985-6556 Ⓟ 가능

남강메기 민물생선찜 | 민물매운탕 | 메기

30여 가지 양념으로 만든 메기매운탕이 대표 메뉴로, 시원한 맛을 내다가 계속 끓여 졸아지면 구수한 맛을 낸다. 육수는 일곱 가지 재료로 만드는데 속초에서 사온 황태대가리가 맛을 내는 비결이라고 한다. 남은 국물에 볶아 먹는 밥도 별미.

₩ 메기매운탕(1인 1만7천원), 참게+메기메운탕(1인 2만3천원), 빠가사리매운탕(2인 이상, 1인 2만5천원), 메기양념구이(찜)(2인 이상, 1인 2만2천원)
🕒 11:00~15:00/17:00~21:00(마지막 주문 20:10) – 화요일, 명절 휴무
🔍 경기 김포시 김포대로 1535(장기동)
☎ 031-985-7764 Ⓟ 가능

벌말매운탕 민물매운탕

메기매운탕으로 유명한 곳. 빠가사리와 메기를 섞은 매운탕도 있고 참게와 메기를 섞은 매운탕도 맛볼 수 있다. 민물고기가 큼지막해 가격대비 만족도가 높다. 반찬은 김치, 깍두기, 동치미 정도로 단출한 편. 수제비와 라면을 넣어 먹어도 좋다.

₩ 메기매운탕(소 4만5천원, 중 5만3천원, 대 6만2천원), 빠가사리매운탕, 빠가사리+메기매운탕, 빠가사리+참게+메기 매운탕, 참게+메기 매운탕(각 소 5만원, 중 6만원, 대 7만원)
🕒 10:00~22:00 – 첫째, 셋째 주 월요일, 명절 휴무
🔍 경기 김포시 대곶면 대명항1로28번길 59
☎ 031-997-0626 Ⓟ 가능

빵집우상향 NEW 베이커리

부부가 운영하는 아담한 공간의 빵집. 프릳츠 컴퍼니에서 제빵팀을 이끌었던 허민수 제빵사가 빵을 굽는다. 달달한 크림이 들어간 빵 종류보다는 담백한 맛의 쫄깃한 식사 빵류가 위주인 듯하다. .

₩ 단팥빵(2천5백원), 소금빵(2천3백원), 베이글(1천8백원), 크루아상(2천8백원), 치즈할라피뇨(2천8백원)
🕒 08:30~17:00 – 일, 월, 화요일 휴무
🔍 경기 김포시 유현로 215 풍무 센트럴푸르지오 후문(Gate 2) 상가
☎ 031-981-0577 Ⓟ 불가

빵집우상향

소쇄원 한정식 | 게장

옛날 시골 생활의 정취를 느낄 수 있는 전통 게장 전문점. 죽, 탕평채, 해파리냉채, 삼색전, 생선 요리, 불고기, 간장게장, 영양돌솥밥, 된장찌개 등이 한 상 가득 차려진다. 전통 가옥으로 된 안채는 방으로 구성되어 있어 상견례나 손님을 접대하기에도 좋다.

₩ 간장게장정식(일반 4만원, 특대 4만7천원), 보리굴비정식, 양념게장정식(각 2만9천원), 소갈비찜정식(3만5천원), 옥돔구이정식(2만5천원)
🕒 11:30~20:30(마지막 주문 19:20) – 월요일 휴무
🔍 경기 김포시 하성면 금포로1915번길 53
☎ 031-983-8801 Ⓟ 가능

송만두 만두전골 | 만두

매장에서 직접 빚은 큼직한 만두를 맛볼 수 있는 만두 전문점. 만두 전골은 맑은 국물과 매콤한 빨간 국물 중에 고를 수 있다. 청경채, 배추, 호박 등 다양한 채소를 넣어 자극적이지 않은 국물 맛이 좋다는 평이다.

₩ 맑은만두전골(9천원), 얼큰만두전골(1만원), 버섯만두전골(1만2천원), 손만두(8천원), 떡만둣국(9천원), 얼큰버섯만두전골(1만3천원)
🕒 09:00~21:00 | 일요일 10:00~20:00 – 연중무휴
🔍 경기 김포시 월곶면 군하로 14
☎ 031-985-7876 Ⓟ 가능

수갈비 소고기구이 | 돼지갈비

합리적인 가격대와 맛으로 동네 주민들에게 인기 있는 돼지갈비 전문점이다. 돼지갈비 외에도 1++등급의 한우도 갖추고 있다. 셀프코너에서 신선한 채소류를 부담 없이 리필할 수 있다는 점이 좋다.

₩ 돼지갈비(250g 1만8천원), 한우육회(100g 1만5천원, 200g 2만9천원), 함흥냉면(1만원)
🕒 11:30~15:00/17:00~22:00(마지막 주문 21:00) | 토, 일요일, 공휴일 11:30~15:30/16:30~22:00(마지막 주문 21:00) – 연중무휴

경기 김포시 김포한강3로237번길 17(장기동) 1층
031-989-2389 Ⓟ 가능

오로르 AURORE 브런치카페

오로르플래터, 가지멜란자네 등 브런치 메뉴를 즐길 수 있는 카페 겸 레스토랑. 실내 공간이 넓은 편이고 룸이 있어 모임을 갖기도 좋다. 미술 작가의 기획 전시를 하기도 하며, 반려동물 동반도 가능.

₩ 레터스시저샐러드(2만원), 가지비프라구파스타(1만8천원), 와규살치스테이크(200g 6만원), 오로르플래터(3만원), 가지멜란자네, 치킨볼그라탕(각 2만6천원), 단호박크림뇨키(2만4천원)
11:00~15:00/17:00~21:00(마지막 주문 20:00) – 화요일 휴무
경기 김포시 해평로 125-36(장기동)
0507-1481-5222 Ⓟ 가능

외갓집 한정식 | 게장 | 닭백숙

샘재 한옥마을 안에 있는 한정식 전문점. 가정집을 개조한 방 안에서 한 상 차림으로 한정식을 즐길 수 있다. 간장게장이 맛있기로 유명하며, 한정식 주문 시 된장찌개, 계란찜을 비롯해 열다섯 가지 정도의 반찬을 맛볼 수 있다.

₩ 시골정식(1만8천원), 외갓집정식(2만5천원), 간장게장정식(4만5천원), 갈비찜(3만원)
11:30~20:00 – 연중무휴
경기 김포시 하성면 석평로 374-8
031-998-4331 Ⓟ 가능

인생화로 소고기구이 | 돼지고기구이

질 좋은 생고기를 열흘 이상 숙성시켜 숯불에 구워 먹는다. 소고기 외에도 저온 습식 숙성으로 맛을 낸 통삼겹과 통목살을 맛볼 수 있으며, 된장찌개가 아닌 꽃게와 민물새우가 들어있는 토하매운탕이 고기와 함께 나오는 점이 특이하다.

₩ 살치살(180g 2만8천원), 갈빗살(180g 2만2천원), 제주오겹살(180g 1만9천원), 통삼겹살, 통목살(각 180g 1만7천원), 통갈매기살(180g 1만8천원)
11:30~15:00/16:30~23:00 | 토, 일요일 11:30~23:00 – 연중무휴
경기 김포시 김포한강9로12번길 7-15(구래동) 1층
031-981-6227 Ⓟ 가능

카페드첼시 카페

1만평 규모의 야외 정원이 있는 카페. 영국 왕실 소품과 다양한 티포트 다구가 전시되어 있으며 애프터눈 티 코스도 경험할 수 있다. 시그니처 티 세트와 샌드위치, 구움과자, 디저트로 구성된 애프터눈 티세트는 예약제로 운영된다.

₩ 첼시브랙퍼스트, 로얄블랜드, 로즈포총, 얼그레이클래식, 마르코폴로, 웨딩임페리얼(각 8천원), 애프터눈티세트(3만4천원), 우스터해산물파스타(2만1천원), 카비알레파스타, 피니넬라봉골레파스타(각 2만2천원)
10:00~21:00(마지막 주문 20:30) – 연중무휴
경기 김포시 통진읍 김포대로2435번길 107-20
0507-1368-7780 Ⓟ 가능

쿠오체레 CUOCERE 피자 | 파스타

호텔 출신 셰프가 만드는 담백한 화덕 피자와 파스타를 맛볼 수 있다. 피자와 파스타 모두 기본에 충실한, 전통적인 맛이다. 버섯 크림 콘킬리오니, 디아볼라 피자, 비스마르크 피자 등이 추천 메뉴다.

₩ 안티파스티디쿠오체레(1만9천원), 부라타토마토샐러드(1만6천원), 새우비스큐파케리 (2만8천원), 버섯크림콘킬리오니(2만7천원), 아마트리치아나토마토스파게티, 디아볼라, 콰트로포르마지피자(각 1만8천원), 봉골레, 비스마르크피자(각 1만9천원), 한우채끝등심스테이크(200g 5만6천원)
11:00~15:00(마지막 주문 14:00)/17:00~21:00(마지막 주문 20:00) | 토요일 11:30~16:00(마지막주문 15:00)/17:00~21:00(마지막 주문 20:00), 일요일 11:30~16:00(마지막 주문 15:00) – 월요일 휴무
경기 김포시 김포한강1로 240(운양동) 라비드퐁네프 블루동 302호
031-994-3437 Ⓟ 가능(지하주차장 이용)

포지티브스페이스566 POSITIVE SPACE 566 베이커리 | 카페

상당한 규모의 대형 베이커리 겸 카페. 아래층과 위층이 에스컬레이터로 연결되어 있을 정도다. 대형 스크린과 샹들리에 등 화려한 컬러의 인테리어를 감상할 수 있다. 다양한 식사 메뉴는 물론 베이커리도 준비되어 있어 식사와 디저트를 한 곳에 해결할 수 있다.

₩ 잠봉&루콜라피자(2만2천원), 크림불고기리조토(2만4천원), 채끝등심스테이크(4만4천원), 아메리카노(6천8백원), 카페라테(7천5백원), 에이드(8천원)
10:00~22:00(마지막 주문 21:00) – 연중무휴
경기 김포시 검단로 910(감정동) 포지티브 스페이스566 1층
02-333-0008 Ⓟ 가능

한성치킨 프라이드치킨

전국 5대 치킨 중 하나로 이야기될 만큼 맛있는 프라이드치킨을 맛볼 수 있는 곳. 옛날식 프라이드치킨의 바삭함을 느낄 수 있다. 가격이 저렴한 편이며 테이크아웃만 가능하다.

₩ 프라이드치킨(2만2천원), 양념치킨, 반반치킨(각 2만3천원)
13:00~21:30(마지막 주문 21:00) – 월요일 휴무
경기 김포시 양촌읍 석모로73번길 85
031-989-2744 Ⓟ 불가

항만식당 동태

동태탕, 동태내장탕이 유명한 곳. 칼칼한 국물 맛이 일품이며 매운탕과 지리 중에서 선택할 수 있다. 계절별로 바뀌는 밑반찬도

맛깔스러우며 생갈치조림도 인기다. 강화도에서 가까워 강화도를 방문한 사람도 많이 찾아온다.

₩ 동태탕, 동태내장탕(각 9천원, 특 1만1천원), 머리내장탕(1만2천원), 동태내장모둠전골(소 2만8천원, 중 3만8천원, 대 4만8천원)
⏲ 08:00~20:00(마지막 주문 20:00) – 화요일 휴무
Q 경기 김포시 월곶면 김포대로 2954
☎ 031-981-0311 ⓟ 가능

경기도 남양주시

가든갤러리 Garden Gallery 파스타 | 이탈리아식

한강이 바라보이는 정원에서 스테이크, 파스타 등을 즐길 수 있는 이탈리안 레스토랑. 허브 등의 식재료는 직접 재배하고 있으며 허브차 종류도 다양하다. 가을에는 밤을, 겨울에는 모닥불에 고구마를 구워 먹는다. 예약하면 야외에서 뷔페식 바비큐 요리를 즐길 수 있으며 계절별로 각종 연주회 및 문화행사도 열리고 있다.

₩ 텍사스바비큐비프립(800~900g 9만8천원, 1.5~1.7kg 17만8천원), 프로슈토(R 2만2천5백원, L 2만5천원), 만조크림파스타(2만3천5백원), 홍게살크림파스타(2만2천원), 오징어먹물리조토(2만2천5백원)
⏲ 11:00~22:00 – 월요일, 명절 휴무
Q 경기 남양주시 강변북로632번길 57-28(수석동)
☎ 031-566-7777 ⓟ 가능

개성집 국수

오이소박이국수로 유명한 곳. 시원하면서도 단맛이 강해 독특한 맛을 낸다. 사골국물 칼국수 맛도 좋은 편이며 찐만두를 곁들이면 더욱 좋다.

₩ 칼국수, 오이소박이냉국수(각 1만원, 곱빼기 1만2천원), 만둣국, 찐만두(각 1만1천원), 떡만둣국, 칼만둣국(각 1만2천원), 만두전골(중 3만8천원, 대 4만8천원), 녹두전(1만5천원), 도토리묵(중 1만2천원, 대 1만5천원)
⏲ 10:00~15:30/17:00~20:30 | 토, 일요일 10:00~20:30 – 연중무휴
Q 경기 남양주시 와부읍 경강로 876
☎ 031-576-6497 ⓟ 가능

고당 高堂 커피전문점

오래된 한옥에서 마시는 커피 맛이 운치 있다. 방도 마련되어 있어 조용한 분위기에서 핸드드립 커피를 즐길 수 있다. 다양한 원두는 판매도 하고 있다.

₩ 핸드드립커피(8천원~1만원), 에스프레소, 아메리카노, 카페라테(각 8천원), 차(9천원~1만원), 시루떡(1만원), 팥죽(9천원)
⏲ 11:00~22:00(마지막 주문 21:30) | 토, 일요일 11:00~23:00(마지막 주문 22:30) – 명절 당일 휴무
Q 경기 남양주시 조안면 북한강로 121
☎ 031-576-8090 ⓟ 가능

고야 古野 오리

양주골프장 바로 앞에 있는 훈제오리 전문점. 호박에 싸여 나온 훈제오리는 잡내가 없어 부담 없이 먹을 수 있다. 호박오리구이는 시간이 조금 걸리기 때문에 예약해야 한다. 백김치, 버섯, 파래, 총각무, 나물 등의 반찬이 나온다.

₩ 호박오리구이(7만8천원), 훈제오리구이(6만8천원), 대나무밥정식(2만2천원), 대나무밥(8천원)
⏲ 12:00~21:00(마지막 주문 19:30) – 연중무휴
Q 경기 남양주시 화도읍 북한강로 1542
☎ 031-592-1666 ⓟ 가능

고야

광릉돌솥밥 솥밥

즉석에서 따끈하게 지어내는 돌솥밥이 유명한 집으로, 영양솥밥이 대표 메뉴. 스키 시즌이 되면 스키 애호가로 문전성시를 이룬다. 따끈한 돌솥밥에 깔끔한 된장찌개와 시원한 동치미 국물이 일품이다.

₩ 영양솥밥(1만7천원), 영양솥밥+고추장불고기(1인 2만원), 영양솥밥+소고기버섯불고기(1인 2만3천원), 해물솥밥(각 2만원), 전복솥밥(2만2천원)
⏲ 11:00~20:50(마지막 주문 19:50) – 수요일 휴무
Q 경기 남양주시 진접읍 금강로1845번길 1
☎ 031-527-3334 ⓟ 가능

광릉불고기 소불고기 | 돼지불고기 | 돼지고기구이

간판 없는 집으로 유명한 불고기 전문점. 주방 한편에서 숯불에 기름기를 쏙 빼고 구워져 나오는 불고기가 물김치, 열무, 깻잎 등 깔끔한 밑반찬과 잘 어울린다. 반찬은 셀프 바에서 가져다 먹는다. 가격이 저렴한 만큼 백반은 2인 이상 주문 가능하고 고기는 추가 주문을 받지 않는다.

₩ 돼지숯불고기백반(200g 1만2천원), 소숯불고기백반(200g 1만8천

원), 소숯불고기(600g 5만4천원), 돼지숯불고기(600g 3만6천원), 비빔막국수(1만2천원)
🕒 11:00~15:50(마지막 주문 15:00) | 토, 일요일, 공휴일 11:00~20:50(마지막 주문 20:00) – 월요일 휴무
🔍 경기 남양주시 진접읍 광릉내로82번길 40-1
☎ 031-527-6631 Ⓟ 가능

광릉한옥집 소불고기 | 돼지불고기

광양불고기에 메밀쌈을 더한 메뉴로 인기를 끌고 있다. 커다랗게 부친 메밀쌈과 채소, 광양불고기가 함께 나온다. 메밀쌈은 기계로 얇게 부쳐낸 것으로, 여기에 고기와 채소를 올려 둥글게 말면 메밀전병이 된다. 슴슴한 맛의 평양냉면도 인기.

₩ 돼지숯불고기메밀쌈(200g 1만5천원), 소숯불고기메밀쌈(200g 2만6천원), 평양냉면(1만4천원, 곱빼기 1만6천원), 비빔막국수(1만2천원, 곱빼기 1만4천원)
🕒 11:00~15:50(마지막 주문 15:00) | 토, 일요일, 공휴일 11:00~20:50(마지막 주문 20:00) – 화요일, 명절 휴무
🔍 경기 남양주시 진접읍 광릉내로 36 ☎ 031-574-6630 Ⓟ 가능

광천정육점식당 소머리국밥 | 수육

4대에 걸쳐 내려오는 소머리국밥집. 1959년 신선옥이라는 상호로 문을 연 후 현재는 광천정육점식당이란 상호로 영업 중이다. 하루 24시간을 꼬박 삶아낸 국물이 진국이다. 포장판매도 하고 있다.

₩ 소머리국밥(보통 1만2천원, 특 1만4천원), 한우차돌박이(150g 2만5천원), 녹차삼겹살, 목살(각 200g 1만7천원), 육회비빔밥(보통 1만3천원, 특 2만4천원)
🕒 10:30~19:00 – 월요일, 명절 당일 휴무
🔍 경기 남양주시 진접읍 광릉내로 52
☎ 031-527-7002 Ⓟ 가능

기와집순두부조안본점 순두부 | 두부

순두부 전문점으로, 순두부 백반은 양념이나 고명이 전혀 첨가되지 않은 하얀 두부만 나오는 것이 특징이다. 돼지고기, 신김치 등을 넣어 빨간 순두부 스타일로 나오는 칼칼한 콩탕도 좋다.

기와집순두부조안본점

아삭한 겉절이 김치와 곁들여 먹는 제육생두부와 바삭하게 잘 부친 녹두전도 별미다. 60년 된 한옥 기와집을 개조해 4대째 대물림해 사용하고 있어 고풍스러운 분위기다.

₩ 순두부백반, 콩탕백반, 비빔밥(각 1만원), 재래식생두부, 황태양념구이(각 1만2천원), 두부김치, 파전, 녹두전, 도토리묵, 군두부(각 1만5천원), 생두부&수육(2만5천원), 수육(3만원)
🕒 10:30~20:30(마지막 주문 20:00) – 명절 휴무
🔍 경기 남양주시 조안면 북한강로 133
☎ 031-576-9009 Ⓟ 가능

덕소숯불고기 돼지불고기 | 소불고기

숯불에 구운 돼지고기로 유명한 곳. 고기를 얇게 썰어 먹기 편하며 직접 구워서 가져다 준다. 추가 주문은 되지 않기 때문에 처음에 양을 넉넉하게 시켜야 한다. 잡채, 고추볶음, 오이무침, 버섯, 김치볶음 등 반찬도 하나같이 맛있다.

₩ 돼지숯불고기(1인 250g 1만6천원), 고추장삼겹숯불고기(1인 250g 2만원), 소숯불고기(250g 2만2천원), 반다시국수(1만5천원), 물냉면, 메밀국수(각 9천원)
🕒 11:00~15:00/16:00~21:00(마지막 주문 20:00) – 월요일 휴무
🔍 경기 남양주시 와부읍 수레로 213
☎ 031-577-3892 Ⓟ 가능

라온숨 raon soom 카페 | 베이커리

북한강 뷰가 잘 보이는 대형 베이커리 카페. 시그니처 음료는 솔트크림라테와 쑥크림라테. 각 층마다 다양한 콘셉트의 분위기로 꾸며져 있으며, 3층에는 작품을 전시하는 갤러리 공간이 마련되어 있다.

₩ 아메리카노(8천원), 카페라테, 쑥크림라테(각 8천5백원), 솔트크림라테(9천원), 쑥크림빵(5천5백원), 앙버터크루아상(7천5백원), 흑임자롤케이크(8천5백원)
🕒 10:00~22:00 – 연중무휴
🔍 경기 남양주시 화도읍 북한강로 1146
☎ 031-591-3433 Ⓟ 가능

로이테 LEUTE 카페

3층 단독 건물을 사용하는 대형카페. 감각적이고 세련된 외관. 여러 개 나있는 정사각 통유리를 통해 북한강 뷰를 누릴 수 있다. 자전거도로가 테라스와 이어져있으며, 자전거 대여 서비스도 제공한다. 반려동물 동반이 가능하고 2층과 3층은 불편한 손님을 배려한 비반려공간으로 분리해두었다.

₩ 아메리카노(8천원), 카페라테(8천5백원), 토피넛라테(9천5백원), 로이테라테(9천원), 선라이즈, 선셋(각 9천5백원), 에이드(9천원)
🕒 10:00~22:00(마지막 주문 21:30) – 연중무휴
🔍 경기 남양주시 조안면 북한강로 866
☎ 0507-1445-2000 Ⓟ 가능(전용 주차장)

목향원 쌈밥

석쇠불고기를 곁들인 쌈밥정식 하나만을 선보이는 곳. 달착지근한 양념에 잰 고기 맛이 좋으며 불 맛이 살아 있다. 유기농으로 재배한 쌈채소만을 사용하는 것이 특징. 불암산을 한눈에 바라볼 수 있으며 초가집 이엉을 얹어 목가적 분위기를 자아낸다.

₩ 석쇠불고기쌈밥정식(200g 1인 1만8천원), 파전(1만6천원)
10:30~22:00(마지막 주문 21:15) – 연중무휴
경기 남양주시 덕릉로1071번길 34-11
031-527-2255 Ⓟ 가능

바타르 Batard 베이커리

치아바타, 바게트 등 다양한 유럽식 빵을 만날 수 있는 베이커리. 통밀, 보리, 밀을 이용해서 만든 천연발효종을 사용해 풍미와 식감을 살린다. 새콤달콤한 산딸기바게트가 대표 메뉴며 씹으면 씹을수록 맛이 퍼져 나오는 기본 식사빵 등도 추천한다.

₩ 산딸기바게트, 찰보리시금치치아바타(각 3천2백원), 요거크림치즈빵(1천8백원), 밤식빵(3천5백원), 앙버터(3천5백원), 초코브리오슈(2천5백원)
08:00~16:00(재료 소진 시 마감) – 월요일 휴무
경기 남양주시 천마산로 64(호평동) 106호
031-592-0459 Ⓟ 불가

백련 白蓮 닭백숙 | 바비큐

한가로운 전원 속에 위치한 곳으로, 실내 좌석뿐만 아니라 야외 정원에서 바비큐를 즐길 수 있다. 텃밭에서 직접 기른 신선한 채소가 기본으로 제공되며, 직접 키운 토종닭으로 만든 닭백숙의 맛도 일품이다.

₩ 모둠숯불구이(2인 4만8천원), 숯불구이삼겹살(400g 3만4천원), 오리복음탕, 오리백숙(각 7만원), 닭백숙, 닭볶음탕(각 6만원)
12:10~23:00 – 월요일 휴무
경기 남양주시 별내면 용암제청말길 121
031-841-6588 Ⓟ 가능

뷰66 VIEW66 크루아상 | 카페 | 베이커리

북한강변에 위치한 전망 좋은 대형 카페. 넓은 매장에서 다양한 음료와 파스타, 샌드위치, 디저트를 즐길 수 있다. 창가 자리에서는 북한강을 감상할 수 있으며, 카페 외부에는 차양막 아래서 잔디를 즐길 수 있는 자리도 마련되어 있다. 루프탑에서는 하늘 풍경을 즐길 수 있다.

₩ 아메리카노(8천원), 카페라테, 생강레몬차, 흑임크림라테, 문경오미자차/에이드, 플랫화이트(각 9천원), 바닐라빈라테(9천5백원), 핸드드립커피(1만원), 햄치즈크루아상샌드위치(8천5백원)
10:00~22:00(마지막 주문 21:30) | 토요일 10:00~23:00(마지막 주문 22:30) – 연중무휴
경기 남양주시 강변북로632번길 66(수석동)
031-559-5550 Ⓟ 가능

브레드쏭 breadssong 카페 | 베이커리

한강이 한눈에 보이는 루프탑이 있는 카페. 프랑스산 최상급 버터를 이용해 직접 구운 빵과 커피와 함께 즐길 수 있다.

₩ 아메리카노(6천원), 바닐라라테(6천8백원), 샷그린티라테(7천8백원), 브레드정식(1만6천8백원), 크루아상(4천원), 찰옥수수크림빵(6천8백원), 생마늘바게트(5천8백원)
10:00~24:00 – 연중무휴
경기 남양주시 와부읍 경강로926번길 15
031-576-8522 Ⓟ 가능

빵에갸또 Pains et Gâteaux 베이커리

20년 경력의 프랑스인 셰프가 직접 만드는 빵과 과자들을 선보이는 곳으로, 수준 높은 전통 프랑스식 빵과 다양한 음료를 맛볼 수 있다. 주차 공간이 협소하니, 대중교통을 이용할 것을 추천한다.

₩ 밀푀유캐러멜, 데지르시크레(각 8천5백원), 장봉치즈바게트샌드위치, 리코타프로슈토바게트샌드위치(각 8천8백원), 마르크폴로, 웨딩임페리얼(각 7천5백원)
08:30~22:00 | 금, 토요일 08:30~22:30 – 연중무휴
경기 남양주시 두물로39번길 25(별내동)
031-528-6424 Ⓟ 가능

삼대째손두부 순두부 | 두부

남양주에서 손꼽히는 두부요리 전문점. 고소하고 부드러운 두부 맛이 좋다. 두부를 이용해 다양한 요리를 선보이고 있으며 그중 얼큰한 두부해물전골이 인기다. 식사 후 계산대 옆에서 두부와 콩비지를 1인분씩 포장해서 서비스로 나눠주고 있으며, 모든 요리는 포장도 가능하다.

₩ 순두부(각 9천원), 두부해물전골(소 3만2천원, 중 3만6천원, 대 4만원), 두부해물찜, 두부아구찜(중 4만5천원, 대 4만9천원)
10:00~22:00 – 명절 휴무
경기 남양주시 오남읍 진건오남로 531
031-573-0573 Ⓟ 가능

설하식당 돼지갈비찜 | 소갈비

부모님의 농장에서 나는 채소와 과일 등 좋은 재료를 사용하는 곳. 치악산 장인이 구워낸 참숯으로 완벌해 내는 숯불구이 메뉴와 매운돼지갈비찜이 준비되어 있다. 정갈한 밑반찬도 입맛을 돋운다.

₩ 매운돼지갈비찜(1만6천원), 묵은지매운돼지갈비찜(1만8천원), 설하스페셜(500g 5만2천원), 소고기된장찌개(6천원)
11:30~15:30/17:00~21:00 – 화요일 휴무
경기 남양주시 조안면 북한강로855번길 81
031-576-3336 Ⓟ 가능

쉐프맥나인 chefmac9 피자 | 파스타 | 이탈리아식

화덕 피자와 파스타를 맛볼 수 있는 분위기 좋은 이탈리아 레스토랑. 해산물과 토마토소스가 들어간 디마레 파스타와 체더치즈, 모차렐라, 리코타, 고르곤졸라가 들어간 콰트로 화덕 피자를 선보인다.

₩ 맥나인샐러드(1만5천원), 콰트로화덕피자, 파네(각 1만7천9백원), 토마토아라비아타, 디마레(각 1만6천9백원), 트러플크림리조토, 로제문어리조토(각 1만8천9백원)

🕒 11:00~15:00(마지막 주문 14:00)/17:00~21:00(마지막 주문 20:00) – 수요일 휴무

🔍 경기 남양주시 천마산로 21(호평동) 스마트스퀘어 1층

☎ 070-7762-3003 Ⓟ 가능

어랑손만두국 만두

정통 이북식 만두의 맛을 보여주는 곳. 식당 이름은 주인의 고향인 함경북도 어랑의 지명에서 따온 것이다. 직접 담근 포기김치와 콩나물국처럼 시원하고 감칠맛이 나는 만두 국물이 일품. 어랑뚝배기는 만두를 터뜨려 뚝배기에 담고 국물을 부어 육개장처럼 얼큰하게 끓여낸 것이다.

₩ 손만둣국, 어랑뚝배기, 도시락만두, 녹두빈대떡(각 1만2천원), 어랑전골(3만5원)

🕒 08:00~21:00(마지막 주문 20:30) – 연중무휴

🔍 경기 남양주시 경춘로 1084-25(금곡동)

☎ 031-592-2959 Ⓟ 가능

어랑손만두국

예봉산더덕집 일반한식

더덕이 들어간 온갖 요리를 맛볼 수 있는 곳이다. 더덕이 들어간 백숙, 닭볶음탕, 옻닭은 토종닭을 사용하여 양이 상당하다. 더덕 막걸리까지 있어 더덕을 맘껏 즐길 수 있다.

₩ 더덕토종닭백숙, 더덕오리백숙, 더덕닭볶음탕, 더덕옻닭(각 8만원)

🕒 전화로 확인 후, 예약 후 방문 – 비정기적 휴무

🔍 경기 남양주시 와부읍 팔당로139번길 43

☎ 031-521-4286 Ⓟ 가능

오뵈르 Au beurre 베이커리

크루아상을 비롯한 프랑스 빵을 전문으로 하는 곳. 기본 베이스의 빵들이 버터 향이 깊고 진하며 결의 바삭함이 살아 있다. 유자 맛 몽블랑인 유즈 블랑, 에쉬레 버터를 사용한 소금빵이 추천 메뉴. 직접 만드는 로열밀크티를 곁들여도 좋다. 금요일과 일요일에는 베이킹 클래스도 진행하고 있다.

₩ 소금빵(2천8백원), 피낭시에(2천4백원), 팽오쇼콜라(4천9백원), 오뵈르크루아상(3천6백원), 바닐라크림크루아상(6천원), 퀸아망(3천8백원), 유즈블랑(5천2백원), 아메리카노(3천원), 로얄밀크티(5천5백원)

🕒 10:00~20:00 | 토, 일요일 10:30~20:00 – 목요일 휴무

🔍 경기 남양주시 순화궁로 249(별내동) B-117호

☎ 010-8232-6440 Ⓟ 가능

온고재 피자 | 파스타

팔당대교 인근의 이탈리안 레스토랑. 전통 한옥에서 식사를 즐길 수 있으며, 참나무로 구워 쫀득하고 깊은 풍미의 도우를 가진 화덕 피자를 선보이고 있다. 매월 변동되는 휴무일은 홈페이지에서 참고할 수 있다.

₩ 가지토마토피자(2만5천원), 콰트로포르마지피자(2만4천원), 풍기크레마파스타(2만6천원), 마르게리타(2만2천원)

🕒 10:30~15:30/17:00~21:00(마지막 주문 20:30) – 연중무휴

🔍 경기 남양주시 와부읍 팔당로139번길 19-29

☎ 031-577-8702 Ⓟ 가능

왈츠와닥터만

Waltz and Dr.Mahn 이탈리아식 | 커피전문점

북한강변에 있어 전망이 좋은 곳이다. 왈츠는 20여 년 전 서울 시내에 원두커피 붐을 일으켰던 커피 전문점의 이름이기도 하다. 볶음 커피의 생명이라 할 수 있는 생두의 선별 구입에 비용과 시간을 아끼지 않고 있다.

₩ 핸드드립커피(1만5천원~3만원), 디저트(9천원~2만5천원), 런치코스(6만9천원), 디너코스(10만5천원)

🕒 11:00~21:00(마지막 주문 20:00) | 토요일 11:00~22:00(마지막 주문 21:00) – 연중무휴

🔍 경기 남양주시 조안면 북한강로 856-37

☎ 031-576-0020 Ⓟ 가능

원조천마산곰탕 우족탕 | 곰탕 | 수육

걸쭉한 스타일의 곰탕을 내는 집. 깻잎, 장아찌(오복채), 깍두기 등의 반찬이 맛있다. 특히 장아찌 맛이 일품이다. 임금탕은 양을 채 썰어 즙을 낸 후 사골국물과 함께 끓이는 탕으로 맛이 독특하다.

₩ 천마곰탕(1만6천원, 특 1만9천원), 임금탕(1만7천원), 얼큰곰탕, 도가니탕(각 1만9천원), 우설수육(5만2천원), 수육(소 3만8천원, 대 5만8천원), 도가니수육(5만8천원)

🕒 09:00~21:00 – 명절 당일 휴무

경기 남양주시 마치로 17(호평동)
031-591-3657 Ⓟ 가능

진미오리구이 오리

비닐하우스에서 간장 양념을 묻힌 오리를 숯불에 구워 먹는다. 오리도 직접 기른 것을 사용하고 부추나 들기름 같은 양념도 직접 재배한 것을 쓰거나 주변의 농가에서 구매한다. 식사로 내는 매콤한 비빔국수는 오리를 먹고 난 뒤 남아 있는 느끼함을 잡아준다.

₩ 오리숯불주물럭(700g 4만5천원, 1kg 5만5천원), 비빔국수(7천원)
11:00~21:00 | 토, 일요일 11:00~15:30/16:20~21:00 – 화요일, 명절 휴무
경기 남양주시 와부읍 석실로율석길 58
031-577-5292 Ⓟ 가능

착륙 닭구이

세련되고 깔끔한 분위기의 공간. 화로에 직화로 구운 부위 별 닭고기를 맛볼 수 있는 곳이다. 모둠에는 안심, 염통, 근위, 닭다리살, 날개살 등이 나온다. 부위마다 식감이 다르며, 구워진 닭고기를 명란 마늘 기름장에 찍어 먹는 맛이 별미다.

₩ 특수부위세트(850g 5만원), 커플세트(500g 3만5천원), 닭해장전골(2만4천원), 저염특명란구이(1만2천원), 들기름낙지젓카펠리니(1만1천원), 누룽지된장찌개(8천원), 백김치말이국수(7천원)
16:00~23:00(마지막 주문 21:30) | 토, 일요일 14:00~23:00(마지막 주문 21:30) – 연중무휴
경기 남양주시 다산중앙로82번안길 85-2 1층
070-4116-7389 Ⓟ 가능(협소)

초대 한정식

한강변에 있는 전망이 좋은 한정식집으로, 두 개의 건물로 이루어져 있다. 깔끔하게 현대화된 한정식 코스를 즐길 수 있다. 초대정식은 낮에만 주문할 수 있으며 주말에는 예약이 필수다. 식사 후에는 넓은 정원에서 강을 바라다보며 차 한잔하기 좋다.

₩ 초대정식(2만7천원), 친구상차림(3만2천원), 연인상차림(4만2천원), 은혜상차림(6만원) 어린이정식(1만원)
11:30~14:20/15:10~21:10(마지막 주문 20:00) – 명절 휴무
경기 남양주시 강변북로632번길 6-45(수석동)
031-555-7318 Ⓟ 가능

카페소유 Cafe So, you 카페 | 베이커리

서울 근교 드라이브 하며 찾기 좋은 베이커리 카페. 커피템플의 김사홍 바리스타가 로스팅한 원두를 사용하며, 소유라테가 시그니처 음료다. 넓은 실내와 2, 3층의 야외 테라스로 쾌적한 느낌을 준다. 별관에는 흰 벽면 스크린에 영상을 볼 수 있는 공간도 있어 연인들이 데이드 고스로 많이 찾는다.

₩ 오곡라테(7천원), 에스프레소, 아메리카노(각 5천9백원), 소유라테(7천원), 아인슈페너, 바닐라라테, 크림블아포가토(각 7천원), 플랫화이트, 카페라테(각 6천5백원), 싱글오리진(8천원)
10:00~01:00(익일) | 금, 토요일 10:00~03:00(익일) – 연중무휴
경기 남양주시 순화궁로 729-11(별내동)
031-571-2286 Ⓟ 가능

키스톤스피시즈 베이커리

테라스석과 루프탑이 마련된 대형 베이커리 카페. 베이커리는 소금 빵을 시그니처 메뉴로 맛볼 수 있다. 음료도 헤이즐넛 베이스에 에스프레소, 직접 만든 크림이 올라간 너티크림, 생딸기와 우유를 퓌레 후 직접 만든 크림을 올린 핑크라테 등 다양하다. 건물 3층과 4층은 노 키즈존으로 운영되며, 반려동물 동반은 야외 좌석만 가능하다.

₩ 말차슈페너, 밤고구마라테, 핑크라테(각 7천5백원), 너티크림, 크림모카(각 7천원), 아메리카노(5천5백원), 소금이(3천원), 딸기크림크루아상(6천5백원)
10:00~22:00(마지막 주문 21:00) – 연중무휴
경기 남양주시 경춘로 1104-2
070-8887-1104 Ⓟ 가능

태능숯불갈비 소갈비 | 돼지갈비

50여 년의 역사를 자랑하는 돼지갈빗집. 갈매동에서 오래 운영하다 재개발로 인해 청학리로 이전하였다. 간장 양념에 고춧가루를 살짝 뿌린 것이 특징. 고기를 먹은 뒤에는 시래깃국에 김치를 반찬으로 하여 밥 한 공기로 식사를 마무리한다.

₩ 돼지갈비(250g 1만9천원), 돼지왕갈비(300g 1만9천원), 양념소갈비(350g 3만원), 냉면(6천원), 갈비탕(뼈1 9천원, 뼈2 1만2천원)
11:00~21:30 – 연중무휴
경기 남양주시 별내면 순화궁로 992-20
031-572-6652 Ⓟ 가능

태릉허참갈비 소갈비 | 삼겹살 | 돼지갈비

40여 년 전통의 돼지갈빗집. 갈비의 육질이 부드럽고 달콤한 양념이 잘 배어 있으며 소갈비, 생삼겹살 등도 선보인다. 밑반찬으로 나오는 게장무침의 칼칼한 맛이 좋다.

₩ 참배돼지갈비(250g 1만9천원), 생삼겹살(180g 2만1천원), 소생갈비(250g 3만6천원), 소양념갈비(250g 3만4천원), 김치찌개(8천원), 우거지갈비탕(1만원)
11:00~22:00 – 연중무휴
경기 남양주시 불암산로 30(별내동)
031-527-2290 Ⓟ 가능

토리코코로 とりこころ 라멘

진하게 우린 닭 육수를 맛볼 수 있는 일본 라멘 전문점으로, 자가제면한 면을 사용한다. 진하지만 닭 육수 베이스여서 담백한 맛이다. 양이 부족할 경우 공기밥을 무료로 추가할 수 있다.

₩ 쇼유라멘, 시오라멘, 카라이미소라멘, 마제소바, 탄탄멘, 마제메시(각 8천5백원)

Ⓒ 10:00~21:00 – 토요일 휴무
Q 경기 남양주시 불암로 25-39
☎ 010-6442-1892 Ⓟ 가능

평창갈비 소갈비 | 돼지갈비

천마산 등산로에서 유명한 대형 갈비 전문점. 미국산을 비롯해 질 좋은 한우갈비를 맛볼 수 있으며 점심에는 비교적 저렴한 가격에 정식 메뉴를 즐길 수 있다. 본관과 별관까지 있어 가족끼리 외식하기에도 좋다.

Ⓦ 한우숯불생갈비(170g 8만5천원), 미국산생갈비(170g 4만7천원), 한우숯불양념갈비(210g 6만9천원), 미국산숯불양념갈비(300g 3만8천원), 런치정식스페셜(2만2천원~3만5천원)
Ⓒ 11:00~15:00/17:00~22:00 – 연중무휴
Q 경기 남양주시 화도읍 묵현로 95
☎ 031-594-9933 Ⓟ 가능

하백 카페 | 베이커리

통유리창 밖으로 북한강 뷰가 잘 보이는 대형 베이커리 카페. 직접 로스팅한 싱글 오리진 원두로 스페셜티 커피를 선보이며, 유기농 밀가루와 프랑스산 고급 버터를 사용한 빵을 만든다. 야외 테라스에서 운치를 즐기기도 좋은 곳.

Ⓦ 오로라레몬에이드(8천8백원), 연유크런치라테(9천2백원), 에스프레소(7천원~7천7백원), 아메리카노(8천원~8천7백원), 카페라테(8천5백원), 크루아상(8천1백원~8천8백원), 먹물더블치즈(6천3백원), 트로피칼에이드(9천원),
Ⓒ 09:00~24:00(마지막 주문 23:45) – 월요일 휴무
Q 경기 남양주시 화도읍 북한강로 1136
☎ 031-521-1234 Ⓟ 가능

하술 HASUL 이자카야

아늑한 분위기의 유럽형 이자카야. 워커힐호텔 15년 경력의 셰프가 운영하는 곳이다. 하술에서 선보이는 훈제연어는 저온에서 특제 염장법과 참나무로 훈연하는 것이 특징이며, 그릴 향 가득한 메로구이도 추천할 만한 메뉴.

Ⓦ 숙성생연어사시미(2만6천원), 수제훈제연어(2만4천원~3만2천원), 참다랑어사시미(3만6천원), 메로구이(2만6천원), 모시조개술찜(1만7천5백원), 닭다리살꼬치구이(1만6천원)
Ⓒ 17:00~02:30(익일)(마지막 주문 02:00) | 토요일 17:00~03:00(익일) – 일요일 휴무
Q 경기 남양주시 다산중앙로123번길 9(다산동) 로데오프라자 2층 202호
☎ 031-524-9935 Ⓟ 불가

황토마당 민물매운탕 | 장어

장어요리를 전문으로 하지만 닭볶음탕과 민물고기매운탕도 잘하는 곳이다. 반찬 종류가 많지는 않지만 하나하나 맛있다. 벤치가 군데군데 있는 넓은 정원과 연꽃이 피어 있는 산책로가 아름답다. 3대째 내려오는 전통 있는 집이다.

Ⓦ 장어구이(2인 이상, 1인 3만9천원), 메기매운탕(소 4만원, 중 5만5천원, 대 7만원), 빠가사리매운탕(소 5만원, 중 7만원, 대 9만원), 닭볶음탕(2인 4만2천원, 3인 6만원)
Ⓒ 11:00~15:00/16:00~20:30(마지막 주문 19:30) – 화요일, 명절 휴무
Q 경기 남양주시 조안면 다산로 759
☎ 031-576-8087 Ⓟ 가능

경기도 동두천시

넓은공간 일반한식 | 산채비빔밥

소요산 등산로 초입에 자리한 토속음식점. 파전, 도토리묵, 더덕구이 등 다양한 메뉴와 함께 동동주를 즐기는 사람이 많다. 50년 가까운 역사를 자랑하는 곳.

Ⓦ 산채비빔밥(1만원), 도토리묵(1만5천원), 더덕구이(1만9천원), 감자전(1만2천원), 해물파전(1만9천원)
Ⓒ 09:00~23:00 – 연중무휴
Q 경기 동두천시 평화로2910번길 82(상봉암동)
☎ 031-865-6787 Ⓟ 가능

도너츠윤본점 donutsyoon 카페 | 도넛

크림찹쌀 도넛을 처음으로 만들어 유명해진 곳이다. 찹쌀 도넛 속에는 딸기, 고구마, 누텔라 등 다양한 맛의 크림이 듬뿍 들어 있다. 인기 메뉴는 크림치즈와 콩크림 도넛. 선물용 박스도 여러 가격대로 준비되어 있다.

Ⓦ 크림도넛(9개 1만6천원, 16개 2만8천원), 맛보기박스(7천원), 모둠박스(1만4천원), 콩크림찹쌀도넛, 고구마크림찹쌀도넛, 유자크림찹쌀도넛, 팥크림찹쌀도넛, 크림치즈찹쌀도넛(각 1천9백원), 미니찹쌀도넛(10개3천5백원), 아메리카노(3천5백원), 카페라테(4천원), 바닐라라

도너츠윤본점

테(4천5백원)
⏲ 10:00~22:00 – 연중무휴
🔍 경기 동두천시 벌마들로 26-16
☎ 070-5143-8156 Ⓟ 가능

매초약선 오리

오리단호박구이로 유명한 곳. 커다란 단호박 안에 먹기 좋게 손질한 오리구이가 들어 있으며 무화과, 버섯, 건포도 등이 맛을 더한다. 달콤한 맛이 일품. 식사 후에 고소한 들깨칼국수가 나와 푸짐하게 식사할 수 있다.

₩ 오리단호박구이(2인 4만원, 4인 7만3천원), 오리훈제찜(4인 6만9천원), 오리연훈제(중 4만3천원 대 5만3천원), 수제비(1만원)
⏲ 10:30~21:00 – 명절 휴무
🔍 경기 동두천시 삼육사로 1324-15(탑동동)
☎ 031-859-1112 Ⓟ 가능

생연칼국수삼계탕 삼계탕 | 칼국수

조개를 끓여 만든 육수에 수제비를 넣어 만드는 칼국수 국물 맛이 시원하다. 또 다른 별미로는 삼계탕이 있는데 닭을 삶을 때 육수 대신 생수를 넣는 것이 특징이다. 동두천의 물맛이 좋기 때문이라고 한다. 아늑한 분위기를 느낄 수 있으며, 50여 년의 역사를 자랑한다.

₩ 칼국수(9천원), 삼계탕(1만5천원), 오골계(2만7천원)
⏲ 09:30~21:30(마지막 주문 21:00) – 명절 당일 휴무
🔍 경기 동두천시 생연로 124(생연동) ☎ 031-865-2011 Ⓟ 가능

소담골 닭백숙 | 돼지등갈비

전원 분위기가 물씬 나는 곳으로, 등갈비, 산채비빔밥, 닭백숙 등 다양한 메뉴를 맛볼 수 있다. 대표 메뉴는 등갈비로, 미리 익힌 다음 소스를 걸쭉하게 발라서 가져다준다. 새콤매콤한 양념 맛이 좋으며 깔끔한 국물의 백숙도 인기다.

₩ 등갈비(100g 2만8천원), 묵은지갈비찜(1인 1만6천원), 토종닭능이상황백숙, 오리능이상황백숙(각 9만원)
⏲ 10:00~20:00(마지막 주문 19:30) – 명절 휴무
🔍 경기 동두천시 평화로2910번길 148-24(상봉암동)
☎ 031-867-5999 Ⓟ 가능(소요산 주차장 주차비 2천원 지원)

송월관 소떡갈비

떡갈비는 갈빗살을 잘게 다진 다음 마늘, 파, 후추, 참기름, 설탕 등 갖은 양념을 한 후 갈빗대에 빈대떡처럼 두툼하게 붙여서 석쇠에 한 번 구운 후 다시 달군 놋쇠 판에 구워낸다. 씹히는 육질이 쫀득거리면서도 부드럽다. 50여 년이 넘는 역사를 자랑한다.

₩ 떡갈비(2인 이상, 1인 270g 2만8천원), 매운떡갈비 (2인이상 1인 270g 2만9천원), 갈비탕(1만5천원)
⏲ 11:30~15:30/17:00~20:30 – 둘째, 넷째 주 화요일 휴무
🔍 경기 동두천시 큰시장로 28-10(생연동)
☎ 031-865-2428 Ⓟ 가능

아리랑갈비 소고기구이 | 소갈비 | 돼지갈비

동두천에서 유명한 대규모 고기구이 전문점. 룸이 있는 널찍한 실내 공간으로, 가족 외식이나 모임 장소로 많이 이용된다. 한돈 명품돼지갈비를 비롯한 다양한 구이 메뉴를 맛볼 수 있으며, 한 상 가득한 곁들이 반찬이 나온다.

₩ 한우꽃등심(150g 5만2천원), 소왕갈비(300g 3만9천원), 아리랑소갈비(300g 3만5천원), 한돈명품돼지갈비(300g 2만5천원)
⏲ 11:00~22:00(마지막 주문 21:30) – 연중무휴
🔍 경기 동두천시 평화로2261번길 36(지행동)
☎ 031-868-2435 Ⓟ 가능

오륙하우스 56HOUSE 양식 | 경양식

역사가 50년이 넘는 곳으로, 클래식한 분위기를 느낄 수 있는 양식집이다. 60년대에 유행했던 경양식 스타일로 시작했지만, 지금은 스테이크, 햄버거, 스파게티 등의 양식을 만날 수 있다. 입구의 수족관에는 살아 있는 바닷가재도 있다. 옛 추억을 떠올리게 하는 56하우스정식이 추천 메뉴다.

₩ 56하우스정식(1만8천원), 햄버그스테이크(1만9천원), 56하우스스페셜(3만5천원), 킹버거(7천원)
⏲ 11:30~21:00(마지막 주문 20:00) – 수요일 휴무
🔍 경기 동두천시 상패로 210-9(보산동)
☎ 031-865-5656 Ⓟ 가능

유정부대찌개 부대찌개

부대찌개 전문점이다. 미군 부대 인근에서 수입품 햄과 소시지를 구해 재료로 사용한다. 훈제 돼지고기를 솥뚜껑에 구워 먹기도 한다. 양이 매우 푸짐하다.

₩ 부대찌개(1만원), 소시지사리(4천원)
⏲ 10:30~21:00(마지막 주문 20:30) – 명절 휴무
🔍 경기 동두천시 평화로 2718(동두천동)
☎ 031-863-4491 Ⓟ 가능

진미옥 설렁탕 | 수육

동두천에서 유명한 설렁탕집. 동두천 도축장에서 생산되는 한우를 사용하며 국물이 맑고 깔끔한 것이 특징이다. 소머리, 양지, 사골, 등뼈 등을 12시간 동안 끓인다. 당일 생산한 재료로 당일 판매하고 있다.

₩ 설렁탕(1만원, 특 1만5천원), 양지설렁탕(1만5천원), 수육(3만원), 양지수육(3만5천원), 수육전골찜(소 5만원, 대 6만원)
⏲ 07:00~21:00 – 첫번째, 세번째 화요일, 명절 당일 휴무
🔍 경기 동두천시 생연로 185-1(생연동)
☎ 031-865-3626 Ⓟ 가능

평남면옥 평양냉면 | 수육

동치미막국수와 수메밀냉면의 맛을 이어온 70여 년 전통의 냉면집. 면발이 희고 부드러우며 메밀 냄새가 진하다. 한우 양지를 삶은 냉면 육수에 기름을 걷어낸 후 동치미 국물, 꿩고기 국물

을 가미하여 평고기 경단을 올린다. 겨자에 고기를 무친 겨자무침이 별미로 통한다.

₩ 물냉면, 비빔냉면(각 1만1천원), 온면, 온반(각 1만2천원), 돼지고기편육(2만2천원), 돼지고기겨자무침(4만원), 소고기편육(3만8천원), 소고기겨자무침(5만원)

🕒 11:30~21:00 – 연중무휴

🔍 경기 동두천시 생연로 127(생연동)

☎ 031-865-2413 Ⓟ 가능

호수식당 부대찌개

동두천에서는 유명한 부대찌개 원조집 중 하나. 쑥갓을 많이 넣고 사리로 당면을 넣는 것이 특징이다. 부대볶음은 국물의 양이 적고 양파 등의 채소가 많이 들어가 있다. 저녁때는 줄을 서야 할 정도로 손님이 많다.

₩ 부대찌개(9천원), 부대볶음(1만원), 사리(1천원~5천원)

🕒 09:00~21:30 – 둘째, 넷째 주 일요일, 명절 휴무

🔍 경기 동두천시 중앙로 312(생연동)

☎ 031-865-3324 Ⓟ 불가

황주생고기 소불고기 | 소고기구이

석쇠를 사용하여 구운 불고기 맛이 일품으로, 주인 할아버지의 고향인 황해도 황주식이라고 한다. 불고기 외에도 소고기를 구워 먹을 수 있는데, 모둠을 시키면 차돌, 부채살, 재비, 치맛살 등이 나온다. 고기를 먹은 후에는 동치미국수로 마무리한다. 50년 넘는 전통을 자랑한다.

₩ 한우불고기(250g 3만6천원), 생등심, 모둠(각 250g 4만7천원), 육사시미(200g 4만7천원), 제비추리, 치맛살(각 200g 5만원), 토시살, 안창살(각 200g 6만원), 국수(6천원)

🕒 11:00~22:30 – 명절 휴무

🔍 경기 동두천시 생연로 142(생연동)

☎ 031-865-2026 Ⓟ 가능

경기도 부천시

강원한방토종삼계탕 🎀 삼계탕

부천에서 가장 유명한 삼계탕집. 말간 국물이 아니라 약간 걸쭉한 편이다. 토종닭이 쫄깃하며 양파무침을 곁들이면 더욱 맛있다. 반찬이 깔끔하며 추가 반찬은 셀프로 가져다 먹는다. 삼계탕을 주문하면 인삼주가 함께 나온다.

₩ 한방삼계탕(1만7천원), 한방옻계탕(1만9천원)

🕒 11:00~22:00 | 복날 10:30~22:00(마지막 주문 21:00) – 명절 휴무

🔍 경기 부천시 부일로237번길 23(상동) 테마프라자 2층

☎ 032-325-9119 Ⓟ 가능

김정수할머니메밀옹심이보쌈 막국수 | 감자옹심이

강원도에서 유명했던 막국수가 부천으로 와서 다시 시작한 곳. 강원도 스타일 막국수의 진미를 느낄 수 있다. 막국수와 함께 나오는 동치미 육수를 듬뿍 부어서 먹는 것이 맛의 비결이다. 고소한 메밀전을 곁들여도 좋다. 쫄깃한 감자옹심이도 별미.

₩ 막국수, 메밀부침개(각 9천원), 감자옹심이(1만2천원), 옹심이칼국수(2인 2만4천원), 보쌈(소 2만6천원, 중 3만9천원)

🕒 11:00~15:00/16:00~19:30(마지막 주문 18:40) – 월요일 휴무(공휴일 제외)

🔍 경기 부천시 원미구 길주로560번길 48

☎ 032-673-1150 Ⓟ 가능

나리스키친 🎀

NaLee's Kitchen 피자 | 파스타 | 이탈리아식

김포에서 유명한 나리병원에서 운영하는 이탈리안 레스토랑. 참나무 장작 화덕에서 구운 피자와 파스타, 스테이크 등을 다양하게 즐길 수 있다.

₩ 파스타(2만1천8백원~5만3천8백원), 피자(2만4천8백원~3만2천8백원), 코스(1인 6만9천9백원~11만8천원), 세트(2인 11만8천원~13만8천원, 4인 19만8천원~28만8천원)

🕒 11:30~14:30/17:00~23:00(마지막 주문 14:20, 21:30) | 토, 일요일 11:00~15:30/17:00~22:00(마지막 주문 15:20, 21:10) – 명절 당일 휴무

🔍 경기 부천시 신흥로 150(중동) 위브더스테이트 702동 110호

☎ 032-620-5690 Ⓟ 가능

델레니오 DELENIO 파스타 | 이탈리아식 | 와인바

뷰가 좋은 이탈리안 레스토랑으로, 한쪽 벽면이 유리창으로 되어 있어 탁 트인 전망을 자랑한다. 안티 파스토와 메인, 디저트까지 메뉴가 잘 갖춰져 있다. 라구 소스와 베사멜소스로 만드는 라자냐, 설봉 감자로 만든 뇨키가 인기 메뉴. 와인 종류도 많은 편이다.

₩ 에밀리아로마냐라자냐(2만8천원), 뇨키디파타테(2만3천원), 샤또브리앙필레미뇽(10만원)
⏲ 12:00~15:00/17:00~24:00(마지막 주문 22:00) – 월요일 휴무
🔍 경기 부천시 길주로 234(중동) 힐스테이트 중동 힐스에비뉴 상가 3층 3033호
☎ 032-323-0724 Ⓟ 가능

돈가스온기 일식돈가스

일본식 돈가스를 파는 곳. 히레치즈모둠이 인기며, 새우를 추가하는 것도 추천할 만하다. 당일 판매할 분량(평균 60인분)만 손질하기 때문에 재료 소진 시 조기 마감될 수 있다.

₩ 로스히레모둠, 히레치킨모둠(각 1만2천원), 히레치즈모둠(1만2천5백원), 히레가스(1만2천원)
⏲ 11:00~14:00/17:00~19:30 – 토, 일요일, 첫 번째 월요일 휴무
🔍 경기 부천시 송내대로74번길 23(상동) 양지프라자
☎ 032-324-4450 Ⓟ 불가

디몰토 Di Molto 피자 | 파스타

천연발효종을 사용해 저온으로 장기 발효한 도우 피자와 생면 파스타를 선보이는 이탈리안 레스토랑. 매일 아침 직접 생면을 만든다. 제주산 딱새우소스파스타가 인기 메뉴. 모던하면서도 따뜻한 나무 감성의 내부 인테리어와 야외 테라스석을 갖추고 있다.

₩ 트러플크림뇨키(1만8천9백원), 제주딱새우소스먹물파스타, 포르치니머시룸크림파스타(각 1만3천9백원), 프로슈토루콜라피자(9천3백원), 알리오올리오파스타(1만1천9백원), 우니보타르가파스타(2만1천9백원)
⏲ 샐러드와 음료 09:00~11:00 | 11:00~21:00 – 월요일 휴무
🔍 경기 부천시 원종로79번길 24(원종동) 1층
☎ 010-6820-3529 Ⓟ 가능

땅차커피드립바 커피전문점

아늑한 분위기의 핸드드립 커피 전문점. 커피 바를 콘셉트로 하며 직접 로스팅한 원두를 핸드드립으로 내려준다. 원두에 대해 물어보면 친절하게 설명해주며 매장 곳곳에 있는 커피 설명을 둘러보는 재미도 있다.

₩ 핸드드립커피(3천원~7천원), 땅차바닐라, 카페오레, 더치커피(각 3천5백원~4천5백원), 카푸치노(3천5백원), 비엔나커피(4천5백원)
⏲ 10:00~21:00 | 토요일 12:00~21:00 | 일요일 12:00~20:00 – 명절 당일 휴무
🔍 경기 부천시 부흥로315번길 27(중동) 와이즈빌딩 103, 104호
☎ 032-321-4879 Ⓟ 불가

마므레크로와상

mamre croissant 크루아상 | 베이커리

마곡에서 인기를 끌었던 크루아상 전문점으로, 최근 부천으로 이전 오픈하였다. 플레인 외에도 얼그레이, 소시지 등 다양한 종류의 크루아상을 맛볼 수 있다. 소금빵, 에그타르트 등도 준비되어 있다.

₩ 크루아상(3천5백원), 얼그레이크루아상(4천원), 소금빵(3천원), 에그타르트(3천5백원), 올리브크루아상, 산딸기아몬드크루아상(각 4천5백원)
⏲ 10:00~20:00(재료 소진 시 마감) – 일, 월요일 휴무
🔍 경기 부천시 상동로 83 그랜드프라자 106호
☎ 010-8777-2270 Ⓟ 가능

묵향 한정식

정갈한 음식을 내는 한정식집. 점심에 방문하면 저렴한 가격에 한정식을 즐길 수 있다. 음식이 깔끔하고 맛깔스러우며 구성도 좋은 편이다. 단아하고 깔끔한 인테리어로 꾸며 가족 모임은 물론 상견례 장소로도 인기 있다.

₩ 점심특선한정식(1만5천원), 한정식(3만원, 4만원, 5만원, 6만원)
⏲ 11:30~22:00(마지막 주문 21:00) – 월요일, 명절 휴무
🔍 경기 부천시 중동로254번길 104(중동) 호정프라자 206호
☎ 032-322-3481 Ⓟ 가능

미당맷돌순두부 순두부

직접 만드는 순두부찌개 전문점으로, 솥밥이 여러 가지 반찬과 함께 나온다. 백순두부처럼 맵지 않은 하얀찌개, 청국장 순두부처럼 순한 찌개, 소곱창 순두부처럼 매운 빨간 찌개 등 다양한 종류의 순두부찌개를 맛볼 수 있다.

₩ 새우젓순두부, 백순두부, 청국장순두부(각 9천원), 소곱창순두부, 차돌순두부, 해물순두부(각 1만원), 굴순두부(1만1천원), 부대순두부(9천5백원)
⏲ 11:00~15:00/16:30~21:00(마지막 주문 20:20) | 토요일 11:00~15:00(마지막 주문 14:20) – 일요일 휴무, 명절 휴무
🔍 경기 부천시 상일로122번길 15(상동)
☎ 032-503-5252 Ⓟ 불가

반코 NEW BANCO 이탈리아식 | 뇨키

모던 콘셉트의 1인 유로피안 식당. 카운터석과 홀 테이블 모두 마련되어 있으며, 파스타는 생면을 활용한다. 김윤재 셰프의 뛰어난 이해도를 바탕으로 한 감자 뇨키가 시그니처 메뉴다. 예약 후 방문을 추천한다.

₩ 살치살스테이크(3만9천원), 라자냐(2만1천원), 감자뇨키(2만원), 화이트라구(2만1천원), 감베리(2만원), 비프타르타르(2만원), 브루스케타(1만4천원), 치즈플래터(2만2천원), 부라타치즈와계절과일(1만6천원), 티라미수(7천원)
⏲ 화~목, 일요일 17:00~23:00(마지막 주문 22:00) | 금, 토요일 17:00~24:00(마지막 주문 23:20) – 비정기적 휴무(인스타그램 공지)
🔍 경기 부천시 소향로 181 센트럴파크 푸르지오 171호
☎ 010-3094-3062 Ⓟ 가능(상가 주차장)

복성원 일반중식

불 맛 나는 잡채밥과 짬뽕이 맛있기로 유명한 곳. 대표 메뉴인 잡채밥은 고슬고슬하게 볶은 볶음밥 위에 맛깔스러운 잡채와 달걀프라이가 올라간다. 간짜장과 짬뽕의 공력도 상당하다.

₩ 잡채밥(1만원), 짜장면, 짬뽕(각 7천원), 간짜장(8천원), 탕수육(중 1만9천원, 대 2만3천원), 난자완스(3만1천원)
🕒 11:00~16:00(마지막 주문 15:50) – 일, 월요일 휴무
🔍 경기 부천시 부천로122번길 16(원미동)
☎ 032-611-4278 Ⓟ 가능

봉순게장 게장

부담 없는 가격으로 게장 정식을 맛볼 수 있는 곳. 양념게장이나 간장게장 정식을 시키면 새우장을 비롯한 여러 가지 반찬과 함께 나온다. 게장과 새우장은 1마리씩 추가 주문이 가능하다.

₩ 봉순정식(1인 2만1천원), 간장게장, 양념게장(각 1마리 8천원), 새우장(6마리 6천원), 새우,갈비만두(6천원), 계란찜(3천원)
🕒 10:30~19:30 – 연중무휴
🔍 경기 부천시 역곡로284번길 18(작동)
☎ 032-682-0029 Ⓟ 가능

산마루들녘에 한정식

야생초를 사용한 건강식으로 유명하다. 인공적이지 않은 자연식을 즐길 수 있다. 사기그릇에 정갈하게 담아내오는 음식이 맛깔스럽다. 예약을 하는 것을 추천한다.

₩ 앵초정식(3만5천원), 우슬초정식(4만5천원), 구절초정식(5만5천원)
🕒 11:30~21:30 – 명절 당일 휴무
🔍 경기 부천시 길주로561번길 15(여월동)
☎ 032-678-6506 Ⓟ 가능

삼도갈비 소갈비

질 좋은 한우 고기를 맛볼 수 있는 곳. 한우갈비 메뉴를 추천할 만하며 고기를 다 먹은 후에는 슴슴한 맛의 평양냉면으로 입가심하면 좋다. 가게 안에는 통유리로 외부와 구분된 작업실이 있어 고기 손질하는 모습을 모두 지켜볼 수 있다.

₩ 한우생갈비, 한우마늘양념갈비(각 300g 7만5천원), 소생갈비, 소마늘양념갈비(각 300g 3만6천원), 프리미엄돼지갈비(300g 1만9천원), 평양냉면(1만1천원)
🕒 11:00~22:00 – 명절 당일 휴무
🔍 경기 부천시 상이로85번길 32(상동)
☎ 032-324-8600 Ⓟ 가능

손가면옥 함흥냉면 | 만두

부천에서 손꼽히는 함흥냉면 전문점. 갈비탕도 많이 찾는 메뉴다. 물냉면보다는 회냉면이 더 인기가 많으며 왕만두도 곁들이면 좋다.

₩ 회냉면, 비빔냉면, 섞기미냉면, 물냉면(각 1만2천원), 온면, 영양갈비탕(각 1만1천원), 왕갈비탕(1만5천원), 매콤우거지갈비탕(1만3천원), 전복갈비탕(1만7천원), 수육(3만5천원)
🕒 11:00~22:00 – 연중무휴
🔍 경기 부천시 신흥로 313(약대동)
☎ 032-677-8800 Ⓟ 가능

안나푸르나레스토랑
Annapurna Restaurant 인도식

탄두리치킨, 난, 커리 등을 맛볼 수 있는 인도 음식 전문점. 실내 분위기도 인도 본토의 분위기를 잘 살렸다. 가격대도 만족스러운 수준이다.

₩ 스페셜런치(2인 2만9천원), 스페셜디너(2인 3만7천원), 커리(9원~1만3천원), 치킨탕그리케밥(1만9천원), 탄두리치킨(소 1만원, 대 1만9천원), 사모사(4천원)
🕒 11:00~22:30 – 토, 일요일, 명절 당일 휴무
🔍 경기 부천시 부흥로402번길 45(심곡동)
☎ 032-662-5075 Ⓟ 가능

약초와산이야기 일반한식 | 오리백숙 | 닭백숙

직접 캐온 약초로 만든 반찬과 약초 백숙을 맛볼 수 있다. 다양한 약초와 산삼, 약재가 들어간 건강한 백숙이며 큼지막한 토종닭과 토종오리를 사용한다.

₩ 산야초토종닭백숙, 산야초토종오리백숙(각 7만원), 석이버섯(4만원), 산더덕, 산도라지, 백하수오, 산잔대, 상황버섯, 자연산능이백숙(각 15만원), 산양산삼백숙(30만원~50만원)
🕒 11:30~비정기적 – 비정기적 휴무
🔍 경기 부천시 길주로77번길 55-19(상동)
☎ 032-326-9959 Ⓟ 불가

온심재 NEW 溫心齋 모던한식

모던한 한정식 코스를 맛볼 수 있는 곳. 주전부리로 시작해 해산물, 육회, 불고기, 스테이크, 솥밥, 후식이 차례대로 나오며, 구성은 시즌에 따라 바뀐다. 우니전복솥밥으로 변경하는 것도 추천. 음료나 주류 주문이 필수이다.

₩ 코스(1인 5만원), 우니전복솥밥변경(2만5천원)

온심재

13:00~15:00/17:00~19:00, 19:30~21:30 – 월요일 휴무
경기 부천시 신흥로56번길 53 1층, 102호
070-7543-6453 Ⓟ 불가

유림회관 곰탕

백화점 내 있어, 쇼핑 후 식사에 적합한 한식 전문점. 여러가지 나물에 갓 지은 따뜻한 가마솥밥을 비빈 고소하고 건강한 맛의 비빔밥이 인기 메뉴 중 하나며, 밑반찬 또한 다른 음식들과 잘 어우러진다.

₩ 비빔밥(1만1천원~1만4천원), 가마솥밥정식(1만8천원), 곰탕, 우거지곰탕(각 1만2천원), 밀냉면(1만원), 밀냉면세트(1만3천원~1만4천원)
10:00~20:30 – 연중무휴
경기 부천시 길주로 300(중동) 롯데백화점 중동점 10층
032-320-8182 Ⓟ 가능

이오참치 EOTUNA 참치

참다랑어만을 사용한 숙성 참치를 내는 곳. 가격대에 따라 참치 뱃살을 포함해 다양한 부위가 1인당 200g 기준으로 제공된다. 좋아하는 부위를 따로 추가 주문할 수도 있다. 오마카세 메뉴에는 성게알, 가리비, 랍스터 등이 포함된다.

₩ 오마카세(12만원), 이오VIP(9만원), 이오스페셜(7만원), 이오특선(5만5천원)
17:00~23:00 – 일요일 휴무
경기 부천시 길주로121번길 18-7(상동) 성원프라자 2층
032-323-2537 Ⓟ 가능(건물 지하주차장 2시간 무료)

이태리백반 피자 | 파스타 | 이탈리아식

3개월 마다 바뀌는 합리적인 가격의 파인 다이닝 레스토랑. 이탈리안을 베이스로 하여 한식, 양식, 일식을 경험한 셰프의 다양하게 해석된 요리를 맛볼 수 있다. 다양한 칵테일과 주류가 있으며 특히 한국 전통주를 활용한 칵테일이 궁합이 잘 맞는다

₩ 오마카세코스(1인 5만원), 주류페어링(1인 3만5천원), 랍스터파스타(2만2천원), 대창파스타(1만6천원), 만조리조토(1만6천원), 수비드살치살스테이크샐러드(2만5천원)
12:00~15:00(마지막 주문 14:00)/17:00~21:30(마지막 주문 20:30) | 토, 일, 공휴일 12:00~15:40(마지막 주문 14:40) /17:00~21:30(마지막 주문 20:30) – 월요일 휴무
경기 부천시 장말로362번길 30(심곡동) 삼양빌딩
070-4001-1356 Ⓟ 가능

인하찹쌀순대 순댓국 | 순대

얼큰한 국물의 순댓국을 맛볼 수 있는 곳. 순댓국에는 순대가 들어 있지 않아 원할 경우에는 미리 주문해야 한다. 순대 대신에 돼지부속이 많이 들어간 스타일로, 돼지국밥에 가깝다. 다진 양념을 넣어서 간을 맞춰서 나온다.

₩ 순대국밥, 술국(각 1만원), 국밥(9천원, 특 1만원), 찹쌀순대(반접시 7천원, 한접시 1만4천원), 따로국밥(1만1천원), 모둠고기(1만8천원)

09:00~20:00(마지막 주문 19:15) – 명절 휴무
경기 부천시 심곡로34번길 43(송내동)
032-652-3834 Ⓟ 가능

진리면관 今日面馆 우육면 | 대만식중식

대만식 우육면과 탄탄면, 쇼마이와 같은 딤섬도 맛볼 수 있다. 우육면은 진한 소고기 육수와 고명으로 올라간 아롱사태가 일품이다. 잘게 부순 땅콩이 듬뿍 올라간 매콤한 탄탄소바도 인기 메뉴.

₩ 타이완우육면(9천9백원), 마라우육면, 마라비빔탄탄면(각 1만9백원), 비빔탄탄면(9천9백원), 쇼마이(7천9백원), 통새우매콤훈툰, 하가우(각 7천9백원), 타이완탕수육(1만6천9백원), 크림새우(6pcs 1만4천9백원, 4pcs 9천9백원)
11:00~15:30(마지막 주문 15:00)/16:40~22:00(마지막 주문 21:00) – 월요일 휴무
경기 부천시 길주로 284(중동) 1동 124호
010-8505-1275 Ⓟ 가능(1시간 지원)

청정칼국수수제비전문점본점 칼국수

푸짐하게 대접해 주는 칼국수 전문점. 밑반찬으로 나오는 열무김치는 칼국수가 나오기 전 보리밥에 비벼 먹고, 빨간 배추김치는 칼국수와 먹는다. 다 먹은 후 추억의 콘 아이스크림이 준비되어 있으니 입가심으로 좋다.

₩ 바지락칼국수, 들깨칼국수, 들깨수제비, 팥칼국수(각 1만원), 만두(8천원)
11:10~21:00(마지막 주문 20:30 – 명절 당일 휴무
경기 부천시 상일로145번길 42
032-323-6504 Ⓟ 가능(매장 앞 2대)

털보해물탕 해물탕 | 꽃게 | 게장

부천에서 손꼽히는 해물 전문점으로, 해물탕과 해물찜, 간장게장 등이 인기가 있다. 매콤한 양념이 일품인 꽃게찜도 인기다. 양이 푸짐하고 전 메뉴 포장 가능하다.

₩ 해물탕, 해물찜(각 2인 5만원, 소 6만1천원, 중 7만2천원, 대 8만3천원), 꽃게탕, 꽃게찜(각 2인 5만5천원, 소 7만원, 중 8만5천원, 대 10만원), 간장게장정식(2만8천원, 3만원, 3만5천원)
12:00~21:00 – 명절 휴무
경기 부천시 경인로 65(송내동)
032-662-6848 Ⓟ 불가

경기도 성남시

가야 한정식

남한산성 입구 쪽에 있는 한정식집. 호박죽, 메밀전병, 연어샐러드, 생선구이 등이 나오는 코스가 정갈하다. 분위기가 아늑하고 조용해서 상견례 장소로도 좋다.

₩ 한정식(1인 2만9천원, 3만9천원, 5만원), 보리굴비정식(2만8천원), 점심저녁특선(2만3천원)

🕒 11:00~21:00 – 명절 당일 휴무

🔍 경기 성남시 수정구 수정로 458(단대동)

☎ 031-746-7400 Ⓟ 발레 파킹

면통단 일식우동

강남에서 퓨전일식집 붐을 일으켰던 남경표 셰프가 운영하는 우동 전문점. 깊은 국물과 어우러지는 쫄깃한 면발이 일품이다. 대표 메뉴인 면통단우동 외에도 카레우동, 야키우동 등 메뉴가 다양하다. 여름에는 시원한 국물 맛이 좋은 냉우동이 별미다.

₩ 면통단우동(9천5백원), 치킨카레우동(1만2천원), 가케우동(8천원), 자루우동(9천원), 소고기우동(1만3천원), 야키우동(1만5천원), 냉우동(1만2천원), 유부초밥(2개 4천원), 감자고로케(2개 6천원, 4개 1만2천원)

🕒 11:00~15:30/17:00~20:30 | 토, 일요일 11:00~20:30(마지막 주문 20:00) – 연중무휴

🔍 경기 성남시 중원구 성남대로997번길 51-2(여수동)

☎ 031-755-1222 Ⓟ 가능

새소리물소리 전통차전문점

한옥 벽을 유리로 개조하고 가운데는 조그만 실내 연못도 있어 차를 즐기는 정취가 좋다. 시골에 와 있는 듯한 분위기를 즐길 수 있다. 차를 주문하면 서비스로 경단이 하나씩 나온다. 단체 손님을 위한 별채도 따로 마련되어 있어 때로는 상견례도 진행한다고 한다.

₩ 쌍화차, 대추차, 오미자차(각 1만1천원), 단팥죽, 팥빙수(각 1만3천원), 경단(9알 5천원), 꿀케이크(6천원), 가배차(9천원), 자몽주스(1만원), 쌍대차(1만2천원)

🕒 11:00~22:00(마지막 주문 21:10) – 명절 휴무

🔍 경기 성남시 수정구 오야남로38번길 10(오야동)

☎ 031-723-7541 Ⓟ 가능

새소리물소리

위례와인바주연 酒宴 와인바

어둑한 조명의 아늑한 분위기가 느껴지는 와인바. 시그니처인 최상급 블랙 라벨 베요타 100% 하몽을 주문하면 오픈 주방에서 슬라이스하는 모습을 볼 수 있다. 8인까지 수용 가능한 단체석도 있어 모임 하기에도 적당한 곳. 뇨키와 폴포가 인기 메뉴.

₩ 하몽(20g 2만2천원), 샤퀴테리(3만9천원), 큐브스테이크(3만1천원), 트러플뇨키(1만9천원), 명란엔젤헤어(1만8천원), 꿀대구(1만9천원), 라쟈냐(2만4천원), 참피뇨네스콘이베리코(2만4천원), 발사믹관자퓨레 (2만4천원), 폴포(2만4천원)

🕒 17:00~02:00(익일)(마지막 주문 01:00) – 일요일 휴무

🔍 경기 성남시 수정구 위례서일로1길 8-13

☎ 070-7537-0232 Ⓟ 가능(매장 앞)

유정집 닭도가니탕 | 오리 | 닭백숙

남한산성에서 유명한 닭백숙집. 닭도가니탕은 항아리 안에 토종닭과 밤, 대추, 찹쌀 등을 넣어 푹 고아서 내는 것으로, 닭백숙과는 또 다른 별미를 즐길 수 있다. 오리고기도 탕이나 로스로 즐길 수 있다.

₩ 능이오리백숙(8만3천원), 능이닭백숙(7만8천원), 오리도가니(7만3천원), 한방오리(7만3천원), 한방백숙(6만8천원), 누룽지백숙(5만8천원),해물파전, 감자전, 도토리묵(각 1만3천원)

🕒 11:00~21:30(마지막 주문 20:30) – 연중무휴

🔍 경기 성남시 수정구 수정로 460-2(단대동)

☎ 031-748-8791 Ⓟ 가능

의천각 일반중식

30년 이상 자리를 지킨 노포 중국집으로, 저렴한 가격에 옛 감성과 맛이 담긴 중식을 선보이고 있다. 짧은 시간 내에 볶아 생생한 채소와 춘장의 풍미가 어우러진 간짜장이 시그니처 메뉴 중 하나다.

₩ 짜장면(5천원), 우동, 짬뽕, 간짜장(각 6천5백원), 삼선짬뽕, 삼선간짜장(각 9천원), 볶음밥(7천원), 탕수육(소 1만6천원, 중 2만원, 대 2만7천원)

🕒 11:30~20:30 – 월요일 휴무

🔍 경기 성남시 수정구 산성대로215번길 10-18(신흥동)

☎ 031-756-6783 Ⓟ 불가

청계산장 소고기구이

청계산 등산길에 많이 찾는 한우 생등심구이 전문점. 저렴한 가격에 한우고기를 푸짐하게 먹을 수 있다. 넉넉하게 마련되어 있는 야외 자리에서 즐기는 고기 맛도 좋다.

Ⓦ 한우생등심, 한우주물럭(각 500g 7만4천원), 한우특수부위(300g 7만4천원), 된장찌개, 김치찌개(각 8천원)
Ⓣ 11:00~22:00 – 명절 당일 휴무
Ⓠ 경기 성남시 수정구 청계산로 442(상적동)
☎ 031-723-9938 Ⓟ 가능

호돌이문방구 호프

모란역 인근 호프집으로, 문구점이었던 자리를 그대로 리뉴얼하여 호프로 운영하고 있다. 복고풍 분위기에서 채끝살스테이크와 훈제삼겹살구이를 선보이며, 도시락 용기에 나오는 새참은 새우와 고추장 참치가 더해진 리조토 느낌의 별미로 맛볼 만하다.

Ⓦ 바비큐세트(호 4만9천원, 돌 3만8천원, 이 2만3천원), 바새호(3만 6천원), 새참(1만원), 호돌이라면(5천원)
Ⓣ 17:00~24:00 | 토, 일요일 15:00~24:00(마지막 주문 23:00) – 둘째, 넷째 주 월요일 휴무
Ⓠ 경기 성남시 중원구 성남대로1140번길 16(성남동)
☎ 031-722-1277 Ⓟ 불가

경기도 성남시(분당)

180커피로스터스
180 Coffee Roasters 커피전문점

한국의 대표적인 로스팅 마스터 이승진 대표가 운영하는 커피 전문점. 매장의 지하에 마련된 로스팅 공간에서 로스팅한 원두를 실력 있는 바리스타가 추출한다. 싱글오리진 원두를 고르면 사이폰 추출로도 커피를 마실 수 있다.

Ⓦ 에스프레소(3천8백원), 아메리카노(4천5백원), 카페라테(4천8백원), 콜드브루(4천2백원~6천8백원), 브루잉커피(5천8백원)
Ⓣ 09:00~18:00 – 명절 휴무
Ⓠ 경기 성남시 분당구 문정로144번길 4(율동)
☎ 031-8017-1180 Ⓟ 가능

K.헤밍웨이베이커리카페&다이닝
K.Hemingway Bakery Cafe & Dinining

캐주얼다이닝 | 카페 | 베이커리

600평 규모의 대형 베이커리 카페로, 헤르멘헤세 출판 그룹이 오픈한 1호점이다. 넓은 실내에 유리 천정, 화려한 상들리에가 인상적이며, 좌석이 널찍하게 배치되어 분위기도 쾌적하다. 다양한 음료와 베이커리 뿐아니라 파스타와 같은 다이닝도 가능하다.

Ⓦ 아메리카노(6천5백원), 에스프레소(6천원), 루이보스티뱅쇼, 땅콩크림라테(각 8천5백원), 얼그레이밀크티(8천원), 플라워블랙티(6천5백원), 채끝등심샐러드(2만7천원), 문어(2만2천원), 바질페스토관자(2만8천원)
Ⓣ 07:00~22:00(마지막 주문 21:00) – 연중무휴
Ⓠ 경기 성남시 분당구 대왕판교로34번길 21(금곡동)
☎ 031-726-1001 Ⓟ 가능

가비양 GABEEYANG 커피전문점

로스터리를 겸하고 있는 커피 전문점. 다양한 종류의 원두를 핸드드립으로 즐길 수 있으며, '신의 커피'라 불리는 게이샤커피도 선보인다. 매장에서 직접 로스팅한 원두를 구매할 수 있으며 커피와 잘 어울리는 티라미수, 머랭쿠키 등의 디저트를 곁들여도 좋다. 앤티크한 분위기가 인상적인 곳.

Ⓦ 핸드드립커피(9천원~1만원), 게이샤커피(2만8천원), 카페라테(8천5백원), 머랭쿠키(4천원), 티라미수, 당근케이크(각 9천원)
Ⓣ 10:00~22:00 – 연중무휴
Ⓠ 경기 성남시 분당구 안골로 33(서현동)
☎ 031-708-4288 Ⓟ 발레 파킹

감미옥 설렁탕

2대째 대를 이어온 설렁탕집. 고소하고 담백한 국물 맛을 내기 위해 순수 사골만으로 무쇠 가마솥에서 24시간 이상 푹 고아서 만들어 낸다. 옹기그릇에 담아 내오는 김치와 깍두기가 감칠맛을 더한다. 점심 때에는 번호표를 받아 기다려야 할 정도.

Ⓦ 돌판수육(6만5천원), 접시수육(5만5천원), 돌솥설렁탕(1만5천원), 설렁탕(1만3천원), 꼬리탕(2만5천원), 도가니탕(2만2천원)
Ⓣ 07:00~15:00/17:00~21:00(마지막 주문 20:30) – 수요일, 명절 휴무
Ⓠ 경기 성남시 분당구 탄천로 181(야탑동)
☎ 031-709-9448 Ⓟ 발레 파킹

겐 弦 일식우동

수타우동 전문점. 오픈 키친으로 되어 있어 면을 반죽하는 모습을 볼 수 있다. 장어덮밥이나 튀김 등도 맛있다는 평이다. 짭조름하고 쫄깃한 수타 면발이 일품.

Ⓦ 치쿠와우동(1만1천원), 덴푸라우동(1만2천원), 소고기우동(1만5천원), 가라아게붓가케, 명란붓가케(각 1만3천원), 덴푸라붓가케(1만3천5백원), 자루(1만1천원), 덴푸라와자루(1만4천원), 장어덮밥, 치킨가라아게(2만원)
Ⓣ 11:00~15:00/17:00~20:00(마지막 주문 19:50) – 연중무휴
Ⓠ 경기 성남시 분당구 야탑로 72(야탑동)
☎ 031-704-5545 Ⓟ 가능

긴자 銀座 일식

일본의 신사에 들어오는 듯한 웅장함이 느껴지는 큰 규모의 일식집이다. 정갈한 일식 코스를 맛볼 수 있는 곳으로, 코스 구성은 계절에 따라 달라진다. 프라이빗한 룸도 마련되어 있어 상견례나 모임을 하기 좋다.

Ⓦ 런치정식(3만8천원), 런치특선(4만8천원), 런치비즈니스(6만8천원), 긴자정식(5만8천원), 사시미코스(8만5천원), 사시미스페셜(12만

원)

⌚ 11:30~14:30/16:30~22:00 – 연중무휴

🔍 경기 성남시 분당구 새마을로 75(서현동)

☎ 031-701-7774 Ⓟ 가능

남해소반 일반한식 | 생선회 | 생선구이

생선을 베이스로 한 다양한 한식을 선보인다. 삼천포 산지에서 직송되는 생선으로 조리하는 것이 특징. 생선구이정식과 장어매운탕, 회무침 등이 인기며, 계절에 따라 물메기탕, 도다리쑥국 등을 선보인다.

₩ 갯마을정식(1만9천원), 간장게장정식(3만5천원), 돌게장정식(시가), 물회(2만6천원), 멍게비빔밥(1만6천원), 회덮밥(2만1천원), 전복비빔밥(3만3천원)

⌚ 11:30~16:00/17:00~21:30(마지막 주문 20:00) – 일요일 휴무

🔍 경기 성남시 분당구 내정로165번길 38(수내동) 금호상가 2층

☎ 031-719-9199 Ⓟ 가능

돈파스타 Don Pasta 피자 | 파스타

참나무 화덕에 굽는 나폴리 정통 피자와 파스타를 맛볼 수 있는 곳. 토종 우리 밀가루를 혼합해 반죽을 만들며 상온에 발효해 부드러우면서도 쫄깃한 도우를 만든다. 피자 외에 다양한 종류의 파스타도 추천할 만하다.

₩ 살시치아 피자(3만원), 마르게리타피자(2만3천원), 엑스트라마르게리타피자(2만6천원), 마리나라피자(1만8천원), 피칸테피자(2만8천원), 새우페투치니(2만3천원), 게살파스타(3만3천원)

⌚ 11:30~15:00(마지막 주문 14:30) | 토요일 11:30~15:00/17:00~20:30(마지막 주문 20:00) – 일, 월요일 휴무

🔍 경기 성남시 분당구 황새울로342번길 11(서현동) 금호리빙스텔 2층

☎ 031-701-2155 Ⓟ 가능

두향 荳鄕 두부

가마솥으로 만든 손두부를 전문으로 하는 곳. 시원하면서도 얼큰한 순두부찌개 맛이 좋다. 순두부찌개와 함께 샐러드와 두부, 만두, 묵사발, 두부김치 등이 나오는 얼큰순두부정식이 대표 메뉴다. 바싹불고기가 함께 나오는 정식도 인기.

₩ 얼큰순두부정식, 청국장정식(각 2만원), 바싹불고기정식(1인 2만5천원), 보쌈정식(1인 2만9천원)

⌚ 11:00~15:00/17:00~21:00 | 토요일 11:00~15:00/16:30~21:00 | 일요일 08:00~15:00/16:00~22:00 – 명절 당일 휴무

🔍 경기 성남시 분당구 불곡남로 5(정자동)

☎ 031-718-3344 Ⓟ 가능

라라테이블 LALA TABLE 피자 | 파스타 | 이탈리아식

3일 동안 숙성한 피자 도우를 이탈리아 나폴리 방식 그대로 화덕에 구워내는 피자를 선보이는 곳. 피자에 들어가는 모차렐라 치즈는 산지에서 직접 직송한다. 뚝배기에 나오는 해산물파스타와 스테이크리조토가 추천 메뉴. 산이 보이는 야외 테라스석에 앉으면 도심 속 정원을 느낄 수 있다.

₩ 라라세트(2인 5만6천원), 테이블세트(3~4인 10만2천원), 다양한 계절채소샐러드(1만8천원), 얼큰해산물스파게티(1만8천원), 스테이크리조토(1만9천원), 마르게리타피자, 4가지치즈피자(각 1만9천원)

⌚ 10:30~15:00/17:00~21:00 – 연중무휴

🔍 경기 성남시 분당구 발이봉남로31번길 2(수내동)

☎ 031-711-9998 Ⓟ 가능

레스토랑마고 Margaux 이탈리아식 | 와인바

와인 바를 겸하고 있는 레스토랑. 안심스테이크, 램스테이크 등의 스테이크 종류를 추천할 만하며, 파스타와 피자 등도 다양하게 선보인다. 식전빵과 수프, 샐러드, 커피 등이 함께 나오는 코스메뉴도 인기. 와인과 위스키를 곁들이기도 좋은 분위기다.

₩ 아보카도바질파스타, 눈꽃감바스알리오, 야생그물버섯안심리조토(각 2만4천원), 양갈비스테이크(5만8천원), 커플코스(9만8천원), VIP코스(14만8천원)

⌚ 11:30~15:00/17:00~24:00(마지막 주문 23:00) – 연중무휴

🔍 경기 성남시 분당구 정자일로 230(정자동) 동양정자파라곤 105동 지하 1층

☎ 031-719-2228 Ⓟ 가능

리즈델리 Lee's Deli 햄버거

주문 즉시 구워내는 두툼한 패티와 부드러운 빵, 신선한 채소가 가득 들어 있는 수제버거를 맛볼 수 있는 곳. 치즈가 두툼하게 들어간 더블치즈버거와 치즈버거 등이 인기다. 3천 원을 추가하면 햄버거와 사이드 메뉴, 음료가 세트로 나온다.

₩ 치즈버거, 치즈베이컨버거, 비프치즈프라이(각 7천원), 더블치즈버거(9천원), 프렌치프라이(3천원), 버거세트(3천원 추가)

⌚ 11:00~21:00(마지막 주문 20:30) | 토요일 10:00~17:00(마지막 주문 16:30) – 일, 월요일 휴무

🔍 경기 성남시 분당구 정자일로 121(정자동) 분당더샵스타파크 상가동 1층 B30호

☎ 070-8801-2865 Ⓟ 가능

마이보틀 My Bottle 카페 | 디저트카페

정준희 바리스타가 운영하는 분당 카페. 누적 15만 보틀 이상 판매고를 올린 바닐라라테 트와일라잇이 꾸준한 인기메뉴다. 얼그레이 100%로 냉침하는 허니 로열 밀크티가 시그니쳐 메뉴다.

₩ 꼬숩아메리카노(4천5백원), 꼬숩카페라테(5천9백원), 바닐라라테트와일라잇(6천5백), 허니로열밀크티(6천9백), 2X버터바, 로열벚꽃꿀약과(각 6천9백원), 애플망고코코넛빙수(1만7천5백원)

⌚ 10:00~16:00/19:00~22:00 | 토, 일요일 12:00~22:00 – 연중무휴

🔍 경기 성남시 분당구 중앙공원로 54(서현동) 시범단지우성아파트 단지 내 분산상가

☎ 010-5862-0703 Ⓟ 가능

만강홍 滿江紅 일반중식

분당에서 인기 있는 대형 중식당. 짬뽕이나 탕수육 같은 대중적인 메뉴에 정성을 들이고 있으며 요리 수준도 높다. 다양한 메뉴로 구성된 코스 메뉴가 가격 대비 만족도가 높다. 단독 룸도 갖추고 있어 모임을 하기에도 좋다.

₩ 만강홍짜장(1만2천원), 만강홍짬뽕(1만3천원), 만강홍볶음밥(1만4천원), 탕수육(소 2만8천원, 대 3만8천원), 동파육(5만원), 점심코스(2만5천원~3만8천원), 저녁코스(3만7천원~7만원)

🕒 11:30~15:00/17:00~22:00(마지막 주문 21:00) – 명절 당일 휴무

🔍 경기 성남시 분당구 황새울로 337(서현동) 웰빙프라자 3층

☎ 031-705-8555 Ⓟ 가능

망캄 Mangk'am 베이커리

유기농 밀가루와 유기농 설탕을 이용하여 만든 건강한 빵을 선보이는 베이커리. 먹물을 넣어 만든 바게트부터 호박빵, 넛봉 등 다양하다. 오전 11시부터 오후 1시 사이에 갓 구운 빵이 나오며 빵을 직접 시식해보고 구매할 수 있다.

₩ 망캄바게트(3천5백원), 호두롤케이크(7천원), 호박빵(5천8백원), 카늘레(3천원), 넛봉(5천5백원), 크루아상(3천6백원), 당근머핀(4천8백원)

🕒 09:00~22:00 – 명절 휴무

🔍 경기 성남시 분당구 중앙공원로39번길 7(서현동) 1층 110호

☎ 031-706-9786 Ⓟ 가능

미가들깨수제비충무김밥 味家 수제비

황태, 밴댕이, 새우, 채소 등 열 가지 재료로 육수를 낸 고소한 들깨수제비를 맛볼 수 있는 곳. 열다섯 가지의 재료를 배합해, 스무 날 이상 저온으로 숙성시킨 양념의 쫄면과 충무김밥 또한 선보이고 있다.

₩ 들깨수제비(9천8백원), 미가쫄면(9천원), 충무김밥(9천3백원)

🕒 10:30~15:00/16:00~20:00(마지막 주문 19:15) – 연중무휴

🔍 경기 성남시 분당구 황새울로335번길 10(서현동) 멜로즈프라자

☎ 031-8016-3832 Ⓟ 불가

미담휴 소고기구이 | 돼지고기구이

사계절을 테마로 한 콘셉트의 프라이빗룸이 갖춰진 숯불구이 전문점. 기본 차림엔 샐러드와 쌈채소, 김치찌개까지 포함된 푸짐한 구성이다. 고기는 바로 먹을 수 있게 구워져 나오며, 직원이 눈 앞에서 한 번 더 노릇하게 토치로 겉면을 익혀 불 맛을 입힌다.

₩ 토마호크(소 16만5천원, 중 19만5천원, 대 22만5천원), 우대갈비(1kg 11만5천원), 돼지한판(삼겹살 450g+목살 300g 9만9천9백원), 대게장볶음밥(7천5백원)

🕒 11:30~14:30/16:30~22:00 | 토요일, 공휴일 12:00~22:00(마지막 주문 21:00) – 일요일 휴무

🔍 경기 성남시 분당구 성남대로331번길 9-12 우경빌딩

☎ 0507-1350-9996 Ⓟ 가능

민수라간장게장 게장 | 꽃게

간장게장과 양념꽃게장이 맛있는 곳. 살이 알차게 차 있으며, 맛깔스러운 양념이 맛을 더한다. 반찬으로 나오는 김과 꼬막, 달걀말이 등이 모두 방금 만든 듯 깔끔하고 맛있다.

₩ 간장게장(1인 3만2천원), 양념꽃게장(1인 3만5천원), 꽃게탕(소 4만5천원, 중 6만원, 대 7만5천원), 꽃게알비빔밥(1인 1만8천원), 아구찜(소 4만3천원, 중 5만8천원, 대 7만원)

🕒 11:00~21:00 – 연중무휴

🔍 경기 성남시 분당구 새마을로7번길 5(서현동)

☎ 031-705-0602 Ⓟ 가능

벨라로사 Bella Rosa 파스타 | 이탈리아식

차분한 인테리어의 이탈리안 레스토랑. 호텔 출신 셰프가 선보이는 다양한 이탈리아 요리를 맛볼 수 있으며, 스테이크도 추천할 만하다. 세트 메뉴가 특히 가격 대비 만족도가 높다.

₩ 스파게티(1만7천원~1만9천5백원), 안심스테이크와랍스터구이(6만5천원), 런치세트(2만2천원, 4만7천원), 디너세트(6만9천원~8만1천원), 등심스테이크세트(200g 5만2천원)

🕒 11:30~15:00/17:00~22:00 – 일요일, 명절 휴무

🔍 경기 성남시 분당구 성남대로 295(정자동) 대림아크로텔 A동 상가 118호

☎ 031-717-7282 Ⓟ 가능

블루메쯔분당수내점 BLUMETZ 샤퀴테리 | 독일식

슈바인학센과 고기파이소시지 등 독일 본연의 맛을 즐길 수 있는 독일식 레스토랑이자 다양한 육류를 파는 정육 매장. 독일 육가공 마이스터가 만드는 샤퀴테리와 함께 수제 맥주 한잔하기 좋다. 슈바인학센은 3시간 전에 미리 예약해야 한다.

₩ 고기파이(1만4천원), 슈바인학센(4만2천원), 파스트라미샌드위치(1만7천원), 소시지플래터(1만8천원), 티본스테이크(100g 1만7천원), 바질판체타(1만5천원)

🕒 11:00~15:00/16:00~21:00 – 명절 휴무

🔍 경기 성남시 분당구 발이봉남로25번길 2(수내동)

☎ 031-717-6658 Ⓟ 가능

블루메쯔분당수내점

사계진미 청국장 | 콩국수

국내산 콩을 직접 갈아서 만든 콩국수를 맛볼 수 있다. 주문하면 바로 콩을 갈아서 내기 때문에 고소하면서도 진한 맛을 느낄 수 있다. 청국장과 육개장도 인기 메뉴.

₩ 콩국수, 한우육개장(각 1만2천원), 작두콩청국장, 해물순두부(1만원)

🕒 11:30~15:30/17:00~21:30 | 일요일 11:30~20:30 – 연중무휴

🔍 경기 성남시 분당구 양현로 453(야탑동)

☎ 031-707-5868 Ⓟ 가능

생선선생 생선조림 | 생선구이

속초식 모둠생선조림을 맛볼 수 있는 곳. 가오리, 열기, 가자미, 코다리 등 여러 종류의 생선이 조림으로 나온다. 양념이 잘 배인 생선을 솥밥으로 지은 시래기밥과 함께 남해 곱창김에 싸 먹는다.

₩ 모둠생선구이(소 2만8천원, 중 4만2천원, 대 5만5천원), 모둠생선조림(소 3만5천원, 중 4만6천원, 대 5만7천원), 가오리조림(소 3만7천원, 중 4만8천원, 대 5만9천원), 시래기코다리조림(소 2만4천원, 중 3만5천원, 대 4만6천원), 시래기솥밥(4천원), 점심코다리맑은탕(1만2천원)

🕒 11:30~15:00(마지막 주문 14:00)/17:00~22:00(마지막 주문 21:10) – 월요일 휴무

🔍 경기 성남시 분당구 내정로119번길 7(정자동)

☎ 031-714-0898 Ⓟ 가능(협소)

서현실비 🎀 돼지고기구이 | 돼지갈비

돼지갈비와 항정살, 삼겹살 등을 부담 없는 가격에 참숯에 구워 먹을 수 있는 곳. 고기 두께가 두툼해 육즙을 제대로 느낄 수 있는 것이 특징. 김치볶음밥도 별미로 통한다.

₩ 오겹살한판(500g 5만원), 얇은오겹살(180g 1만8천원), 양념돼지갈비(260g 2만4천원), 항정살, 갈비쪽살(각 180g 2만1천5백원), 김치볶음밥(9천원)

🕒 11:30~22:00(마지막 주문 21:00) – 연중무휴

🔍 경기 성남시 분당구 황새울로311번길 14(서현동) 서현리더스빌딩

☎ 031-8016-0624 Ⓟ 가능

센다이 🎀 せんだい 이자카야

분당에서 인기몰이를 하고 있는 이자카야. 메뉴가 다양하며 맛깔스럽다. 저렴하면서도 맛있는 안주, 편안한 분위기 때문에 사람들이 많이 찾고 있다.

₩ 센다이꼬치(5종 1만6천원), 시메사바(1만8천원), 오마카세사시미(1인 4만9천원)

🕒 18:00~02:00(익일) – 일요일 휴무

🔍 경기 성남시 분당구 정자일로 192(정자동) 지.파크프라자

☎ 031-715-1470 Ⓟ 가능

수래옥 🎀 秀來屋 평양냉면

평양냉면만 40년 넘게 한 조리장이 운영하는 평양냉면 전문점. 한다. 육수는 한우 암소로 우려내 진하고 깊은 맛을 내며, 불판 위에 구워 먹는 불고기와 함께 곁들이기도 좋다. 오픈한 지 얼마 안되었지만 입소문을 타고 있다.

₩ 전통평양냉면, 전통평양비빔냉면, 전통온면(각 1만6천원), 장국밥, 육개장(각 1만6천원), 불고기(150g 3만7천원)

🕒 11:30~15:00/17:00~22:00(마지막 주문 21:00) | 토, 일요일 11:30~22:00(마지막 주문 21:00) – 월요일 휴무

🔍 경기 성남시 분당구 대왕판교로 275(궁내동)

☎ 031-711-5758 Ⓟ 가능

슌 🎀 旬 이자카야

좋은 식자재를 사용하여 많은 단골손님이 찾아오는 이자카야. 각종 꼬치를 직접 구워주는 꼬치 모둠 구이가 대표 메뉴다. 슌 세트는 2인, 3인, 4인 구성으로 일품요리, 사시미, 튀김, 나베를 함께 맛볼 수 있다. 여러 종류의 사시미를 맛볼 수 있는 사시미 모리아와세도 추천하는 메뉴다.

₩ 꼬치모둠(2만3천원), 슌세트(2인 8만4천원, 3인 9만9천원, 4인 13만9천원), 슌오마카세(2인이상, 1인 6만9천원), 사시미모리아와세(2인 4만2천원, 3인 5만8천원, 4인 7만8천원), 차돌탄탄나베(2만5천원)

🕒 16:00~02:00(익일)(마지막 주문 01:00) – 일요일 휴무

🔍 경기 성남시 분당구 장미로 42(야탑동) 야탑리더스 빌딩1층

☎ 031-709-5795 Ⓟ 가능

스시료코 🎀 すし旅行 스시

분당에서 수준 높은 스시 오마카세를 즐길 수 있는 곳. 가격대비 구성이 좋은 편이며, 아나고스시가 맛있기로 유명하다. 점심에만 선보이는 장어덮밥코스도 인기.

₩ 런치스시코스(4만5천원), 런치오마카세코스(7만5천원), 디너스시코스(7만원), 디너사시미코스(9만원), 디너오마카세코스(13만원)

🕒 11:30~15:00/17:30~22:00 – 연중무휴

🔍 경기 성남시 분당구 수내로 38(수내동) 두산위브센티움1 1층 101호

☎ 031-719-2013 Ⓟ 가능

스시야 🎀 すし 家 스시

분스야라는 애칭으로 불리는 분당의 스시야. 예약하기 어렵기로 소문난 곳이다. 시그니처인 문어와 전복, 이어서 다양한 츠마미가 나오면서 스시코스가 시작된다. 복어고니, 쥐치, 아오이이카 등 개성 있는 네타가 특징이다.

₩ 점심오마카세(10만원), 저녁오마카세(20만원)

🕒 12:00~16:00/17:00~22:00 – 일, 월요일 휴무

🔍 경기 성남시 분당구 정자일로 146(정자동) 엠코헤리츠1단지 101-203호

☎ 031-717-6689 Ⓟ 가능

앙토낭카렘 antonin careme 베이커리

서현동에서 30여 년 동안 영업하고 있는 베이커리. 프랑스식 빵을 비롯해 다양한 종류의 빵을 선보이며 달콤한 연유크림이 들어간 우유모닝빵, 마늘바게트 등이 인기다.

₩ 마카롱(2천5백원), 샌드위치(5천5백원~6천원), 우유모닝빵, 마늘바게트(각 6천8백원), 통밀산딸기바게트(5천3백원), 화이트롤(6천3백원)
⏲ 07:30~23:00 – 명절 당일 휴무
🔍 경기 성남시 분당구 불정로 380(서현동) 동남프라자
☎ 031-704-0715 Ⓟ 불가

야마다야 山田家 일식우동

일본 가가와현의 사누키 우동을 재현한 곳. 가쓰오부시와 소금으로 국물 내는 것이 특징이며, 수타 방식으로 만든 탱탱한 면발이 일품이다. 야키 우동은 볶음면에 가쓰오부시가 올라간다. 자루붓가케는 면에 튀김가루를 뿌리고 쯔유를 붓는다.

₩ 가케우동(1만원), 덴푸라우동(1만1천원), 야키우동(1만3천원), 가케정식(1만5천원), 자루붓가케우동(1만1천원), 새우튀김(반접시 9천원, 한접시 1만7천원)
⏲ 11:00~14:30/17:00~20:00 – 화요일, 명절 휴무
🔍 경기 성남시 분당구 구미로 124(구미동) 굿모닝프라자1
☎ 031-713-5242 Ⓟ 가능

오또코 男 이자카야

정자동에 있는 유명한 이자카야. 분위기는 물론, 맛도 뛰어나 항상 사람들로 붐빈다. 저녁 시간에는 자리가 없는 경우가 많으니 예약하고 가거나 조금 일찍 들어가는 것이 좋다.

₩ 사시미모리아와세(2만5천원), 오마카세사시미(6만원, 8만원, 10만원, 15만원), 고등어사시미(10p 1만7천원), 연어사시미(10p 1만8천원)
⏲ 17:00~23:30(마지막 주문22:30) | 금, 토요일 17:00~24:00(마지막 주문 23:00) – 일요일 휴무
🔍 경기 성남시 분당구 느티로 16(정자동) 젤존타워1
☎ 031-711-0771 Ⓟ 가능

유타로 雄太郎 라멘

일본식 돈코쓰라멘을 전문으로 한다. 돼지뼈로 우려낸 국물 맛이 진하다. 오코노미야키는 저녁 시간과 토, 일요일에만 주문할 수 있다.

₩ 시로라멘, 쇼유라멘, 부타동(각 9천5백원), 쿠로라멘, 매운라멘(각 1만원), 교자(4천원), 오코노미야키(기본 1만7천원 미니 1만1천원)
⏲ 11:30~14:30/17:00~22:00(마지막 주문 21:30) – 화요일, 명절 휴무
🔍 경기 성남시 분당구 황새울로335번길 8(서현동) 덕산빌딩 101호
☎ 031-708-5999 Ⓟ 가능

이수사 일식

한적한 빌라단지 쪽에 있는 아담한 일식집이지만 여느 유명 일식집 못지 않은 신선도와 맛을 자랑한다. 식후에 먹는 어죽도 일품이다. 오후 3시까지 런치 메뉴를 운영해 보다 저렴한 가격에 코스 메뉴를 즐길 수 있다.

₩ 점심정식(3만원, 4만원, 5만원), 사시미(1인 8만원, 10만원, 13만원)
⏲ 11:30~15:30/17:00~22:00 – 명절 휴무
🔍 경기 성남시 분당구 금곡로11번길 4(구미동)
☎ 031-715-5204 Ⓟ 가능

진우동 일식우동

사누키우동을 전문으로 하는 곳. 24시간 이상 숙성해서 쫄깃한 맛을 내는 면이 돋보이며 국물 맛도 깔끔하다. 국물 없이 날계란을 넣어 먹는 가마우동이 대표 메뉴. 시원한 맛이 일품인 냉우동도 별미로 통한다.

₩ 가마우동(9천원, 특 1만2천5원), 냉우동(9천5백원, 특 1만3천원), 크림고로케(8천원), 니쿠우동(1만2천원, 특 1만5천원)
⏲ 11:00~15:00(마지막 주문 14:30) – 비정기적 휴무
🔍 경기 성남시 분당구 황새울로335번길 8(서현동) 덕산빌딩
☎ 031-708-1357 Ⓟ 가능

카리 KARI 인도식

모던한 카페 분위기의 인도 정통 요리 전문점. 모든 요리는 인도에서 직접 가지고 온 향신료를 사용하여 맛을 낸다. 커리는 크게 치킨, 소고기, 해산물, 양고기, 채소 커리로 나뉘며, 20여 가지에 달해 선택의 폭이 넓다.

₩ 커플세트(5만6천원), 패밀리세트(10만8천원), 사모사(2피스 5천원), 콥샐러드(1만6천원), 커리(1만9천원~2만3천원), 베지터블커리(1만8천원), 플레인난(3천원)
⏲ 11:00~15:00/17:00~21:00(마지막 주문 20:00) | 토, 일요일 11:00~22:00(마지막 주문 21:00) – 명절 당일 휴무
🔍 경기 성남시 분당구 정자일로 230(정자동) 동양파라곤 105동 지하 1층
☎ 031-781-3388 Ⓟ 가능

커피의정원 커피전문점

핸드드립 커피를 마실 수 있는 아담한 공간이다. 강배전으로 로스팅해 진한 커피를 좋아하는 사람에게 추천할 만하다. 겨울에도 맛볼 수 있는 다양한 빙수 메뉴도 유명하다.

₩ 핸드드립커피(6천원~1만원), 에스프레소, 아메리카노(각 5천원), 카페라테(6천원), 팥빙수, 커피빙수, 녹차빙수, 오미자빙수(각 1만6천원)
⏲ 12:00~21:00(마지막 주문 20:20) – 월요일, 명절 당일 휴무
🔍 경기 성남시 분당구 백현로101번길 13(수내동) 월드프라자 106호
☎ 031-712-2028 Ⓟ 가능

콘비노 Con Vino 이탈리아식 | 와인바

근사한 외관과 고풍스러운 분위기의 이탈리안 레스토랑 겸 와인바. 애피타이저부터 파스타, 리조토, 스테이크 등 다양한 메뉴와 코스요리도 선보이고 있다.

₩ 시그니쳐코스(1인 16만5천원), 콘비노코스(2인 16만5천원), 커플코스(2인 12만5천원), 심플코스(1인 9만5천원), 에피타이저(1만원 ~ 5만원), 파스타/리조토(2만원 ~2만5천원), 한우1++ 채끝스테이크(200g 8만5천원), 한우1++안심스테이크(160g 8만5천원)

⏱ 17:00~24:00 | 토요일 17:00~23:00 – 일요일 휴무

🔍 경기 성남시 분당구 돌마로522번길 10-1

☎ 010-2700-9166 Ⓟ 발레 파킹

쿠치나디까사 Cucina di Casa 피자 | 파스타

이탈리아 남부 가정식을 전문으로 하는 곳. 도우와 육수, 드레싱, 리코타치즈 등을 직접 만들며, 재료 본연의 맛을 살려 조리한다. 피자와 파스타, 리조토 등 선보이는 메뉴가 다양해 선택의 폭이 넓다. 날이 좋은 때에는 야외 테라스에 앉아 식사하는 여유를 즐길 수 있다.

₩ 마르게리타, 고르곤졸라(각 1만3천원), 슈림프포테이토피자, 시금치새우크림파스타(각 1만8천원), 갈비파스타, 볼로네제라자냐(각 1만9천원), 부채살스테이크(200g 3만원), 찹스테이크(150g 3만원)

⏱ 10:30~21:00(마지막 주문 20:20) – 명절 당일 휴무

🔍 경기 성남시 분당구 문정로 136(율동)

☎ 031-705-7866 Ⓟ 가능

탈리 THALI 인도식

인도인 세 명이 운영하는 곳. 현지인이 요리하지만, 인도 음식을 처음 접하는 사람에게도 무리가 없는 맛이다. 애피타이저, 탄두리치킨, 커리, 난 등으로 구성된 세트가 추천할 만하다. 노란 톤의 인테리어가 에스닉한 느낌이다.

₩ 버터치킨커리(1만3천원), 사모사(3천원), 탄두리치킨(1만5천원), 점심세트(1만5천원), 저녁&주말세트(1만9천원)

⏱ 11:30~22:00 – 연중무휴

🔍 경기 성남시 분당구 서현로 192(서현동) 야베스밸리 2층

☎ 031-707-3192 Ⓟ 가능

페삭 Pesak 데판야키

카운터에 10석 정도 규모의 철판 요리 전문점. 스테이크, 푸아그라, 새우, 바닷가재, 샥스핀, 복어, 아귀, 간, 등 다양한 재료를 셰프가 즉석에서 철판에 볶아 내준다. 트러플과 캐비아 같은 고급 식재료도 적절히 사용한다. 한 타임에 한 팀, 3인 이상만 받기 때문에 예약이 어려운 편이다. 런치는 2부, 디너는 4부로 운영된다.

₩ 페삭스페셜코스(3인 이상, 1인 9만9천원)

⏱ 런치1부 12:00~14:00, 런치2부 13:10~15:10/디너1부 17:00~19:00, 디너2부 18:10~20:10, 디너3부 19:20~21:20, 디너4부 20:30~22:20 – 일요일, 명절 휴무

🔍 경기 성남시 분당구 황새울로214번길 8(수내동) MS프라자 306호

☎ 031-718-7852 Ⓟ 가능

평가옥 平家屋 이북음식 | 만두 | 평양냉면

3대째 내려오는 이북음식 전문점. 소고기와 꿩고기로 낸 육수에 소고기, 돼지고기, 닭고기, 꿩완자까지 올라가 고명이 화려한 평양냉면을 선보인다. 면발은 두껍고 메밀의 함량이 적은 편이다. 냉면 외에 만두, 녹두전 등 냉면을 즐기지 않는 사람이라도 좋아할 메뉴를 많이 갖추고 있다.

₩ 평양냉면(1만6천원, 곱빼기 1만9천원), 온반, 만둣국(각 소고기 1만5천원, 토종닭 1만6천원), 녹두지짐(1만7천원), 어복쟁반(소 8만2천원, 중 9만4천원, 대 10만6천원), 명품만두전골(2인 이상 1인 2만9천원, 4인 11만2천원)

⏱ 11:00~21:30(마지막 주문 21:00) – 명절 휴무

🔍 경기 성남시 분당구 느티로51번길 9(정자동)

☎ 031-786-1571 Ⓟ 발레 파킹

평양면옥 평양냉면 | 수육 | 어복쟁반

평양식 냉면 전문점으로, 메밀 함량이 높아 정통 평양냉면을 즐기는 사람들에게 추천할 만하다. 세 가지 부위의 소고기로 만드는 육수 맛도 좋다. 이북식 전골인 어복쟁반도 별미. 손님이 적을 때는 순면 주문도 가능하다.

₩ 냉면, 비빔냉면, 온면, 접시만두(각 1만5천원), 만둣국(1만6천원), 제육(3만4천원), 편육(3만6천원), 어복쟁반(소 7만5천원, 대 10만원), 불고기(200g 3만8천원)

⏱ 11:30~21:30 – 명절 휴무

🔍 경기 성남시 분당구 안골로 27(서현동)

☎ 031-701-7752 Ⓟ 가능

풍천장어전문 장어

분당에서 유명한 장어 전문점. 장어구이는 소금, 한방간장, 고추장소스 중에서 선택할 수 있다. 숯불에 구워 기름기가 쪽 빠진 장어를 부추와 함께 콩잎에 싸 먹으면 더욱 맛이 좋다.

₩ 소금구이, 고추장구이, 간장구이(4만2천원), 세트(13만1천원~38만3천원), 장어덮밥(4만5천원)

⏱ 11:00~24:00(마지막 주문 23:00) – 연중무휴

🔍 경기 성남시 분당구 성남대로 381(정자동) 폴라리스빌딩 3층

☎ 031-718-5129 Ⓟ 가능

피크닉엣더나무사이로

NAMUSAIRO 커피전문점 | 디저트카페

스페셜티 커피 납품 업체를 위한 테이스팅 룸이 준비되어 있는 나무사이로의 본부. 다양한 종류의 블렌딩 커피를 선보이며, 커피바를 중심으로 직접 로스팅한 원두 종류를 진열하고 있다. 확 트인 통유리창의 풍경과 함께 스페셜티 커피를 즐기기도 좋다.

₩ 브루잉커피(7천원~9천원), 에스프레소, 아메리카노(각 5천원), 카페라테(6천원), 비건크림라테(7천원), 바닐라라테(6천5백원)

10:00~18:00 – 연중무휴
경기 성남시 분당구 석운로 194(석운동)
070-4196-0885 Ⓟ 가능

하누비노 hanuvino 소고기구이

투뿔 숙성 한우 전문점. 최소 21일간 1.2도에서 저온 숙성한 1++ 한우를 알맞은 굽기로 구워준다. 부위를 골고루 맛보고 싶다면 안심, 채끝, 생등심이 같이 나오는 하누스페셜을 주문하면 된다. 고기와 같이 구워서 곁들여 먹는 채소는 리필이 가능하다.

₩ 특안심(150g 5만9천원), 하누스페셜(150g 5만6천원), 채끝등심(150g 5만5천원), 특등심(150g 5만2천원), 한우육사시미(4만5천원), 차돌깍두기볶음밥(1만5천원)
11:00~15:00/17:00~23:00(마지막 주문 21:30) – 연중무휴
경기 성남시 분당구 정자일로 136(정자동) 엠코헤리츠 3단지 101호
031-719-2192 Ⓟ 가능

한소헌 소고기구이 | 소갈비

최고급 한우구이와 블랙앵거스 프라임 양념 소갈비를 맛볼 수 있는 소고기구이 전문점. 여러 부위의 한우를 숯불에 구워 소금, 와사비, 홀그레인 머스터드 등과 함께 먹으면 좋다. 깔끔한 함흥냉면으로 마무리할 것을 추천.

₩ 등심(150g 5만2천원), 양념소갈비(270g 3만8천원), 함흥냉면(7천원), 한돈양념구이(250g 2만2천원)
11:00~15:00/17:00~22:00(마지막 주문 21:00) – 일요일, 명절 휴무
경기 성남시 분당구 성남대로331번길 3-3(정자동) 2층 206호
031-711-9220 Ⓟ 가능

해올 한정식

깔끔하고 화사한 분위기의 한정식집. 생선조림, 해물, 회정식 등 어패류, 해물을 베이스로 한 다양한 한정식을 선보인다. 함께 나오는 반찬이 맛깔스럽고 가격대비 구성이 좋은 편이다. 한정식 메뉴는 2인 이상 주문해야 하며 혼자 주문할 수 있는 1인 식사 메뉴도 있다.

₩ 매콤코다리건강밥상(2인 이상, 1인 1만5천5백원), 보리굴비정식(2인 이상, 1인 3만원), 해올정식(2인 이상, 1인 2만6천원), 해초건강밥상(2인 이상, 1인 1만2천5백원), 고등어구이(9천5백원)
11:00~21:30 – 연중무휴
경기 성남시 분당구 야탑로75번길 9(야탑동) 금호프라자 2층
031-707-4947 Ⓟ 가능

행하령수제비 수제비

분당에서 수제비가 맛있기로 손꼽히는 집. 국물은 오사리 멸치를 우려낸 것이며 김치도 직접 담근다. 양념이 진한 김치가 수제비와 잘 어울린다. 하루 200그릇만 판매하며 준비된 재료가 떨어지면 문을 닫는다.

₩ 칼국수, 얼큰수제비, 수제비, 섞어수제비(각 1만2천원)

11:30~15:00/17:00~20:00 | 토요일 11:30~16:00/17:00~20:00 – 일요일, 명절 휴무
경기 성남시 분당구 성남대로144번길 14(구미동)
031-716-2335 Ⓟ 가능

헬로오드리

HELLO AURDREY 이탈리아식 | 파스타 | 피자

예쁘고 소담한 정원이 있는 이탈리안 레스토랑. 화덕에 구운 피자를 비롯해 파스타, 리조토 등 다양한 이탈리아 요리를 선보인다. 여러 메뉴로 구성된 세트 메뉴도 추천할 만하다. 공간이 넓고 쾌적해 데이트나 모임 장소로도 인기가 많으며, 계절에 따라 달라지는 정원을 구경하는 재미도 남다르다.

₩ 루콜라&만조리조토(2만9천원), 안심스테이크(150g 6만원), 채끝스테이크(200g 5만5천원), 주파디칼라마리(3만5백원), 감베리토마토파스타(2만6천원)
10:30~15:00(마지막 주문 14:20)/17:30~21:30(마지막 주문 20:20) | 토, 일요일 10:30~15:30(마지막 주문 14:20)/17:00~21:30(마지막 주문 20:20) – 연중무휴
경기 성남시 분당구 석운로202번길 12(석운동)
031-8017-8746 Ⓟ 가능

헬로오드리

효 孝 세이로무시 | 스키야키

조용한 분위기에서 세이로무시와 스키야키를 즐길 수 있는 곳. 특히 편백으로 만든 나무 찜통에 각종 채소와 한우를 쪄먹는 세이로무시는 맛이 담백해 어른을 모시고 가기에도 좋다. 성게 알을 올린 우니게살비빔밥과 육즙이 풍부한 스테이크동도 인기다.

₩ 세이로무시(7만9천원~16만7천원), 관서식스키야키(6만원~8만5천원), 도미버섯솥밥(3만5천원), 명란우니볶음면(2만8천원), 디너코스(18만원)
11:00~15:00/17:00~22:00 – 명절 휴무
경기 성남시 분당구 느티로 2(정자동) AK와이즈플레이스 1층
031-712-2755 Ⓟ 가능

경기도 성남시(판교)

교소바 소바

국내산 메밀을 직접 도정해서 제면하는 메밀소바 전문점. 실내에는 도정 공간이 따로 있을 정도다. 자루소바가 대표 메뉴며 가평잣을 사용한 잣국수도 맛볼 수 있다. 일본풍으로 생맥주나 하이볼을 곁들여도 좋다.

₩ 주와리자루소바(1만4천원), 가평잣국수(2만2천원), 경양돈가스(1만5천원)

🕒 11:00~21:00 – 연중무휴

🔍 경기 성남시 분당구 대왕판교로645번길 36(삼평동) NS홈쇼핑별관 지하 1층

☎ 031-606-8521 Ⓟ 가능

능라도 평양냉면 | 소불고기 | 어복쟁반

판교 일대에서 정통 평양냉면과 만두를 맛볼 수 있는 곳이다. 주인이 이북 출신인 만큼 비교적 평양냉면을 잘 재현하고 있어 평양냉면 마니아 사이에서 좋은 점수를 받고 있다. 속이 알차게 찬 접시만두와 제육을 곁들이면 좋다.

₩ 평양냉면, 평양온면(각 1만6천원, 곱빼기 2만원), 평양온반(1만4천원), 수제만두(1만5천원), 제육(200g 3만2천원, 반 1만7천원), 녹두지짐이(2만원), 어복쟁반(중 8만원, 대 11만원), 한우불고기(150g 3만6원)

🕒 11:00~21:00(마지막 주문 20:30) – 명절 당일 휴무

🔍 경기 성남시 분당구 산운로32번길 12(운중동)

☎ 031-781-3989 Ⓟ 발레 파킹

능라도

더라운지 The Lounge 캐주얼다이닝 | 카페 | 브런치카페

호텔 라운지풍 카페 겸 레스토랑. 파니니, 프렌치토스트 등의 브런치는 오후 2시 30분까지 주문할 수 있다. 이외에 피자, 파스타, 리조토 등 다양한 이탈리아 요리도 선보인다. 가볍게 식사와 커피를 즐기기 좋은 곳. 책장으로 벽면을 채운 인테리어가 인상적이다.

₩ 세트(6만2천원, 8만2천원, 13만9천원), 피자(1만7천원~2만4천원), 파스타(1만8천원~2만5천원), 불고기리조토(2만1천8백원), 버섯크림리조토(2만2천8백원), 새우날치알파스타(2만3천8백원), 더라운지피자(2만5천8백원), 에스프레소, 아메리카노(각 5천원), 카페라테, 카푸치노(각 5천5백원)

🕒 11:00~14:30/17:30~21:30(마지막 주문 20:30) – 명절 당일 휴무

🔍 경기 성남시 분당구 서판교로 162(판교동) 랜드리스타워 1층

☎ 031-8016-8059 Ⓟ 가능

데이빗앤룰스 DAVID&RULES 스테이크

하이엔드급 스테이크 하우스를 표방하는 곳. 한우 1+ 등급 이상의 소고기만을 선별해 사용하는 것이 특징이다. 안심스테이크를 비롯해 무쇠 주물팬에 시어링한 채끝등심스테이크, 포터하우스스테이크 등이 대표 메뉴다. 감자튀김이나 퓌레, 채소 등을 사이드 메뉴로 곁들이는 편을 추천한다. 런치타임에는 파스타 등의 식사 메뉴를 선보인다.

₩ 안심스테이크(100g 4만7천원), 채끝등심스테이크(300g 이상, 100g 5만2천원), 포터하우스(800g 이상, 100g 4만4천원), 티본스테이크(600g 이상, 100g 4만원), 매시드포테이토(1만1천원), 구운야채(1만2천원)

🕒 11:30~15:00(마지막 주문 14:20)/17:30~22:00(마지막 주문 20:30) | 토, 일요일 11:30~14:30(마지막 주문 14:00)/17:00 ~19:30/20:00~22:00(마지막 주문 21:20) – 월요일, 명절 휴무

🔍 경기 성남시 분당구 서판교로44번길 17-7(판교동)

☎ 031-8016-8910 Ⓟ 가능

데조로의집 TESORO 베이커리

유기농 밀가루와 국산 팥, 천연효모종을 사용해 빵을 만드는 곳이다. 바게트 종류가 특히 맛있기로 유명하며, 바질향이 입안 가득 퍼지는 바질크런치베이글도 인기다. 겨울에는 슈톨렌을 한정으로 판매하기도 한다.

₩ 바질크런치베이글(4천8백원), 트래디셔널바게트(4천원), 명란바게트(4천5백원), 산딸기바게트(4천8백원), 플레인치아바타(4천원), 올리브치아바타(4천3백원), 어니언치즈(4천8백원)

🕒 09:00~20:00(재료 소진 시 마감) – 비정기적, 명절 휴무

🔍 경기 성남시 분당구 판교로 376(삼평동) 마크시티 퍼플 108,109호

☎ 031-8017-8248 Ⓟ 가능

라비떼 La Vite 피자 | 파스타 | 이탈리아식

화덕 피자와 파스타로 유명한 이탈리안 음식점. 안티파스티로 청포도샐러드가 인기 있는데, 리코타 치즈와 플랫브레드를 넣어 준다. 피자와 파스타 종류도 다양하며, 티본스테이크도 추천할 만하다.

₩ 청포도샐러드(2만8백원), 스테이크루콜라(2만9천8백원), 마르게리타(2만2천9백원), 칠리크림쿠치나(2만2천8백원), 알리오올리오(1만

7천8백원), 티본스테이크(600g 10만2천원)
⏱ 11:00~15:00(마지막 주문 14:00)/17:30~21:30(마지막 주문 20:30) – 화요일 휴무
🔍 경기 성남시 분당구 판교공원로3길 16 1층
☎ 070-4221-8116 Ⓟ 불가

레디쉬브라운 Redish Brown 커피전문점

판교 백현동카페거리에서 수준 높은 로스터리 커피를 맛볼 수 있는 곳. 핸드드립으로 내린 커피를 추천할 만하다. 백현동카페거리의 출발점이라 할 수 있을 정도로 카페거리를 대표하는 곳이다. 브라운톤의 깔끔한 인테리어가 분위기 있다.

₩ 에스프레소, 아메리카노(각 4천9백원), 카페라테, 아인슈페너(각 6천원), 팥빙수, 우유빙수(각 S 8천원, L 1만4천원)
⏱ 11:00~20:00 | 일, 월요일 11:00~19:00 – 화요일 휴무
🔍 경기 성남시 분당구 판교역로18번길 30(백현동)
☎ 031-8016-2055 Ⓟ 불가

루프엑스 RUF XXX 바 | 카페

백현동에서 인기 있는 카페 겸 바. 다양한 칵테일과 맥주 등을 갖추고 있으며 치즈플레이트, 나초, 스튜 등을 안주 삼아 술 한 잔 하기 좋다. 맥주와 칵테일은 변동이 잦은 편이므로 직원에게 문의하는 것이 좋다. 층고가 높아 탁 트인 느낌이 들며, 저녁에는 붉은 조명을 켜두어 분위기가 좋다.

₩ 소시지토마토소스(2만4천원), 토마토버터양파빵, 앤쵸비빵, 치즈플레이트(각 2만원), 치킨커틀릿(1만5천원), 아몬드초코케이크, 크림블마스카포네(각 1만2천원)
⏱ 17:00~24:00 – 월, 화, 수요일 휴무
🔍 경기 성남시 분당구 동판교로52번길 25-18(백현동)
☎ 031-8016-2570 Ⓟ 가능

베네쿠치 Bene cuci 파스타 | 이탈리아식

아늑한 분위기의 이탈리안 레스토랑. 브런치 메뉴는 오픈 시간부터 오후 12시 30분까지만 주문할 수 있다. 다양한 종류의 파스타도 선보이며, 적당하게 구운 스테이크도 인기다.

₩ 포모도로, 아마트리치아나(각 2만1천9백원), 로제크랩파스타, 홍새올리오(각 2만3천9백원), 연어타르타르(3만원), 찹스테이크(5만원), 랍스터,관자요리(S 4만원, L 6만원)
⏱ 11:30~15:00/17:00~21:30(마지막 주문 20:30) – 월요일, 명절 휴무
🔍 경기 성남시 분당구 운중로146번길 19(운중동) 운천빌딩 1층
☎ 031-8016-0955 Ⓟ 발레 파킹

베러펄슨 🎀 BETTER PERSON 디저트카페

제철 유기농 재료를 활용한 디저트를 선보이는 카페. 젤라틴을 사용하지 않은 플레이팅 디저트를 맛볼 수 있다. 아담한 규모의 카페로, 조용하고 편안하게 시간을 보낼 수 있다.

₩ 아메리카노(4천원), 카페라테, 플랫화이트, 카푸치노(각 4천5백원), 아인슈페너(6천원), 스콘(3천8백원), 피낭시에(1천8백원), 타르트(5천8백원)
⏱ 10:00~18:00 – 토, 일요일 휴무
🔍 경기 성남시 분당구 서판교로58번길 4-4(판교동)
☎ 010-6801-1440 Ⓟ 가능(가게 앞 1~2대)

베이징스토리 Beijing Story 일반중식

고급스러운 분위기에서, 중식 요리와 다양한 코스 요리를 맛볼 수 있는 곳이다. 공간도 널찍하고 소규모 방이 따로 구분되어 있어, 단체 회식이나 모임을 하기에 적합하다.

₩ 코스(4만9천원, 6만9천원, 9만원), 탕수육(소 2만7천원, 중 3만5천원), 깐풍기(소 3만1천원, 중 3만9천원), 자연송이밥(1만6천원), 짜장면(9천원), 해물짬뽕(1만원)
⏱ 11:30~15:00/17:00~21:00 – 일요일 휴무
🔍 경기 성남시 분당구 판교역로 230(삼평동)
☎ 031-696-0306 Ⓟ 가능

보노보노 🎀 BUONO BUONO 커피전문점

엄선된 핸드드립 커피를 오마카세 코스로 즐길 수 있는 곳. 원두에 따라 커피의 다양한 풍미를 느낄 수 있으며, 핸드드립 커피를 비롯해 콘판나, 아이스 커피 등 다양한 종류의 커피를 선보인다. 직접 내리는 커피에서 바리스타의 철학을 느낄 수 있다. 커피 코스는 한시간 반 정도 걸리며 예약은 필수.

₩ 아메리카노(4천8백원), 카페라테(5천8백원), 파나마게이샤(9천7백원), 사케라토, 에스프레소도피오(5천5백원), 딸기라테(6천5백)
⏱ 09:00~22:00 | 토요일 11:30~18:00 – 일요일, 공휴일 휴무
🔍 경기 성남시 분당구 판교역로 180(삼평동) 알파타워
☎ 031-701-1316 Ⓟ 가능

비스트로도마 스테이크

스테이크 오마카세, 와규 스테이크 등을 맛볼 수 있는 레스토랑. 스테이크 오마카세를 주문하면 셰프 특선 애피타이저와 세 가지 스테이크, 파스타, 디저트까지 함께 맛볼 수 있다. 매장은 깔끔하고, 세련되게 인테리어 했다.

₩ 스테이크오마카세(9만5천원), 와규스테이크(단품 4만5천원, 세미코스 4만8천원), 이베리코황제살흑돼지스테이크(단품 2만7천원, 세미코스 3만원)
⏱ 11:00~15:00/17:00~22:00(마지막 주문 20:40) – 명절 휴무
🔍 경기 성남시 분당구 하오개로 383
☎ 031-702-6009 Ⓟ 가능

사계절한정식 한정식

아늑한 분위기의 한정식집. 10여 가지의 맛깔스러운 한식이 푸짐하게 나오며, 가격도 합리적인 편이다. 옛날 경양식집 같은 인테리어가 편안한 분위기를 자아낸다.

₩ 한정식(A코스 3만1천원, B코스 3만7천원, C코스 4만2천원, S코스 5만1천원), 평일특선(2만7천원)

⏲ 11:00~14:30/17:00~21:00(마지막 주문 19:30) – 명절 당일 휴무
🔍 경기 성남시 분당구 판교백현로 49(백현동)
☎ 031-708-7115 Ⓟ 가능

세렌 SEREN 이탈리아식 | 파스타

외벽이 통유리로 되어 있어 좋은 경치를 감상하며 식사할 수 있다. 점심 시간에는 부담없는 가격으로 파스타 세트를 즐길 수 있으며 와인 리스트도 다양한 편이다.

₩ 2인세트(8만5천원), 1인스테이크코스(7만4천원), 런치파스타세트(1인 2만1천원), 리코타카넬로니파스타, 풍기(각 2만4천원)
⏲ 11:00~15:00(마지막 주문 14:30)/17:30~21:00(마지막 주문 20:30) – 연중무휴
🔍 경기 성남시 분당구 운중로188번길 11(운중동) 1층
☎ 031-709-0775 Ⓟ 가능

스시쿤 스시

합리적인 가격의 스시 오마카세 전문점. 전체적으로 양이 많고 가격대비 만족도가 높은 곳이다. 자리는 테이블과 카운터석으로 구성되어 있다.

₩ 런치스시코스(4만5천원), 오마카세(런치 6만원, 디너 9만원, 카운터 10만원)
⏲ 12:00~13:20/13:30~14:50/18:00~22:00 – 연중무휴
🔍 경기 성남시 분당구 대왕판교로 660 유스페이스몰 1차 지하1층 A동 115호
☎ 0507-1355-6972 Ⓟ 가능

스시혼 すし本 스시

판교에 있는 가격 대비 만족도가 높은 스시야. 신선한 제철 재료로 선보이는 오마카세를 만날 수 있다. 점심에만 맛볼 수 있는 정식도 추천할 만하다.

₩ 오마카세(6만원), 스시오마카세(7만5천원), 모리아와세(8만5천원), 스시정식(2만원)
⏲ 11:30~15:00/17:30~22:00 – 연중무휴
🔍 경기 성남시 분당구 동판교로177번길 25(삼평동) 판교 호반 써밋 플레이스
☎ 031-701-0923 Ⓟ 가능

아임홈 I'm Home 브런치카페

판교 백현동카페거리에서 합리적인 가격으로 훌륭한 브런치세트를 즐길 수 있는 곳. 예쁘게 꾸며진 실내에 푸짐하게 나오는 브런치세트와 빙수가 훌륭하다. 드라마 촬영장소로 알려지며 주목받고 있다.

₩ 아메리칸브랙퍼스트세트(2만9백원), 파스타세트(1만5천5백원), 샐러드세트(9천5백원~1만4천5백원)
⏲ 10:00~23:00(마지막 주문 22:00) – 명절 당일 휴무
🔍 경기 성남시 분당구 판교역로10번길 3-1(백현동)
☎ 070-4418-0415 Ⓟ 불가

안안 베트남식

신선한 야채와 새우가 들어간 반쎄오와 깔끔한 국물의 소고기 쌀국수를 맛볼 수 있는 곳이다. 고수는 따로 제공되어 취향에 맞게 넣어 먹으면 된다. 반쎄오가 인기 메뉴로, 늦게 가면 재료 소진으로 못 먹을 수 있으니 서둘러야 한다.

₩ 반쎄오(2만4천원), 소고기쌀국수(1만 2천원), 매콤한해산물쌀국수(1만8천원), 분짜(1만6천원), 월남쌈(M 3만2천원, L 4만원), 새우게살볶음밥(1만3천원), 짜죠(1만2천원), 공심채마늘볶음(1만원)
⏲ 11:00~15:00 | 17:00~21:00(마지막 주문 20:00) – 월요일 휴무
🔍 경기 성남시 분당구 운중로138번길 28-4(운중동)
☎ 031-705-4527 Ⓟ 불가

알레그리아판교점 Alegria 커피전문점

원두를 직접 수입해 로스팅하는 커피로스팅 전문회사로, 품질 좋고, 정성어린 커피를 맛볼 수 있다. 카페라노체가 시그니처 커피다. 통창 너머로 가로수가 보여 전망도 좋다.

₩ 에스프레소, 아메리카노(각 5천원), 카페라테, 플랫화이트, 카푸치노(각 5천9백원), 핸드드립(6천원~8천원), 카페라노체(6천7백원), 치즈테리느(6천원)
⏲ 08:00~20:30 | 토, 일요일, 공휴일 10:00~20:30 – 명절 휴무
🔍 경기 성남시 분당구 판교역로 230(삼평동) 삼환하이펙스 B동 1층 119호
☎ 031-696-0305 Ⓟ 가능

양바위 양곱창 | 소고기구이

양, 대창구이와 숙성한우를 전문으로 하는 곳. 부드럽고 쫄깃한 맛이 좋으며 참숯에 구워 불맛을 느낄 수 있다. 양깃머리와 잘게 썬 깍두기를 넣고 철판에 볶은 철판양밥과 칼칼한 한우곱창전골도 별미로 통한다. 고급스러운 인테리어로 꾸며 모임 장소로도 좋다.

₩ 한우스페셜(2인 이상, 1인 150g 5만7천원), 특양구이(160g 3만9천원), 대창구이(180g 3만8천원), 특안심(150g 5만9천원), 채끝등심(150g 5만5천원), 한우갈빗살(150g 5만5천원), 한우곱창전골(중 6만5천원, 대 9만8천원, 런치 2인 이상 1인 3만1천원)
⏲ 11:00~15:00(마지막 주문 14:30)/17:00~22:00(마지막 주문 21:30) | 토, 일요일 11:00~22:00(마지막 주문 21:30) – 연중무휴
🔍 경기 성남시 분당구 동판교로177번길 25(삼평동) 판교호반 써밋 플레이스 110, 111호
☎ 031-706-9288 Ⓟ 가능

양우정판교점 양곱창 | 소고기구이

고급스러운 분위기에서 양곱창을 먹을 수 있는 곳이다. 양곱창구이는 참숯에 구워 먹는다. 이 외에도 매콤하고 고소한 맛이 좋은 곱창전골도 추천할 만하다. 단체로 앉을 수 있는 프라이빗 룸도 갖추고 있다.

₩ 특양구이, 한우대창구이(각 160g 3만9천원), 한우곱창구이(3만9천원), 한우꽃등심(150g 6만1천원), 한우눈꽃새우살(150g 6만5천원),

양밥(2만4천원)
⏲ 11:00~15:00/17:00~22:00(마지막 주문 21:00) – 연중무휴
🔍 경기 성남시 분당구 대왕판교로606번길 10(백현동) 라스트리트 1동 112호
☎ 031-706-9252 Ⓟ 가능

오디너리벗써니컵케이크 컵케이크

다양한 맛을 선보이는 컵케이크 전문점. 호주 스페셜티커피로 유명한 듁스 원두로 내린 커피도 마실 수 있다. 컵케이크 세트나 홀케이크도 주문 가능하며, 주문 방법은 인스타그램 참조.

₩ 에스프레소(4천1백원), 아메리카노(4천6백원), 카페라테(5천3백원), 바닐라빈카페라테, 솔티드캐러멜크림라테, 오디너리초코크림라테(각 6천원), 컵케이크(6천2백원~6천5백원)
⏲ 10:00~22:00 | 토요일 12:00~21:00 | 일요일 12:00~20:00 – 연중무휴
🔍 경기 성남시 분당구 대왕판교로606번길 10 알파리움1단지 상가 140호
☎ 070-4221-9745 Ⓟ 가능(건물 내 주차, 3시간 무료)

와플랑 와플

판교 백현동 카페 거리에 위치한 와플 전문 카페. 와플 반죽에 엿기름을 넣어 만드는 것이 특징이다. 아이스크림이 올라간 와플과 크로플이 인기가 있다. 커피 외에도 다양한 티를 맛볼 수 있으며 반려견 동반이 가능하다.

₩ 아이스크림크로플(9천5백원), 아이스크림와플(9천8백원), 블루베리크림치즈와플(5천8백원), 에스프레소, 아메리카노(각 4천5백원), 카페라테(5천5백원), 차(6천원)
⏲ 10:00~22:00 | 토요일 09:00~22:00 | 일요일 12:00~22:00 – 화요일 휴무
🔍 경기 성남시 분당구 판교역로14번길 15(백현동) 성음아트센터
☎ 031-707-0716 Ⓟ 불가(백현동 카페거리 공영주차장 유료 이용)

이탈리 Eataly 피자 | 파스타 | 이탈리아식

이탈리아 프리미엄 식재료 브랜드인 이탈리에서 운영하는 레스토랑. 나폴리 화덕 피자에 구운 피자를 비롯해 다양한 종류의 파스타, 스튜 등을 만날 수 있다.

₩ 콰트로포르마지(2만1천원), 모르타델라&피스타치오(2만2천원), 봉골레(2만3천원), 새우아스파라거스리조토(2만4천원), 안심스테이크(180g 4만8천원), 해산물튀김(2만3천원)
⏲ 10:30~20:00 | 금, 토, 일요일 10:30~21:00 – 백화점 휴무일과 동일
🔍 경기 성남시 분당구 판교역로146번길 20(백현동) 현대백화점 판교점 지하 1층
☎ 031-5170-1061 Ⓟ 가능

제로투나인 Zero to Nine 스테이크

압구정 구스테이크의 창립 총괄 셰프 정성구 셰프가 운영하는 스테이크 전문점. 앵거스 품종 중에서도 품질이 좋은 고기만을 사용한다.

₩ 안심스테이크(200g 8만6천원), 앵거스본인채끝스테이크(500g 15만5천원), 프라임꽃등심스테이크(400g 15만6천원), 티본스테이크(650~800g 20만1천5백원), 포터스테이크(800~1kg 26만4천원)
⏲ 11:30~14:30/17:00~21:30(마지막 주문 20:30)| 토, 일요일 11:30~15:00/17:00~21:30 – 명절 휴무
🔍 경기 성남시 분당구 운중로146번길 19-3(운중동)
☎ 031-702-6625 Ⓟ 발레 파킹

제이스팟 J's pot 마라탕 | 훠궈

판교역 인근의 훠거 전문점으로, 진한 우육탕과 강하지 않은 향의 담백한 마라탕을 선보이고 있다. 기본 소스 외에, 소스 바에서 12종류의 소스를 자유롭게 제조할 수 있다. 내부 인테리어는 세련되고 깔끔하다.

₩ A세트(런치 2만6천원, 디너 2만9천원), B세트(런치 2만7천원, 디너 3만원), C세트(런치 3만7천원, 디너 3만9천원), D세트(런치 3만8천원, 디너 4만원), E세트(런치 3만2천원, 디너 3만4천원)
⏲ 11:00~15:00/17:00~22:00(마지막 주문 21:00)|토, 일요일 11:00~15:00/16:30~22:00(마지막 주문 21:00) – 연중무휴
🔍 경기 성남시 분당구 판교역로 152(백현동) 알파돔타워
☎ 031-622-7179 Ⓟ 가능

제이스팟

차고145 Chago145 소고기구이

차돌관자삼합과 1++숙성한우를 즐길 수 있는 고깃집. 콜키지 프리며, 커다란 룸을 갖춰 모임을 갖기에 좋다. 판교 직장인들을 위한 가성비 좋은 점심 메뉴도 있다. 분당의 숙성한우 전문점인 하누비노에서 운영한다.

₩ 1++한우차돌관자삼합(차돌90g+관자+묵은지 3만원), 한우특안심(150g 5만7천원), 한우특등심(150g 5만4천원), 채끝등심(각 150g 5만6천원), 점심차돌볶음과된장찌개(1만3천원)
⏲ 11:30~15:00/17:00~22:00 | 토, 일요일 11:30~22:00 – 연중무휴
🔍 경기 성남시 분당구 판교역로 145(백현동) 알파리움2단지 1층
☎ 031-781-1450 Ⓟ 가능

치화 治華 일반중식

명동에서 40년 넘게 운영하던 화교 중식당 금정이 문을 닫은 후 분당에 새로 오픈했다. 합리적인 가격대에 수준 높은 중식 요리를 맛볼 수 있다. 송이버섯을 비롯해 갖가지 식자재를 넣어 다채로운 맛을 즐길 수 있는 송이전복이 대표 메뉴다.

₩ 송이전복(15만원), 유니짜장면(8천원), 사천짜장면(9천원), 삼선짜장면, 기스면, 마파두부밥, 잡채밥(각 1만원), 새우볶음밥(9천원), 우육면(1만2천원), 잡탕밥(2만원), 해물짬뽕(1만2천원)

🕒 11:00~22:00 – 월요일 휴무

🔍 경기 성남시 분당구 하오개로351번길 3(운중동) 2층

☎ 031-705-3335 Ⓟ 가능

카츠쇼쿠도우 일식돈가스

국내산 최상급 암퇘지만을 엄선하여 사용하는 일본식 돈가스 전문점이다. 과일 유자를 이용해 12시간 저온 숙성을 한 고기를 사용해 육질이 부드러운 게 특징. 로스가스정식, 히레가스 등을 맛볼 수 있다.

₩ 로스가스(1만3천원, 정식 1만5천원), 히레가스(1만4천원, 정식 1만6천원), 모둠가스(1만7천원, 정식 1만9천원), 로스가스동(1만2천원, 정식 1만5천원)

🕒 11:30~21:30 | 토, 일요일 11:30~21:00 – 연중무휴

🔍 경기 성남시 분당구 판교역로 152(백현동) 지하1층

☎ 031-622-7134 Ⓟ 가능

커피미학 카페

정통 에스프레소 커피와 하우스블렌드 커피를 선보이는 커피의 명가로, 청담동의 커피 문화를 선도했던 곳이다. 커피 외에 레몬, 페퍼민트, 라벤더, 로즈레드 등의 허브차와 케이크, 질소 아이스크림도 맛볼 수 있다.

₩ 핸드드립커피(7천5백원~1만5천원), 아메리카노(5천원), 카페라테(5천5백원), 오늘의커피(7천원), 허브차(6천5백원), 팥빙수(1만2천원), 질소아이스크림(6천5백원)

🕒 10:30~22:00(마지막 주문 21:30) – 연중무휴

🔍 경기 성남시 분당구 동판교로177번길 25(삼평동) 판교호반 써밋 플레이스 2층

☎ 031-8017-0723 Ⓟ 가능

파파라구 papa ragu 피자 | 파스타

라구소스를 베이스로 한 파스타를 전문으로 하는 레스토랑. 메뉴는 라구라자냐, 라구파스타, 화덕피자 총 세 가지로 단출한 편이지만 셰프스페셜피자 메뉴가 매월 바뀌어 새로운 맛의 피자를 맛볼 수 있다. 소고기와 돼지고기, 채소를 넣고 5시간 이상 뭉근하게 끓인 라구 소스의 맛이 좋다.

₩ 라구라자냐, 라구파스타(각 1만3천원), 화이트크림파스타(1만7천원), 플라워마르게리타피자(1만6천원), 써니피자(1만8천원)

🕒 11:30~15:00(마지막 주문 14:20)/17:00~21:00(마지막 주문 20:20) – 화요일, 명절 휴무

🔍 경기 성남시 분당구 판교역로10번길 22-3(백현동)

☎ 031-709-5624 Ⓟ 불가

판교집 소고기구이 | 삼겹살 | 돼지고기구이

급랭삼겹살, 소곱창, 한우 갈비살 등 고기를 다양하게 즐길 수 있는 곳. 메뉴 주문시 한쟁반에 김치, 미나리, 쌈채소 등 풍성한 밑반찬이 준비된다. 한우 모둠 세트를 시키면 갈비살과 육회를 함께 맛볼 수 있다.

₩ 한돈급랭삼겹살(170g 1만5천원), 한우곱창(180g 2만5천원), 곱창전골(중 3만5천원, 대 4만5천원), 갈비살(2만6천원), 영천육회(중 3만원, 대 4만5천원), 한우모둠(갈비살 200g, 육회 180g 7만5천원)

🕒 11:00~14:30(마지막 주문 13:50)/16:30~22:00(마지막 주문 21:10) | 토, 일요일 12:00~22:00(마지막 주문 21:10) – 명절 휴무

🔍 경기 성남시 분당구 판교공원로2길 58

☎ 0507-1422-6650 Ⓟ 불가(오후 6시 이후 지하주차장 이용 가능)

피제리아비니스 PIZZERIA BINY'S 피자 | 파스타

480도 온도의 화덕에서 구운 나폴리 피자를 맛볼 수 있다. 물소젖 모차렐라 치즈를 올린 마르게리타콘부팔라가 대표 메뉴며 라자냐도 인기 있다. 통창으로 되어 있는 실내가 쾌적하다.

₩ 마르게리타(1만7천8백원), 디아볼라(2만2천8백원), 포모도로(1만7천8백원), 아마트라치아나(1만8천2백원), 감베리네로리조토(2만1천2백원), 라자냐(2만5백원)

🕒 11:00~15:30(마지막 주문 14:45)/17:30~22:00(마지막 주문 20:45) – 월, 화요일 휴무

🔍 경기 성남시 분당구 판교공원로1길 70(판교동)

☎ 031-701-0345 Ⓟ 가능

하림닭요리 삼계탕 | 닭볶음탕 | 닭갈비

닭요리 전문점. 당일 도계한 신선한 하림 닭만을 사용하며, 삼계탕에서 프라이드치킨까지 다양한 닭요리를 선보인다. 판교 테크노밸리에 위치해 있어 점심에는 직장인을 위한 1인 닭볶음탕이나 닭국수 메뉴도 먹을 수 있다.

₩ 하림닭칼국수(1만2천원~1만3천원), 뚝배기닭떡볶이(1만3천원), 매콤닭한마리볶음탕(소 3만6천원, 중 4만5천원), 서울식닭갈비볶음정식(1만3천원), 닭매운탕(소 3만6천원, 중 4만7천원), 안동식찜닭(소 3만5천원, 대 4만7천원)

🕒 11:00~21:30 – 토, 일요일, 공휴일 휴무

🔍 경기 성남시 분당구 대왕판교로645번길 36(삼평동) NS별관 지하 1층

☎ 031-606-8514 Ⓟ 가능

후안즈 JUANS 다이닝펍 | 펍

판교도서관 앞에 자리한 다이닝 펍. 다양한 수제 맥주를 비롯해 다양한 안주를 선보인다. 라거, 페일에일 등의 맥주부터 고제, 사워에일 등 종류가 다양해 취향껏 즐길 수 있다. 직접 반죽한 도우를 사용한 후안즈콤비네이션이 시그니처 메뉴다.

Ⓦ 크래프트비어(6천9백원~9천5백원), 멜란네제파스타, 초리조파스타(각 1만8천5백원), 감바스(2만5천원), 새우밭샐러드(1만7천원)
Ⓒ 17:00~24:00 – 일, 월요일 휴무
Q 경기 성남시 분당구 판교공원로2길 55(판교동)
☎ 031-707-8612 Ⓟ 불가

경기도 수원시

GTS버거 햄버거

버거에 들어가는 토핑재료와 소스를 다양하게 선택할 수 있는 버거 전문점. 불고기의 감칠맛에 치즈의 고소함이 더해진 불고기 치즈버거가 추천 메뉴다. 버거와 함께 맥주를 즐기기에도 좋으며 셰이크 종류도 다양하다.

Ⓦ 불고기치즈버거, 치즈버거(각 7천5백원), 그릴드머시룸버거, 더블버거, 리코타베이컨치즈버거(각 1만5백원), 오리지널프라이즈(3천5백원), 로컬밀크셰이크(7천원)
Ⓒ 10:30~21:00 – 연중무휴
Q 경기 수원시 영통구 매영로310번길 87 상가 지하 1층
☎ 031-205-7732 Ⓟ 가능

GTS버거

가보정 소갈비

갈비가 유명한 수원에서도 맛집으로 꼽히는 대형 갈빗집. 한우갈비와 미국산갈비를 취향에 맞게 시킬 수 있으며 같이 나오는 반찬도 다양하다. 사거리를 둘러싸고 1관, 2관, 3관 세 개의 건물로 이뤄져 있는 것이 특징.

Ⓦ 한우생갈비(250g 10만2천원), 한우양념갈비(270g 6만9천원), 한우채끝등심(150g 6만7천원), 한우육회(180g 3만7천원), 미국산생갈비(450g 6만9천원), 미국산양념갈비(450g 6만1천원), 한우갈비탕(2만5천원), 물냉면(1만2천원, 식사 1만5천원)
Ⓒ 11:30~21:30 | 토요일 11:00~22:00 | 일요일 11:00~21:30 – 명절 당일 휴무
Q 경기 수원시 팔달구 장다리로 282(인계동) 의성빌딩
☎ 1600-3883 Ⓟ 가능

계절곳간 김밥

카페 같은 외관의 김밥 전문점. 메밀, 두부, 후무스가 들어간 김밥과 샐러드를 맛볼 수 있다. 글루텐프리 어묵, 친환경 김, 백색단무지 등 건강한 식재료를 사용하고 있다. 비건 메뉴는 물론이고, 김밥은 키토제닉으로 변경할 수 있다.

Ⓦ 건강야채김밥(4천원), 수원갈비김밥(7천원), 메밀김밥(6천5백원), 두부후무스김밥(6천5백원), 수원갈비샐러드(1만1천원), 보리아메리카노(3천5백원~4천원)
Ⓒ 10:00~16:00/16:30~20:00(마지막 주문 19:40) | 일요일 09:00~15:00/15:30~17:00(마지막 주문 16:40) – 월요일 휴무
Q 경기 수원시 팔달구 창룡대로7번길 5(북수동)
☎ 031-8004-0411 Ⓟ 불가

고등반점 高等飯店 일반중식

1970년부터 3대째 대물림하며 같은 자리를 지키고 있는 중식당. 대표 메뉴는 해삼, 전복, 새우, 송이버섯 등 각종 해산물과 채소를 넣어 만든 전가복이다. 간장이나 케첩 등을 넣지 않은 옛날식 탕수육과 마늘쫑을 볶아 넣은 짜장면도 많이 찾는다.

Ⓦ 전가복(소 5만원, 중 6만5천원), 짜장면(6천원), 짬뽕(8천원), 간짜장(9천원), 탕수육(소 1만7천원, 중 2만2천원) 깐쇼새우(3만2천원, 중 4만원), 해물누룽지탕(소 3만5천원, 중 4만5천원), 코스(3인 이상, 1인 2만5천원, 3만원, 4만3천원)
Ⓒ 11:00~15:00/17:00~21:00 | 토, 일요일 11:00~21:00(마지막 주문 20:10) – 명절 당일 휴무
Q 경기 수원시 팔달구 팔달로52번길 43(고등동)
☎ 031-255-3291 Ⓟ 가능

골목집설렁탕 설렁탕 | 수육

수원에서 가장 오래된 설렁탕집 중의 하나. 진득한 국물과 시원한 깍두기 맛이 잘 어울린다. 실내 분위기도 쾌적한 편이다.

Ⓦ 설렁탕(1만3천원), 수육(중 4만원, 대5만원)
Ⓒ 10:00~16:00/17:00~20:00(마지막 주문 19:30) – 일요일 휴무
Q 경기 수원시 장안구 팔달로291번길 21-17(영화동)
☎ 031-242-6059 Ⓟ 가능(협소)

군포해물탕 해물탕

푸짐한 해산물이 가득 들어간 얼큰한 해물탕으로 수원에서 오랫동안 사랑받고 있는 집이다. 해물탕 재료로는 생물 해산물만을 사용해 신선함이 일품이다. 미리 예약 후 방문하는 것이 좋다.

Ⓦ 해물탕(소 7만5천원, 중 11만원, 대 18만원)
Ⓒ 12:00~22:30 – 일요일 휴무
Q 경기 수원시 영통구 동수원로513번길 11(매탄동)
☎ 031-215-3705 Ⓟ 불가(공영주차장 이용)

그레이락 grayrock 이탈리아식

장안문을 바라보며 파스타를 즐길 수 있는 곳. 이탈리아 로마식으로 요리한 파스타를 맛볼 수 있다. 바삭한 뇨키에 크림소스를 곁들인 트러플 뇨키가 인기 메뉴. 샐러드와 카르파치오 등은 식사 전 입맛을 돋워주며, 가볍게 와인을 곁들이기도 좋다.

₩ 한우1+카프라치오, 대광어세비체(각 1만8천원), 부라타치즈와토마토(1만6천원), 봉골레파스타(2만원), 비스크파스타(2만3천원), 페퍼로니파스타(2만1천원), 문어파스타(2만6천원), 트러플뇨키(2만8천원), 성게알파스타(2만9천원), 관자파스타(2만7천원), 수비드항정살(3만4천원), 쇼콜라토무스(6천원)

12:00~22:00 – 연중무휴

경기 수원시 팔달구 정조로 904-1(북수동) 1층

☎ 010-9817-9665 Ⓟ 불가(화홍문 공영주차장 유료 이용)"

그집해장국 뼈다귀해장국

수원에서 나름 이름난 해장국집. 뼈다귀해장국 하나만을 선보이며, 고기가 푸짐하게 들어간다. 국물도 진국으로 평가받고 있다. 가격대비 만족도도 높은 편.

₩ 해장국(7천원)

06:00~21:00 – 일, 월요일 휴무

경기 수원시 장안구 송정로 142(조원동)

☎ 031-244-6694 Ⓟ 불가

다래식당 동태

칼칼한 동태찌개와 말갛게 끓인 동태지리를 전문으로 하는 곳. 동태찌개와 동태지리 단 두 가지 메뉴만을 선보인다. 큼지막한 동태가 국물에 깊게 우러나와 그 맛이 훌륭하다. 함께 나오는 밑반찬도 하나같이 맛깔스럽다.

₩ 동태찌개, 동태지리(각 2인 이상, 1인 1만2천원)

10:30~20:00 | 일요일 10:30~16:00 – 연중무휴

경기 수원시 권선구 세권로195번길 28-3(권선동) 양지빌딩

☎ 031-233-1627 Ⓟ 불가

달보드레 DALBODRE 퓨전한식

전통 한정식을 바탕으로 일식, 양식을 더한 퓨전 한정식을 선보인다. 합리적인 가격에 유기농 식재료를 사용한정갈한 한정식을 맛볼 수 있다. 돌잔치나 모임 장소로도 인기 있다.

₩ 한정식(A코스 4만6천원, B코스 5만8천원, C코스 7만8천원, D코스 12만원), 평일런치(3만4천원)

10:00~15:00/17:00~22:00(마지막 주문 21:00) – 월요일(공휴일인 경우 정상 영업), 명절 휴무

경기 수원시 팔달구 월드컵로 310(우만동)

☎ 031-245-7900 Ⓟ 발레 파킹

대원옥 평양냉면 | 수육 | 소불고기

평양 출신 할머니가 문을 연 평양냉면집으로, 70여 년의 역사를 자랑한다. 메밀 함량이 높은 편이며, 메밀 100%가 들어간 순메밀냉면도 맛볼 수 있다. 겨울에는 문을 열지 않는 때도 있으므로 확인하고 가야 한다.

₩ 평양냉면, 비빔냉면(각 1만5천원), 수육(2인 4만원)

11:30~20:00 – 월요일, 명절 휴무

경기 수원시 팔달구 정조로800번길 6-3(팔달로1가)

☎ 031-255-7493 Ⓟ 불가

델리다바 DELHI DHABA 인도식

인도 요리 전문점으로, 주방장을 비롯한 직원 모두 인도 현지인이다. 커리와 케밥이 주메뉴며, 인도 출신 현지인이 만들기 때문에 본토와 비슷한 맛을 낸다. 매장 한쪽에서는 인도 식료품도 판매한다.

₩ 탄두리치킨(반마리 9천원, ,한마리 1만7천원), 카레(1만1천원~1만3천원), 난(2천원~6천원), 라씨(3천원~3천5백원)

11:00~21:00 – 연중무휴

경기 수원시 팔달구 매산로 6-2(매산로1가)

☎ 031-248-1090 Ⓟ 가능

도미닉커피랩 DOMINIC COFFEE LAB 커피전문점

코코넛라테와 플랫화이트를 맛볼 수 있는 로스터리 커피 전문점. 스페인 전통의 바스크치즈케이크도 선보이고 있다. 오리지널, 흑임자, 얼그레이 등 각양각색의 치즈케이크를 커피와 함께 즐기는 것도 좋다.

₩ 코코넛라테(6천5백원), 플랫화이트, 카페라테(각 5천원), 아메리카노(4천5백원), 바닐라라테(5천5백원), 바스크치즈케이크(7천원)

10:00~22:00 – 연중무휴

경기 수원시 영통구 센트럴파크로127번길 46(이의동)

☎ 070-8613-5494 Ⓟ 가능

두꺼비집부대찌개 부대찌개

40년이 넘는 역사의 부대찌개집으로, 육수가 맑은 것이 특징이다. 칼칼하고 개운한 맛으로 오랜 시간 사랑받아온 곳이다. 햄과 소시지, 베이컨구이 등도 추천할 만하다.

₩ 부대찌개(1만원), 햄구이, 소시지구이, 베이컨구이(각 2만원), 스테이크(2만5천원), 모둠구이(4만원)

09:30~21:30 – 명절 휴무

경기 수원시 영통구 반달로 32(영통동)

☎ 031-202-4267 Ⓟ 가능

두수고방 斗數庫房 사찰요리

사찰 음식의 대가 정관스님의 음식을 맛볼 수 있는 곳. 담양사부엌을 재현한 룸에서 원테이블 다이닝으로 진행된다. 셰프가 라이브로 요리하는 것을 보면서 음식을 즐길 수 있다. 나무 찬

장과 옛날 그릇들로 꾸민 인테리어가 멋스럽고 정겨운 한국의 전통을 물씬 느끼게 한다.

₩ 두수고방원테이블다이닝(런치 10만원, 디너 13만원)
⏲ 11:30~20:00 – 화, 수요일 휴무
Q 경기 수원시 영통구 광교호수공원로 80(원천동) 앨리웨이 어라운드 라이프 3층
☎ 031-548-1912 Ⓟ 가능

뜨라또리아로마냐 NEW
TRATTORIA ROMAGNA 파스타

아담한 분위기의 가정식 이탈리안 레스토랑. 셰프가 직접 빚은 라비올리로 만든 로마냐라비올리가 대표 메뉴다. 라비올리 안에는 단호박으로 만든 소를 넣었다. 매일 아침마다 직접 제면한 생면 파스타를 사용한다.

₩ 로마냐라비올리(1만6천원), 프렌치어니언수프(1만2천원), 로메인샐러드(1만2천원), 부라타샐러드(1만4천원), 카르보나라(1만8천원), 볼로네제, 바질페스토뇨키, 트러플아란치니(각 1만8천원)
⏲ 11:30~15:00 / 17:30~21:00 – 일, 월요일 휴무
Q 경기 수원시 영통구 대학1로8번길 81 1층
☎ 010-2037-2944 Ⓟ 불가(인근 공영주차장 유료 이용)

뜨라또리아로마냐

루아즈 블랑제리 LUAZ BOULANGERIE 베이커리
원목 테이블과 의자, 앤티크한 소품으로 인테리어한 베이커리 카페. 편안한 공간에서 커피와 함께 베이커리를 즐길 수 있다. 잠봉뵈르를 많이 찾으며 고르곤졸라 크루아상도 추천할 만하다.

₩ 잠봉뵈르(8천7백원), 크루아상(4천원), 고르곤졸라크루아상(5천원), 아몬드크루아상, 뺑스위스(각 4천8백원), 팽오쇼콜라(4천6백원), 플랑바닐라(5천8백원), 에스프레소(3천8백원), 아메리카노(4천8백원), 카페라떼, 카푸치노(각 5천5백원)
⏲ 10:00~21:00 – 월요일 휴무
Q 경기 수원시 팔달구 정조로777번길 8 1층
☎ 031-258-1108 Ⓟ 불가(인근 공영주차장 이용)

르디투어 ledetour 카페 | 베이커리
수려하고 개성 있는 공간의 대형 베이커리 카페. 세계 건축상을 받은 건축가가 지은 건물로, 1층부터 루프탑까지 매력적인 가구와 소품, 작품들이 더해졌다. 프리미엄급 재료를 사용하는 베이커리와 함께 스페셜티 커피점 펠트커피의 원두를 즐길 수 있다.

₩ 몽블랑(5천5백원), 쪽파크림치즈먹물소금빵(6천5백원), 아메리카노(5천원), 에스프레소(4천8백원), 카페라테(5천5백원), 레드빈아인슈페너(각 6천5백원)
⏲ 10:00~21:00(마지막 주문 20:30) – 연중무휴
Q 경기 수원시 영통구 웰빙타운로36번길 46-234(이의동)
☎ 031-217-0004 Ⓟ 가능

리버헤드 riverhead 디저트카페
브루잉 커피를 비롯한 다양한 음료를 즐길 수 있는 디저트 카페. 콘브래드푸딩과 피스타치오 아포가토를 맛볼 수 있다. 강의 발원지라는 뜻의 상호에 걸맞게 커다란 물결 모양의 커피바가 중앙에 자리하고 있고 안에는 물이 흐르고 있다. 실내 곳곳에 섬세하면서도 독특한 인테리어 센스가 느껴진다.

₩ 피스타치오아포가토(7천원), 에스프레소(3천5백원), 에스프레소티라미수(5천원), 리치복숭아에이드(6천5백원), 시나몬롤(5천원), 콘브레드푸딩(7천원)
⏲ 10:00~19:00 | 토요일 12:00~20:00 – 월요일 휴무
Q 경기 수원시 팔달구 고화로 18(매산로3가) 1층
☎ 010-8024-3885 Ⓟ 가능(경기도청 주차장 이용)

매향통닭 통닭
가마솥통닭 전문점. 닭에 튀김옷을 입히지 않고 통으로 한 마리를 바삭하게 튀겨내는 것이 특징이다. 생맥주와 함께 즐기기에 좋다. 팔달문 인근의 수원통닭거리에서 처음으로 통닭집을 낸 원조집이다.

₩ 가마솥통닭(1만9천원), 닭껍질교자, 떡볶이(각 5천원)
⏲ 11:00~22:30 | 토, 일요일 11:00~20:00 – 수요일, 명절 당일 휴무
Q 경기 수원시 팔달구 수원천로 317(남수동)
☎ 031-255-3584 Ⓟ 불가

멘야고코로 麵屋こころ 마제소바 | 라멘 | 소바
마제소바를 선보이는 소바 전문점. 매일 매장에서 직접 물과 밀가루, 소바가 절반 정도 남았을 때 넣는 다시마 식초는 적정한 산미와 감칠맛을 더해 색다른 맛을 즐길 수 있다. 다양한 소스의 마제멘이 있으며 돈코쓰라멘도 맛볼 수 있다.

₩ 니쿠마제멘(1만2천원), 마제멘(1만원), 카레마제멘, 시오마제멘(1만1천원), 고코로마제멘(1만4천원), 돈코쓰라멘, 가라구치라멘(각 9천원), 교자(5천원)
⏲ 11:00~15:00/17:30~21:00(마지막 주문 20:30) – 일요일, 명절 휴무
Q 경기 수원시 영통구 월드컵로179번길 16(원천동)
☎ 031-215-1259 Ⓟ 불가

명산식당 순댓국

머릿고기와 순댓국이 유명한 곳. 순댓국에는 기본적으로 매운 양념이 들어가며 고기와 순대가 푸짐하게 들어간다. 머릿고기에 술 한잔 곁들이기도 좋은 분위기. 40년 넘는 전통을 자랑하는 집으로, 바로 옆에 있는 아다미식당, 일미식당과 함께 수원역 앞에서 이름난 순댓국집 중 하나다.

₩ 순댓국(9천원), 따로국밥(1만원), 술국(1만7천원), 모둠수육, 머리수육, 내장수육(각 소 2만원, 중 2만5천원, 대 3만원)
🕒 24시간 영업 – 연중무휴
🔍 경기 수원시 팔달구 매산로 1-6(매산로1가)
☎ 031-242-3999 Ⓟ 불가

무안낙지골 낙지

다양한 낙지 요리를 선보이는 곳. 무안과 여수에서 직송한 산낙지를 사용하여 국물 맛이 일품인 연포탕은 박속을 넣어 더욱 시원하다. 낙지가 연분홍빛을 내면서 익으면 다리 부분을 먼저 먹고 국물 맛을 충분히 즐긴 뒤 몸통을 건져 먹는다. 낙지를 다 먹은 후 국물에 소면을 끓여 먹는다.

₩ 연포탕(소 4만2천원, 중 6만3천원, 대 8만4천원), 낙지철판볶음, 낙지볶음(1인 2만1천원), 산낙지초무침(소 4만2천원, 중 5만8천원, 대 7만4천원), 탕탕이회(중 3만5천원, 대 4만5천원)
🕒 10:00~22:00 – 명절 당일 휴무
🔍 경기 수원시 영통구 청명남로12번길 28(영통동)
☎ 031-202-7450 Ⓟ 가능

바다예찬 해물 | 생선회

신선한 회를 비롯해 제철 해산물을 즐길 수 있다. 다양한 메뉴로 구성된 스페셜코스를 추천할 만하며 매콤상큼한 물회도 별미다. 점심시간에는 회덮밥, 갈치조림, 동태탕 등의 식사 메뉴를 부담없는 가격에 선보인다.

₩ 스페셜코스(17만9천원), 모둠회(소 7만6천원, 중 11만원, 대 14만5천원), 물회(중 3만원, 대 5만5천원), 점심상차림(2인 이상, 9천원~1만9천원)
🕒 11:00~23:00(마지막 주문 22:30) – 연중무휴
🔍 경기 수원시 팔달구 효원로249번길 18-5(인계동) 경일빌딩 101호
☎ 031-236-4466 Ⓟ 가능

백운농장 보리밥 | 묵밥 | 닭백숙

광교산 등산로 초입에 자리한 식당. 묵과 김치를 썰어 넣고 따뜻한 국물에 나오는 묵채(일명 묵밥)를 비롯해 건강에 좋은 보리밥, 닭백숙, 숯불바비큐 등을 즐길 수 있다. 인심이 후해서 양이 많은 편. 닭복음탕, 닭백숙, 오리백숙은 미리 전화로 예약해야 한다.

₩ 묵밥(8천원), 보리밥(9천원), 숯불바비큐(2만원), 도토리묵무침(1만3천원), 잔치국수(6천원), 해물파전(1만5천원), 한방닭백숙, 한방오리탕, 한방오리백숙, 한방닭볶음탕(각 6만원)
🕒 09:00~21:00 – 명절 당일 휴무
🔍 경기 수원시 장안구 광교산로 564(상광교동)
☎ 031-257-9600 Ⓟ 가능

본수원갈비 🎀 소갈비 | 소고기구이

수원왕갈비를 맛볼 수 있는 곳. 50여 년 역사의 전통 있는 갈빗집으로, 소갈비를 10cm~12cm 정도로 큼지막하게 잘라내 양념하는 것이 특징이다. 서비스로 나오는 재래식 된장의 맛이 좋다. 큼지막한 갈비가 들어간 갈비탕은 점심시간에만 판매한다.

₩ 생갈비(미국산, 450g 6만5천원), 양념갈비(미국산, 450g 6만원), 갈비탕(1만5천원), 냉면(1만2천원), 된장찌개(5천원)
🕒 11:30~21:00(마지막 주문 20:00) – 명절 휴무
🔍 경기 수원시 팔달구 중부대로223번길 41(우만동)
☎ 031-211-8434 Ⓟ 가능

삼부자갈비 🎀🎀 소갈비

현재와 같은 대중적인 수원갈비의 원조격이다. 소금으로 간을 한 수원갈비의 전통을 따른다. 해동과 냉동을 두세 차례 반복한 한우를 숯불에 구워 낸 다음 소금으로 간을 한 특유의 양념을 곁들인다. 갈비뼈로 우려낸 구수한 된장찌개도 일품. 담백하고 고소한 게장과 시원한 국물 맛의 동치미, 감주 등이 나온다.

₩ 한우생갈비(180g 6만5천원), 한우양념갈비(200g 4만9천원), 수입생갈비(280g 4만1천원), 수입양념갈비(300g 3만9천원), 삼부자점심특선(2만9천원), 갈비탕(1만6천원), 냉면(각 9천원), 된장찌개(3천원)
🕒 11:30~21:30(마지막 주문 21:00) – 명절 당일 휴무
🔍 경기 수원시 영통구 중부대로 335(원천동) 삼부리치안
☎ 031-211-8959 Ⓟ 가능

셈프레베네 🎀 Semprebene 이탈리아식 | 파스타

분위기 좋은 이탈리안 레스토랑. 다양한 파스타와 리조토, 피자, 스테이크 메뉴를 갖추고 있다. 주방 마감 시간 이후에도 늦은 시간까지 와인을 즐길 수 있다. 루프탑에서는 탁 트인 전망을 즐길 수 있다.

₩ 토마호크세트(700g 15만원), 티본스테이크(500g 10만원), 샤프란리조토(2만원), 해산물피자(2만1천원), 고등어대파올리브오일파스타(2만원)
🕒 11:00~22:00 – 일요일 휴무
🔍 경기 수원시 팔달구 효원로235번길 53(인계동) 송덕빌딩 4층
☎ 031-235-2580 Ⓟ 가능

소곱친구 🎀 sogopfriend 양곱창

깔끔한 분위기에서 한우 곱창과 대창, 막창을 맛볼 수 있는 한우곱창 전문점. 두꺼운 철판 위에 곱창을 올려 구워 먹는다. 아트볶음밥으로 불리는 눈꽃치즈볶음밥으로 식사를 마무리할 것을 추천한다.

₩ 알곱창(200g 2만8천원), 곱창, 대창, 막창(각 200g 2만5천원), 특양(200g 2만8천원), 눈꽃치즈볶음밥(5천원)

Ⓒ 15:00~23:00(마지막 주문 22:00) – 일요일, 마지막 주 월요일 휴무
Q 경기 수원시 영통구 효원로 393 밀레니엄프라자 2층 202-203호
☎ 031-213-3332 Ⓟ 불가(인근 공영주차장 및 영통구청 주차장 이용)

송풍가든 소갈비

숯불에 구워 먹는 왕갈비의 살점을 부드럽게 만드는 노하우는 냉장 숙성에 있다고 한다. 식사로는 된장찌개와 조밥이 나온다. 양념갈비에 식사가 나오는 갈비정식도 가격대비 만족도가 높다.
Ⓦ 한우생갈비(250g 6만6천원), 한우양념갈비(250g 5만6천원), 송풍특갈비탕(1만5천원)
Ⓒ 11:00~15:00/16:30~21:30 – 명절 당일 휴무
Q 경기 수원시 장안구 경수대로 1013(송죽동)
☎ 031-252-4700 Ⓟ 가능

수엠부 Swoyambhu 인도식 | 네팔식

인도, 네팔 음식 전문 레스토랑. 현지인이 직접 운영하는 곳으로, 전통 커리를 즐길 수 있다. 아담한 실내 한쪽에서는 인도 뮤직비디오를 틀어 음악을 들으면서 식사할 수 있다.
Ⓦ 난(2천원~5천원), 커리(1만2천원~1만6천원), 탄두리치킨(1만6천원~3만5천원)
Ⓒ 11:00~22:00 – 연중무휴
Q 경기 수원시 팔달구 매산로20번길 9(매산로2가) 2층
☎ 031-258-3305 Ⓟ 불가

수원만두 중국만두 | 중국식국수

화교가 운영하는 50여 년 된 중국집. 중국식 만두를 전문으로, 물만두, 군만두 등과 각종 탕면 등이 유명하다. 땅콩을 갈아 만든 뜨거운 콩국수 같은 단단탕면도 특색 있다. 일반 중식 요리 종류나 짜장면, 짬뽕은 팔지 않는 것이 특징.
Ⓦ 고기만두, 군만두, 찐만두, 물만두, 소고기탕면, 볶음면, 단단탕면(각 9천원), 깐풍기(소 2만5천원, 대 3만원), 탕수육(소 2만원, 대 2만5천원)
Ⓒ 11:30~21:00 – 명절 휴무
Q 경기 수원시 팔달구 창룡대로8번길 6(팔달로1가)
☎ 031-255-5526 Ⓟ 가능

쉐푸스 Chefoo's 뷔페

현대적 감각의 세련된 분위기와 격조 높은 서비스, 최고급 요리가 조화를 이루는 정통 뷔페로, 조식, 중식, 석식 뷔페를 제공하고 있다.
Ⓦ 아침뷔페(성인 3만9천원, 어린이 2만1천원), 점심, 저녁뷔페(성인 9만5천원, 어린이 4만8천원)
Ⓒ 06:30~10:00/12:00~14:30/18:00~21:00 – 연중무휴
Q 경기 수원시 팔달구 중부대로 150(인계동) 라마다프라자수원 5층
☎ 031-230-0074 Ⓟ 가능

스팅키베이컨트럭 NEW

Stinky Bacon Truck 미국식 | 캐주얼다이닝

바비큐로 인기를 끌었던 유용욱바베큐연구소에서 오픈한 미국식 레스토랑. 직접 만든 두툼한 베이컨을 맛볼 수 있으며, 햄버거와 와플치킨도 선보이고 있다. 브런치플래터를 주문하면 베이컨을 비롯해 핫케이크, 해시브라운까지 다양하게 즐길 수 있다.
Ⓦ 하우스샐러드와스모크드베이컨(1만6천9백원), 브런치플래터(런치 1만8천9백원), 베이컨&치즈샌드위치와베이컨(런치 1만6천9백원), 에브리데이미트볼(디너 1만8천9백원), 와플&치킨(2만2천9백원)
Ⓒ 10:00~15:30/17:00~22:00 | 토, 일요일 10:00~22:00 – 연중무휴
Q 경기 수원시 장안구 수성로 175
☎ 010-3215-4325 Ⓟ 가능

스팅키베이컨트럭

신라갈비 소갈비

수원에서 손꼽히는, 오래된 갈빗집 중 하나. 숯불에 구워 먹는 갈비 맛이 좋고 반찬도 정갈하고 깔끔하다. 야외 테라스에는 식후에 차를 마실 수 있는 공간이 마련되어 있다.
Ⓦ 한우생갈비(250g 8만7천원), 한우양념갈비(270g 6만7천원), 왕생갈비(450g 6만5천원), 왕양념갈비(450g 6만원), 한우육회(180g 3만9천원), 갈비탕(1만5천원), 냉면(1만원)
Ⓒ 11:30~22:00 | 일요일 11:00~21:30 – 연중무휴
Q 경기 수원시 영통구 동수원로 538(원천동)
☎ 031-212-2354 Ⓟ 가능

아다미식당 순댓국

순대국밥과 머릿고기가 유명한 집. 명산식당과 함께 수원 역전에서 쌍벽을 이루는 순대국밥집으로 알려졌다. 고기의 양도 푸짐하다. 머릿고기를 시켜놓고 술 한잔 기울이는 사람들이 많아 저녁때는 자리가 없을 정도다. 60여 년 역사를 자랑하는 곳.
Ⓦ 순댓국(9천원), 따로국밥(1만원), 술국(1만7천원), 모둠수육, 머리수육, 내장수육(각 소 2만원, 중 2만5천원, 대 3만원)
Ⓒ 24시간 영업 – 명절 휴무

🔍 경기 수원시 팔달구 매산로 1-8(매산로1가)
☎ 031-242-4190 Ⓟ 불가

아름다운땅 이탈리아식 | 피자 | 파스타

고급스러운 분위기의 이탈리안 레스토랑이다. 참나무 수제화덕 피자와 파스타, 스테이크 함께 와인을 즐길 수 있다. 조용한 지하 공간은 저녁 시간 때 이용하기 좋다.

₩ 곤돌리에라 파스타(2만1천원, 세트 2만8천원), 바질크림뇨키, 트러플크림뇨키(각 2만2천원, 세트 2만9천원), 풍기리조토, 마르게리타(각 1만9천원, 세트 2만6천원), 한우안심스테이크(170g 6만2천원, 세트 6만9천원)
🕒 11:30~15:00/17:00~22:30 | 토, 일요일 11:00~15:00/17:00~22:00 – 월요일 휴무
🔍 경기 수원시 영통구 청명남로4번길 2(영통동)
☎ 031-204-8875 Ⓟ 가능

아장아장 전복

전복장 전문점으로, 전복장을 활용하여 만든 메뉴들이 독특하다. 전복장과 수란, 아보카도 등을 강황밥에 비벼 곱창돌김에 싸먹는 전복장덮밥정식이 대표메뉴다. 완도에서 온 전복을 당일 수급하며, 전복만 추가해서 먹을 수도 있다. 전복 내장과 크림소스의 조합이 이루어진 전복게우파스타도 추천할 만하다.

₩ 전복장덮밥정식(1만4천원), 전복게우크림스파게티니(2만원), 전복게우크림리조토(2만원), 토마토해장파스타(1만6천원), 구운알배추샐러드(1만원)
🕒 11:00~15:00/17:00~20:30 – 연중무휴
🔍 경기 수원시 영통구 권선로882번길 107-66
☎ 031-205-1154 Ⓟ 가능(협소, 만차 시 신동제2거주자 공영주차장 이용)"

야키토리잔잔인계본점

焼き鳥 じゃんじゃん 이자카야 | 일식꼬치

일본식 정통 꼬치구이를 맛볼 수 있는 이자카야. 꼬치구이는 직화로 구워 불 향이 풍부하며, 그밖에 사시미와 다타키 등도 준비되어 있다. 일본 현지 분위기를 느낄 수 있는 오픈 주방과 칸막이를 친 테이블의 인테리어로, 편하게 술 한 잔 하기 좋은 곳이다.

₩ 추천꼬치5종(1만8천원), 추천꼬치7종(2만2천원), 사시미(2인 3만원, 4인 4만원), 참치다타키(2만4천원), 소고기다타키(2만5천원), 오코노미야키(2만3천원)
🕒 18:00~02:00(익일)(마지막 주문 01:00) | 금, 토요일 18:00~03:00(익일)(마지막 주문 02:00) – 월요일 휴무
🔍 경기 수원시 팔달구 인계로138번길 35(인계동)
☎ 031-233-0877 Ⓟ 가능

어구미 생선구이

생선구이 전문점. 숯불로 굽고 강황을 뿌려 생선의 비린내를 없앴다. 밑반찬도 깔끔하고 생선구이 맛 역시 전체적으로 훌륭하다는 평.

₩ 고등어구이정식(1만2천원), 임연수구이정식(1만4천원), 삼치구이정식(1만6천원), 갈치구이정식(1만7천원), 모둠구이(소 3만1천원, 대 4만8천원)
🕒 11:00~15:30/17:00~21:30 – 연중무휴
🔍 경기 수원시 팔달구 권광로134번길 35(인계동)
☎ 031-238-8535 Ⓟ 가능

에스큡 Esque'p 이탈리아식 | 와인바

홍콩식 이탈리안 요리를 선보이는 와인바. 오픈된 주방에서 직접 만든 육수와 생면으로 비스트로 요리를 선보인다. 4시간 동안 저온 조리한 소볼살이 대표 메뉴. 와인 리스트가 좋으며, 가격 대비 만족도가 높은 편이다. 애피타이저로 입맛을 돋우어 주는 크림치즈로 속을 채운 토마토 샐러드도 추천할 만하다.

₩ 평일/주말2부(5만원), 주말디너1부(4만원), 라구리가토니, 새우라비올리, 비스큐파스타(각 1만9천원), 우대갈비(400g 4만9천원), 돈마호크(3만5천원), 문어(3만3천원), 소볼살(2만3천원), 크림치즈토마토(1만원)
🕒 19:00~22:00 – 일요일 휴무
🔍 경기 수원시 장안구 덕영대로445번길 37(율전동) 1층 102호
☎ 0507-1480-3239 Ⓟ 불가(인근 공영주차장 이용)

오봉베르 AU BON BEURRE 크루아상 | 베이커리

광교카페거리에 자리한 베이커리 카페로, 크루아상이 유명하다. 초코, 아몬드, 홍차, 앙버터 등을 넣은 다양한 크루아상이 입맛을 사로잡는다. 먹고 갈 수 있는 공간도 마련되어 있으며, 노키즈존으로 운영된다.

₩ 크루아상(4천4원), 아망드크루아상(5천원), 얼그레이크루아상(5천원), 오봉쇼콜라(4천7백원), 앙크로(5천2백원), 아메리카노(4천5백원), 카페라테(5천원)
🕒 10:00~19:30(마지막 주문 19:00) – 연중무휴
🔍 경기 수원시 영통구 센트럴파크로127번길 142(이의동) 지하 1층
☎ 010-2326-2104 Ⓟ 불가

오이탈리안 oh-Italian 이탈리아식

셰프, 소믈리에, 바리스타, 디자이너 4인의 전문가가 만드는 「음식과 문화를 담는 공간」이라는 콘셉트를 추구한다. 1인 1메뉴 주문 시 브레드 서비스를 주는데, 셰프가 갓 구워 내어주는 4종의 빵이 특색있다. 세트로 주문시 다양하게 맛볼 수 있다.

₩ 콥샐러드, 카르보나라(각 1만6천9백원), 들깨크림뇨키(2만1천9백원), 해산물디아볼로, 오새우(각 1만8천9백원), 보타르가(1만9천9백원), 마르게리타(1만5천9백원), 치미추리리조토(1만7천9백원), 세트(2인 4만9천9백원, 3인 6만9천9백원, 4인 9만4천9백원)
🕒 11:00~15:00/17:30~21:15(마지막 주문 20:30) – 연중무휴

Q 경기 수원시 영통구 센트럴타운로 85(이의동) cb39호
☎ 031-548-0066 Ⓟ 가능

오젬므 NEW Oseme Cafe 디저트카페

스트로바니 밀푀유, 바질릭 블랙 토마토 타르트, 얼그레이 쇼콜라 생토노레 등을 맛볼 수 있는 디저트 카페. 커피는 플랫화이트를 많이 찾으며, 좌석은 창가와 주방 앞 쪽에 바 형식의 테이블이 마련되어 있다. 디저트와 음료를 다양하게 즐기기 좋은 편이다.

Ⓦ 스트로바니밀푀유, 말차밀푀유(각 9천8백원), 바질릭블랙토마토타르트(8천5백원), 홀리데이산타마롱타르트, 얼그레이쇼콜라생토노레, 스트로베리치오타르트(각 1만원), 클래식바닐라타르트(9천원), 플랫화이트(5천5백원), 아메리카노, 에스프레소(각 4천5백원), 라테(6천원)
◷ 11:00~20:00 - 수요일 휴무
Q 경기 수원시 권선구 권선로766번길 7-4 트윈하우스 1층
☎ 010-2803-7077 Ⓟ 가능

오티티 OH! TT 타르트 | 디저트카페

치즈, 자몽, 샤인머스캣, 망고 등 다양한 맛의 타르트를 맛볼 수 있는 타르트 전문점. 생과일을 듬뿍 올린 타르트는 타르트지와 크림의 맛이 좋다. 제철과일을 사용하기 때문에 타르트 메뉴는 변동될 수 있다.

Ⓦ 아메리카노(5천원), 카페라테(5천5백원), 바닐라빈라테(6천원), 버터크림라테, 패션요거크림, 얼그레이밀크티(각 6천5백원), 자몽타르트, 샤인머스캣타르트, 망고타르트(각 7천5백원)
◷ 12:00~22:00 - 월요일 휴무
Q 경기 수원시 팔달구 권광로180번길 21
☎ 010-9492-7329 Ⓟ 불가(인근 공영주차장 이용)

용성통닭 통닭 | 프라이드치킨

수원통닭골목에서 진미통닭과 함께 양대산맥으로 꼽히는 곳이다. 닭을 시키면 닭똥집과 닭발이 서비스로 나온다. 바삭하게 튀겨서 기름이 쫙 빠진 프라이드치킨이 별미다.

Ⓦ 프라이드치킨, 통닭(각 1만8천원), 양념치킨(1만9천원), 왕갈비통닭(2만1천원)
◷ 11:00~23:00 - 화요일 휴무
Q 경기 수원시 팔달구 정조로800번길 15(팔달로1가)
☎ 031-242-8226 Ⓟ 불가

운멜로 Un Melo 파스타 | 이탈리아식

파스타, 리조토 전문점으로, 수원에서 제대로 된 이탈리아 음식을 와인과 함께 즐길 수 있는 곳이다. 세트메뉴를 이용하면 보다 저렴하게 다양한 메뉴를 즐길 수 있다.

Ⓦ 세트(M세트 3만9천원, 스테이크세트 4만5천원, R세트 5만5천원), 파스타(1만4천원~1만6천원), 리조토(1만6천원), 스테이크(2만원)
◷ 11:30~15:00/16:30~21:30(마지막 주문 20:30) - 명절 당일 휴무
Q 경기 수원시 팔달구 화서문로32번길 4(신풍동) 2층
☎ 031-256-0149 Ⓟ 불가

운봉농장 오리로스

참숯으로 구운 훈제오리, 생오리 등 다양한 요리를 맛볼 수 있다. 질 좋은 생오리고기가 나오는 오리로스가 인기다. 가격 부담 없어 친구, 가족끼리 부담 없이 찾기 좋은 곳이다. 식당 한쪽에는 김치, 쌈채소, 샐러드, 나물 등을 마음껏 가져다 먹을 수 있는 셀프 바가 마련되어 있다.

Ⓦ 생오리(300g 2만1천원), 훈제오리(300g 2만3천원), 볶음밥(3천원)
◷ 11:00~15:30/16:30~22:00(마지막 주문 21:00) - 월요일 휴무
Q 경기 수원시 영통구 중부대로 236(매탄동)
☎ 031-213-5668 Ⓟ 가능

유치회관 선지해장국 | 수육

40년 넘는 전통을 자랑하는 곳으로, 원래 광교산 등산객에게 인기 있었던 해장국집이다. 우거지와 콩나물을 넣고 끓인 해장국에 팽이버섯을 넣는 것이 독특하다. 현재 선지해장국으로는 수원 제일이라는 평을 받고 있다.

Ⓦ 해장국(1만1천원), 수육, 수육무침(각 3만5천원)
◷ 24시간 영업 - 명절 휴무
Q 경기 수원시 팔달구 효원로292번길 67(인계동)
☎ 031-234-6275 Ⓟ 가능

유치회관

인계해장 NEW 소내장탕 | 설렁탕

직접 우려낸 한우 사골 육수로 만든 한우 내장탕, 한우 설렁탕, 한우 해장국 등을 맛볼 수 있는 국밥 전문점. 한우 곱창 전골과 명란 치즈 볶음밥도 많이 찾는 편이며, 한우 수육과 육 사시미도 추천할 만한 메뉴. 룸과 단체석도 마련되어 있으며, 24시간 영업 한다.

Ⓦ 한우내장탕, 한우설렁탕, 한우해장국(각 1만원, 특 1만3천원), 한우내장전골(중 3만5천원, 대 4만5천원), 한우곱창전골(중 4만원, 대 5만원), 육사시미(100g 1만5천원, 150g 2만2천원), 한우수육(250g 3

만5천원, 500g 5만5천원), 명란치즈볶음밥(3천원)
Ⓢ 24시간 영업 – 연중무휴
Ⓠ 경기 수원시 팔달구 인계로166번길 26
☎ 031-232-8780 Ⓟ 가능

일미순대국 순댓국

오랫동안 수원역 부근에 자리 잡고 있는 순댓국집으로, 국산 돼지고기만을 사용하여 국물이 진하면서 맛있고, 육질이 좋다. 순대국밥은 밥이 말아져 나오고 따로국밥은 공깃밥이 따로 나온다. 머릿고기수육과 내장모둠도 많이 찾는다.

₩ 순대국밥, 돼지머리국밥(각 1만원), 따로국밥(1만1천원), 술국(2만원, 대 2만5천원), 머릿고기, 내장모둠(각 소 2만원, 중 2만5천원, 대 3만원, 특대 4만원)
Ⓢ 10:00~22:00 – 비정기적 휴무
Ⓠ 경기 수원시 팔달구 향교로 2(매산로1가)
☎ 031-251-9640 Ⓟ 불가

일상엔베이커리카페 日上円 카페 | 베이커리

일본풍의 건물과 인테리어의 카페. 하얀 자갈이 깔린 좁은 골목의 돌길을 지나면 카페로 들어가는 입구가 나온다. 일상엔에서 직접 로스팅 한 스페셜티 원두와 시그니처 베이커리로 크렘 브륄레 번, 바노피타르트 등을 맛볼 수 있다. 아메리카노는 1천원 추가 시 필터 커피로 즐길 수 있다.

₩ 아메리카노(5천원~6천원), 카페라테(6천원), 두유라테(6천5백원), 바닐라빈라테(7천원), 밀크티, 제주말차라테(각 7천원), 누텔라라테(7천5백원), 티(7천원~7천5백원), 케이크(6천5백원~8천원)
Ⓢ 09:00~21:50(마지막 주문 21:20) | 토, 일요일 12:00~21:50 – 연중무휴
Ⓠ 경기 수원시 팔달구 고화로 8(매산로3가)
☎ 031-252-0914 Ⓟ 가능(매장 연락)

입주집 양곱창

수원에서 오래된 곱창집. 초벌로 구워온 곱창을 두꺼운 철판 위에 구워 먹는 스타일이다. 같이 나오는 부추 겉절이를 곁들이면 더욱 맛이 좋다.

₩ 소곱창구이(200g 2만5천원), 소막창구이(200g 2만4천원), 소대창구이(250g 2만4천원), 모둠한판(600g 6만5천원), 소곱창전골(중 4만4천원, 대 5만1천원)
Ⓢ 12:00~15:00/16:00~22:00 – 일요일 휴무
Ⓠ 경기 수원시 팔달구 팔달문로3번길 37(팔달로1가)
☎ 031-255-5384 Ⓟ 가능

자선농원 보리밥

정통 보리밥으로 알려진 50여 년 전통의 한식집. 직접 텃밭에서 따온 채소가 나오며 하나같이 맛깔스러운 반찬이다. 실내 분위기에서 연륜이 느껴진다.

₩ 자선보리밥, 유기농청국장(각 1만원), 차돌얼큰청국장(1만2천원), 해물얼큰청국장(각 1만1천원), 묵무침(1만5천원), 버섯파전(1만3천원)
Ⓢ 09:00~21:00(재료 소진 시 마감) – 명절 당일 휴무
Ⓠ 경기 수원시 장안구 광교산로 363-1(하광교동)
☎ 031-247-6093 Ⓟ 가능

장수생고기 김치찌개 | 돼지고기구이

돼지고기구이와 김치찌개를 즐길 수 있는 곳. 김치와 두부, 돼지고기를 적절하게 넣은 김치찌개가 맛있다. 돼지고기 외에 한우등심도 맛볼 수 있다.

₩ 김치찌개(1만원), 가브리살, 갈매기살, 삼겹살(각 180g 1만8천원), 가브리살수육(200g 2만원), 한우등심(200g 5만4천원, 400g 10만6천원)
Ⓢ 11:40~15:00/17:00~21:40 | 토, 일요일 11:40~21:40 – 명절 휴무
Ⓠ 경기 수원시 팔달구 효원로291번길 17(인계동) 동건빌딩
☎ 031-239-3074 Ⓟ 가능

중평떡볶이 떡볶이

인계동 한쪽에 자리 잡고 있는 떡볶이집. 보기에는 매워 보이지 않지만 막상 먹다 보면 어느새 입안이 얼얼해진다. 이곳의 비법은 한 번 만든 떡볶이 국물에 물엿이나 고추장을 더 풀어서 재사용하지 않는 것. 새벽까지 사람들이 붐비는 곳이다.

₩ 떡볶이(4천5백원), 찰순대(순대만 4천5백원, 내장포함 5천5백원), 꽁지김밥(3개 4천원), 불고기버거, 꼬마스팸김밥(각 4천원), 한입만두(5천5백원)
Ⓢ 10:50~04:30(익일) – 연중무휴
Ⓠ 경기 수원시 팔달구 효원로265번길 44(인계동)
☎ 031-226-8878 Ⓟ 불가

진미통닭 프라이드치킨

수원 팔달문 근처에서 오랜 시간 동안 사랑받고 있는 치킨집. 워낙에 인기가 좋아 주말에는 매장 안에서 먹으려고 기다리는 사람은 물론, 포장을 기다리는 사람들까지 줄이 길다. 치킨을 시키면 닭똥집이 서비스로 나온다.

₩ 프라이드치킨, 통닭(각 1만8천원), 양념통닭, 반반치킨(각 1만9천원)
Ⓢ 11:00~23:00 – 월요일 휴무
Ⓠ 경기 수원시 팔달구 정조로800번길 21(남수동)
☎ 031-255-3401 Ⓟ 불가

진미회관 삼겹살 | 생태

생태찌개로 유명한 집이다. 곤이를 추가할 수 있으며 맵지 않은 지리 스타일로 내오는 것이 특징이다. 청양고추를 원하는 만큼 풀어 칼칼하게 매운 맛을 내서 먹을 수도 있다. 점심에는 생태찌개를, 저녁에는 고기를 판매하니 참고 할 것.

₩ 생태찌개(1인 1만6천원), 생삼겹(180g 1만5천원), 차돌박이(100g 1만5천원)
Ⓢ 11:30~15:00/17:00~21:50 | 토요일 11:30~15:00/17:00~21:00 –

일요일, 명절 휴무
경기 수원시 영통구 매탄로79번길 6-25(매탄동)
031-212-9266 Ⓟ 불가

카야마구로 NEW Kaya Maguro 참치

숙성 참치 전문 이자카야로, 고급스럽고 쾌적한 인테리어. 룸으로 구성된 좌석도 있어 프라이빗하게 즐길 수 있다. 메인메뉴인 참치는 냉동이 아닌 생물을 손질해 내어준다. 회의 빛깔부터 신선함이 남다르다는 평.

₩ 아카미호소마키, 마구로동(각 2만원), 메로구이, 세이로무시(3만원), 스키야키(3만원), 숙성참치(2인 7만4천원, 3인 11만원, 4인 14만5천원, 5인 18만2천원)
17:00~01:30(익일)(마지막 주문 00:30) – 명절, 일요일 휴무
경기 수원시 팔달구 효원로235번길 52 2층
010-7118-2688 Ⓟ 불가(수원시청 주차장 이용)

코끼리만두 분식 | 만두

40년 넘게 자리를 지키고 있는, 수원에서는 유명한 분식집이다. 상호에서 알 수 있듯이 만두가 가장 유명하며 우엉이 들어간 김밥과 쫄면도 인기 메뉴다. 실내 분위기도 카페처럼 아기자기하고 깨끗하다.

₩ 찐만두, 튀김만두, 김치만두, 쫄면(각 8천5백원), 채소김밥(5천원), 냉면(9천원)
10:30~20:00(마지막 주문 19:30) | 일요일 10:30~19:00(마지막 주문 18:30) – 수요일 휴무
경기 수원시 팔달구 중부대로3번길 27(팔달로3가)
031-255-6704 Ⓟ 불가

크레마노 Cremano 커피전문점

정통 이탈리안 에스프레소를 표방하는 커피바. 이탈리안 에스프레소 챔피언 박대훈 바리스타의 매장으로, 다양한 향미를 갖춘 에스프레소 메뉴를 접할 수 있다. 이탈리아 유명 도시의 풍미를 느낄 수 있는 에스프레소 메뉴도 마련했다.

₩ 아메리카노(3천2백원), 카페라테(3천7백원), 에스프레소(2천5백원), 크레마노, 돌체아란치아(3천8백)
09:00~21:00 – 연중무휴
경기 수원시 영통구 청명남로 32(영통동) 월드프라자
070-4115-0524 Ⓟ 가능

키와마루아지 極味 라멘 | 일식덮밥

돈코쓰라멘의 일종인 미라멘이 유명하다. 닭육수로 만든 담백하고 칼칼한 극라멘 역시 인기 있는 메뉴. 극라멘으로 속풀이 해장을 하기 위해 찾는 손님도 많다. 미라멘에 토핑을 푸짐하게 올린 특미라멘도 추천할 만하다.

₩ 미라멘(7천5백원), 부타동, 규동(각 8천5백원), 특미라멘, 극라멘, 쓰케멘(각 9천원)
11:00~21:30(마지막 주문 20:45) – 명절 휴무
경기 수원시 팔달구 아주로13번길 22(우만동)
031-214-9015 Ⓟ 불가

팔미옥 소고기구이

수원에서 유명한 한우 특수부위 전문점으로, 다양한 부위를 맛볼 수 있다. 살치살, 안창살, 제비추리, 치맛살, 토시살 등 거의 모든 부위가 메뉴에 있지만, 그날그날 좋은 고기만 가져오기 때문에 보통 네 종류의 고기를 모둠 형태로 내온다. 40년 전통을 자랑한다.

₩ 살치살(2인 이상 150g 5만원), 갈빗살(150g 4만3천원), 안창살(2인 이상 150g 5만7천원), 치맛살(150g 3만9천원), 토시살(150g 4만원), 제비추리(150g 4만원), 육회(250g 3만8천원), 특수부위모둠(300g 7만3천원, 600g 14만6천원), 냉면(8천원), 육회비빔밥(1만5천원)
11:30~14:30/17:00~22:30 – 월요일 휴무
경기 수원시 팔달구 효원로 3-1 2층
031-245-6325 Ⓟ 가능

평양일미 평양냉면

식음연구소 노희영 대표의 평안도식 이북음식 전문점. 평양냉면, 삐짐제육, 평양불고기, 어복쟁반 등 다양한 이북의 맛을 느낄 수 있다. 한우양지와 꿩으로 고아낸 깊은 맛의 육수를 사용한 냉면이 인기 메뉴 중 하나.

₩ 평양물냉면, 평양비빔냉면(각 1만3천원), 일미곰탕, 흑미떡만둣국, 녹두전(각 1만4천원), 어복쟁반(중 7만3천원, 대 9만3천원), 육전(2만9천원)
11:00~15:00(마지막 주문 14:30)/17:00~21:00(마지막 주문 20:30) – 연중무휴
경기 수원시 영통구 광교호수공원로 80(원천동) 엘리웨이 어라운드라이프 3층
031-8067-7666 Ⓟ 가능

평장원 平場院 이북음식 | 평양냉면

이북 음식 전문점으로, 평양냉면이 대표 메뉴다. 육향 가득한 뽀얀 국물에 메밀면의 식감이 잘 느껴지는 평양냉면을 맛볼 수 있다. 자극적이지 않은, 슴슴한 평양냉면 고유의 맛을 잘 살렸다는 평이다.

₩ 물냉면, 비빔냉면, 육개장밥, 만두, 만둣국(각 1만원), 회냉면, 녹두전(각 1만2천원), 수육(2만8천원), 보쌈(중 3만5천원, 대 4만5천원)
24시간 영업 – 연중무휴
경기 수원시 팔달구 중부대로 22-13(구천동)
031-245-0990 Ⓟ 불가

풍년설렁탕해장국

40여 년의 내력을 지닌 곳으로, 수원 북문 부근에서는 오래된 집 중 하나다. 새벽에 해징하러 들르는 사람들이 많다. 풍년집이라고도 알려져 있다.

₩ 선지해장국(7천원), 설렁탕, 곰탕(8천원), 내장곰탕, 설곰탕(각 9천원), 도가니탕(1만2천원), 꼬리곰탕(1만7천원), 모둠수육(4만원), 도가니수육(4만5천원)
🕒 24시간 영업 – 명절 휴무
🔍 경기 수원시 장안구 팔달로271번길 40(영화동)
☎ 031-243-8237 Ⓟ 가능(인근 동명주차장에 주차, 30분 무료 확인)

하얀풍차 whitewindmill 베이커리

역사가 오래된 빵집. 매탄점이 재개발 되어 곡반점으로 이전하였다. 유기농 밀가루와 천연사과 발효액종으로 빵을 발효시켜서 만든다. 버터와 설탕도 거의 사용하지 않는다. 다양한 건강빵과 조리빵, 케이크를 만날 수 있다. 화이트롤, 치즈바게트 등이 인기 메뉴다.

₩ 화이트롤(6천8백원), 치즈바게트(6천1백원), 쌀바게트(5천9백원), 옛날맘모스(4천6백원), 햄버거(6천3백원), 몽블랑(6천3백원), 소금빵(2천7백원)
🕒 07:30~23:00 – 연중무휴
🔍 경기 수원시 권선구 곡반정로 160 라퍼스트 1동 134~136호
☎ 031-215-3738 Ⓟ 가능

하우스플랜비 HOUSE PLAN B 파스타 | 이탈리아식

흰색의 유럽풍 외관이 돋보이는 이탈리안 레스토랑. 실내 분위기도 가정집에 온 듯 편안하고 아늑하다. 약간 매콤한 맛의 클래식 토마토 파스타가 시그니처 메뉴며 트러플 뇨키도 많이 찾는다.

₩ 클래식토마토파스타(1만7천원), 스파이시칠리조토(1만7천원), 트러플뇨키(1만8천원), 찹앤치즈스테이크(2만원), 하우스샐러드(1만3천원), 밤호박수프(9천원)
🕒 11:30~15:00(마지막 주문 14:20)/17:00~21:00(마지막 주문 19:30) – 화요일 휴무
🔍 경기 수원시 팔달구 신풍로23번길 62(신풍동) 102호
☎ 031-245-0324 Ⓟ 불가

한마당생고기 쌈밥 | 소고기구이 | 돼지고기구이

한우와 제주도 흑돼지 고기와 함께 직영농장에서 직접 재배하는 다양한 종류의 유기농 쌈 채소를 맛볼 수 있는 곳. 10여 가지가 넘는 맛깔스러운 반찬이 한 상 가득 깔린다.

₩ 제주흑돼지오겹살, 제주흑돼지목살(각 180g 2만원), 한우차돌박이(180g 2만8천원), 한우꽃등심(160g 5만4천원)
🕒 10:00~15:00/17:00~22:00(마지막 주문 21:30) – 연중무휴
🔍 경기 수원시 장안구 장안로75번길 61(정자동) 1층
☎ 031-246-0288 Ⓟ 가능

항아리집 소고기구이 | 육사시미 | 돼지갈비

함평 한우를 사용하여 질 좋은 한우를 즐길 수 있는 곳. 꽃등심, 생갈비, 갈빗살 등이 나오는 항아리갈비세트가 인기며, 돼지고기구이도 즐길 수 있다. 광교산 자락에 있어 식사 후 차 한잔 하면서 즐기는 풍경이 운치 있다.

₩ 항아리집갈비(1kg 9만8천원), 육회(200g 2만5천원), 생삼겹살(200g 1만8천원), 멍석왕갈비(330g 1만8천원), 보리밥정식, 곤드레밥정식(각 1만5천원)
🕒 11:00~21:00 – 명절 휴무
🔍 경기 수원시 장안구 파장천로 144-6(파장동)
☎ 031-271-0099 Ⓟ 가능

해피누디 Happy NUD 디저트카페 | 마카롱

직접 만든 다양한 종류의 마카롱을 맛볼 수 있는 곳이다. 비트, 백련초, 치자황 등의 천연가루를 사용해 색상을 낸다. 조개 모양을 연상케 하는 비주얼이 독특하다.

₩ 마카롱(2천5백원~3천원), 피낭시에(2천5백원), 아메리카노(500ml 2천5백원, 1L 4천5백원), 카페라테(500ml 3천5백원, 1L 6천원), 달고나라테(500ml 4천원, 1L 6천5백원)
🕒 11:00~20:00 – 연중무휴
🔍 경기 수원시 영통구 도청로 95(이의동) 유니코어, 지하1층 104호
☎ 010-7654-3340 Ⓟ 가능

해피누디

홍밀면옥 막국수 | 보쌈 | 평양냉면

보쌈과 막국수 전문점. 보쌈의 돼지고기는 소금으로만 간하여 삶기 때문에 조미의 맛이 없는 깔끔한 맛이며, 소고기 수육이 추가된 우돈보쌈도 인기 메뉴다. 보쌈과 막국수가 주력이지만, 평양냉면 맛집으로도 알려져 있다.

₩ 보쌈(소 3만6천원, 중 4만2천원, 대 4만9천원), 물막국수, 비빔막국수, 들기름막국수(각 1만1천원), 평양냉면(1만2천원)
🕒 11:00~15:00/16:30~21:30(마지막 주문 20:50)| 일요일 11:00~21:00(마지막 주문 20:20) – 월요일 휴무
🔍 경기 수원시 팔달구 수성로157번길 5-16(화서동) 1층
☎ 031-271-4842 Ⓟ 가능

화양가옥수원역본점

花樣家屋 피자 | 파스타 | 이탈리아식

파스타와 로마 피자를 선보이는 이탈리안 선술집. 레트로한 개화기 풍의 인테리어와 메뉴판이 눈길을 끈다. 이탈리아 음식으로 저녁 식사하며 술 한 잔하기 좋다.

Ⓦ 루콜라체리토마토(9천9백원), 갈비토마토파스타(1만8천9백원), 올리브페퍼로니(8천9백원), 왕새우로제리조토(1만8천9백원), 꽃게로제파스타(2만9백원)

Ⓛ 11:30~15:00/17:00~23:00(마지막 주문 22:00) – 월요일 휴무

Q 경기 수원시 팔달구 향교로 58(매산로3가)

☎ 031-247-0877 Ⓟ 불가

화청갈비 소갈비

1945년 수원에서 갈비를 최초로 시작했다는 화천옥을 뿌리로 하는 곳으로, 그 후에 이름이 바뀐 화청갈비의 명맥을 유지하고 있다. 고기를 양념에 3~4일간 숙성시켜 육질이 부드럽다. 푸짐한 갈빗대가 들어간 갈비탕도 인기다.

Ⓦ 한우양념갈비(250g 6만5천원), 한우생갈비(180g 8만5천원), 수입양념갈비(450g 5만5천원), 수입생갈비(450g 6만원)

Ⓛ 11:00~22:00 – 명절 휴무

Q 경기 수원시 팔달구 창룡대로41번길 12(매향동)

☎ 031-216-5005 Ⓟ 불가

후이후이 HUIHUI 일반중식

불향 가득한 삼겹짬뽕이 맛있는 중식집. 신라호텔 팔선 출신 셰프가 정갈한 중식을 선보인다. 바삭하고 튀김옷이 얇은 탕수육도 인기 메뉴. 프라이빗룸도 마련되어 있어 모임을 갖기에도 좋다.

Ⓦ 삼선짜장(9천원), 삼겹짬뽕(1만1천원), 깐풍육, 유린기(각 2만7천원), 크림중새우(3만5천원), 짬뽕탕(2만원), 양장피, 팔보채(각 3만5천원), 유산슬밥(1만5천원)

Ⓛ 11:00~15:30/17:00~21:00(마지막 주문 20:30) – 연중무휴

Q 경기 수원시 영통구 덕영대로 1566(영통동) 더 판타지움 1층

☎ 031-8001-9700 Ⓟ 가능

경기도 시흥시

다미홍 DAMIHONG 일반중식

20년 넘게 자리를 지킨 중식당으로, 캐주얼한 식사 뿐만 아니라 다양한 정통 중국 요리를 즐길 수 있어 모임을 갖기에 좋다. 리뉴얼 후, 실내 분위기가 모던하고 쾌적해졌다.

Ⓦ 짜장면(7천5백원), 삼선간짜장, 짬뽕(각 1만원), 통오징어짬뽕(1만5천원), 탕수육(소 1만8천원, 중 2만5천원, 대 3만2천원)

Ⓛ 11:00~21:00(마지막 주문 20:00) – 수요일 휴무

Q 경기 시흥시 범안로 335-12(계수동)

☎ 031-313-0365 Ⓟ 가능(2시간 무료)

들꽃향 한정식

운치 있는 카페 분위기로 연출한 깔끔하고 정갈한 한정식집. 직접 담근 장으로 요리를 하며 간장게장, 코다리찜 등의 전통적인 한식을 맛볼 수 있다. 장독대와 저수지가 어우러진 풍경이 입맛을 돋운다.

Ⓦ 한정식(1만7천원~3만8천원), 양념코다리(1만3천원), 불고기(1만5천원), 오리냉채(2만원), 갈비찜(4만원)

Ⓛ 11:30~16:00/17:00~21:00 – 명절 휴무

Q 경기 시흥시 물왕수변로 12-1(산현동)

☎ 031-405-4054 Ⓟ 가능

마데몽 mademon 마카롱 | 디저트카페

다양한 마카롱을 맛볼 수 있는 곳. 인삼마카롱, 복분자마카롱, 흑임자마카롱 등 한국적인 맛을 살린 마카롱을 다양하게 선보인다. 프랑스산 AOP 천연 버터와 발로나초콜릿을 사용해 진한 풍미를 느낄 수 있다.

Ⓦ 마카롱(2천7백원~3천5백원), 발로나브라우니(4천원), 머랭쿠키(4천6백원), 에그타르트(2천9백원), 르뱅쿠키(3천7백원)

Ⓛ 10:00~20:00 – 일요일 휴무

Q 경기 시흥시 월곶중앙로46번길 24(월곶동) 2층

☎ 010-4134-9955 Ⓟ 가능

목감동설악추어탕화덕생선구이 추어탕

돌솥밥을 내어주는 추어탕 전문점. 추어탕과 추어 튀김 6마리를 함께 먹을 수 있는 추어탕 튀김 세트를 많이 찾는 편이다. 밑반찬은 간결하게 양파장아찌, 깍두기, 김치가 나온다. 다양한 종류의 생선구이도 인기 있다.

Ⓦ 추어탕튀김세트, 통추어탕, 우렁이추어탕, 고등어구이(각 1만5천원), 추어탕, 추어튀김(각 1만2천원), 전복추어탕, 임연수구이(각 1만7천원)

Ⓛ 10:00~20:30(마지막 주문 20:00) – 연중무휴

Q 경기 시흥시 동서로857번길 40

☎ 031-403-0857 Ⓟ 가능

참소예 chamsoye 주꾸미

매콤한 주꾸미 볶음을 전문으로 하는 곳. 세트를 시키면 샐러드와 묵사발, 공기밥 등이 함께 나온다. 퐁듀나 계란찜을 추가하면 매콤한 주꾸미 볶음과 잘 어울린다. 주꾸미와 고르곤졸라 피자를 함께 먹는 피자주꾸미세트도 독특한 메뉴. 매운 음식을 먹지 못하는 어린이들을 위한 돈가스 등의 메뉴도 구비하고 있다.

Ⓦ 전주꾸미세트(1만6천원), 주꾸미철판세트(1만8천원), 피자주꾸미세트(1만7천원), 도토리전(7천원), 고구마치즈가스(1만원), 고르곤졸라피자(소 8천원, 대 1만1천원), 계란찜(6천원)

Ⓛ 11:00~15:20/17:00~21:00(마지막 주문 20:25) | 토, 일요일

11:00~21:00(마지막 주문 20:25) – 연중무휴
경기 시흥시 동서로 706-27(물왕동)
031-410-5553 Ⓟ 가능(약 80대)

청춘조개 조개구이

오이도에 있는 무한리필 조개구이 전문점. 회수에 상관없이 다양하고 신선한 조개가 모둠으로 리필된다. 세트 메뉴를 시키면 무한리필은 되지 않지만, 세트에 따라 물회나 왕새우구이, 해물칼국수 등이 함께 나온다.

₩ 명품왕조개무한리필(1인 3만8천5백원), 명품조개구이(3만2천5백원), 3단가리비치즈구이(3만7천5백원), 세트메뉴(8만6천원~22만원)
10:00~23:50 | 토, 일요일, 공휴일 10:00~02:00(익일) – 연중무휴
경기 시흥시 오이도로 199-1(정왕동)
010-8488-7338 Ⓟ 발레 파킹

쿠:움 ku : woom 구움과자

셰프가 직접 만드는 구움과자 전문점. 피낭시에가 시그니처로, 30가지가 넘는 피낭시에 라인업을 갖추고 있다. 케이크에는 밀가루가 들어가지 않으며, 구움과자에도 밀가루가 소량 들어가는 것이 특징이다. 구움과자에 맞추어 로스팅한 세 가지 원두도 맛볼 수 있다.

₩ 피낭시에, 에그타르트(각 3천5백원), 쑥인절미피낭시에, 누네띠네피낭시에(각 4천원), 티그레, 버터바(각 5천3백원), 바스크치즈케이크(6천9백원), 발로나스모어르뱅쿠키, 발로나초코가나슈마들렌(각 4천5백원), 쿠키슈(5천8백원), 레몬마들렌(3천9백원), 생크림스콘(4천8백원)
10:00~20:00 | 일요일 12:00~20:00(제품 소진 시 마감) – 월요일 휴무
경기 시흥시 매화로 45(매화동)
010-6214-7071 Ⓟ 가능

경기도 안산시

26호까치할머니손칼국수 칼국수

대부도 가는 길에는 유난히 바지락칼국수집이 많이 있다. 원래 서해안 염전에서 일하는 인부들의 주식이었던 바지락칼국수는 방조제가 생긴 후 외지인들이 많이 몰려오면서 전국적인 명성을 얻게 되었다. 서해안에서 나는 바지락을 푸짐하게 넣고 끓여서 국물 맛이 시원하며 김치전이나 해물파전을 곁들이면 든든한 식사가 된다.

₩ 바지락칼국수(1만1천원), 해물파전(2만원), 김치전(1만6천원)
09:00~22:00 – 연중무휴
경기 안산시 단원구 대부황금로 805(대부동동) 힐하우스모텔
032-886-0334 Ⓟ 가능

구이동 소고기구이

등심 전문점으로, 꽃등심은 양념을 뿌린 일본 야키니쿠 스타일로 나온다. 실내가 깔끔해 손님 접대에 좋아 인근 제일컨트리클럽 고객들이 많이 찾는다.

₩ 꽃등심(150g 4만3천원), 특수부위(500g 12만원)
11:00~23:00 – 연중무휴
경기 안산시 상록구 태마당로 25(부곡동)
031-417-9290 Ⓟ 가능

궁중삼계탕 宮中蔘鷄湯 삼계탕

안산에서 오래된 삼계탕집. 옻, 녹두, 쑥 등 한방 재료를 사용하여 다양한 삼계탕을 선보이고 있다. 전복 한 마리가 통째로 들어가는 한방 전복 삼계탕이 인기 메뉴다.

₩ 한방삼계탕(1만7천원), 한방새싹인삼삼계탕, 한방옻삼계탕, 한방녹두삼계탕, 한방매운삼계탕, 한방카레삼계탕, 한방쑥삼계탕(각 2만원), 한방전복삼계탕, 한방흑마늘삼계탕(각 2만5천원), 한방누룽지삼계탕, 들깨삼계탕(각 2만3천원), 한방전기구이통닭(1만7천원), 한방닭볶음탕(소 4만4천원, 대 5만5천원)
10:00~21:30 – 명절 휴무
경기 안산시 상록구 석호공원로 69(사동) 인우빌 101호
031-502-9090 Ⓟ 가능

더수플레 The souffle 팬케이크 | 디저트카페

부드러운 수플레팬케이크 전문점. 플레인부터 바나나나 딸기를 곁들인 수플레도 맛볼 수 있다. 직접 만든 과일청으로 만든 과일에이드도 인기 메뉴.

₩ 아메리카노(4천6백원), 카페라테(5천1백원), 밀크티, 얼그레이티, 레몬/자몽에이드(각 5천8백원), 수플레팬케이크(1만2천원), 바나나캐러멜팬케이크(1만4천원), 딸기팬케이크(1만7천원)
11:30~23:00 – 수요일 휴무
경기 안산시 단원구 광덕3로 135-18 월드타워 112호
070-8833-7215 Ⓟ 불가(인근 공영주차장 유료이용)

둥근상시골집 백반 | 갈치

50년 전통의 갈치구이 백반집으로, 가마솥에 지은 밥맛이 좋다. 12종의 반찬이 나오며 셀프바에서 리필도 가능하다. 식사 마무리로는 숭늉이 나온다. 50여 년의 역사를 자랑하며 가격대비 만족도가 높다.

₩ 갈치구이정식(1만1천원), 특갈치구이정식(1만6천원), 어린이갈치구이(6천원), 계란찜(2천원)
11:00~20:00 – 명절 휴무
경기 안산시 상록구 도마길 100(건건동)
031-419-0788 Ⓟ 가능

디유히엔콴 DIỆU HIÊN QUĂN 베트남식

안산 다문화거리에 있는 베트남 음식점. 소고기, 닭고기, 돼지고기, 족발, 꽃게살 등 여러 재료가 들어간 쌀국수를 선택할 수 있다. 그밖에 메추리, 뱀장어, 개구리 등으로 만든 베트남 현지 음식도 맛볼 수 있다.

Ⓦ 소고기쌀국수, 닭고기쌀국수, 족발쌀국수, 베트남햄과돼지고기비빔쌈, 월남쌈(각 1만원), 닭고기볶음(1만5천원), 오리와채소무침, 그린망고채소무침(각 2만원)

Ⓛ 09:30~22:00 – 연중무휴

Q 경기 안산시 단원구 다문화1길 6(원곡동)

☎ 031-493-3756 Ⓟ 불가

라쪼 RAZZO 피자

베수비오 화산석으로 만들어진 화덕에 참나무 장작을 넣고 구워낸 나폴리 화덕 피자를 다채롭게 맛볼 수 있는 곳이다. 토마토소스, 모차렐라치즈, 튀긴 가지 등이 올라간 노르마 피자나 마르게리타가 추천 메뉴.

Ⓦ 카프레제샐러드(1만3천9백원), 마르게리타(1만5천3백원), 제노베제에노르마(1만7천8백원), 프로슈토에부라타(2만6천5백원), 콰트로포르마지오(1만7천5백원)

Ⓛ 11:30~15:00/17:30~22:00(마지막 주문 21:00) – 월요일 휴무(월요일이 공휴일인 경우 휴무일 공지)

Q 경기 안산시 단원구 광덕1로 165 동남레이크빌 108호, 109호

☎ 010-4212-1531 Ⓟ 가능(공간 협소)

라쪼

베트남고향식당 베트남식

안산에서 인기가 많은 베트남 쌀국숫집. 들어서자마자 동남아 특유의 향신료 냄새가 확 풍긴다. 진한 국물 맛이 좋으며 신선한 채소를 라이스페이퍼에 싸 먹는 월남쌈도 추천할 만하다. 이외에도 청경채볶음, 공심채볶음 등 다양한 요리를 선보인다.

Ⓦ 소고기쌀국수, 닭고기쌀국수(각 9천원), 월남쌈(2만5천원, 특 3만원), 해물볶음밥(1만원), 짜조(1만원, 특 1만5천원), 모닝글로리볶음(1만2천원)

Ⓛ 10:00~22:00(마지막 주문 21:30) – 화요일 휴무

Q 경기 안산시 단원구 중앙대로 443(원곡동)

☎ 031-492-0865 Ⓟ 불가(신천길 앞 공영주차장 이용)

봉궁순대국본점 순댓국 | 순대

산낙지 두 마리가 들어가는 산낙지순댓국과 보양시래기순댓국으로 인기를 끈 곳. 순댓국에는 순대와 고기가 푸짐하게 들어있다. 접시순대나 불막창볶음도 추천 메뉴다. 반찬과 밥은 셀프바에서 리필이 가능하다.

Ⓦ 눈꽃, 불꽃순댓국(각 1만원), 시래기순댓국, 오소리순대국(각 1만1천원), 뽈살순댓국(1만2천원), 산낙지순댓국(1만8천원), 편육(1만5천원), 접시순대(1만4천원), 불막창볶음(2만2천원)

Ⓛ 09:00~15:00/16:00~21:00 | 토, 일요일 09:00~21:00(마지막 주문 20:30) – 명절 휴무

Q 경기 안산시 상록구 사사안골길 2-2(사사동)

☎ 031-439-0005 Ⓟ 가능

삐쭉이백합칼국수 칼국수

삐쭉이 조개를 넣어 칼국수를 끓이는 것이 특징이다. 삐쭉이는 백합조개를 말하며 살아 있는 백합을 넣어서 끓이는 백합탕 맛도 좋다. 탕을 먹고 난 후에는 칼국수를 추가해 먹을 수 있다.

Ⓦ 백합칼국수(1만1천원), 백합탕(소 6만원, 대 8만5천원), 해물파전(2만원), 낙지초무침(2만5천원)

Ⓛ 08:00~22:00 – 명절 당일 휴무

Q 경기 안산시 단원구 대부황금로 1337(대부북동)

☎ 032-886-1002 Ⓟ 가능

사마르칸트안산점

Samarkand 러시아식 | 우즈베키스탄식

우즈베키스탄식 전문점이지만, 러시아식 음식과 많이 닮았다. 페이스트리 안에 고기가 들어 있는 채소고기빵, 크림소스와 비슷한 국물에 삶은 물만두, 향신료를 첨가한 소고기꼬치 등 한국인의 입맛에 맞는 메뉴를 다양하게 선보이고 있다. 전체적으로 자극적이지 않고 싱거운 편이며, 한국인이 오면 고추와 쌈장을 따로 내주기도 한다. 러시아식 맥주도 다양하게 맛볼 수 있다. 실내가 아기자기하고 깔끔하다.

Ⓦ 소고기삼사(4천원), 소고기꼬치(6천원), 소고기볶음밥, 왕만두, 소고기돈가스(각 1만2천원), 물만두(9천원)

Ⓛ 10:00~22:00 – 월요일, 명절 휴무

Q 경기 안산시 단원구 다문화2길 3(원곡동)

☎ 031-492-6984 Ⓟ 불가

소긋 컨템포러리

제철 식재료를 활용해 다채롭게 선보이는 컨템퍼러리 다이닝 바. 아뮈즈부슈, 애피타이저, 앙트레, 메인, 디저트 순으로 이어지는 코스를 카운터에 앉아 즐길 수 있다. 세 번에 걸쳐 나오는 글라스 와인 페어링 코스를 추가해도 좋다. 가격 대비 만족도가

높은 편이다.

₩ 코스(7만5천원)

🕒 1부 17:30~19:00 2부 20:00~22:00 | 토, 일요일 1부 17:00~19:00 2부 20:00~22:00 – 월, 화요일 휴무

🔍 경기 안산시 단원구 광덕2로 163-11(고잔동) 21세기빌딩 111호

☎ 070-7542-8077 Ⓟ 가능

송호성돈카츠 일식돈가스

일식돈가스와 햄버그스테이크를 전문으로 하는 곳. 호텔 출신 셰프가 운영하며 점심 특선을 제외한 모든 메뉴에는 수프와 샐러드가 포함되어 나온다. 햄버그는 소고기와 돼지고기를 섞어 만들어 고급스러운 맛이다.

₩ 히레가스, 로스가스(각 1만2천원), 치즈가스(1만3천원), 핫돈가스(1만2천5백원), 모둠히레핫, 모둠히레치즈(각 1만2천5백원), 가츠동(1만5백원), 우동, 냉모밀소바(각 9천원), 새우튀김추가, 일본카레추가(각 3천5백원), 돈가스추가(4천원), 샐러드추가(3천원), 공기밥(1천원)

🕒 11:00~14:00(마지막 주문 13:50)/17:00~20:00(마지막 주문 19:50) – 월요일 휴무

🔍 경기 안산시 단원구 광덕동로 99(고잔동) 현대타운

☎ 031-410-8209 Ⓟ 불가

시골순대 순댓국

맑은 국물의 순댓국을 맛볼 수 있는 곳으로, 안산에서는 유명한 곳이다. 들깻가루가 뿌려진 순댓국에는 순대와 내장, 머릿고기가 들어 있다. 순대는 선지와 채소로 속을 채워서 만드는 것이 특징. 날씨가 쌀쌀해지면 줄을 서야 할 정도다.

₩ 순댓국밥, 오소리머리국밥, 내장머리국밥(각 1만1천원), 오소리만, 곱창만(각 1만2천원) , 수육, 막창순대(각 소 1만6천원, 대 3만2천원)

🕒 10:00~16:00/17:00~20:50(마지막 주문 20:20) – 월요일 휴무

🔍 경기 안산시 상록구 용신로 351(본오동) 대아상가

☎ 031-418-3352 Ⓟ 불가(인근 공영주차장 유료 이용)

안산국보만두 🎀 샤부샤부 | 만두

직접 빚은 손만두를 사용한 다양한 요리를 만날 수 있는 곳. 쫄깃한 만두피 안에 속이 가득 들어가 있으며 바삭하게 튀긴 튀김

안산국보만두

만두도 별미다. 코스로 즐기는 만두전골을 콘셉트로 한 세트 메뉴가 경쟁력 있다.

₩ 떡만둣국(1만원), 곰만둣국(1만4천원), 기쁨충만세트(5만8천원), 행복여정세트(7만8천원), 행복플러스세트(10만8천원), 튀김만두(4P 1만원)

🕒 11:30~15:00/17:00~21:00(마지막 주문 20:00) | 토, 일요일 11:30~21:00(마지막 주문 20:00) – 월요일 휴무

🔍 경기 안산시 단원구 광덕서로 62(고잔동) 고잔법조빌딩 101,102호

☎ 031-481-9882 Ⓟ 가능

연안생태찌개 생태

생태찌개만을 전문으로 하는 곳으로, 푸짐한 양을 자랑한다. 생태의 선도가 좋은 편이며 곤이, 내장 등이 넉넉하게 들어간다. 향긋한 미나리가 그 맛을 더한다. 공깃밥 대신 갓 지은 따뜻한 돌솥밥이 나오는 것이 특징이다.

₩ 생태찌개(1인 1만5천원), 내장추가(소 5천원, 대 1만원)

🕒 11:00~21:00 | 일요일 11:00~15:30 – 토요일 휴무

🔍 경기 안산시 상록구 서암로3길 23(사동)

☎ 031-406-1104 Ⓟ 불가

유니스의정원 🎀

Eunice's Garden 이탈리아식 | 카페 | 바비큐

주인이 직접 가꾼 정원이 아름다운, 휴양림 겸 카페&레스토랑. 유니스의정원 안에 있는 더그릴에서는 파스타와 스테이크뿐만 아니라 정원에서 수확한 허브를 이용한 요리를 즐길 수도 있다. 폭립바비큐, 치킨스테이크, 그릴새우, 구운 감자 등이 나오는 모둠바비큐코스도 추천메뉴다.

₩ 2인용모둠바비큐오스틴(6만4천9백원), 3인용모둠바비큐록하트(8만9천9백원), 토마호크스테이크(800g 18만9천원, 1.5kg 32만9천원), 파스타(2만2천9백원~2만4천9백원)

🕒 11:00~15:00/17:00~21:00 | 토, 일요일 11:00~16:00/17:00~21:00 – 월요일 휴무(공휴일 정상 영업)

🔍 경기 안산시 상록구 반월천북길 139(팔곡일동)

☎ 031-437-2045 Ⓟ 가능

제일생고기 소고기구이 | 돼지고기구이

제일CC 인근에서 유명한 고깃집이다. 한우모둠구이에는 등심과 차돌박이, 안창살 등이 함께 나온다. 배추겉절이, 갓김치, 신김치, 어리굴젓 등의 채소 반찬은 고기의 느끼한 맛을 상쇄시켜 주기에 충분하다. 푹 삶아서 갖다 주는 배추 시래기가 고기와 궁합이 잘 맞는다.

₩ 한우모둠구이(150g 5만5천원), 삼겹살(150g 1만5천원), 항정살(150g 2만원)

🕒 10:00~22:00 – 명절 휴무

🔍 경기 안산시 상록구 부곡로 89(부곡동)

☎ 031-502-1373 Ⓟ 가능

조순금닭도리탕 닭볶음탕

안산에서 30년 전통을 자랑하는 닭볶음탕 전문점. 마늘로 숙성시키는 것이 특징이다. 중독적인 매콤한 맛을 자랑하는 닭볶음탕은 실한 닭고기살과 큼지막하게 썬 감자가 가득 들어 있다.

Ⓦ 닭볶음탕(중 3만3천원, 대 4만8천원), 라면사리, 떡사리(각 2천원), 부침개, 볶음밥(각 3천원)
Ⓒ 11:30~22:00(마지막 주문 21:00) – 월요일 휴무
Q 경기 안산시 상록구 본삼로 39(본오동) 인제빌딩 6층
☎ 031-501-1007 Ⓟ 가능

진짜원조소나무집 칼국수

산지에서 바로 채취해서 만드는 바지락칼국수가 유명한 집. 바지락과 면이 푸짐하게 들어 있어 배부르게 식사할 수 있다. 평일에만 주문할 수 있는 파전을 곁들이는 것도 좋다. 실내에는 소나무가 곳곳에 세워져 있어 소나무집이라 불릴 만하다.

Ⓦ 바다향칼국수(소 1만7천원, 중 1만9천원, 대 2만2천원), 바다향파전(소 3만원, 중 3만6천원, 대 4만원)
Ⓒ 11:00~16:00 | 토, 일요일, 공휴일 10:00~18:00 – 월요일, 명절 휴무
Q 경기 안산시 단원구 대부황금로 732(대부동동)
☎ 032-886-2450 Ⓟ 가능

칸티푸르 Kantipur 인도식 | 네팔식

네팔과 인도 음식을 전문으로 하는 곳. 네팔 사람인 주방장이 현지에서 재료를 직접 공수해온다고 한다. 탄두리치킨과 난 등이 대표 메뉴며 실내 분위기도 현지에 온 듯하다. 메뉴를 선택하기 어렵다면 주인의 조언을 받는 것을 추천한다.

Ⓦ 탄두리치킨(풀 1만8천원, 하프 1만원), 치킨티카(1만2천원), 난(2천5백원~5천원), 바드사히치킨커리(1만2천원), 칸티푸르램커리(1만1천), 치킨브리야니(1만원)
Ⓒ 11:00~23:00 – 연중무휴
Q 경기 안산시 단원구 다문화2길 28(원곡동)
☎ 031-493-9563 Ⓟ 불가

포크너 Forkner 피자 | 파스타 | 이탈리아식

좋은 분위기에서 합리적인 가격으로 이탈리아 요리를 즐길 수 있는 곳. 시그니처 메뉴는 이탈리아 정통 카르보나라며, 두툼한 통베이컨토마토 파스타도 인기 있는 메뉴. 주말에는 브레이크 타임 없이 운영한다.

Ⓦ 클래식카르보나라(1만7천원), 통베이컨토마토파스타, 명란크림파스타(각 1만8천원), 살치살스테이크(3만9천원), 포크너샐러드(1만4천원)
Ⓒ 11:00~15:30/17:00~22:00(마지막 주문 21:00) – 연중무휴
Q 경기 안산시 단원구 예술대학로 11(고잔동) 해남빌딩
☎ 031-401-4752 Ⓟ 가능

경기도 안성시

고삼묵밥 묵밥

아궁이에서 직접 불을 때어 가마솥에서 묵을 만든다. 쓰지 않고 담백하며 부드러운 묵맛이 일품. 오래된 낡은 가정집에서 먹는 맛이 옛날로 돌아간 듯한 느낌이다.

Ⓦ 도토리묵밥(1만원), 도토리빈대떡, 두부김치(각 9천원), 촌돼지수육(2만8천원)
Ⓒ 10:30~20:00(마지막 주문 19:30) – 화요일 휴무
Q 경기 안성시 고삼면 무쇠막안길 2-8
☎ 031-672-7026 Ⓟ 가능

낙원간장게장 게장

게장 전문점. 간장 꽃게장, 양념 꽃게장, 돌게장, 꽃게 범벅 등을 맛볼 수 있으며 간장 게장을 주문하면 정갈한 밑반찬과 솥밥이 나온다. 꽃게는 직접 손질해 주어 편하게 먹을 수 있다.

Ⓦ 간장꽃게장(대 5만원, 중 4만5천원, 소 4만원), 양념꽃게장(대 3만원), 보리굴비(2만원), 돌게장(소 3만5천원, 중 4만5천원, 대 5만5천원), 꽃게범벅(소 6만원, 중 8만원, 대 9만원)
Ⓒ 11:00~21:00(마지막 주문 20:00) – 연중무휴
Q 경기 안성시 거리미길 14-4
☎ 0507-1375-8502 Ⓟ 가능

도토리네칼국수 칼국수

담백하고 구수한 국물의 도토리칼국수를 맛볼 수 있는 곳. 메뉴는 도토리칼국수 하나밖에 없으며, 지역 주민이 많이 찾는다. 칼국수에 곁들이는 배추 겉절이도 별미다. 점심 시간에만 영업하며, 재료 소진 시 조기 마감한다.

Ⓦ 도토리칼국수(9천원)
Ⓒ 11:00~14:00 – 둘째, 넷째, 다섯째 주 월요일 휴무(공휴일인 경우 정상영업)
Q 경기 안성시 사곡길 2(사곡동) ☎ 031-672-1621 Ⓟ 가능

두향 칼국수 | 국수

국산콩으로 만든 진한 콩물의 콩국수가 유명한 곳이다. 겨울 한정 메뉴로 팥칼국수와 팥새알심도 맛볼 수 있다.

Ⓦ 두향콩국수(3월이후판매, 보통 9천원, 곱빼기 1만원), 왕만두(4개 5천원), 팥칼국수(2인이상, 1인 1만원), 팥새알심(2인이상, 1인 1만1천원)
Ⓒ 11:00~15:00/17:00~19:30 – 일요일 휴무
Q 경기 안성시 보개면 서동대로 5680
☎ 031-672-3217 Ⓟ 가능

북경반점 北京飯店 일반중식

40년 경력의 솜씨 좋은 화상이 하는 중식당. 속이 디부룩하지 않은 짜장면을 맛볼 수 있으며 바삭한 탕수육, 불 맛 살려 볶은

볶음밥 등도 인기가 많다. 볶음밥에는 옛날식으로 달걀프라이가 올라간다.

Ⓦ 짜장면(7천원), 간짜장, 짬뽕(각 8천원), 볶음밥(8천5백원), 잡채밥(1만원), 탕수육(소 2만원, 중 2만5천원, 대 3만원), 양장피, 팔보채(각 4만원)

🕒 10:30~19:00 – 비정기적 휴무

🔍 경기 안성시 안성맞춤대로 1047-1(서인동)

☎ 031-674-2356 Ⓟ 불가

싼타나레스토랑

SANTANA RESTAURANT 양식 | 경양식

창진 산장 휴게소 내에 있는 레스토랑으로 돈가스, 스테이크 등의 양식을 낸다. 제주산 프리미엄 돈가스, 새우와 안심스테이크가 대표 메뉴다. 창가 자리에 앉으면 숲이 펼쳐지는 전망이 훌륭하며 주말에는 라이브 공연도 진행한다. .

Ⓦ 백년돈가스(평일한정, 1만2천원), 짬뽕파스타(1만3천원), 2인런치세트(3만8천원), 고르곤졸라피자(3만3천원), 돈가스샐러드(2만5천원), 스페셜코스(8만9천원), 커플코스(15만9천원)

🕒 11:00~15:00/17:00~21:30(마지막 주문 20:45) – 연중무휴

🔍 경기 안성시 양성면 만세로 859 창진산장휴게소

☎ 031-674-7676 Ⓟ 가능

안성마춤한우촌 육회 | 소고기구이 | 소갈비

한우를 직접 키워 알맞은 육질의 암소만을 골라내는 한우농가 마을의 구잇집이다. 옛 그대로인 마을 풍경과 한우 고유의 맛이 어우러져 안성맞춤이다. 고기는 농장에서 직접 키운 유기농 채소에 싸 먹는다.

Ⓦ 생등심(130g 4만8천원), 갈빗살(130g 4만5천원), 안심(130g 5만3천원), 육사시미(130g 3만5천원), 육회(80g 1만6천원, 170g 3만2천원)

🕒 11:30~21:00(마지막 주문 20:30) – 월요일 휴무(월요일이 공휴일인 경우 화요일 휴무)

🔍 경기 안성시 삼죽면 신미1길 126

☎ 031-673-5550 Ⓟ 가능

안일옥 🎀 소고기국밥 | 설렁탕 | 수육

4대째 이어진 100년 전통의 소고기국밥집이다. 소머리국밥(설렁탕)에는 머릿고기가, 우탕에는 사골뼈를 푹 고아낸 다음 양지머리, 도가니, 꼬리, 갈비, 족 등 여러 가지가 들어간다. 국물이 진한 편이 아니라 다소 아쉽게 느끼는 사람도 있다. 족, 꼬리, 도가니, 머릿고기 등의 부위를 종류별로 가지런히 썰어 접시에 담은 모둠수육은 소의 부분별 살코기 맛을 볼 수 있다.

Ⓦ 설렁탕, 곰탕(각 1만1천원), 소머리국밥(1만5천원), 꼬리곰탕, 도가니탕(각 1만9천원), 소머리수육(소 350g 3만2천원, 대 470g 4만2천원), 모둠수육(1kg 6만원), 안성맞춤우탕(2만7천원)

🕒 08:00~15:00/17:00~21:00(마지막 주문 20:00) – 명절 당일, 명절 당일 다음날 휴무

🔍 경기 안성시 중앙로411번길 20(영동)

☎ 031-675-2486 Ⓟ 가능

영흥루 永興樓 일반중식

오랜 역사의 화교 중식당. 쌉싸래한 맛이 나는 감자가 들어간 옛날식 짜장면 맛이 좋다. 돼지고기가 들어간 옛날식 볶음밥 역시 불 맛을 잘 느낄 수 있다.

Ⓦ 짜장면(7천원), 짬뽕, 볶음밥, 간짜장(각 8천원), 삼선짬뽕(1만1천원), 탕수육(소 1만8천원, 중 2만4천원, 대 3만4천원), 깐풍기(3만5천원), 팔보채(5만원)

🕒 10:30~15:00 – 월요일 휴무

🔍 경기 안성시 중앙로412번길 26(동본동)

☎ 031-675-4722 Ⓟ 불가

유유차적 서양차전문점 | 카페

발효 약선차와 커피, 다식을 함께 맛볼 수 있는 곳. 웨딩 임페리얼 홍차가 더해진 드립 커피도 추천할 만하다. 다식 메뉴 중에서는 대표 메뉴인 말차 양갱과 금귤정과를 많이 찾는다. 넓은 정원도 있어 힐링하기 좋은 카페다.

Ⓦ 꽃차, 우롱차, 황차, 홍차, 녹차(각 8천원~1만2천원), 웨딩인더가든(8천원), 드립커피(7천원), 팥양갱(3천원), 말차양갱(3천5백원)

🕒 11:00~19:00 – 월요일 휴무(월요일이 공휴일일 경우 정상 영업)

🔍 경기 안성시 공도읍 명심길 267-14

☎ 070-4224-2822 Ⓟ 가능(전용 주차장)

장안면옥 🎀 제육 | 수육 | 평양냉면

오래된 평양냉면 전문점. 안성의 특산품인 유기그릇에 냉면을 담아주는 것이 특징이다. 약간 굵은 듯한 면발은 직접 메밀을 빻아서 뽑아내며 육수는 고기 육수에 동치미를 섞어서 만든다. 수육과 냉면 사리를 비벼 먹는 수육무침도 많이 찾는 메뉴다. 평택에서 이름을 날렸던 고박사냉면집의 일가이기도 하다.

Ⓦ 냉면, 비빔냉면, 함흥냉면(각 1만원), 코다리냉면(1만1천원), 제육무침(2만5천원), 수육무침(3만원)

🕒 11:00~21:00(마지막 주문 20:00) – 동절기 휴무

장안면옥

경기 안성시 중앙로371번길 54(연지동)
031-675-4703 Ⓟ 가능

중앙가든 소갈비

안성에서 유명한 갈빗집이다. 대표 메뉴인 한우생갈비를 숯불 위의 불판에 얹고 구워 먹는다. 서비스로 나오는 한우육회가 별미며 면발이 약간 굵은 물냉면도 괜찮다. 모든 음식이 깔끔한 편.

Ⓦ 생갈비(300g 8만원), 양념갈비(300g 6만2천원), 생고기모둠(불고기(300g 2만2천원), 육회비빔밥(1만5천원)
11:00~22:00 – 명절 휴무
경기 안성시 공도읍 서동대로 4559
031-618-9144 Ⓟ 가능

핏제리아수플리 NEW 피자

나폴리식 화덕피자 전문점. 이탈리아 화덕과 식재료를 사용하여 정통 나폴리 방식대로 피자를 조리한다. 당도가 높은 옐로 토마토와 선 드라이 토마토, 부라타치즈, 바질이 토핑 된 파시노 피자와 프로슈토 트러플 뇨키 등을 맛볼 수 있다.

Ⓦ 파시노, 수플리, 프로슈토트러플뇨키, 바질리가토니(각 2만3천원), 토마토소스와아란치니(4천5백원), 마르게리타, 초리조아라비아타(각 1만9천원)
11:30~15:00/17:00~22:00(마지막 주문 20:30) – 연중무휴
경기 안성시 원곡면 만세로 1140
0507-1346-5728 Ⓟ 가능

홍익정육점식당 소고기구이 | 삼겹살 | 돼지고기구이

정육점을 운영하면서 고기를 파는, 일명 정육식당이다. 고기는 프라이팬에 구워 먹는 스타일이다. 고기를 무에 싸서 먹으면 좋다. 특수부위 고기는 보기에 마블링이 좋아 보인다. 가격이 저렴한 돼지고기 특수부위도 질이 괜찮다.

Ⓦ 한우특수부위, 등심(각 150g 2만9천원), 생삼겹살(200g 1만2천원), 항정살(200g 1만6천원)
12:00~21:00 | 동절기 12:00~20:00 – 월요일 휴무
경기 안성시 금광면 진안로 1016
031-671-0729 Ⓟ 가능

경기도 안양시

긴자인도레스토랑 Kinza 인도식

인도인이 직접 경영하는 레스토랑으로, 커리가 맛있다. 채소만 들어간 커리도 있어 채식주의자가 방문하기에도 좋다. 독특한 분위기의 실내에, 음악도 인도 노래다.

Ⓦ 카레(1만원~1만4천원), 난(2천원~4천원), 샐러드(4천원~7천원), 탄두리치킨(반마리 9천원, 한마리 1만6천원), 바비큐양고기(1만8천원), 라씨(4천원)
11:30~22:00 | 월요일 17:30~22:00 – 명절 휴무
경기 안양시 동안구 평촌대로217번길 19(호계동) 백산프라자
031-383-2223 Ⓟ 불가

남부정육점 선지해장국 | 소고기구이

남부시장 안에서 40년 넘게 영업하고 있는 전통의 고깃집. 한우 암소를 저렴한 가격에 맛볼 수 있는 곳으로, 고기를 원하는 만큼 구매해서 가져다 구워 먹는 스타일이다. 육회 맛이 일품이며 해장국도 많이 찾는다.

Ⓦ 한우암소육회, 육사시미(각 300g 2만5천원, 600g 5만원), 상차림비(1인 3천원), 해장국(2천8백원)
11:30~22:30 – 둘째 주 월요일 휴무
경기 안양시 만안구 장내로150번길 32(안양동)
031-444-6305 Ⓟ 가능

네이키드키친 Naked Kitchen 브런치카페 | 양식

파스타를 메인으로 선보이는 브런치 카페. 수프, 브런치 플레이트, 음료까지 한 번에 맛볼 수 있는 메가브런치는 오후 3시까지만 가능하며, 주말에는 저녁에도 주문할 수 있다. 매번 달라지는 식전 수프도 내어준다.

Ⓦ 뇨키(2만2천원), 카르보나라(1만6천원), 머시룸파니니(1만원), 고르곤졸라파니니(1만원), 메가브런치(1인 1만9천원, 2인 2만9천원)
10:30~15:00/17:00~21:00 – 월요일 휴무
경기 안양시 동안구 귀인로190번길 140-9
031-381-3191 Ⓟ 가능(평촌주차빌딩 1시간 무료 주차권 지급)

모리코무 盛り)込む 카이센동 | 일식

카이센동을 전문으로 하는 곳으로, 메인 메뉴인 카이센동은 런치와 디너, 스페셜로 나뉜다. 그 외에도 히쓰마부시, 우나기동, 스키야키 등도 추천할 만하다. 테이블 위에는 각 메뉴를 맛있게 먹을 수 있는 방법이 친절하게 설명되어 있다.

Ⓦ 스페셜카이센동(3만9천원), 제철모카이센동(2만4천원), 히쓰마부시(3만8천원), 스키야키, 런치카이센동(각 1만8천원), 사케동(1만6천원), 우나기동(2만8천원)
11:30~15:00/17:00~21:30(마지막 주문 20:30) – 연중무휴
경기 안양시 동안구 시민대로 280
031-381-3436 Ⓟ 가능

미키 みき 일식

모던한 재패니즈 다이닝을 즐길 수 있는 이자카야. 파스타면에 조개가 듬뿍 올려진 조개술찜파스타가 인기 메뉴며 모둠카이센, 우니 한 판 등 신선한 해산물을 이용한 메뉴를 즐길 수 있다. 미키마우스를 테마로 한 소품들이 인상적이다.

Ⓦ 모둠카이센(9만원), 부산금태숯불구이, 부산금태회(시기), 우니한판(6만원), 감태말이(4pcs 2만5원), 짚불우대갈비(6만5천원)

Ⓛ 17:00~24:00 – 월요일 휴무
Q 경기 안양시 동안구 관평로182번길 43(관양동) 삼일프라자 202호
☎ 070-8830-6014 Ⓟ 불가(공영 주차장 이용)

부산복칼국수 복 | 칼국수

깔끔하고 시원한 맛이 좋은 복칼국수가 맛있기로 유명한 곳. 복어를 비롯해 해물이 듬뿍 들어가며 미나리가 향을 더한다. 다 먹고 나서는 남은 국물에 밥을 볶아 먹는다. 시원한 국물이 해장으로도 좋으며 가격대도 만족스럽다.

Ⓦ 복칼국수(1만1천원), 해물칼국수(1만1천원), 복튀김(중 2만5천원, 대 3만7천원), 복지리(2인 이상, 1인 2만1천원), 볶음밥(4천원)
Ⓛ 10:00~15:00/17:00~21:00(마지막 주문 20:00) – 연중무휴
Q 경기 안양시 동안구 귀인로190번길 61-21(평촌동)
☎ 031-386-2849 Ⓟ 가능

비소원 秘燒苑 소고기구이 | 평양냉면

질 좋은 한우와 평양식 냉면을 맛볼 수 있는 곳. 고기가 두툼하게 썰어 나오며 두꺼운 돌판 위에 구워 먹는다. 고급스러운 놋그릇에 담아 나오는 평양식 냉면도 맛이 좋다는 평이다. 점심시간에는 쌈밥 등을 런치메뉴로 선보인다. 개별 룸도 갖추고 있어 모임 장소로도 좋다.

Ⓦ 한우등심(150g 4만2천원), 한우설화등심(150g 5만3천원), 숯불양념갈비(330g 4만원), 숯불생갈비(260g 4만3천원), 냉면(1만1천원)
Ⓛ 11:00~22:00(마지막 주문 21:00) | 토, 일요일 11:00~21:00 – 연중무휴
Q 경기 안양시 동안구 관악대로 415(관양동)
☎ 031-425-7794 Ⓟ 가능

석기정 부대찌개 | 곱창전골

40년 넘게 부대찌개를 만들어온 곳이다. 두툼한 돌솥에 찌개를 내오는 것이 특징이며 냉이를 넣어 개운한 맛을 더한다. 삼겹부대찌개, 낙지부대찌개 등 다양한 종류의 부대찌개와 곱창찌개를 선보이고 있다. 모든 메뉴는 2인분 이상부터 주문할 수 있다.

Ⓦ 부대찌개(2인 이상, 1인 1만원), 곱창찌개(2인 이상, 1인 1만2천원), 섞어찌개(2인 이상, 1인 1만1천원), 삼겹부대찌개(1만1천원)
Ⓛ 10:30~23:00(마지막 주문 22:40) – 명절 휴무
Q 경기 안양시 만안구 장내로139번길 55(안양동)
☎ 031-444-6426 Ⓟ 불가

스시미우 美友 스시

엄선한 제철 재료를 사용한 스시로 구성된 오마카세 코스를 합리적인 가격에 맛볼 수 있는 스시야. 오마카세를 시키면 사시미와 스시가 적절하게 조합되어 나온다. 카운터석과 테이블석, 그리고 프라이빗 룸도 하나 준비되어 있다.

Ⓦ 오마카세(디너 9만원, 런치 5만원)
Ⓛ 11:30~15:00/18:00~22:00 – 일요일 휴무
Q 경기 안양시 동안구 흥안대로 415(평촌동) 두산벤처다임 250호
☎ 010-8407-2489 Ⓟ 가능

스시소우 すし宗 스시

그날그날 재료에 따라 주방장이 초밥을 만들어주는 곳. 연어초밥, 전복찜초밥, 청어초밥 등 다양한 종류의 초밥을 선보이며 오마카세 코스도 합리적인 가격에 즐길 수 있다.

Ⓦ 런치(A 4만원, 오마카세 6만원), 디너(A 6만원, 오마카세 8만원, 스페셜오마카세 10만원)
Ⓛ 12:00~15:00/17:30~22:00 – 일, 월요일 휴무
Q 경기 안양시 동안구 시민대로 230 (관양동) 평촌아크로타워 4층 405호
☎ 031-388-3435 Ⓟ 가능

시그니쳐로스터스

Signature roasters 커피전문점

평촌 학원가에 있는 스페셜티 커피 전문점. 월드로스팅챔피언십에서 수상 경력이 있는 장문규 로스터가 원두를 직접 로스팅한다. 그레이 톤의 모던한 인테리어가 차분한 분위기를 낸다.

Ⓦ 아메리카노(4천원), 에스프레소(4천5백원), 카페라테(4천5백원), 캐러멜라이즈, 아인슈페너, 넛(각 7천원), 모카앤크림(6천5백원), 크림얼그레이밀크티(6천원)
Ⓛ 09:30~21:30 | 토, 일요일 09:30~20:30 – 연중무휴
Q 경기 안양시 동안구 평촌대로127번길 88(호계동)
☎ 070-7783-8904 Ⓟ 불가

연평도아구찜꽃게찜 아귀 | 꽃게 | 게장

연평도 심해에서 잡은 암꽃게로 만든 간장게장이 별미. 가격대는 좀 비싸지만 알이 꽉 찬 꽃게 맛이 일품이다. 꽃게탕과 찜도 인기 메뉴다.

Ⓦ 간장게장(대 3만2천원), 꽃게탕, 꽃게찜(각 소 8만원, 중 9만원, 대 10만원)
Ⓛ 11:00~23:00(마지막 주문 21:30) – 연중무휴
Q 경기 안양시 동안구 귀인로190번길 71(평촌동)
☎ 031-384-9333 Ⓟ 가능

옛집 일반한식 | 쌈밥

30여 년 전통의 쌈밥 전문점으로, 유기농 채소 50여 가지와 꽃쌈요리를 맛볼 수 있다. 쌈 채소는 생 것뿐만 아니라 양배추, 호박잎 등의 데친 것도 제공한다. 강원 콩으로 직접 담근 장이 쌈밥의 맛을 더한다.

Ⓦ 꽃쌈밥정식(1만3천원), 쌈밥정식(9천원), 낙지볶음(소 2만7천원, 대 3만1천원), 제육볶음(소 1만원, 대 1만5천원)
Ⓛ 11:00~21:00 – 일요일, 명절 휴무
Q 경기 안양시 만안구 만안로55번길 40(안양동)
☎ 031-442-4886 Ⓟ 가능

진성장어 장어

부담 없는 가격으로 장어를 맛볼 수 있는 곳이다. 소금구이, 마늘구이, 양념구이, 간장구이 네 가지 중 선택할 수 있다. 장어는 미리 다 구워져 나온다. 점심특선으로는 장어구이 정식이 있다.

₩ 장어구이(1마리 250g 3만7천원), 장어구이정식점심특선(2인 이상, 1인 2만6천원)
⏲ 11:00~16:00/17:00~22:00 – 연중무휴
🔍 경기 안양시 동안구 귀인로 295(평촌동) 1층, 2층
☎ 031-422-6677 Ⓟ 가능

타이마실 MARSIL THAI FOOD 태국식

캐주얼한 분위기의 타이 음식점으로, 일명 '댕리단길'이라 불리는 안양 디자인거리에 자리하고 있다. 바삭하게 튀긴 소프트크랩에 태국식 커리 소스를 얹은 뿌팟퐁커리가 대표 메뉴며 파인애플볶음밥과 진한 맛의 쌀국수도 인기다. 새콤한 솜땀과 타이당면으로 만든 얌운센 등을 곁들여도 좋다.

₩ 뿌팟퐁커리, 느어팟남만호이(각 2만3천원), 팟타이꿍, 텃만꿍(각 1만2천원), 파인애플볶음밥, 얌운센, 솜땀(각 1만원)
⏲ 11:30~15:00(마지막 주문 14:30)/17:00~22:00(마지막 주문 21:30) | 금, 토요일 11:30~15:00(마지막 주문 14:30)/17:00~22:30(마지막 주문 22:00) – 연중무휴
🔍 경기 안양시 만안구 양화로72번길 83-25(안양동)
☎ 031-466-8880 Ⓟ 불가

타이마실

태원정육식당 소고기구이

안양에서 한우를 저렴하게 맛볼 수 있는 곳이다. 참숯에 익힌 한우를 부추무침과 함께 먹으면 소고기의 깊은 풍미를 느낄 수 있다.

₩ 살치살(500g 11만원), 갈비살(500g 9만원), 등심, 특수모둠(각 500g 8만3천원), 한우육회(500g 6만원), 안심(500g 9만원)
⏲ 11:30~22:00 – 화요일 휴무
🔍 경기 안양시 만안구 박달로507번길 19(박달동)
☎ 031-443-9233 Ⓟ 가능(협소)

파스타까사 Pasta Casa 피자 | 파스타

파스타와 피자가 맛있는 이탈리안 레스토랑이다. 부담 없는 가격으로 음식을 맛볼 수 있다. 실내는 모던한 분위기에 맞춰 인테리어 했다. 단호박이 그대로 들어간 단호박 파스타에 대한 평이 좋으며 많이 찾는 메뉴다.

₩ 칼조네, 카사(각 1만7천원), 폴로그라탕, 해산물리조토(각 1만7천원), 돌체크레마(1만6천원), 단호박파스타(1만7천원)
⏲ 11:00~20:00 – 연중무휴
🔍 경기 안양시 동안구 평촌대로227번길 26(호계동) 세종상가
☎ 031-476-3053 Ⓟ 가능

함흥곰보냉면 비빔냉면

50여 년의 역사를 자랑하는 안양에서 유명한 냉면집이다. 소고기로 우려낸 육수는 진하고, 면의 식감은 쫄깃하면서도 목 넘김이 좋다. 면에 육수 맛이 잘 배어 있어서 감칠맛이 훌륭하다.

₩ 물냉면, 비빔냉면, 회냉면, 세끼미(각 1만1천원), 수육(1만3천원), 만두(1천5백원)
⏲ 11:00~20:30 – 연중무휴
🔍 경기 안양시 동안구 귀인로190번길 23(평촌동)
☎ 031-387-1122 Ⓟ 가능

호랑이굴 모츠나베

모츠나베라고 하는 일본식 대창전골을 전문으로 하는 곳. 한우대창을 사용하는 대창전골은 매운맛을 3단계로 선택할 수 있다. 전골을 다 먹은 후 국물에 치즈리조토를 만들어 먹는 맛이 일품이다. 갈릭마요새우나 달걀오코노미야키를 곁들이면 더욱 좋다.

₩ 호랑이대창전골(2인 이상, 1인 1만4천9백원), 타래소스대창볶음(1만8천9백원), 치킨튤립가라아게(각 1만5천9백원), 쪽파타코야키(7천9백원), 달걀오코노미야키(6천9백원)
⏲ 11:30~15:00/17:00~24:00|토, 일요일 11:30~15:00/ 16:00~24:00(마지막 주문 23:00) – 연중무휴
🔍 경기 안양시 동안구 시민대로 214(호계동) 다운타운빌딩 1층 109호
☎ 031-381-1244 Ⓟ 가능

흑산도홍어 홍어

제대로 된 국내산 홍어를 맛볼 수 있는 곳이다. 기본인 홍어삼합부터 찜, 홍어만두, 홍어튀김, 홍어애에 이르기까지 코스 구성도 완벽하다. 홍어 마니아라면 놓치지 말아야 할 집.

₩ 삼합(소 9만원 중 13만원), 사시미(소 8만5천원 중 12만원), 홍어탕(소 6만원, 중 10만원)
⏲ 14:00~22:00 – 일요일 휴무
🔍 경기 안양시 만안구 장내로 104(안양동)
☎ 031-468-4566 Ⓟ 불가

흘수선 한식주점

갑오징어무침과 병어무침 등 다양한 메뉴를 선보인다. 저녁때 술안주하기 좋은 메뉴도 많이 준비하고 있으며 홍합탕도 많이 찾는 메뉴 중 하나.

₩ 갑오징어무침(5만원), 홍합탕(4만5천원), 무늬오징어무숙회, 병어무침, 사시미(각 5만5천원)

🕒 17:00~24:00 – 토, 일요일 휴무

🔍 경기 안양시 동안구 부림로 121(관양동) 동아프라자아케이드 1층

☎ 031-386-9545 Ⓟ 불가

경기도 양주시

그릴휘바 hyvaa grill 북유럽식

북유럽 비스트로를 표방하는 곳으로, 수년간 핀란드 회사를 다니면서 북유럽 음식에 정통한 대표가 농원에서 직접 가꾼 채소를 사용한다. 주변 경관과 정원이 잘 어우러져 자연의 정취와 여유로움을 즐기며 식사할 수 있으며, 복합 문화 공간인 헤세의 정원 내에 있다.

₩ 리코타가지구이샐러드(2만1천원), 북유럽의아침(2만원), 메이플시럽호박고구마피자(2만7천원), 새우날치알로제파스타와잡곡토스트, 가리비봉골레파스타(2만5천원)

🕒 11:00~21:00(마지막 주문 20:00) | 토, 일요일 11:00~21:30(마지막 주문 20:30) – 연중무휴

🔍 경기 양주시 장흥면 호국로550번길 107

☎ 031-877-5177 Ⓟ 가능

다인막국수 多仁 메밀 | 막국수

메밀로 만든 요리 전문점으로, 메밀막국수가 대표 메뉴다. 메밀쌈밥정식을 시키면 제육볶음, 계란찜을 비롯하여 20여 가지 반찬이 한 상에 차려진다. 메밀전에 메밀싹을 싸서 먹으면 그 맛이 일품이다. 여름에는 서리태콩국수가 인기다.

₩ 막국수(1만원, 곱배기 1만2천원), 쟁반막국수(2만5천원), 산채보리밥(1만원), 녹두부침(1만3천원), 메밀찐만두(6천원)

🕒 11:00~16:00/17:00~21:00(마지막 주문 20:30) – 화요일 휴무

🔍 경기 양주시 송랑로 147(만송동)

☎ 031-543-9995 Ⓟ 가능

덕화원 德華園 일반중식

50년 넘는 전통의 중국집으로, 2대째 맛을 전하고 있다. 짜장면, 볶음밥 등의 식사메뉴를 비롯해 탕수육, 깐풍기, 양장피 등 요리메뉴도 수준 높은 공력을 자랑한다. 리모델링해 실내가 깔끔해졌다.

₩ 짜장면(7천원), 간짜장, 짬뽕(각 8천원), 쟁반짜장(2인 이상, 1인 9천5백원), 볶음밥(8천5백원), 탕수육(소 1만9천원, 중 2만4천원, 대 3만4천원), 깐풍기(2만8천원), 고추잡채(3만5천원), 해물누룽지탕(4만7천원)

🕒 11:00~15:00/17:00~21:00(마지막 주문 20:10) – 수요일 휴무

🔍 경기 양주시 덕정길 4(덕정동)

☎ 031-858-0103 Ⓟ 가능

데니스스모크하우스

DENIS smoke HOUSE 바비큐

실내에서 캠핑 분위기를 즐기며 바비큐를 즐길 수 있는 곳. 16시간 동안 저온으로 조리한 정통 텍사스 스타일의 바비큐를 선보인다. 브리스킷, 풀드포크 등 바비큐와 모닝빵, 코울슬로, 감자튀김이 함께 나오는 모둠플래터가 인기다.

₩ 2인데니스플래터(400g 4만8천원), 3인텍사스플래터(600g 7만2천원), 4인빅보이플래터(800g 9만6천원), 5인자이언트플래터(1000g 12만원), 6인빅자이언트플래터(1200g 14만4천원)

🕒 11:00~16:00/17:00~22:00(마지막 주문 21:00) | 토,일요일 11:00~21:00(마지막 주문 20:00) – 월요일 휴무

🔍 경기 양주시 장흥면 북한산로 1014-4 1층

☎ 031-829-0290 Ⓟ 가능

·데니스스모크하우스

만포면옥 평양냉면 | 수육 | 만두

냉면과 어복쟁반 등 이북음식을 선보이는 곳. 심심한 듯한 평양냉면이 대표 메뉴로, 고기 육수와 동치미 국물을 섞어 만든 국물 맛이 좋다. 노릇하게 부친 녹두지짐을 곁들여도 좋다. 지금도 나이 든 이북 실향민이 많이 찾는 명소며, 50여 년의 역사를 자랑한다.

₩ 평양냉면, 비빔냉면(각 1만3천원), 어복쟁반(소 4만원 대 6만5천원), 옛날불고기(1인 2만원), 왕만두(4개 7천원), 녹두지짐(1만3천원), 갈비탕(1만6천원)

🕒 조식 08:00~10:30/10:30~21:00(마지막 주문 20:30) – 연중무휴

🔍 경기 양주시 장흥면 호국로 513

☎ 02-359-3917 Ⓟ 가능

모밥가 된장찌개

된장찌개를 단일 메뉴로 선보이는 한식집으로, 강원도에서 직접 공수한 나물과 가자미구이 등 다양한 밑반찬과 압력솥으로 만드는 흑미밥이 된장찌개와 맛의 조화를 이룬다.

₩ 모밥된장정식(2인 이상, 1인 1만1천원), 가자미구이추가(1마리 4천원), 된장찌개추가(2인 5천원)
🕒 11:00~15:00/16:00~21:00 – 일요일 휴무
🔍 경기 양주시 송랑로 212(삼숭동)
☎ 031-842-1178 Ⓟ 가능

시실리 일반한식 | 오리백숙 | 오리

호박에 넣고 구운 오리구이 요리로 유명한 집. 잘 익은 호박의 달콤함과 오리고기의 조화가 좋다. 오리호박구이는 조리시간이 한 시간 정도 소요되기 때문에 예약이 필수다.

₩ 오리호박구이, 연잎오리진흙구이, 오리능이백숙(각 7만원), 돼지등갈비(6만5천원), 오리주물럭(6만원), 유황오리바비큐(5만5천원)
🕒 10:00~22:00(마지막 주문 21:00) – 명절 휴무
🔍 경기 양주시 부흥로1398번길 26-13(유양동)
☎ 031-842-5295 Ⓟ 가능

온달면가 비빔국수

의정부 부흥국수 면을 사용하여 쫄깃한 면의 식감을 즐길 수 있는 곳이다. 새콤달콤한 양념을 올리고 야채 육수 국물이 자작한 비빔국수를 맛볼 수 있으며, 겨울에는 깊고 개운한 맛의 소고기탕면도 추천할 만하다.

₩ 비빔국수(7천원), 소고기탕면, 바지락칼국수(각 8천원), 고기완자(1만원)
🕒 11:00~19:30 – 월요일 휴무
🔍 경기 양주시 백석읍 권율로 1125
☎ 031-855-1355 Ⓟ 가능

용암리막국수 샤부샤부 | 칼국수 | 막국수

메밀막국수와 칼국수, 만두버섯전골을 맛볼 수 있는 메밀요리 전문점. 매일 세 번 이상 반죽하여 제면한 면을 사용한다. 돼지고기수육도 맛볼 수 있다.

₩ 메밀막국수(1만2천6백원), 만두버섯샤부(1만7천3백원), 메밀손만두(1만4백원), 돼지고기수육(2만8천2백원)
🕒 11:00~20:00(마지막 주문 19:20) – 화요일 휴무
🔍 경기 양주시 은현면 평화로1889번길 46-12
☎ 031-859-6223 Ⓟ 가능

자반고 생선구이

고등어구이, 임연수 구이, 삼치, 갈치구이를 맛볼 수 있는 생선구이 전문점. 어린이가 먹을 수 있는 어린이 고등어 메뉴도 준비되어 있어서 가족과 함께 방문하기 좋은 편. 밑반찬은 궁채나물, 취나물, 잡채, 연근 샐러드, 총각김치 등이 나온다.

₩ 고등어구이, 임연수구이, 직화제육(각 1만4천원), 삼치구이(1만6천원), 갈치구이(1만7천원), 오징어볶음(2인이상 1만1천원), 어린이고등어(7천원)
🕒 11:00~15:30(마지막 주문 14:50)/17:00~21:30(마지막 주문 20:30)| 토, 일, 공휴일 11:00~21:30(마지막 주문 20:30) – 연중무휴
🔍 경기 양주시 광사로 152
☎ 0507-1475-1703 Ⓟ 가능

장흥폭포수식당 닭백숙

장흥계곡 옆에 있는 식당. 계곡 근처에 식당 좌석이 마련되어 있어 따로 준비물을 챙겨가지 않아도 계곡에서 놀기 좋다. 계곡 위에 있는 평상 자리가 명당이다. 백숙은 토종닭으로 만들었으며, 백숙에 들어가 있는 닭고기가 부드럽다.

₩ 오리백숙(7만5천원), 옻오리, 옻닭, 육계닭백숙한마리+토종닭볶음탕반마리(각 8만5천원)
🕒 10:00~21:30 – 연중무휴
🔍 경기 양주시 장흥면 권율로309번길 169
☎ 031-855-5656 Ⓟ 가능

진흥관 振興館 일반중식

송추계곡 뒤에 등산로가 있어 등산객 사이에 입소문으로 알려진 중국집. 짬뽕 잘하는 집으로 소문나 있다. 삼선짬뽕에는 신선한 해물들이 듬뿍 들어 있어 풍부한 국물 맛을 느낄수 있다. 매장 내부도 넓고 깔끔하다.

₩ 짬뽕, 삼선간짜장(각 1만원), 삼선짬뽕(1만2천원), 짜장면(7천5백원), 간짜장(8천5백원), 탕수육(소 2만원, 중 2만6천원, 대 3만2천원)
🕒 10:30~20:30(마지막 주문 20:00) – 명절 휴무
🔍 경기 양주시 장흥면 호국로 550
☎ 031-826-4077 Ⓟ 가능

차우림 전통차전문점 | 중국차전문점

아늑한 공간에서 차에 집중할 수 있는 곳. 한 가지, 두 가지, 세 가지 차 중 선택해 주문할 수 있으며 흑차, 보이차, 백차 코스도 선보인다. 차에 대한 설명을 들으며 음미하기 좋다.

₩ 한가지차(1인 1만원, 2~3인 2만원, 4~5인 3만5천원), 두가지차(1인 1만6천원, 2~3인 3만원, 4~5인 4만5천원), 핫초코, 레모네이드, 자몽주스, 망고주스(각 6천원), 티코스(1인 3만원)
🕒 11:00~19:00 – 월요일 휴무
🔍 경기 양주시 백석읍 중앙로 300 ☎ 031-877-5930 Ⓟ 가능

카페휘바 cafe Hyvaa 카페

북한산 둘레길 산책로에 있는 카페로, 핀란드를 콘셉트로 꾸몄다. 나무를 훼손하지 않기 위해 자연친화적인 건축과 조경을 추구한 것이 특징이다. 헤세의정원 그릴휘바라는 레스토랑도 같은 공간에 있다.

₩ 아메리카노(6천5백원), 카페라테(7천원), 바닐라라테, 카페모카(각 7천5백원), 라즈베리에이드(7천5백원), 라즈베리치즈케이크(6천5백원), 티라미수(8천원)

⏲ 10:30~21:30(마지막 주문 20:15) – 명절 휴무
🔍 경기 양주시 장흥면 호국로550번길 111
☎ 031-877-5111 Ⓟ 가능

평양면옥 🎀🎀 평양냉면 | 초계탕 | 어복쟁반

옛날 방식으로 꿩육수를 기본으로 하여 양지와 사태 등으로 깔끔한 국물을 내는 평양냉면 전문점. 이북 출신이 평양에 가까운 맛이라 평할 정도다. 면을 직접 반죽하여 뽑기 때문에 메밀 향이 살아 있다. 냉면 외에 어복쟁반, 초계탕 등의 이북 음식을 맛볼 수 있다. 최근 새 건물로 이전하여 실내가 쾌적해졌다.

₩ 꿩냉면, 비빔냉면(1만3천원), 갈비탕(각 1만4천원), 초계탕(4만5천원), 어복쟁반(중 4만원, 대 5만원), 찐만두, 녹두지짐(각 1만1천원), 만둣국(1만2천원)
⏲ 10:30~20:30(마지막 주문 20:00) – 명절 휴무
🔍 경기 양주시 장흥면 호국로 615
☎ 031-826-4231 Ⓟ 가능

경기도 양평군

개군할머니토종순대국 🎀🎀 순대

3대째 내려오는 순댓국 전문점. 된장과 시래기를 넣는 점이 다른 곳과 다른 점이다. 순대 속은 당면이 아닌 선지와 우거지, 채소 등을 넣어서 만든다.

₩ 토종순댓국(7천원), 토종순대, 머릿고기(각 1만3천원), 토종순대전골(대 2만5천원, 중 2만원), 모듬순대(2만원)
⏲ 06:30~23:30 – 명절 당일 휴무
🔍 경기 양평군 개군면 하자포길 29
☎ 031-772-8303 Ⓟ 가능

고바우설렁탕 🎀🎀 설렁탕 | 수육

양평에서 유명한 설렁탕집. 메뉴는 설렁탕과 수육 두 가지다. 설렁탕은 뚝배기에 한가득 담아 내온다. 설렁탕 국물에 밥이나 국수를 말아 먹어도 좋다. 밥과 국수는 무료이며 무한 리필도 가능하다.

₩ 설렁탕(보통 1만2천원, 특 1만5천원), 수육(소 3만5천원, 대 4만5천원), 어린이설렁탕(7세미만 5천원)
⏲ 07:00~20:30(마지막 주문 20:00) | 일요일 07:00~19:30(마지막 주문 19:00) – 수요일 휴무
🔍 경기 양평군 용문면 은고갯길 3
☎ 031-771-0702 Ⓟ 가능

곽지원빵공방 베이커리

직접 배양한 효모종과 직접 재배한 유기농 재료를 사용한 빵을 선보이는 양수리의 빵집. 식감과 크기가 압도적인 두물머리스페셜빵이 대표 메뉴 중 하나다.

₩ 두물머리해돋이딸기빵(1만2천원), 치즈캉파뉴, 크렌베리캉파뉴(각 7천원), 호두캉파뉴, 크렌베리캉파뉴(각 1만1천원), 플레인캉파뉴(1만원), 초코칩스콘(4천5백원)
⏲ 07:00~19:00 – 연중무휴
🔍 경기 양평군 양서면 두물머리길8번길 28
☎ 031-774-0376 Ⓟ 불가

구벼울 카페

좋은 경치를 바라보며 커피와 디저트를 즐길 수 있는 카페. 3가지 원두를 블렌딩 한 아메리카노, 땅콩크림라테, 흑임자크림라테 등을 맛볼 수 있다. 소금빵, 앙버터스콘, 쿠키 등의 디저트도 많이 찾는 편.

₩ 아메리카노(7천원), 땅콩크림라테, 흑임자크림라테(각 8천5백원), 여울이와해해해(9천원), 쌀소금빵(각 4천원), 앙버터스콘(5천5백원), 오레오마시멜로쿠키, 약과치즈쿠키(각 5천원), 호두도치, 쌀단호박번, 옥수수팡팡(각 7천원)
⏲ 10:00~21:00 – 연중무휴
🔍 경기 양평군 옥천면 남한강변길 123-19
☎ 070-8801-2319 Ⓟ 가능

내추럴가든529 Natural Garden 529 카페

울창한 숲과 계곡이 보이는 넓은 정원의 카페 레스토랑. 입장권 구매 시 커피 또는 차 메뉴로 교환할 수 있다. 식재료의 본연의 맛을 살린 홈메이드 이탈리아 레스토랑도 운영 중이다.

₩ 에스프레소, 아메리카노(각 8천원), 카페라테(1만원), 하우스샐러드(1만원), 해산물누룽지파스타(2만4천원), 새우관자로제리조토(2만2천원), 스테이크&샐러드피자(2만3천원), 등심스테이크(220g 4만5천원)
⏲ 10:00~20:00 – 연중무휴
🔍 경기 양평군 서종면 내수입길 108-8
☎ 031-771-7208 Ⓟ 가능

다안토니오 🎀🎀🎀 DA ANTONIO 파스타 | 이탈리아식

자연주의 음식과 베이커리를 선보이는 안토니오심 셰프의 이탈리안 레스토랑. 유기농하우스에서 직접 재배한 채소를 사용하며, 직접 제면한 생면파스타와 화덕에서 구운 나폴리피자가 유명하다. 나폴리 피자는 2일간 숙성하여 만든 도우를 사용한다. 사전 예약은 필수다.

₩ 코스메뉴(2인 이상, 1인 A코스 8만원, B코스 10만원, C코스 13만원), 럭셔리봉골레파스타(3만2천원), 한우소등심스테이크(5만2천원)
⏲ 11:30~15:00(마지막 주문 13:30)/17:00~21:00(마지막 주문 19:00) | 일요일 11:30~15:00(마지막 주문 13:30) – 월, 화요일 휴무
🔍 경기 양평군 옥천면 향교길45번길 13
☎ 031-773-5228 Ⓟ 가능

마당곤드레밥 솥밥 | 곤드레밥

독특한 향이 나는 곤드레돌솥밥을 전문으로 하는 곳. 정식 메뉴는 곤드레돌솥밥정식과 대나무통밥정식, 두 가지 중 선택할 수 있다. 21가지의 밑반찬이 정갈하게 나오며 구성이 조금씩 바뀐다. 도토리묵과 해물파전 등을 곁들이는 것도 좋다. 식사 후 건물 옆 카페에서 차를 무료로 마실 수 있다.

Ⓦ 곤드레솥밥정식, 대나무통밥정식(각 2만원), 도토리묵(1만5천원), 산초두부(1만8천원), 해물파전(2만원)

⏲ 11:00~17:00(마지막 주문 16:30) – 둘째 주 화요일, 명절 당일 휴무

🔍 경기 양평군 용문면 용문산로 239

☎ 031-775-0311 Ⓟ 가능

문호리팥죽 팥칼국수 | 죽

팥죽 전문점. 국산 팥을 사용한 팥죽과 팥칼국수 맛이 일품이다. 국산 팥만을 사용하며 팥 외에 다른 첨가물은 삼가고 있어 팥 고유의 진한 맛을 느낄 수 있는 곳이다. 취향에 따라 소금과 설탕을 적당히 넣어 먹으면 맛있다.

Ⓦ 팥죽(1만4천원), 팥칼국수(1만2천원), 해물파전(1만8천원), 감자전(1만6천원)

⏲ 11:00~14:50/16:00~19:20(마지막 주문 18:40) – 월요일 휴무

🔍 경기 양평군 서종면 북한강로 641

☎ 031-774-5969 Ⓟ 가능

미르 전통차전문점

용문사 바로 앞에 있는 전통차 전문점. 한옥을 개조한 고즈넉한 분위기에서 산사의 기운을 느낄 수 있다. 흔히 쌍화차라고 불리는 산중약차를 비롯해 대추차, 오미자차 등의 전통차를 선보인다. 달콤한 연꿀빵도 인기. 절 안에 있기 때문에 따로 주차장이 없어 입구에 주차한 후 걸어서 올라간다.

Ⓦ 산중약차, 대추차(각 8천원), 들깨차, 오미자차(각 7천원), 매실차, 유자차(각 6천5백원), 연꿀빵(1만2천원)

⏲ 09:00~19:00 – 연중무휴

🔍 경기 양평군 용문면 용문산로 766

☎ 031-774-8497 Ⓟ 불가

박승광해물손칼국수 칼국수

낙지, 통오징어, 활전복, 새우, 조개 등이 들어간 해물칼국수를 전문으로 하는 곳. 칼국수에 사용되는 육수에는 꽃게, 미더덕, 북어, 다시마 등 13가지의 재료가 들어가며 2시간 동안 끓여낸다. 13인치 크기의 해물파전도 추천할 만하다.

Ⓦ 해물손칼국수(2인이상 1인분 1만6천원), 해물파전(1만8천원), 새우튀김(4마리 9천원), 고기만두(4개 7천원)

⏲ 11:00~15:30/16:30~21:00(마지막 주문 20:00)| 토, 일요일 11:00~20:30 – 화요일 휴무

🔍 경기 양평군 서종면 북한강로 962 서종임마누엘

☎ 031-775-5816 Ⓟ 가능

비원매운탕 민물매운탕

메기, 빠가사리, 쏘가리 등 민물생선 매운탕 전문점. 직접 잡은 민물고기를 사용하며, 매운탕에는 민물참게도 들어간다. 2층 창가 자리에서는 남한강 뷰도 즐길 수 있다.

Ⓦ 메기매운탕(2인 3만원, 3인 4만원, 4인 5만원), 빠가사리매운탕(2인 4만원, 3인 5만5천원, 4인 7만원), 쏘가리매운탕(2인 6만5천원, 3인 9만5천원, 3인 12만5천원), 메밀전병(6천원)

⏲ 11:00~15:00/17:00~20:30 – 연중무휴

🔍 경기 양평군 양평읍 양근강변길 58

☎ 031-771-2406 Ⓟ 가능

사각하늘 스키야키

북한강변에 있는 스키야키 요리점. 화려하지는 않지만, 격식 있는 일식을 맛볼 수 있다. 메뉴는 단일메뉴로, 테이블에서 직접 조리해주기 때문에 예약이 필수다. 뒷마당에 마련되어 있는 다실에서 다회를 가져보는 것도 좋다.

Ⓦ 점심스키야키(2인 이상, 1인 4만8천원), 저녁스키야키(2인 이상, 1인 6만원), 다실말차체험(1인 4만원)

⏲ 12:00~14:30 | 토, 일요일 12:00~15:00/17:00~19:30 – 월, 화요일 휴무

🔍 경기 양평군 서종면 길곡2길 53

☎ 031-774-3670 Ⓟ 가능

사각하늘

서종가든 두부

직접 만든 두부로 유명해진 30년 전통의 맛집. 담백한 두부의 맛이 일품이며 얼큰하게 끓인 두부전골도 인기 메뉴다. 70년 된 한옥을 개조한 분위기도 고풍스럽다.

Ⓦ 두부전골, 두부찜(각 2인 이상, 1인 9천원), 손두부, 감자전(각 1만원), 곱창전골(중 3만원, 대 4만원), 닭볶음탕(5만원), 닭백숙(5만5천원)

⏲ 10:00~21:00 – 화요일 휴무

🔍 경기 양평군 서종면 무내미길 68

☎ 031-773-6035 Ⓟ 가능

쉐즈롤 CHEZ-ROLL 케이크 | 디저트카페

프리미엄 롤케이크로 시작해서 인기를 끈 곳으로, 롤케이크 외에 다양한 빵 종류를 만날 수 있다. 매일 아침 참나무 장작에 불을 지펴 직접 제분한 토종밀을 사용하여 저온에서 발효시킨 빵 반죽을 장작가마에서 구워낸다. 한적한 정원의 야외 테이블을 이용해보는 것도 추천.

₩ 쉐즈롤, 녹차롤(각 mini 4천5백원, half 9천원, full 1만8천원), 쇼콜라롤(mini 4천8백원, half 9천5백원, full 1만9천원), 호두크랜베리사워도우(1만3천원), 플레인치아바타(4천5백원), 올리브치즈푸가스(4천8백원)

10:00~17:00 – 월, 화, 수요일 휴무

경기 양평군 서종면 낙촌길 7-7

☎ 031-775-8911 Ⓟ 가능

신내강호해장국 선지해장국

60여 년 전통의 선지해장국집. 시래기와 콩나물이 들어가는 해장국 맛이 좋다. 내장과 선지도 듬뿍 들어 있다. 해장국집의 원조가 몰려 있는 양평에서도 그 이름값을 하는 곳이다. 준비된 재료가 다 떨어지면 문을 일찍 닫을 수 있으니 저녁 때는 전화 후 방문하는 것이 좋다.

₩ 해장국(1만1천원), 소머리국밥(1만2천원), 내장탕(1만23천원), 수육(4만원)

08:00~21:00 – 둘째, 넷째 주 목요일 휴무

경기 양평군 개군면 신내길 9

☎ 031-772-8627 Ⓟ 가능

양평신내서울해장국본점 소내장탕

양평에서 유명한 해장국집. 내장과 선지 등이 넉넉하게 들어 있으며 콩나물과 무청도 푸짐하다. 얼큰하게 먹으려면 식탁에 놓여 있는 고추기름을 넣고, 맛이 싱거우면 절임고추로 간을 한다. 국물 맛이 시원하고 개운하여 해장 음식으로 인기가 많다.

₩ 해장국(1만2천원), 버섯야채탕(1만원), 내장탕, 해내탕(각 1만5천원), 수육(4만원)

05:30~20:00 – 명절 당일 휴무

경기 양평군 개군면 신내길 16

☎ 031-773-8001 Ⓟ 가능

양평축협한우프라자 소고기구이

양평에서 질 좋은 한우를 저렴하게 즐길 수 있는 곳. 농장에서 직접 기른 한우를 사용한다. 모둠한우를 주문하면 등심, 안심, 갈빗살, 채끝살, 차돌박이가 골고루 나온다. 불판에 양파, 마늘과 함께 올려 구워 먹으면 일품.

₩ 꽃등심(150g 4만9천원), 생갈비(250g 5만4천원), 한아름모둠(150g 3만8천원), 육사시미(150g 3만원), 양념육회(200g 2만5천원)

10:00~22:00 – 화요일 휴무

경기 양평군 강상면 강남로 851

☎ 031-772-7793 Ⓟ 가능

엔로제 En Rosé 카페

멋진 경치를 벗 삼아 커피 한 잔의 여유를 느낄 수 있는 카페. 카페 내에는 각종 핸드드립 기구와 커피 용품이 진열되어 있다. 자리에서 직접 내려주는 핸드 드립 커피를 맛볼 수 있으며, 야외 테라스에서 계곡을 바라보며 시간을 보내는 것도 좋다.

₩ 더치커피(9천원~1만2천원), 핸드드립커피(9천원~1만2천원), 베리스콘(5천원), 피낭시에(4천원)

10:30~20:00 – 연중무휴

경기 양평군 서종면 화서로 32

☎ 031-774-6398 Ⓟ 가능

연꽃언덕 일반한식 | 두부

수제 손두부를 솥뚜껑에 구워 먹는 두부구이와 불고기 한 상 차림을 맛볼 수 있는 한식당이다. 식사와 차를 함께 즐길 수 있는 곳이다.

₩ 두부정식(2인 이상, 1인 2만원), 연잎두부등심롤(1만4천원), 버섯샤부약초전골(2인 이상, 1인 1만8천원), 연두부샐러드(1만3천원)

11:00~21:00(마지막 주문 20:30) | 토, 일요일, 공휴일11:00~22:00(마지막 주문 21:00) – 연중무휴

경기 양평군 양서면 용늪언덕길 57

☎ 031-774-4577 Ⓟ 가능

연밭 연잎밥 | 장어

연잎을 소재로 한 다양한 한식을 선보인다. 연잎 찰밥에 갖은 반찬이 차려지는 연잎정식이 대표 메뉴다. 민물매운탕과 장어정식도 많이 찾는다.

₩ 한방장어구이(8만1천원), 연밭정식(2인 이상, 1인 2만원), 연잎수육쌈정식(2인 이상, 1인 2만1천원), 연잎수육쌈밥(2인 이상, 1인 1만6천원), 해물솥밥(1만5천원), 해물순두부(1만원)

11:30~19:00 | 하절기 11:30~21:00 – 월요일 휴무

경기 양평군 양서면 목왕로 34

☎ 031-772-6200 Ⓟ 가능

옥천고읍냉면 황해도냉면 | 수육

굵은 면발의 옥천식 냉면을 즐길 수 있다. 메밀 함량도 높은 편. 큼직하게 부친 완자와 편육을 곁들이면 더욱 좋다. 곱빼기를 따로 판매하지 않지만 양이 충분히 많다고 소문난 맛집이다. 동절기에는 영업시간과 관계없이 재료가 소진되면 일찍 문을 닫으며, 월요일 영업시간이 일정치 않기 때문에 전화로 문의하는 것이 좋다.

₩ 물냉면, 비빔냉면(각 1만원), 완자, 편육(각 2만2천원)

11:00~20:00(마지막 주문 19:00) | 동절기 11:00~18:00 – 화요일 휴무(화요일이 공휴일인 경우 정상 영업)

경기 양평군 옥천면 옥천길98번길 12

☎ 031-772-5302 Ⓟ 가능

옥천냉면황해식당 황해도냉면

이 일대에는 황해도식 냉면인 옥천냉면을 내세우는 집들이 여럿 모여 있다. 그 중에서도 3대째 내려오는, 70여 년 전통을 자랑하는 집이다. 옥천냉면의 특징은 평양냉면에 비해 면발이 굵고 쫄깃하다는 점이다. 식초와 겨자를 넣어 톡쏘는 육수의 맛은 각 냉면집마다 고유의 비법을 갖고 있다.

₩ 물냉면, 비빔냉면(각 1만2천원), 완자, 편육(각 2만4천원)
🕒 11:00~20:00 – 수요일 휴무
🔍 경기 양평군 옥천면 경강로 1493-12
☎ 031-773-3575 Ⓟ 가능

옥천면옥 황해도냉면 | 수육

황해도식 냉면을 하는 곳. 황해도식 냉면은 돼지고기 육수에 간장과 설탕을 넣어 맛을 낸다. 메밀에 감자가루를 적당히 배합하여 면발이 탱탱하고, 전분 함량이 높아 쫄깃하다. 살짝 얼린 육수의 시원함이 맛을 배가한다. 냉면과 함께 완자를 곁들이는 것도 추천. 50여 년의 역사를 자랑한다.

₩ 물냉면, 비빔냉면(각 1만1천원), 완자, 편육(각 2만2천원)
🕒 09:30~20:30(마지막 주문 20:00) – 연중무휴
🔍 경기 양평군 옥천면 옥천길 13
☎ 031-772-5187 Ⓟ 가능

용문산중앙식당 산채정식

용문산 산행길에 들를 만한 한식집. 반찬 수가 20여 가지나 되는 산채정식을 맛볼 수 있다. 용문산에서 제철에 채취하여 잘 말린 산나물의 향이 좋다. 50여 년간 산채정식을 해오고 있는 할머니의 손맛을 느낄 수 있다.

₩ 더덕산채정식(2인 이상, 1인 1만7천원), 산채정식(2인 이상, 1인 1만4천원), 더덕제육산채정식, 능이버섯전골산채정식(각 2인 이상, 1인 1만9천원), 황태구이산채정식(1만9천원)
🕒 09:00~20:00 – 명절 휴무
🔍 경기 양평군 용문면 용문산로 644
☎ 031-773-3422 Ⓟ 가능

우프하우스 OUEF HAUS 브런치카페

직접 만든 스프레드와 시럽, 각종 식료품을 파는 그로서리 매장을 겸한 브런치 카페다. 브런치 메뉴는 고정적이지 않고 주기적으로 새로운 메뉴를 선보인다. 6주간 염지하여 만든 이탈리아햄과 아이올리소스를 활용한 카피콜라샌드위치가 인기다.

₩ 카피콜라샌드위치, 잠봉샌드위치(각 2만원), 트러플타르틴(1만8천원), 아메리카노(6천5백원), 카페콘판나(6천원), 바닐라라테(7천5백원)
🕒 09:00~16:00(브런치 10시~15시) – 월, 화, 수요일 휴무
🔍 경기 양평군 서종면 잠실3길 4
☎ 070-4402-0021 Ⓟ 가능

우프하우스

진영관 鎭榮館 일반중식

부부가 운영하는 화상 중국집. 탕수육이 유명한 곳으로, 폭신하면서 바삭한 식감을 내는 튀김 기술이 뛰어나다. 단맛, 신맛 등 오묘한 양념이 조화를 이룬다. 걸쭉한 국물과 부추 향이 좋은 짬뽕도 맛이 좋다.

₩ 탕수육(소 2만3천원, 대 3만5천원), 짜장면(7천원), 짬뽕(8천원), 깐풍육(3만5천원)
🕒 11:00~20:00 – 화요일, 명절 휴무
🔍 경기 양평군 양평읍 양근강변길78번길 6
☎ 031-774-8519 Ⓟ 가능

참좋은생각 한정식

깔끔한 공간에서 한정식을 즐길 수 있다. 정통 한정식보다는 퓨전 한식 느낌의 음식이다. 식사를 마치고 정원을 산책하기에 좋다. 저녁 시간에는 예약이 없으면 일찍 닫는다고 하니 전화 후 방문하는 것이 좋다.

₩ 행복정식(5만8천원), 향기정식(3만8천원), 참정식(2만7천원), 야채전(1만2천원)
🕒 11:30~15:30/17:00~20:30(마지막 주문 동절기 19:00, 하절기 19:30) – 명절 휴무
🔍 경기 양평군 강하면 수대골길 45
☎ 031-774-7577 Ⓟ 가능

카페문릿 cafe moonlit 카페

양평 용문산 인근의 상당히 규모 있는 카페. 계곡이 카페를 감싸고 있어 야외 정원에서 커피를 마시기 좋으며, 야외 정원은 애견의 동반도 가능하다.

₩ 아메리카노(7천원), 카페라테, 카푸치노(7천5백원), 솔티시나몬라테(9천5백원), 아인슈페너, 자두에이드(각 9천원), 당근케이크(9천5백원), 딥초콜릿케이크, 레드벨벳케이크, 블루베리치즈케이크(각 9천8백원)
🕒 10:00~19:00 | 토, 일요일 08:00~20:00 – 연중무휴
🔍 경기 양평군 용문면 덕촌길 101
☎ 010-5047-1880 Ⓟ 가능

커피리얼리스트
REALIST COFFEE X DESSERT 커피전문점

모던한 외관과 깔끔한 실내 분위기의 양평 시내 카페. 커피 위에 거품이 올려있는 아이스아메리카노가 시그니처 메뉴다. 커피 테이크아웃이 많은 편이며, 콜드브루와 마카롱, 크로플과 같은 디저트류도 인기 메뉴.

₩ 에스프레소, 아메리카노(각 4천원), 카페라테, 카푸치노(각 4천5백원), 콜드브루(5천5백원), 차(5천원~5천5백원), 피칸바(2천5백원)
🕒 09:00~21:00 – 일요일 휴무
🔍 경기 양평군 양평읍 중앙로 80
☎ 031-771-1406 Ⓟ 가능

커피하우스제로제 Seerose 커피전문점

에스프레소와 핸드드립 커피가 유명한 곳. 다양한 싱글오리진 원두와 제로제만의 플로랄샤워 블렌딩 원두를 핸드드립으로 즐길 수 있다. 세계 각지의 원두를 들여와 직접 로스팅하고 있으며 매년 여름철에는 특별메뉴를 개발하여 선보인다. 화덕피자도 다시 맛볼 수 있는데, 최근 인기를 끌고 있는 카노토 스타일을 선보인다.

₩ 에스프레소, 아메리카노(각 5천원~6천원), 플랫화이트, 카페라테(각 5천5백원), 드립커피(7천원~9천원), 차, 과일스무디(각 6천5백원)
🕒 10:00~22:00 – 일요일 휴무
🔍 경기 양평군 용문면 서원말길 3
☎ 031-774-7237 Ⓟ 가능

평양초계탕막국수 막국수 | 초계탕

초계탕으로 유명한 곳. 식초와 겨자로 맛을 낸 육수가 입맛을 살려준다. 초계탕을 시키면 매콤한 닭무침, 훈제닭, 메밀전, 초계탕에 넣어 먹는 막국수, 한입에 쏙 들어가는 메밀국수 등 다양한 음식이 나온다.

₩ 초계탕(2인 4만원, 3인 5만7천원, 4인 6만8천원), 막국수(1만2천원), 메밀전(1만2천원), 훈제닭, 닭무침(각 3만원)
🕒 11:00~21:30 – 연중무휴
🔍 경기 양평군 강하면 강남로 309 ☎ 031-772-8229 Ⓟ 가능

프란로칼 🎀 Från Lokal 이탈리아식

홍대 앞 22서더맘의 엄현정 셰프가 양평으로 내려와 운영하는 자연주의 레스토랑. 직접 농사짓거나 인근 농가로부터 식재료를 공급 받는 팜투테이블 레스토랑을 지향한다. 지역의 제철 식재료를 활용한 이탈리아 코스 요리를 맛볼 수 있으며, 풍미 좋은 제철 채소로 만든 요리가 돋보인다. 100% 예약제로 운영된다.

₩ 런치세트(9만원), 디너코스(15만원~18만원)
🕒 12:00~16:00/18:00~21:00 | 일요일 12:00~15:00 – 월, 화요일, 명절 휴무
🔍 경기 양평군 서종면 북한강로 819 ☎ 031-773-7576 Ⓟ 가능

프란로칼

핏제리아루카 PIZZERIA LUCA 피자 | 파스타

나폴리 피자이올로협회가 인증한 화덕피자 전문점으로, 485도 고온의 화덕에서 구워낸 다양한 나폴리 정통피자를 맛볼 수 있다. 아침에 반죽한 생면으로 만든 파스타도 선보이고 있다.

₩ 마르게리타풍기피자, 폴포푸실리파스타(각 2만4천8백원), 갈릭스노윙피자(2만5천8백원), 고르곤졸라피자(2만2천8백원), 가지슈림프스파게티(2만2천8백원)
🕒 11:00~15:00/16:00~20:30 | 토, 일요일 11:00~15:00/15:30~20:30(마지막 주문 19:30) – 연중무휴
🔍 경기 양평군 강상면 강남로 802
☎ 031-772-3589 Ⓟ 가능

하버커피 Harbor Coffee 카페

북한강과 산자락이 한눈에 들어와 전망이 좋은 카페. 양수리에서 유명한 카페로, 경치가 좋아 사람들이 많이 찾는다. 테라스와 창가 자리가 전망을 감상하기에 명당 자리다.

₩ 에스프레소, 아메리카노(각 6천5백원), 카페라테(7천원), 얼그레이(7천5백원), 오미자에이드, 딸기에이드(각 8천5백원), 허니버터브레드(9천원)
🕒 10:00~22:00 – 연중무휴
🔍 경기 양평군 서종면 북한강로 1041
☎ 070-4402-2060 Ⓟ 가능

하우스베이커리 HAUS BAKERY 카페 | 베이커리

넓은 한옥 공간에 들어선 베이커리 카페. 밀 비율을 줄이고 곡물 비율을 70% 이상으로 늘려 소화가 잘되는 빵을 선보이는 것이 특징. 에이드 메뉴도 추천할 만하다. 아이와 함께 이용할 수 있는 공간이 따로 마련되어 있으며, 반려견 동반도 가능하다.

₩ 시그니쳐커피(8천원), 아메리카노, 카페라테(각 8천원), 에이드(8천8백원), 문호리옥수수빵(6천원), 퀸아망캐러멜(7천7백원), 치아바타샌드위치, 리얼새우샌드위치(각 9천8백원), 연유쌀바게트(8천8백원), 소금버터스콘(5천원)
🕒 10:30~20:00 | 토, 일요일 09:00~21:00 – 연중무휴
🔍 경기 양평군 서종면 북한강로 684 ☎ 031-772-8333 Ⓟ 가능

홍춘관 鴻春館 일반중식

3대째 내려오는화상 중국집. 레몬향이 나는 탕수육은 겉은 바삭하고 속은 촉촉해 인기가 좋다. 얼큰하고 진한 국물과 쫄깃한 면발, 해산물이 듬뿍 들어간 해물짬뽕도 추천 메뉴 중 하나. 깨끗하고 넓은 실내를 자랑한다.

₩ 해물짬뽕, 해물간짜장(각 1만원), 탕수육(소 2만5천원, 대 3만5천원), 난자완스(3만6천원), 새우칠리소스(4만5천원), 전가복(8만2천원)
⏲ 11:00~21:00 – 월요일, 명절 휴무
🔍 경기 양평군 양평읍 한빛길 4 2층
☎ 031-774-7359 Ⓟ 불가

화천갈비 소갈비

양념갈비로 유명한 곳으로, 초벌구이한 갈비를 상 위에서 숯불에 구워주는 방식이다. 식사로 나오는 된장찌개와 바삭한 김구이가 맛있다. 반찬으로 나오는 간장게장을 좋아하는 단골도 많다. 시골 한옥집이어서 편안하고 정겨운 분위기다.

₩ 양념소갈비(250g 4만8천원), 된장찌개(4천원)
⏲ 11:30~15:00/17:00~21:00(마지막 주문 20:00) – 월요일, 명절 휴무
🔍 경기 양평군 양평읍 양근로147번길 16-1
☎ 031-771-2487 Ⓟ 가능

경기도 여주시

강계봉진막국수 막국수 | 수육

천서리막국수촌에서 가장 오래된 집이자 제 맛을 내는 집이다. 메밀을 반죽해서 직접 면을 뽑기 때문에 면발이 부드러우면서도 담백하다. 편육과 동동주를 함께 먹으면 그 맛이 더욱 일품이다. 50여 년의 역사를 자랑한다.

₩ 비빔막국수, 물막국수, 온면막국수(각 1만원, 곱빼기 1만1천원), 편육(250g 1만9천원)
⏲ 11:30~18:40 – 화요일 휴무
🔍 경기 여주시 대신면 천서리길 26
☎ 031-882-8300 Ⓟ 가능

강천매운탕 민물매운탕

매운탕이 맛있기로 유명한 곳. 쏘가리, 빠가사리 등과 잡고기를 넣어 각종 채소와 함께 끓여낸다. 겨울철이면 참게도 함께 넣어 오도독 씹히는 맛이 별미다. 여주 쌀로 만든 밥과 맛깔스런 밑반찬들도 괜찮다.

₩ 빠가사리매운탕, 잡고기매운탕(중 6만원, 대 7만원, 특 8만원), 메기+빠가사리매운탕(중 5만원, 대 6만원, 특 7만원), 자연산장어구이(17만원), 쏘가리회(16만원), 용봉탕(시가)
⏲ 11:00~21:00 – 첫째, 셋째 주 화요일 휴무
🔍 경기 여주시 강천면 강천리길 85
☎ 031-882-5191 Ⓟ 가능

걸구쟁이네 비건 | 사찰요리

오신채를 멀리 하고, 고기를 일절 쓰지 않은 사찰음식을 선보인다. 부족한 기름기는 깨, 콩, 부각 등으로 보충하고, 계절마다 산야에서 나오는 냉이나물, 취나물, 유채나물, 곤드레, 소루쟁이, 곰취 등 각종 나물을 주재료로 한다. 가죽나물, 콩잎, 더덕 같은 장아찌류와 버섯구이, 호박꼬지, 산초두부, 장떡, 도토리묵무침, 된장국과 청국장까지 곁들인다.

₩ 나물밥상(1만8천원), 제육볶음(1만원)
⏲ 09:00~21:00(마지막 주문 18:00) – 연중무휴
🔍 경기 여주시 강천면 강문로 707
☎ 031-885-9875 Ⓟ 가능

남한강송어횟집 송어

송어회, 송어튀김, 매운탕을 맛볼 수 있는 송어회 전문 식당. 송어회와 함께 매운탕을 많이 찾는다. 송어회는 콩가루와 채소, 참기름, 초장을 넣어 먹는다.

₩ 송어회(2인분 3만6천원, 3인분 5만4천원, 4인분 7만2천원), 섞어매운탕(소 4만원, 중 5만5천원, 대 7만원), 송어튀김(8천원)
⏲ 11:00~15:00/17:00~20:30(마지막 주문 19:30) – 화요일 휴무
🔍 경기 여주시 세종대왕면 능서로 714
☎ 031-881-5792 Ⓟ 가능

능서돼지국밥 돼지국밥

솥밥이 나오는 돼지국밥집. 여주 쌀을 솥밥에 그때그때 지어 밥맛이 일품이다. 뽀얗고 진한 국물에 밥을 말아 김치를 곁들이면 좋다. 쫀득한 순대도 맛있기로 유명하다.

₩ 돼지국밥, 순대국밥(각 1만원), 수육(1만5천원), 돼지불고기(1만1천원), 모둠순대(1만2천원)
⏲ 10:30~15:00/17:00~20:30 | 일요일 10:30~19:00 – 토요일 휴무
🔍 경기 여주시 흥천면 흥천로 5
☎ 070-4117-1155 Ⓟ 가능

두메산골 청국장 | 일반한식 | 소고기구이

청국장을 잘한다는 소문이 난 집. 직접 띄운 청국장을 사용하는 것이 맛의 비결이다. 김치를 썰어 넣어 맛을 더하며, 나오는 밑반찬도 깔끔하다. 청국장 외에 황태해장국, 제육쌈밥, 두부전골 등의 메뉴도 다양하게 선보인다.

₩ 청국장, 황태해장국, 콩비지찌개(각 1만1천원), 버섯두부전골(중 3만2천원, 대 3인 5만원, 4인 5만4천원), 제육쌈밥(2인 이상, 1인 1만7천원)
⏲ 10:00~15:00/17:00~20:00(마지막 주문 19:25) – 연중무휴
🔍 경기 여주시 강천면 부평로 340-3
☎ 031-885-6088 Ⓟ 가능

마을식당 선지해장국

김치사골해장국이 맛있는 곳이다. 해장국에는 우거지대신 김치와 선지, 고기 등이 들어가 얼큰하다. 가마솥에서 해장국과 육개장을 끓여낸다.

㉿ 해장국, 순댓국(각 1만2천원)
⌚ 07:00~19:00(마지막 주문 18:30) – 월요일 휴무
🔍 경기 여주시 여양로 54(상동)
☎ 031-885-2450 Ⓟ 가능

만우정육점생고기식당 육사시미 | 소고기구이

정육점과 식당을 함께 하는 곳. 직접 소를 기르면서 정육점을 운영하는 곳이라 가기 전에 미리 소 잡는 날을 확인하면 더욱 좋다. 식사로는 김치전골이 일품이며, 오후 4시까지 주문할 수 있다. 인근에 골프장이 있어 골프 라운딩 후 방문하는 손님이 많다.

㉿ 한우생등심(200g 4만3천원), 한우안심(200g 4만5천원), 한우특수부위(200g 4만8천원), 한우육사시미(250g 4만원), 김치전골(9천원)
⌚ 11:30~21:30(마지막 주문 20:30) – 명절 휴무
🔍 경기 여주시 가남읍 태평로 68
☎ 031-883-6305 Ⓟ 가능

보배네집 두부 | 만두

만두가 맛있기로 유명한 집. 잘게 썬 묵은지와 두부, 돼지고기, 마늘, 파 등을 넣어 만든 만두 소가 맛깔스럽다. 직접 만든 두부와 보리밥도 별미. 여름에는 열무국수, 콩국수 등을 맛볼 수 있다.

㉿ 만두, 순두부, 두부, 도토리묵, 보리밥, 떡만둣국, 만둣국, 열무국수, 콩국수(각 9천원), 소고기만두(1만원), 만두전골(중 3만8천원, 대 4만5천원)
⌚ 10:00~21:00 – 명절 휴무
🔍 경기 여주시 여양로 576-16(오금동)
☎ 031-884-4243 Ⓟ 가능

시골맛집 청국장 | 두부

두부요리와 청국장 요리를 잘하는 곳. 부드러운 두부보쌈과 걸쭉한 청국장이 입맛을 살려준다. 개량 한옥이며 마당에 탈곡기, 절구통, 지게 등이 놓여있는 모습이 정겹다. 청국장, 두부 등은 포장해갈 수 있다.

㉿ 모두부맛집정식(2인 이상, 1인 1만8천원), 맛집정식(2인 이상, 1인 1만6천원), 모두부(중 7천원, 대 1만3천원), 청국장, 비지찌개, 순두부찌개(각 1만1천원)
⌚ 09:30~21:00(마지막 주문 20:30) – 명절 휴무
🔍 경기 여주시 장여로 1662(삼교동)
☎ 031-882-8905 Ⓟ 가능

여내울 한정식 | 일반한식

여주쌀부터 채소까지, 대부분 직접 농사지은 식재료를 사용한 한상차림을 먹을 수 있는 곳. 누룽지 향이 나는 밥맛이 좋기로 유명하다. 보쌈과 게장, 코다리 등이 나오는 실속 한상이 인기 메뉴며, 육개장, 짜글이도 추천.

㉿ 실속한상(3인 7만원), 수육+육개장, 수육짜글이(각 1만5천원), 여내울정식(1만6천원), 육개장, 우리콩칼국수, 시래기청국장(각 1만1천원), 시골두부전골(소 2만8천원, 대 4만원)
⌚ 10:00~21:00 – 명절 당일 휴무
🔍 경기 여주시 여주남로 70(월송동)
☎ 031-886-1282 Ⓟ 가능

예닮골 한정식

전통 기와집과 안마당을 갖춘 한정식집. 뚝배기에 담아 내오는 찌개와 나물반찬 등 20여 가지의 신선한 반찬이 한 상 가득 차려지는 예닮돌솥정식은 푸짐한 양으로 인기가 많다.

㉿ 예담돌솥정식(1만8천원), 예담돌솥특정식(3만5천원), 홍어무침(3만원)
⌚ 10:30~15:30/16:30~20:30 – 월요일 휴무, 명절 휴무
🔍 경기 여주시 북내면 여양2로 211
☎ 031-883-5979 Ⓟ 가능

은성손두부 두부 | 두부전골 | 콩국수

한적한 곳에 자리잡고 있는 손두부 전문점. 국내산 콩을 사용한 두부 요리를 맛볼 수 있다. 대표 메뉴는 버섯과 채소가 듬뿍 들어간 두부전골. 구운두부를 곁들여도 좋으며 여름에만 맛볼 수 있는 콩국수도 별미다.

㉿ 두부버섯전골(중 3만3천원, 대 3만8천원), 해물두부전골(중 4만2천원, 대 5만2천원), 콩비지, 하얀순두부, 콩국수(각 1만원), 모두부, 구운두부(각 1만2천원)
⌚ 11:00~15:00/17:00~21:00 – 둘째, 넷째 주 화요일 휴무
🔍 경기 여주시 가남읍 헌바디길 23-121
☎ 031-886-7579 Ⓟ 가능

천서리막국수 막국수

쫄깃한 면에 매콤하면서도 진한 맛의 양념이 조화를 이룬 막국수를 낸다. 짭짤한 양념이 배어 있는 수육을 같이 곁들여도 좋다. 여주 현지인에게 인기 있는 곳이다.

㉿ 동치미막국수, 비빔막국수, 매운비빔막국수(각 1만원), 편육(1만9천원)
⌚ 10:30~20:30 – 연중무휴
🔍 경기 여주시 대신면 여양로 1974
☎ 031-883-9799 Ⓟ 가능

초계탕막국수 막국수 | 초계탕

평안도 지방의 토속 음식인 초계탕과 평양막국수의 맛을 그대로 재현해 내는 별미 국숫집이다. 초계탕은 살얼음이 육수에 둥

둥 떠 있고 막국수 위에 오이, 무, 닭고기, 양념, 고추 등이 고명으로 올라간다. 동절기엔 손님이 없을 경우 일찍 문을 닫으므로 미리 전화 후 방문하는 것이 좋다.

₩ 초계탕(4인 8만원), 닭한접시(3만원), 물막국수, 비빔막국수(각 1만원), 메밀전(1만원), 닭온면, 닭곰탕(계절메뉴 1만원)
⏲ 11:00~19:00(마지막 주문 18:30) – 화요일 휴무
🔍 경기 여주시 산북면 광여로 1024
☎ 031-884-7709 Ⓟ 가능

홍원막국수 막국수 | 수육

강계봉진막국수와 함께 천서리막국수의 양대산맥이다. 강계봉진막국수보다 조금 늦게 시작했지만, 지금은 어깨를 나란히 하고 있다. 양지머리, 무, 다시마를 넣고 고은 육수가 별미다. 겨울철에는 햇메밀로 만든 비빔막국수가 괜찮다. 50여 년의 역사를 자랑한다.

₩ 비빔국수, 물국수(각 1만원, 곱빼기 1만1천원), 편육(1만8천원)
⏲ 11:00~15:30/17:00~19:20 | 토, 일요일, 공휴일 11:00~19:20(마지막 주문 19:00) – 월요일(월요일이 공휴일인 경우 화요일 휴무), 명절 휴무
🔍 경기 여주시 대신면 천서리길 12
☎ 031-882-8259 Ⓟ 가능

경기도 연천군

군남면옥 물냉면 | 수육 | 막국수

저렴한 가격으로 푸짐하고 맛도 좋은 냉면, 막국수를 즐길수 있는 곳. 메밀과 전분이 섞인 면과 닭으로 우려낸 육수의 조화가 좋다. 얇게 썰어져 나오는 수육의 식감도 좋다.

₩ 물냉면, 물막국수(각 8천원), 비빔냉면, 비빔막국수(각 9천원), 갈비탕(1만원, 특 1만3천원), 수육(중 2만5천원, 대 3만원)
⏲ 11:00~17:00 – 수요일 휴무
🔍 경기 연천군 군남면 군남로 413-6
☎ 031-833-8131 Ⓟ 불가

명신반점 明信飯店 일반중식

50년 가까이 2대째 내려오는 화상중식당. 수타면을 사용하는 짜장면이 맛있는 집이다. 옛날식으로 투명한 소스와 바삭한 튀김이 어우러진 탕수육도 추천할 만하다.

₩ 짜장면(6천원), 짬뽕, 볶음밥(각 7천원), 잡채밥(8천원), 탕수육(소 1만원, 중 1만7천원, 대 2만5천원), 마파두부(2만원), 깐풍기(소 1만5천원, 중 2만5천원, 대 3만5천원), 라조기(2만5천원)
⏲ 11:00~15:30/16:30~20:30 – 수요일 휴무
🔍 경기 연천군 전곡읍 전곡역로 61
☎ 031-832-2307 Ⓟ 가능

신라가든 소갈비 | 소불고기

한우 숯불 구이와 서울식 옛날 불고기를 선보이는 곳. 불고기를 주문하면 돌솥밥이 기본으로 나온다. 밑반찬을 깔끔하게 내어주며, 한돈 갈비와 전복 왕갈비탕도 함께 맛볼 수 있다. 단체 손님이 이용한 가능한 룸도 개별 공간에 마련되어 있다.

₩ 한우꽃갈빗살(1인분 180g 5만2천원), 한우특상등심(1인분 180g 4만2천원), 이동갈비(3대 3만5천원), 불고기돌솥정식(1만4천원), 한우안심(1인분 180g 4만2천원), 전복왕갈비탕(1만7천원), 돼지갈비(1인분 300g 1만8천원), 한우육회비빔밥(1만3천원)
⏲ 11:00~15:00/17:00~21:00(마지막 주문 20:00) – 연중무휴
🔍 경기 연천군 청산면 평화로 335
☎ 0507-1444-7666 Ⓟ 가능

아씨마늘보쌈 보쌈

보쌈과 족발 전문점. 마늘보쌈이 가장 유명한 메뉴다. 마늘보쌈에는 다진 마늘이 돼지고기 위에 듬뿍 뿌려져 나온다. 홍어무침이 들어가 있는 보쌈 김치 맛도 일품이다.

₩ 돈통마늘보쌈(소 3만2천원, 중 3만8천원, 대 4만5천원), 마늘족발(앞발 4만2천원, 대 4만5천원), 메밀쟁반국수(중 1만2천원, 대 1만5천원)
⏲ 11:00~22:00 – 연중무휴
🔍 경기 연천군 전곡읍 전곡로188번길 11
☎ 031-833-5353 Ⓟ 가능

황지참게매운탕 참게 | 민물매운탕

참게매운탕과 민물매운탕이 맛있는 집. 민물고기와 참게를 함께 넣어 매운탕을 끓이는 것이 특징이다. 임진강의 참게는 가을에 잡은 것을 최고로 친다. 잡은 참게는 맑은 물에 일주일 동안 두어 흙냄새를 없앤다. 쏘가리매운탕과 자연산장어는 예약해야 맛볼 수 있다.

₩ 참게매운탕(소 5만원, 중 6만원, 대 7만원), 빠가사리참게매운탕(소 4만원, 중 5만원, 대 6만원)
⏲ 11:00~20:00(마지막 주문 19:30) – 연중무휴
🔍 경기 연천군 군남면 군남로 24
☎ 031-833-4595 Ⓟ 가능

경기도 오산시

대흥식당 돼지국밥 | 수육

오산 오색시장 내에 있는 돼지머리국밥집으로, 60년 전통을 자랑한다. 국밥의 양도 많은 편이고, 고기도 푸짐하게 들어있다. 남자는 비계, 여자는 살코기 위주로 담아 주는데, 미리 이야기하면 원하는 부위를 내어 준다. 수육과 편육도 잡내없이 부드러

워 추천할 만하다.

₩ 돼지머리국밥(9천원), 돼지머리수육, 돼지머리편육(각 소 1만원, 중 1만5천원, 대 2만원),

⏲ 08:00~20:30 – 첫째, 셋째 주 월요일 휴무

🔍 경기 오산시 오산로278번길 9-12(오산동)

☎ 031-374-4723 Ⓟ 불가

메르오르 MERHEURE 카페 | 브런치카페 | 캐주얼다이닝

개방감이 느껴지는 쾌적한 대형 카페. 1층은 카페, 2층부터는 파스타를 비롯한 캐주얼한 다이닝을 즐길 수 있는 레스토랑으로 이용된다. 야외는 분수, 조형물, 푸른 잔디로 잘 꾸며져 있다. 시그니처 커피로는 홀리데이 로맨스, 치즈 아일랜드가 있으며, 다양하게 준비된 브런치 메뉴도 추천.

₩ 에스프레소(5천원), 아메리카노(5천8백원), 카페라테(6천5백원), 시그니처음료(8천원~8천5백원), 버터스카치프렌치토스트(2만2천원), 관자크림파스타(2만5천원), 전복크림리조토(2만6천원)

⏲ 11:00~14:00/17:00~20:20(마지막 주문 19:30) – 연중무휴

🔍 경기 오산시 남부대로 36(두곡동) 메르오르

☎ 031-372-0707 Ⓟ 가능

부용식당 순대국밥 | 돼지국밥 | 수육

오산 오색시장 내에 자리한 돼지국밥집으로, 지역 주민들에게 인기가 많은 곳이다. 맑고 담백한 국밥의 국물은 잡내가 거의 없는 편이며, 국밥 주문 시 머릿고기가 서비스로 나온다. 부드럽게 삶은 수육을 곁들이는 것도 좋다.

₩ 돼지국밥(9천원, 특 1만1천원), 순댓국, 내장탕(각 9천원), 술국, 머릿고기수육, 오소리감투수육(각 2만원)

⏲ 04:00~20:30 – 매월 4, 19일 정기 휴무(토, 일요일 제외)

🔍 경기 오산시 오산로278번길 11(오산동)

☎ 031-377-1420 Ⓟ 가능

새말해장국 소내장탕 | 선지해장국 | 소고기구이

해장국 간판을 달고 있지만, 정육점을 겸하고 있어 해장국과 함께 소고기를 구워 먹을 수 있는 곳이다. 숯불에 굽는 고기의 맛이 좋다. 살치살은 손질하는 데 시간이 걸리므로 예약하는 것이 좋다.

₩ 한우등심(600g 14만원), 한우살치살(600g 18만원), 가브리살(600g 5만4천원), 항정살(600g 5만6천원), 선지해장국(1만1천원)

⏲ 06:00~22:00 – 명절 당일 휴무

🔍 경기 오산시 현충로 95(은계동)

☎ 031-373-5929 Ⓟ 가능

오산할머니집 🎀 소머리국밥

오산 오일장에서 소머리국밥으로 시작한, 80여 년 전통의 국밥집. 소머리와 사골을 넣고 끓인 진한 국밥(설렁탕)을 맛볼 수 있다. 오산에서 가장 유명한 식당 중 하나로 꼽힌다.

₩ 설렁탕(1만2천원, 특 1만5천원), 수육(4만원)

⏲ 10:00~15:00/17:00~20:00 – 일요일 휴무

🔍 경기 오산시 오산로300번길 3(오산동)

☎ 031-374-4634 Ⓟ 불가

운암회관 우거지해장국

소 갈빗살이 푸짐히 들어간 해장국을 맛볼 수 있는 곳. 우거지와 연한 소 갈빗살이 넉넉히 들어가 있으며, 선지를 양푼에 따로 내주는 것이 특징이다.

₩ 해장국, 소머리국밥, 얼큰국밥(각 1만1천원), 수육(4만원), 곱창전골(중 3만5천원, 대 4만원)

⏲ 24시간 영업 – 연중무휴

🔍 경기 오산시 운천로 61(원동)

☎ 031-372-4886 Ⓟ 가능

행복한콩박사 버섯전골 | 두부전골 | 만두

직접 농사지은 콩으로 만든 두부 요리를 즐길 수 있는 곳이다. 가장 인기메뉴인 정식을 시키면 생두부, 순두부, 두부 샐러드, 청국장, 콩비지를 비롯한 갖가지 콩과 두부 요리를 다양하게 맛볼 수 있어 추천한다.

₩ 콩박사정식(1만6천원), 만두두부전골, 버섯두부전골(각 2인이상 1만4천원), 맑은순두부(8천원), 쫄면순두부, 청국장(각 9천원), 들깨옹심이순두부(1만원), 부침두부(1만2천원)

⏲ 11:00~21:00(마지막 주문 20:00) | 토, 일요일 11:00~15:00/16:30~21:00(마지막 주문 20:00) – 연중무휴

🔍 경기 오산시 양산로398번길 8-11(양산동)

☎ 031-372-1232 Ⓟ 가능

경기도 용인시

그레텔 grettel 디저트카페

매일 수제로 만드는 구움과자를 선보이는 디저트 카페. 무색소 마카롱과 플레인 스콘, 뉴욕 스타일의 르뱅 초코쿠키, 브라우니 등이 인기 메뉴며, 시즌마다 새로운 메뉴를 선보인다. 파스텔톤의 감성 인테리어에 아기자기한 소품들로 꾸며져 있다.

₩ 아메리카노(4천5백원), 카페라테(5천원), 아인슈페너, 딸기라테, 애플레몬티, 레모네이드, 얼그레이밀크티(각 6천원), 프로슈토오픈샌드위치(8천5백원), 어니언수프(7천5백원), 올리브절임(6천원)

⏲ 11:00~22:00(마지막 주문 21:30) – 수요일 휴무

🔍 경기 용인시 처인구 중부대로1313번길 20-13(역북동) 1층

☎ 010-5175-4266 Ⓟ 가능

대성부대고기전문 부대찌개

칼칼한 부대찌개가 맛있는 곳. 부대찌개에 스팸햄을 넣는 것이 특징이다. 부대찌개에 기본 사리가 많이 들어가 양이 푸짐하다. 용인뿐 아니라 타지역 사람들에게도 유명한 곳.

₩ 부대찌개(1만1천원)
⏲ 10:30~21:30 – 월요일 휴무
🔍 경기 용인시 처인구 금령로90번길 3-6(김량장동)
☎ 031-335-3486 Ⓟ 불가

동강민물매운탕 東江 민물매운탕

문산에서 30년 넘게 대를 이어 매운탕을 팔고 있는 여울이라는 집과 친척관계라서 그곳에서 배운 대로 매운탕을 만들고 있다고 한다. 칼칼한 매운탕 국물 맛이 일품이다. 건더기를 어느 정도 먹고 나면 국물에 수제비를 넣어 먹는다.

₩ 메기매운탕(중 4만5천원, 대 5만5천원), 빠가사리매운탕(중 6만5천원, 대 7만5천원)
⏲ 11:00~21:00(마지막 주문 20:00) – 명절 휴무
🔍 경기 용인시 처인구 이동읍 이원로 319
☎ 031-332-2913 Ⓟ 가능

메종포레 그릴

6인용 원 테이블로 운영되는 프라이빗 식당으로, 예약이 필수다. 산으로 둘러싸인 전원주택 안으로 들어가면 오픈 주방에서 바로 조리를 하고, 음식을 내어준다. 아보카도 새우 샐러드, 감자 퓌레와 문어 구이, 차돌박이 부추무침, 스테이크 등 순서대로 나오는 음식들을 맛볼 수 있다.

₩ 디너(1인 15만원)
⏲ 11:00~18:00(영업 시간 유동적) – 연중무휴
🔍 경기 용인시 처인구 포곡읍 금어로 555
☎ 0507-1315-2672 Ⓟ 가능

묵리459 카페

통유리창 밖으로 자연을 구경할 수 있는 브런치 카페. 삼봉산 자락이 카페를 둘러싸고 있다. 브런치와 함께 블렌딩 티를 선보이며, 실내에서 공연이 펼쳐지기도 한다.

₩ 러블리데이, 카모마일블렌딩티(각 6천5백원), 묵리459시그니처샐러드(1만7천원), 묵리클럽샌드위치(1만8천원), 들깨버섯크림파스타, 깻잎오일파스타(각 1만9천원), 주상절리(1만3천원)
⏲ 11:00~20:00 – 연중무휴
🔍 경기 용인시 처인구 이동읍 이원로 484
☎ 031-335-4590 Ⓟ 가능

백암식당 순댓국 | 순대

백암에서 순대가 맛있는 곳. 맑게 나오는 국물에 새우젓과 다진 양념으로 간을 하여 먹는다. 순대에 채소가 많이 들어 있어 맛이 깔끔하다. 막창으로 만드는 막창순대도 독특하다.

₩ 순댓국(9천원, 특 1만2천원), 소머리국밥(1만2천원), 막창모듬순대(2만2천원), 백암순대, 머릿고기, 오소리감투(각 1만7천원)
⏲ 10:00~20:00(마지막 주문 19:30) – 수요일 휴무
🔍 경기 용인시 처인구 백암면 근창로 17-8
☎ 031-322-5432 Ⓟ 가능

송전매운탕 민물매운탕 | 붕어찜

송전저수지 근처에 있는 매운탕집으로, 특히 주변 파인크리크 골프장 회원들이 즐겨 찾는 곳 중 하나다. 빵빵돌이라고 불리는 빙어양념구이도 특이하다.

₩ 메기찜(소 4만원, 중 5만원, 대 6만원), 메기매운탕(각 소 3만5천원, 중 4만5천원, 대 5만5천원), 참게매운탕, 섞어매운탕(각 소 4만원, 중 5만원, 대 6만원), 빠가사리매운탕(소 5만5천원, 중 6만5천원, 대 7만5천원), 닭볶음탕, 닭백숙(각 5만5천원), 빵빵돌이(1만5천원)
⏲ 10:00~21:00 | 월요일 10:00~20:40 – 화요일 휴무
🔍 경기 용인시 처인구 이동읍 경기동로751번길 7
☎ 031-336-7339 Ⓟ 가능

외할머니집 콩비지 | 청국장 | 묵밥

직접 만든 두부, 청국장 등으로 요리한 각종 백반을 먹을 수 있는 곳이다. 직접 재배한 채소를 아침에 수확하여 신선하다. 대체적으로 음식이 짜지 않고 자극적이지 않다. 구수한 청국장과 두부김치가 인기 있다.

₩ 청국장(9천원), 콩비지장(9천원), 콩나물솥밥(1만1천원), 도토리묵밥(9천원), 콩국수(5~8월만 판매, 9천원), 두부김치(9천원), 도토리묵야채무침(9천원), 도토리빈대떡(6천원), 제육볶음(1만원), 두부전골(중 2만8천원, 대 3만4천원)
⏲ 09:00~20:30 – 월요일 휴무
🔍 경기 용인시 처인구 양지면 중부대로 2545-3
☎ 0507-1329-7270 Ⓟ 가능

유프로네 소고기구이 | 소불고기

전라도 함평에서 올라오는 암소 한우 생고기를 받아 상등품인 등심을 발라내고, 남은 부위는 불고기정식으로 낸다. 가격은 다소 높은 편이며, 예약은 필수다.

₩ 암소불고기정식(1인 2만8천원), 암소생등심정식(2인 이상, 1인 3만8천원), 영광보리굴비정식(1인 3만원), 암소채끝육회비빔밥(1만5천원), 치마살(6만원), 안창살(6만8천원)
⏲ 10:00~22:00 – 명절 당일 휴무
🔍 경기 용인시 처인구 모현읍 능원로 33
☎ 031-339-9180 Ⓟ 가능

인더트립 in the trip 파스타 | 이탈리아식

아늑하고 따뜻한 분위기의 이탈리안 레스토랑. 빈티지한 느낌과 상호인 in the trip에 어울리는 탑승권 디자인의 메뉴판이 특색있다. 봉골레 파스타와 매콤크림 파스타가 인기 메뉴다. 빵가

루를 묻혀 튀긴 아란치니도 좋다.

㉸ 클램차우더(8천원), 아란치니(9천원), 양갈비스테이크(3만6천원), 크림뇨키(1만6천원), 라자냐(1만7천원), 치킨크림리조토(1만5천원), 오징어먹물리조토, 페페로니피자(각 1만6천원), 봉골레파스타, 매콤크림파스타(각 1만5천원)

⏱ 11:30~15:00/17:00~22:00(마지막 주문 21:30) – 연중무휴

🔍 경기 용인시 처인구 금령로12번길 6(김량장동)

☎ 010-9431-7190 Ⓟ 불가

자작나무이야기 양식

산속에 있는 전망 좋은 레스토랑. 야경과 분수의 모습이 멋지다. 분위기 있게 스테이크나 바닷가재를 즐길 수 있다. 각 테이블마다 노트가 비치되어 있어 방문객들이 그 날의 추억을 기록할 수 있다.

㉸ 안심스테이크+왕새우(5만3천원), 안심스테이크+바닷가재(6만5천원), 새우로제파스타(2만1천원), 홍게살크림파스타(2만2천원), 수제치즈돈가스(2만2천원)

⏱ 11:00~22:00 – 월요일 휴무

🔍 경기 용인시 처인구 양지면 대대로 302

☎ 031-332-3928 Ⓟ 가능

정마루호박꽃 한정식 | 오리

단호박을 사용한 여러 가지 요리를 맛볼 수 있는 곳. 단호박을 넣은 오리고기나 한정식을 맛볼 수 있다. 밑반찬으로 단호박샐러드, 호박전을 비롯하여 잡채 등 여러 가지 나온다.

㉸ 단호박오리구이(3~4인 7만원), 단호박마늘오리구이(3~4인 7만8천원), 단호박돼지매운갈비찜(3~4인 7만원), 단호박소갈비찜(3~4인 8만5천원), 연잎밥정식(2인 이상, 1인 1만7천원), 단호박정식(2인 이상, 1인 1만8천원)

⏱ 11:00~22:00 – 화요일 휴무

🔍 경기 용인시 처인구 양지면 남평로 183

☎ 031-335-8118 Ⓟ 가능

제일식당 🎀 순댓국 | 순대

백암 일대에서 오래된 순댓집 중 하나. 머릿고기와 순대가 같이 나오며 모둠순대는 순대와 오소리감투를 섞어서 준다. 순대에는 채소와 선지, 돼지고기가 들어가 있다. 쫄깃쫄깃한 오소리감투도 괜찮다. 순대국밥은 밥을 담아 뜨거운 국물에 여러 차례 토렴을 해서 가져다준다.

㉸ 모둠, 백암순대, 오소리감투(각 1만8천원), 순대국밥(1만원)

⏱ 06:00~21:00(마지막 주문 20:00) – 수요일 휴무

🔍 경기 용인시 처인구 백암면 백암로201번길 11

☎ 031-332-4608 Ⓟ 불가

중앙식당 순댓국 | 순대

용인 처인구 백암에서 가장 오래된 순댓집 중 하나로, 90년 역사를 자랑한다. 백암순대의 원조로 통한다. 순대 껍질이 쫄깃하게 씹히면서도 부드러우며 오소리감투를 삶아서 새우젓에 찍어 먹는 맛도 일품. 대를 이어 전통 백암순대를 만들고 있다. 재료가 소진되면 일찍 문을 닫는다.

㉸ 순댓국(9천원, 특 1만원), 순대(1만원), 모둠순대(1만5천원)

⏱ 09:00~20:00 – 연중무휴

🔍 경기 용인시 처인구 백암면 근창로 13

☎ 031-333-7750 Ⓟ 불가

타이씨암레스토랑 Thai Siam 태국식

애버랜드 부근에 위치한 전원주택풍의 레스토랑. 정통 타이음식을 즐길 수 있는 곳이다. 기본적인 쌀국수부터 똠양꿍 등의 음식까지 다양하게 즐길 수 있다. 놀이공원을 이용 후 찾는 손님들이 많다.

㉸ 쌀국수(9천원), 볶음밥(7천원~8천원), 게커리볶음(2만2천원)

⏱ 10:00~22:00(마지막 주문 20:30) – 연중무휴

🔍 경기 용인시 처인구 포곡읍 성산로 629

☎ 031-323-3235 Ⓟ 가능

풍성식당 순댓국 | 순대

백암 3대 순대식당 중 하나로 꼽히는 곳. 50년 된, 3대째 내려오는, 백암순대의 원조집 중 하나다. 당면을 넣은 순대가 아니라, 고기와 배추 등의 채소를 듬뿍 넣어 만들어 느끼하지 않고 담백하다. 가마솥에서 돼지 뼈를 넣고 24시간 끓여낸 맑은 국물의 순댓국에 취향에 따라 다진 양념과 새우젓을 넣어서 먹는다. 순대와 순댓국만 전문으로 하고 있다.

㉸ 순댓국(1만원), 순대(1만8천원), 모둠순대(1만8천원)

⏱ 09:00~20:30(마지막 주문 20:00) – 명절 휴무

🔍 경기 용인시 처인구 백암면 백암로 179

☎ 031-332-4604 Ⓟ 가능

핏제리아체뽀 CEPPO 피자

나폴리식 정통 화덕 피자를 선보이는 곳. 참나무를 사용하여 나폴리피자협회에서 인증받은 스테파노페라라 화덕에 굽는 것이 특징이다. 피자의 쫄깃한 도우를 자랑하며, 시그니처인 체뽀파

핏제리아체뽀

스타도 독특하다는 평.

₩ 마르게리타(1만7천8백원), 로사비안카(1만5천2백원), 비스마르크(2만2천원), 베이컨풍기(2만3천5백원), 라구크레마(1만9천원), 체뽀파스타(1만6천8백원)

🕒 11:30~15:00/17:00~22:00 | 토, 일요일, 공휴일 11:30~ 22:00(마지막 주문 21:00) – 둘째, 넷째 주 화요일 휴무

🔍 경기 용인시 처인구 명지로60번길 15-21(역북동)

☎ 031-336-2782 Ⓟ 가능

한터시골농장 오리백숙 | 닭백숙

주인이 직접 지었다는 황토 흙집은 예스러운 정취가 가득하며, 룸 자체가 각각 독립가옥으로 구성되어 옆 테이블의 방해를 받지 않고 편안히 식사를 즐길 수 있다. 직접 농가에서 사육한 3개월에서 6개월 된 오리를 15가지의 한약재를 넣고 끓인 오리요리는 맛이 담백하고 부드럽다.

₩ 닭백숙(6만원), 닭볶음탕(6만5천원), 오리부추구이와죽(5만5천원), 한방유황오리백숙, 능이오리백숙(각 7만원)

🕒 10:00~21:30 – 연중무휴

🔍 경기 용인시 처인구 양지면 한터로 690

☎ 031-339-6600 Ⓟ 가능

경기도 용인시(기흥)

관악장 소고기구이

등심 맛이 좋은 곳으로, 비빔된장찌개를 맛보려고 찾는 사람도 많다. 쌀과 보리의 비율이 7대 3인 보리밥에 콩나물, 시금치, 우거지, 열무김치, 무생채를 올리고 비빔된장찌개로 비벼 먹는다. 직접 메주를 띄워 담근 장을 사용한다.

₩ 꽃등심(150g 4만4천원), 떡심(150g 5만원), 비빔된장찌개(9천원)

🕒 10:30~15:00/17:00~21:00 – 토, 일요일, 공휴일 휴무

🔍 경기 용인시 기흥구 농서로 162-2(농서동)

☎ 031-693-5799 Ⓟ 불가

뜨라또리아비니에올리

TRATTORIA vini e oli 이탈리아식 | 피자 | 파스타

보정동 카페거리에 있는 이탈리아식 레스토랑. 다양한 이탈리안 파스타와 리조토, 피자 등을 만날 수 있다. 오붓하고 아늑한 분위기로 꾸며 와인을 즐기기에도 좋으며, 가격대도 만족스러운 편이다.

₩ 포르치니크림파스타(2만원), 해산물토마토파스타(2만4천원), 포르치니크림리조토(2만원), 볼로네제로제리조토(1만9천원), 마르게리타피자(1만8천원), 고르곤졸라피자(2만1천), 양갈비스테이크(4만3천원)

🕒 10:30~15:30/17:30~21:00 – 월요일 휴무

🔍 경기 용인시 기흥구 죽전로15번길 8-1(보정동)

☎ 031-889-4932 Ⓟ 가능

라스마가리타스 Las Margaritas 멕시코식

보정동 카페거리에서 멕시칸 음식을 선보이는 곳. 토르티야에 고기나 채소를 싸 먹는 파히타가 인기 메뉴며 케사디야, 엔칠라다 등도 추천할 만하다. 다양한 메뉴로 구성된 세트메뉴도 만족도가 높다.

₩ 파히타(치킨 4만1천원, 치킨&소고기 4만3천원, 소고기 4만5천원), 타코(2개 1만3천원, 3개 1만8천5백원), 케사디야, 엔칠라다, 그란데타코샐러드(각 1만9천5백원), 치미창가(2만5백원), 마가리타스샘플러(3만9천5백원), 커플세트(5만7천5백원), 패밀리세트(9만9천5백원)

🕒 11:30~15:00/16:00~22:00(마지막 주문 21:30) – 월요일 휴무(공휴일인 월요일 정상영업, 화요일 휴무)

🔍 경기 용인시 기흥구 죽전로15번길 15-8(보정동) 101호

☎ 031-889-4343 Ⓟ 가능

만수정 장어

참숯에 구운 장어를 전문으로 하는 곳. 담백한 소금구이와 양념구이 모두 인기가 많으며, 직원이 직접 구워주기 때문에 편하게 식사할 수 있다. 큼지막하게 썬 대파를 숯불에 구워 먹는 맛도 좋다. 산삼배양근이 함께 나오는 산삼장어도 별미.

₩ 산삼장어(1kg 10만원, 500g 추가 5만원) 민물장어(1kg 8만3천원, 500g 추가 4만2천원, 포장 1kg 7만원)

🕒 11:00~21:30 – 명절 휴무

🔍 경기 용인시 기흥구 신정로 135

☎ 031-266-4357 Ⓟ 가능

물레방아 닭백숙 | 오리백숙

구수한 누룽지닭백숙을 선보이는 곳. 대표 메뉴인 누룽지닭백숙은 닭에 인삼, 통마늘, 대추, 밤, 찹쌀 누룽지를 넣어 푹 곤 것으로, 구수하면서도 진한 맛을 느낄 수 있다. 새콤한 쟁반막국수도 별미. 마당에 커다란 물레방아와 모닥불 등이 있어 분위기가 좋다.

₩ 누룽지닭백숙(4만8천원), 누룽지오리백숙(5만8천원), 쟁반막국수(1만5천원), 골뱅이무침(2만원)

🕒 10:00~22:00 – 연중무휴

🔍 경기 용인시 기흥구 지삼로250번길 27(지곡동)

☎ 031-287-2447 Ⓟ 가능

빠델라디파파 Padella di Papa 피자

정통 나폴리 화덕피자를 맛볼 수 있는 곳. 이탈리아와 동일한 방식을 고집하여 이탈리아산 식자재와 나폴리 화산석으로 만든 화덕을 이용해 짧은 시간 안에 바삭하게 구워낸다. 나폴리 피자 대회에서 아시아 1위 수상을 한 바 있는 셰프가 운영한다.

₩ 마르게리타피자(2만1천원), 디아볼라리코타피자(2만5천원), 프로슈토루콜라피자(2만7천원), 푸타네스카파스타(2만1천원), 바질페스토

파스타(2만4천원).
ⓣ 11:00~15:00/17:00~20:30(마지막 주문 20:00)– 일요일 휴무
🔍 경기 용인시 기흥구 구성로279번길 10 (청덕동)
☎ 031-283-5890 Ⓟ 가능

사또가든 소고기구이

생등심은 횡성 한우를 사용하며 나머지는 국내산과 호주산을 사용한다. 미국산 프리미엄 안창살도 추천할 만하다. 식사로는 두부청국장 생선구이정식, 김치청국장 생선구이정식, 토속된장 생선구이정식을 맛볼 수 있다.

₩ 한우생등심(150g 6만5천원), 안창살(150g 5만3천원), 사또청국장정식, 사또김치청국장정식, 사또토속된장정식(각 1만8천원)
ⓣ 09:30~21:30 – 명절 당일 휴무
🔍 경기 용인시 기흥구 기흥단지로 89(고매동)
☎ 031-285-6865 Ⓟ 가능

소소 小愫 일식오마카세

제철 식자재로 오마카세를 선보이는 곳. 사시미와 스시, 생선구이, 탕 등이 차례로 나오며 구성은 그때그때 바뀐다. 총 8석의 다치석으로 운영되며 술 주문이 필수다.

₩ 오마카세(2인 1보틀 필수, 1인 5만5천원)
ⓣ 18:00~24:00 – 일요일, 격주 월요일 휴무
🔍 경기 용인시 기흥구 동백5로 22(중동) 가동 1층 143호
☎ 070-8822-2441 Ⓟ 가능

수담 만두

손만두를 즐길 수 있는 곳. 만두를 주문하면 미리 준비해둔 소를 만두피에 넣어 만두를 빚는다. 음식을 기다리는 시간은 약간 길지만, 막 만든 제대로 된 만두의 맛을 느낄 수 있다. 만두전골은 얼큰한 것과 담백한 것 중 선택할 수 있다.

₩ 수담만두(9천원), 영양만둣국(1만원), 담백전골, 얼큰전골(각 2인 2만7천원, 3인 3만9천원, 4인 5만2천원, 5인 6만4천원)
ⓣ 11:30~15:10(마지막 주문 14:25)/17:30~20:40(마지막 주문 19:55) – 일, 월요일 휴무
🔍 경기 용인시 기흥구 죽전로27번길 14-6(보정동)
☎ 031-897-6987 Ⓟ 가능

수타우동모루 手打ちうどん もる 일식우동

일본 정통 사누키 우동을 전문으로 하는 곳. 매일 아침 직접 소금물과 최상급 밀가루를 사용하여 면을 만들고, 24시간 동안 숙성한다. 가케우동, 기쓰네우동, 덴푸라우동, 가모보코 우동 등 다양하게 맛볼 수 있다.

₩ 가케우동(1만원), 덴뿌라우동(1만3천원), 니꾸우동(1만3천500원), 기츠네우동(1만2천원)
ⓣ 11:00~15:00/17:00~20:00 – 수요일 휴무
🔍 경기 용인시 기흥구 구교동로118번길 30-2 1층
☎ 031-274-2227 Ⓟ 가능

수타우동모루

신갈나주집 소고기구이

고급 한우를 전문으로 하는 고깃집. 부드러운 고기 맛이 일품이며 등심, 차돌박이의 인기가 높다. 다양한 부위가 나오는 한우모둠도 추천할 만하다. 남도의 맛이 느껴지는 산낙지탕탕회, 홍어삼합 등도 별미.

₩ 한우모둠(150g 5만5천원), 차돌박이, 부채살, 갈빗살, 살치살(각 150g 5만8천원), 육사시미, 육회(각 150g 5만원), 산낙지탕탕이(시가), 홍어삼합(8만원), 갈비탕(1만5천원)
ⓣ 09:00~22:00– 연중무휴
🔍 경기 용인시 기흥구 기흥로14번길 2-11 (구갈동)
☎ 0507-1417-0303 Ⓟ 가능

암소제비추리 소고기구이

40년 넘게 제비추리와 차돌박이만 판매하는 곳. 제비추리와 차돌박이를 돌판에 구워 먹는다. 돌판 둘레에 달걀을 풀어 기름기를 없앤다. 식사로는 된장찌개가 있다.

₩ 차돌박이, 제비추리(각 180g 5만5천원), 된장찌개(6천원)
ⓣ 11:00~21:00 – 명절 당일 휴무
🔍 경기 용인시 기흥구 석성로 107(마북동)
☎ 031-283-3294 Ⓟ 가능

양평해장국 콩나물국밥 | 일반한식

전주식 콩나물국밥 전문으로, 콩나물해장국을 시키면 날달걀 두 개를 깨서 그릇에 담아준다. 김가루와 새우젓도 나온다. 뚝배기에 펄펄 끓여져 나오는 콩나물국밥에 계란, 새우젓, 김가루 등을 취향대로 넣으면 된다. 콩나물국밥에는 오징어가 잘게 썰어져 들어가 있다. 1층에는 전주식 생태매운탕, 갈치조림 등의 메뉴가 있다.

₩ 양평해장국(1만원), 전주콩나물해장국(9천원), 갈치조림+돌솥밥(소 4만원, 중 6만원, 대 8만원), 뼈해장국(1만1천원)
ⓣ 05:00~20:00 – 연중무휴
🔍 경기 용인시 기흥구 기흥단지로 63(고매동)
☎ 031-274-8845 Ⓟ 가능

에코의서재 북카페

보정동카페거리에서 유명한 북카페다. 책의 종류가 다양하며 실내가 편안한 분위기여서 책을 읽으며 시간을 보내기에 좋다. 브런치메뉴를 비롯해 와플이 인기다.

Ⓦ 에스프레소(5천원), 아메리카노(6천원), 카페라테(6천5백원), 케이크(6천5백원), 인절미와플(1만8천원), 아이스크림와플(1만7천5백원)
Ⓣ 11:00~23:00 | 금요일 11:00~24:00 – 토요일 휴무
Q 경기 용인시 기흥구 죽전로15번길 11-3(보정동)
☎ 031-266-1138 Ⓟ 가능(협소)

콩게미 콩국수

크림콩국수로 유명한 콩국수 맛집. 크림콩국수는 크림처럼 꾸덕꾸덕하고 곱게 갈았다 하여 붙여진 이름으로, 국산콩(백태, 서리태)과 소량의 간수 외에는 첨가물을 넣지 않아 진하고 고소하다. 평일에는 오후 3시까지만 영업한다.

Ⓦ 크림콩국수(1만1천원), 서리태콩국수(1만3천원), 고기왕만두(7천원)
Ⓣ 11:00~15:00(마지막 주문 14:30) | 토, 일요일 11:00~18:00 – 둘째 주 화요일, 명절 휴무
Q 경기 용인시 기흥구 공세로 20(고매동)
☎ 031-285-5277 Ⓟ 가능

호박촌 연잎밥 | 콩국수

향긋한 연잎으로 만든 요리를 맛볼 수 있는 곳. 여름철 보양식으로 제격인 연잎삼계탕은, 닭에 약재를 넣고 연잎으로 감싸 푹 삶아 나온다. 오곡 찰밥을 연잎에 싸서 한 번 더 쪄낸 연잎 밥도 선보이고 있다. 서리태콩국수도 인기 메뉴 중 하나다.

Ⓦ 연잎삼계탕(1만9천원), 연잎밥(2만4천원), 생오리주물럭(5만4천원), 연잎오리훈제(6만5천원), 서리태콩국수(1만2천원)
Ⓣ 11:30~15:30/17:00~21:00 – 월요일 휴무
Q 경기 용인시 기흥구 중부대로773번길 7(상하동)
☎ 031-283-0708 Ⓟ 가능

경기도 용인시(수지)

고기리막국수 ✂✂ 막국수 | 수육

고급스러운 막국수로 이름난 곳으로, 매장에서 직접 빻은 메밀로 막국수를 만든다. 대표 메뉴인 들기름막국수를 찾는 손님들로 늘 붐빈다. 정원과 테라스도 있어 분위기도 쾌적하다.

Ⓦ 물막국수, 비빔막국수, 들기름막국수(각 1만원), 수육(소 1만5천원, 중 2만3천원)
Ⓣ 11:00~16:00/17:00~21:00(마지막 주문 20:20) – 화요일 휴무
Q 경기 용인시 수지구 이종무로 157(고기동)
☎ 031-263-1107 Ⓟ 가능

르헤브드베베 ✂ Le reve de bebe 디저트카페

프랑스 르노트르 제빵학교 출신 셰프가 만든 다양한 마카롱을 맛볼 수 있다. 100% 아몬드가루로 만드는 부드러운 식감의 마카롱이 인기며 40여 종류에 달할 만큼 다양하다. 쫄깃한 코크와 달콤한 필링이 잘 어우러진다.

Ⓦ 마카롱(각 2천8백원), 아메리카노, 카페라테(각 5천원), 홍차(hot 5천원, ice 6천원), 밀크티(7천원)
Ⓣ 11:00~19:00 – 월, 화요일 휴무
Q 경기 용인시 수지구 죽전로168번길 3-3(죽전동) 단대레드존상가 1층 101, 102호
☎ 031-889-5012 Ⓟ 가능

모소밤부 Mosobamboo 카페 | 브런치카페

레스토랑, 카페, 미용실을 동시에 운영 중인 곳으로, 모소밤부의 이름에 걸맞는 대나무라테를 선보이고 있다. 카페 바로 앞에 계곡이 있어, 물이 흐르는 소리를 들으며 여유로운 시간을 보낼 수 있다.

Ⓦ 밤라테(7천원), 아메리카노(5천5백원), 카페라테(6천원), 헤이즐넛모카케이크(8천9백원), 직화삼겹우마미파스타, 안초비관자루콜라오일파스타, 소갈비크림리조토(각 2만1천원), 부채살스테이크(250g 3만2천5백원)
Ⓣ 10:00~20:00 – 연중무휴
Q 경기 용인시 수지구 고기로 470(고기동)
☎ 070-4667-3001 Ⓟ 가능

산사랑 ✂ 한정식

야생 산나물 전문점으로, 된장도 직접 만들고 두부도 국산 콩으로 직접 만들며 모든 밑반찬도 직접 만든다. 줄지어 서 있는 장독대가 정겹다. 고춧가루, 마늘, 참기름 사용을 줄이고, 들기름, 된장, 고추장을 사용하여 맛을 낸다. 넓은 정원이 있어 아이들과 가면 뛰어놀 수 있어서 좋다. 들어가는 진입로가 좁아 토, 일요일 저녁에는 다소 혼잡하다.

Ⓦ 산사랑정식(1만9천원)
Ⓣ 10:40~20:30(마지막 주문 20:00) – 명절 휴무
Q 경기 용인시 수지구 샘말로89번길 9(고기동)
☎ 031-263-6080 Ⓟ 가능

산으로간고등어 ✂ 생선구이

화덕에 구운 생선요리를 전문으로 하는 큰 규모의 한식당. 고등어, 임연수, 삼치, 갈치구이를 맛볼 수 있다. 생선을 화덕에 구워 기름기가 적은 편. 추가 밑반찬은 셀프 코너에서 자유롭게 가져다 먹을 수 있으며 밥과 시래깃국도 같이 내어주며 리필이 가능하다.

Ⓦ 고등어구이, 임연수구이(각 1만4천원), 삼치구이, 직화제육(각 1만5천원), 갈치구이(2만8천원)
Ⓣ 11:00~15:50/17:00~21:00 – 연중무휴

🔍 경기 용인시 수지구 고기로 126
☎ 0507-1306-6823 Ⓟ 가능

산의아침 막국수

현대적인 분위기의 막국숫집. 막국수에 채소와 고기, 달걀 지단 등의 고명이 넉넉히 올라가며 면의 식감도 좋다. 막국수와 함께 녹두전이나 메밀만두 등을 곁들이면 좋다. 20여 년의 역사를 갖고 있다.

₩ 동치미물막국수, 비빔막국수(1만1천원), 소바(1만2천원), 메밀손만두(8천원), 감자전(7천원), 통녹두전(1만9천원)
🕒 11:00~20:00(마지막 주문 19:30) – 월요일 휴무(공휴일인 경우 영업)
🔍 경기 용인시 수지구 샘말로 96(고기동)
☎ 031-265-2200 Ⓟ 가능

송정갈비 松亭 돼지갈비

시골길을 한참 달려야 찾을 수 있는 돼지갈빗집이지만 식사 시간이면 늘 만원일 만큼 소문이 자자한 곳. 두툼한 돼지갈비를 숯불에 구워 먹는 맛이 일품이다. 식사로는 함흥냉면이 있다.

₩ 돼지갈비(250g 1만8천원), 소이동갈비(300g 3만8천원), 소양념갈비(280g 3만9천원), 소생갈비(280g 4만3천원), 참숯갈빗살(150g 2만9천원), 한우생등심(150g 4만9천원), 한우주물럭(150g 4만7천원)
🕒 11:00~22:00 |일요일 11:00~21:30 – 연중무휴
🔍 경기 용인시 수지구 신봉1로330번길 10
☎ 031-262-0010 Ⓟ 가능

송정갈비

신분당선숯불구이 소갈비 | 삼겹살 | 돼지갈비

돼지갈비, 소갈비가 유명한 곳. 한돈을 사용하여 생갈비 맛도 좋다. 새우장, 해파리냉채 등 함께 나오는 반찬도 다양하다. 직접 면을 뽑아 만드는 냉면도 추천 메뉴.

₩ 한돈돼지갈비(250g 1만7천원), 한돈생갈비(220g 1만8천원), 한돈삼겹살(180g 1만7천원), 소생갈비(250g 3만4천원), 소양념갈비(250g 3만2천원), 물냉면(7천원), 함흥냉면(1만원), 생고기김치찌개(9천원)
🕒 16:00~22:00(마지막 주문 21:15) | 토, 일요일 11:30~22:00(마지막 주문 21:15) – 첫째 주 월요일 휴무(명절 달 제외)
🔍 경기 용인시 수지구 만현로 82-6(상현동)
☎ 031-261-9339 Ⓟ 가능

써니스피자마켓 Sunny's PIZZA MARKET 미국식피자

미국식 두툼한 도우의 피자를 맛볼 수 있는 곳. 페페로니 피자가 대표 메뉴며, 할라피뇨를 올려 매콤한 맛이 나는 매콤 페페로니 피자와 수제 햄이 올려진 밤봉루콜라피자도 인기 메뉴. 방문 포장 시 3천 원 할인 혜택이 있다.

₩ 식스치즈피자, 써니스마가리타(각 P 9천8백원, R 1만6천9백원, L 2만9백원), 페퍼로니(P 1만8백원, R 1만8천9백원, L 2만2천9백원), 클래식오븐파스타(7천9백원)
🕒 11:00~ 15:00/17:00~23:00(마지막 주문 22:50) | 화요일 17:00~23:00(마지막 주문 22:50) | 토, 일요일 11:00 ~23:00(마지막 주문 22:50) – 월요일 휴무
🔍 경기 용인시 수지구 풍덕천로148번길 5-13(풍덕천동)
☎ 031-266-6966 Ⓟ 불가(수지구청 공영주차장 이용)

야키도리켄지
やきとりけんじ 이자카야 | 일식꼬치

정통 일본 야키도리를 전문으로 하는 이자카야. 비장탄에 구운 다양한 부위의 닭꼬치를 먹을 수 있다. 닭다리살로 만든 모모니쿠가 대표 메뉴며, 나가사키짬뽕이 인기. 기본 안주로는 양배추가 제공된다.

₩ 야키도리오마카세(2만2천원, 2만6천원, 2만8천원), 야키오니기리(4천원), 오징어볼어묵, 구운어묵(각 2천5백원), 세세리, 모모, 네기마, 츠쿠네(각 4천원), 아지후라이(9천원)
🕒 18:00~22:30(마지막 주문 22:00) – 일요일 휴무
🔍 경기 용인시 수지구 수지로 119(성복동) 데이파크 c동 122호
☎ 031-480-8592 Ⓟ 불가

연지 宴地 한정식

분위기 좋은 정원을 바라보며 한정식을 즐길 수 있는 곳. 인테리어도 깔끔하고 음식도 정갈하게 나온다. 후식으로 나오는 매실차의 맛이 좋으며 야외 정원에서 이야기를 나누기도 좋다.

₩ 한정식(2만7천원~7만2천원), 평일점심특선(2만1천원)
🕒 11:00~15:00/17:00~21:00 – 연중무휴
🔍 경기 용인시 수지구 신봉1로 291(신봉동)
☎ 031-896-5678 Ⓟ 가능

오월식당 한정식

조용하고 고즈넉한 한옥 구조의 한식당. 정갈한 한식 반상을 선보인다. 단호박갈비찜반상이 인기 메뉴다. 기본 찬은 리필이 가능하며, 와인 리스트도 좋은 편. 바로 옆에 있는 오월다방도 함께 이용해 볼 만하다.

₩ 모둠장반상(2인 이상 짝수 단위로 주문, 1인 3만8천원), 단호박갈비찜반상(2인 이상 짝수 단위로 주문, 1인 3만4천원), 간장게장반상

(4만6천원), 양념게장반상, 보리굴비반상(각 3만2천원), 전복돌솥영양밥반상(3만원)
⏲ 11:00~15:00/17:00~21:00 | 토, 일요일 11:00~21:00 – 연중무휴
🔍 경기 용인시 수지구 동천로 411(동천동)
☎ 070-8865-2009 Ⓟ 가능

일템포 IL TEMPO 파스타 | 이탈리아식

현대적인 이탈리안 요리를 선보이는 레스토랑. 피자는 이탈리아의 유기농 밀가루 등 현지 식재료를 많이 사용한다. 스테이크가 포함된 코스 구성이 좋은 편이며, 피렌체 스타일의 정통 티본스테이크도 추천 메뉴다.

₩ 비프부르기뇽파케리(3만2천원), 관자(4pcs 2만4천원), 마르게리타(2만3천원), 콰트로포르마지(2만5천원), 티본스테이크(800g 15만2천원), 이탈리안문어요리(2만4천원)
⏲ 11:30~15:00/17:00~22:00(마지막 주문 20:30) – 화요일 휴무
🔍 경기 용인시 수지구 용구대로 2701(죽전동) 테이스티에비뉴 111호
☎ 031-266-6261 Ⓟ 가능

일호점미역 미역국 | 한정식

다양한 종류의 미역탕 정식을 먹을 수 있는 곳. 최상급의 완도미역을 무쇠솥에 볶아 갈무리한 후, 각각의 탕을 따로 끓여 낸다. 기본 찬이 푸짐한 편이며, 셀프바에 정갈하게 준비되어 있는 추가 반찬은 무한리필로 이용 가능하다.

₩ 조개미역탕정찬(1만7천원), 소고기미역탕정찬, 가자미조개미역탕정찬(각 1만9천원), 고추장숯불돼지불고기정찬(2만원), 바싹불고기정찬, 활전복무침정찬(각 2만2천원), 육전(2만5천원)
⏲ 10:30~15:00(마지막 주문 14:15)/17:00~20:30(마지막 주문 19:45) – 연중무휴
🔍 경기 용인시 수지구 고기로 157(동천동)
☎ 031-261-2200 Ⓟ 가능

태국식당팟퐁 PATPONG 태국식

죽전에서 제대로 된 현지 스타일의 태국 음식을 먹을 수 있는 곳. 상호에도 있듯이 팟퐁커리가 추천 메뉴다. 향신료가 부담스러운 사람은 순한 맛으로도 주문할 수 있다.

₩ 똠얌꿍(2만4천원), 뿌님팟퐁커리(2만9천원), 뿌팟퐁커리(3만8천원), 텃만꿍(1만5천원), 팟타이꿍, 카우팟꿍(1만3천원), 쏨땀타이, 팍붕화이뎅(각 1만5천원)
⏲ 11:00~15:00(마지막 주문 14:00)/16:30~21:00(마지막 주문 20:00) | 토요일 11:00~15:00(마지막 주문 14:00)/16:30~20:20(마지막 주문 19:20) – 일요일 휴무
🔍 경기 용인시 수지구 죽전로144번길 7-5(죽전동) 단대로데오타워 1층
☎ 031-898-1976 Ⓟ 가능(점심 1시간, 저녁 2시간 무료)

할머니의부뚜막 청국장 | 일반한식 | 백반

청국장이 나오는 백반을 맛볼 수 있는 가정식 스타일 식당. 부뚜막 정식은 파무침을 듬뿍 얹은 돼지 불고기가 나온다. 각종 나물류와 김치, 쌈채소도 나와 만족스러운 식사를 할 수 있다.

₩ 부뚜막정식(1만3천5백원), 청국장백반(9천5백원), 육전&파무침(1만8천원), 오징어볶음(1만1천원)
⏲ 11:00~15:00/17:00~20:00(마지막 주문 19:15, 재료소진 시 조기마감) – 일요일 휴무
🔍 경기 용인시 수지구 풍덕천로 188-1 103호
☎ 031-8004-0827 Ⓟ 불가(노상공영주차장 또는 풍덕천 제1공영주차장 이용)

경기도 의왕시

명가 만두

만두 맛집으로 소문난 곳이다. 김치가 들어간 만두를 직접 빚어내며, 쫄깃한 만두피와 알찬 속이 잘 어우러진다. 얼큰하게 끓인 만두전골도 인기. 식사시간에는 어느 정도 웨이팅을 감수해야 한다. 만두만 테이크아웃해가는 손님도 많다.

₩ 명가만두(1만원), 만두전골(2인 이상, 1인 1만원), 해물칼국수(2인 이상, 1인 1만1천원), 만두랑소고기샤부샤부(2인 이상, 1인 1만원)
⏲ 10:00~21:00 – 연중무휴
🔍 경기 의왕시 솔고개길 23 (왕곡동)
☎ 031-429-9030 Ⓟ 가능

봉덕칼국수 만두 | 칼국수 | 샤부샤부

직접 반죽하여 칼국수면을 만드는 칼국수 전문점. 가느다란 칼국수가 아닌, 우동 면발처럼 굵은 손칼국수다. 샤부샤부칼국수가 대표 메뉴로, 채소와 버섯, 고기 등을 샤부샤부 해서 건져 먹은 후 칼국수를 넣어 끓여 먹는다.

₩ 샤부샤부버섯칼국수(1만1천원), 바지락칼국수(1만원), 만두(8천원)
⏲ 11:00~21:30(마지막 주문 21:00) – 연중무휴
🔍 경기 의왕시 징계골길 11 (이동)
☎ 031-456-8464 Ⓟ 가능

올라!백운호수점 Ola! 이탈리아식 | 파스타

백운호수 주변의 유명한 레스토랑 중 하나로, 베란다에서 호숫가의 경치를 내려다볼 수 있다. 즉석에서 반죽한 생면과 넓은 땅을 에서 직접 재배한 허브와 토마토를 파스타에 사용한다. 뚝배기에 끓여 나오는 올라 뽀르노가 인기 메뉴 중 하나다.

₩ 파스타(2만7천원~2만9천원), 스테이크(6만8천원~8만4천원), 수프(1만원~1만6천원), 코스(7만5천원~9만9천원)
⏲ 11:30~22:00 – 명절 당일 휴무
🔍 경기 의왕시 의일로 25 (학의동)
☎ 031-426-1008 Ⓟ 발레 파킹

일출보리밥 보리밥

모락산 입구에 있어 등산객이 많이 찾는 보리밥집이다. 보리밥을 주문하면 열 가지 나물, 된장찌개가 보리밥과 함께 나온다. 보리밥을 나물과 비벼 쌈나물에 싸 먹으면 더욱 맛있다. 해물파전에 동동주를 곁들이면 좋다.

₩ 일출보리밥(9천원), 도토리묵, 감자전, 메밀전병(1만원), 해물파전(1만2천원), 제육볶음(소 1만2천원, 대 1만8천원)

🕒 09:30~21:00 – 명절 휴무

🔍 경기 의왕시 손골길 13 (내손동)

☎ 031-421-1142 Ⓟ 가능

경기도 의정부시

고산떡갈비 高山 소떡갈비

숯불 석쇠에 구워 기름이 빠진 두터운 고기 속에 육즙이 살아 있는 떡갈비 전문점. 양념 맛이 강하지 않아 고기 본연의 맛을 느낄 수 있다. 별미인 열무국수는 열무김치 국물의 칼칼한 뒷맛이 입안을 개운하게 해준다. 40년이 넘는 역사를 자랑한다.

₩ 소떡갈비(300g 3만원), 돼지떡갈비(300g 1만9천원), 갈비탕(1만8천원), 열무냉국수(3천원)

🕒 11:00~20:30(마지막 주문 20:00) – 연중무휴

🔍 경기 의정부시 평화로562번길 13(의정부동)

☎ 031-842-3006 Ⓟ 가능

다이닝1324 DINNING 1324 이탈리아식

이탈리안에 프렌치를 더한 듯한 요리를 맛볼 수 있는 곳. 통오징어 구이가 올라가는 먹물 리조토가 인기 메뉴다. 와인도 다양하게 구비하여 스테이크, 샐러드에 곁들이기 좋다.

₩ 통로메인샐러드(각 7천원), 프렌치어니언수프(8천원), 돼지안심(240g 2만3천원), 살치살스테이크(230g 2만8천원), 봉골레파스타(1만4천원), 만조파스타(1만6천원), 라구파스타(1만7천원), 통오징어먹물리조토(1만7천원)

다이닝1324

🕒 11:30~15:00/17:00~22:00(마지막 주문 21:00) | 토, 일요일 11:30~16:00/17:00~22:00(마지막 주문 21:00) – 연중무휴

🔍 경기 의정부시 시민로132번길 4(의정부동) 지상2층

☎ 070-7543-5744 Ⓟ 불가

당고개냉면 함흥냉면 | 평양냉면

메밀로 만든 평양냉면과 전분으로 만든 함흥냉면 모두 맛볼 수 있는 곳이다. 냉면의 면이나 만두는 직접 만든 것만 사용한다. 노원구 상계동에서 유명했던 냉면집으로, 남양주로 이전하였다가 2021년 현재의 위치로 다시 이전하였다.

₩ 전분함흥냉면, 메밀평양냉면(각 1만1천원), 회냉면(1만2천원), 왕만두(7천원), 수육(1만2천원), 홍어무침(1만2천원)

🕒 11:00~20:00(마지막 주문 19:30) – 월요일 휴무(공휴일인 월요일 정상영업, 화요일 휴무)

🔍 경기 의정부시 송산로 903(산곡동)

☎ 02-936-6481 Ⓟ 가능

메종키친 Maison Kitchen 피자 | 파스타 | 이탈리아식

파스타, 피자와 함께 와인을 즐기기 좋은 이탈리안 레스토랑. 2층은 화이트톤의 깔끔하고 감성적인 인테리어로 꾸며져 있으며, 3층은 플랜테리어의 실내와 루프탑의 테라스 좌석이 있어 와인이나 칵테일 마시기 좋다.

₩ 비스마르크피자(2만5천원), 프로슈토루콜라피자(2만3천원), 채끝등심스테이크(4만3천원), 이베리코맥적구이(2만8천원), 명란어란오일스파게티(1만7천원), 단새우세비체(1만3천원)

🕒 12:00~15:00(마지막 주문 14:30)/17:00~22:00(마지막 주문 20:00) – 화요일 휴무

🔍 경기 의정부시 능곡로 28(신곡동) 2층

☎ 031-846-9147 Ⓟ 가능(문의)

목롯집 무국적술집 | 퓨전한식

한식을 베이스로한 무국적 요리주점. 의정부 최초로 전통주를 전문으로 판매하였으며, 주종도 50여 가지 갖추어져 있다. 제철에 맞는 제철 메뉴가 팝업으로 진행되기도 한다.

₩ 삼합(3만9천원), 문어&소라숙회(3만원), 마늘항정수육(2만7천원), 단새우&성게알모둠(4만2천원), 대게맛있는볶음밥(1만5천원), 해장국수(8천5백원), 제철메뉴(시가)

🕒 16:00~24:00(마지막 주문 23:30) | 금, 토요일 15:00~01:00(익일)(마지막 주문 24:30) – 월요일 휴무

🔍 경기 의정부시 오목로205번길 21(민락동)

☎ 010-7708-1990 Ⓟ 가능

보영식당 부대찌개

의정부부대찌개거리에 있는 곳으로, 미국에서 수입한 질 좋은 소시지를 사용한다. 부대찌개용 소스를 만들기 위해 일 년에 두 번씩 전통 재래장을 담그는 것이 특징. 칼칼하면서도 시원한 국물 맛이 일품이다. 반세기가 넘는 역사를 자랑한다.

₩ 부대찌개(1만2천원), 햄사리, 소시지사리(각 5천원)
⏲ 08:00~21:00(마지막 주문 20:30) – 연중무휴
🔍 경기 의정부시 태평로133번길 26(의정부동)
☎ 031-842-1129 Ⓟ 가능

부흥국수 비빔국수

의정부에서 유명한 비빔국수 맛집으로, 국수를 제조하던 공장이 직접 국수 전문점을 개업하여 유명해진 곳이다. 육수가 자작한 비빔국수를 비롯해 각양각색의 비빔국수를 기호에 따라 선택해 맛볼 수 있다. 부흥국수만의 전통 기계식 수타 공법으로 제면하여, 면이 탱글탱글하고 쫄깃하다. 셀프로 메밀전을 부쳐 먹을 수도 있다.

₩ 멸치국수, 비빔국수(각 8천원), 메밀막국수, 김메밀막국수(각 9천원), 물만두(3천원)
⏲ 09:30~16:00 | 금, 토, 일요일 09:30~18:00 – 월요일 휴무
🔍 경기 의정부시 장곡로 458(신곡동)
☎ 031-841-4939 Ⓟ 불가

비스킷테이블 Biscuit table 구움과자 | 마카롱

케이크, 구움과자 등 다양한 디저트를 선보이고 있는 수제 디저트 카페. 홀케이크(2호) 주문 시에는 3일 전 예약해야 한다. 공간이 협소하여 테이크아웃만 가능하다.

₩ 플레인피낭시에(2천5백원), 캐러멜피칸피낭시에, 와인무화과피낭시에, 누네띠네피낭시에(각 2천9백원), 티그레바(3천3백원), 바닐라카늘레(3천원), 카야버터스콘(4천원)
⏲ 12:00~19:00(재료 소진 시 마감) – 월, 화요일 휴무
🔍 경기 의정부시 평화로 508(의정부동)
☎ 031-878-7020 Ⓟ 불가

비스트로아비오 AVVIO 이탈리아식 | 유럽식

1인 셰프로 운영하는 유로피안 비스트로. 신선한 천연 식재료를 사용하여 요리를 선보인다. 인기 메뉴는 연어 그라브락스와 라자냐로, 꼭 맛보아야 할 메뉴. 식사 후 서비스로 판나코타를 내주며, 사전에 전화 문의 후 방문하는 것이 좋다.

₩ 그라브락스(2만9천원), 비프웰링턴스테이크(5만4천원), 이탈리안허브구이새우와아보카도(2만7천원), 바질페스토부라타치즈, 대구살블랑다드부르스케타(각 1만8천원), 치즈플레이트(2만3천원)
⏲ 17:00~01:00(익일)| 일요일 17:00~22:00(마지막 주문 21:00) – 화요일 휴무
🔍 경기 의정부시 오목로225번길 79-16(민락동) 1층
☎ 031-853-3445 Ⓟ 가능

수흥부대찌개 부대찌개

한국적인 매운맛을 잘 살린 부대찌개를 선보인다. 햄, 소시지, 다진 소고기, 두부와 온갖 채소가 들어 있는 부대찌개는 매운 김치찌개를 연상케 할 만큼 진하고 칼칼한 맛을 낸다.

₩ 원조부대찌개(1만원), 모둠부대찌개, 부대볶음(각 1만2천원)
⏲ 10:00~22:00(마지막 주문 21:20) – 연중무휴
🔍 경기 의정부시 태평로73번길 41(의정부동)
☎ 031-846-8620 Ⓟ 불가

신래향 新來香 중국만두 | 일반중식

오랜 역사를 자랑하는 화상중국집. 만두가 맛있기로 유명하며 짜장면 등 식사 외에 요리 메뉴도 잘한다. 60여 년째 영업을 이어오고 있다.

₩ 찐만두, 군만두, 물만두, 짬뽕(각 7천원), 짜장면(6천원), 탕수육(소 1만3천원, 대 1만9천원), 볶음밥(8천원)
⏲ 11:30~15:00/17:00~20:00 – 월요일, 명절 휴무
🔍 경기 의정부시 호국로1298번길 74(의정부동)
☎ 031-846-2910 Ⓟ 불가

실비식당 부대찌개

베이컨, 햄, 소시지가 들어간 부대찌개는 물론 부대볶음도 인기가 좋은 곳이다. 의정부부대찌개거리에 있다가 2000년대 초에 경민대 앞으로 이전하였다.

₩ 부대찌개(1만원), 부대볶음(2인 이상, 1인 1만원)
⏲ 11:00~19:00(마지막 주문 18시) – 첫째, 셋째 주 일요일 휴무
🔍 경기 의정부시 호국로1123번길 12(가능동)
☎ 031-872-1269 Ⓟ 가능(협소)

아나키아 카페

단독 건물의 1~3층에 자리한 대형 베이커리 카페. 층마다 다른 분위기로 인테리어 했으며, 클래식 공연도 열린다. 4층과 5층은 레스토랑으로 운영되며 새우 파스타, 치킨 파스타, 안심스테이크 등을 맛볼 수 있다.

₩ 아몬드크림라테(9천5백원), 아메리카노(7천5백원), 월넛찰브래드(7천원), 스테이크샐러드(2만6천원), 새우파스타(2만2천원), 치킨파이(2만7천원), 안심스테이크(4만5천원), 버섯파스타(1만9천원), 치킨파스타(2만원), 통베이컨파스타(2만1천원)
⏲ 10:00~22:00(마지막 주문 21:30) – 연중무휴
🔍 경기 의정부시 잔돌길 22
☎ 031-856-5169 Ⓟ 가능

오뎅식당 부대찌개

60여 년 전에 의정부부대찌개거리를 탄생시킨 주인공. 커다란 솥뚜껑을 뒤집은 냄비에는 파, 당면, 김치, 햄, 두부, 다진 고기 등이 들어가 있다. 된장을 약간 넣는 것이 맛의 비결이라 한다. 포장도 가능하다.

₩ 부대찌개(1만1천원), 모둠사리(1만원), 햄사리, 소시지사리(각 6천원), 라면사리, 당면사리(각 2천원)
⏲ 09:30~21:30 – 연중무휴
🔍 경기 의정부시 호국로1309번길 7(의정부동)
☎ 031-842-0423 Ⓟ 가능

오크힐스테이크 OAK HILL STEAK 스테이크

의정부 장암동 외각 드라이브 코스에 자리한 스테이크 전문점으로, 건물 전체가 넓은 유리통창으로 되어 있다. 스테이크를 비롯하여 다양한 종류의 파스타와 피자 등도 합리적인 가격대로 만나볼 수 있다. 수락산, 도방산, 북한산이 한 눈에 들어오는 전망이 훌륭하다.

₩ 등심스테이크(4만6천원), 안심스테이크(4만9천원), 채끝스테이크(4만3천원), 머시룸크림파스타, 마르게리타(각 1만8천원), 세트(5만3천원, 5만6천원, 5만9천원)

11:00~15:00/16:30~21:00(마지막 주문 20:00) – 연중무휴

경기 의정부시 동일로150번길 102(장암동) 2층

☎ 031-876-3654 Ⓟ 가능

오크힐커피 OAK HILL 카페 | 브런치카페

정원과 숲이 있는 커피 전문점. 7,000평 규모의 넓은 야외 정원이 있어 커피를 즐긴 후 산책을 즐기기에 좋다. 커피를 비롯해 파스타, 샐러드, 브런치 등의 메뉴도 다양하게 있다.

₩ 에스프레소, 아메리카노(각 7천원), 카페라테(7천5백원), 생과일주스(9천원), 유기농차(7천원~7천5백원), 카르보나라파스타(1만6천원), 먹물단호박치즈파니니(1만4천원), 이탈리아노티라미수(7천원)

10:00~22:00(브런치 10:00~19:30) – 연중무휴

경기 의정부시 동일로150번길 114(장암동)

☎ 031-877-3654 Ⓟ 가능

일미만두1981의정부 만두전골 | 만두

직접 만든 만두와 만두전골을 맛볼 수 있는 식당. 기본 만두전골은 아롱사태가 들어간 맑은 육수로 칼국수 사리와 닭만두 한 개가 같이 나온다. 직접 만든 양념장과 고사리를 넣은 얼큰한 육개만두전골을 많이 찾는 편이며, 튀김만두도 인기 메뉴.

₩ 기본만두전골, 닭고기만두전골(각 1인분 1만5천9백원) ,육개장만두전골, 육개닭고기만두전골(각 1인분 1만6천9백원), 고기만두, 김치만(각 8천원), 고기왕만두, 떡만둣국(각 1만원)

11:00~15:30/16:30~21:30(마지막 주문 20:50) | 토, 일요일, 공휴일 11:00~21:30 – 연중무휴

경기 의정부시 평화로 311 ☎ 031-876-1981 Ⓟ 가능

일월담 굴비 | 게장

노르스름한 알이 꽉 찬 간장게장을 맛볼 수 있는 곳이다. 꽃게는 제철에 잡은 싱싱한 암꽃게만 사용한다. 간장게장이 달짝지근하면서 짜지 않는 점이 좋다. 간장게장 외에도 보리굴비, 곤드레돌솥밥, 꽃게탕, 보쌈 등의 메뉴도 있다.

₩ 간장게장정식(특 3만6천원, 특대 4만5천원, 스페셜 6만원), 양념게장정식(특 3만8천원, 특대 4만8천원, 스페셜 5만8천원), 보리굴비정식(2만4천원, 특 3만원)

10:00~21:00(마지막 주문 20:00) – 연중무휴

경기 의정부시 동일로150번길 119(장암동)

☎ 031-874-3377 Ⓟ 가능

정통부대고기 부대찌개

50여 년 동안 부대찌개를 팔고 있는 곳으로, 얼큰한 국물 맛이 일품이다. 칼칼한 김치와 육수 맛이 좋으며 남은 국물에 밥을 볶아 먹으면 좋다. 부대찌개뿐만 아니라 국물 없이 졸여 먹는 부대 볶음도 인기가 많다.

₩ 부대찌개(1인 1만원), 부대볶음(소 2만4천원, 중 3만4천원, 대 4만4천원), 오징어볶음, 제육볶음(각 2인 2만원)

08:00~21:30(마지막 주문 20:30) – 명절 당일 휴무

경기 의정부시 호국로 1102(가능동)

☎ 031-872-7814 Ⓟ 가능

지동관 志東館 일반중식

의정부에서 가장 오래된 화상중국집. 짜장면과 탕수육이 유명하다. 겨울에는 굴짬뽕이 인기다. 주중 점심때는 세트메뉴를 시키는 것이 저렴하게 즐기는 방법이다. 지마구라는 빵이 디저트로 나오는 것이 독특하다.

₩ 유니짜장면(9천원), 삼선짜장면(1만원), 백짬뽕, 고추짬뽕(각 1만원), 등심탕수육(소 1만9천원, 중 2만4천원, 대 3만4천원), 꿔바로우(소 2만2천원, 대 3만2천원)

11:00~15:00/17:00~21:00 | 토, 일요일, 공휴일 11:00~15:30/17:00~21:00 – 월요일, 명절 휴무

경기 의정부시 호국로1298번길 78(의정부1동)

☎ 031-846-2047 Ⓟ 가능

진미식당 부대찌개

의정부부대찌개거리에 있는 부대찌개 전문점. 얼큰한 맛과 순한 맛을 선택할 수 있다. 라면사리, 당면사리, 떡사리를 시키면 사리를 무한리필하여 먹을 수 있다

₩ 부대찌개(1인 1만1천원), 부대볶음(1인 1만4천원), 모둠사리(9천원), 라면사리, 떡사리(1천원)

10:00~03:00(익일) – 연중무휴

경기 의정부시 호국로1309번길 6(의정부동)

☎ 031-843-7729 Ⓟ 발레 파킹

파크프리베 Parc Privé 이탈리아식 | 디저트카페

레스토랑 겸 카페로 1층은 디저트카페, 2층은 이탈리안 레스토랑으로 구성되어 있다. 바로 앞에 펼쳐져 있는 드넓은 잔디밭을 바라보면서 여유를 즐길 수 있는 점이 좋다. 잔디밭 곳곳에 테이블과 벤치가 배치되어 있어 마치 소풍 나온듯한 느낌을 준다.

₩ 아메리카노(7천원), 콤보(1인 6만3천원, 2인 7만3천원, 4인 13만원), 마르게리타피자(2만1천원), 클라시카피자(2만4천원), 수란카르보나라크림파스타(2만2천원), 한우등심스테이크(200g 5만원), 라자냐롤치즈그라탕(2만2천원)

카페 10:00~23:00 | 레스토랑 11:00~22:00(마지막 주문 20:30) – 연중무휴

경기 의정부시 동일로192번길 28-27(장암동)

☎ 031-873-9200 Ⓟ 가능

평양면옥 평양냉면 | 수육

평양냉면의 원형과 가장 비슷하다는 평을 받는 곳으로, 전국 최고로 꼽는 사람들도 있다. 한우 사태와 돼지고기 삼겹살을 함께 고아서 육수를 만들고, 돼지고기 편육을 고명으로 얹은 후 고춧가루를 살짝 뿌린다. 그래서 육수 맛이 좀 더 고소하게 느껴지고 칼칼한 맛도 느낄 수 있다. 빨간 양념이 얹어져 나오는 비빔냉면은 입맛 당기는 은근한 매운맛을 맛볼 수 있다. 면은 메밀로 만들기 때문에 부드럽고 면발이 약간 가는 편. 서울의 을지면옥, 필동면옥, 의정부평양면옥과 같은 집안이다.

₩ 메밀물냉면, 메밀비빔냉면, 메밀온면(각 1만4천원), 돼지고기수육(200g 2만4천원), 소고기수육(200g 2만8천원), 만둣국(계절메뉴 10–3월 1만4천원)

🕒 11:00~20:20(마지막 주문 19:50) – 일요일, 명절, 공휴일 휴무

🔍 경기 의정부시 평화로439번길 7(의정부동)

☎ 031–877–2282 Ⓟ 가능

평양면옥

평양초계탕막국수 닭무침 | 막국수 | 초계탕

평안도 지방 초계탕과 평안도 막국수를 제대로 차려 내는 집이다. 파주 초계탕집과 동향인 주인이 직접 국수를 말아 내며, 서울 북쪽에 거주하는 평안도 출신 손님이 즐겨 찾는다. 초계탕과 물김치가 맛있으며 초계탕이 나오기 전에 메밀전과 닭날개를 서비스로 준다.

₩ 물막국수, 비빔막국수, 날개한접시(각 1만1천원), 초계탕(소 3만8천원, 중 6만원, 대 7만5천원), 닭무침(3만원)

🕒 11:00~15:00/17:00~21:00 | 토,일요일 11:00~21:00 – 동절기, 명절 휴무

🔍 경기 의정부시 둔야로33번길 34(의정부동)

☎ 031–874–6526 Ⓟ 불가

해금강 해물탕

해물탕이 유명한 곳으로, 안에 들어가는 해물 대부분은 살아 있는 것이다. 재료의 신선함과 푸짐함은 독보적이다. 해물을 다 건져 먹은 후에는 밥을 볶아 먹는다.

₩ 해물탕, 해물찜(각 소 9만원, 중 11만원, 대 12만5천원), 아귀탕, 아귀찜, 꽃게탕(각 소 6만원, 중 7만원, 대 8천원)

🕒 11:00~15:00/17:00~20:50(마지막 주문 20:20) | 금요일 11:00~14:30(마지막 주문 14:00) – 명절 휴무

🔍 경기 의정부시 고산로 102(고산동)

☎ 031–841–8019 Ⓟ 가능

형네식당 부대찌개

의정부부대찌개거리에 있는 집 중 하나로, 50여 년 동안 부대찌개만을 해온 곳이다. 고추장, 된장으로 맛을 내서 얼큰하고 감칠맛 있다. 다양한 사리를 추가해 즐기는 것도 좋다.

₩ 형네부대찌개(1만1천원), 1972부대찌개(1만4천원)

🕒 10:00~21:30 – 명절 당일 휴무

🔍 경기 의정부시 호국로1309번길 9(의정부동)

☎ 031–846–4833 Ⓟ 가능

화사랑아사도 ASADO 아르헨티나식

아르헨티나식 전통 바비큐 아사도 전문점. 소갈비에 안데스 호수의 천연 소금과 레몬으로 밑간을 한 후, 2~3시간 동안 통째로 숯불에 구워내 육즙이 그대로 살아있다. 치미추리 소스, 토마토로 만든 살사크리올라, 홀머스터드그레인 3종 소스를 곁들여 먹으면 고기의 맛이 배가 된다. 적어도 3시간 전에 예약할 것을 추천.

₩ 소갈비아사도(2인 이상, 1인 5만원), 양갈비아사도(5만원), 채끝등심스테이크(5만4천원), 포크스테이크(3만원)

🕒 11:30~23:00(마지막 주문 22:00) – 연중무휴

🔍 경기 의정부시 경의로 61(의정부동)

☎ 031–836–7171 Ⓟ 가능

흥선 興仙 중식주점 | 일반중식

더플라자호텔의 40년 전통 중식 레스토랑 도원 출신 셰프 3명이 모여 의정부 신시가지에 문을 연 정통 중화요릿집. 호텔에서 맛볼 수 있는 고급 중화요리를 합리적인 가격으로 선보인다. 삼선초마탕, 관자중국콩볶음, 멘보샤 등이 인기며, 메뉴에 없는 요리도 주문하면 조리해준다.

₩ 산동식닭고기냉채(1만8천), 멘보샤(1만7천원), 유린기, 깐풍기(각 2만원), 마파두부(1만8천원), 초마탕(1만8천원), 관자중국콩볶음(3만원), 양장피, 팔보채(각 3만5천원)

🕒 11:20~15:00/17:00~23:00(마지막 주문 22:00) | 금, 토요일 11:20~15:00/17:00~24:00(마지막 주문 23:00) | 일요일 11:20~21:00(마지막 주문 20:00) – 연중무휴

🔍 경기 의정부시 둔야로 20(의정부동) 중앙오피스텔

☎ 031–829–0707 Ⓟ 가능

경기도 이천시

강민주의들밥 보리밥 | 솥밥
서리태가 들어간 돌솥밥과 맛깔스러운 반찬이 한 상 가득 차려진다. 이천쌀을 사용해 밥 맛이 좋으며, 돼지숯불고기와 간장게장, 보리굴비 등을 추가로 주문해 곁들여도 좋다.

₩ 들밥(1인 1만5천원), 해선 간장게장(2만원 정식 3만3천원), 금실보리굴비(1만7천원 정식 3만원), 광릉식돼지숯불고기(1만7천원 정식 3만원)

🕒 11:00~15:30/16:30~20:00(마지막 주문 19:15) – 명절 휴무

🔍 경기 이천시 마장면 지산로22번길 17

☎ 031-637-6040 Ⓟ 가능

관촌순두부 순두부 | 보쌈
직접 만든 순두부 맛이 좋으며 솥밥을 주문하면 그때부터 밥을 짓는다. 음식 나오는 데 시간이 조금 걸리는 것은 감안해야 한다. 서리태두부는 포장해갈 수 있다.

₩ 순두부정식, 콩비지정식(각 1만1천원), 굴순두부정식(1만2천원), 두부젓국찌개(2인 이상, 1인 1만4천원), 보쌈정식(4만5천원), 명태두부전골(중 3만6천원, 대 4만6천원)

🕒 10:00~15:00 | 토, 일요일 10:00~21:00 – 명절 휴무

🔍 경기 이천시 경충대로 2934(사음동)

☎ 031-635-6561 Ⓟ 가능

나랏님이천쌀밥 한정식
목조 한옥으로 된 운치 있는 이천 쌀밥집. 이천 쌀에 대추, 잣, 호박씨 등의 견과물과 약수로 밥을 지은 돌솥밥이 나오는 정식과 소갈비찜과 돌솥정식이 같이 나오는 갈비찜정식이 인기가 좋다. 제주은갈치와 청어, 가자미 등이 나오는 생선정식도 별미로 통한다.

₩ 이천쌀밥정식(2인 이상, 1인 1만8천원), 나랏님정식(2인 이상, 1인 2만9천원), 갈비찜정식(2인 이상, 1인 3만8천원), 보리굴비정식(1인 3만7천원)

🕒 10:00~21:00(마지막 주문 20:00) – 연중무휴

🔍 경기 이천시 경충대로 3052(사음동)

☎ 031-636-9900 Ⓟ 가능

마산아구이천쌀밥 한정식 | 아귀 | 게장
직접 농사지은 이천 쌀밥에 10여 가지의 반찬이 함께 나오는 쌀밥정식을 선보인다. 인천 연안부두에서 알이 찬 꽃게를 구매해 급랭시켜 담근 간장게장을 무한리필로 즐길 수도 있다. 매콤한 양념이 맛깔스러운 아귀찜도 인기가 많다.

₩ 이천쌀밥정식(2인 이상, 1인 1만8천원), 간장꽃게장정식(1인 소 2만5천원, 대 4만9천원), 아귀찜, 아귀탕(각 중 4만9천원, 대 5만9천원), 숫꽃게간장게장1회리필(1인 2만1천원~2만3천원)

🕒 11:00~15:00/15:30~21:00(마지막 주문 20:00)(재료 소진 시 조기마감) – 월요일 휴무

🔍 경기 이천시 마장면 덕평로882번길 2-9

☎ 031-632-6924 Ⓟ 가능

보승루 일반중식
이천에서 역사가 오래된 전통의 중국집이다. 기본적인 중식 메뉴를 잘하는 편이며 난자완스(난젠완쯔)도 추천할 만하다. 고기의 씹히는 맛이 좋고 소스 맛이 특이하다.

₩ 짜장면(7천원), 난젠완쯔(2만5천원), 양장피(3만원), 탕수육(2만2천원)

🕒 11:00~21:00 – 비정기적 휴무

🔍 경기 이천시 부악로76번길 6(증일동)

☎ 031-635-2223 Ⓟ 가능

살로네 Salone 이탈리아식
편안한 분위기에서 식사를 즐기기 좋은 이탈리안 레스토랑. 제철 식재료와 이천에서 난 재료를 사용한 요리를 맛볼 수 있다. 저녁 코스로만 운영되며, 예약이 필수다.

₩ 살로네코스(12만5천원)

🕒 12:00~15:00/18:30~22:00 – 월요일 휴무

🔍 경기 이천시 이섭대천로 1216

☎ 0507-1336-9945 Ⓟ 불가(인근 공영주차장 이용)

쌍용해장국 선지해장국
이천에서 유명한 대형 해장국집이다. 선지를 한 덩이 먼저 주는데 짭짤하고 입에 착 들러 붙는 맛이다. 국물은 진하지 않은 맛이고 건더기가 넉넉한 스타일의 해장국이다. 여기서는 해장국을 쌍용탕이라고 부른다.

₩ 해장국(1만2천원), 갈비탕(1만5천원), 우거지탕(9천원), 도가니탕(1만5천원), 도가니수육(3만원), 도가니무침(3만2천원)

🕒 06:00~21:00(마지막 주문 20:30) – 명절 당일 휴무

🔍 경기 이천시 부발읍 중부대로1796번길 5

☎ 031-636-3319 Ⓟ 가능

아지매 시래기 | 솥밥 | 일반한식
이천과 여주의 특산물로 유명한 게걸무로 만든 시래기를 맛볼 수 있는 곳이다. 게걸무시래기 비빔밥은 고추장 대신 강된장과 참기름을 넣어 비벼 먹으며, 돌솥에 나와 누룽지도 해먹을 수 있다.

₩ 돌솥게걸무시래기비빔밥(1만3천원), 돌솥게걸무시래기국밥(1만3천원), 돌솥김치찌개(2인 이상, 1인 1만3천원), 돌솥된장찌개(1만3천원)

🕒 10:00~22:00 – 연중무휴

🔍 경기 이천시 서희로 36-1(중리동)

☎ 031-635-0710 Ⓟ 가능

어향미가 한정식

아담하게 한옥으로 단장된 전통 한정식 전문점. 무공해 쌀을 수시로 찧어다가 햅쌀밥처럼 지어내는 이천 쌀밥이 자랑이다. 토속적인 밑반찬이 정갈하게 차려진다.

㈐ 녹차보리굴비정식(3만2천원), 갈치조림정식(2인 이상, 1인 2만원), 고등어, 가자미조림(각 2인 이상, 2인 1만8천원), 제육볶음세트(2인 3만9천원, 4인 7만원), 통생선구이모둠(4인 8만원), 통갈치조림(4인 14만원)
⏲ 10:00~21:00 | 화요일 10:00~15:00 – 연중무휴
🔍 경기 이천시 경충대로 3066(사음동)
☎ 031-633-3010 Ⓟ 가능

옛날맛손두부 두부

직접 재배한 콩으로 만든 두부를 묵은김치에 싸 먹는 맛이 일품이다. 두부부침, 손두부찌개, 비지 등 다양한 두부 요리를 만든다. 파전을 만들 때 부침가루를 제외한 모든 재료를 직접 재배한다. 맛이 좋기로 유명한 이천 쌀에 흑미와 콩을 넣어 가마솥에 쪄내는 밥맛도 좋다.

㈐ 두부(8천원), 두부전, 파전(각 9천원), 청국장, 된장찌개, 비지찌개, 순두부찌개(각 1만원), 김치두부전골(3만5천원)
⏲ 12:00~21:00 – 일요일 휴무
🔍 경기 이천시 부발읍 가좌로103번길 158
☎ 031-633-5190 Ⓟ 가능

오동추야 돼지갈비

숯불에 구워 먹는 돼지갈비 전문점. 대기해서 먹을 만큼 이천에서 인기 있는 갈빗집이다. 한상 가득 차려져 나오며, 육전과 육회가 기본 찬으로 나온다. 고기와 함께 곁들여 먹는 슴슴한 함흥식 냉면도 별미.

㈐ 돼지갈비(250g 1만9천원), 돼지생갈비(250g 2만1천원), 한우육회비빔밥(1만2천원), 누룽지+된장찌개(9천원)
⏲ 11:00~22:00(마지막 주문 21:00) – 연중무휴
🔍 경기 이천시 증신로 160(증포동)
☎ 031-631-9288 Ⓟ 가능

온정손만두 만두

이천에서 유명한 만둣집으로, 금방 빚어내는 손만두가 대표 메뉴다. 김치만두를 기본으로 하기 때문에 고기만두를 먹고 싶다면 주문 시 따로 이야기해야 한다. 만둣국과 얼큰한 버섯만두전골 등도 선보이며 직접 반죽하여 만든 면을 사용하는 냉면도 여름철 별미로 통한다.

㈐ 찐만두(1만1천원), 만둣국, 떡만둣국, 칼만둣국, 바지락칼국수(각 1만원), 버섯만두전골(소 2만9천원, 중 3만7천원, 대 4만5천원), 코다리물냉면, 코다리비빔냉면(각 1만1천원, 곱빼기 1만2천원)
⏲ 10:00~22:00(마지막 주문 21:30) – 월요일 휴무
🔍 경기 이천시 애련정로 49-1(안흥동)
☎ 031-638-2282 Ⓟ 불가

우동선 膳 일식우동

30년이 넘는 경력의 우동 명인이 만드는 우동과 소바를 먹을 수 있는 곳. 덴푸라붓가케우동과 텐동이 대표 메뉴며, 직접 만든 가쓰오부시와 통메밀을 직접 분쇄해서 제면한 면발이 특징. 여름 햇메밀에 국내산 생들깨기름을 사용하는 들기름소바도 인기 메뉴다. 우동을 먹기 위해 이천까지 가는 이들이 있을 정도로 맛에 대한 평이 좋다.

㈐ 가케우동(9원), 유부우동, 기쓰네우동, 구운어묵우동(각 1만원), 소고기가레우동(1만1천원), 니신소바(2만3천원), 덴푸라붓가케우동(1만3천원), 소갈빗살붓가케우동(1만4천원), 규동(1만원), 텐동(1만3천원), 닭다리살튀김(6천원)
⏲ 11:30~14:30/17:00~20:30 – 일요일 휴무
🔍 경기 이천시 중리천로 54(중리동)
☎ 010-5544-1064 Ⓟ 가능(매장 앞 2대)

원이쌀밥 한정식

이천쌀밥 한정식을 맛볼 수 있는 곳. 15가지가 넘는 반찬이 한상 가득 차려지며 뚝배기에 된장찌개와 조기조림이 나온다. 밥은 흰 쌀밥에 약간의 조를 섞어 돌솥에 나오는데, 밥을 뜨고 난 뒤 물을 부어 숭늉을 만들어 먹는다. 이천 대월농협에서 생산된 임금님표 쌀만 사용한다.

㈐ 원이정식(2만9천원), 간장게장정식(3만9천원), 황태구이솥밥정식, 더덕구이반상, 소불고기반상, 제육볶음반상(각 2만1천원), 소갈비찜(3만8천원), 간장게장(1마리 2만8천원)
⏲ 10:30~21:00(마지막 주문 20:00) – 월요일 휴무
🔍 경기 이천시 대월면 사동로 76-19
☎ 031-636-0893 Ⓟ 가능

원조주막칡냉면 칡냉면 | 수육

함흥냉면, 평양냉면과는 다른 칡냉면을 맛볼 수 있다. 전통 냉면 맛은 아니지만, 별미로 먹어 보기에는 괜찮다. 냉면에는 수박이나 파인애플과 같은 과일이 고명으로 올라가는 것이 특이하다.

㈐ 코다리물냉면, 비빔냉면(각 1만2천원), 물냉면, 비빔냉면(각 1만

원), 수육(1만8천원, 반접시 1만원), 한우떡갈비(1만6천원), 만두(6천원)
⏲ 10:00~20:00 | 하절기 10:30~20:00 – 명절 휴무
🔍 경기 이천시 증신로 22-49(갈산동)
☎ 031-631-4942 Ⓟ 가능

이진상회 李鎭商會 카페 | 베이커리

커피와 베이커리, 갤러리를 함께 즐길 수 있는 대형 복합문화공간. 이진상회 안에 메종드쁘띠푸르가 입점해 있으며, 미니 가마솥 도자기에 담겨 있는 순쌀꽃단지와 미니 밥공기에 담겨 있는 순쌀밥한공기 디저트가 독특하다.

₩ 아메리카노(5천5백원), 카페라테(6천5백원), 살구코코넛(1만8천원), 뉴욕치즈케이크, 티라미수(각 3만원), 시오빵(2천5백원), 순쌀밥한공기, 계란프라이(각 6천5백원)
⏲ 09:30~21:00(마지막 주문 20:50) – 연중무휴
🔍 경기 이천시 마장면 서이천로 648
☎ 070-8888-8882 Ⓟ 가능

임금님쌀밥집 한정식

한정식집으로, 나무로 꾸며져 있는 3층짜리 건물이 토속적인 느낌을 준다. 보쌈, 계란지단, 밀쌈, 노릇하게 지진 녹두부침과 두부부침, 잡채 등 반찬이 깔끔하다. 취향에 따라 소불고기, 떡갈비, 간장게장을 추가해서 먹을 수 있다.

₩ 쌀밥정식(1만9천원), 수라정식(4만6천원), 임금님정식(6만1천원), 떡갈비(3만9천원), 간장게장(1마리 3만3천원), 소불고기(2만8천원)
⏲ 10:30~16:30/17:00~21:00(마지막 주문 20:00) – 목요일, 명절 휴무
🔍 경기 이천시 신둔면 경충대로 3134
☎ 031-632-3646 Ⓟ 가능

장흥회관 곱창전골

2대 째 이어오고 있는 곱창전골 전문점. 차돌박이, 낙지, 곱창을 넣은 차낙곱전골이 대표 메뉴다. 칼칼한 국물에 미나리, 버섯까지 더해져 더욱 개운한 맛을 낸다. 생선구이를 포함한 반찬도 푸짐하게 차려진다.

₩ 차낙곱전골(소 5만5천원, 대 6만5천원), 낙지곱창전골(소 4만5천원, 대 5만5천원), 곤이추가(1만3천원), 생삼겹살(180g 1만5천원), 차돌박이(180g 1만7천원)
⏲ 10:00~21:30(마지막 주문 21:00) – 연중무휴
🔍 경기 이천시 중리천로 8-1 장흥회관
☎ 031-635-3710 Ⓟ 가능(건물 앞 공용주차장 1시간 지원)

지산가든 김치찌개 | 소고기구이 | 돼지고기구이

흑돼지소금구이와 김치전골이 대표 메뉴. 텃밭에서 직접 키운 채소로 만든 반찬도 맛깔스럽다. 흑돼지도 직접 방목하여 쓴다. 안창살은 소고기의 갈비 안쪽에 붙은 횡격막 살로, 쫄깃하고 부드러운 맛이 일품이다.

₩ 흑돼지오겹살(200g 1만9천원), 흑돼지모둠구이(200g 1만5천원), 흑돼지김치전골(1만원), 안창살(200g 5만5천원)
⏲ 10:00~14:30(마지막 주문 14:00)/16:30~21:00(마지막 주문 20:30) – 일요일 휴무
🔍 경기 이천시 마장면 지산로 142
☎ 031-638-8626 Ⓟ 가능

청목 靑木 한정식

이천 한정식집으로, 이천 쌀로 지은 돌솥밥과 간장게장, 생선구이, 부침개, 보쌈, 잡채 등 20여 가지 반찬이 한 상 가득 나온다. 돼지불고기정식은 간장 양념과 고추장 양념 중 선택할 수 있다. 웨이팅이 긴 편이지만 회전율이 빨라 예상보다 일찍 입장할 수 있다.

₩ 한상정식(2인 이상, 1인 1만8천원), 간장게장정식, 간장돼지그릴정식, 고추장돼지그릴정식(각 2인 이상, 각 1인 2만3천원), 보리굴비정식(2인 이상, 1인 3만2천원), 홍어회무침(1만6천원)
⏲ 09:50~21:15(마지막 주문 20:15) – 명절 휴무
🔍 경기 이천시 경충대로 3046(사음동)
☎ 031-634-5414 Ⓟ 가능

카페호야 Cafe HoYa 카페

상당한 규모의 한옥 카페. 내부도 고풍스러운 현대식의 한옥 인테리어로 테이블 간 간격도 넓어 차분히 음료를 즐길 수 있다. 이천의 명물인 쌀을 이용하는 것이 특징. 이천쌀라테는 고소하고 담백한 쌀 맛을 느낄 수 있으며 이천쌀과 국산팥을 사용한 쌀빙수도 대표 메뉴다. 50년 역사의 전통도자전시장도 함께 운영하고 있으며 카페 내에도 도자기와 차가 전시되어 있다.

₩ 핸드드립커피(콜롬비아오리진 6천원, 콜롬비아게이샤 9천원), 이천쌀라테(7천원), 문라이트자스민(9천원), 피치블로썸, 호야밀크티, 레몬차캐모마일(각 8천원)
⏲ 11:00~21:00 – 월요일 휴무
🔍 경기 이천시 신둔면 황무로 485 한국도요 내
☎ 031-631-3333 Ⓟ 가능

경기도 파주시

갈릴리농원 장어

40년 가까이 민물장어를 양식하는 집. 장어 농장을 직영하고 있기 때문에 가격대가 좋은 편이다. 장어 이외에 곁들이는 반찬은 간단하다. 초벌되지 않은 생물 장어가 나오면 화력 좋은 숯에 직접 구워 먹는 방식이다.

₩ 장어(1kg 7만2천원), 생장어포장(1kg 4만2천원)
⏲ 11:00~21:00(마지막 주문 20:00) | 토, 일요일 10:30~22:00(마지

막 주문 21:00) – 연중무휴
🔍 경기 파주시 탄현면 방촌로 1196
☎ 031-942-8400 Ⓟ 가능

광탄은행나무집 옻닭

옻나무를 달여 낸 물에 닭을 넣고 끓인 옻닭이 유명하다. 백숙 외에 오리백숙, 닭볶음탕 등의 메뉴도 선보인다. 휴일이 정해져 있지 않으므로 가기 전에 전화로 확인해보는 것이 좋다.

₩ 토종옻닭, 토종한방닭백숙, 토종닭볶음탕(각 5만원), 유황오리백숙, 옻오리백숙(각 5만5천원)
🕒 10:00~22:00 – 비정기적 휴무
🔍 경기 파주시 광탄면 혜음로 1220-11
☎ 031-947-0618 Ⓟ 가능

교하제면소 칼국수 | 비빔국수

첨가물 없이 자가제면하여 만든 칼국수가 맛있는 곳. 돼지 등뼈를 고아낸 진한육수로 만든 뼈칼국수와 비법양념장에 참기름의 조화가 좋은 비빔칼국수 두가지 메뉴가 있다.

₩ 뼈칼국수(1만1천원), 비빔칼국수(1만원), 고기만두(5천5백원)
🕒 11:30~15:00/17:00~20:30 – 월요일 휴무
🔍 경기 파주시 탄현면 평화로 725
☎ 031-957-8989 Ⓟ 가능

꽃그이 게장

깔끔한 분위기의 간장게장 전문점. 비린 맛 없이 알이 꽉 찬 간장게장은 염도도 적당하다. 대 사이즈도 게의 크기가 상당하며, 간장게장 특대는 3일 전 미리 예약이 필요하다.

₩ 간장게장(1인 각 대 4만1천원, 특대 5만3천원), 양념게장(1인 4만3천원), 꽃게탕(2인 6만8천원, 3인 9만3천원, 4인 11만8천원), 게장비빔밥(2만7천원), 전복장비빔밥(2만5천원)
🕒 11:00~15:00/17:00~21:30 – 화요일 휴무
🔍 경기 파주시 지목로 82-1
☎ 1566-6220 Ⓟ 가능

두지리강촌매운탕 민물생선회 | 민물매운탕

맑은 임진강에서 직접 잡아 올린 민물고기를 사용하여 시원하고 매콤한 매운탕을 푸짐하게 끓여낸다. 다진 마늘을 푸짐하게 넣어 칼칼한 국물 맛이 좋으며 셀프 바에서 수제비 반죽을 가져다 넣어 먹을 수도 있다. 물생선조림, 눈치회무침, 쏘가리회 등도 별미.

₩ 메기매운탕(2만원), 참게매운탕, 잡어매운탕(각 2만3천원), 빠가사리매운탕, 메기조림(각 2만5천원), 쏘가리매운탕(4만5천원), 자연산장어(1kg 23만원), 쏘가리회(1kg 15만원), 눈치회무침(시가)
🕒 10:30~21:00(마지막 주문 19:30) – 명절 휴무
🔍 경기 파주시 적성면 술이홀로2316번길 31
☎ 031-959-3858 Ⓟ 가능

라플란드 LAPLAN D 카페 | 베이커리

북유럽의 감성이 살아있는 스페셜티 로스터리 카페. 프랑스산 유기농 밀가루와 천연 발효종을 사용한 다양한 빵을 선보이고 있으며, 파스타, 피자, 샐러드 등 브런치도 즐길 수 있다. 탁 트인 한강뷰를 보며 쉬었다 가기 좋은 곳.

₩ 아메리카노(5천3백원), 카페라테(5천9백원), 백향에이드(7천원), 브런치(1만2천원~1만8천원), 샐러드(8천5백원), 라플버거, 냉파스타(1만6천원)
🕒 10:00~24:00(마지막 주문 23:30) – 목요일 휴무
🔍 경기 파주시 돌곶이길 178-3(서패동)
☎ 031-949-9044 Ⓟ 가능

레드파이프 REDFIFE 카페 | 베이커리

대형 베이커리 카페로, 브런치를 포함한 다이닝도 가능하다. 베이커리에 사용되는 빵은 캐나다산 토종밀인 레드파이프와 프랑스 밀가루를 블렌딩하여 사용한다. 5층짜리 단독 건물을 전층 사용하며, 4층 라운지에서는 한강 뷰를 볼 수 있다. 일몰을 감상할 수 있는 루프탑이 있어 데이트족에게도 인기가 좋다.

₩ 앙버터스콘, 메이플피칸스콘(각 5천원), 플레인스콘(4천5백원), 눈사람케이크(3만5천원), 페퍼로니피자, 레드버거(각 1만7천3백원), 진짜소금빵(3천원)
🕒 08:30~22:00 | 베이커리 09:00~21:30 | 푸드 11:00~ 20:30 – 연중무휴
🔍 경기 파주시 지목로 17-7(신촌동)
☎ 031-944-0999 Ⓟ 가능

맛나반점 일반중식

'매운 짬뽕' 달인으로 인기를 끌고 있는 중국집이다. 짬뽕의 맵기는 선택이 가능한데, 기본이 2단계이며 맵기에 자신이 없다면 1이나 1.5단계를, 자신이 있는 이에게만 3단계를 추천한다. 홍합, 꽃게, 오징어 등 들어가는 해물이 신선하고 풍부하다.

₩ 짬뽕(1만원), 간짬뽕(1만5백원), 불고기맛나짬뽕(1만3천원), 불고기간짬뽕(1만3천5백원), 차돌짬뽕(1만1천원), 유니짜장(6천원), 짜장밥(8천원), 탕수육(소 1만5천원, 중 2만원, 대 2만5천원), 군만두(5천원)
🕒 10:30~20:00(재료 소진 시 마감) | 일요일 10:30~19:00 – 금요일 휴무
🔍 경기 파주시 파주읍 충현로 25
☎ 031-952-7737 Ⓟ 가능

모아냉면 평양냉면

깔끔하고 시원한 냉면 맛으로 문산 일대에서 오랫동안 사랑받아 온 냉면 전문점. 매장에서 직접 뽑은 메밀 면이 소고기 육수와 잘 어우러진다. 숯불에 구워 먹는 고기구이 또한 선보이고 있으며, 겨울철에는 만둣국과 온반도 맛볼 수 있다.

₩ 물냉면, 비빔냉면(각 1만1천원, 곱빼기 1만3천원), 육개장(1만1천원), 한우꽃등심(180g 4만5천원), 소주물럭(200g 2만2천원), 돼지주물럭(200g 1만7천원)
🕒 11:00~15:00/17:00~20:30(마지막 주문 19:30) – 명절 휴무

경기 파주시 문산읍 방촌로 1622
031-952-9002 Ⓟ 가능

문지리535 MUNJIRI.535 카페

식물원 분위기의 대형 카페. 실내의 야자수 나무와 통유리창 밖으로 탁 트인 논밭 뷰가 시원한 느낌을 준다. 다양한 베이커리 종류를 선보이며, 쪽파스콘이 시그니처. 브런치 메뉴도 추천할 만하다.

₩ 아메리카노(5천5백원), 카페라테(6천원), TWG티(7천원), 파운드(5천5백원), 쪽파스콘(4천5백원), 시금치아보카도크림파스타(1만7천원), 슈림프크루아상(1만2천원)
10:00~20:00(마지막 주문 18:30) – 연중무휴
경기 파주시 탄현면 자유로 3902-10
010-3384-1243 Ⓟ 가능

뮌스터담

Münster-dam CAFE & PUB 펍 | 카페 | 베이커리

독일 감성을 느낄 수 있는 대형 베이커리 카페 & 펍. 높은 층고에 커다란 창을 통해 들어오는 채광으로 밝은 분위기다. 실내 한쪽은 페인팅과 인테리어를 펍 공간으로 꾸며 놓아 슈바인학센과 같은 독일식 안주와 함께 분위기 있게 맥주를 즐길 수 있다.

₩ 슈바인학센(4만2천원), 커리부어스트(2만1천원), 슈림프크림파스타, 통베이컨칩로제파스타(각 1만8천원), 트러플오일버섯파스타, 머시룸치킨리조토(각 1만6천원), 칠리치즈프라이(1만원), 커피(7천원~8천원), 티(6천원~8천원)
10:00~23:00 – 연중무휴
경기 파주시 운정로 113-175(상지석동)
031-949-6020 Ⓟ 가능

밀밭식당 칼국수 | 만두

직접 반죽하여 만드는 손칼국수와 만두가 유명한 집이다. 똑같은 반죽으로 국수면을 뽑고 만두를 빚는다. 만두피가 두꺼우면서도 쫄깃한 스타일이며, 매콤한 소와 잘 어울린다.

₩ 만둣국, 칼만둣국, 떡만둣국, 칼국수, 찐만두, 떡국, 비빔국수(각 9천원)
09:00~21:00 – 명절 휴무
경기 파주시 문산읍 문향로 84
031-952-7152 Ⓟ 불가

반구정나루터집 민물매운탕 | 장어

전국적으로도 규모가 큰 장어구이집 중 하나다. 양념장에 50년 전통이 배어 있다. 넓은 평상에 앉아 숯불에 구워다 주는 장어를 먹는 맛이 일품이다. 창밖 너머로는 임진강이 내다보인다.

₩ 장어간장구이, 장어소금구이(각 250g 6만원), 메기매운탕(소 5만원, 중 6만원, 대 7만원), 장어죽(3천원)
11:30~22:00(마지막 주문 21:00) – 설날 당일 휴무
경기 파주시 문산읍 반구정로85번길 13
031-952-3472 Ⓟ 가능

반구정어부집 민물매운탕 | 황복 | 장어

자연산 황복과 자연산 장어가 맛있는 곳. 쫄깃한 황복회의 맛이 일품으로, 독성을 빼낸 후 회를 떠서 일정 온도에 한 시간 가량 숙성시킨다. 얼큰한 민물고기매운탕도 별미. 장어는 숯불에 구워 내오기 때문에 편하게 먹을 수 있다.

₩ 빠가사리매운탕(소 5만5천원, 중 6만5천원, 대 7만5천원 특대 8만5천원), 참게매운탕(소 4만5천원, 중 5만5천원, 대 6만5천원 특대 7만5천원), 메기매운탕(중 5만원, 대 6만원 특대 6만5천원), 자연산장어, 자연산황복(각 시가)
11:30~21:00(마지막 주문 20:00) – 월요일 휴무, 명절 휴무
경기 파주시 문산읍 사목로26번길 62
031-952-0117 Ⓟ 가능

반구정임진강나루 장어

임진강을 보며 식사할 수 있는 장어구이 전문점. 참숯불에 구워 쫄깃하고 담백한 민물장어 구이를 선보이고 있다. 5~6월에만 맛볼 수 있는 임진강 쫄깃한 황복요리도 인기 메뉴 중 하나다.

₩ 민물장어(3마리 8만5천원, 4마리 11만5천원), 장어정식(1인 4만원), 자연산장어, 황복회(각 시가), 쏘가리회(20만원), 쏘가리매운탕(소 10만원, 중 12만원, 대 14만원), 빠가사리매운탕(소 6만원, 중 7만원, 대 8만원)
10:00~22:00 – 명절 당일 휴무
경기 파주시 문산읍 반구정로 53-51
031-954-9898 Ⓟ 가능

반구정임진강나루

반마이 baann mai 태국식

이국적이고 화사한 분위기에서 태국 음식을 즐길 수 있다. 뿌팟퐁커리나 똠얌꿍이 많이 찾는 메뉴. 항정살 구이인 커무양이나 볶음밥 종류도 추천할 만하다. 고수나 고추절임, 설탕 같은 양념은 따로 준비되어 입맛에 맞춰 넣어 먹을 수 있다.

₩ 뿌팟퐁커리(2만9천원), 꿍팟퐁커리(2만6천원), 커무양(2만원), 카

이팟뎃마무앙(2만6천원), 팟타이꿍, 카오카무(각 1만3천5백원), 그린커리(1만4천5백원), 똠얌꿍(1만9천원)
⏲ 11:30~15:30(마지막 주문 14:40)/17:00~20:00(마지막 주문 19:20) | 토, 일요일, 공휴일 11:30~20:00(마지막 주문 19:20) – 월요일 휴무
🔍 경기 파주시 교하로 555(동패동)
☎ 070-7764-8799 Ⓟ 가능

밥상마루 삼겹살 | 돼지두루치기

국내산 생고기를 사용하는 돼지고기 전문점으로, 파주출판단지 내에 자리하고 있다. 두툼하게 손질한 왕통삼겹살이 대표 메뉴로, 풍부한 육즙을 느낄 수 있다. 고기를 먹고 난 후에 볶아 먹는 날치알볶음밥도 별미. 칼칼한 전골도 추천할 만하다.

₩ 삼겹살(2인 이상, 1인 150g 1만4천원), 돼지두루치기, 오징어돼지두루치기(각 1인 1만1천원), 돼지고기김치찌개(2인 이상, 1인 9천원)
⏲ 11:00~22:00 – 명절 휴무
🔍 경기 파주시 문발로 140(문발동) 점프존상가 201호
☎ 031-955-1077 Ⓟ 가능

보리고개 보리밥

보리밥으로 유명한 집. 보리밥정식을 주문하면 맛깔스러운 반찬과 10여 가지의 나물이 푸짐하게 나온다. 더덕무침, 도토리묵을 곁들여도 좋으며 홍어무침, 닭백숙도 별미다.

₩ 홍어무침(중 5만원, 대 7만원), 토종닭볶음탕, 한방백숙(각 6만원), 도토리묵, 감자전, 촌두부, 보리밥정식(각 1만3천원)
⏲ 11:30~20:00 – 연중무휴
🔍 경기 파주시 광탄면 보광로471번길 41
☎ 031-948-1012 Ⓟ 가능

블루메 Blume 카페

헤이리마을 내에 있는 블루메미술관에 자리한 카페. 직접 볶은 원두로 내린 커피를 맛볼 수 있으며 디저트 메뉴도 다양하다. 벽면에 작품이 걸려 있어 감상하는 재미도 있으며, 사용하는 집기 또한 작가와의 협업을 통해 제작한다.

₩ 에스프레소(5천5백원), 아메리카노(6천원), 카페라테(6천5백원), 팥빙수(1만6천원), 와플(9천원)
⏲ 12:00~18:00 | 토, 일요일 12:00~19:00 – 화요일 휴무
🔍 경기 파주시 탄현면 헤이리마을길 59-30 1층
☎ 031-942-6320 Ⓟ 가능

비엣남 Vietnam Noodle Bar 베트남식

베트남 현지의 맛을 잘 살린 쌀국수 전문점. 29시간 직접 끓인 육수 맛이 좋다. 반세오, 분짜도 추천 메뉴. 일자로 된 테이블은 혼밥하기에도 좋다. 베트남 수제맥주도 판매한다.

₩ 차돌양지쌀국수(1만원), 직화쌀국수, 매운쌀국수(각 1만2천원) 리얼팟타이(1만3천원), 분짜, 비빔쌀국수(각 1만4천원), 비엣남돼지고기덮밥(9천원)
⏲ 11:00~15:00(마지막 주문 14:30)/17:00~21:30(마지막 주문 21:00) – 연중무휴
🔍 경기 파주시 교하로159번길 7(목동동) 목동 트윈프라자 112호
☎ 031-945-5004 Ⓟ 가능(지하 주차장)

시골보리밥집 보리밥 | 닭백숙

보리밥 정식을 전문점으로, 각종 나물을 보리밥에 비벼 먹는다. 꽁보리밥과 쌀밥을 반씩 섞은 반보리 메뉴도 갖추고 있다. 인근 영장리 일대 전용 밭에서 채소를 직접 기른다고 한다. 손님이 많은 편이지만, 점심 시간을 피하면 줄서지 않고 여유 있게 먹을 수 있다.

₩ 시골보리밥정식(2인 이상, 1인 1만5천원), 백숙, 닭볶음탕(각 6만5천원), 녹두전, 감자전, 도토리묵, 손두부(각 1만5천원)
⏲ 11:00~20:00(마지막 주문 19:00) – 둘째, 넷째 주 화요일 휴무
🔍 경기 파주시 광탄면 보광로471번길 32-22
☎ 031-948-7169 Ⓟ 가능

심슨더스파이스 태국식

팟타이와 뿌팟퐁커리를 대표 메뉴로 하는 태국 음식점이다. 태국 음식 외에도 다양한 동남아 음식을 맛볼 수 있다. 분짜와 나시고랭도 많이 찾는다.

₩ 팟타이(1만3천원), 뿌팟퐁커리(2만9천원), 짜조(8천5백원), 솜땀(9천5백원), 똠얌꿍(1만9천원), 나시고랭(1만1천원)
⏲ 11:00~15:00/17:00~21:00(마지막 주문 20:30) – 일요일 휴무
🔍 경기 파주시 운정벌판길 24-22 단독건물
☎ 031-941-9267 Ⓟ 가능

아이노스 Cafe Ainos 파스타 | 이탈리아식 | 카페

파주출판단지에 있는 카페 겸 레스토랑. 화덕에 구운 피자와 파니니를 비롯해 파스타, 스테이크 등의 음식을 선보인다. 커피 원두는 매장에서 직접 로스팅해서 사용하며, 한쪽에 그릇을 진열해 놓고 판매해 구경하는 재미를 더한다.

₩ 수비드스테이크(3만2천원), 엑스트라마르게리타(1만9천원), 한우사태갈비파스타(2만3천원), 비스마르크피자(2만5천원), 카프레제파니니(1만6천원)
⏲ 11:00~15:30/17:00~21:30(마지막 주문 20:30) – 일요일 휴무
🔍 경기 파주시 돌곶이길 182(서패동)
☎ 031-948-1209 Ⓟ 가능

오두산막국수 막국수

메밀 함유량 60% 이상의 두툼한 메밀 면발에서 구수한 메밀 향이 느껴진다. 돼지 기름으로 부친 녹두전을 곁들여 먹어도 좋다. 만화 〈식객〉에 소개되어 유명해진 곳.

₩ 물메밀국수, 비빔메밀국수, 김치말이메밀국수(각 9천원, 곱빼기 1만1천원), 녹두전(1만1천원), 메밀전(9천원)
⏲ 11:00~21:00(마지막 주문 20:30) – 연중무휴
🔍 경기 파주시 평화로 204(야동동) ☎ 031-944-7022 Ⓟ 가능

완이네작은밥상 일반한식 | 비빔밥

유기농 재료를 사용하여 자극적이지 않고 건강에 좋은 웰빙식단을 선보이는 곳. 유기농 음식 외에도 친환경으로 만든 어묵, 사골곰국 등을 따로 판매하고 있다.

Ⓦ 연잎밥(1만원), 전주비빔밥, 산채비빔밥(각 9천원), 오색떡국(8천원), 떡볶이(1만원), 라면(4천5백원), 어묵탕(7천5백원), 김밥(3천5백원~6천원)

🕒 10:00~21:00 – 연중무휴

🔍 경기 파주시 문발로 220(문발동) 별관동 103호

☎ 031-955-6162 Ⓟ 가능

원조두지리매운탕1호점 민물매운탕

민물매운탕과 황복을 전문으로 하는 곳. 두지리매운탕의 특징은 고추장 국물을 사용한다는 점이다. 칼칼하면서도 얼큰한 국물맛이 일품이며 다 먹은 후에는 국물에 수제비를 넣어 먹는다.

Ⓦ 메기매운탕(소 3만8천원 중 5만7천원 대 7만6천원), 빠가사리매운탕(소 4만6천원 중 6만9천원 대 9만2천원), 참게매운탕(소 4만2천원 중 6만3천원 대 8만4천원)

🕒 10:00~21:00(마지막 주문 20:00) – 연중무휴

🔍 경기 파주시 적성면 술이홀로2316번길 45

☎ 031-959-5377 Ⓟ 가능

원조삼거리부대찌개 부대찌개

메뉴는 부대찌개 한 가지로, 50여 년의 역사를 자랑한다. 반찬도 김치와 짠무뿐이지만 진한 국물에 칼칼한 맛으로 인기가 있다.

Ⓦ 부대찌개(1만원), 사리(1천원~9천원)

🕒 08:00~21:30(마지막 주문 20:40) – 일요일 휴무

🔍 경기 파주시 문산읍 문향로 103

☎ 031-952-3431 Ⓟ 가능

원조할머니묵집 묵 | 닭백숙

묵, 닭백숙, 오리 등을 전문으로 하는 곳. 직접 재배한 채소를 사용해 반찬을 만들어 반찬 맛이 일품이다. 얼음을 동동 띄운 시원한 묵밥과 고소한 도토리수제비 등이 별미다. 찾기 어려운 곳에 있지만 유명해서 찾아오는 사람들이 많다.

Ⓦ 한방토종닭백숙, 토종닭볶음탕(각 6만5천원), 묵밥(9천원), 도토리묵무침, 도토리묵간장, 도토리전(각 1만원), 부추전, 김치전(각 1만3천원)

🕒 10:00~21:00 – 월요일, 명절 휴무

🔍 경기 파주시 돌곶이길 108-5(서패동)

☎ 031-942-3017 Ⓟ 가능

은하장 銀河莊 일반중식

3대째 내려오는 화상중식당. 유니짜장과 짬뽕, 탕수육이 대표메뉴다. 폭신폭신하게 튀긴 탕수육은 옛 맛을 찾는 사람들의 향수를 자극할 만하다. 옛날 중국집에 온 듯한 실내 분위기가 정겹다.

Ⓦ 짜장면(7천원), 짬뽕, 유니짜장(각 9천원), 탕수육(2만3천원), 깐풍새우(3만7천원)

🕒 11:00~19:00 – 월요일 휴무

🔍 경기 파주시 문산읍 문향로 78 뮤직갤러리

☎ 031-952-4121 Ⓟ 불가

일루션커피 illusion coffee 커피전문점

베리에이션 커피와 핸드드립 커피를 선보이고 있는 스페셜티 커피 전문점. 넛츠가나슈를 비롯해 커피와 같이 곁들일 수 있는 디저트도 준비되어 있으며, 주변이 논과 밭으로 되어 있어 한적하다.

Ⓦ 일루션버거(1만4천원), 더블패티버거(1만9천원), DMZ벌꿀빙수(1만6천원), 아메리카노(4천원), 카페라테(4천5백원)

🕒 11:00~19:00 – 연중무휴

🔍 경기 파주시 월롱면 통일로 1029

☎ 031-959-7896 Ⓟ 가능

장단콩두부집 두부

파주 파평에서 유명한 두부집이다. 품질로 유명한 장단콩을 사용하여 두부를 만든다. 콩으로 만드는 콩비지, 콩국수의 맛도 훌륭하다. 기본 반찬도 맛있다. 식사를 마치고 갈 때에 서비스로 콩비지를 봉지에 넣어 준다.

Ⓦ 순두부전골, 두부전골, 코다리두부찜, 황태두부찜, 김치두부전골(각 소 3만원, 중 4만원, 대 5만원), 참게두부전골(시가)

🕒 12:00~15:00 | 토, 일요일 12:00~16:00 – 월요일, 명절 휴무

🔍 경기 파주시 파평면 장마루로 197

☎ 031-958-6057 Ⓟ 가능

전주식백반은진식당 백반

전주식 백반집. 백반을 시키면 콩나물무침, 조개젓, 호박무침, 버섯무침, 오이장아찌, 갈치조림, 장조림, 계란말이, 깻잎절임, 고구마순무침 등 나오는 반찬 수가 20가지 가까이 된다. 제육볶음이나 낙지볶음을 곁들이면 더 좋다.

Ⓦ 전주식백반(1만4천원), 제육볶음(2만5천원), 낙지볶음(2만5천원)

🕒 08:30~20:30 – 연중무휴

🔍 경기 파주시 광탄면 기산로 36

☎ 031-948-5241 Ⓟ 가능

초계탕 막국수 | 초계탕

평양식 냉면과 비슷한 초계탕을 전문으로 하는 곳이다. 식초와 겨자로 맛을 낸 육수에 배, 오이, 동치미 무 등을 저며 넣고 삶아서 기름기 뺀 닭 살코기를 잘게 찢어 넣어 먹는다. 육수에는 메밀국수를 말아 먹으면 시원하다. 초계탕과 함께 나오는 닭껍질무침과 메밀전도 별미다. 재료 소진 시 일찍 문을 닫는다.

Ⓦ 초계탕(2인 3만8천원, 3인 5만1천원, 4인 6만4천원), 막국수(1만2천원), 닭무침, 닭한마리(각 2만원)

⏲ 11:00~17:00 – 수요일 휴무
🔍 경기 파주시 법원읍 초리골길 110
☎ 031-958-5250 Ⓟ 가능

카메라타 Camerata 카페

전설적인 DJ 황인용 씨가 운영하는 곳으로 유명하다. 카페라기보다는 음악감상실이라 할 수 있으며, 대부분 클래식을 틀어준다. 입장료 내고 들어가면 커피, 매실차 같은 음료수와 빵을 무제한으로 가져다 먹을 수 있다. 토요일마다 작은 음악회가 열리는데 감상 시에는 추가로 돈을 더 낸다. 신청곡도 받으며 CD를 가져가도 틀어준다. 아날로그 시절의 스피커 등 오디오 시설이 훌륭하다.

₩ 문화비(성인 1만5천원, 초중고생이하 1만2천원)
⏲ 11:00~21:00 – 목요일 휴무
🔍 경기 파주시 탄현면 헤이리마을길 83
☎ 031-957-3369 Ⓟ 가능

카페나라 Cafe Nara 커피전문점

일산에서 스페셜티 커피 로스터리 카페로 자리 잡고 있던 카페나라가 파주로 이전해 문을 열었다. 핸드드립커피와 시그니처 메뉴였던 레드에스프레소는 여전한 인기 메뉴. 이외에도 다양한 과일주스와 디저트도 판매한다. 넓어진 매장은 통유리로 되어 있어 탁 트인 느낌을 준다.

₩ 핸드드립커피(7천5백원~8천5백원), 밀크티(6천원), 콩콩라테(6천5백원), 상봄라테(6천원), 아메리카노, 에스프레(각 4천원), 카페라테(5천원)
⏲ 11:00~22:00 – 월요일 휴무
🔍 경기 파주시 돌곶이길 176(서패동)
☎ 031-942-7481 Ⓟ 가능

타이로드 THAI ROAD 태국식

태국 쌀국수 전문점으로, 베트남 쌀국수와 비교했을 때 향신료가 더 많이 들어가는 것이 특징이다. 대표 메뉴는 소고기쌀국수이며, 똠얌꿍에 쌀국수를 넣은 똠얌쌀국수도 추천 메뉴. 육수, 면, 밥이 무료 리필되며, 바 좌석으로만 되어 있어 1인이나 2인이 식사하기 좋다.

₩ 소고기쌀국수(1만1천원), 똠얌쌀국수(1만2천원), 새우팟타이(1만3천원), 미니춘권(3천원)
⏲ 11:00~15:00(마지막 주문 14:30)/17:30~21:00(마지막 주문 20:30) – 월요일 휴무
🔍 경기 파주시 경의로 1046(야당동) 이더펠리체 104호
☎ 0507-1310-1585 Ⓟ 가능(1시간 무료)

통일동산두부마을 두부

두부요리 전문점으로 파주에서 유명한 곳이다. 장단콩을 사용하여 만든 부드러운 두부를 이용한 다양한 요리를 맛볼 수 있다. 두부전골이 많이 찾는 메뉴.

₩ 청국장정식, 된장정식, 콩비지정식(각 1만6천원), 두부버섯전골(소 3만6천원, 중 5만원), 두부보쌈(소 3만8천원, 중 5만3천원), 두부김치(1만9천원)
⏲ 06:30~23:00 | 토, 일요일 06:30~15:00/16:30~23:00 – 명절 휴무
🔍 경기 파주시 탄현면 필승로 480
☎ 031-945-2114 Ⓟ 가능

티바이양크레프리 Ti Vaillant Crêperie 크레프

프랑스식 갈레트와 크레프 전문점으로, 부르타뉴 지방의 오리지널 스타일로 선보인다. 햄과 감자가 들어간 콩플레트갈레트와 고기가 들어간 학운갈레트가 인기 메뉴. 2021년 5월 안양 범계에서 파주 지역으로 이전했다.

₩ 갈레트콩플레트(1만5천5백원), 갈레트학운(1만7천5백원), 갈레트소시스(1만6천5백원), 쇼콜라바난느(8천5백원), 폼캐러멜(8천원), 갸토드크레프(7천5백원)
⏲ 11:30~16:00 | 토요일 11:30~16:00/17:30~20:30 – 일, 화, 수요일 휴무
🔍 경기 파주시 탄현면 국원말길 42 1층
☎ 031-941-0427 Ⓟ 가능

티바이양크레프리

평양초계탕막국수 닭무침 | 막국수 | 초계탕

시원한 얼음을 띄운 국물에 크게 썰어 넣은 오이와 매운 고추, 그리고 몇몇 채소와 겨자를 발라 찢은 부드러운 닭살이 일품인 초계탕을 먹을 수 있다. 초계탕이 나오기 전에 초계탕에 넣을 부분을 뺀 나머지 목뼈나 날개 부위를 굵은 소금과 함께 먹을 수 있도록 제공한다. 북한식 물김치를 푸짐하게 기본으로 제공하며 닭고기와 함께 버무린 오이무침, 맛깔스러워 보이는 메밀무침도 맛있다.

₩ 초계탕(소 3만8천원, 중 6만원, 대 7만5천원), 막국수(1만1천원), 닭무침(3만원), 감자만두(8천원)
⏲ 11:00~15:00/17:00~20:30 – 연중무휴
🔍 경기 파주시 광탄면 보광로 566
☎ 031-948-4631 Ⓟ 가능

포비든플레이스 forbidden place 카페

임진각 평화 곤돌라를 타고 넘어가 입장할 수 있는 카페. 통창으로 된 실내에서 임진강을 바라보는 전망이 좋다. 다양한 음료와 베이커리가 준비되어 있다. DMZ 민간인 통제구역 내에 있기 때문에 출입을 위해서는 신분증을 제시해야 한다.

₩ 에스프레소, 아메리카노(각 5천원), 카페라테(6천원), 버블티, 에이드(각 6천원~6천5백원), 오미자차(6천5백원), 마들렌, 피낭시에(각 2천8백원), 스콘(3천원~3천5백원), 딸기크루아상(5천원), 케이크(6천원~7천2백원)

🕒 10:00~18:00 | 토, 일요일, 공휴일 09:00~18:00(DMZ 사정에 따라 변동) – 연중무휴

🔍 경기 파주시 군내면 적십자로 139

☎ 없음 Ⓟ 가능

필무드 FILLMOOD 카페

마장호수 흔들다리 인근에 위치한 대형 베이커리 카페. 건물의 전면이 격자창으로 되어있어 채광이 뛰어나다. 2층에서는 주변의 푸르른 산 전망을 볼 수 있으며, 넓은 테라스와 정원도 갖추고 있어 여유롭게 시간을 즐길 수 있다.

₩ 아메리카노(6천원), 카페라테, 카푸치노(7천원), 연유라테, 바닐라라테, 아인슈페너(각 8천원), 티(7천원~8천5백원), 필무드플로트(9천원), 연유빵, 에그타르트(각 5천5백원), 크림치즈바게트(7천원)

🕒 10:30~21:00 – 마지막 주 화요일 휴무

🔍 경기 파주시 광탄면 기산로 129

☎ 031-944-0323 Ⓟ 가능

하우스오브컨티뉴 house of continew 카페

3층 루프탑 카페로, 친환경적 콘셉트를 지향한다. 지하에는 업사이클링 스토어가 있어 구경하기에도 좋다. 폐품을 활용한 이색적인 가구들로 몇몇 개 배치해 놓아서 보는 재미도 있는 곳. 코코넛 우유를 사용한 하우스라테가 시그니처.

₩ 에스프레소(4천5백원), 아메리카노(5천5백원), 카페라테(6천원), 로즈라테(6천9백원), 카카오코코넛라테(6천9백원), 프레시오렌지주스(7천5백원), 자몽재스민에이드(6천5백원)

🕒 09:00~20:00(마지막 주문 19:30) | 토, 일요일 10:00~20:00(마지막 주문 19:30) – 수요일 휴무

🔍 경기 파주시 송학말길 34-3

☎ 031-949-0888 Ⓟ 가능

경기도 평택시

개화식당 開化食堂 일반중식

평택에서 영빈루와 함께 짬뽕이 유명한 집이다. 원조짬뽕을 시키면 짬뽕의 본모습이라 할 수 있는 백짬뽕이 나온다. 센 불에 볶은 채소가 만들어내는 육수 맛이 진하다. 맑은 소스의 탕수육 맛도 일품이다.

₩ 볶음밥, 짬뽕(각 8천원), 옛날짜장, 유니짜장(각 7천원), 탕수육(소 1만5천원, 중 2만원, 대 3만원), 깐풍기(2만5천원)

🕒 11:00~15:00/17:00~19:30 | 토, 일요일 11:00~14:30/17:00~19:00 – 월요일 휴무

🔍 경기 평택시 통복시장로6번길 2(통복동)

☎ 031-655-2225 Ⓟ 불가

고복수평양냉면 평양냉면

80여 년 전통에 3대째 내려오는 냉면집. 1930년대 평안북도 강계에 오픈한 중앙면옥이 시초다. 예전 상호인 고박사냉면으로 더 알려져 있기도 하다. 메밀과 감자전분을 적당하게 섞어 뽑아낸 면발과 양지머리를 곤 국물에 동치미를 섞어 만든 시원한 육수가 특징이다.

₩ 냉면, 비빔냉면(각 1만2천원, 곱빼기 1만5천원), 반반냉면(1만4천원), 가오리회냉면(1만5천원, 곱빼기 1만7천원), 녹두빈대떡(9천원)

🕒 11:00~15:30/17:00~21:00(마지막 주문 20:30) – 명절, 동절기 월요일 휴무

🔍 경기 평택시 조개터로1번길 71(합정동)

☎ 031-655-4252 Ⓟ 가능

김네집 🎀 부대찌개

송탄 미군부대 인근에서 유명한 부대찌개집. 햄, 소시지, 치즈, 다진 돼지고기가 들어간 부대찌개가 푸짐하다. 반찬은 김치 하나로 단출하다. 폭찹과 베이컨로스도 별미. 포장은 9시 30분부터 가능하며, 식사는 11시 10분부터 할 수 있다.

₩ 부대찌개(1만1천원), 폭찹, 베이컨로스(각 200g 1만2천원)

🕒 11:10~21:00(마지막 주문 19:30) | 토, 일요일 11:10~20:30(마지막 주문 19:00) – 첫째, 셋째 주 월요일, 명절 휴무

🔍 경기 평택시 중앙시장로25번길 15(신장동)

☎ 031-666-3648 Ⓟ 불가(인근 공영주차장 이용)

들뫼약산흑염소전문점 염소고기

약 20년의 업력을 가진 흑염소 전문점. 탕, 수육, 무침, 전골요리 등으로 다양하게 즐길 수 있다. 식전주로 삼지구엽주를 내어주어 입맛을 돋운다. 무생채, 미역무침, 콩고기 등 푸짐하게 차려진 밑반찬은 고기와 곁들여 먹기 좋다.

₩ 수육, 무침(각 1인 3만2천원), 전골(1인 2만8천원), 갈비찜(1인 3만4천원), 탕(1만8천원, 특 2만4천원, 반 1만원)

⏲ 11:00~21:00(마지막 주문 20:20) – 화요일 휴무
🔍 경기 평택시 오리곡길 101
☎ 031-611-0778 Ⓟ 가능

르샹띠에 LE SENTIER 프랑스식

100% 예약제로 운영되는 프렌치 레스토랑. 프랑스에서 공부하고 신라호텔 콘티넨탈 등에서 경력을 쌓은 엄상호 셰프가 코스 요리를 선보인다. 셰프스페셜 외에도 한우안심스테이크, 비프부르기뇽, 오리다리콩피 등의 가정식을 맛볼 수 있는 세트 메뉴가 있다.

₩ 셰프스페셜(2인 이상, 1인 11만원), 르샹띠에세트(2인 14만원), 파스타코스(4만5천원), 가정식코스(5만5천원), 안심스테이크코스(7만원)
⏲ 11:30~15:00/17:00~22:00 – 월요일 휴무
🔍 경기 평택시 진위면 하북4길 129-4 2층
☎ 031-667-8292 Ⓟ 가능

리오그릴 RIO GRILL 브라질식

브라질 사람이 직접 운영하는 슈하스코 전문점. 슈하스코는 브라질식으로 꼬치에 꿰어 그릴에 구운 스테이크를 말하는 것으로, 우리나라 사람들에게는 무한리필 스테이크집으로 알려져 있다. 본인이 원하는 부위를 직접 테이블에서 썰어주는 방식이다.

₩ 디너, 주말, 공휴일(각 3만9천원) , 5~7세(2만1천원)
⏲ 16:30~22:00 | 토, 일요일 12:00~22:00 – 월요일 휴무
🔍 경기 평택시 중앙시장로6번길 30-14(신장동)
☎ 031-666-7136 Ⓟ 불가(인근 공영주차장 이용)

미스리햄버거 miss Lee 햄버거

싸고 푸짐한 햄버거로 유명하다. 햄버거는 달걀프라이, 햄, 소시지, 양배추 등을 넣어 만드는 것이 특징이다. 치즈버거, 불고기버거, 스테이크버거 등이 인기 메뉴. 최근 이전하면서 메뉴가 더욱 다양해졌다. 명절 휴무 여부를 홈페이지에 공지하기 때문에 검색하고 가는 것이 좋다.

₩ 오리지널버거(5천원, 스페셜 9천원), 새우버거(4천원, 스페셜 9천원), 불고기버거, 스테이크버거, 칠리버거, 소고기버거(각 6천원, 스페셜 9천5백원), 핫도그(3천5백원~5천5백원)
⏲ 11:00~18:00(마지막 주문 17:30) – 월, 목요일 휴무
🔍 경기 평택시 쇼핑로 33(신장동) 월드프라자
☎ 031-667-7171 Ⓟ 불가

미스진햄버거 햄버거

미군 비행장 정문 앞에 있는 곳으로, 미군 사이에서 유명해진 집이다. 달걀프라이가 들어가는 한국식 햄버거로, 케첩과 마요네즈, 양배추가 맛을 더한다. 다양한 크기와 가격대의 햄버거를 선보인다.

₩ 칠리버거, 치즈버거, 새우버거, 불고기치즈버거, 스테이크치즈버거(각 5천원), 햄버거, 불고기버거, 스테이크버거(각 4천5백원), 치킨버거(6천원), 핫도그(4천원~5천5백원), 샌드위치(4천5백원~5천원)
⏲ 11:00~02:00(익일) – 연중무휴
🔍 경기 평택시 쇼핑로 3-1(신장동)
☎ 031-667-0656 Ⓟ 불가

브릭스키친 brix kitchen 피자 | 파스타

도우 위에 재료를 넣고 반으로 접어 오븐에 구운 칼조네를 전문으로 하는 곳. 48시간 저온 숙성한 도우에 수제 소스, 모차렐라 치즈 등이 더해진 인기 메뉴다. 매콤한 파스타와 화덕피자 등도 추천할 만하다. 가격 대비 만족도가 높다.

₩ 디아볼라토마토칼조네(1만3천9백원), 슈림프크림칼조네(1만4천9백원), 슈림프크림파스타(1만3천5백원), 마르게리타피자(1만3천9백원), 고르곤졸라피자(1만4천3백원)
⏲ 11:00~15:00/16:00~21:00(마지막 주문 20:00)| 토요일 11:00~21:00(마지막 주문 20:00) – 일요일 휴무
🔍 경기 평택시 비전9길 81(비전동) 1층
☎ 010-2262-7149 Ⓟ 가능

석일식당 게장 | 주꾸미

평택에서 간장게장과 주꾸미볶음이 맛있는 곳 중 하나. 짜지 않고 적당한 간의 게장을 서리태를 넣어 지은 흰밥과 함께 먹는 맛이 일품이다.

₩ 간장게장(대 1마리 4만5천원, 소 1마리 2만5천원), 주꾸미볶음(소 4만원, 중 5만원, 대 6만원), 꽃게탕(중 7만원, 대 9만원)
⏲ 11:30~15:00/16:30~21:00(마지막 주문 19:30) | 토요일 11:30~21:00(마지막 주문 19:30) – 일요일 휴무
🔍 경기 평택시 중앙로 209-1(비전동)
☎ 031-652-9101 Ⓟ 불가

센뽀 せんぼう 일식꼬치 | 이자카야

야키토리와 각종 꼬치, 간단한 사이드 메뉴를 맛볼 수 있는 일식 요리 주점. 꼬치는 3개부터 주문 가능하며, 술 종류도 다양하게 준비되어 있다. 매장 공간은 아늑한 편이고, 바 자리와 4인석 테이블이 있다.

₩ 추천다섯가지(1만7천원), 야키토리(2천5백원~6천5백원), 오이무침(4천원), 감자사라다(5천원), 가라아게(1만원), 타마고야키(6천원)
⏲ 18:00~01:00(마지막 주문 00:30) – 연중무휴
🔍 경기 평택시 자유로20번길 10 제니스 오피스텔 1층
☎ 0507-1361-4597 Ⓟ 가능(매장 앞 1대)

숯고개부대찌개 부대찌개 | 스테이크

햄과 다진 고기, 치즈가 푸짐하게 올라간 부대찌개를 맛볼 수 있는 곳. 국물 맛이 깔끔해 맛이 좋다. 별미로 통하는 찌개스테이크는, 살짝 구운 소고기 스테이크를 부대찌개에 샤부샤부처럼 넣었다 먹는 것으로 인기가 많다.

₩ 부대찌개(1만원), 폭찹(1만5천원), 베이컨(1만3천원), 등심스테이크(3만5천원)

🕒 11:00~15:00/16:30~21:00 – 화요일 휴무
🔍 경기 평택시 쇼핑로 39-4(신장동)
☎ 031-666-2768 Ⓟ 불가

쌍흥원 雙興園 일반중식

평택의 5대 중식당 중 하나로 꼽히는 곳이다. 태화루, 영빈루와 함께 유명했던 곳. 짜장면과 짬뽕, 탕수육이 인기 메뉴다. 비취면이라 하여 녹색 빛의 면발을 사용하는데 시금치로 색을 내는 일반적인 방법이 아니라 부추를 넣어 반죽하는 방법을 사용한다.

Ⓦ 우동, 유니짜장면, 짬뽕, 하얀짬뽕(각 7천원), 볶음밥, 고추짬뽕(각 8천원), 탕수육(소 1만2천원, 중1만8천원, 대 2만5천원)
🕒 11:00~15:00 – 일요일 휴무
🔍 경기 평택시 이충로100번길 45(서정동)
☎ 031-666-2004 Ⓟ 불가

영빈루 迎賓樓 일반중식

짬뽕으로 서울까지 이름을 떨친 곳. 짬뽕은 그리 맵지 않으면서 옛날식으로 돼지고기의 향과 맛이 아주 진하다. 점심시간에는 요리 주문을 받지 않으며 저녁에만 받는데, 그나마도 바쁘면 짜장면과 짬뽕만 주문할 수 있다. 요리도 탕수육과 잡채 두 가지뿐. 50년이 넘는 역사를 자랑한다.

Ⓦ 짜장면(5천원), 짬뽕(8천원), 짬뽕밥(9천원), 탕수육(소 1만3천원, 대 2만5천원), 잡채(2만원), 만두(6천원)
🕒 10:00~21:00 – 연중무휴
🔍 경기 평택시 탄현로 341(신장동)
☎ 031-668-8328 Ⓟ 가능

영빈루

은영이네 조개구이

평택항 조개구이촌 안에서도 단골이 많기로 유명한 조개구잇집이다. 조개구이를 먹은 후 해물이나 바지락으로 맛을 낸 칼국수로 마무리한다. 조개구이 외에도 생선회, 새우구이, 장어구이 등 다양한 해산물을 맛볼 수 있다.

Ⓦ 조개구이(중 5만원, 대 6만원, 특대 7만원), 모둠회(10만원), 왕새우소금구이(시가), 새조개(시가), 민물장어구이(1kg 7만원)
🕒 10:00~24:00 – 연중무휴
🔍 경기 평택시 현덕면 서동대로 169
☎ 031-682-9981 Ⓟ 가능

이탈리안테이블 Italian Table 피자 | 파스타

이탈리아 나폴리식 화덕 피자를 전문으로 하는 곳. 직접 만든 생면 파스타도 준비되어 있다. 요청하면 내어주는 꿀에 피자 크러스트를 찍어 먹어도 좋다.

Ⓦ 고르곤졸라(2만1천원), 디아볼라피자(2만2천원), 프로슈토루콜라, 프로슈토풍기피자(각 2만5천원), 마리나라피자(1만5천원), 마르게리타피자(2만원), 아마트리치아나파스타(1만7천원), 해물오일, 해몰토마토파스타(각 2만원), 화이트라구, 토마토라구파스타(각 1만8천원), 포르치니파스타(2만2천원)
🕒 11:00~15:00/17:00~22:00 – 연중무휴
🔍 경기 평택시 함박산8길 21 1층 101호
☎ 010-5742-6835 Ⓟ 가능

인화루 仁和樓 일반중식

50년이 넘는 역사를 자랑하는 화상 중국집. 깐쇼새우와 양장피가 인기 있는 메뉴다. 식사로는 고추 고기짬뽕과 간짜장을 대표 메뉴로 맛볼 수 있다. 탕수육도 많이 찾는다..

Ⓦ 고추고기짬뽕, 간짜장(각 1만원), 굴짬뽕(1만3천원), 짜장면(8천원), 탕수육(소 2만5천원, 중 3만5천원, 대 5만원), 깐쇼새우(소 3만5천원, 중 5만원, 대 7만원), 양장피(소 4만5천원, 중 5만5천원, 대 6만5천원)
🕒 10:00~22:00 – 명절 휴무
🔍 경기 평택시 탄현로 283(신장동)
☎ 031-666-2370 Ⓟ 가능

정운숯불갈비 소갈비

평택에서 오래된 대형 갈빗집으로, 50여 년의 내력을 지니고 있다. 미군 부대 앞에 있어 외국인도 많이 찾는 곳이다. 삼겹살도 훌륭하다는 평.

Ⓦ 양념돼지갈비(250g 1만5천원), 양념소갈비(200g 2만5천원), 소생갈비(250g 3만원), 제주생삼겹살(200g 1만6천원)
🕒 07:30~22:00 – 연중무휴
🔍 경기 평택시 중앙시장로9번길 5(신장동)
☎ 031-666-4279 Ⓟ 불가

진미식당 순댓국 | 순대

통복시장 내에 있는 순댓국집으로, 1980년대부터 약 40년간 한결같은 맛을 자랑하는 곳이다. 진하게 끓여낸 사골국물에 직접 만든 순대와 돼지고기가 푸짐히 들어간다. 순대와 돼지고기 수육이 푸짐히 나오는 모둠수육은 가격도 매우 저렴해 국밥과 곁들이면 좋다.

Ⓦ 순대국밥(9천원, 특 1만1천원), 순대(7천원), 수육, 오소리감투, 모둠안주(각 소 1만원, 대 1만5천원), 편육(1만원), 곱창전골, 곱창볶음

(각 소 2만2천원, 중 2만7천원, 대 3만2천원)
⏱ 06:00~20:30 – 수요일, 명절 휴무
🔍 경기 평택시 통복시장2로9번길 15(통복동)
☎ 031-652-2068 Ⓟ 가능

최네집 부대찌개

송탄 미군부대 인근에서 시작한, 50년이 넘는 역사의 부대찌개는 전국적으로 유명하다. 부대찌개를 다 먹은 다음에는 밥을 볶아 먹기도 한다. 큼지막하게 나오는 티본스테이크도 먹어볼 만하다.

₩ 부대찌개(1만1천원), 베이컨(200g 1만2천원), 티본스테이크(3만6천원), 모둠구이(5만3천원)
⏱ 10:00~23:00(마지막 주문 22:00) – 연중무휴
🔍 경기 평택시 경기대로 1401(서정동)
☎ 031-663-8922 Ⓟ 가능

태화루 泰和樓 일반중식

60여 년 역사의 화상중국집. 고추짬뽕의 매운맛으로 유명하다. 직접 만드는 야키만두(군만두) 맛도 일품이며 짜장면도 수준급이다.

₩ 낙지고추짬뽕, 고기짬뽕(각 1만1천원), 짬뽕(9천원), 수제군만두(9천원), 짜장면(7천원)
⏱ 11:00~20:30 – 월요일 휴무
🔍 경기 평택시 동안길 1(지산동)
☎ 031-662-3444 Ⓟ 가능

파스타비노 Pasta vino 파스타 | 피자

유럽의 노천카페 같은 분위기에서 다양한 종류의 파스타를 맛볼 수 있는 곳. 가성비가 좋아 송탄 미군부대 인근에서 유명한 곳이다. 아기자기한 소품과 꽃을 사용한 인테리어가 인상적이다.

₩ 피자(1만4천원~1만8천원), 파스타(1만4천원~2만2천원), 샐러드(6천원~1만7천원), 양송이버섯튀김, 가지튀김(각 1만4천원)
⏱ 11:00~22:00(마지막 주문 21:00) – 명절 휴무
🔍 경기 평택시 중앙시장로9번길 21(신장동)
☎ 031-666-1617 Ⓟ 불가

파주옥 꼬리곰탕 | 곰탕 | 수육

50여 년의 내력을 가지고 있는 집으로, 평택 시내에서 가장 오래된 곰탕집이다. 곰탕에 들어 있는 고기는 따로 양념장에 찍어 먹는 것이 이 집의 스타일이다. 주방에 걸려 있는 대형 무쇠 솥에서는 밤새 국물을 고아 내고 있다.

₩ 곰탕(1만2천원), 갈비탕(1만6천원), 도가니탕(각 1만7천원), 수육, 도가니안주(각 반접시 2만원, 한접시 4만원)
⏱ 10:30~21:00 – 명절 휴무
🔍 경기 평택시 중앙2로 3(평택동) 1층
☎ 031-655-2446 Ⓟ 가능

페페피자 Peppe Pizza 미국식피자

토마토, 크림, 로제, 살사 4가지 베이스의 소스 중 취향대로 선택할 수 있는 미국식 피자 전문점. 곡물을 넣어 매장에서 직접 반죽하고, 72시간 동안 숙성한 도우를 사용하는 것이 특징이다. 피자는 노 에지 형태로 치즈가 도우 끝까지 올려져 있다.

₩ 파이브치즈피자(R 1만6천9백원), 페페스페퍼로니(R 1만8천9백원), 베이컨치즈버거피자, 필리치즈스테이크, 베이컨맥앤치즈(각 1만9천9백원), 시칠리안베이컨슈림프(2만9백원)
⏱ 12:30~24:00 | 토, 일요일 10:30~02:00(익일) – 연중무휴
🔍 경기 평택시 밀월로43번길 37
☎ 031-662-8333 Ⓟ 불가

평양면옥 평양냉면

40년 역사의 평양냉면집이다. 슴슴한 정통 평양냉면을 기대하는 사람에게는 약간 진한 맛일 수도 있지만 여름철이면 주변 주민이 많이 찾는 곳 중 한 곳이다. 매콤새콤하게 무친 수육무침과 제육무침을 곁들이면 좋다. 배달이나 포장이 안되니 참고할 것.

₩ 냉면(보통 9천원, 곱빼기 1만2천원), 수육무침(2만7천원), 제육무침(2만3천원), 녹두빈대떡(9천원)
⏱ 하절기 11:00~15:00/16:00~20:00 | 동절기 11:00~15:00(마지막 주문 14:40) – 월요일 휴무
🔍 경기 평택시 서정로 300(서정동)
☎ 031-665-8791 Ⓟ 불가

해주탕집 꼬리곰탕 | 곰탕

뼈와 머릿고기, 각종 부위의 고기를 넣어 끓인 황해도 해주식 곰탕을 선보인다. 진하고 구수한 국물 맛이 일품. 소머리무침, 내장무침, 꼬리안주 등 다양한 메뉴를 갖추고 있어 술을 곁들이기도 좋다.

₩ 소머리국밥(1만원), 진곰탕(1만1천원), 꼬리곰탕(2만원), 족탕(1만5천원), 소머릿고기, 수육(각 4만5천원), 꼬리안주(시가)
⏱ 11:30~20:30 – 비정기적 휴무
🔍 경기 평택시 통복시장2로39번길 2(통복동)
☎ 031-655-3893 Ⓟ 불가

호성식당 생선매운탕 | 꽃게 | 게장

꽃게 요리를 전문으로 하는 곳으로, 꽃게탕이나 매운탕을 시키면 간장게장이 나오는 곳으로 유명하다. 여러 가지 젓갈과 함께 나오는 반찬도 손맛이 뛰어난 편. 봄과 가을에는 꽃게찜을 선보인다.

₩ 꽃게탕(소 11만원, 중 12만원, 대 13만원), 생선매운탕(중 9만원, 대 10만원), 게장정식(1인분 4만8천원), 양념게장(1인분 4만5천원), 꽃게찜(싯가)
⏱ 11:00~20:10(마지막 주문 19:00) – 연중무휴
🔍 경기 평택시 포승읍 연암길 87
☎ 031-681-7786 Ⓟ 가능

호아마이 HOAMAI 베트남식

평택의 대표적인 베트남 쌀국숫집으로, 우리 입맛에 잘 맞는 요리를 선보인다. 월남쌈도 푸짐하게 나온다. 비빔쌀국수와 볶음쌀국수도 많이 찾는 메뉴다.

₩ 쌀국수(1만1천원~1만2천원), 볶음밥(1만1천원), 월남쌈(3만원), 스프링롤(4천원)
⏲ 10:30~15:30/17:00~21:00(마지막 주문 20:30) – 월요일 휴무
🔍 경기 평택시 신장1로17번길 2(신장동)
☎ 031–664–2555 Ⓟ 가능

호커스포커스로스터스 🎀

HOCUS POCUS ROASTERS 커피전문점

분위기 좋은 브런치 카페. 커피도 직접 로스팅하며, 산미 있는 원두와 고소한 원두 중에서 선택할 수 있다. 우유가 들어간 음료는 오틀리로 변경도 가능하다. 통창에 채광이 좋으며, 정원도 잘 꾸며져 있어 여유롭게 시간을 보내기 좋다.

₩ 샥슈카(1만3천9백원), 그릴드포크스테이크(2만4천5백원), 루콜라바게트(1만2천원), 티라미수(7천원), 호커스포커스라테(6천5백원)
⏲ 10:00~22:00(마지막 주문 음료 21:00, 음식 19:00) – 연중무휴
🔍 경기 평택시 장안웃길 12(장안동)
☎ 031–662–7783 Ⓟ 가능

홍태루 🎀 鴻泰樓 일반중식

50년이 넘는 오랜 역사를 자랑하는 화상중국집. 해물 없이 고기만 넣어서 만든, 불 맛이 느껴지는 고기고추짬뽕이 유명하다. 볶음밥과 탕수육 맛도 일품이다.

₩ 짜장면(5천원), 고기고추짬뽕, 볶음밥(각 1만원), 새우볶음밥(1만3천원), 탕수육(소 2만원, 중 3만원, 대 4만원), 깐풍기(4만5원)
⏲ 11:30~15:30/17:30~21:00 | 토, 일요일, 공휴일 11:30~21:00 – 수요일 휴무
🔍 경기 평택시 탄현로327번길 9(신장동)
☎ 031–666–3871 Ⓟ 불가

경기도 포천시

갈비생각 소갈비

포천이동갈비로 유명한 갈빗집. 배, 사과, 파인애플, 키위 등을 잘게 다져 만든 즙으로 육질을 부드럽게 만든 갈비에 버섯, 고추, 실파 등을 고명으로 얹어 낸다.

₩ 일품멍석갈비(550g 5만6천원), 포천이동갈비(360g 3만8천원), 생갈비(240g 3만8천원)
⏲ 11:00~21:30(마지막 주문 20:55) – 연중무휴
🔍 경기 포천시 소흘읍 광릉수목원로 1189
☎ 031–541–6100 Ⓟ 가능

고모리691 브런치카페

고모저수지 바로 옆에 있어 낭만과 분위기가 있는 카페다. 파니니, 파스타 등을 선보이며 커피만을 즐길 수도 있다. 특히 모든 건물이 통유리로 되어 있어 저수지를 바라보면서 식사하기에 좋다. 식사를 시킬 경우 커피는 2천원 할인된다.

₩ 먹물파니니(1만5천원), 크루아상브런치(1만7천5백원), 스페셜브런치(2만2천원), 누룽지파스타(2만2천원), 에스프레소, 아메리카노(각 6천5백원), 카페라테(7천원)
⏲ 11:30~21:00(마지막 주문 20:00) – 연중무휴
🔍 경기 포천시 소흘읍 고모루성길 267
☎ 031–541–9691 Ⓟ 가능

곰터먹촌 국수

함병현김치말이국수가 새로운 모습으로 다시 시작한다. 좀 더 깔끔해진 실내 분위기가 국수 맛을 한층 올려준다. 고명이 듬뿍 얹어진 김치말이 국수에는 곰탕 국물이 함께 나온다. 만두를 곁들이면 좋다.

₩ 김치말이국수, 김치말이밥, 김치말이비빔국수, 곰탕, 온면(각 1만원), 만두(6개 7천원, 8개 8천원), 녹두전(9천원)
⏲ 10:00~16:00(마지막 주문 15:30) | 토, 일요일 10:00~15:30/16:00~19:00 – 연중무휴
🔍 경기 포천시 내촌면 내촌로 169
☎ 031–534–0732 Ⓟ 가능

김근자할머니집 🎀 소갈비

김미자할머니집과 함께 포천 이동갈비의 원조로 알려져 있다. 양념이 진하지 않고 고기 본래의 맛을 살려 담백한 편이다. 사이다와 배 등의 과즙으로 단맛을 내고, 수삼과 국산 농산물로 양념하는 것이 특징이다.

₩ 양념갈비(400g 4만원), 생갈비(300g 4만7천원), 왕갈비탕(1만5천원), 물,비빔냉면(각 8천원), 동치미소면(6천원), 된장찌개(4천원)
⏲ 10:00~22:00 – 연중무휴
🔍 경기 포천시 이동면 장암1길 14
☎ 031–532–4667 Ⓟ 가능

김미자할머니집 🎀 소갈비

60여 년의 역사를 자랑하는 전통 있는 이동갈비 전문점. 조선간장과 조청을 끓여 양념장을 만들고, 사과, 배, 레몬 등의 과일을 넣어 단맛을 더했다. 살짝 얼음이 언 동치미도 별미. 식사로는 동치미국수나 우거지된장찌개가 있다.

₩ 소양념갈비(400g 4만원), 소생갈비(300g 4만7천원), 물냉면(7천원), 비빔국수, 비빔냉면(각 8천원), 동치미국수(6천원)
⏲ 10:00~21:00(마지막 주문 20:00) – 연중무휴
🔍 경기 포천시 이동면 화동로 2087
☎ 031–532–4459 Ⓟ 가능

김미자할머니집

느티나무갈비 소갈비

포천이동갈비의 원조로 꼽히는 곳 중 하나. 달착지근한 양념을 바른 갈비를 숯불에 구워 먹는 맛이 좋다. 시원한 동치미메밀국수와 냉면으로 식사를 마무리한다. 커다란 느티나무가 있는 집으로, 개울과 산을 바라보며 즐기는 갈비 맛이 일품이다.

₩ 양념갈비(400g 4만원), 생갈비(400g 4만7천원), 동치미메밀국수(5천원), 냉면(8천원)

⏲ 10:00~20:00 – 연중무휴

🔍 경기 포천시 이동면 화동로 2089

☎ 031-532-4454 Ⓟ 가능

명덕잣나무집 오리백숙 | 닭백숙

닭과 오리 요리를 전문으로 하는 곳. 진하게 끓인 백숙이 대표 메뉴며, 로스구이와 볶음탕도 추천할 만하다. 채소도 직접 재배하는 것이 특징. 조리하는 데 시간이 걸리므로 방문 전 전화로 주문하는 편을 추천한다. 매장에서 식사시, 인근 포레스트힐cc를 할인된 가격으로 이용할 수 있다.

₩ 능이토종닭백숙, 능이오리백숙(각 7만9천원), 토종닭볶음탕, 오리볶음탕(각 6만9천원)

⏲ 10:00~21:00 – 명절 휴무

🔍 경기 포천시 화현면 봉화로 107

☎ 031-532-9734 Ⓟ 가능

명지원 소불고기 | 소갈비

이동갈비를 전문으로 하는 곳으로, 전통 가옥풍 외관이 눈에 띈다. 갈비의 기름기를 제거하고 나서 참나무 숯불에 구워 맛을 내는 것이 특징. 달착지근한 양념을 바른 이동갈비 외에 생갈비도 인기 메뉴다. 직접 농사지은 농작물로 푸짐한 상차림을 선보이고 있다.

₩ 이동갈비(미국산, 400g 4만원), 생갈비(미국산, 300g 4만5천원), 버섯생불고기(미국산, 300g 1만8천원), 한방갈비탕(1만1천원), 동치미국수(6천원), 함흥물냉면(9천원), 함흥비빔냉면(1만원)

⏲ 11:00~21:00(마지막 주문 21:00) – 월요일(공휴일인 경우 정상영업), 명절 당일 휴무

🔍 경기 포천시 일동면 화동로 1258

☎ 031-536-9919 Ⓟ 가능

물꼬방 카페

전통차 및 한식 디저트를 즐길 수 있는 한옥 카페. 홍시 빙수와 개성 주악이 인기 메뉴. 개성주악은 인기가 많아 조기 소진될 수 있다. 카페는 노키즈존으로 운영된다.

₩ 전통쌍화차, 쌍화대추차(각 9천원), 생강차, 유자차, 오미자차, 레몬차(각 7천원), 대추차(8천원), 개성주악(1알 2천5백원) 인절미(5천원), 홍시빙수(1만8천원)

⏲ 11:00~20:30 – 명절 휴무

🔍 경기 포천시 소흘읍 고모루성길 258

☎ 0507-1371-1695 Ⓟ 가능

미미향 美味香 일반중식

화상 중국집으로, 70여 년의 역사를 자랑한다. 튀김 공력이 높은 집으로, 제대로 만든 옛날식 탕수육으로 유명하다. 찹쌀을 넣지 않고도 바삭하고 맛있게 튀겨낸다. 짜장면도 수준급. 주문하면 그때부터 만들기 때문에 시간이 조금 걸린다. 탕수육 외에 깐풍새우(새우튀김)도 인기가 좋다. 요일에 상관없이 웨이팅이 있기 때문에 예약하는 것이 좋다.

₩ 짜장면(7천원), 짬뽕(9천원), 볶음밥(9천5백원), 탕수육(2만8천원), 깐풍새우(4만2천원)

⏲ 12:00~15:00/17:00~20:00(마지막 주문 19:30) – 수요일 휴무

🔍 경기 포천시 이동면 화동로 2063

☎ 031-532-4331 Ⓟ 가능

산비탈 순두부 | 두부

버섯두부전골이 괜찮은 곳이다. 직접 만든 두부를 사용하며 마늘 향이 강한 것이 특징이다. 나오는 반찬이 정갈하고 깔끔하다. 이 외에 순두부정식, 메밀전병 등의 메뉴도 있다.

₩ 두부버섯전골(소 4만원, 중 5만원 대 6만원), 순두부정식(2인 이상, 1인 1만3천원), 두부청국장, 두부김치찌개(각 1만2천원), 메밀전병(1만3천원)

⏲ 06:00~15:00/17:00~21:00(마지막 주문 20:30) – 목요일, 명절 휴무

🔍 경기 포천시 영북면 산정호수로 295

☎ 031-534-3992 Ⓟ 가능

소문난이동갈비 소갈비

양념장을 버무린 갈비를 48시간 숙성시킨 후 상에 올린다. 강원산 참나무 숯이 고기의 풍미를 더한다. 서비스로 나오는 도토리묵과 된장찌개도 옛 맛을 느끼기에 충분하다. 식사로는 시원한 동치미국수가 좋다.

₩ 양념갈비(450g 4만원), 생갈비(350g 5만원), 냉면(7천원), 동치미국수(5천원)

⏲ 11:00~21:00(마지막 주문 20:00) – 연중무휴
🔍 경기 포천시 이동면 화동로 1996
☎ 031-531-0721 Ⓟ 가능

운천막국수 막국수 | 수육

겨울철 햇메밀로 뽑아낸 순도 높은 막국수가 인기가 좋다. 시원한 동치미국물이 새콤하게 입맛을 돋운다. 담백한 편육과 같이 하면 더욱 좋다.

₩ 물막국수, 비빔막국수(각 9천원, 곱빼기 1만원), 편육(중 1만5천원, 대 2만원)
⏲ 10:00~22:00 – 연중무휴
🔍 경기 포천시 영북면 영북로 215-1
☎ 031-532-5748 Ⓟ 가능

원조파주골손두부 🎀 순두부 | 두부

40년 넘는 동안 직접 두부를 만들어 내는 곳. 연천과 철원에서 재배한 콩으로 만든 손두부가 부드럽고 고소하다. 규모가 큰 한옥으로, 내부가 깔끔하며 토속적인 느낌이다.

₩ 순두부정식, 모두부(각 8천원), 두부전골, 두부튀김, 도토리묵, 두부파전(각 9천원)
⏲ 08:00~22:00 – 연중무휴
🔍 경기 포천시 영중면 성장로 179 ☎ 031-532-6590 Ⓟ 가능

이동폭포갈비 소갈비

유명한 이동갈빗집 중 하나. 인공폭포가 바라다보이는 전망이 좋다. 밑반찬은 셀프 코너에서 원하는 만큼 가져다 먹을 수 있다. 1천4백 명을 수용할 수 있는 규모다.

₩ 양념갈비(350g 4만원), 생갈비(300g 4만4천원), 한우육회(200g 4만원), 갈비탕(평일만판매 1만5천원), 냉면(9천원), 육회냉면(1만2천원), 국수(6천원)
⏲ 10:00~20:00(마지막 주문 19:00) | 토, 일요일 10:00~16:00/17:00~21:00(마지막 주문 20:00) – 연중무휴
🔍 경기 포천시 이동면 여우고개로 698
☎ 080-2080-9292 Ⓟ 가능

이모네 우렁 | 쌈밥 | 우렁된장

자연산 논우렁만을 전문으로 요리하는 식당이다. 철원 등 오염원이 없는 전방 지역에서 잡은 논우렁을 상에 올린다. 통 논우렁이에 낙지, 모시조개 등의 해물과 채소를 넣고 끓여 내는 우렁전골 국물 맛이 시원하다. 우렁쌈장, 우렁초무침도 맛깔스럽다. 여기에 포천막걸리를 한잔 곁들이면 제격이다.

₩ 우렁된장찌개(7천원, 특 1만원), 우렁쌈밥(2인 이상, 1인 1만원), 우렁초무침(중 2만원, 대 3만원), 우렁전골(소 3만원, 중 4만원, 대 5만원), 우렁각시(3만원), 우렁신랑(2만5천원)
⏲ 09:00~19:00 | 하절기 09:00~21:00 – 비정기적, 명절 휴무
🔍 경기 포천시 영북면 산정호수로411번길 98
☎ 031-534-6173 Ⓟ 가능

지장산막국수 칡냉면 | 막국수

포천에서는 유명한 오랜 전통의 막국숫집. 건조면을 사용하는 것이 특징이다. 자극적이지 않은 매운맛의 비빔막국수에는 얼음 육수가 들어가 시원하다. 채소 같은 재료는 직접 재배한다.

₩ 막국수, 칡냉면(각 1만원), 편육(2만3천원), 메밀전, 찐만두(각 8천원)
⏲ 하절기 08:00~19:00 | 동절기 08:00~18:00 – 연중무휴
🔍 경기 포천시 관인면 창동로 895
☎ 031-533-1801 Ⓟ 가능

참나무쟁이 🎀 한정식

옛 대농집 분위기를 고루 갖춘 한식집이다. 신선로와 구절판, 모둠전과 찜류를 격식 있게 갖춘 큰상차림에서 간편한 진지상까지 한식 전반을 고루 갖추고 있다. 간간이 흘러나오는 가야금 소리를 들으면서 식사하는 분위기가 운치 있다. 초가 한옥과 소를 매어 놓은 마당이 이채롭다.

₩ 낮것상(1인분 2만1천원), 진지상(1인분 3만3천원), 교자상(1인분 4만2천원), 진찬상(1인분 5만6천원), 수라상(1인분 8만5천원), 비빔밥(1인 1만1천원)
⏲ 11:00~15:30/17:00~21:00 – 명절 휴무
🔍 경기 포천시 내촌면 금강로 2458
☎ 031-531-7970 Ⓟ 가능

초가집순두부보리밥 일반한식 | 보리밥 | 두부

보리밥과 순두부를 잘하는 집. 보리밥은 채소가 담겨 있는 그릇에 담아 비빔밥으로 먹는다. 반찬으로 나온 열무김치나 무나물 등을 함께 넣어 고추장과 버무린다. 국산콩으로 만든 순두부와 한약 재료와 생삼겹살로 만든 보쌈도 인기.

₩ 보리밥(9천원), 순두부찌개, 콩비지찌개, 청국장(각 8천원), 두부와보쌈(중 3만4천원, 대 3만8천원), 두부전골(중 2만5천원, 대 3만원), 곤드레나물밥정식(2인 이상, 1인 1만원)
⏲ 06:00~21:00 – 연중무휴
🔍 경기 포천시 화현면 화동로 395
☎ 031-533-0966 Ⓟ 가능

프롬이태리 🎀 FROM ITALY 이탈리아식

20여 년간 이탈리안 요리를 해온 셰프가 운영하는 퓨전 이탈리안 레스토랑. 합리적인 가격으로 코스 메뉴가 특히 좋은 평을 받는다. 요리 하나하나에서 정성이 느껴진다는 평이 많다. 2022년에 서울 부암동에서 광릉수목원 부근으로 이전하면서 벽돌로 된 단독 건물에 클래식한 인테리어로 더욱 고급스러워졌다.

₩ 게바위파스타(2만7천원), 보석함안심스테이크(200g 8만원), 보석채끝등심스테이크(200g 7만5천원), 주카돌체(3만6천원), 관자바질리조토(2만7천원), 차돌박이샐러드(2만6천원), 블루베리피자(3만1천원)
⏲ 11:30~15:30/17:00~21:00 – 월요일 휴무(공휴일 정상영업)
🔍 경기 포천시 소흘읍 죽엽산로 669
☎ 0507-1349-0414 Ⓟ 가능

경기도 하남시

가하 다이닝바
조용하고 모던한 분위기의 다이닝 바. 바 자리만 마련되어 있어 오픈형 주방에서 요리하는 모습도 감상할 수 있다. 제철 한식 식재료를 사용하여 한식과 서양식을 조화시킨 모던 한식을 맛볼 수 있다.

₩ 트러플카질리(1만9천원), 제철숙회(1만8천원), 오늘의파스타(2만5천원), 한우채끝++(200g, 7만원)

🕒 17:00~01:00(익일) | 토, 일요일 13:00~01:00(익일)(마지막 주문 24:00) – 격주 월요일 휴무

🔍 경기 하남시 미사강변중앙로 181(망월동) 더퍼스트테라스 119호

☎ 031-791-7970 Ⓟ 가능

강영감네닭내장수구레 닭똥집 | 닭내장
닭똥집과 닭내장이 푸짐하게 들어간 닭내장전골이 인기가 좋다. 전골에 라면 사리를 넣어 먹은 후 마지막에 밥을 볶아 먹는다. 40여 년의 전통을 자랑하는 곳이다.

₩ 닭내장(소 2만5천원, 중 3만원, 대 3만5천원), 수구레(소 2만8천원, 중 3만3천원, 대 3만8천원), 김치찌개(소 1만6천원, 중, 2만4천원, 대 3만2천원), 닭볶음탕(4만원), 닭똥집볶음, 뼈없는닭발(각 1만5천원)

🕒 10:00~22:00 – 일요일 휴무

🔍 경기 하남시 하남대로 1039(풍산동)

☎ 031-795-1821 Ⓟ 가능

기와집양대창센타 양곱창
가격대비 훌륭한 양곱창을 맛볼 수 있는 집. 숯불에 구운 양이 고소하고 담백하다. 양을 주문하면 염통, 대창이 서비스로 나오는 것이 특징. 함께 나오는 동치미, 상추파무침 등의 곁들이 음식도 훌륭하다. 식사로는 구수한 잔치국수를 추천할 만하다.

₩ 양곱창(340g 4만1천원), 대창(330g 3만9천원), 막창(250g 3만9천원), 차돌박이(200g 3만9천원), 양즙(1공기 3만5천원), 잔치국수(소 5천원, 대 7천원)

🕒 10:00~22:00 – 명절 휴무

🔍 경기 하남시 감일남로 16 1층

☎ 02-431-2329 Ⓟ 가능

나주개미집 보리밥 | 삼겹살 | 닭백숙
나주 출신 아주머니의 솜씨로 만들어낸 밑반찬과 광주에서 직송해 온 오겹살 맛이 훌륭하다. 오겹살은 새우젓과 콩가루를 찍어 먹으면 제대로 된 고기 맛을 느낄 수 있다. 식사로는 묵밥과 반찬이 푸짐하게 나오는 보리비빔밥이 좋다. 실내는 다소 허름한 편. 토종닭, 오리요리의 경우에는 1시간전에 예약해야 한다.

₩ 오겹살(1만4천원), 묵밥, 보리밥, 청국장, 순두부(각 8천원), 김치찌개, 도토리묵, 부추전(각 1만원), 토종닭, 옻닭, 오리, 오리로스(각 7만원)

🕒 10:00~21:00 – 연중무휴

🔍 경기 하남시 학암로 52(감이동)

☎ 02-400-8709 Ⓟ 불가(근처 공터에 주차)

드까르멜릿 de Karmeliet 피자 | 파스타 | 이탈리아식
분위기 좋은 유러피언 홈메이드 레스토랑으로, 참나무 화덕에 구운 이탈리아 정통 피자를 만날 수 있다. 이 외에 파스타, 스테이크 등도 추천할 만하다. 다양한 요리로 구성된 코스메뉴도 인기. 야외 정원을 바라보며 분위기 있는 식사를 즐길 수 있으며, 4층은 루프탑 가든으로 꾸몄다.

₩ 스페셜디너(8만원), 스페셜런치(3만9천원), 스위트런치(2만9천5백원), 4가지치즈피자(2만9천원), 해산물토마토스파게티(2만9천원), 콰트로치즈감자뇨키(2만9천원), 안심스테이크(6만5천원)

🕒 11:30~15:00/17:00~21:00 – 월요일 휴무

🔍 경기 하남시 동남로524번길 24(감북동)

☎ 02-484-8260 Ⓟ 가능

마방집 馬房 한정식
1백 년이 넘는 역사를 자랑하는 곳으로, 원래의 건물은 6·25 전쟁때 훼손되어 다시 지었다. 흙벽으로 된 집 처마에 매달린 메주와 수많은 장독이 정겨운 모습이다. 메뉴는 장작불고기와 전통 재래식으로 만든 토종된장찌개 및 산채나물을 곁들인 한정식 등이 있다. 모든 양념(간장, 된장, 고추장, 참기름, 들기름, 깨소금)은 직접 만들어 사용한다. 자리에 앉아 주문하고 기다리면 밥상을 통째로 들여 내온다. 애견동반이 가능한 방이 두 개가 있기 때문에 동반 시 예약은 필수이다.

₩ 한정식, 꽁보리밥(각 1만7천원), 소장각불고기(2만원), 돼지장작불고기(1만4천원), 더덕구이(1만2천원), 보김치(1만원)

🕒 11:00~21:00 – 명절 휴무

🔍 경기 하남시 하남대로 674(천현동)

☎ 031-791-0011 Ⓟ 가능

마방집

미미곱창 양곱창

미사호수공원 바로 앞에 위치한 곱창구이 전문점. 초벌로 구워져 나오며, 양파간장과 고추장, 두 가지 특제 소스를 내어 주는데 기호에 따라 찍어 먹으면 풍미가 더해진다. 마무리는 양밥으로 하기를 추천하며, 야외에도 테이블이 있어 호수공원 뷰를 볼 수 있다.

㈜ 한우모둠곱창(5만7천원), 한우곱창전골(중 6만5천원, 대 8만5천원), 곱창, 대창(2만1천원), 막창, 특양(2만5천원), 곱창된장찌개(9천원)

16:00~24:00 | 금, 토, 일요일 15:00~24:00 – 연중무휴

경기 하남시 미사강변중앙로 193(망월동) 120-122

☎ 010-8788-8783 ⓟ 가능

언피니쉬드 UNFINISHED 이탈리아식 | 파스타 | 피자

합리적인 가격에 파스타와 피자, 스테이크를 맛볼 수 있는 이탈리안 레스토랑. 가격 대비 높은 만족도를 자랑한다.

㈜ 매콤한해산물볶음파스타(1만6천9백원), 송로버섯파스타(1만3천9백원), 눈꽃치즈새우피자(1만6천9백원), 스테이크샐러드(2만1천9백원), 안심스테이크(160g 3만9천원), 양갈비스테이크(250g 3만5천원)

10:00~22:00 – 일요일 휴무

경기 하남시 미사강변서로 16(풍산동) 하우스디스마트밸리 R118호

☎ 031-5175-7099 ⓟ 가능

오스테리아308 Osteria308 이탈리아식 | 파스타

요리하는 성악가 셰프의 이탈리안 레스토랑. 소박한 이탈리안 가정식을 선보인다. 질 좋은 고기를 사용한 스테이크, 앤쵸비 루콜라 파스타 등이 있으며 코스메뉴도 추천할 만하다. 한 달에 한 번 동료 성악가들과 함께 레스토랑에서 자선 공연을 펼치기도 한다.

㈜ 코스(나폴리 3만3천원, 로마 5만5천원), 정어리파스타(1만7천9백원), 알리오올리오(1만4천5백원), 라구파스타세트(평일점심 1만2천9백원), 토시살스테이크(400g 4만8천원)

11:00~15:00/17:30~21:00 | 일요일 12:00~15:00/17:30~21:00 – 월요일 휴무

경기 하남시 미사대로 520 B동 2층 22호

☎ 070-8834-6673 ⓟ 가능

정온 定温 일반중식

깔끔한 분위기의 중식당. 철판어향새우가지를 많이 찾는데, 다진 새우를 넣어 튀긴 가지를 철판에 볶은 숙주와 함께 어향소스를 곁들여 먹는다. 식사로는 해산물이 듬뿍 든 짬뽕이 인기 메뉴.

㈜ 런치코스(A 2만6천원, B 3만2천원), 종일코스(A 3만8천원, B 4만6천원, C 5만9천원), 짜장면(9천원), 짬뽕(1만2천원), 매운고추탕수육(2만7천원), 철판어향새우가지(2만8천원), 전가복(6만9천원), 해물누룽지탕(5만9천원)

11:00~22:00 – 연중무휴

경기 하남시 신평로168번길 124 1층

☎ 031-792-2947 ⓟ 가능

최부자집 샤부샤부 | 만두

만두가 들어간 샤부샤부를 즐길 수 있는 곳이다. 샤부샤부에는 고기와 채소로 만든 만두소에 얇게 묻힌 만두피로 재료 본연의 맛을 극대화한 굴림만두가 들어간다. 아침 26가지의 신선한 재료와 2일간 숙성된 반죽을 이용하여 만두를 빚는다.

㈜ 무한리필편백샤부(2인 이상, 1인 1만7천9백원), 무한리필편백찜(점심 1만5천9백원), 계란죽, 계란밥(각 2천원)

11:00~21:00(마지막 주문 20:30) – 연중무휴

경기 하남시 서하남로 447(춘궁동)

☎ 031-796-0876 ⓟ 가능

하남장터곱창 양곱창

곱창을 비롯해 양, 막창, 대창, 염통 등 다양한 분위를 구워 먹을 수 있는 곳이다. 모둠을 시키면 곱창, 막창, 대창, 양이 함께 나온다. 돌판에 김치, 양파, 버섯 등과 함께 볶아 먹는 맛이 일품이며 간과 천엽이 서비스로 나오는 것이 장점이다.

㈜ 모둠(250g 2만3천원), 곱창, 양(각 200g 2만5천원), 막창, 대창(각 200g 2만3천원), 염통(200g 1만7천원), 곱창전골(중 4만5천원, 대 6만원), 볶음밥(3천원)

15:00~22:30(마지막 주문 21:30) – 일요일 휴무

경기 하남시 하남대로787번길 10(신장동)

☎ 031-793-0582 ⓟ 가능

한채당 韓彩堂 한정식

전통 한옥식 건물에서 한정식을 즐길 수 있다. 뒤뜰에는 정원이 있어 차를 마시기에 좋다. 2백 석 규모로 4~6인 개별 룸과 60인 룸까지 다양한 크기의 방이 마련되어 있어 상견례나 단체 모임, 외국 손님을 접대하기에도 좋다.

㈜ 한채당양반정식(2만8천원~3만8천원), 사대부정식(5만5천원), 사대부주안상(7만원), 궁중정식(8만8천원), 궁중주안상(11만원), 수라상(17만원)

11:30~15:00/17:30~21:30(마지막 주문 21:00) – 연중무휴

경기 하남시 미사동로 38(미사동)

☎ 031-791-8880 ⓟ 가능

경기도 화성시

눈솜 빙수
고운 입자의 눈꽃빙수를 맛볼 수 있는 곳. 우유 얼음을 곱게 갈아 만든 맛이 좋으며 두유팥빙수, 녹차팥빙수 등 다양한 종류를 선보인다. 동절기에는 통단팥죽도 선보인다. 찹쌀국화빵(팥, 초코, 크림치즈)도 별미.

Ⓦ 밀크팥빙수, 두유팥빙수(각 소 9천원, 대 1만4천원), 녹차팥빙수, 커피팥빙수(각 소 1만원, 대 1만5천원), 통단팥죽(컵 5천5백원, 그릇 9천원), 찹쌀국화빵(6개 4천원)
⏲ 11:00~22:00(마지막 주문 21:30) | 일요일 13:00~22:00(마지막 주문 21:30) – 월요일 휴무
🔍 경기 화성시 동탄지성로 94(반송동) 하나로오피스텔 104호
☎ 070-7765-2806 Ⓟ 가능

다람쥐할머니 묵밥 | 묵
직접 만든 도토리묵을 이용한 전통 요리를 선보이는 곳으로, 현지인들에게 유명한 로컬 식당이다. 냉묵밥은 새콤한 국물과 쫀득한 도토리묵의 식감이 잘 어울린다. 계절과 시기에 맞는 취나물이나 시래기 등의 나물 반찬과, 볶은김치, 무말랭이 등의 직접 만든 밑반찬도 내어 준다.

Ⓦ 도토리냉묵밥, 도토리온묵밥, 도토리묵무침(각 9천원), 도토리전(8천원), 순두부찌개(9천원), 1세트, 2세트(각 2인 2만7천원)
⏲ 09:00~16:00(마지막 주문 15:30) – 월요일 휴무
🔍 경기 화성시 비봉면 비봉로 165
☎ 031-356-7636 Ⓟ 가능

다람쥐할머니

마리에뜨 Mariette 피자 | 파스타 | 이탈리아식
캐주얼하게 이탈리아 요리를 즐길 수 있는 곳. 10가지가 넘는 종류의 파스타와 화덕 피자를 선보이며, 다양한 메뉴로 구성된 세트 메뉴가 가격 대비 만족도가 높다. 보타르가 파스타가 추천 메뉴.

Ⓦ 베이컨오일파스타(1만1천원), 보타르가(1만1천원), 봉골레(1만3천원), 마르게리타(1만3천원), 고르곤졸라(1만3천원), 꽃등심스테이크(S 2만9천원, R 3만5천원), 2인세트(3만원~4만8천원)
⏲ 11:00~22:00 – 명절 당일 휴무
🔍 경기 화성시 동탄공원로3길 32-2(반송동)
☎ 031-8003-9211 Ⓟ 불가

몽연 夢宴 일반중식
중식 세트, 코스 요리부터 다양한 육류 요리까지 맛볼 수 있는 중식당. 내부는 룸으로 분리되어 있어서 프라이빗 한 식사나 단체모임도가능하다. 어향가지새우와 몽골리안 비프가 대표 메뉴다.

Ⓦ 평일런치세트(A 1만6천원 B 2만3천원), 올데이런치세트(C 3만원 D 3만8천원), 코스(데이지 4만8천원, 라벤더 6만5천원, 아카시아 8만원), 고법불도장수프(7만원), 깐풍램(소 5만5천원 중 7만5천원), 어향가지새우(4만3천원)
⏲ 11:30~15:00/17:00~22:00(마지막 주문 21:00) – 연중무휴
🔍 경기 화성시 노작로 195 코스모타워 2층
☎ 031-613-9991 Ⓟ 가능(4시간 지원)

빈센트반커피 VINCENT VAN COFFEE 커피전문점
스페셜티커피 전문 로스터리 카페. 매년 COE 커핑 심사관 참관과 최상급 커피를 판매 및 납품하고 있으며, 커피교실 및 창업교육도 하고 있다. 매장에서 직접 굽는 빵과 케이크 종류도 추천할 만하다.

Ⓦ 당근케이크(7천5백원), 치즈케이크, 티라미수(7천원), 아메리카노(5천원), 카페라테(6천원), 블랙밀크티라테(6천8백원)
⏲ 09:00~21:00(마지막 주문 20:30) – 연중무휴
🔍 경기 화성시 봉담읍 세자로 399
☎ 031-235-5991 Ⓟ 가능

상해루 上海樓 일반중식
우리에게 익숙한 옛날 중식 요리를 다양하게 맛볼 수 있는 곳이다. 대표 메뉴는 멘보샤(새우샌드위치튀김)와 대게살볶음이다. 점심 때는 부담 없는 가격으로 코스 메뉴를 즐길 수 있다.

Ⓦ 삼선짜장(1만원), 짬뽕(9천5백원), 탕수육(소 2만5천원, 중 3만8천원), 양장피(소 4만5천원 중 6만8천원), 대게살볶음(5만8천원), 멘보샤(3만5천원)
⏲ 11:00~15:00/17:00~21:00 | 토, 일요일 11:00~21:00 – 월요일 휴무
🔍 경기 화성시 노작로 147(반송동) 돌모루프라자
☎ 031-8015-0103 Ⓟ 가능

수엠부 Swoyambhu 인도식 | 네팔식
인도, 네팔 음식 전문 레스토랑으로, 현지에서 직접 요리를 배운 사장이 운영한다. 현지 출신 셰프가 요리하는 전통 키리를 즐길 수 있으며, 큼지막한 난과 함께 먹는다. 인테리어에서도 현지 느

낌이 난다.
₩ 채소커리(1만3천원~1만5천원), 치킨커리(1만4천원~1만5천원), 양고기커리, 새우커리(각 1만7천원)
⏱ 11:00~15:00(마지막 주문 13:50)/17:00~20:00(마지막 주문 19:00) – 월, 화요일 휴무
🔍 경기 화성시 노작로4길 18–15(반송동) 1층
☎ 031–8015–2494 Ⓟ 불가

수원소갈비해장국 선지해장국 | 갈비탕
해장국 전문점으로, 갈빗살, 우거지, 숙주 등을 푸짐하게 넣고 매콤하게 만든 술국이 인기 메뉴다. 선지와 날계란이 기본으로 제공되며, 술국이나 해장국에 넣어 먹으면 된다.
₩ 해장국, 술국(각 1만1천원), 갈비탕(1만3천원)
⏱ 08:00~14:30/16:30~21:00 – 연중무휴
🔍 경기 화성시 장안면 3.1만세로 125
☎ 031–358–7339 Ⓟ 불가

옥탑빵 베이커리
부담 없는 가격으로 다양한 빵을 맛볼 수 있는 베이커리. 촉촉하고, 부드러운 식감의 소금빵은 고소한 버터 향과 짭짤한 맛이 좋다는 평이다. 뚱드위치는 이름에 걸맞게 빵 안에 신선한 재료가 꽉 차게 들어가 있다.
₩ 레몬마들렌, 얼그레이마들렌, 바질소시지빵(각 2천원), 크로플, 소금빵(각 2천5백원), 감자치아바타(3천5백원), 고구마크림치즈캉파뉴(5천원), 단호박뚱드위치, 리코타뚱드위치(각 6천5백원)
⏱ 08:00~22:00 – 연중무휴
🔍 경기 화성시 병점노을로 31 병점역 아이파크 캐슬 상가1동 19호
☎ 031–304–9615 Ⓟ 불가

일블루 Il blu 피자 | 파스타
아기자기하게 꾸민 카페 겸 레스토랑. 카페와 함께 이탈리안 레스토랑도 겸하고 있다. 커피와 와플 외에 피자와 파스타 종류도 맛있다. 특히 게살이 듬뿍 들어간 부드러운 크림스파게티가 인기 메뉴.
₩ 한우안심스테이크(3만5천9백원), 게살크림파스타(1만5천9백원), 아이스크림와플(단품 1만2천9백원, 세트 1만4천5백원), 수제모둠피자(1만8천원), 오픈샌드위치(1만4천5백원~1만6천5백원), 아메리카노(4천3백원), 카페라테(4천8백원)
⏱ 10:00~23:00(마지막 주문 22:00) – 연중무휴
🔍 경기 화성시 동탄시범한빛길 17–1(반송동)
☎ 031–613–0003 Ⓟ 가능

장수촌 삼계탕 | 닭백숙
시골집 분위기의 넓은 식당에서 토종닭 누룽지 백숙을 즐길 수 있다. 푹 끓인 닭은 살이 잘 발라지고 쫄깃한 맛이 일품이다. 누룽지는 뚝배기에 따로 나와 식사가 끝날 때까지 따뜻하게 먹을 수 있다.
₩ 토종닭누룽지삼계탕(5만4천원), 누룽지오리백숙(6만원), 쟁반막국수, 오리떡갈비(각 1만6천원)
⏱ 11:00~15:00/16:30~21:00 | 토, 일요일 11:00~21:00 – 월요일 휴무
🔍 경기 화성시 정남면 보통내길253번길 112
☎ 031–366–5533 Ⓟ 가능

청미횟집 생선회
횟감은 물론 망둥이, 낙지 등 각종 어패류들이 싱싱하고 깨끗하다. 수족관을 운영하고 있어 광어, 도미, 농어, 노래미, 우럭, 도다리, 숭어 등의 다양하고 풍부한 횟감을 맛볼 수 있다. 모둠회는 광어와 우럭을 중심으로 나온다.
₩ 모둠회(소 14만원, 중 15만원, 대 16만원), 우럭, 광어(각 세트 11만원)
⏱ 10:00~21:30(마지막 주문 20:30) – 연중무휴
🔍 경기 화성시 송산면 사강로 177
☎ 031–357–7822 Ⓟ 가능

카페제부리 cafe jeburi 카페
서해바다가 한눈에 보이는 제부도의 카페. 낮의 따사로운 채광과 저녁의 석양이 지는 바다가 분위기를 더해준다. 커피한잔의 여유를 만끽하기에 좋은 곳. 물때에 따라서 영업시간이 변동되니 확인 후 방문할 것을 추천한다.
₩ 아메리카노(6천원), 카페라테(6천5백원), 바닐라라테, 카푸치노, 카페모카(각 7천원)
⏱ 11:00~19:00(마지막 주문 18:30) – 화요일 휴무
🔍 경기 화성시 서신면 해안길 330–1
☎ 010–7135–7776 Ⓟ 가능

프레스비 Press_B 바
합리적인 가격으로 스테이크와 생맥주를 즐기기에 좋은 아담한 바. 부챗살을 사용한 블레이드스테이크가 대표 메뉴며 부드럽게 녹는 식감이 일품이다.
₩ 스테이크(1만4천4백원), 디너세트(3만3천원), 프레비스샹그리아(5천5백원)
⏱ 17:50~02:30(익일) – 연중무휴
🔍 경기 화성시 동탄공원로3길 14–11(반송동) 102호
☎ 010–9470–0860 Ⓟ 가능

강원도

Gangwon-do Province

강릉감자옹심이 감자옹심이 | 칼국수

쫀득쫀득한 감자옹심이를 넣은 손칼국수를 맛볼 수 있는 곳으로, 개운하고 시원한 국물 맛이 일품이다. 쫀득한 감자옹심이와 구수한 국물 맛이 잘 어우러진다. 감자로 만든 투명한 빛깔의 감자송편을 곁들여도 좋다. 영업시간과 관계없이 재료가 다 떨어지면 문을 닫는다.

₩ 감자옹심이칼국수(9천원), 순감자옹심이(1만원), 감자송편(6천원)
🕒 10:30~16:00 – 목요일, 명절 휴무
🔍 강원 강릉시 토성로 171(임당동)
☎ 033-648-0340 Ⓟ 가능(1만6천원 이상 식사 시 무료)

강릉짬뽕순두부동화가든본점

청국장 | 순두부 | 두부

바닷물로 간을 맞춰 두부를 만드는 곳이다. 얼큰한 짬뽕 국물에 순두부를 넣어 끓여낸 짬뽕순두부와 구수한 청국장을 맛볼 수 있다. 초두부 백반을 주문하면, 새하얀 초당 순두부와 맛깔스러운 반찬이 함께 나온다.

₩ 짬뽕순두부(1만3천원), 안송자청국장(2인 이상, 1인 1만2천원), 초두부백반(1만1천원), 얼큰순두부(1만원), 모두부(1만원), 모두부반모(6천원)
🕒 07:00~16:00/17:00~19:00 – 수요일 휴무
🔍 강원 강릉시 초당순두부길77번길 15(초당동)
☎ 033-652-9885 Ⓟ 가능

경포팔도강산 생선회 | 조개구이

50여 년의 역사를 가진 곳으로, 경포해변 바다를 바라보며 싱싱한 회를 즐길 수 있다. 회를 주문하면 곁들임 음식이 다양하고 푸짐하게 깔린다. 조개구이도 인기 메뉴. 게스트하우스를 함께 운영하고 있어 숙박하는 경우 식사는 할인을 해준다. 새벽까지 영업에 가격대도 좋아서 젊은이들이 많이 찾는다.

₩ 모둠회(소 12만원, 중 15만원, 대 18만원), 전복죽(소 1만5천원, 특 2만원), 대게세트(소 17만원, 중 22만원, 대 27만원)
🕒 11:00~03:00(익일)(마지막 주문 02:00) | 금, 토요일 15:00~05:00(익일)(마지막 주문 04:00) – 연중무휴
🔍 강원 강릉시 창해로 461(강문동)
☎ 033-644-1046 Ⓟ 가능

고성생선찜 생선찜

매콤한 맛의 생선찜을 전문으로 하는 집. 메뉴는 3가지 밖에 없으며, 가오리, 도루묵, 가자미, 명태, 갈치 등 다양한 생선을 한꺼번에 맛볼 수 있는 모둠생선찜의 인기가 많다.

₩ 모둠생선찜, 가오리찜, 열기찜(각 소 4만원, 중 5만원, 대 6만원)
🕒 11:00~13:40/15:00~19:00(마지막 주문 18:20) – 화요일 휴무
🔍 강원 강릉시 성덕포남로 56(입암동)
☎ 033-651-6959 Ⓟ 가능

교동899 전통차전문점 | 한식디저트

한옥을 개조하여 아기자기한 소품들로 꾸민 카페다. 한옥 그 자체부터 인테리어 소품 하나하나가 모두 예술 작품이다. 단팥이 가득 들어간 팥빙수의 인기가 좋다.

₩ 에스프레소, 아메리카노(4천5백원), 카페라테(5천원), 인절미아인슈페너(6천원), 옛날팥빙수(1인 1만1천원, 2~3인 1만8천원)
🕒 11:00~18:00(마지막 주문 17:30) – 수요일 휴무
🔍 강원 강릉시 임영로 223(교동)
☎ 033-641-3185 Ⓟ 불가

금학칼국수 콩나물밥 | 칼국수

50여 년의 전통을 이어온 장칼국수집으로, 손님이 끊이지 않는다. 고추장을 풀어 칼칼한 맛을 내는 장칼국수를 직접 담근 김치와 함께 맛볼 수 있다.

₩ 장칼국수, 콩나물밥(각 8천원)
🕒 10:00~20:00(마지막 주문 19:30) – 명절 휴무
🔍 강원 강릉시 대학길 12-6(금학동)
☎ 033-646-0175 Ⓟ 불가

기사문 생선회

고급스럽고 깔끔하게 꾸민 일본식 횟집으로, 한식을 바탕으로 한 생선회코스를 즐길 수 있다. 메뉴는 오마카세 코스 단 한 가지로, 신선한 제철 생선회를 비롯해 다양한 해물과 수준 높은 음식이 푸짐하게 나온다.

₩ 디너코스(1인 10만원), 락강정(3만원), 홍가자미덮밥(1만5천원), 문어샐러드(1만8천원), 꽃새우튀김(5천원)
🕒 11:30~13:00(마지막 주문 12:30)/18:00~21:00(마지막 주문 20:30) – 월요일 휴무
🔍 강원 강릉시 정원로 78-22(교동)
☎ 033-646-9077 Ⓟ 가능

꼭지네식당 막국수 | 칡냉면

막국수와 칡냉면을 주력으로 하는 강릉 한식당. 주력 메뉴 이외에도 짬뽕 베이스의 순두부와 칼국수도 인기 있는 메뉴다. 곁들여 먹기 좋은 숯불불고기도 한 접시 단위로 판매한다.

₩ 막국수, 칡냉면(각 가오리회 1만원, 물 8천원, 비빔 9천원), 흑돼지수육(반접시 1만8천원, 한접시 3만6천원), 숯불불고기(1만원)
🕒 11:00~15:00/17:00~19:30 | 토, 일요일 10:30~19:30(마지막 주문 19:15) – 연중무휴
🔍 강원 강릉시 강동면 대동안길 15
☎ 033-644-6175 Ⓟ 가능(가게 앞 6~7대)

대동면옥 막국수 | 함흥냉면 | 수육

함흥냉면의 계보를 이어가는 곳. 질긴 녹말 성분의 면 위에 가자미회를 얹은 회비빔냉면을 맛볼 수 있다. 수육의 경우, 삶아내는 데 시간이 걸리므로 인원수가 많다면 예약 후 방문하는 것이 좋다.

㈐ 회비빔냉면, 회비빔막국수(각 1만1천원), 물냉면, 물막국수(각 9천원), 수육(소 2만5천원, 중 3만원, 대 3만5천원)

⌚ 10:30~15:00/16:00~19:00 | 동절기 10:30~15:00 – 명절 당일 휴무

🔍 강원 강릉시 주문진읍 연주로 438

☎ 033-662-0076 Ⓟ 가능

더블티다이닝 Double T DINING 유럽식 | 다이닝바

모던하고 고급진 분위기의 유럽식 다이닝 레스토랑. 강릉의 제철 재료를 활용하기 때문에 시즌 별로 메뉴가 변경되는 점이 특징. 주류 종류도 다양해 페어링도 추천 받을 수 있다.

㈐ 채끝스테이크(7만2천9백원), 양갈비스테이크(4만9천9백원), 새우스테이크(3만8천9백원), 돼지목살스테이크(2만9천9백원), 관자와 석류비네그레트(3만6천9백원), 부라타치즈와발사믹마리안느(3만3천9백원), 도미카르파초(3만1천9백원)

⌚ 11:30~15:00(마지막 주문 14:30)/17:30~21:30(마지막 주문 20:30) – 목요일, 마지막 주 수요일 휴무

🔍 강원 강릉시 초당순두부길55번길 38

☎ 033-652-0709 Ⓟ 가능(건물 뒤편상가 주차장)

동진네횟집 생선회

수조에서 바로 해산물과 생선을 꺼내 회를 떠주는 물회 전문점으로, 가격에 대한 부담 없이 회를 즐길 수 있는 곳이다. 물회에는 생선 이외에도 전복, 소라, 멍게, 전복, 채소류 등이 들어가며, 숙성된 특제소스에 물회를 비비면 새콤달콤한 물회를 맛볼 수 있다.

㈐ 물회(1만5천원, 특 2만원)

⌚ 09:00~20:00 – 둘째, 넷째 주 월요일 휴무

🔍 강원 강릉시 주문진읍 시장길 38 주문진수산시장

☎ 033-662-7769 Ⓟ 불가

두부마을초당순두부 두부

재래식으로 만든 순두부를 내오는 곳으로, 3대 째 그 전통을 이어가고 있다. 고소하면서도 식감이 부드러운 모두부와 순두부, 그리고 얼큰한 두부찌개를 맛볼 수 있다.

㈐ 손두부, 모두부(각 1만원), 두부찌개(2인이상, 1인 1만2천원) , 어린이순두부(5천원)

⌚ 07:00~17:00 | 토, 일요일 07:00~15:30 – 첫째, 셋째 주 수요일, 명절 당일 휴무

🔍 강원 강릉시 사임당로 131-1(홍제동)

☎ 033-646-4936 Ⓟ 가능

라꼬시나 LA COCINA 스페인식

강릉 초당 거리에 위치한 스페인 레스토랑. 컬러풀한 외관과 실내가 스페인에 여행 온 느낌이다. 세트 메뉴로 주문 시 하몽, 멜론, 그리고 타파스가 나오며, 파에야, 이베리코 항정살, 꿀 대구, 살치살, 랍스터 꼬릿살 중 메인을 고를 수 있다. 상그리아를 곁들일 것을 추천.

㈐ 런치세트(2만8천원~4만2천원), 디너세트(3만2천원~4만6천원), 이베리코항정살(240g 3만4천원), 꿀대구(240g 3만2천원), 해산물파에야(3만6천원)

⌚ 11:30~15:00/17:30~21:00 – 목요일 휴무

🔍 강원 강릉시 난설헌로 228-13(초당동)

☎ 033-652-1006 Ⓟ 가능

만동제과 베이커리

당일 생산하여 당일 판매하는 빵을 선보이고 있는 베이커리. 마늘크림이 가득해 딱딱하지 않고 부드러운 바게트가 인기가 좋다.

㈐ 마늘바게트(6천5백원), 앙크림, 고구마(각 3천원), 오징어먹물(3천5백원), 쑥떡쑥떡, 에멘탈, 카푸치노빵(각 4천5백원), 어니언베이글(5천5백원)

⌚ 11:00~18:00 – 연중무휴

🔍 강원 강릉시 금성로 6(옥천동)

☎ 033-922-6387 Ⓟ 불가

미트컬쳐 MEAT CULTURE 북유럽식 | 스테이크

강릉에서 스테이크와 북유럽식 요리를 즐길 수 있는 곳이다. 네덜란드식 청어 초절임과 바삭하게 구운 바게트를 올린 헤링을 애피타이저로 추천한다. 스웨디시 미트볼도 꼭 맛보아야 한다. 그 외에도 다양한 생선 요리를 스테이크와 함께 즐길 수 있다.

㈐ 뉴욕스트립스테이크(400g 6만원), 안심스테이크(200g 4만5천원), 양갈비스테이크(5만8천원), 스테이크머시룸리조토(3만2천원), 스웨디시미트볼(2만5천원), 오늘의생선요리(변동), 피시앤칩스(2만7천원), 헤링(1만3천원), 골뱅이에스카르고(1만5천원), 청새치세비체(시즌메뉴, 1만3천원), 대구크로켓(9천원), 시저샐러드(1만5천원)

⌚ 11:30~15:00(마지막 주문 14:00)/17:30~22:00(마지막 주문 21:00)

미트컬쳐

– 화, 수요일 휴무
🔍 강원 강릉시 경강로 2629(견소동)
☎ 0507-1318-5439 Ⓟ 가능

바다마을횟집 홍합 | 생선회

7~8년 정도 지난 자연산 홍합인 섭을 전문으로 하는 곳. 입구에서 사장이 직접 손질하는 신선한 섭을 맛볼 수 있다. 고추장을 넣은 얼큰한 섭해장국 맛이 일품이다. 섭칼국수도 추천메뉴며 섭 외에 신선한 자연산 회도 선보인다. 정동진 기찻길 옆에 있어 운치도 있다.

₩ 해물장칼국수(1만원), 장칼국수(8천원), 전복죽(1만5천원), 물회, 회덮밥(각 1만7천원~2만3천원), 광어+우럭, 모둠회(각 소 11만원, 중 14만원, 대 16만원)
🕒 09:30~22:00 | 토, 일요일 09:30~23:00 – 수요일 휴무
🔍 강원 강릉시 강동면 정동등명길 23
☎ 010-4796-9923 Ⓟ 가능

버드나무브루어리

Budnamu Brewery 크래프트맥주바

크래프트 맥주 양조장인 버드나무 브루어리에서 운영하는 펍으로. 강릉의 스토리를 담은 맥주들을 선보인다. 안주로는 피자, 피시앤칩스, 샤퀴테리 보드 등이 있으며, 한쪽에서 다양한 굿즈와 책을 판매하기도 한다. 감각적인 인테리어와 펍 내 양조 시설을 둘러보는 재미도 남다르다.

₩ 크래프트맥주(7천원~9천원), 맥주샘플러(4잔 1만8천원), 송고버섯피자(2만9천원), 떡갈비버거(1만2천원), 육포치즈플래터(2만6천원)
🕒 12:00~16:00/17:00~22:00 – 연중무휴
🔍 강원 강릉시 경강로 1961(홍제동)
☎ 033-920-9380 Ⓟ 불가

벌집 콩국수 | 칼국수 | 비빔국수

일반 가정집을 개조한 식당으로, 장칼국수가 맛있는 집이다. 장칼국수는 직접 담근 고추장으로 얼큰한 맛을 내며, 직접 반죽한 칼국수 면이 쫄깃하다. 다진 고기가 고명으로 올라가며, 새콤한 비빔국수도 별미다.

₩ 장칼국수, 손칼국수(각 9천원)
🕒 10:30~14:40/17:00~18:20(재료 소진 시 마감) – 화요일 휴무
🔍 강원 강릉시 경강로2069번길 15(임당동)
☎ 033-648-0866 Ⓟ 불가

보사노바커피로스터스

BOSSA NOVA COFFEE ROASTERS 커피전문점 | 베이커리

커피의 성지인 강릉 안목 해변 카페거리에서 시작한 전문 커피 로스터리 카페. 원두 선정부터 로스팅까지 전문가가 직접 진행한다. 다양한 베이커리도 준비되어 있다. 4층으로 된 건물에는 루프탑도 있으며, 1층은 반려동물 동반도 가능하다.

₩ 커피(4천5백원~5천4백원), 큐브밀크티, 동백꽃밀크티(각 5천5백원), 스카치오트라테(6천원), 생딸기라테(7천원), 팔미카레(4천5백원), 누네띠네(4천원)
🕒 08:00~22:00(마지막 주문 21:30) | 토, 일요일 07:30~22:00(마지막 주문 21:30) – 연중무휴
🔍 강원 강릉시 창해로14번길 28(견소동)
☎ 033-653-0038 Ⓟ 가능

보헤미안박이추커피 커피전문점

한국 커피의 상징과도 같은 곳으로, 우리나라 1대 바리스타인 박이추 바리스타가 운영하는 커피 전문점이다. 구형 열풍 로스터를 사용한 프렌치 로스팅으로 원두를 강하게 로스팅하는 것이 특징이다.

₩ 핸드드립(5천원~1만원), 카페오레(6천원), 레몬에이드, 아이스크림, 크림소다, 코코아(각 5천원), 강릉커피빵(1만원)
🕒 09:00~17:00 | 토, 일요일 08:00~17:00 – 월, 화, 수요일 휴무
🔍 강원 강릉시 연곡면 홍질목길 55-11
☎ 033-662-5365 Ⓟ 가능

부산처녀횟집 생선회 | 대게

경포대에서 가장 오래된 횟집 중 하나로, 깔끔한 수족관에서 갓 잡은 자연산 활어회를 맛볼 수 있다. 다양한 메뉴로 구성된 세트 메뉴를 주문하면 신선한 해산물과 반찬이 한상 가득 차려진다. 창 밖으로 경포대 바다를 볼 수 있다.

₩ 광어, 우럭(각 소 10만원, 중 13만원, 대 16만원), 모둠회(소 11만원, 중 14만원, 대 17만원), 대게(1kg 14만원), 세트(2인 18만원)
🕒 11:00~23:00 | 토, 일요일 11:00~24:00 – 연중무휴
🔍 강원 강릉시 창해로 485(강문동) 1층
☎ 033-644-2828 Ⓟ 가능

산토리니 santorini coffee 커피전문점

강릉 안목항의 커피거리에 있는 커피 전문점으로, 핸드 드립 커피를 비롯한 다양한 커피를 선보인다. 산토리니 섬을 연상케 하는 흰색과 파란색으로 된 외관이 산뜻하다. 바다를 바라볼 수 있는 테라스 자리에 앉아 커피를 즐길 것을 추천한다.

₩ 산토리니블랜딩(6천원), 에스프레소도피오(4천5백원), 아메리카노(5천원), 카페라테(5천5백원), 아포가토, 스무디(각 6천8백원)
🕒 10:00~21:00(마지막 주문 20:30) | 토요일 09:00~22:00(마지막 주문 21:30) | 일요일 09:00~21:00(마지막 주문 20:30) – 연중무휴
🔍 강원 강릉시 경강로 2667
☎ 033-653-0931 Ⓟ 가능

삼교리원조동치미막국수 막국수 | 수육

동치미 국물에 메밀 함량이 높은 면발이 특징이다. 막국수에 콩가루를 뿌려주는 것이 특이하다. 동치미 국물만을 사용하는데, 살얼음이 살짝 낀 시원한 동치미 국물 맛이 일품이다. 국숫발도 일반 막국수보다는 약간 더 쌉쌀하고 거친 편이다.

₩ 물막국수, 비빔막국수(각 8천원), 메밀전(7천원), 수육(소 1만9천원, 중 2만4천원, 대 2만9천원), 회막국수(1만원)
⏲ 10:00~19:00 – 연중무휴, 10월~4월 둘째, 넷째 주 월요일 휴무
🔍 강원 강릉시 주문진읍 신리천로 760
☎ 033-661-5396 Ⓟ 가능

샌마르 SANMAR PIZZA 미국식피자

남미 해변가에 온듯 컬러풀한 인테리어의 미국식 피자 전문점. 한식과 양식이 혼합된 퓨전 피자인 강릉꼬막피자와 양념돼지고기와 바질 잎, 모차렐라 치즈가 토핑된 마르더베스트가 시그니처 메뉴다. 그 밖에 해바라기의 형상으로 만든 해바라기 고구마피자가 있다.

₩ 강릉꼬막피자(2만9천5백원), 마르더베스트피자(2만4천9백원), 마르썬(2만7천9백원), 고구마피자(2만5백원), 샌마리안피자(1만8천9백원), 감자베이컨피자(2만6천9백원), 감자튀김(7천원), 마르봉(8천5백원)
⏲ 12:00~15:00/17:00~22:00(마지막 주문 21:00) – 화요일 휴무
🔍 강원 강릉시 문화의길 8(임당동)
☎ 070-8285-0759 Ⓟ 가능(우리주차장 이용, 1시간 무료)

서지초가뜰 카페

창녕 조씨 명숙공 가문의 종가댁으로, 300년이 넘은 고즈넉한 한옥 건물에 있는 카페다. 창녕 조씨 반가 음식을 선보인 한정식집으로 운영되었으나, 현재는 카페로 변경되었다. 창녕 조씨 종가의 음식인 씨종지떡은 여전히 맛 볼 수 있으며, 밤, 호박, 쑥, 강낭콩, 볍씨 등이 들어간다.

₩ 아메리카노(4천5백원), 에스프레소(4천원), 카페라테(5천원), 씨종지떡, 곶감약밥, 인절미와플(각 5천원), 수제차(5천원~7천원), 생강라테(6천원), 식혜(5천원)
⏲ 10:30~19:00 | 일요일 11:00~19:00 – 연중무휴
🔍 강원 강릉시 난곡길76번길 43-8
☎ 033-646-4430 Ⓟ 가능

소돌막국수 막국수

시원한 막국수를 맛볼 수 있는 곳으로, 비빔막국수에는 감칠맛 나는 양념장과 명태식해가 고명으로 올라간다. 명태식해를 곁들인 수육과 찐만두를 곁들여도 좋다. 예전 동해막국수에서 소돌막국수로 상호를 변경한 곳이다.

₩ 물막국수(9천원, 곱빼기 1만1천원), 비빔막국수(1만원, 곱빼기 1만2천원), 수육(소 2만2천원, 중 3만3천원), 찐만두(5천원), 옹심이칼국수, 꿩만두국(각 9천원)
⏲ 10:30~15:30/16:30~20:00(마지막 주문 19:00) – 수요일 휴무
🔍 강원 강릉시 주문진읍 연주로 571
☎ 033-662-2263 Ⓟ 가능

송정해변막국수 막국수

막국수와 메밀부침이 유명한 곳. 메밀을 속껍질째 곱게 갈고 고구마 전분과 밀가루를 알맞은 비율로 섞어 면을 뽑는다. 육수는 멸치와 다시마, 무, 대파 등을 넣어 우려낸다.

₩ 메밀물막국수, 메밀비빔막국수(각 9천원), 메밀전(8천원), 수육(소 2만5천원, 대 3만5천원), 도토리묵채, 도토리무침(각 9천원), 메밀전병(7천원)
⏲ 10:00~15:00/17:00~20:00(마지막 주문 19:40) – 화요일 휴무
🔍 강원 강릉시 창해로 267(강문동)
☎ 033-652-2611 Ⓟ 가능

송죽원 추어탕

직접 만든 장으로 특색 있는 맛을 내는 추어탕 전문점이다. 기본 추어탕을 비롯해 쫄깃한 우렁이가 들어간 우렁추어탕, 시원한 홍합이 들어간 홍합추어탕으로도 즐길 수 있다. 강원도 감자를 넣어서 지은 감자밥은 셀프바에서 양껏 가져와 먹을 수 있다.

₩ 추어탕(9천원), 우렁추어탕, 홍합추어탕(각 1만1천원), 미꾸라지튀김(1만원)
⏲ 10:00~15:00/17:00~20:00(마지막 주문 19:30) – 월요일 휴무
🔍 강원 강릉시 난설헌로88번길 5
☎ 033-651-4225 Ⓟ 가능

순두부젤라또2호점
SOONTOFU GELATO 젤라토

순두부로 유명한 초당소나무집에서 운영하는 젤라토집의 2호점. 1호점은 초당소나무집에 함께 있으며, 2호점은 별도의 4층 건물에서 운영하고 있다. 모던한 건물에 테라스 자리와 루프탑도 있어 항상 사람들로 북적인다.

₩ 젤라토(4천5백원), 아메리카노(5천원), 카페라테(5천5백원), 젤라토라테, 젤라토아포가토(각 7천원)
⏲ 09:30~21:30 – 연중무휴
🔍 강원 강릉시 경강로 2642(견소동) 1~4층
☎ 010-4752-5534 Ⓟ 가능

순두부젤라또2호점

쉘리스커피 Shelly's Coffee 커피전문점 | 베이커리

사천진 바닷가에 있어 조용하고 분위기 있게 핸드드립 커피를 맛볼 수 있는 곳. 직접 로스팅하기 때문에 신선한 원두를 즐길 수 있다. 베이커리 메뉴도 준비되어 있으며 지하에는 와인 셀러가 있어 예약하면 와인도 마실 수 있다. 앤티크하면서도 아늑한 분위기가 인상적이다.

₩ 핸드드립커피(7천5백원~9천5백원), 에스프레소(5천5백원), 아메리카노(6천원), 카페라테(6천5백원), 카푸치노(6천5백원), 카페모카(7천원), 쇼콜라(7천원) 아이리시커피(1만3천원), 아이스카페오레(1만2천원), 치즈케이크(8천5백원), 가토쇼콜라(9천원), 화이트초콜릿티라미수(1만7천원)

🕒 10:00~19:00(마지막 주문 18:00) – 화요일 휴무(화요일이 공휴일인 경우 정상 영업)

🔍 강원 강릉시 사천면 진리해변길 95

☎ 033-644-2355 Ⓟ 가능

스시카이토 海音 스시

강원도 지역 특산물과 제철 생선을 활용해 선보이는 오마카세. 하루에 점심 두 타임, 디너는 한 타임으로 운영된다. 타임당 최대 10인까지 받고 있으며, 두 명의 셰프가 맡는다. 런치, 디너 모두 20여 가지가 넘는 다양한 구성으로 준비해 만족스러운 식사를 즐길 수 있다.

₩ 런치오마카세(1인 8만원), 디너오마카세(1인 13만원)

🕒 12:00~15:00/18:00~20:00 – 수요일 휴무

🔍 강원 강릉시 초당원길 17

☎ 0507-1431-2535 Ⓟ 불가(갯마을 입구 앞 공터주차장)

스시카이토

아날로그소사이어티 Analog Society 와인바

아늑하고 고풍스러운 분위기의 와인바. 와인을 비롯해 맥주, 위스키, 칵테일 등 다양한 주류를 만날 수 있다. 포트와인소스를 곁들인 아날로그스테이크와 파스타, 관자새우버터구이 등의 안주 메뉴도 다양한 편.

₩ 관자새우버터구이(2만3천원), 아날로그스테이크(250g 4만8천원), 감바스알아히요(2만원), 과일&치즈플레이트(2만5천원)

🕒 17:00~01:00(익일)(마지막 주문 24:00) – 일요일 휴무

🔍 강원 강릉시 하슬라로232번길 13(교동)

☎ 033-645-0833 Ⓟ 불가

에티오피아 커피전문점

커피의 도시로 유명한 강릉의 커피 전문점 중 하나. 숯불 로스팅을 하는 것이 특징으로, 원두를 품종별로 다양하게 선택할 수 있다. 카페 안쪽은 아늑하고 편안한 분위기로 꾸몄으며, 원두와 커피용품의 구매 또한 가능하다.

₩ 핸드드립커피(5천원~9천원), 에스프레소, 아메리카노(각 4천원), 카페라테(4천5백원)

🕒 10:00~23:00 – 연중무휴

🔍 강원 강릉시 안현로 36(안현동)

☎ 033-644-1277 Ⓟ 가능

엠꼼마카롱 마카롱

아기자기한 분위기의 마카롱 전문 카페. 사람에 따라 다르지만 먹어본 마카롱 중 최고의 맛이라 평하는 사람이 많은 곳이다. 마카롱 외에도 컵케익, 쿠키, 음료 등도 팔고 있다.

₩ 마카롱(2천2백원~3천8백원), 에스프레소(3천5백원), 아메리카노(4천원), 카페라테(4천5백원)

🕒 11:00~20:00 – 화, 수요일 휴무

🔍 강원 강릉시 경강로2115번길 15(임당동) 1층

☎ 070-8870-8485 Ⓟ 가능

영진횟집 생선회

50여 년 전통을 자랑하는 자연산 회 전문점. 모둠회를 주문하면 해삼, 멍게, 소라, 장어, 오징어회, 성게알 등이 곁들이 음식으로 나온다. 자연산이 아닌 양식산 회 또한 맛볼 수 있으며, 창가에 앉으면 바다가 한눈에 보인다.

₩ 모둠회(각 소 12만원, 중 16만원, 대 20만원), 물회(2만3천원), 전복물회, 해삼물회(각 3만원), 문어(소 8만원 대 10만원)

🕒 09:00~22:00 | 토요일 09:00~23:00 – 일요일 휴무

🔍 강원 강릉시 연곡면 해안로 1427

☎ 033-662-7979 Ⓟ 가능

옛태광식당 미역국 | 물회

강원 해안 지방에서 주로 먹었던 우럭미역국을 선보이는 곳. 소고기 대신 우럭을 넣어 끓이는 것이 특징이며, 시원하고 담백한 맛이 좋다. 국물에 뿌린 들깻가루가 고소한 맛을 더한다. 밑반찬도 미역국과 잘 어울린다.

₩ 우럭미역국, 초당순두부(각 1만원), 곰치국(2만5천원), 망치탕(소 3만5천원 대 4만5천원), 문어물회, 가자미물회(각 1만5천원)

🕒 07:30~15:00 – 화요일 휴무

🔍 강원 강릉시 난설헌로 105(포남동)

☎ 033-653-9612 Ⓟ 가능

원조강릉교동반점본점 짬뽕전문점

짬뽕의 얼큰한 국물 맛이 인상적인 곳으로, 메뉴는 짬뽕과 군만두뿐이다. 짬뽕은 밥과 면 중 선택할 수 있으며, 홍합이 푸짐하게 들어가며 후추 향이 강한 편이다.

₩ 짬뽕, 짬뽕밥(각 1만원), 공기밥(1천원)
🕒 10:00~18:00 – 월요일 휴무
🔍 강원 강릉시 강릉대로 205(교동)
☎ 033-646-3833 Ⓟ 불가

원조초당순두부 두부 | 순두부

초당순두부마을 내에 자리하여, 60여 년의 역사를 자랑하는 순두부집. 간수 대신 청정해수 바닷물로 제조하는 것이 특징이다. 순두부백반을 주문하면 고소한 비지찌개와 된장찌개, 깍두기, 호박무침 등이 함께 나우며, 사기그릇에 담긴 뜨거운 순두부와 국물은 고소하고 진하다. 얼큰한 순두부전골도 맛볼 수 있다.

₩ 순두부백반(1만2천원), 순두부전골(2인 이상, 1인 1만4천원), 어린이백반(6천원)
🕒 08:00~16:30 – 화요일, 명절 휴무
🔍 강원 강릉시 초당순두부길77번길 9(초당동)
☎ 033-652-2660 Ⓟ 가능

원조춘하추동 감자탕 | 선지해장국

50년의 전통을 이어오면서 단골이 많은 감자탕 전문점으로, 감자탕과 해장국, 설렁탕 등 다양한 탕요리를 맛볼 수 있는 곳이다. 남은 국물에 밥을 볶아먹거나, 라면 사리를 추가하는 것도 좋다.

₩ 감자탕(소 2만9천원, 중 3만4천원, 대 3만9천원), 뼈감잣국, 설렁탕(각 1만1천원), 선지해장국(9천원)
🕒 07:00~23:00 – 둘째, 넷째 주 화요일 휴무
🔍 강원 강릉시 임영로116번길 4(성내동)
☎ 033-641-2714 Ⓟ 가능

월성식당 생선찜 | 생선조림

주문진 항에서 장치찜을 맛볼 수 있는 곳으로, 꼬들꼬들하게 말린 장치와 매콤달콤한 양념이 어우러진 장치치찜은 오히려 조림에 가깝다. 그 외에도 반건조한 양미리조림, 마른오징어와 마늘종조림, 미역무침 등 반찬도 맛깔스럽다.

₩ 장치찜(소 2만4천원, 중 3만6천원, 대 4만8천원), 생선구이, 생선조림(각 소 2만5천원, 중 3만6천원, 대 4만8천원)
🕒 09:00~20:00 – 월요일 휴무
🔍 강원 강릉시 주문진읍 시장3길 4
☎ 033-661-0997 Ⓟ 불가

은파횟집 생선회 | 물회

강문해수욕징 앞에 있는 횟집으로, 넓게 펼쳐진 해수욕장의 경치를 전망할 수 있는 곳이다. 다양한 종류의 활어회를 맛볼 수 있으며, 식사 메뉴로는 물회와 회덮밥을 추천할 만하다. 새콤한 양념이 더해진 물회의 맛이 좋으며, 소면과 공깃밥이 제공된다.

₩ 은파세트(16만원, 20만원, 25만원), 대게세트(20만원, 30만원, 35만원), 잡어모둠, 광어, 도다리(각 2인 14만원, 3인 17만원, 4인 20만원), 가자미(2인 13만원, 3인 16만원, 4인 19만원), 돌삼치(2인 16만원, 3인 21만원, 4인 26만원)
🕒 10:00~22:00 – 월요일 휴무
🔍 강원 강릉시 창해로350번길 29
☎ 033-652-9566 Ⓟ 가능

인하선생 이자카야

아늑한 분위기의 일식주점. 주문진항, 삼척항 등 동해의 항구에서 직접 가져오는 자연산 해산물 요리가 주를 이룬다. 세트 메뉴를 주문하면 부담 없는 가격으로, 다양한 구성의 해산물 요리를 맛볼 수 있다.

₩ 해산물스페셜(2~3인 7만5천원, 3~4인 9만5천원), 참문어+참소라숙회(4만원), 세트메뉴(2가지 4만원, 3가지 5만5천원, 4가지 6만5천원), 모둠생선구이(중 2만3천원, 대 3만원), 동해안새우튀김(2만6천원)
🕒 17:30~01:00(익일)(마지막 주문 24:00) – 일요일 휴무
🔍 강원 강릉시 율곡초교길43번길 4(교동)
☎ 010-7756-9150 Ⓟ 불가

장안횟집 물회 | 회덮밥

물회가 인기 있는 집으로, 오징어회와 물가자미회 중 선호에 따라 선택할 수 있다. 회를 먹은 국물에 소면을 추가하는 것도 좋다. 깔끔한 맛의 우럭미역국도 맛볼 수 있다.

₩ 물가자미물회, 물가자미회덮밥(각 1만8천원), 우럭미역국(1만2천원)
🕒 09:00~18:00 – 연중무휴
🔍 강원 강릉시 사천면 진리항구길 51
☎ 033-644-1136 Ⓟ 가능

정동진심곡쉼터 감자옹심이

쫀득한 식감의 옹심이와 칼국수 면, 그리고 걸쭉한 국물이 어우러지는 감자옹심이칼국수를 맛볼 수 있는 곳이다. 2인 주문 시 항아리에 칼국수가 가득 담겨온다. 쫄깃한 감자전이나 수수부꾸미도 곁들이면 좋다.

₩ 옹심이칼국수, 감자전, 수수부꾸미(각 8천원)
🕒 09:00~15:00(마지막 주문 14:50) | 토, 일요일 09:00~16:00(마지막 주문 15:50) – 화요일, 명절 당일 휴무
🔍 강원 강릉시 강동면 헌화로 665-4
☎ 033-644-5138 Ⓟ 가능

주문진횟집테라스제이 TERRACE J 생선회

바다를 보며 회와 대게 요리를 코스로 즐길 수 있는 곳. 신선한 회를 합리적인 가격으로 즐길 수 있으며, 서비스와 밑반찬에 대

한 고객의 만족도가 높은 편이다. 펜션과 식당을 함께 운영하고 있어 강릉 여행 시 참고할 만하다.

₩ 활어회코스(2인 13만원, 3인 17만원, 4인 22만원), 게장볶음밥(5천원), 홍게라면(1만2천원)

⏲ 12:00~21:00(마지막 주문 20:00) – 수요일 휴무

🔍 강원 강릉시 연곡면 영진길 63

☎ 010-5374-1874 Ⓟ 가능

쯩라이 正來 일반중식

신라호텔 출신 김정래 셰프가 운영하는 중식당. 두툼하게 튀겨진 탕수육이 인기 메뉴며, 전반적으로 자극적이지 않은 맛이다.

₩ 짜장면(9천원), 짬뽕면(1만1원), 안심탕수육(중 2만7천원, 대 3만9천원), 고추잡채(중 2만8천원, 대 3만8천원)

⏲ 11:00~14:30/17:00~21:00(마지막 주문 20:00) | 토, 일요일, 공휴일 11:00~21:00 – 월요일 휴무

🔍 강원 강릉시 사임당로 131(홍제동) 유천S클래스 203호

☎ 033-641-9716 Ⓟ 가능

차현희순두부청국장 두부

초당마을 내에 있는 곳으로, 두부와 청국장을 전문으로 한다. 두부 제조실을 방문하면 가마솥에서 두부를 직접 만드는 모습을 볼 수 있으며, 따로 비지를 받아갈 수도 있다. 특히, 정식 메뉴를 주문하면 10여 가지의 반찬이 함께 나온다. 현지인이 많이 찾는 곳이다.

₩ 순두부전골정식, 두부전골정식, 청국장정식, 순두부흰색정식(각 2인 이상, 1인 2만원), 모두부, 전골낙지추가(1만원)

⏲ 07:30~20:00 | 수요일 07:30~16:00 – 목요일 휴무

🔍 강원 강릉시 초당순두부길 98(초당동)

☎ 033-651-0812 Ⓟ 가능

철뚝소머리국밥 소머리국밥

주문진에서 유명한 소머리국밥집. 사골 육수의 진하고 깊은 향이 일품이다. 쫄깃하고 부드러운 머릿고기를 맛볼 수 있으며, 함께 나오는 밑반찬이 맛깔스럽다.

₩ 소머리국밥(1만2천원)

⏲ 07:00~16:30 – 첫째, 둘째, 셋째 주 목요일 휴무

🔍 강원 강릉시 주문진읍 철둑길 42

☎ 033-662-3747 Ⓟ 불가

초당고부순두부 두부 | 순두부

강릉 경포호 인근 순두부 마을에 있는 순두부 전문점. 초당 두부는 낮은 염도의 간수를 써 두부의 맛이 부드럽고 구수하며, 감칠맛이 난다. 순두부백반을 비롯하여 두부전골, 두부구이 등 다양한 두부요리를 선보인다. 최근에 리뉴얼하여 쾌적해졌다.

₩ 순두부백반(1만원), 순두부전골, 두부전골(각 2인 이상, 1인 1만2천원), 모두부(2조각 1만원)

⏲ 07:00~20:00(마지막 주문 19:00) | 토, 일요일 07:00~17:00(마지막 주문 16:00) – 월요일 휴무

🔍 강원 강릉시 강릉대로587번길 17(초당동)

☎ 033-653-7271 Ⓟ 가능

초당소나무집 두부

강릉 초당마을의 두부집 중의 하나. 가마솥에서 직접 두부를 만들고 있다. 손으로 만든 모두부를 깻잎김치에 싸먹으면 그 맛이 일품이다. 담백한 순두부도 추천 메뉴. 건물 안에 오픈한 순두부 젤라토도 줄을 서서 먹을 정도로 인기가 좋다.

₩ 순두부전골(2인 이상, 1인 1만2천원), 두부조림(2인 이상, 1인 1만1천원), 해물짬뽕순두부전골(2인 이상, 1인 1만3천원), 해물짬뽕두부전골(소 3만7천원 대 4만7천원), 순두부백반, 모두부(각 1만원), 젤라토(3천5백원)

⏲ 07:40~15:30/17:00~19:30(마지막 주문 19:15) – 화요일, 명절 당일 휴무

🔍 강원 강릉시 초당순두부길 95-5(초당동)

☎ 033-653-4488 Ⓟ 가능

초당할머니순두부 두부

40여 년 동안, 한결같은 맛을 선보이는 강릉의 명물 중 하나다. 간수 대신 바닷물을 사용하는 것이 특징이며, 순두부 외에도 직접 담근 된장으로 끓인 된장찌개와 비지장, 막된장에 묵힌 고추장아찌, 그리고 1년 익힌 김치의 맛 또한 변함이 없다. 어머니에서 아들로 그 비법이 이어지고 있다.

₩ 순두부백반(1만1천원), 얼큰복순두부(1만2천원), 모두부(1만5천원), 두부반모(8천원)

⏲ 08:00~16:00/17:00~19:00 | 화요일 08:00~15:00 | 토, 일요일, 공휴일, 8월 08:00~15:30/17:00~18:30 – 수요일 휴무

🔍 강원 강릉시 초당순두부길 77(초당동)

☎ 033-652-2058 Ⓟ 가능

초시막국수 막국수

오래된 막국수 전문점으로, 살얼음이 둥둥 떠 있는 시원한 물막국수를 맛볼 수 있다. 동절기에는 비정기적 휴무가 잦으니 전화 후 방문하는 것을 추천한다.

₩ 물막국수, 비빔막국수(각 8천5백원, 곱빼기 9천5백원), 수육(소 2만8천원, 대 3만3천원)

⏲ 11:00~16:00 | 하절기 11:00~19:30 – 비정기적 휴무

🔍 강원 강릉시 연곡면 초시길 33-1

☎ 033-661-6231 Ⓟ 가능

카르페디엠 carpe diem coffee 커피전문점

푸른 영진해변이 한눈에 내려다보이는 전망 좋은 카페. 다양한 원두를 취급하고 있으며 자리에서 직접 내린 핸드드립 커피를 추천할 만하다. 3층 건물을 모두 사용하고 있으며, 큰 창 너머로 내다보이는 바다 뷰가 아름답다.

₩ 에스프레소, 아메리카노(각 5천원~5천5백원), 카페라테(5천5백

원~6천원), 핸드드립커피(6천5백원~7천5백원), 스무디, 프라페, 에이드(각 7천원), 생과일주스(7천5백원)
⏲ 09:00~22:00 – 연중무휴
🔍 강원 강릉시 연곡면 해안로 1443
☎ 033-662-1131 Ⓟ 가능

카페뤼미에르 cafe lumiere 카페

안목해변옆에 위치한 전망 좋은 카페로, 핸드드립커피를 비롯하여 다양한 음료와 디저트, 식사를 선보이는 곳이다. 블루큐라소 시럽을 넣은 안목바다에이드를 맛볼 수 있다.

₩ 에스프레소(5천5백원), 아메리카노(5천5백원~5천8백원), 카페라테(5천8백원~6천원), 아몬드크림라테(6천3백원~6천5백원), 핸드드립커피(6천원~6천5백원), 안목바다에이드(6천5백원), 쑥파운드케이크(6천5백원)
⏲ 09:00~23:00 – 연중무휴
🔍 강원 강릉시 창해로14번길 18(견소동)
☎ 033-642-2221 Ⓟ 가능

카페폴앤메리 Cafe Paul&Mary 햄버거 | 카페

바닷가 앞에 자리한 수제버거 카페로, 신선한 재료가 듬뿍 들어간 수제버거를 합리적인 가격에 즐길 수 있다. 버거 사이로 치즈가 길게 늘어져 있는 앵그리버거가 인기 메뉴 중 하나다.

₩ 폴버거(8천5백원), 앵그리버거, 베이컨버거, 하와이버거(각 9천5백원), 아메리카노(2천5백원~3천원), 카페라테(4천5백원~5천원)
⏲ 10:30~16:00/17:00~21:00(마지막 주문 20:30) – 명절 당일 휴무
🔍 강원 강릉시 창해로350번길 33(강문동)
☎ 033-653-2354 Ⓟ 가능

테라로사커피공장

TERAROSA COFFEE 브런치카페 | 베이커리 | 커피전문점

2003년에 문을 연 테라로사 강릉 본점이다. 커피 전문점, 커피 공장, 커피박물관, 화원까지 겸하는 복합 문화 공간으로, 수준 높은 핸드드립 커피와 에스프레소 커피를 즐길 수 있다. 직접 구워 내는 빵과 케이크도 판매하고 있으며, 카페 옆 건물에서는 제작된 굿즈를 판매하고 있다. 레스토랑에서는 오전 9시부터 11시까지 모닝 플레이트를 즐길 수 있으며, 17시까지는 일반 브런치 및 디저트를 주문할 수 있다.

₩ 아메리카노(5천3백원~5천8백원), 카페라테(6천원), 카푸치노(5천5백원), 핸드드립커피(6천원~1만2천원), 하우스주스(7천원), 베네수엘라초콜릿(6천5백원), 아메리칸피칸파이, 레몬치즈케이크(각 6천원)
⏲ 09:00~21:00(마지막 주문 20:30) – 연중무휴
🔍 강원 강릉시 구정면 현천길 7
☎ 033-648-2760 Ⓟ 가능

토담순두부 두부 | 순두부

초당두부의 본 고향인 초당마을에 있는 두부전문식당. 간수 대신 동해 바닷물을 사용하여 두부를 만든다. 담백한 순두부백반을 비롯해 얼큰하게 끓인 순두부전골이 대표 메뉴다.

₩ 순두부전골, 두부전골(각 2인 이상 1인 1만2천원), 순두부백반(1만원), 모두부(1만원)
⏲ 08:00~16:00(마지막 주문 15:20) – 수요일 휴무
🔍 강원 강릉시 난설헌로193번길 1-19(초당동)
☎ 033-652-0336 Ⓟ 가능

통일집 소고기구이

50여 년 전통의 고깃집. 미국산 등심과 안창살을 부담없는 가격으로 즐길 수 있다. 차돌박이는 한우를 사용한다. 고기를 특제 소스에 담가서 숯불에 굽는 것이 특징. 식사 메뉴로 시골밥상 같은 된장찌개가 있으며 밥은 일반 공깃밥과 찰밥 두 가지 중 선택할 수 있다.

₩ 등심, 차돌박이, 안창살, 양(각 200g 2만5천원), 된장찌개(2천원)
⏲ 12:00~14:30/17:00~21:00 – 명절 휴무
🔍 강원 강릉시 금성로61번길 11-1(성남동)
☎ 033-648-3824 Ⓟ 가능

툇마루 커피전문점

흑임자라테로 전국적으로 유명해진 곳이다. 툇마루커피라는 메뉴가 흑임자라테를 말하며 차가운 우유에 고소하고 달달한 흑임자크림과 찐득하고 씁쓸한 에스프레소를 얹어 만든다. 최근 확장 이전하면서 예전처럼 네 시간씩 웨이팅하지는 않지만, 여전히 줄을 서서 기다려야 한다.

₩ 에스프레소, 아메리카노(각 4천5백원), 라테(5천3백원), 툇마루커피(6천원), 플랫화이트, 카푸치노(각 5천원), 바닐라라테(5천8백원), 밤슈(4천5백원), 현미누룽지쿠키(3천3백원)
⏲ 11:00~19:00(마지막 주문 18:00) – 화요일 휴무
🔍 강원 강릉시 난설헌로 232(초당동)
☎ 033-922-7175 Ⓟ 가능

툇마루

팡파미유 Pain Famille 베이커리

강릉에서 육쪽마늘빵으로 이름을 떨친 곳. 이외에도 소박한 스타일의 빵을 판매한다. 스테디셀러인 육쪽마늘빵은 매대에 내놓지 않고 카운터에서 따로 주문을 받는다. 갓나온 촉촉한 마늘빵이 최고지만 차가운 상태로 에어프라이어에 데워먹으면 우유와 잘 어울린다는 평.

₩ 육쪽마늘빵, 육쪽양파빵, 육쪽초코빵, 육쪽커피빵(각 4천5백원, 3개 1만3천원, 5개 2만1천원), 아메리카노(2천5백원), 카페라테(3천원), 마법의딸기라테(4천8백원)

◷ 09:00~21:00 – 목요일 휴무

🔍 강원 강릉시 주문진읍 주문로 7 ☎ 033-662-3680 Ⓟ 불가

퍼베이드 pervade 카페

화이트 펜트하우스의 느낌을 주는 디저트 카페로, 커다란 창문과 천창이 있는 실내가 시원한 느낌을 준다. 다양한 빵과 디저트, 음료를 맛볼 수 있다.

₩ 에스프레소, 아메리카노(각 4천8백원), 카페라테(5천5백원), 무화과크림치즈바게트, 올리브치아바타(각 5천8백원), 티라미수(7천5백원), 쿠키(2천5백원)

◷ 10:30~20:30 – 연중무휴

🔍 강원 강릉시 화부산로 78(교동) ☎ 033-645-7953 Ⓟ 가능

풍년갈비 🎀 소갈비

비장탄 숯불에 구운 돼지갈비, 소갈비를 즐길 수 있는 곳. 생후 90일 미만의 암퇘지를 저온에서 이틀간 숙성하고, 양념에 재워 삼일간 숙성하여 부드러운 육질을 자랑하는 돼지갈비를 선보이고 있다. 수려한 소나무 경치가 보이는 전망이 아름답다.

₩ 풍년한우양념갈비(200g 5만6천원), 풍년한우생갈비(200g 5만8천원), 풍년한돈갈비, 풍년한돈생갈비(각 250g 2만원)

◷ 11:00~21:00(마지막 주문 20:10) – 연중무휴

🔍 강원 강릉시 강릉대로587번길 10-5(초당동)

☎ 033-651-9245 Ⓟ 가능

해성횟집 삼숙이

삼척항에서 들여온 생물 삼숙이를 미나리, 명태곤이, 대파와 함께 얼큰하게 끓여낸 삼숙이탕을 맛볼 수 있는 곳이다. 고추장을 풀어 국물이 칼칼하며, 쫄깃한 삼숙이 살과 명태곤이는 고추냉이를 푼 간장에 찍어 먹는다.

₩ 삼숙이탕, 알탕(각 1만4천원)

◷ 09:00~15:00/17:00~19:30 – 연중무휴

🔍 강원 강릉시 금성로 21(성남동) 중앙시장빌딩 2층 30호

☎ 033-648-4313 Ⓟ 불가(중앙시장 공영주차장 이용)

현대장칼국수 칼국수

김가루를 가득 뿌린 장칼국수가 유명한 곳이다. 쫄깃한 면의 장칼국수는 매콤하고 얼큰한 것이 특징이나, 맵기의 조절이 가능하다.

₩ 장칼국수(9천원, 곱빼기 1만원), 맑은칼국수(9천원), 공기밥(1천원)

◷ 10:00~19:00(마지막 주문 18:30) – 화요일, 명절 당일 휴무

🔍 강원 강릉시 임영로182번길 7-1(임당동)

☎ 033-645-0929 Ⓟ 불가

형제막국수 🎀 막국수 | 수육

더운 여름날, 시원한 막국수를 맛볼 수 있는 막국수 전문점이다. 막국수에 수육을 곁들이면 한 끼 식사로 손색이 없다. 비빔막국수에 함께 나온 육수를 부어, 비벼 먹는 것도 좋다.

₩ 비빔막국수, 물막국수, 비빔냉면, 물냉면(각 1만원), 수육(소 3만원, 대 4만원)

◷ 11:00~16:00(마지막 주문 15:30)/17:00~20:00(마지막 주문 19:30) – 목요일 휴무

🔍 강원 강릉시 사임당로 113-3(홍제동)

☎ 033-645-9969 Ⓟ 가능

홍질목 추어탕

추어탕을 즉석에서 끓여 먹을 수 있는 곳이다. 메뉴는 추어탕 한 가지 뿐인데, 미꾸라지를 갈아 넣고 고추장과 버섯 등을 풀어 추어육개장이라고도 볼 수 있다. 관광객보다 현지인이 많이 찾는 곳이다.

₩ 추어탕(1만1천원), 추어튀김, 큰감자전(각 1만원), 감자전(6천원)

◷ 10:00~20:00 – 마지막 주 수요일 휴무

🔍 강원 강릉시 연곡면 홍질목길 54

☎ 033-662-6729 Ⓟ 가능

강원도 고성군

광범이네횟집 물회

해삼과 생선회가 실하게 들어 있는 물회가 유명하다. 새콤달콤한 육수에 얼음이 둥둥 떠 있는 물회가 시원하다. 회를 건져 먹고 나서 소면을 말아서 먹으면 한 끼 식사로도 든든하다.

₩ 물회(2인이상, 보통 1인 1만7천원, 특 1인 2만7천원), 회덮밥(1만7천원), 매운탕(소 4만원, 대 6만원)

◷ 10:00~20:00(마지막 주문 19:00) – 월요일 휴무

🔍 강원 고성군 죽왕면 가진해변길 114

☎ 033-682-3665 Ⓟ 가능

교동막국수 막국수 | 수육 | 쌈밥

구수한 막국수와 쌈밥을 맛볼 수 있는 곳이다. 고성 지역 심산계곡에서 채취한 산나물의 향이 독특하고 신선하며, 함께 나오는 밑반찬도 깔끔하다. 가격 대비 만족도가 높다는 평이다.

₩ 명태회막국수(1만원), 메밀물막국수(9천원), 쌈밥(2인 이상, 1인 9천원), 비빔밥(9천원), 편육(소 1만5천원, 중 2만원)

◷ 11:00~19:00 – 연중무휴

🔍 강원 고성군 간성읍 진부령로 2709-4
☎ 033-681-3307 Ⓟ 가능

금화정막국수 막국수

시원하게 담근 동치미 국물과 구수한 메밀면, 고명 등이 어우러진 동치미막국수가 인기 있는 매콤한 비빔국수도 추천 메뉴며, 고소한 메밀전병을 명태회무침에 싸먹는 것도 좋다.

Ⓦ 동치미막국수, 비빔막국수(각 1만원), 메밀부침, 메밀전병(각 7천원), 수육(소 1만3천원, 대 2만3천원)
🕒 10:30~16:00 - 월요일 휴무
🔍 강원 고성군 토성면 화원길 42-21
☎ 033-632-5466 Ⓟ 가능

동루골막국수 닭백숙 | 막국수 | 수육

속초 사람들만 찾는다는 숨은 맛집이다. 알맞게 익은 상큼한 동치미 국물 맛과 소박하면서 구수한 메밀국수 맛이 일품이다. 텃밭에서 금방 따온 채소와 직접 농사지은 고춧가루, 들기름 등이 맛의 비결이다. 계절 별미로 송이육개장이 있다.

Ⓦ 막국수(보통 1만원, 곱빼기 1만2천원), 수육(2만8천원), 백숙(7만원), 육개장(1만원), 닭볶음탕(7만원)
🕒 10:00~17:00(마지막 주문 16:50) - 화요일 휴무
🔍 강원 고성군 토성면 성대로 188
☎ 033-632-4328 Ⓟ 가능

동루골막국수

바다정원

seaside garden 베이커리 | 카페 | 이탈리아식

푸른 동해 경치를 바라보며 시간을 보낼 수 있는 카페. 파란 소다 시럽이 깔린 바다라테와 민트 시럽이 깔린 정원라테가 시그니처 메뉴며 갓 구운 빵도 다양하게 선보인다. 바다를 정면으로 바라보며 앉을 수 있는 야외 정원 자리가 인기 있으며 5층으로 된 건물 층마다 포토존이 있다. 캐러멜쿠키가 시그니처.

Ⓦ 에스프레소(5천8백원), 아메리카노(hot 5천8백원, ice 6천3백원), 카페라테(hot 6천3백원 ice 6천8백원), 카라멜슈페너(7천5백원), 레몬에이드(6천8백원), 카라멜쿠키(1천9백원), 생카라멜(1천2백원)
🕒 10:00~20:00 | 토, 일요일 10:00~22:00 | 레스토랑 10:00~18:00 - 연중무휴
🔍 강원 고성군 토성면 버리깨길 23
☎ 033-636-1096 Ⓟ 가능

백촌막국수 막국수 | 수육

고성의 명물이 된 막국숫집. 메밀 함량이 높은 면발에 살얼음이 낀 동치미 국물 맛이 일품이다. 햇메밀로 만드는 겨울철이나 이른 봄철에 찾아가면 최고의 맛을 즐길 수 있다. 주문하면 면을 삶기 시작하는 것이 특징. 기본찬으로 나오는 백김치, 명태무침도 별미. 부드럽고 촉촉한 수육과 곁들이면 더욱 일품이다. 양이 충분하므로 반은 물막국수로, 반은 비빔막국수로 먹어보는 것도 만족도를 높이는 요령 중 하나.

Ⓦ 메밀국수(1만원, 곱빼기 1만2천원), 편육(2만5천원)
🕒 10:30~17:00 | 화요일 10:30~15:00 - 수요일 휴무
🔍 강원 고성군 토성면 백촌1길 10
☎ 033-632-5422 Ⓟ 가능

봉포선영이네물회전문점 물회 | 생선회

고성에서 물회로 손꼽을 만한 집으로, 광어, 성게, 오징어, 소라, 개불, 멍게, 해삼 등 제철 해산물이 물회에 듬뿍 들어간다. 물회에 다시마 국수가 들어가는 것이 특징이며, 육수는 황태와 과일 초장으로 만들어 새콤달콤하다.

Ⓦ 특선영물회, 오미자물회(각 2만4천원), 전복죽(2만2천원), 오징어순대, 전복회덮밥, 멍게비빔밥, 전복미역국(각 1만9천원)
🕒 10:30~16:00/17:30~20:50(마지막 주문 20:00) - 화요일 휴무
🔍 강원 고성군 토성면 토성로 75
☎ 050-4458-1590 Ⓟ 가능

부부횟집 물회 | 생선회

자연산 잡어회와 물회 전문점. 자연산 활어회, 오징어, 멍게 등 그날 들어온 생선과 해산물이 들어간 시원한 물회가 인기 메뉴다. 새콤달콤한 물회 육수 맛이 일품이며 소면을 넣어 말아 먹으면 든든하다.

Ⓦ 물회(2만원), 회덮밥(1만8천원), 우럭매운탕, 지리탕(각 2인 4만원, 3인 6만원)
🕒 10:30~20:30(마지막 주문 19:30) - 화요일 휴무
🔍 강원 고성군 죽왕면 가진해변길 88
☎ 033-681-0094 Ⓟ 가능

산북막국수 막국수 | 제육 | 닭백숙

산골 구석에 있는 막국수 전문점. 물김치와 동치미에 순무를 사용하여 국물이 분홍빛이 나는 것이 특징이다. 면을 직접 뽑아 삶기 때문에 음식이 나오는 데에는 시간이 약간 걸리는 편. 편육을 곁들이는 것도 좋다.

Ⓦ 메밀막국수(소 8천원, 대 9천원), 순메밀막국수(9천원), 닭백숙,

닭볶음탕(각 6만원)
⏲ 11:00~19:00(마지막 주문 18:30) – 둘째, 넷째 주 화요일, 명절 당일 휴무
🔍 강원 고성군 거진읍 산북길 16
☎ 033–682–1733 Ⓟ 가능

성진회관 생태 | 삼겹살

맑은 국물로 담백하고 깔끔하게 끓여 내는 생태찌개를 맛볼 수 있는 곳. 생태찌개 외에도 명태찌개, 북엇국, 소내장전골도 선보이고 있다.
₩ 생태찌개(2인 이상, 1인 2만원), 명태찌개(2인 이상, 1인 1만2천원), 오징어볶음(1만2천원), 북엇국(9천원), 소내장전골(5만원)
⏲ 07:00~21:00 – 명절 당일 휴무
🔍 강원 고성군 거진읍 거탄진로 99
☎ 033–682–1040 Ⓟ 가능

송원 일반한식

강원도 향토음식을 선보이는 한식당. 메뉴는 찌개를 비롯해서 탕, 면, 밥, 코스 요리까지 다양하다. 조식 메뉴와 일반 식사 메뉴를 따로 구성해 오전 8시부터 11시까지 조식 메뉴를 맛볼 수 있다. 설악산 울산바위가 보여 전망이 좋다. 델피노리조트 내에 있으며 클럽하우스로 주로 이용된다.
₩ 해물짬뽕순두부(1만8천원), 명태씨앗젓갈비빔밥(1만7천원), 고등어정식(2만4천원), 돼지고기묵은지전골(2인 이상, 2만4천원)
⏲ 08:00~15:00/17:30~21:00 – 연중무휴
🔍 강원 고성군 토성면 미시령옛길 1153 델피노골프앤리조트 C동 지하 2층, D동 2층
☎ 033–639–8370 Ⓟ 가능

수성반점 일반중식

허름한 중국집이지만, 고성에서 짬뽕으로 알아주는 집이다. 신선한 해산물이 가득 들어 있는 짬뽕은 보기에도 먹음직스럽다. 걸쭉한 국물에 해물과 면의 조화가 좋다.
₩ 해물짬뽕(1만1천원), 짬뽕밥(1만2천원), 짜장면(7천원), 짜장밥(9천원), 볶음밥(1만원), 탕수육(소 2만원, 중 3만원, 대 4만원)
⏲ 11:00~16:00 – 첫째, 셋째 주 월요일 휴무
🔍 강원 고성군 죽왕면 공현진길 37 ☎ 033–631–1492 Ⓟ 불가

스퀘어루트 SquareRoot 카페 | 베이커리

갤러리와 함께 운영하는 베이커리 카페. 바다 인근에 자리 잡고 있어 루프탑에서 오션뷰를 볼 수 있는 곳이다. 전문 바리스타가 직접 로스팅한 커피를 맛볼 수 있으며, 커피 산지에서 엄선한 스페셜티 뉴크롭 원두만을 사용한다. 다양한 베이커리 종류를 함께 즐기기도 좋다.
₩ 블랙씨드라테(8천5백원), 스퀘어아이스티(8천원), 아메리카노(5천5백원), 카페라테(6천5백원), 스트로베리툴시, 로투스썬데(각 7천5백원)
⏲ 10:00~19:00 | 토, 일요일 09:00~19:00 – 연중무휴
🔍 강원 고성군 죽왕면 가향길 2–7
☎ 033–681–0604 Ⓟ 가능

아바라운지 다이닝바 | 전복죽

아침에는 전복죽, 저녁에는 안주 코스를 맛볼 수 있는 한식당. 저녁 안주 코스에는 당일 준비되는 해산물과 한우로 구성된 7~8가지 메뉴가 나온다. 저녁은 하루 전 예약 후 이용할 수 있으며 와인과 함께 즐기기 좋다.
₩ 아침전복죽(M 1만5천원, L 2만원), 저녁안주코스(11만원)
⏲ 08:40~10:00/18:00~20:00 – 연중무휴
🔍 강원 고성군 토성면 아야진해변길 19 1층
☎ 0507–1335–9861 Ⓟ 가능

자매해녀횟집 물회 | 생선회 | 세꼬시

가진항활어회센터 내에 자리한 횟집으로, 물회가 대표 메뉴다. 해삼과 소라, 멍게 등이 푸짐하게 들어가는 스페셜 물회도 별미며, 국수 사리를 추가하면 좋다. 자연산 광어, 도다리, 우럭회도 선보이고 있으며, 모둠회도 추천할 만하다.
₩ 물회(1만5천원), 스페셜물회(2만원), 광어, 도다리, 우럭, 도미(각 시가), 세꼬시(중 5만원, 대 7만원), 매운탕(각 중 4만원, 대 6만원), 회덮밥(1만5천원), 멍게덮밥(2만원)
⏲ 08:00~22:00 – 월요일 휴무
🔍 강원 고성군 죽왕면 가진해변길 123
☎ 033–681–1213 Ⓟ 가능

자매활어횟집 생선회 | 삼숙이 | 물회

고추장과 고춧가루로 얼큰하게 끓인 삼숙이 매운탕을 선보이는 곳이며, 새콤달콤한 물회와 신선한 모둠회 또한 맛볼 수 있는 곳이다. 특히 10월부터 이듬해 4월까지 잡히는 삼숙이의 맛이 좋다고 한다.
₩ 물회(일반 1만5천원, 모둠 2만원), 광어(8만원), 우럭(7만원), 모둠회(소 6만원, 중 8만원, 대 10만원, 특대 12~15만원)
⏲ 08:30~21:00 – 연중무휴
🔍 강원 고성군 거진읍 거진항1길 62
☎ 033–682–7533 Ⓟ 가능

제비호식당 🎀 생선찌개 | 생선매운탕 | 동태

40년 넘게 거진항에 자리한 생태찌개 전문점이나, 요즘은 그날의 재료에 알맞은 메뉴를 선보이고 있다. 동태탕과 갈치조림, 도치알탕 등을 주로 맛볼 수 있다.
₩ 생대구탕, 도치알탕, 가자미조림, 가오리조림, 갈치조림, 생선모둠조림(각 2인 3만원)
⏲ 09:00~17:00 – 화요일 휴무
🔍 강원 고성군 거진읍 거진항길 29
☎ 033–682–1970 Ⓟ 가능

제비호식당

창바위식당 닭백숙 | 오리백숙

아침마다 직접 잡은 토종닭을 능이와 함께 백숙으로 고아 내는 곳으로, 능이와 닭에서 우러나온 국물이 진하다. 능이를 넣은 오리백숙 또한 맛볼 수 있다. 메뉴의 조리 시간이 있으니, 예약 후 방문하는 것을 추천한다.

₩ 능이백숙(한마리 8만원, 한마리반 12만원), 닭볶음탕(8만원), 능이옻백숙(한마리 8만5천원, 한마리반 12만5천원), 감자전, 도토리묵, 메밀전병(각 1만2천원)
⏲ 11:00~21:00 – 연중무휴
🔍 강원 고성군 토성면 원암학사평길 28
☎ 033-632-1837 Ⓟ 가능

화진포박포수가든 막국수 | 보쌈

70여 년간 3대째 자리를 지키는 메밀막국수 전문점. 동치미 국물에 말아 나오는 막국수를 맛볼 수 있으며, 수육이나 명태식해를 곁들여도 좋다. 실내가 넓어 쾌적한 느낌을 준다.

₩ 막국수(1만원, 곱빼기 1만2천원), 수육보쌈(3만원), 도토리묵무침(1만1천원), 메밀왕만두(8천원), 명태식해(100g 4천원)
⏲ 10:30~18:00(마지막 주문 17:20) – 연중무휴
🔍 강원 고성군 현내면 화진포서길 76
☎ 033-682-4856 Ⓟ 가능

강원도 동해시

냉면권가 冷麵權家 함흥냉면 | 평양냉면 | 통닭

3대에 걸쳐 내려오는 권영한 대표의 평양냉면집. 소고기 육수와 동치미 육수를 섞어 은은한 육향에 적당한 산미가 느껴진다. 스팀 오븐에 구워내는 통닭을 곁들이는 것이 특징이다.

₩ 평양냉면, 함흥냉면, 온면(각 1만3천원), 순면(1만8천원), 통닭(2만8천원)
⏲ 11:00~14:30/16:30~20:00(마지막 주문 19:30) – 월요일 휴무
🔍 강원 동해시 중앙로 236-1(천곡동)
☎ 033-533-9911 Ⓟ 가능

덕취원 德聚園 일반중식

80여 년간, 3대에 걸쳐 내려온 전통이 있는 중식당으로, 해산물이 넉넉히 들어있는 쟁반짜장을 맛볼 수 있는 곳이다. 여름에는 시원하고 고소한 중국 냉면을, 겨울에는 시원한 굴짬뽕을, 그리고 대게 철에는 게살샥스핀을 선보이고 있다.

₩ 짜장면(7천원), 쟁반짜장(2인 1만8천원), 짬뽕, 볶음밥(각 9천원), 굴짬뽕(1만원), 탕수육(소 2만2천원, 중 3만원, 대 4만원), 게살샥스핀(6만5천원)
⏲ 11:30~14:50(마지막 주문 14:40)/17:00~20:40(마지막 주문 19:40) – 일요일 휴무
🔍 강원 동해시 대동로 118(구미동)
☎ 033-521-4054 Ⓟ 불가"

동그라미해물집 생선구이 | 생선회

생선구이와 모둠회와 더불어 맛깔스러운 반찬을 한상 가득 내는, 푸짐한 생선정식을 선보이는 곳. 생선정식 외에도, 모둠회나 물회 등을 맛볼 수 있다.

₩ 동그라미정식(2인 이상, 1인 1만6천원), 물회(1만5천원), 생선구이(소 1만5천원, 중 3만원, 대 4만원), 모둠회(중 5만원, 대 7만원), 전복물회(1만5천원)
⏲ 11:30~14:30(마지막 주문 13:30)/17:30~21:00(마지막 주문 19:30) – 연중무휴
🔍 강원 동해시 효자로 686-4(효가동)
☎ 033-522-4449 Ⓟ 가능

동해바다곰치국 곰치 | 가자미

묵호항 인근에서 소문난 곰칫국 전문점으로, 강원도 특산물 곰치를 김치와 끓여 낸 곰칫국을 맛볼 수 있는 곳이다. 생선 아가미젓갈을 넣은 깍두기, 반건조 오징어볶음, 가자미식해, 톳나물, 곰피 등의 맛깔스러운 반찬들도 선보인다.

₩ 곰칫국(2만2천원), 가자미구이(2인 3만원), 가자미횟밥(1만5천원), 성게비빔밥(계절메뉴 2만원)
⏲ 06:30~18:30 – 첫째 주 목요일 휴무
🔍 강원 동해시 일출로 179(묵호진동)
☎ 033-532-0265 Ⓟ 가능

만강홍 滿江鴻 일반중식

현지인들이 즐겨 찾는 중국 요리집. 80년대에 개업하여 대를 이어 영업 중이다. 레몬을 넣은 레몬탕수육과 볶음짬뽕이 가장 유명하다. 주문과 동시에 요리를 만들어 정성 가득한 정통 중국 요리의 맛을 보여준다.

₩ 짜장면(7천원), 볶음짬뽕(1만원), 중국식냉면(하절기 1만원), 불쟁반짜장(2인 이상, 1인 1만3천원), 레몬탕수육(소 2만2천원, 중 2만7천원, 대 3만2천원)

Ⓒ 11:00~15:00/17:00~21:00(마지막 주문 20:00) | 토요일 11:00~16:00(마지막 주문 15:00) – 일요일 휴무
Q 강원 동해시 평원로 20(천곡동)
☎ 033-532-5644 Ⓟ 가능

물곰식당 곰치 | 도루묵

동해항 인근의 곰칫국 전문점. 콩나물을 넣어 맑고 시원하게 끓이는 스타일이다. 곰칫국 외에도 도루묵찌개, 생태찌개 등 속을 풀어주는 메뉴를 선보이고 있다.

₩ 곰칫국(1인 2만원), 생태탕(소 2만5천원, 중 3만원, 대 3만5천원), 갈치조림(소 3만5천원, 중 4만원, 대 4만5천원), 대구탕(소 2만5천원, 중 3만5천원, 대 4만원), 황태해장국(1만원)
Ⓒ 하절기(4월~10월) 05:00~20:30 | 동절기(11월~3월) 06:00~19:30 – 첫째 주 화요일 휴무
Q 강원 동해시 산제골길 3(묵호진동)
☎ 033-535-1866 Ⓟ 가능

부흥횟집 물회 | 생선매운탕 | 쏙

50여 년의 전통을 자랑하는 횟집으로, 채소에 살얼음이 낀 시원한 육수를 부어 내는 물회가 유명하다. 취향에 따라 매운탕과 지리 중 선택할 수 있는 생선탕과 모둠회도 선보이고 있다.

₩ 물회, 회덮밥, 대구매운탕, 맑은탕(각 1만5천원), 모둠회(중 4만원, 대 4만5천원)
Ⓒ 11:00~14:30/17:30~20:00 – 첫째 주 일요일, 셋째 주 월요일 휴무
Q 강원 동해시 일출로 93(묵호진동)
☎ 033-531-5209 Ⓟ 가능

선창횟집 물회 | 생선회 | 오징어

식당 소유의 어장이 있기 때문에 그날그날의 신선한 회를 맛볼 수 있는 회 전문점. 회 이외에도 곁들이 음식과 칼칼한 매운탕 등을 다양하게 선보이고 있다.

₩ 선창스페셜(20만원, 30만원), 물회덮밥(1만5천원), 모둠회(소 8만원, 대 12만원, 특 15만원), 오징어(중 5만원)
Ⓒ 10:00~22:00 – 월요일 휴무
Q 강원 동해시 일출로 233(어달동)
☎ 010-4803-5862 Ⓟ 가능

신라1993 물회 | 생선회 | 세꼬시

활어 세꼬시와 계절 생선회를 올린, 새콤달콤한 육수의 물회를 맛볼 수 있는 물회 전문점. 전복이나 멍게, 문어 등을 추가할 수 있으며, 그 외에도 신선한 생선회와 해물, 새우장 등을 선보이고 있다.

₩ 물회(1만3천원, 뼈없이 1만5천원, 전복 1만8천원, 오징어, 스페셜 각 2만원), 세꼬시회(3만원), 모둠회(소 4만원, 대 6만원), 신라오마카세(4인 25만원)
Ⓒ 11:30~15:00/17:00~22:00 – 화요일 휴무
Q 강원 동해시 감추4길 30 신라1993
☎ 033-533-2888 Ⓟ 가능

잉걸 INGLE 다이닝바 | 와인바

망상해수욕장 앞에 있어 바다뷰가 펼쳐지는 다이닝 & 와인바. 숯 연기와 불로 요리하는 우드파이어 그릴이 특징이다. 낮에는 숯불에 구운 함박 런치도 맛볼 수 있으며, 저녁에는 야외 테라스에서 꿀대구, 이베리코, 문어, 와규 같은 요리와 함께 와인을 즐기기 좋다.

₩ 런치숯불함박, 자바리(각 1만8천원), 관자(1만9천원), 잎새버섯(1만6천원), 꿀대구(2만1천원), 제비추리(1만8천원), 이베리코(3만9천원), 와규(4만2천원), 문어(2만7천원), 프렌치프라이(7천원)
Ⓒ 12:00~14:00(마지막 주문 13:00)/18:00~22:00(마지막 주문 21:00) – 월, 화요일 휴무
Q 강원 동해시 동해대로 6270-18(망상동)
☎ 010-7554-6270 Ⓟ 불가

참맛골 코다리

칼칼한 매콤한 코다리찜과 짭짤하고 달짝지근한 코다리조림을 선보이는 곳. 조림에 들어가는 감자가 별미며 함께 나오는 반찬들도 맛깔스럽다.

₩ 코다리조림(소 3만5천원, 중 4만5천원, 대 5만원), 코다리찜(소 3만5천원, 중 4만5천원, 대 5만원), 씨암탉조림(2인 소 3만7천원, 중 4만7천원, 대 5만2천원)
Ⓒ 09:30~21:30 – 월요일 휴무
Q 강원 동해시 동굴로 69(천곡동)
☎ 033-533-3776 Ⓟ 가능

충북횟집 물회 | 생선회 | 오징어

어달 회타운 안에 자리하고 있어 동해와 까막바위가 보이는 횟집으로, 20여 가지의 반찬과 해산물이 나오는 모둠회를 선보이고 있다. 오징어회와 오징어물회도 추천할 만하다.

₩ 광어, 우럭, 가자미, 모둠회(각 소 8만원, 중 11만원, 대 13만원), 물회(소 1만5천원, 특대 2만원)
Ⓒ 09:00~22:00 – 첫째 주 수요일 휴무
Q 강원 동해시 일출로 151(묵호진동) 삼양비취타워 4호
☎ 033-535-1485 Ⓟ 가능

해변으로 칼국수 | 수제비

바다 내음이 물씬한 성게칼국수 전문점. 성게가 듬뿍 들어 있는 것은 아니지만, 별미로 한 번 먹어볼 만하다. 시원하고 맑은 국물이 깊고 진하다.

₩ 성게칼국수, 성게수제비(각 9천원), 성게비빔밥(2만3천원), 콩국수(2인 이상, 계절메뉴, 1인 1만원)
Ⓒ 08:00~19:00 | 하절기 08:00~20:30 – 연중무휴
Q 강원 동해시 일출로 217(어달동)
☎ 033-533-5424 Ⓟ 가능

강원도 삼척시

덕성루 德盛樓 일반중식
동해의 덕취원과 함께 오랜 역사를 자랑하는 곳으로, 화교가 운영하는 정통 화상 중식당이다. 짜장면과 볶음밥이 맛있다. 옛날 스타일의 탕수육도 기본 이상은 한다.

₩ 짜장면(6천원), 간짜장, 짬뽕, 볶음밥(각 7천원), 탕수육(소 2만원, 중 2만5천원, 대 3만원), 중식냉면(하절기 1만원)
⏲ 11:30~15:00/17:00~20:30(마지막 주문 19:30) – 수요일 휴무
🔍 강원 삼척시 대학로 16-2(당저동)
☎ 033-574-8860 Ⓟ 불가

만남의식당 곰치 | 대구 | 생태
곰치와 김치를 넣고 얼큰하고 시원하게 끓여낸 곰치해장국이 속을 잘 풀어준다. 반찬으로 나오는 미역무침이나 아가미젓갈 등 반찬도 맛깔스럽다. 곰치가 잡히지 않으면 곰치해장국은 팔지 않으니 전화로 재료가 있는지 확인 후 방문하는 것이 좋다.

₩ 곰치해장국(2만원), 대구해장국(1만5천원)
⏲ 08:00~15:00 – 월요일 휴무
🔍 강원 삼척시 새천년도로 84(정하동)
☎ 033-574-1645 Ⓟ 가능

맛과향이있는집 문어
문어숙회가 맛있기로 유명한 집. 살아 있는 싱싱한 문어를 주문 즉시 삶아 낸다. 문어 삶은 물에 끓여내는 수제비 맛도 일품이다. 문어 숙회가 나오기 전, 기본 반찬으로 제공되는 두부전과 커다란 굴이 들어간 배추김치도 술안주로 좋다. 예약 필수.

₩ 문어숙회오마카세(시가)
⏲ 18:00~24:00(예약 필수) – 연중무휴
🔍 강원 삼척시 대학로 51(당저동)
☎ 033-575-0215 Ⓟ 불가

바다마을 가자미 | 곰치 | 대구
곰칫국은 5월~6월에 가격이 올라 취급하지 않는 곳이 많지만, 이곳에서는 1년 내내 곰칫국을 먹을 수 있다. 6개월 이상 묵은 김치를 넣어 시원하고 얼큰하다. 매콤새콤한 가자미회무침도 별미. 삼척해수욕장 인근에 있어 시원한 파도 소리와 함께 식사를 즐길 수 있다.

₩ 곰칫국(2만원), 가자미회무침(3만원)
⏲ 08:00~14:00 – 연중무휴
🔍 강원 삼척시 테마타운길 53(갈천동) 삼척테마타운 3동 102호
☎ 033-572-5559 Ⓟ 가능

바다횟집 곰치 | 생선회
항구 초입에 늘어선 많은 곰칫국집 중에서 원조로 꼽히는 집. 1993년 처음으로 곰치를 사용한 해장국을 끓여 내놓았다고 한다. 흐물흐물한 곰치 살과 시원한 국물이 해장에 좋다. 함께 나오는 짭조름한 가자미식해도 일품. 생선회도 추천할 만하다.

₩ 곰칫국(2만원), 대구탕(1만5천원), 생태탕(1만원), 도루묵, 장치찜(각 소 4만원, 대 6만원), 광어, 우럭(각 1kg 7만원), 모둠회(소 6만원, 중 8만원, 대 10만원)
⏲ 07:00~21:00 – 수요일, 명절 휴무
🔍 강원 삼척시 새천년도로 88(정하동)
☎ 033-574-3543 Ⓟ 가능

부일막국수 막국수 | 수육
육수 맛이 일품인 막국수 전문점. 육수는 멸치 국물에 다시마, 무, 미나리, 파, 마늘 등 10여 가지의 채소를 넣고 끓이는 것이 특징. 메밀 함량이 부족한 듯한 면발이 아쉽지만, 육수 맛이 면발의 부족함을 충분히 상쇄시킨다는 평이다.

₩ 물막국수, 비빔막국수(각 소 9천원, 대 1만1천원), 수육(소 4만원, 대 5만원)
⏲ 11:00~15:30 – 화요일 휴무
🔍 강원 삼척시 새천년도로 596(갈천동)
☎ 033-572-1277 Ⓟ 가능

삼정식당 복 | 생선찜 | 생태
생태탕, 복지리를 맛볼 수 있는 곳. 깔끔한 국물 맛이 좋으며 맛깔스러운 반찬도 한 상 가득 나온다. 시원한 황태해장국과 가자미찜 등도 인기 메뉴다. 가오리, 갈치, 열기, 코다리 등 다양한 생선을 찐 생선모둠찜도 추천할 만하다.

₩ 복지리, 복매운탕, 생태지리, 생태매운탕, 갈치조림, 생선모둠찜(각 2인 3만원, 2~3인 4만5천원, 3~4인 6만원), 물회, 세꼬치물회, 회덮밥(각 1만7천원)
⏲ 08:00~16:00 – 비정기적 휴무
🔍 강원 삼척시 새천년도로 30(정하동)
☎ 033-573-3233 Ⓟ 가능

삼척보스대게 Samcheok Boss Crab 대게
대게와 전방대게, 킹크랩을 전문으로 하는 곳으로, 해산물을 코스로 먹을 수 있다. 활어회, 오징어순대, 골뱅이, 킹새우, 해물라면 등이 순차적으로 나와 푸짐하게 먹을 수 있으며, 대게는 먹기 편하게 손질되어 나온다. 인근 지역은 픽업 서비스도 가능하다.

₩ 세트(2인 19만9천원, 3인 27만9천원, 4인 29만9천원), 모둠회(6만원), 전복회, 왕새우버터구이(각 4만원), 홍게라면(2만5천원)
⏲ 11:00~15:30/16:30~21:30(마지막 주문 20:30) – 화요일 휴무
🔍 강원 삼척시 테마타운길 39(갈천동)
☎ 010-2163-8784 Ⓟ 가능

영화춘 일반중식

큰 뚝배기 채로 내어주는 짬뽕을 맛볼 수 있는 중식당이다. 짬뽕에 다양한 종류의 해산물과 채소가 들어가 개운하면서도 시원한 맛을 낸다. 사과를 비롯해 목이버섯, 대파 등이 들어간 새콤달콤한 탕수육도 인기다.

㉥ 뚝배기짬뽕(중 2만2천원, 대 2만7천원), 탕수육(소 1만5천원, 중 2만원, 대 2만5천원), 고추잡채, 깐풍기(각 3만원), 유산슬(4만원), 짜장면(6천원), 짬뽕(7천원)

🕒 11:00~20:00 – 연중무휴

🔍 강원 삼척시 원덕읍 삼척로 437-24

☎ 033-572-6109 Ⓟ 불가

일미어담 생선구이 | 게장

삼척 해변가 인근에 위치하여 바다를 보며 식사를 즐길 수 있다. 다섯 가지 생선이 나오는 생선구이 정식과 간장게장 정식이 인기메뉴며, 2인 이상 주문해야 한다.

㉥ 생선구이정식(1인 1만9천원), 간장게장정식(1인 2만5천원), 모둠물회(1만7천원), 생우럭탕(중 6만5천원, 대 8만원)

🕒 11:00~22:00 – 연중무휴

🔍 강원 삼척시 테마타운길 19(갈천동)

☎ 033-576-0814 Ⓟ 가능

정라횟집 생선구이

도루묵의 명가로 꼽히는 곳. 찬바람이 불 때 잡히는 도루묵은 알의 부피가 몸의 절반을 차지하는데, 알이 가장 많이 차는 10월부터 11월에 잡은 것을 냉동해서 여름까지 쓴다고 한다. 수시로 잡힌 싱싱한 도루묵도 맛볼 수 있으며 반찬으로 나오는 가자미식해도 별미다.

㉥ 도루묵찜, 장치찜, 아귀찜(각 소 3만원, 중 3만8천원, 대 4만8천원), 해물탕, 해물찜(각 소 3만5천원, 중 4만5천원, 대 5만5천원), 알탕(3만원), 도루묵구이(3만원), 생선모둠구이(2인 3만원, 4인 4만원), 생새우(2만원), 새우무침(3만원), 가자미회무침(2만5천원)

🕒 11:00~14:30/16:30~22:00 – 일요일 휴무

🔍 강원 삼척시 대학로 28(남양동)

☎ 033-573-3670 Ⓟ 불가

춘도식당 솥밥

대추, 고구마, 잣, 해바라기씨 등을 넣어 윤기가 도는 돌솥밥이 유명하다. 신선한 해산물 반찬과 맛깔스러운 나물 반찬이 한 상 가득 차려진다.

㉥ 영양돌솥밥(1인 2만원)

🕒 09:00~20:00 – 격주 수요일 휴무

🔍 강원 삼척시 근덕면 삼척로 3606-56

☎ 033-573-0447 Ⓟ 가능

펠리스횟집 생선회

갓 잡아올린 신선한 회를 맛볼 수 있는 곳. 봄에는 감성돔이나 도다리를 맛볼 수 있다. 2층으로 된 대규모의 횟집으로 실내가 널찍하고 쾌적하여 모임을 하기 좋다.

㉥ 스페셜회(13만원, 16만원, 20만원), 솥밥정식(1만4천원), 불고기정식(1만6천원), 모둠장정식(1만9천원), 대게탕(2만원), 모둠초밥(1만2천원)

🕒 09:30~22:00 – 연중무휴

🔍 강원 삼척시 정라항안길 38-19(정하동)

☎ 033-573-8112 Ⓟ 가능

항구식당 생선구이 | 생선매운탕 | 생선회

도루묵구이를 잘하기로 소문난 집. 도루묵은 11월~12월이면 본격적인 산란기로 접어들기 때문에 알을 막 배기 시작하는 10월~11월 초순이 가장 기름지고 맛이 좋다.

㉥ 도루묵구이, 도루묵찜(각 중 3만원, 대 4만원), 대구지리탕(1만2천원), 물회, 회덮밥(각 1만3천원), 모둠회(소 8만원, 중 10만원, 대 12만원), 광어(6만원), 우럭(6만원), 산오징어(각 시가)

🕒 08:30~20:30 – 비정기적 휴무

🔍 강원 삼척시 새천년도로 169(정하동)

☎ 033-573-0616 Ⓟ 불가

강원도 속초시

88생선구이 생선구이

모둠생선구이로 유명한 곳으로, 손질한 생선을 자리에서 직접 구워준다. 청어, 꽁치, 가자미, 메로, 삼치, 오징어, 고등어, 도루묵 등 푸짐하고 다양한 생선을 선보이며, 숯불로 구워 생선 고유의 맛이 그대로 살아 있다. 생선구이는 인원수에 맞게 주문해야 한다. 50여 년 역사를 자랑하는 곳.

㉥ 생선구이모둠정식(2인 이상, 1인 1만9천원)

🕒 08:30~15:00/16:30~20:15 – 연중무휴

🔍 강원 속초시 중앙부두길 71(중앙동)

☎ 033-633-8892 Ⓟ 가능(1시간 무료)

88순대국 순댓국

아바이순대타운에서 3대째 운영중인 집. 명태회무침과 함께 나오는 아바이순대와 오징어순대가 인기 메뉴다. 모둠순대국밥에는 아바이순대, 감치순대, 찰순대 모두 들어가 있다. 항상 웨이팅이 있는 것을 감안해야 한다.

㉥ 순대국밥, 찰순대(각 1만원), 아바이순대국밥, 모둠순대국밥, 김치순대국밥(각 1만2천원), 얼큰순대국밥(1만1천원), 순대모둠전골(소 2만5천원, 중 3만원, 대 3만5천원), 오징어순대(1만5천원), 오징어+아바이모둠(2만5천원), 아바이순대(1만3천원), 편육(1만원)

⏲ 07:30~21:00(마지막 주문 20:30) – 연중무휴
🔍 강원 속초시 중앙로129번길 35-13(금호동) 속초중앙시장 아바이순대타운 내
☎ 033-636-5798 Ⓟ 가능

감나무집감자옹심이 감자옹심이

쫄깃한 감자옹심이가 맛있기로 유명한 곳. 강원 인제와 평창에서 나는 토종 생감자를 직접 갈아서 녹말을 걸러낸 후 사용한다. 쫄깃하면서도 구수한 맛이 일품. 기본 2인 이상 주문해야 한다. 감자옹심이 하나로 40여 년 동안 이어오는 곳. 영업시간과 무관하게 재료 소진 시 문을 닫는다.

₩ 감자옹심이(2인 이상, 1인 1만2천원), 오징어순대(2마리 2만8천원)
⏲ 10:00~14:30/17:00~18:20 – 화요일 휴무
🔍 강원 속초시 중앙시장로 110-8(중앙동)
☎ 033-633-2306 Ⓟ 가능(30분 무료)

감자바우 감자옹심이 | 회국수

감자 전분으로 만들어 쫄깃한 맛이 일품인 감자옹심이와 오징어회국수를 맛볼 수 있는 곳. 걸쭉하면서도 구수한 맛이 일품이며, 2인 이상 주문해야 한다. 오징어회국수는 산오징어를 냉동해서 사용하는 것이 특징이며 시원한 맛이 좋다. 회국수를 주문하면 감자옹심이를 조금 내준다.

₩ 감자옹심이(2인 이상, 1인 1만원), 회국수(1만1천원), 회덮밥(1만3천원), 쟁반국수(1만5천원), 회무침(3만원), 감자전(1만원)
⏲ 10:00~15:00/17:00~19:30 – 격주 수요일 휴무
🔍 강원 속초시 청초호반로 242
☎ 033-632-0734 Ⓟ 불가

금성각 일반중식

현지인 사이에서 짬뽕이 맛있기로 유명한 곳. 칼칼하고 푸짐한 옛날식 짬뽕을 맛볼 수 있다. 요리는 탕수육과 잡채, 군만두만 단출하게 선보인다.

₩ 짬뽕, 짬뽕밥, 볶음밥(각 9천원), 짜장면, 군만두(각 7천원), 탕수육(소 1만7천원, 중 2만1천원, 대 2만5천원), 잡채(2만원)
⏲ 10:30~19:00 – 일요일 휴무
🔍 강원 속초시 중앙로55번길 7(교동)
☎ 033-638-5255 Ⓟ 불가

김영애할머니순두부 순두부

메뉴는 순두부정식뿐으로, 직접 만든 순두부가 담백하다. 국산콩으로 만드는 것이 특징이며, 심심하면서도 고소한 맛이 일품이다. 순두부와 함께 짭조름한 비지장과 맛깔스러운 반찬이 나온다. 1965년에 시작한 곳으로, 오랜 역사를 자랑한다.

₩ 순두부정식(1만2천원)
⏲ 07:00~14:00(마지막 주문 13:50) – 화요일 휴무
🔍 강원 속초시 원암학사평길 183(노학동)
☎ 033-635-9520 Ⓟ 가능

김영애할머니순두부

다이닝옥남 파스타 | 피자

화덕에 구운 담백한 피자를 맛볼 수 있는 곳. 네 가지 치즈(모차렐라 치즈, 파마산 치즈, 고르곤졸라 치즈, 마스카르포네 치즈)를 토핑으로 올려 만든 콰트로 포르마지 피자가 인기 메뉴다. 이 외에도 다양한 종류의 파스타도 선보인다.

₩ 부라타치즈샐러드(1만3천원), 연어바질파스타, 비프고르곤졸라(각 1만7천원), 명란파스타, 마르게리타(각 1만6천원), 우양지파스타(1만6천5백원),
⏲ 11:30~15:00(마지막 주문 14:00)/17:30~20:30(마지막 주문 19:30) | 일요일 11:30~15:00(마지막 주문 14:00) – 월요일, 명절 당일 휴무
🔍 강원 속초시 선사로5길 43(조양동)
☎ 033-631-0414 Ⓟ 가능

단천식당 함흥냉면 | 오징어순대

아바이마을 내에 자리한 곳으로, 이북식 단천냉면과 아바이순대로 유명하다. 단천냉면은 명태회가 올라간 함흥냉면을 말하는 것으로, 고구마 전분으로 만든 면발은 검푸른 빛이 돌고 특유의 질긴 맛을 간직하고 있다. 오징어순대와 함경도식 아바이순대도 추천할 만하다. 50여 년의 전통을 자랑한다.

₩ 명태회냉면, 물냉면, 아바이순대국밥(각 1만원), 아바이순대, 오징어순대(각 소 1만5천원, 중 2만9천원), 모둠순대(2만9천원)
⏲ 08:30~19:00(마지막 주문 18:30) – 연중무휴
🔍 강원 속초시 아바이마을길 17(청호동)
☎ 033-632-7828 Ⓟ 가능

당근마차 carrot carriage 해물포차

속초에서 유명한 해물포차. 신선한 해산물을 비교적 저렴한 가격에 마음껏 먹을 수 있다. 생선구이, 문어연포탕, 조개찜 등이 인기 메뉴며 대게 철에는 대게탕 맛도 일품이다. 반찬으로 나오는 새우장 맛도 좋다. 최근 새 건물로 이전해 정겨운 포장마차 분위기는 다소 사라져 아쉽다는 평. 창가 자리에 앉으면 영금정이 한눈에 보여 운치를 즐길 수 있다.

₩ 문어연포탕, 대게찜, 대게탕, 털게찜, 털게탕(각 시가), 모둠생선

구이(소 3만원, 대 4만원), 해삼(2만5천원), 모둠해산물(소 3만원, 대 4만원), 새우구이(1만5천원)
🕒 13:00~02:00(익일) – 화요일 휴무
🔍 강원 속초시 영랑해안길 14(동명동)
☎ 033-632-3139 Ⓟ 가능

대선횟집 생선회

자연산 회와 함께 한 상 가득 차려지는 해산물과 곁들이 음식이 푸짐하다. 호남 지역의 한정식 상차림을 능가한다. 7월~8월은 자연산 횟감이 귀하지만, 참돔과 우럭, 오징어가 제철이고 새치와 도다리, 가자미에 가리비와 멍게, 해삼 등 어패류를 곁들여 동해안의 제철 활어회를 즐길 수 있다. 창문을 통해 동해 바다가 한눈에 들어오는 전망이 뛰어나다.

₩ 모둠회(소 12만원, 중 15만원, 대 18만원), 광어회, 우럭회(시가), 스페셜모둠(소 20만원, 중 25만원, 대 30만원, 특대 35만원), 도미, 병어, 농어(각 시가)
🕒 10:00~22:00 – 연중무휴
🔍 강원 속초시 영랑해안길 12(동명동)
☎ 033-635-3364 Ⓟ 가능

대포면옥 함흥냉면

현지인들이 즐겨 찾는 속초 대포항의 함흥냉면 맛집. 쫄깃한 면발의 명태회냉면이 일품이며, 냉육수와 무채가 함께 나오는데 같이 비벼 먹으면 좋다. 직접 잡은 가지미로 만드는 가자미회도 인기 메뉴다.

₩ 명태회냉면, 회막국수(각 1만1천원), 가자미회냉면(1만2천원), 막국수(1만원), 왕만두(9천원), 수육(소 1만5천원, 중 2만7천원, 대 3만2천원)
🕒 10:30~16:00/17:00~20:00(마지막 주문 19:30) – 둘째, 넷째 주 화요일 휴무
🔍 강원 속초시 설악산로4번길 163-11(대포동)
☎ 033-632-6688 Ⓟ 가능

동명항생선숯불구이 생선구이

속초에서 생선구이로 유명한 곳으로, 다양한 생선숯불구이와 해물된장찌개, 영양돌솥밥이 세트로 나온다. 기본 2인 이상 주문해야 하며, 그날그날 생선의 종류가 달라진다. 영랑호가 한눈에 들어오는 전망이 좋다. 1970년대부터 3대째 맛을 전하고 있다.

₩ 모둠생선구이(2인 이상, 1인 2만2천원)
🕒 11:00~15:00/17:30~21:00(마지막 주문 20:00) | 토, 일요일 10:30~15:00/ 17:30~21:00(마지막 주문 20:00) – 화요일 휴무
🔍 강원 속초시 번영로129번길 21(동명동)
☎ 033-632-3376 Ⓟ 가능

동해순대국집 순댓국 | 순대

50여 년의 전통을 자랑하는 순댓국집. 합리적인 가격으로 든든하게 배를 채울 수 있다. 순댓국에 머릿고기가 듬뿍 들어가며, 주인의 푸근한 인심에서 재래시장의 향수를 느낄 수 있다.

₩ 순대국밥(1만원), 아바이순대국밥, 오징어순대, 소머리국밥(각 1만2천원), 돼지내장국밥(1만1천원), 아바이순대(1만3천원)
🕒 07:00~10:30/11:00~15:30/16:00~20:00 – 화요일 휴무
🔍 강원 속초시 중앙로129번길 35-17(금호동)
☎ 033-633-1012 Ⓟ 불가

두메산골 황태

황태구이 전문점. 부드럽고 포슬포슬한 황태의 참맛을 느낄 수 있으며, 황태국, 황태구이, 명태전이 나오는 황태정식이 대표 메뉴다. 맛깔스러운 밑반찬과 함께 오징어젓과 가자미식해를 맛보기 젓갈로 내어 준다.

₩ 황태정식(2만원), 황태해장국(1만2천원), 황태구이, 더덕구이, 오징어순대(각 2만3천원), 황태찜(소 3만원, 대 4만5천원), 명태전(1만9천원), 메밀전(8천원)
🕒 08:30~15:00/17:00~20:00(마지막 주문 19:30) – 둘째, 넷째 주 화요일 휴무
🔍 강원 속초시 관광로 457-11(노학동)
☎ 033-635-2323 Ⓟ 가능

만석닭강정 닭강정

속초중앙시장 내에서 유명한 닭강정집. 항상 줄을 서야 하는 곳으로, 여러 개의 튀김솥에서 계속 닭을 튀겨내고 있다. 주로 포장해서 가져가는 손님들이 많다. 식어도 맛있다는 것이 사람들의 평이다.

₩ 닭강정(뼈 1만9천원, 순살 2만원), 매운맛(뼈 2만원, 순살 2만1천원), 프라이드치킨(뼈 1만7천원, 순살 1만8천원)
🕒 10:00~20:00 – 연중무휴
🔍 강원 속초시 청초호반로 72
☎ 1577-9042 Ⓟ 불가

명천명태순대 명태순대 | 오징어순대 | 순대

아바이마을 내에 자리한 순대 전문점. 오징어 속에 찹쌀, 선지 등을 넣은 오징어순대와 명태 속에 내장, 알, 부추 등을 가득 채운 명태순대 등 독특한 함경도식 순대를 맛볼 수 있다. 새콤한 물회도 별미.

₩ 오징어순대, 아바이순대(각 소 1만7천원, 중 2만7천원, 대 3만7천원), 명태순대(3만5천원), 모둠순대(소 2만7천원, 중 3만7천원, 대 4만7천원), 순댓국(1만원), 물회(1만5천원)
🕒 07:00~23:00 – 연중무휴
🔍 강원 속초시 아바이마을길 11-4(청호동) 1층
☎ 033-638-8893 Ⓟ 가능

몽트비어 Mont Beer 크래프트맥주바

수제 맥주 양조장 겸 펍. 1층에는 양조 시설이 있고, 2층 홀에 좌석이 있으며, 맥주와 곁들이기 좋은 안주 메뉴도 갖추고 있다. 인근 리조트에 놀러 와서 방문하거나 포장해 가는 이들이 많은

편. 맥주 테이크아웃은 11시부터 가능하다.

㊙ 몽트필바이젠(400ml 6천원), 몽트골든에일, 몽트페일에일(각 400ml 6천5백원), 몽트메이플에일(400ml 7천원), 몽트해물야채감바스(2만3천원), 몽트갈릭피자앤샐러드(2만1천원)

⏲ 13:30~22:00(마지막 주문 21:30) | 금, 토요일 13:30~23:00(마지막 주문 22:30) – 연중무휴

🔍 강원 속초시 학사평길 7-1(노학동)

☎ 033-636-9010 Ⓟ 가능

뮤토로스팅플랜트 Muto Roasting Plant 커피전문점

핸드드립 커피가 맛있는 로스터리 카페. 다양한 종류의 핸드드립 커피를 맛볼 수 있다. 1층은 로스팅 및 원두 납품, 판매하는 공장이 있으며 2층은 카페로 구성되어 있다.

㊙ 에스프레소, 아메리카노(각 4천원), 카페라테(4천5백원), 바닐라라테(5천4백원), 핸드드립커피(6천원)

⏲ 10:00~18:00(마지막 주문 17:20) – 토, 일요일 휴무

🔍 강원 속초시 이목로 21-3(노학동)

☎ 010-9157-1271 Ⓟ 가능

미가 황태

황태구이가 맛있는 곳. 정식 메뉴를 시키면 10여 가지 반찬이 정갈하게 나오며 매콤한 양념이 입맛을 돋운다. 뒷맛이 깔끔한 황태해장국도 인기 메뉴. 주인장이 황태덕장을 직접 운영하고 있어 황태를 따로 구매할 수도 있다.

㊙ 황태구이정식(2인 이상, 1인 1만7천원), 더덕구이정식(2인 이상, 1인 1만8천원), 황태구이(3만원), 더덕구이(2만5천원), 황태해장국, 순두부(각 1만원)

⏲ 08:00~16:40(마지막 주문 15:55) – 목요일 휴무

🔍 강원 속초시 신흥2길 41(노학동)

☎ 033-635-7999 Ⓟ 가능

봉포머구리집 물회 | 생선회 | 해물

물회가 맛있기로 유명한 곳. 성게해삼모둠물회가 인기 메뉴다. 성게와 해삼 외에도 다양한 해물이 듬뿍 들어 있다. 새콤달콤한 물회에 국수를 넣어 먹으면 더욱 맛있다.

㊙ 모둠물회, 성게알밥(각 1만9천원), 멍게비빔밥(1만8천원), 전복회덮밥, 광어회덮밥(각 2만2천원), 전복죽(1만6천원), 오징어순대(1만5천원), 해삼물회, 전복물회(각 2만5천원), 전복해삼물회(2만6천원), 모둠회(15만원)

⏲ 10:00~21:00(마지막 주문 20:15) | 토, 일요일, 공휴일 09:30~21:30(마지막 주문 20:45) – 연중무휴

🔍 강원 속초시 영랑해안길 223(영랑동)

☎ 033-631-2021 Ⓟ 가능

사돈집 곰치

물곰탕(곰칫국)으로 유명한 집. 삼척과 마찬가지로 속초에서도 술 먹은 다음 날 물곰탕으로 해장을 많이 한다. 얼큰하면서도 시원한 국물에 하얀 생선살이 듬뿍 들어가 있다. 가자미조림도 별미.

㊙ 물곰탕(변동), 홍합해장국(1만5천원), 가자미회무침(2만원), 가자미조림(1만8천원), 가자미구이(2만5천원)

⏲ 08:00~15:00 – 목요일, 명절 연휴 휴무

🔍 강원 속초시 영랑해안1길 8(영랑동)

☎ 033-633-0915 Ⓟ 가능

사돈집

섭죽마을 섭

자연산 홍합인 섭으로 만든 죽이 유명하다. 주 메뉴는 섭죽, 섭해장국, 홍게죽으로 시원한 국물 맛이 일품이다. 해장을 위해 아침부터 사람들이 많이 찾는다.

㊙ 홍합(섭)죽, 매운홍합(섭)죽, 홍게죽(각 1만3천원), 섭해장국(각 1만2천원), 황태해장국(9천원)

⏲ 07:00~16:00(마지막 주문 15:30) – 명절 당일 휴무

🔍 강원 속초시 관광로 352(노학동)

☎ 033-635-4279 Ⓟ 가능

소야삼교리동치미막국수 막국수 | 수육

속초시에서 막국수로 유명한 곳이다. 동치미 육수를 사용하여 새콤하면서도 구수한 맛을 느낄 수 있다. 양념장이 따로 나와 취향에 따라 비빔막국수로 즐길 수 있다.

㊙ 막국수(9천원), 메밀전(8천원), 사리추가(3천원), 수육(소 2만3천원, 대 2만9천원), 메밀전병(7천원), 메밀만두(6천원)

⏲ 10:30~20:00 – 연중무휴

🔍 강원 속초시 청초호반로 76(조양동)

☎ 033-633-1228 Ⓟ 가능

속초강동호식당 일반한식

제철 생대구로 만든 대구탕으로 유명한 곳. 푹 끓인 대구탕은 국물이 시원하고 대구살은 통통하다. 홍게살을 게장에 무친 반찬과 다른 나물 반찬도 정갈하다.

㊙ 물곰탕(2인 이상, 1인 2만3천원), 대구탕(2인 이상, 1인 1만7천원), 골뱅이무침(3만원), 가자미조림(3만원, 4만원)

⏲ 11:00~15:00/17:00~19:30 – 첫 번째, 두 번째 화요일 휴무
🔍 강원 속초시 만천1길 16-1 1층
☎ 033-631-2252 ⓟ 가능

속초생대구 대구

동명항 인근에 있는 대구 전문점. 생대구전, 생대구탕 등 대구로 만든 요리를 다양하게 맛볼 수 있다. 대구탕은 미나리를 듬뿍 넣어서 고춧가루를 넣지 않고 맑게 끓이는 스타일로, 해장에도 좋다. 곤이를 넣은 이리전도 별미다.

₩ 생대구탕(2인 이상, 1인 2만3천원), 생대구전(3만원)
⏲ 10:00~14:30/17:00~20:00(마지막 주문 19:00) | 토, 일요일 08:30~14:30/17:00~20:00(마지막 주문 19:00) – 화요일 휴무
🔍 강원 속초시 영랑해안3길 14(영랑동)
☎ 033-636-9774 ⓟ 가능

송도물회 가자미 | 물회 | 생선회

자연산 가자미회를 전문으로 하는 곳. 물회는 가자미와 오징어를 주재료로 하여 무와 배, 초고추장을 넣고 비벼 새콤달콤한 맛이 일품이다. 해녀들이 전복을 잡아온 날에는 전복회도 맛볼 수 있다.

₩ 가자미회(소 3만원, 중 4만원, 대 5만원, 특대 6만원), 물회(1만5천원), 멍게, 해삼(각 소 3만원, 중 4만원, 대 5만원), 우럭매운탕, 장치매운탕(각 3만원), 물회덮밥(1만5천원)
⏲ 09:00~15:00/17:00~21:00 – 화요일 휴무
🔍 강원 속초시 중앙부두길 63(중앙동)
☎ 033-633-4727 ⓟ 불가

송원면옥 함흥냉면 | 수육

50여 년 전통의 냉면집으로, 함흥냉면을 전문으로 한다. 맵지도 달지도 않은 냉면이 일품이다. 수육도 별미인데, 일반 보쌈용 무김치가 아니라 명태회무침과 함께 싸먹는다. 실내분위기도 깔끔한 편이다.

₩ 냉면, 갈비탕, 육개장, 소머리국밥, 사골우거지(각 1만1천원), 메밀만두(8천원), 수육(중 2만5천원, 대 3만원)
⏲ 09:00~19:00 – 비정기적 휴무
🔍 강원 속초시 미리내1길 9(청호동)
☎ 033-631-2526 ⓟ 가능

신다신 순댓국 | 순대 | 평양냉면

찹쌀이 많이 들어가 찰지면서 고소한 아바이순대와 함흥식 냉면 맛이 좋다. 냉면은 입맛에 따라 가자미회와 명태회를 선택해 즐길 수 있다. 가리국밥은 함경도 전통음식으로, 사골국물에 묵은지 김치와 고사리, 콩나물, 소고기 등을 넣어 비벼 먹는다. 70년 전통을 자랑한다.

₩ 아바이순대(소 1만6천원, 중 2만8천원), 오징어순대(소 1만7천원, 중 3만원), 모둠순대(3만원), 함흥냉면(1만1천원), 가리국밥(1만2천원), 아바이순댓국(1만1천원)

⏲ 09:00~18:30 – 화요일 휴무
🔍 강원 속초시 아바이마을길 22(청호동)
☎ 033-633-3871 ⓟ 가능

아루나 aruna 카페

속초 해안가에 위치한 모던한 디자인의 카페. 통창으로 된 창문과 옥탑을 통해 속초 앞바다를 한눈에 담을 수 있다. 디저트도 여러 가지 준비되어 있다.

₩ 에스프레소(4천5백원), 아메리카노(4천5백원~5천원), 클래식라테(5천원~5천5백원), 에이드(6천원), 진저레몬(5천원), 카스텔라모치(2천5백원)
⏲ 09:00~19:00(마지막 주문 18:30) – 연중무휴
🔍 강원 속초시 청호해안길 85(청호동)
☎ 없음 ⓟ 가능

아바이식당 순대 | 오징어순대

오징어 몸통에 내장과 다리를 잘게 썰어 속을 채운 오징어순대와 돼지내장으로 속을 채운 아바이순대가 유명하다. 이북에서 내려온 사람들이 정착해서 만든 식당 중 하나로, 50년 가까운 전통을 자랑한다.

₩ 아바이순대(소 1만5천원, 중 2만5천원, 대 3만5천원), 오징어순대(소 2만원, 중 3만원, 대 4만원), 모듬순대(소 2만5천원, 중 3만5천원, 대 4만5천원), 아바이순댓국(8천원)
⏲ 08:00~20:00 – 월, 화, 수요일 휴무
🔍 강원 속초시 아바이마을1길 3-1(청호동)
☎ 033-635-5310 ⓟ 불가

양반댁함흥냉면 함흥냉면

고구마 전분만으로 뽑은 면을 선보이는 냉면 전문점. 화학 조미료가 첨가되지 않은 냉면의 육수는 소고기 사태와 각종 채소를 4시간 동안 끓이고, 고추씨를 더해 뒷맛의 매콤함과 감칠맛을 살리는 과정을 통해 만들어졌다. 신선한 명태회를 얹은 명태회 함흥냉면이 대표 메뉴다.

₩ 함흥냉면, 물냉면(각 1만1천원, 곱빼기 1만2천원), 수육(3만원), 편육(2만8천원)
⏲ 10:00~20:00(마지막 주문 19:30) – 화요일 휴무
🔍 강원 속초시 청초호반로 302(금호동)
☎ 033-636-9999 ⓟ 불가

에이플레이스 A PLACE 카페

속초해수욕장이 한눈에 내다보이는 곳에 자리한 카페로, 부드러운 라테와 레몬에이드, 시원한 맥주 등 다양한 음료를 맛볼 수 있는 곳이다. 2층과 3층은 펜션으로 운영되며, 1층과 옥탑은 카페로 운영된다..

₩ 에스프레소, 아메리카노(각 4천5백원), 카페라테(5천원), 맥주(7천원~8천원), 미네스트로네(6천원), 햄&치즈파니니(9천원), 퍼지브라우니타르트, 스모키치즈케이크(각 6천원)

Ⓘ 09:30~19:00 | 토, 일요일 11:00~19:00 – 연중무휴
Q 강원 속초시 청호해안길 31(조양동)
☎ 033-635-4371 Ⓟ 가능

영금정생선조림 회국수 | 생선구이 | 생선조림

자극적이지 않은 양념과 신선한 생선이 조화를 이루는 담백하고 개운한 맛의 생선조림이 맛있다. 막회를 썰어 넣은 회국수도 자랑거리다. 창밖으로 바다가 보이는 전망이 좋다.

₩ 가자미조림, 회무침(각 소 4만원, 중 4만원, 대 5만원), 물곰탕, 생대구탕(각 시가), 생선구이(2만원)
Ⓘ 08:00~재료 소진 시 마감 – 연중무휴
Q 강원 속초시 영랑해안길 191(영랑동)
☎ 033-636-9922 Ⓟ 가능

오봉식당 백반 | 홍게

푸짐한 홍게백반을 맛볼 수 있는 곳. 백반에는 맛깔스러운 밑반찬과 함께 홍게가 들어간 홍게된장국이 나온다. 홍게다리살과 몸통이 넉넉하게 들어가 있으며 시원한 맛이 좋다. 홍게를 넣은 라면과 매콤한 홍게장칼국수도 별미.

₩ 매운탕(소 3만원, 대 4만원), 홍게탕(1만1천원), 홍게장칼국수(8천원), 홍게라면(7천원), 장치조림(소 3만원, 대 4만원), 물곰매운탕(시가)
Ⓘ 08:30~18:00 – 둘째, 넷째 주 화요일 휴무
Q 강원 속초시 중앙로 398(장사동)
☎ 033-633-7376 Ⓟ 불가

원산면옥 만두 | 함흥냉면 | 수육

함흥냉면을 전문으로 하는 곳. 냉면 위에는 잘 삭힌 명태를 맛깔스럽게 양념한 명태회가 올라가며, 돼지고기편육이나 수육, 찐만두 등을 곁들여도 좋다. 30여 년 동안 변함없는 맛을 자랑한다.

₩ 함흥냉면(1만1천원, 곱빼기 1만2천원), 물냉면(1만1천원, 곱빼기 1만2천원), 찐만두(9천원), 돼지고기수육(2만8천원), 소고기수육(3만5천원)
Ⓘ 하절기 11:00~20:30 | 동절기 10:30~20:30 – 화요일 휴무
Q 강원 속초시 중앙로 91-6(청학동)
☎ 033-633-8838 Ⓟ 가능

원조재래식할머니순두부 황태 | 두부 | 순두부

순두부 전문점으로, 바닷물을 가져와 간수로 사용하기 때문에 따로 양념하지 않아도 간이 맞고 부드러운 것이 특징이다. 모든 메뉴에는 순두부가 조금씩 딸려 나오는 것이 특징. 50여 년의 전통을 자랑한다.

₩ 순두부백반, 황태해장국, 모두부, 도토리묵, 메밀전병(각 1만2천원), 두부전골(소 3만5천원, 대 5만5천원), 두부조림(2만5천원), 황태구이(2마리 3만원)
Ⓘ 08:00~18:00 – 수요일 휴무
Q 강원 속초시 원암학사평길 177(노학동)
☎ 033-635-5438 Ⓟ 가능

원조털보네토종닭 닭백숙 | 오리백숙

닭을 바로 잡아서 끓여주는 닭백숙으로 유명한 곳. 능이버섯을 넣고 진하게 끓인 능이백숙과 엄나무백숙이 인기 메뉴다. 보약같이 진한 국물 맛이 일품. 백숙을 다 먹고 나오는 죽에 남은 닭고기 살을 찢어 넣어 먹어도 좋다. 조리하는 데 시간이 걸리므로 1시간 전 예약하고 방문할 것을 추천한다.

₩ 능이오리백숙, 옻오리백숙(각 9만5천원), 엄오리백숙, 능이백숙, 오리볶음탕(각 9만원), 엄백숙, 닭볶음탕(각 8만5천원)
Ⓘ 10:30~21:00(마지막 주문 19:30) – 월, 목요일 휴무
Q 강원 속초시 청대마을길 100(조양동)
☎ 033-636-3500 Ⓟ 가능

이모네식당 가오리 | 대구 | 생선찜

모둠생선찜을 전문으로 하는 곳. 모둠생선찜에는 가오리, 명태, 도루묵, 갈치 등 그날 들어온 싱싱한 생선이 들어간다. 생선찜은 나오기까지 시간이 걸리기 때문에 미리 주문해 놓는 것도 좋은 방법이다.

₩ 생선모둠찜, 대구머리찜(각 소 4만원, 중 5만원, 대 6만원), 가오리찜(소 4만5천원, 중 5만5천원, 대 6만5천원)
Ⓘ 10:00~15:00/17:00~19:00(마지막 주문 18:00) – 수요일, 명절 휴무
Q 강원 속초시 영랑해안6길 16(영랑동)
☎ 033-637-6900 Ⓟ 가능

이조면옥 함흥냉면 | 수육

명태를 북어처럼 말린 후 맵고 달콤한 양념으로 버무려 고명으로 얹은 비빔냉면 맛이 일품이다. 취향에 따라 차가운 육수를 냉면에 부어 먹어도 좋다. 수육을 명태회무침에 얹고 백김치로 싸 먹으면 잘 어울린다.

₩ 냉면, 갈비탕, 육개장(각 1만1천원), 막국수(1만원), 수육(2만8천원)
Ⓘ 10:00~20:00 – 비정기적 휴무
Q 강원 속초시 동해대로 3887
☎ 033-632-3181 Ⓟ 가능

일출봉횟집 생선회 | 대게

속초 대포동에서 유명한 횟집. 신선한 자연산 회와 물회 등을 맛볼 수 있다. 회를 시키면 여러 가지 해산물이 함께 나온다. 특히 대게와 신선한 생선회로 구성된 게+회 세트 메뉴가 추천할 만하다. 4층 단독 건물로 이전하며 전망이 더욱 좋아졌다.

₩ 모둠회(소 9만원, 중 13만원, 대 16만원, 특대 18만원), 스페셜모둠회(소 16만원, 중 20만원, 대 25만원, 특대 30만원), 게+회세트(소 17만원, 중 25만원, 대 30만원, 특대 35만원), 광어+우럭(양식)(소 12만원, 중 15만원, 대 18만원), 아바이물회(2인 4만8천원)
Ⓘ 10:30~22:00(마지막 주문 21:30) – 연중무휴

🔍 강원 속초시 해오름로 77
☎ 033-635-2222 Ⓟ 가능

점봉산산채식당 🎀 산채정식 | 산채비빔밥

산채의 천국이라 할 수 있는 점봉산 깊은 산골짜기에서 채취한 산채의 진수를 모아놓은 곳이다. 상에 오르는 산채수는 약 20가지로, 다양한 산채를 즐길 수 있다. 얼레지, 취나물, 표고버섯, 목이버섯, 박쥐나물, 노란 동백, 산당귀, 참나물, 물푸레나무, 고비 등에서 풍겨나는 향기가 일품이다. 우산나물이나 당귀잎, 단풍취에 쌈을 싸서 된장을 약간 얹어 먹으면 좋다.

₩ 점봉산산채정식(2인 이상, 1인 2만원), 산더덕구이(3만원), 산나물전, 도토리묵(각 1만5천원), 솔향고추장철판삼겹살(4만원), 버섯들깨해장국(1인 2만원)
🕒 09:00~20:30(마지막 주문 19:50) – 연중무휴
🔍 강원 속초시 이목로 132(노학동)
☎ 033-636-5947 Ⓟ 가능

정든식당 칼국수

고추장을 넣어 만드는 장칼국수가 유명한 곳. 청양고추를 넣으면 더욱 칼칼한 맛이 난다. 손으로 직접 면을 만들기 때문에 두께가 일정하지 않고 굵은 편이지만 쫄깃한 맛이 일품이다. 반죽이 떨어지면 영업시간과 상관 없이 문을 닫는다고 하니 전화 확인 후 방문하는 것이 좋다.

₩ 장칼국수(9천원), 손칼국수(8천원), 장칼제비(1만원), 장만두국밥(9천원)
🕒 10:00~14:30/16:00~19:00 | 토, 일요일 10:00~15:00 – 월요일 휴무
🔍 강원 속초시 번영로105번길 39(동명동)
☎ 033-631-1287 Ⓟ 가능

진양횟집 오징어 | 순대

속초의 명물인 오징어순대 전문점. 오징어를 통째로 다듬어 씻고 그 속에 찹쌀과 무청, 당근, 양파, 깻잎 등을 넣어 쪄낸다. 60년 넘는 역사를 자랑하는 곳.

₩ 오징어순대(1마리 1만5천원, 2마리 2만8천원), 진양물회(1만8천원), 오징어순대+먹물순대(2만9천원), 전복물회(2만5천원), 생대구맑은탕(중 5만원, 대 6만원)
🕒 11:00~22:00 – 연중무휴
🔍 강원 속초시 청초호반로 318(중앙동)
☎ 033-635-9999 Ⓟ 가능(진양횟집 뒤편에 주차)

초당순두부집 🎀 두부

학사평 순두부촌 일대에서 가장 오래된 순두부 전문점으로, 콩비지 장에 나물을 곁들여 먹는 것이 특징이다. 재래식 공정으로 만든 두부는 고소한 맛이 으뜸이며 두부를 만들 때 생기는 비지에 여러 가지 양념을 한 비지장이 별미다.

₩ 순두부, 황태해장국(각 1만1천원), 모두부, 도토리묵(각 1만2천원), 황태정식(1만7천원), 황태구이(2만7천원), 두부전골, 순두부전골, 황태전골(각 소 3만5천원, 대 4만5천원)
🕒 07:00~16:00 – 연중무휴
🔍 강원 속초시 원암학사평길 104(노학동)
☎ 033-635-5523 Ⓟ 가능

최옥란할머니순두부 🎀 두부 | 순두부

학사평 순두부촌의 토박이로, 재래식 손맛이 그대로 살아 있다. 순두부 맛의 비결은 순수 국산 콩만 사용하고 간수 대신에 오염되지 않은 청정 바닷물을 끓여 사용하는 것이라고 한다. 분위기 있는 별장식 통나무집으로 되어 있다.

₩ 초당순두부(1만2천원), 황태해장국, 얼큰순두부(각 1만3천원), 황태구이정식(1만9천원), 두부전골(4만5천원), 모두부김치(반모 1만원, 한모 1만8천원)
🕒 07:00~20:00(마지막 주문 19:20) – 두번째 목요일 휴무 | 7월, 8월, 10월은 휴무 없음
🔍 강원 속초시 관광로 415(노학동)
☎ 033-635-0322 Ⓟ 가능

춘선네 🎀🎀 곰치 | 생선매운탕

푸짐하고 양이 많은 곰칫국(물곰탕)으로 유명하다. 비린내가 없고, 육질이 담백하고 연해 숟가락으로 떠먹기 좋다. 해장국으로도 많이 찾는다. 곰치는 겨울에만 잡히는 생선으로, 여름에는 먹기 어렵다. 예전에는 옥미식당이라는 이름으로 널리 알려진 곳이기도 하다.

₩ 곰칫국(1인 4만원), 아귀탕, 가자미조림, 도치알탕, 대구탕(각 4만원)
🕒 08:00~22:00 – 연중무휴
🔍 강원 속초시 청초호반로 230(교동)
☎ 033-635-8052 Ⓟ 가능

춘선네

카페소리 MUSIC CAFE SORI 카페 | 북카페

설악산 울산바위 뷰를 볼 수 있는 뮤직 카페. 복합문화공간인 설악산책 2층에 위치해 있으며, 1층에는 북카페가 있다. 층고가

높고 좌석이 넉넉해 음악을 들으면서 전망을 즐기거나 책을 읽으며 시간을 보내기 좋은 곳.

₩ 아메리카노(5천5백원), 캐러멜마키아토(6천5백원), 카페라테(6천원), 드립커피(1만원), 콜드브루(6천원), 티(6천5백원~7천원)

⏲ 09:00~20:00 | 일요일 09:00~18:00 – 둘째, 넷째 주 월요일 휴무

🔍 강원 속초시 관광로 439(노학동) ☎ 033-638-4080 Ⓟ 가능

한산횟집 생선회

회를 시키면 성게, 비단멍게, 오징어, 새우, 골뱅이 등 해산물이 함께 나온다. 곱게 간 광어 뼈와 각종 양념을 버무려 쌈장처럼 만든 것이 특징. 이어서 오징어순대와 가자미튀김, 날치알 등이 나오고 오징어 통찜과 생선찜 등도 나온다. 하얀 순두부와 고소한 콩비지찌개도 별미다.

₩ 모둠회(각 소 10만원, 중 12만원, 대 15만원, 특대 18만원), 자연산 스페셜(각 소 15만원, 중 18만원, 대 20만원, 특대 25만원)

⏲ 10:00~22:00 – 연중무휴

🔍 강원 속초시 장사항해안길 23(장사동)

☎ 033-633-5566 Ⓟ 가능

한성면옥 함흥냉면 | 수육

3대에 걸친 냉면집. 직접 반죽한 면을 사용하여 냉면을 만든다. 반죽을 치대는 세기와 국수를 삶는 시간에 따라 면의 쫄깃한 맛이 결정된다. 육수는 소 뼈를 사흘 동안 푹 고아 만든 진한 국물에 20여 가지 재료를 넣어 우려낸다. 회냉면에는 맵고 톡 쏘는 명태포가 고명으로 올라간다.

₩ 명태회냉면, 물냉면(각 기본 1만1천원, 대 1만2천원), 명태회+골뱅이회냉면(기본 1만5천원, 대 1만6천원), 수육(소 2만5천원, 대 3만5천원)

⏲ 10:30~15:30/17:00~18:40 – 둘째, 넷째 주 수요일 휴무

🔍 강원 속초시 밤골5길 28(교동)

☎ 033-635-1118 Ⓟ 가능(협소)

함흥냉면옥 함흥냉면 | 수육

함흥냉면이라고도 하는 회냉면을 처음으로 시작한 원조집. 탱탱하고 질기게 씹히는 면발이 좋으며 새콤하게 무친 명태회가 올라간다. 양념은 약간 세다 싶을 정도로 진한 편이며, 여기에 식초와 겨자를 곁들여 먹어도 좋다. 주방은 밖에서도 면을 뽑는 모습을 볼 수 있도록 오픈해 놓았다. 70년이 넘는 역사를 자랑하는 곳으로, 함흥에서 피난 내려와서 처음 가게를 차린 주인은 작고했지만, 대를 이어 성업 중이다.

₩ 함흥냉면, 물냉면(각 1만1천원, 곱빼기 1만2천원), 손찐만두(8천원), 돼지고기수육(2만8천원), 소고기수육(3만5천원)

⏲ 10:30~20:30(마지막 주문 20:00) – 목요일 휴무

🔍 강원 속초시 청초호반로 299(금호동) 1층

☎ 033-633-2256 Ⓟ 가능

형제닭집 닭강정

만석닭강정과 양대산맥을 이루는 닭강정 전문점으로, 50여 년의 전통이 있는 곳이다. 닭강정에 양념이 잔뜩 묻어 있지만, 눅눅하지 않고 바삭바삭하다. 닭강정에 깨, 땅콩, 청양고추가 많이 들어가 고소하면서도 매콤하다.

₩ 닭강정, 프라이드치킨(각 1만8천원), 순살닭강정, 순살프라이드치킨(각 1만9천원)

⏲ 07:30~20:30 – 연중무휴

🔍 강원 속초시 중앙로129번길 40 ☎ 033-633-3293 Ⓟ 가능

후포식당 생선조림 | 생선매운탕

속초에서 오래된 생선요리 전문점. 생선조림과 매운탕을 잘한다. 현지인이 주로 찾는 곳으로, 양도 푸짐하고 반찬도 깔끔하게 나온다. 담백하게 끓인 지리탕 종류도 인기다.

₩ 조림(소 2만5천원, 중 3만원, 대 4만원), 장치(소 3만원, 대 4만원), 망챙이(소 2만5천원, 대 3만원), 생태, 대구(각 4만원), 도루묵찌개, 도치알탕(각 3만원)

⏲ 11:30~13:00/17:00~19:00 – 연중무휴

🔍 강원 속초시 중앙로108번길 22-1(청학동)

☎ 033-632-6738 Ⓟ 가능

강원도 양구군

광치막국수 막국수 | 전

막국수와 감자전, 민들레전이 맛있는 곳. 주문 즉시 반죽하여 면을 뽑는 것이 특징이며 육수와 양념장이 조화를 이룬다. 민들레에 각종 채소를 더해 부친 민들레전은 쌉싸름한 맛이 일품이다. 이 외에도 두부구이, 감자옹심이, 감자전, 도토리옹심이를 넣은 임자탕 등 강원 토속 음식을 다양하게 즐길 수 있다.

₩ 막국수(8천원), 감자전(9천원), 민들레전(1만원), 편육(250g 1만8천원), 두부구이(6천원)

⏲ 11:00~17:00 | 토, 일요일 11:00~19:00 – 월요일 휴무

🔍 강원 양구군 국토정중앙면 남동로 34-7

☎ 033-481-4095 Ⓟ 가능

도촌막국수 막국수

광치막국수와 함께 양구에서 유명한 막국수 전문점. 아직 관광객의 때가 묻지 않은 강원 깡촌의 막국수를 맛볼 수 있다. 잘 삶은 편육을 곁들여도 좋다. 도토리묵과 감자전(감자부침)의 맛도 시골의 맛이다.

₩ 막국수(8천원, 곱빼기 1만원), 편육(1만8천원), 감자부침, 메밀전병, 메밀왕만두(각 7천원), 도토리묵(8천원), 메밀옹심이칼국수(2인 이상, 1인 1만6천원), 메밀옹심이칼국수(2인이상 1인 1만8천원)

🕒 10:00~19:00 – 월요일 휴무
🔍 강원 양구군 남면 국토정중앙로 6
☎ 033-481-4627 Ⓟ 가능

석장골오골계숯불구이 오골계

충남 논산에서 직접 키운 오골계 중 지방이 적은 60~70일 된 영계를 사용한다. 양념한 오골계숯불구이와 오골계백숙이 특히 맛있다. 일반 닭보다 담백하고 쫄깃하다. 식사 마무리로 나오는 오골계탕도 별미다.

₩ 오골계숯불구이(1마리 5만원), 오골계백숙, 오골계복음탕(각 1마리 6만원)
🕒 12:00~21:00(마지막 주문 20:00) – 비정기적 휴무
🔍 강원 양구군 양구읍 양록길23번길 16-7
☎ 033-482-0801 Ⓟ 가능

아인53카페 CAFE AIN53 카페

자연을 내다볼 수 있는 좋은 전망의 카페로, 커피를 비롯해 에이드, 생과일주스 등 다양한 음료를 선보이고 있다. 세 가지의 오픈 샌드위치와 샐러드를 포함한 브런치 메뉴는 오후 2시까지 맛볼 수 있으며, 감각적으로 꾸민 인테리어가 분위기를 더한다. 2층은 노키즈존으로 운영된다.

₩ 에스프레소(4천원), 아메리카노(4천원~4천5백원), 카페라테(5천원), 브런치(9천5백원~1만7천5백원), 피낭시에(2천2백원), 아인브레드(1만원)
🕒 10:30~21:00 | 동절기 10:00~19:00 | 토요일 10:00~20:00 – 일요일 휴무
🔍 강원 양구군 양구읍 성곡로 200-1
☎ 010-4115-5002 Ⓟ 가능

월운막국수 막국수 | 수육

막국수와 수육이 맛있는 곳. 채소와 김, 달걀이 들어간 막국수는 양념이 자극적이지 않고 깔끔하여 맛이 좋다. 비계와 살코기의 비율이 좋아 식감이 남다른 편육도 별미. 고소한 녹두전을 곁들여도 좋다.

₩ 막국수(8천원, 곱빼기 9천원), 녹두전(7천원), 편육(1만3천원), 도토리묵무침(1만1천원)
🕒 10:00~20:00 – 비정기적 휴무
🔍 강원 양구군 동면 금강산로 1873-4
☎ 033-481-0076 Ⓟ 가능

장수오골계숯불구이 오골계 | 옻닭

오골계 숯불구이, 오리구이, 옻닭 등을 선보이는 건강 보양식 전문점. 뼈까지 검은 오골계를 숯불에 구워 기름기 없이 담백한 맛을 즐길 수 있다. 구이 메뉴를 주문하면 오리탕, 오골계탕 등의 탕 메뉴가 함께 나온다.

₩ 오골계숯불구이(5만원), 오골계복음탕, 오골계옻백숙(각 6만원), 오리옻백숙, 오리숯불구이, 토종닭옻백숙, 토종닭복음탕(각 7만원)
🕒 12:00~22:00 – 둘째, 넷째 주 월요일 휴무
🔍 강원 양구군 양구읍 양록길23번길 6-17
☎ 033-481-8175 Ⓟ 가능

강원도 양양군

감나무식당 🎀 황태

시원한 황태국밥을 선보이는 곳. 고소하면서도 담백한 황태국밥과 칼칼한 황태해장국이 대표 메뉴다. 가자미구이와 황탯국이 함께 나오는 백반도 가격 대비 만족도가 높다. 여럿이 방문한다면 황태전골도 추천한다.

₩ 송이황태국밥, 송이황태해장국(각 1만9천원), 황태국밥, 황태해장국(각 1만2천원), 황태구이(1만5천원), 황태전골(중 4만원, 대 5만원), 버섯불고기(2인 이상, 1인 2만원), 제육볶음(2인 이상, 1인 1만5천원)
🕒 07:00~15:00(마지막 주문 14:30) – 목요일 휴무
🔍 강원 양양군 양양읍 안산1길 73-6
☎ 033-672-3905 Ⓟ 가능

그린생칼국수 칼국수

송이칼국수가 맛있기로 유명한 곳. 깔끔한 국물과 면, 송이 향이 어우러진다. 직접 담근 고추장으로 칼칼한 맛을 낸 장칼국수도 단연 별미며, 오동통한 홍합이 듬뿍 들어간 홍합칼국수도 추천할 만하다.

₩ 송이칼국수(1만5천원), 홍합장칼국수, 홍합손칼국수(각 1만원), 장칼국수, 손칼국수(각 8천원)
🕒 10:00~19:00 | 토, 일요일 10:00~17:00 – 명절 당일 휴무
🔍 강원 양양군 양양읍 남문5길 10
☎ 033-671-5694 Ⓟ 가능

남설악식당 더덕 | 산채비빔밥 | 산채정식

한 상 가득 차려지는 산채정식이 맛있기로 유명한 곳. 황태와 더덕구이와 묵무침, 감자전, 산나물 등 강원 별미를 한자리에서 맛볼 수 있다. 직접 담근 된장으로 끓인 된장찌개도 맛깔나다. 모든 정식 메뉴는 2인 이상 주문해야 한다.

₩ 남설악정식(2인 이상, 1인 1만5천원), 약수돌솥밥정식, 약수곤드레돌솥밥정식(각 2인 이상, 1인 2만원), 된장산채백반, 산채돌솥비빔밥(각 1만원), 표고찌개백반(1인 1만2천원)
🕒 09:00~20:00 | 토, 일요일 07:00~21:00 – 연중무휴
🔍 강원 양양군 서면 대청봉길 58-45
☎ 033-672-3159 Ⓟ 가능

닌베 仁部 카페 | 빙수

양양 양리단길 빙수 맛집이다. 일본식 빙수로 유명하지만 팥, 떡 모두 양양 카페에서 직접 만들어 정갈한 맛은 한국식이다. 우유

를 얼려 곱게 갈았으며, 팥, 고물, 떡을 따로 한상차림으로 차려 내어주는 필크 팥빙수가 서퍼들의 더위를 식혀준다.

㉻ 밀크팥빙수(1만2천원), 녹차팥빙수, 초코빙수(각 1만3천원), 에스프레소(3천5백원), 아메리카노(4천원), 카페라테(4천5백원), 밤양갱세트(8천원)
🕒 11:00~17:00(마지막 주문 16:30) – 화, 수요일 휴무
🔍 강원 양양군 현남면 인구항길 6
☎ 070-4090-7720 Ⓟ 불가

단양면옥 막국수 | 함흥냉면 | 수육

100년에 걸쳐 3대째 내려오는 전통 있는 집이다. 메밀가루에 감자 또는 고구마 전분을 섞어 반죽한 후 뽑아내는 막국수와 냉면이 별미다. 냉면 사리에 가자미회무침을 얹어주는 함흥식 회냉면도 좋다. 메밀막국수는 평양식, 전분냉면은 함흥식이다.

㉻ 함흥회냉면, 회비빔막국수(각 1만원), 함흥물냉면, 물막국수(각 9천원), 수육(2만8천원)
🕒 11:00~19:00 – 월요일 휴무
🔍 강원 양양군 양양읍 남문6길 3 1층
☎ 033-671-2227 Ⓟ 불가(양양전통시장 공영주차장 이용)

돌바우횟집 세꼬시 | 생선회 | 물회

자연산 회를 전문으로 내는 곳. 회의 선도가 좋으며 닭새우와 같은 자연산 어종도 다양하게 만날 수 있다. 시원한 조개탕으로 식사를 시작해서 칼칼한 매운탕으로 마무리한다. 신선한 해산물도 단연 추천할 만하다.

㉻ 모둠회(소 10만원, 중 12만원, 대 15만원, 특대 20만원), 도다리, 자연산광어(각 시가) 매운탕(소 3만원, 대 5만원), 물회(잡어 2만원, 전복만 2만8천원)
🕒 12:00~15:00(마지막 주문 14:00)/17:30~21:00(마지막 주문 19:00) – 화요일, 명절 당일 휴무
🔍 강원 양양군 현남면 매바위길 51
☎ 033-671-7537 Ⓟ 가능

돌바우횟집

동해막국수 막국수

메밀막국수를 맛볼 수 있는 곳으로, 시원하면서도 진한 육수가 일품이다. 채썬 무와 당근이 올라가는 것이 특징이며, 면은 쫄깃하고 찰기가 살아 있다. 육수는 동치미 국물과 고기 국물을 섞어서 만드는데, 고기 국물 맛이 좀 더 강하다. 수육을 곁들여도 좋다.

㉻ 물막국수, 비빔막국수(각 9천원), 수육(소 200g 2만원 대 300g 2만8천원)
🕒 10:00~15:30/17:00~20:00(마지막 주문 19:30) – 화요일 휴무
🔍 강원 양양군 현남면 동해대로 54
☎ 033-671-7117 Ⓟ 가능

등불 소고기구이 | 소불고기 | 송이

양양군 일대에서 나는 한우를 그날그날 들여와 숙성고에 걸어 놓고, 주문한 만큼만 즉석에서 손질해 낸다. 숯불에 구워먹는 고기 맛이 일품이며 찬으로 물김치와 나물류가 깔끔하게 곁들여 나온다. 채소와 김칫거리도 대부분 텃밭에서 직접 가꿔 낸다. 자연산송이버섯도 판매하고 있으므로 함께 먹으면 좋다.

㉻ 자연송이버섯전골(6만원), 한우특수부위(150g 5만5천원), 한우꽃등심(180g 5만5천원), 한우송이버섯불고기(3만5천원), 한우육회(6만원), 자연송이버섯(시가)
🕒 12:00~21:00 – 명절 당일 휴무
🔍 강원 양양군 양양읍 포월나들길 23
☎ 033-671-1500 Ⓟ 가능

범바우막국수 막국수

40여 년 역사의 막국수 전문점. 비트와 꾸지뽕에서 우러나온 빨간 빛의 독특한 육수를 사용한다. 비빔막국수는 취향에 맞춰 양념을 듬뿍 넣어 먹으면 좋다. 인근의 해양레포츠를 즐긴 사람들이 시원한 막국수를 맛보려 많이 찾는다.

㉻ 냉면(1만원), 막국수, 떡만둣국(각 9천원), 촌두부(8천원), 수육(소 2만원, 대 3만5천원), 메밀전병(1만원), 갈비탕(1만2천원)
🕒 08:30~18:30 – 수요일 휴무
🔍 강원 양양군 강현면 동해대로 3277-22
☎ 033-671-5966 Ⓟ 가능

범부메밀국수 막국수 | 수육

메밀막국수를 전문으로 하는 곳으로, 까칠한 면발과 향긋한 메밀 향이 특징이다. 면을 미리 뽑아 놓지 않고 주문을 받으면 즉시 반죽을 만들어 면을 뽑는다. 무쇠 가마솥에서 삶아내는 전통 방식을 고수하고 있다. 국물은 한우 사골을 우려내 깊은 맛을 느낄 수 있다. 도토리로 만든 도토리냉면도 별미. 명태무침이 함께 나오는 수육도 만족도가 높다.

㉻ 메밀물국수, 메밀비빔국수, 도토리물냉면, 도토리비빔냉면(각 9천원), 수육(2만4천원), 촌두부, 찐만두(각 5천원),
🕒 11:00~20:00 – 수요일 휴무

🔍 강원 양양군 서면 고인돌길 6
☎ 033-671-0743 Ⓟ 가능

비치얼스 BEECHEERS CAFE 카페 | 피자
서퍼들이 많이 찾는 곳 답게 서핑 분위기가 나는 카페로, 사랑의 초성 계단이 유명하다. 다양한 음료와 쿠바 피자 등 식사류도 제공한다. 카페 루프탑에선 서피비치가 한눈에 들어온다.
₩ 아메리카노(5천원), 카페라테(6천원), 에이드(각 6천원), 쿠바피자(2만7천원), 코코넛새우튀김(5개 1만원, 10개 1만8천원), 떡볶이+튀김(1만6천원)
🕒 11:00~24:00(마지막 주문 23:30) - 연중무휴
🔍 강원 양양군 현북면 하조대4길 32
☎ 0507-1429-1633 Ⓟ 가능

산골식당 산채정식 | 산채비빔밥
설악산국립공원 오색지구에 있는 식당. 2대에 걸쳐 대를 이어온 50여 년의 역사를 자랑한다. 오색약수물을 사용하여 밥을 짓고 산에서 직접 채취한 나물로 상을 차리며, 반찬이 하나같이 맛깔스럽다. 정식은 기본 2인 이상 주문해야 한다.
₩ 오색약수정식(2인 이상, 1인 2만2천원), 황태정식, 더덕정식(각 2인 이상, 1인 1만7천원), 산채정식(2인 이상, 1인 1만5천원), 곤드레밥(1만2천원), 산채비빔밥(각 1만1천원)
🕒 08:00~21:00 - 연중무휴
🔍 강원 양양군 서면 약수길 39
☎ 033-672-3428 Ⓟ 가능

삼십년할머니순두부 두부 | 산채정식 | 순두부
순두부와 모두부 맛이 좋은 곳. 고비나물과 곤드레나물 등의 반찬 등도 정갈하다. 소박하고 시골스러운 가게 내부의 모습이 정겹다.
₩ 순두부, 얼큰순두부, 산채비빔밥, 모두부(각 1만원), 더덕구이(2만원), 도토리묵, 메밀전병(각 1만원)
🕒 08:00~18:00(마지막 주문 17:00) - 화요일 휴무
🔍 강원 양양군 서면 설악로 1322-4
☎ 033-672-8437 Ⓟ 가능

송월메밀국수 🎀 막국수 | 두부
메밀막국수를 맛볼 수 있는 곳. 소의 목뼈와 가슴뼈로 우려낸 육수에 김가루를 잔뜩 뿌려 고소한 맛을 더하며, 은은한 감칠맛이 난다. 막국수 외에도 제대로 만든 시골손두부와 야들야들하게 삶은 문어숙회가 맛있기로도 유명하다.
₩ 물,비빔메밀국수(각 9천원), 순모두부(1만원), 수육(2만6천원), 문어(3만5천원)
🕒 09:30~16:00 - 화요일 휴무
🔍 강원 양양군 손양면 동명로 282-4
☎ 033-672-3696 Ⓟ 가능

송이골 송이 | 솥밥
다양한 송이요리를 선보이는 곳. 송이영양돌솥밥을 시키면 산채무침, 생선, 해초무침 등 10여 가지 반찬이 따라나온다. 비교적 저렴한 가격에 송이 향을 즐기며 토속적인 밑반찬을 먹을 수 있는 것이 장점이다. 가을에 난 송이를 영하 30도에서 급랭시켜 향을 유지하는 것이 비결이라고 한다.
₩ 송이돌솥정식(2만원), 약수돌솥정식(1만4천원), 송이소금구이(2인 이상, 시가), 송이불고기(4만원)
🕒 09:00~14:00/17:00~21:00 - 화요일 휴무
🔍 강원 양양군 손양면 동명로 4
☎ 033-672-8040 Ⓟ 가능

송이버섯마을 🎀 송이 | 버섯전골
가을철에 낙찰받은 자연 송이를 급속 냉동시켜 두었다가 1년 내내 사용한다. 송이전골이 대표 메뉴로, 새송이, 표고, 느타리, 팽이 등 갖은 종류의 버섯에 송이를 얇게 저며 올린다. 송이버섯의 맛과 향이 다른 버섯을 압도한다. 양양 남대천 일대가 한눈에 보이는 전망이 좋다.
₩ 송이버섯전골(1인 3만원), 능이버섯전골(2인 이상, 1인 2만8천원), 버섯전골(소 3만원, 중 4만5천원, 대 5만5천원), 송이불고기(100g 3만5천원), 송이버섯구이(시가)
🕒 11:00~15:00/17:00~20:00 - 화요일, 명절 당일 휴무
🔍 강원 양양군 양양읍 남대천로 55-20
☎ 033-672-3145 Ⓟ 가능

수라상 섭
해녀가 직접 잡았다는 통섭 전골을 맛볼 수 있다. 큼지막한 통섭이 들어간 전골은 성게 비빔밥을 곁들이면 더욱 좋다. 통섭 채취가 안되는 날도 있으니, 미리 확인할 것.
₩ 통섭전골(2만5천원), 섭전골(2만2천원), 섭찰솥밥(1만5천원), 성게비빔밥(1만5천원)
🕒 09:00~21:00(마지막 주문 20:00) - 수요일 휴무
🔍 강원 양양군 손양면 수산1길 41
☎ 0507-1378-5857 Ⓟ 가능

실로암메밀국수 🎀 막국수 | 수육
직접 만든 천연 메밀과 오염되지 않은 지하수로 만든 시원한 동치미 국물이 조화를 이루는 막국수를 맛볼 수 있다. 메밀과 양념류는 방앗간에서 직접 빻아 쓰는 것이 특징. 부드럽게 삶은 보쌈을 곁들여도 좋다. 70여 년의 역사를 자랑한다.
₩ 삶은돼지고기(3만3천원), 백김치(1만2천원), 묵은지(1만3천원), 동치미, 비빔메밀국수(각 1만원), 메밀사리(4천원)
🕒 10:30~17:00(마지막 주문 16:50)| 토, 일요일 10:30~18:30(마지막 주문 16:50) - 수요일 휴무
🔍 강원 양양군 강현면 장산4길 8-5
☎ 033-671-5547 Ⓟ 가능

싱글핀에일웍스

SINGLEFIN ALEWORKS 피자 | 크래프트맥주바

양양서피비치 내에 있는 피자 전문점으로, 다양한 피자와 수제 맥주를 즐길 수 있다. 셀프 주문 매장이며, 두꺼운 도우의 페페로니피자가 인기 메뉴. 서핑과 관련된 다양한 소품들과 보드들로 내부를 꾸몄고, 서핑보드 렌탈 및 서핑보드 강습도 진행하고 있다.

₩ 클래식시카고피자(2만6천원), 치즈시카고피자, 페페로니시카고피자, 하와이안시카고피자(각 2만9천5백원), 프렌치프라이즈(1만1천원)

🕒 11:00~15:00(마지막 주문 14:30)/17:00~22:00(마지막 주문 21:00) – 연중무휴

🔍 강원 양양군 현북면 하조대2길 48-42

☎ 070-8879-6181 Ⓟ 가능

알로하웨이브 ALOHA WAVE 포케 | 경양식

죽도해수욕장 인근에 있어, 바다를 바라보며 식사를 즐길 수 있는 곳으로, 서퍼들이 많이 찾는 곳이다. 하와이 현지풍의 인테리어와 서퍼에게 어울리는 포케를 선보이고 있다.

₩ 포케(1만2천원~1만3천원), 함박스테이크(1만3천원~1만4천원), 피시앤칩스(1만5천원), 코코넛파인애플셔벗(1만9천원)

🕒 11:00~24:00 – 연중무휴

🔍 강원 양양군 현남면 새나루길 43

☎ 010-9915-2477 Ⓟ 가능

영광정메밀국수 막국수 | 수육

3대를 이어오는 오래된 막국숫집. 함흥이 고향인 할머니가 1974년부터 고향식 메밀국수를 팔기 시작해 지금은 며느리와 손자가 대를 잇고 있다. 한 달 이상 숙성시킨 차가운 동치미 국물과 제분한 지 일주일을 넘기지 않는 봉평 메밀로 직접 뽑는 구수한 국수 면발, 양파를 갈아 넣어 만든 매콤시원한 양념장이 맛의 비결이다. 동치미 막국수의 원조라고도 알려져 있다.

₩ 메밀국수(1만원), 메밀전병(8천원), 감자전(1만2천원), 수육(3만원)

🕒 10:00~19:00(마지막 주문 18:30) – 화요일 휴무

🔍 강원 양양군 강현면 진미로 446 ☎ 033-673-5254 Ⓟ 가능

영광정메밀국수

옛뜰 두부 | 홍합

40여 년간 직접 만들어 온 두부 맛이 좋은 곳. 직접 만든 모두부와 순두부가 고소하고 담백하다. 자연산 홍합인 섭을 넣고 끓인 섭국은 고추장과 된장으로 양념해 칼칼한 맛을 자랑한다.

₩ 가마솥모두부(1만5천원), 들기름/산초기름두부구이(각 1만8천원), 자연산섭국(1만5천원), 가마솥순두부(1만원), 순두부째복탕(1만2천원)

🕒 09:00~15:00(마지막 주문 14:30)(재료 소진 시 마감) – 화요일 휴무

🔍 강원 양양군 손양면 동명로 289

☎ 033-672-7009 Ⓟ 가능

오산횟집 생선회 | 홍합 | 세꼬시

앞바다에서 건져낸 싱싱한 섭(자연산 홍합)에 달걀을 풀고 부추와 미나리, 대파를 넣고 죽처럼 진하게 끓여 내는 섭국이 명물이다. 술 마신 다음 날 먹으면 더욱 시원하다. 섭무침과 해물전은 안주로 좋다. 신선한 회도 추천할 만하다.

₩ 섭죽, 섭국, 섭해물전(각 1만5천원), 섭무침(3만원), 도다리세꼬시(10만원), 광어, 우럭(각 시가), 모둠회(소 8만원, 중 10만원, 대 12만원, 특대 15만원)

🕒 08:00~21:00 – 연중무휴

🔍 강원 양양군 손양면 선사유적로 306-7

☎ 033-672-4168 Ⓟ 가능

오색식당 백반 | 산채비빔밥 | 산채정식

산채정식 전문점으로, 오색약수로 지은 솥밥이 나오는 약수정식이 별미다. 반찬으로 갖가지 산채와 도토리묵, 황태구이, 된장찌개, 채소튀김 등이 나온다. 매콤하게 양념한 황태구이가 나오는 황태구이정식도 인기.

₩ 약수가마솥정식(2인 이상, 1인 2만5천원), 약수곤드레정식(2인 이상, 1인 2만2천원), 더덕정식, 표고찌개백반(각 2만원), 산채돌솥비빔밥, 곤드레돌솥비빔밥(각 1만5천원), 산채비빔밥(1만2천원)

🕒 07:00~21:00 – 연중무휴

🔍 강원 양양군 서면 대청봉길 58-120

☎ 033-672-3180 Ⓟ 가능

월웅식당 꾹저구 | 은어 | 해물찜

양양 남대천에서 잡은 뚜거리(꾹저구)를 내장을 제거하고 고추장과 된장을 넣고 푹 삶은 뚜거리탕이 맛있는 곳. 대파와 갖은 양념을 넣고 가루가 될 정도로 탕을 만들어 얼핏 보면 추어탕처럼 보인다. 부담 없이 속을 풀어주기 때문에 해장에도 좋다.

₩ 뚜거리탕(1만원), 은어튀김(3만원), 은어회(3만5천원), 해물찜, 해물찜(각 소 4만원, 중 5만원, 대 6만원)

🕒 11:00~14:30/16:30~21:00 – 화요일 휴무

🔍 강원 양양군 양양읍 남대천로 3

☎ 033-671-3049 Ⓟ 가능

입암메밀타운 막국수 | 수육

메밀의 독특한 향과 담백한 맛이 어우러진 메밀막국수를 맛볼 수 있다. 막국수 육수는 25종의 재료로 만드는데, 명성과 비교하면 옛 맛을 잃었다는 평도 있다. 수육은 부드러운 암퇘지를 사용해 기름 냄새를 제거해 입맛을 돋운다. 50년 넘는 역사를 자랑한다.

Ⓦ 물막국수, 비빔막국수(각 1만원), 수육(2만8천원)
Ⓛ 10:00~14:30/15:30~18:00 | 하절기 10:00~14:30/15:30~19:00 – 월요일 휴무
Q 강원 양양군 현남면 화상천로 155
☎ 033-671-7447 Ⓟ 가능

진솔메밀국수 메밀국수

90% 함량의 메밀이 들어간 메밀국수를 맛볼 수 있는 곳이다. 메밀껍질 째 갈아서 면 색깔도 진하고, 먹기 좋게 끊어진다. 비빔과 물 국수 중에 선택할 수 있으며, 물국수는 시원한 동치미 국물이 들어가 맛이 좋다. 국수와 함께 도토리묵이나 수육을 곁들여도 좋다.

Ⓦ 메밀국수, 도토리냉면(각 보통 1만원, 곱빼기 1만1천원), 촌두부, 도토리묵(각 1만원), 수육(2만8천원)
Ⓛ 10:30~18:00 – 화요일 휴무
Q 강원 양양군 강현면 장산4길 7
☎ 033-671-0689 Ⓟ 가능

창횟집 생선회

회를 시키면 전복, 해삼, 멍게, 닭새우 등의 곁들이 음식이 푸짐하게 나온다. 잡어를 사용한 물회도 인기 있는 메뉴다. 새콤달콤한 육수에 소면도 말아 먹는다. 아침 식사로 좋은 어죽도 인기 메뉴.

Ⓦ 모둠회(소 9만원, 중 11만원, 대 13만원, 특대 16만원), 자연산모둠회(소 11만원, 중 15만원, 대 19만원, 특대 22만원), 물회, 회덮밥(각 2만원~3만원), 어죽(1만5천원)
Ⓛ 08:00~21:00 – 둘째, 넷째 주 월요일 휴무
Q 강원 양양군 현남면 동해대로 254
☎ 033-671-5622 Ⓟ 가능

천선식당 꾹저구 | 은어 | 민물매운탕

30여 년의 내력을 쌓고 있는 뚜거리(꾹저구)탕 전문점이다. 시래기를 듬뿍 넣고 끓인 뚜거리탕에는 수제비도 들어가 있다. 뚜거리탕 외에 은어와 메기매운탕도 맛볼 수 있다.

Ⓦ 뚜거리탕(1만2천원), 뚜거리탕특정식(1만4천원), 뚜거리전골(각 중 4만원, 대 5만원), 메기매운탕(중 4만5천원, 대 5만5천원), 가정식백반(1만원)
Ⓛ 07:00~20:00 | 일요일 07:00~15:00 | 하절기 07:00~21:00 – 연중무휴
Q 강원 양양군 양양읍 남대천로 13
☎ 033-672-5566 Ⓟ 가능

카루나 KARUNA 카페

양양인구해변을 정면으로 바라보는 창 너머로 바다가 펼쳐지는 카페와 라운지. 노출 콘크리트와 벽돌의 따뜻한 색감, 볕이 잘 드는 건물이 세련되었으며, 건축가인 주인이 레지던스를 함께 운영하고 있기도 하다.

Ⓦ 아메리카노(5천8백원), 카페라테(6천5백원), 차(6천5백원~7천5백원), 에이드(7천5백원), 초코브라우니퍼지, 수플레치즈케이크(각 8천5백원)
Ⓛ 10:30~19:00 | 토요일 10:00~20:00 | 일요일 09:00~20:00 – 연중무휴
Q 강원 양양군 현남면 인구길 36
☎ 010-4480-4686 Ⓟ 가능

통나무집식당 산채정식 | 산채비빔밥

60여 년 전통의 산채정식 전문점으로, 산나물 가득한 한식을 맛볼 수 있다. 산채와 황태가 함께 나오는 통나무집정식이 인기. 오색약수로 지어 노르스름한 약수밥에 취나물, 삼나물, 고비, 곰버섯, 산더덕, 참나물 등이 반찬으로 나온다. 산나물의 향을 살리기 위해 콩기름만을 사용한 것이 특징이다. 식당 창밖으로 대청봉 정상이 보인다.

Ⓦ 오색산채정식(1만5천원), 오색황태정식(1만7천원), 통나무집정식(2인 이상, 1인 2만원), 황태해장국(1만1천원), 메밀파전, 감자부침, 도토리묵(각 1만원), 산채돌솥비빔밥(1만3천원)
Ⓛ 08:30~18:30 | 하절기 08:30~20:00 – 명절 휴무
Q 강원 양양군 서면 약수길 33
☎ 033-671-3523 Ⓟ 가능

파머스키친 FARMER'S KITCHEN 햄버거

죽도해수욕장 인근의 수제 햄버거 전문점. 미 서부 풍의 디자인과 서핑 용품을 활용한 인테리어로 서퍼들에게 입소문이 났다. 바다를 바라보며 햄버거를 즐길 수 있는 곳이다. 당일 재료 소진 시 일찍 마감한다.

Ⓦ 치즈버거(7천5백원), 베이컨치즈버거(1만원), 아보카도버거(1만1천원), 더블치즈버거(1만2천원), 감자튀김(5천5백원), 어니언링(6천원),

파머스키친

밀크셰이크(5천5백원)
⏲ 11:00~15:00/16:00~18:00(마지막 주문 14:30, 17:30) – 화, 수요일 휴무
🔍 강원 양양군 현남면 동산큰길 44-39
☎ 010-3022-0984 Ⓟ 가능

플리즈웨잇 Please Wait 카페

인구해수욕장 앞에 위치한 카페. 입구의 큰 야자수를 비롯해, 카페에 이국적 분위기가 형성되어 있으며, 테라스 자리에서 바다를 바라볼 수도 있다. 아이스바라테가 대표 메뉴.
₩ 아메리카노(5천원~5천5백원), 카페라테(6천원~6천5백원), 트로피컬핑크에이드, 블루하와이안에이드, 스무디(각 7천원)
⏲ 11:00~23:00(마지막 주문 22:30) | 일요일 11:00~15:00(마지막 주문 14:30) – 월, 화, 수, 목요일
🔍 강원 양양군 현남면 인구길 28-23
☎ 1577-8647 Ⓟ 불가

해촌 홍합

자연산 홍합인 섭을 넣고 끓인 섭국이 맛있기로 유명한 곳. 시원하면서도 칼칼한 국물 맛이 일품이며 함께 나오는 우동 사리를 넣어 먹으면 더욱 맛있다. 섭부침개와 섭탕, 통문어숙회 등도 별미.
₩ 자연산섭국, 섭부침개(각 1만6천원), 자연산섭탕(5만원)
⏲ 07:00~15:00 – 수요일 휴무
🔍 강원 양양군 손양면 동명로 81
☎ 033-673-5050 Ⓟ 가능

강원도 영월군

강원토속식당 칡국수

칡국수를 맛볼 수 있는 곳. 칡으로 만든 국수와 진한 국물 맛이 어우러지며 쫄깃한 면발이 일품이다. 매콤한 양념장이 올라간 칡비빔국수와 칡콩물국수 등도 별미다. 쫄깃한 감자전과 감자송편 등을 곁들이면 더욱 맛있게 즐길 수 있다.
₩ 칡국수, 칡비빔국수, 칡콩물국수, 채묵(각 9천원), 감자전, 감자송편(각 6천원), 도토리묵무침(1만2천원)
⏲ 11:00~19:00 – 수요일 휴무
🔍 강원 영월군 김삿갓면 영월동로 1121-16
☎ 033-372-9014 Ⓟ 가능

고향원조칡칼국수 칡국수 | 칼국수

40여 년의 내력을 지닌 집으로 칡으로 만든 칼국수로 사랑받고 있다. 칡 향이 은은하게 퍼지는 면과 따뜻한 국물의 조화가 좋다. 이 외에도 칡콩국수, 칡비빔국수, 칡냉면 등도 다양하게 선보인다. 감자전, 감자떡 등을 곁들이면 좋다.
₩ 칡칼국수, 칡콩국수, 칡비빔국수, 칡냉면, 묵밥, 채묵(각 9천원), 감자전, 감자떡(각 6천원), 더덕구이(1만5천원)
⏲ 08:00~19:30 – 화요일 휴무
🔍 강원 영월군 김삿갓면 영월동로 1121-11
☎ 033-372-9117 Ⓟ 가능

김인수할머니순두부 두부 | 순두부 | 청국장

60여 년 전통의 순두부집. 가마솥에 직접 두부를 쑤는 것이 특징이며 양념장을 얹어 먹는다. 직접 만든 두부의 담백한 맛이 그만이다. 비지장과 구수한 청국장 등도 인기 메뉴다. 열 가지가 넘는 반찬도 하나같이 맛깔스럽다.
₩ 엄가순두부(1만1천원), 1966수제왕돈가스(1만2천원), 전통순두부(9천원), 고기비지장, 청국장, 얼큰순두부(각 1만원)
⏲ 08:00~20:00 – 수요일 휴무
🔍 강원 영월군 영월읍 단종로16번길 41
☎ 033-374-3698 Ⓟ 가능

덕포식당 소고기구이 | 소불고기 | 육회

정육점을 겸하는 정육식당으로, 육질 좋은 고기를 다양하게 즐길 수 있다. 묵은지와 금방 무친 파채를 함께 먹는 맛이 일품이다. 직접 한우를 키우고 있으며, 조그만 독방이 여러 개 마련되어 있어 조용히 식사할 수 있는 것이 특징이다. 예약 필수.
₩ 한우등심(160g 4만7천원), 한우살치살(160g 5만원), 한우차돌박이(160g 3만2천원), 한우갈비탕(1만6천원)
⏲ 06:00~21:30 – 일요일 휴무
🔍 강원 영월군 영월읍 덕포시장길 69
☎ 033-374-2420 Ⓟ 가능

사랑방식당 보리밥 | 오징어

현지인이 주로 찾는 보리밥집. 갖가지 산나물과 구수한 된장찌개, 보리밥이 나오는 보리밥정식이 인기다. 철판에 볶아 먹는 오징어구이도 인기가 많은데, 남은 양념에 밥을 볶아 먹으면 별미다. 식사는 점심시간에만 가능하며, 저녁에는 포장 판매만 한다.
₩ 평일보리밥정식(2인 이상, 1인 9천원), 오징어불백(2인 이상, 1인 1만3천원), 돼지불백(2인 이상, 1인 1만 1천원)
⏲ 11:00~15:00(저녁 시간은 비조리 포장 판매만) – 일요일 휴무
🔍 강원 영월군 영월읍 절무리골길 12
☎ 033-373-1525 Ⓟ 가능

장릉보리밥집 보리밥 | 더덕

50여 년 전통의 보리밥집으로, 장릉 주변에서 유명하다. 직접 담근 된장과 간장으로 양념한 나물들이 나오면 감자를 얹은 보리밥에 입맛대로 나물을 넣어 비벼 먹는다. 더덕구이와 감자메밀부침도 일품이다. 마감 시간이 유동적이므로 전화 확인 후 찾아가는 것이 좋다.
₩ 보리밥, 묵채(각 1만원), 도토리묵, 두부구이(각 7천원), 감자메밀

부침(6천원), 두부(5천원), 더덕구이(1만8천원)
11:30~18:00 – 연중무휴
강원 영월군 영월읍 단종로 178-10
033-374-3986 Ⓟ 가능

제천식당 막국수 | 국수

영월에 있는 오래된 노포 국수집. 강원도 보릿고개 시절 질리게 먹어 '꼴두 보기싫다' 하여 붙은 이름의 꼴두국수를 김치 국물에 메밀면과 잘게 썬 두부를 올려 낸다. 물막국수와 비빔막국수도 추천할 만하다.

₩ 꼴두국수(7천원), 막국수(8천원), 비빔막국수(9천원), 손두부(1만원), 두부전골(2인 이상, 1인 1만원)
10:00~19:00 | 목요일 10:00~15:00 – 연중무휴
강원 영월군 주천면 도천길 3
033-372-7147 Ⓟ 가능

주천묵집 감자옹심이 | 두부 | 묵

이틀 혹은 사흘에 한 번씩 직접 쑨 묵으로 만든 묵밥을 맛볼 수 있는 곳. 채 썬 메밀묵과 도토리묵에 육수를 붓고 김가루, 참깨, 김치 등을 얹어 조밥과 함께 낸며, 직접 감자를 갈아서 만드는 감자옹심이가 쫀득하게 씹힌다. 무말랭이, 고들빼기, 마늘종 등 밑반찬도 먹을 만하다. 따뜻할 때는 외양간을 개조한 야외 테이블에서 식사도 가능하다.

₩ 도토리묵밥(7천원), 메밀묵밥, 채묵비빔밥, 메밀전병(각 8천원), 산초두부구이(1만8천원), 두부버섯전골(소 1만5천원, 중 2만원, 대 2만5천원), 감자전, 옹심이(각 9천원), 해물파전(1만8천원)
10:00~15:30/16:30~19:00(마지막 주문 18:00) – 화요일 휴무
강원 영월군 주천면 송학주천로 1282-11
033-372-3800 Ⓟ 가능

주천찐빵 찐빵

영월에서 잘 알려진 찐빵집. 안흥찐빵이나 황둔찐빵처럼 전국적으로 이름나지는 않았지만, 맛은 그에 못지않다고 한다. 달콤한 팥소와 잘 발효된 부드러운 반죽이 잘 어울린다.

₩ 찐빵(7개 5천원, 14개 1만원), 감자고기만두, 감자김치만두(각 8개 4천원), 김밥(2줄 5천원), 왕족발(3만원), 감자떡(32개 1만2천원)
09:00~22:00 – 연중무휴
강원 영월군 주천면 주천로 67-1
033-372-4936 Ⓟ 불가

카페달 카페

공간 디자이너 최옥영 작가의 설치미술과 세계에서 수집한 앤티크한 가구의 인테리어가 돋보이는 영월의 복합 문화공간, 젊은달 와이파크 안 있는 카페. 미술관 내의 카페답게 예술적 감각이 곳곳에서 느껴지며, 각종 음료와 간단한 베이커리를 선보이고 있다.

₩ 에스프레소(4천원), 아메리카노(4천5백원~5천원), 카페라테(6천원~6천5백원), 요거트스무디(6천5백원), 청귤에이드(6천5백원), 크로크무슈(6천원)
10:00~18:00(마지막 주문 17:30) – 연중무휴
강원 영월군 주천면 송학주천로 1467-9
070-4230-3637 Ⓟ 가능

강원도 원주시

가평잣두부 두부전골 | 두부 | 버섯전골

잣이 들어가 고소한 잣두부 요리를 맛볼 수 있다. 정식을 시키면 잣두부보쌈, 잣순두부, 잣두부조림 등 다양한 요리가 나온다. A정식은 전골, B 정식은 구이가 메인 요리로 나오므로 취향에 맞게 고르면 된다.

₩ A정식, B정식(각 2만원), 능이버섯전골(2인 이상, 1인 1만7천원), 소고기잣두부전골(2인 이상, 1인 1만5천원)
10:00~20:00(마지막 주문 19:30) – 수요일 휴무
강원 원주시 행구로 421(행구동)
033-747-4415 Ⓟ 가능

네이키드베이커리 Naked Bakery 베이커리

원주 일대에서 유명한 빵집. 자연발효빵 위주로 빵을 만들고 있으며, 빵 종류가 다양하다. 바게트를 사용하여 빵집 곳곳을 인테리어한 모습이 독특하다.

₩ 앙버터(4천원), 어니언크림치즈베이글(4천8백원), 크랜베리치아바타(3천3백원), 아메리카노(3천원~3천2백원), 카페라테(3천5백원~4천원)
07:00~22:00 – 연중무휴
강원 원주시 남원로 441-14(명륜동)
070-8869-2511 Ⓟ 불가

동승루 東昇樓 일반중식 | 중국만두 | 만두

50여 년 전통의 중국집. 특히 만두가 맛있기로 유명하다. 노릇하게 구운 군만두와 촉촉한 찐만두가 대표 메뉴다. 만두 외에 우육면 등 식사 메뉴도 있다.

₩ 군만두(5개 6천원, 10개 1만원), 찐만두(5개 5천5백원, 10개 9천원), 소룡포(4개 5천5백원, 8개 9천원), 물만두(7천원), 궈바로우(소 1만2천원, 대 2만원), 우육면(9천5백원)
11:30~15:00(마지막 주문 14:30) – 화요일 휴무
강원 원주시 이화4길 30(단계동)
033-742-8166 Ⓟ 불가

만낭포감자떡 떡

강원도 감자를 이용해서 만든 감자떡이 유명하다. 고속도로 휴게소에서 파는 감자떡과는 달리 알이 작지만 통통하다. 포장해 가려면 미리 전화를 해 두는 것이 빠르다. 그날그날 수작업으로

만들기 때문에 감자떡이 다 떨어지면 일찍 닫을 수도 있다.

₩ 만낭포감자떡(1.7kg 1만9천원), 흑삼이감자떡(1.7kg 2만3천원), 정든팥감자떡(1.7kg 1만8천원)

🕒 하절기 09:00~19:00 | 동절기 09:00~18:00 – 명절 휴무

🔍 강원 원주시 지정면 지정로 97

☎ 033-731-9953 Ⓟ 가능

몽그리즈치즈카페 카페

한옥 건물을 사용하는 큰 규모의 카페로, 다양한 치즈 음료와 디저트 뿐만 아니라 파니니, 와인, 맥주도 구비하고 있다. 색색의 과일 큐브 치즈 세트가 인기 메뉴다. 넓은 정원에는 야외 테이블도 마련되어 있어 힐링하기 좋은 장소다.

₩ 아메리카노(4천원), 카페라테(5천원), 바닐라라테(6천원), 치즈슬러시(5천5백원), 치즈요거트(5천5백원), 과일치즈요거트스무디(7천5백원), 치즈눈꽃빙수(1만1천원), 파니니세트(1만1천원~1만2천원), 과일큐브치즈세트(1만원)

🕒 10:00~22:00 – 월요일 휴무

🔍 강원 원주시 소초면 하황골길 45-25

☎ 0507-1396-6464 Ⓟ 가능

박순례손말이고기산정집 소고기구이

말이고기라는 독특한 메뉴로 50년 넘게 이어온 곳. 얇게 저민 고기에 쪽파와 미나리를 넣고 돌돌 말아서 낸다. 무쇠뚜껑에 올려 고기를 굽고 특제 소스에 찍어 먹는 맛이 좋다. 다 먹은 후 고기를 구웠던 뚜껑에 된장찌개를 끓인다. 된장찌개의 맛도 말이고기 못지않게 훌륭하다.

₩ 한우말이고기(1인 2만7천원), 한우시래기뚝배기된장(1만원)

🕒 11:40~14:00(마지막 주문 13:00)/17:00~20:00(마지막 주문 19:00) – 일요일, 공휴일 휴무

🔍 강원 원주시 천사로 203-13

☎ 033-742-8556 Ⓟ 불가

사니다카페 CAFE SANIDA 캐주얼다이닝 | 카페

곳곳에 비치된 야외테이블에서 원주의 경치를 보며 커피 한 잔의 여유를 만끽할 수 있는 산속에 위치한 자연친화적인 카페. 커피뿐 아니라 가지각색의 빵을 선보이고 있으며, 식사 또한 가능하다.

₩ 스위트캐러멜아메리카노, 더치커피(각 6천원), 카페라테(6천5백원), 아인슈페너(7천원), 엔초비파스타(2만1천원), 관자리조토(2만3천원), 오리스테이크, 부채살스테이크(6만5천원)

🕒 10:00~21:00 – 연중무휴

🔍 강원 원주시 호저면 칠봉로 109-128

☎ 070-7776-4422 Ⓟ 가능

수미감자탕 감자탕

감자탕 전문점이지만 뼈 구이와 뼈찜도 유명하다. 뼈 구이는 큼지막한 돼지등뼈를 구운 후 콩나물, 감자, 버섯 등을 넣어 매운 양념에 푹 끓여 내온다. 함께 들어 있는 우동사리 맛도 일품이다.

₩ 궁중뼈구이, 불뼈구이(각 소 2만9천원, 중 3만9천원, 대 4만9천원), 왕뼈감자탕(소 2만6천원, 중 3만5천원, 대 4만4천원), 묵은지감자탕(소 2만9천원, 중 3만8천원, 대 4만7천원), 우거지뼈해장국(일반 7천원, 특 1만원)

🕒 11:00~23:00 – 화요일 휴무

🔍 강원 원주시 만대공원길 21 1층

☎ 033-743-4858 Ⓟ 불가

스톤크릭스테이션 🎀

STONECREEK STATION 카페

수리봉의 깍아내린 듯한 절벽과 마운틴 뷰가 절경인 대형 카페. 절벽 앞으로 넓은 휴식 공간과 산책로가 있어 가족 나들이 공간으로 적합한 곳이다. 밀크티가 시그니처 음료이며, 핸드드립 커피도 준비되어 있다.

₩ 아메리카노(5천6백원), 카페라테, 카푸치노(각 6천1백원), 드립커피(6천7백원~9천6백원), 펄블랙밀크티(7천5백원)

🕒 10:30~20:00(마지막 주문 19:00) – 연중무휴

🔍 강원 원주시 지정면 지정로 1101

☎ 0507-1359-7423 Ⓟ 가능

신혼부부 분식 | 일반한식

원주 자유시장에서 40여 년 동안 영업하고 있는 곳으로, 떡볶이를 비롯해 다양한 식사 메뉴를 갖추고 있다. 저렴한 가격과 푸짐한 양, 친절한 서비스로 언제나 기다리는 줄이 많은 곳이다. 한쪽 공간은 복층형으로 되어 있다.

₩ 떡볶이(4천5백원), 쫄면, 만둣국, 김치볶음밥, 볶음밥, 비빔밥, 오므라이스, 하이라이스(각 5천5백원), 돈가스, 제육덮밥, 잡채밥, 돌솥비빔밥(각 6천원)

🕒 10:00~19:50 – 일요일 휴무

🔍 강원 원주시 중앙시장길 11(중앙동) 자유시장 지하 2-1

☎ 033-745-8037 Ⓟ 가능

엄나무집삼계탕 🎀 삼계탕

엄나무와 황기, 한약재를 넣고 끓이는 엄나무삼계탕이 유명한 집. 삼계탕을 시키면 엄나무술이 서비스로 나온다. 마당에 커다란 엄나무가 있어 엄나무집으로 불리게 되었다.

₩ 엄나무한방삼계탕(1만6천원)

🕒 11:00~15:00/17:00~20:30 | 토, 일요일 11:00~20:30 – 명절 휴무, 월요일 휴무

🔍 강원 원주시 치악로 1472-6(단구동)

☎ 033-761-0558 Ⓟ 가능

오학닭갈비 닭갈비

원주 학생들 사이에 소문난 곳으로, 양념닭갈비가 맛있다. 1인분 양이 어마어마하게 많이 나오는 것으로 유명하다. 수북하게 쌓

인 양념닭갈비를 다 먹고 나면 밥을 볶아 먹는다. 반찬은 김치와 동치미 국물, 상추와 채소 정도로 단출하다.
㉻ 닭갈비(200g 1만2천원), 볶음밥, 사리(각 2천원)
◷ 11:30~23:30 – 비정기적 휴무
🔍 강원 원주시 무실로 31-1(일산동)
☎ 033-742-0156 Ⓟ 불가

우담 牛談 소고기구이

숙성 한우를 전문으로 하는 곳. 투플러스 등급의 한우 등심을 3주 정도 숙성해 크리스탈 불판에 구워 먹는 숙성 등심을 맛볼 수 있다. 불판에 차돌박이를 구워 샤리에 올려 먹는 차돌박이초밥도 인기 메뉴.
㉻ 우담하나(8만7천원), 우담둘(6만2천원), 우담셋(4만2천원), 한우생불고기(180g 2만6천원)
◷ 11:30~16:00/17:00~21:30(마지막 주문 21:00) | 토, 일요일, 공휴일 11:30~21:30(마지막 주문 21:00) – 연중무휴
🔍 강원 원주시 능라동길 47 401호
☎ 033-745-7661 Ⓟ 가능

원주복추어탕 추어탕

원주 지역에서 손꼽히는 추어탕집. 버섯, 감자, 미나리가 들어가는 것이 특징이며 미꾸라지를 통째로 넣거나 갈아서 넣는 것 중 선택할 수 있다. 고추장을 넣는 원주식으로, 얼큰하면서도 맵지 않고 미꾸라지 비린내가 나지 않는다. 고추장은 직접 담가 4년을 묵혀 사용한다. 한우다짐육이 들어가는 한우추어탕도 별미.
㉻ 갈추어탕, 통추어탕(각 1만3천원), 한우추어탕(2인 이상, 1인 1만5천원), 튀김(1만2천원)
◷ 09:00~15:00/17:00~21:00 – 마지막 주 수요일 휴무
🔍 강원 원주시 치악로 1748(개운동)
☎ 033-763-7987 Ⓟ 불가

이인숙황둔찐빵 찐빵

황둔마을은 찐빵으로 유명한 안흥과 인접해 있는 지역으로, 그 영향을 받아 찐빵 제조업소가 여러 군데 성업 중이다. 쌀을 넣은 찐빵 등 다양한 종류의 찐빵을 만들어 내는 것이 특징이다.
㉻ 우유쌀찐빵, 쑥쌀찐빵, 찰흑미쌀찐빵, 오색쌀찐빵, 오색보리쌀찐빵(각 20개 1만6천원), 만두(20개 1만4천원), 요술감자떡(1kg 1만4천원, 2kg 2만8천원)
◷ 06:00~24:00 – 연중무휴
🔍 강원 원주시 신림면 신림황둔로 1239
☎ 033-764-2056 Ⓟ 가능

커피라디오 coffee radio 커피전문점

전국에 매장을 두고 있는 커피라디오의 본점. 주문과 동시에 원두를 갈아 핸드드립으로 내려주는 커피부터 아이스크림을 넣은 라테까지 다양한 커피를 맛볼 수 있다. 커피에 레몬 과육을 넣은 카페시트론과 복숭아 과육을 넣은 카페피치가 시그니처 메뉴다. 티라미수케이크는 주문하면 바로 만들어 준다.
㉻ 에스프레소(2천5백원), 아메리카노(3천원), 카페라테(4천원), 카페시트론, 카페피치(각 5천5백원), 카페그라니타페스카(3천5백원), 쑥크림라테(4천5백원), 크로플크렘브륄레(5천원)
◷ 09:00~22:00 | 토, 일요일 10:00~22:00 – 연중무휴
🔍 강원 원주시 치악고교길 19(관설동)
☎ 033-765-5655 Ⓟ 가능

하얀집가든 오리

진흙오리구이로 주변 일대를 평정한 집이다. 살이 오른 오리에 찹쌀과 검은쌀, 밤, 은행, 인삼 등 온갖 몸에 좋은 것으로 가득 채운다. 인삼꿀동동주도 꼭 먹어 봐야 한다.
㉻ 오리찰흙구이(7만8천원), 오리능이백숙(8만원), 오리떡갈비(1만5천원)
◷ 11:30~22:00 – 연중무휴
🔍 강원 원주시 지정면 작압길 70
☎ 033-732-4882 Ⓟ 가능

향온 갈비탕

신림면 일대에서 탕 메뉴로 많이 알려진 집. 뼈다귀해장국과 갈비탕이 대표 메뉴다. 감악산 등산길에 들르는 사람이 많이 있다.
㉻ 뼈다귀해장국(8천원), 갈비탕(9천원), 만둣국(8천원)
◷ 08:00~20:00 – 명절 당일 휴무
🔍 강원 원주시 신림면 제원로 1431
☎ 033-762-0525 Ⓟ 가능

황둔막국수 막국수 | 족발

60여 년의 전통이 있는 곳. 메밀을 도정하지 않고 껍질까지 사용하여 가루를 내는 점이 독특하다. 메밀 함량이 높고 직접 재배한 채소를 사용한다. 편육이나 수육이 없고 족발이 메뉴에 있는 점도 특징 중 하나.
㉻ 물막국수, 비빔막국수(각 9천원, 곱빼기 1만1천원), 메밀전(7천원), 고기만두, 김치만두(각 6천원), 수육(1만5천원)
◷ 10:30~18:30 – 11~2월 휴무, 3월, 9~10월 중 목요일 휴무(공휴일 제외)
🔍 강원 원주시 신림면 신림황둔로 1242
☎ 033-764-2055 Ⓟ 가능

흥업묵집 묵밥

메밀묵을 채 썰어 육수에 넣고 김치와 김가루를 얹은 묵밥이 유명한 곳이다. 자극적이지 않고 슴슴한 맛으로, 조를 섞어 지은 밥을 말아 먹으면 그 맛이 일품이다. 메밀전병과 메밀전 등을 곁들이면 좋다.
㉻ 메밀전, 메밀전병(각 6천원), 메밀묵(7천원), 접시묵(8천원), 메밀묵한모(9천원)
◷ 09:00~15:00/17:00~20:00 | 토, 일요일 09:00~20:00 – 둘째, 넷째 주 월요일 휴무

흥업묵집

🔍 강원 원주시 흥업면 남원로 29-3
☎ 033-762-4210 Ⓟ 가능

강원도 인제군

고향집 막국수 | 두부 | 두부전골

내공이 있는 손두붓집으로, 노부부가 직접 만든 두부 맛이 좋다. 강원도에서 나는 콩으로 만드는 것이 특징이며 들기름에 구워 먹는 두부구이가 별미다. 두부전골과 콩비지백반 등도 추천 메뉴. 함께 나오는 시골식 반찬이 맛깔스럽다.

₩ 두부구이, 두부전골(각 1만원), 콩국수, 콩비지백반, 모두부백반(각 9천원), 수육(2만원), 막국수, 전병(각 7천원)
🕒 09:00~20:00(마지막 주문 19:30) – 수요일 휴무
🔍 강원 인제군 기린면 조침령로 115
☎ 033-461-7391 Ⓟ 가능

남북면옥 막국수 | 제육

부담없는 가격에 순메밀막국수를 맛볼 수 있는 곳. 인제에서 생산되는 메밀가루를 반죽해 면을 뽑으며 시원한 동치미 국물에 말아 내온다. 국물 맛이 일품이며 함께 나오는 김치도 맛깔스럽다.

₩ 순메밀동치미물국수, 순메밀잔치국수(각 7천원), 순메밀비빔국수(8천원), 돼지수육(소 1만원, 중 1만5천원), 감자전(7천원)
🕒 11:00~20:00 – 화요일 휴무
🔍 강원 인제군 인제읍 인제로178번길 24
☎ 033-461-2219 Ⓟ 불가

더덕식당 백반 | 더덕 | 황태

황태구이와 더덕구이가 대표 메뉴인 백반집. 직접 채취한 산나물 반찬과 국물이 고소하고 진한 황태해장국 또한 선보이고 있다.

₩ 더덕구이정식, 황태구이정식(각 1만3천원), 산채비빔밥(9천원), 황태해장국(8천원), 더덕구이, 황태구이(각 1만8천원), 감자전(1만원)
🕒 07:30~18:00 – 둘째, 넷째 주 화요일 휴무
🔍 강원 인제군 북면 진부령로 41
☎ 033-462-0413 Ⓟ 가능

미산민박식당 두부

직접 만든 손두부 요리를 맛볼 수 있는 곳. 들기름에 구워 주는 손두부구이가 추천 메뉴다. 6~7가지 정도의 밑반찬도 깔끔하게 내어준다. 찌개와 백반은 2인 이상 주문 가능하다.

₩ 손두부구이(1만2천원), 비지찌개(2인 이상, 1인 1만원), 손두부찌개, 손두부백반(각 2인 이상, 1인 1만2천원), 메밀전병, 왕만두(각 1만원)
🕒 정해져 있지 않음 – 비정기적 휴무
🔍 강원 인제군 상남면 내린천로 2076
☎ 033-463-6921 Ⓟ 가능

백담황태구이 황태

백담사 인근에 자리한 황태구이 전문점. 용대리의 특산물인 황태요리를 맛볼 수 있다. 황태구이정식을 시키면 황태구이를 비롯해 황탯국, 밑반찬이 푸짐하게 나온다. 더덕구이나 산채비빔밥도 강원의 맛을 느끼기에 좋다.

₩ 황태구이정식, 더덕구이정식(각 1만5천원), 산채비빔밥, 황태해장국, 시골청국장, 순두부, 감자부침, 도토리묵, 전병(각 1만원), 모두부(9천원)
🕒 07:00~18:00 | 토, 일요일 07:00~22:00 – 연중무휴
🔍 강원 인제군 북면 백담로 24
☎ 033-462-5870 Ⓟ 가능

옛날원대막국수 닭백숙 | 막국수 | 수육

메밀막국수와 감자전, 두부구이 등의 음식을 선보이는 곳. 자체적으로 방앗간을 운영하고 있어 메밀을 직접 제분한다. 시원하고 얼큰한 육수에 쫄깃쫄깃한 면발이 일품이다. 편육과 동동주 한잔을 곁들여도 좋다. 군사병 할인업소로 지정되어 군인이 방문시 할인된다. 40년 넘는 역사를 자랑하는 곳. 영업시간과 상관없이 재료가 다 떨어지면 문을 닫는다.

₩ 곰취수육(2만3천원), 강원도감자전(2장 1만원, 3장 1만5천원), 메밀전병(7천원), 물막국수, 비빔막국수(각 9천원, 곱빼기 1만1천원), 도토리묵사발(9천원)
🕒 10:00~16:30 | 토, 일요일 10:00~17:00 – 화요일 휴무
🔍 강원 인제군 인제읍 지작나무숲길 1113
☎ 033-462-1515 Ⓟ 가능

용대진부령식당 황태

황태찜이 별미로, 황태 속살이 부드럽고 구수하다. 황탯국은 황태를 넣어 오래 우려내기 때문에 황태머리와 뼈가 푹 고아져서 담백하고 고소하다. 40여 년 역사를 자랑하는 곳.

₩ 황태구이정식(1만5천원), 황태해장국, 메밀전병(각 1만원), 더덕구

이정식(1만7천원)
07:30~19:00 – 연중무휴
강원 인제군 북면 진부령로 100
033-462-1877 Ⓟ 가능

용바위식당 황태

50여 년의 황태 건조와 요리의 역사가 담겨 있는 황태요리 전문식당이다. 황태구이정식을 시키면 뽀얀 황태해장국이 함께 나온다. 매콤한 양념을 덧발라 구운 황태구이 맛이 별미. 덕장에서 직접 황태를 말려 사용하는 것이 특징이다. 황태 건조의 원산지 진부령에서 처음으로 황태요리를 시작한 집이라고 한다.

₩ 황태구이(7천원), 황태구이정식(1만4천원), 황태국밥, 도토리묵, 메밀전병, 청국장, 감자전(각 1만원)
08:00~18:00(마지막 주문 17:30) – 명절 휴무
강원 인제군 북면 진부령로 107
033-462-4079 Ⓟ 가능

용바위식당

일미장 소갈비 | 소고기구이 | 소불고기

3대째 내려오는 한우 전문점으로, 60여 년의 역사를 자랑하는 노포다. 고기 질이 좋으며, 가을 송이 철이 되면 송이불고기와 등심을 맛볼 수 있다.

₩ 점심한우불고기정식(1만원), 한우불고기(200g 1만4천원), 한돈생삼겹(180g 1만5천원), 한돈항정살(150g 1만5천원), 한돈두루치기(200g 1만원), 한우가브리살(150g 1만5천원)
11:30~13:30/17:00~22:00 | 공휴일 10:00~22:00 – 일요일 휴무
강원 인제군 인제읍 인제로188번길 1
033-461-2396 Ⓟ 불가

전씨네막국수 두부 | 막국수

직접 메밀을 제분하여 면을 만드는 막국숫집. 겉메밀과 도정한 메밀을 섞어 제면하여 까칠까칠한 순메밀의 식감을 느낄 수 있다. 동치미와 김칫국물을 섞은 육수가 나오는 것이 특징이다.

₩ 물막국수, 두부구이, 도토리묵(각 8천원), 감자전, 생두부(각 7천원), 비빔막국수, 온면(각 9천원), 두부전골(2인 이상, 1인 9천원), 수육(1만5천원)
10:00~19:00(마지막 주문 18:30) – 첫째, 셋째 주 월요일 휴무, 명절 당일 휴무
강원 인제군 인제읍 광치령로 143
033-461-2065 Ⓟ 가능

청정골산채전문식당 산채정식

직접 채취한 자연산 나물로 요리한 산채정식을 맛볼 수 있는 한식당. 다양한 나물과 된장국이 함께 나오며 밥에 나물을 넣어 비빔밥으로 먹어도 좋다. 황태정식, 더덕정식, 자연산 능이 백숙 등도 맛볼 수 있다.

₩ 산채정식(2인 이상, 1인 1만5천원), 황태정식, 더덕정식(각 1만5천원), 닭볶음탕(6만원), 자연산능이백숙(8만원), 비빔밥, 감자전(각 1만원)
정해져 있지 않음 – 비정기적 휴무
강원 인제군 북면 어두원길 8
033-461-0333 Ⓟ 가능

황태령 황태

용대리 황태덕장에서 말린 황태를 사용하는 황태 요리 전문점. 취나물, 젓갈 등 함 나오는 밑반찬도 깔끔하다. 옆의 용대 영농조합법인 황태령직판장에서 황태 구매도 가능하다.

₩ 황태구이정식(1만5천원)
07:00~19:00 – 기본 연중무휴, 비정기적 휴무 있음
강원 인제군 북면 미시령로 1213
033-462-9991 Ⓟ 가능

강원도 정선군

낙원회관 소고기구이

영월의 목장에서 직접 키운 소에서 나오는 고기를 사용하며 육질이 부드럽고 씹는 맛이 좋다. 안창살, 살치살 등이 나오는 특수부위도 인기다. 된장 국물에 국수를 말아서 나오는 된장소면이 별미다.

₩ 특수부위(150g 4만8천원), 일반부위(150g 3만8천원), 된장찌개, 곰탕, 육개장(각 1만2원), 된장소면(4천원)
11:00~22:00 – 연중무휴
강원 정선군 고한읍 고한6길 18
033-591-2510 Ⓟ 가능

대운식당 곤드레밥 | 닭볶음탕

곤드레돌솥밥으로 유명한 곳. 주문하면 바로 쌀을 씻어 밥을 지어 내온다. 함께 나오는 마른김에 곤드레밥을 놓고 강된장이나

양념간장을 넣어 먹으면 맛이 일품이다. 잘 삶은 닭고기를 수육처럼 내오는 황기백쌈과 닭볶음탕, 콧등치기국수도 인기 메뉴 중 하나.

Ⓦ 곤드레솥밥(1만원), 황기백쌈, 닭볶음탕(각 7만원), 빠가사리매운탕(4인 7만원), 콧등치기국수(7천원), 코다리조림(3만원), 육개장, 청국장(각 8천원), 두부전골(4만원)
⏲ 08:30~21:00 | 동절기 08:30~18:00 – 설날 당일 휴무
🔍 강원 정선군 여량면 노추산로 775
☎ 033-562-5041 Ⓟ 가능

동광식당 국수 | 족발

메뉴는 황기족발과 콧등치기국수, 올챙이국수 세 가지뿐이다. 콧등치기국수는 메밀장국수의 일종으로, 우거지국에 메밀국수를 만 것이다. 먹을 때 국수 가락이 콧등을 친다고 해서 콧등치기국수라는 이름이 붙었다고 한다. 황기, 엄나무 뿌리, 오가피 등을 넣어서 삶은 황기족발도 인기다.

Ⓦ 콧등치기국수(8천원), 황기족발(소 3만5천원, 대 3만8천원)
⏲ 09:00~21:00 – 명절 휴무
🔍 강원 정선군 정선읍 녹송1길 27
☎ 033-563-3100 Ⓟ 가능

동박골식당 곤드레밥

곤드레나물밥으로 유명한 곳. 곤드레(엉겅퀴) 나물을 넣고 밥을 지어 곤드레 향취가 일품이다. 양념간장, 막장, 고추장 등 세 가지 장 중에서 취향에 맞는 것을 골라서 비벼 먹을 수 있다. 돌솥밥에 눌어붙은 누룽지를 먹는 재미도 쏠쏠하다. 곤드레밥과 제육볶음이 함께 나오는 곤드레정식도 인기.

Ⓦ 돌솥곤드레밥(1만원), 돌솥곤드레정식(1만3천원), 돌솥영양밥, 메밀전병(각 1만2천원), 더덕구이(2만5천원), 제육볶음(2만5천원), 도토리묵(1만5천원)
⏲ 09:00~20:00 – 명절 휴무
🔍 강원 정선군 정선읍 정선로 1314
☎ 033-563-2211 Ⓟ 불가

옥산장 玉山莊 곤드레밥 | 한정식

은은한 향이 입안 가득 퍼지는 곤드레밥을 선보이는 곳. 맛깔스러운 밑반찬이 한 상 가득 나오며 양도 많은 편이다. 곤드레밥 외에도 가정식 밥상, 황기백숙, 민물매운탕 등도 다양하게 맛볼 수 있다.

Ⓦ 곤드레밥정식(2인 이상, 1인 1만2천원), 곤드레밥더덕정식(2인 이상, 1인 1만5천원), 곤드레밥제육정식(2인 이상, 1인 2만원), 곤드레불고기정식(2인이상, 1인 2만5천원)
⏲ 08:00~15:00/16:30~19:00(마지막 주문 18:30) – 첫째, 셋째 주 월요일 휴무
🔍 강원 정선군 여량면 여량3길 79
☎ 033-562-0739 Ⓟ 가능

정선면옥 막국수 | 칼국수

막국수와 칼국수가 유명한 곳. 된장과 고추장을 섞은 국물의 장손칼국수 맛이 일품이다. 겨울에는 만둣국도 인기다.

Ⓦ 막국수, 만둣국(각 7천원), 장칼국수(7천원), 비빔막국수, 비빔칼국수(각 8천원), 제육(3만5천원), 두부구이, 파전(각 1만원)
⏲ 10:30~20:00(재료 소진시 마감) – 명절 휴무
🔍 강원 정선군 정선읍 봉양5길 35
☎ 033-562-2233 Ⓟ 불가

청원식당 국수

콧등치기국수의 원조로 꼽히는 곳. 콧등치기는 메밀국수의 별명으로 쫄깃한 면을 빨아 들이면 콧등을 친다고 해서 붙여진 이름이다. 육수에 면을 풀고, 들깻가루를 듬뿍 뿌린다.

Ⓦ 콧등치기국수, 장칼국수(각 7천원), 만둣국(6천원), 메밀장떡(5천원)
⏲ 11:00~20:00 – 명절 휴무
🔍 강원 정선군 여량면 여량6길 10
☎ 033-562-4262 Ⓟ 불가

혜원가든 소고기구이

질 좋기로 소문난 태백 한우 생등심을 판다. 육즙이 촉촉한 등심을 참숯불에 구워 먹고 나서 된장찌개나 멸치로 국물을 낸 소면으로 마무리하면 좋다. 좌석이 2백 석으로 규모가 크고, 오픈 주방인 데다 실내도 깔끔하다.

Ⓦ 한우갈빗살, 한우등심(각 200g 4만원), 제주흑돼지(200g 2만2천원), 일반삼겹살(200g 1만8천원), 한우뚝불(200g 2만원), 한우육개장, 갈비탕(각 1만2천원), 한우뭇국, 곤드레밥(각 1만원)
⏲ 09:00~23:00 – 명절 오후 휴무
🔍 강원 정선군 사북읍 사북중앙로 18-1
☎ 033-592-3356 Ⓟ 가능

강원도 철원군

기와집 쌈밥

식당 이름처럼 기와집 건물에 위치한 쌈밥 전문점. 매콤한 제육볶음과 계란찜, 된장찌개, 몇 가지 반찬과 직접 만든 쌈장이 나온다. 밥은 돌솥밥에 나오며, 철원 오대쌀로 짓는다.

Ⓦ 매콤제육쌈밥, 간장제육쌈밥(1만3천원), 소불고기쌈밥(1만4천원), 소불고기전골(소 2만4천원, 중 3만5천원, 대 4만7천원), 불낙전골(소 2만8천원, 중 4만2천원, 대 5만6천원)
⏲ 11:00~15:00/17:00~20:00 | 토, 일요일, 공휴일 11:00~15:30/17:00~20:00 – 목요일 휴무
🔍 강원 철원군 갈말읍 갈말로 369
☎ 033-455-2566 Ⓟ 가능

내대막국수 막국수

철원막국수와 함께 철원 지역 막국수의 양대산맥으로 꼽히는 곳. 투박한 강원도 스타일의 막국수를 맛볼 수 있다. 직접 기른 채소를 사용하고 있으며 직접 메밀을 빻아 면을 만든다. 두툼하게 썬 편육을 곁들이면 더욱 맛있다.

₩ 물막국수, 비빔막국수(각 1만원), 편육(2만5천원)

🕒 11:20~15:30/17:00~19:00(마지막 주문 18:30) – 첫째, 셋째 주 화요일 휴무, 명절 휴무

🔍 강원 철원군 갈말읍 내대1길 29-10

☎ 033-452-3932 Ⓟ 가능

내대막국수

마당예쁜집 한정식

군복의 벙거지 모양 모자인 전립투를 본따서 만든 냄비에 전골을 해 먹는 이색 음식을 맛볼 수 있다. 가운데 오목한 부분에서는 육수를 끓이고 챙 부분에 올려둔 채소와 고기를 넣어 먹는다. 오대꽃밥정식과 각색전립투전골은 예약이 필수다.

₩ 각색전립투전골(2인이상 예약제, 중 6만원 대 8만원), 오대꽃밥정식A코스(1만2천원), 오대꽃밥정식B코스(1만8천원), 집밥(1만원)

🕒 11:00~16:00(마지막 주문 15:00) – 일요일 휴무

🔍 강원 철원군 동송읍 이평로 123

☎ 0507-1354-5366 Ⓟ 가능

연사랑 한정식

주택을 개조하여 만든 듯한 분위기의 식당. 담백한 맛의 나물반찬을 밥에 넣어 비벼 먹는데, 간장, 된장, 파프리카 고추장 세 가지 중 취향에 맞는 양념을 넣는다. 나물정식에 나오는 향긋한 미나리전도 좋다.

₩ 나물정식(1만원), 제육나물정식(1만3천원), 미나리&삼겹살나물정식(1만7천원)

🕒 11:00~15:00/17:00~20:00(재료 소진 시 마감) – 화요일 휴무

🔍 강원 철원군 철원읍 금학로339번길 12-28

☎ 0507-1399-0775 Ⓟ 가능

임꺽정가든 민물매운탕

임꺽정의 본고장인 철원군에서 민물매운탕으로 알려진 곳. 메기매운탕이 시원하면서 얼큰하다. 닭백숙은 방문전 미리 예약하는 것이 좋다. 고석정 정자와 한탄강 등 주변 경관이 좋다.

₩ 메기매운탕(2인 4만원, 3인 6만원, 4인 7만5천원, 5인 11만원), 잡고기매운탕(2인 4만원, 3인 6만원, 4인 8만원, 5인 12만원)

🕒 09:00~15:40/17:00~20:00(마지막 주문 19:00) – 화요일 휴무

🔍 강원 철원군 동송읍 태봉로 1825-6

☎ 033-455-3128 Ⓟ 가능

철원막국수 막국수 | 수육

70여 년 전통의 막국숫집으로, 철원 지역에서 유명한 곳이다. 투박한 메밀 맛과 질 좋은 고추 양념이 간결하면서도 시골스러운 맛을 낸다. 직접 담근 짠지무가 올라간 물막국수 스타일이다. 사골을 우려낸 육수를 사용하며 간장, 고추장, 메주 등을 직접 담근다.

₩ 물막국수, 비빔막국수, 만두찜(각 9천원), 편육(소 2만원, 대 2만6천원), 녹두빈대떡(1만2천원)

🕒 10:00~15:30/16:30~20:00(마지막 주문 19:30, 재료소진시 마감) – 연중무휴

🔍 강원 철원군 갈말읍 명성로158번길 13

☎ 033-452-2589 Ⓟ 가능

철원샘통고추냉이 송어

철원 최대의 고추냉이 농장으로, 농장 안에 있는 식당에서 송어회와 고추냉이로 만든 음식을 즐길 수 있다. 민통선 내에 위치해 있어, 가기 전에 예약은 필수.

₩ 고추냉이&송어세트(5만원)

🕒 10:00~17:00 – 일요일 휴무

🔍 강원 철원군 철원읍 금강산로 23

☎ 033-455-1140 Ⓟ 가능

폭포가든 민물매운탕

직탕폭포 인근에 있는 매운탕 전문점으로, 메기, 빠가사리, 쏘가리 등 민물매운탕을 선보인다. 시원한 자연경관에 물소리를 들으면서 식사할 수 있다. 사계절 내내 야외 자리를 이용할 수 있는 것이 특징이다.

₩ 메기매운탕(2인 3만5천원, 3인 4만5천원, 4인 5만5천원), 잡고기매운탕(2인 4만5천원, 3인 5만5천원, 4인 6만5천원), 빠가사리매운탕(2인 5만원, 3인 7만원, 4인 9만원), 쏘가리매운탕(2인 9만원, 3인 12만원, 4인 15만원)

🕒 11:00~20:00 – 화요일 휴무

🔍 강원 철원군 동송읍 직탕길 86

☎ 033-455-3546 Ⓟ 가능

강원도 춘천시

1.5닭갈비 닭내장 | 닭갈비

철판에 구운 닭갈비 볶음과 닭내장 볶음을 맛볼 수 있는 곳. 메뉴는 닭갈비와 닭내장 두 가지만 취급하며 우동, 떡, 고구마 사리를 추가하기도 한다. 닭갈비를 다 먹은 후 볶음밥을 많이 주문하며 밑반찬으로 내어주는 빨간 동치미 국물도 곁들이기 좋다.

₩ 닭갈비, 닭내장(각 1만5천원), 볶음밥, 우동사리(각 3천원)
🕒 11:00~22:00(마지막 주문 20:30) – 연중무휴
🔍 강원 춘천시 후만로 77
☎ 033-253-8635 Ⓟ 불가

곰배령 한정식

강원도식 한정식 전문점. 맛깔스러운 강원도 나물을 밥에 비벼 먹는 나물밥을 중심으로 다양한 음식을 즐길 수 있다. 나물밥은 네 가지 양념장 중 선택할 수 있는 것이 특징. 모던한 인테리어가 돋보이는 대형 식당으로 단체 방문이 많다. 안쪽에는 테라스와 카페가 있어 디저트와 차를 즐길 수 있다.

₩ 곰배령한정식(3만2천원), 곰배령특정식(4만2천원), 강원나물밥정식(2만4천원), 평일점심나물밥(1만7천원)
🕒 11:15~15:00(마지막 주문 14:20)/16:00~20:30 – 명절 휴무
🔍 강원 춘천시 춘천로 19(온의동)
☎ 033-255-5500 Ⓟ 가능

남부막국수본관 막국수 | 수육

50여 년의 역사를 자랑하는 곳으로, 한때는 강원의 3대 막국숫집으로 뽑힐 정도였다. 김치가 들어가 있어 면과 함께 씹히는 맛이 별미지만, 달착지근한 것이 현대적으로 개량화된 막국수를 먹는 느낌이 들기도 한다. 김치를 넣은 메밀전병인 총떡, 감자전, 편육 등을 곁들이면 더욱 맛있다.

₩ 막국수(8천원, 대 9천원), 감자전, 빈대떡, 메밀전병(각 7천원), 편육(중 2만원, 대 2만5천원), 모둠전(9천원)
🕒 10:00~20:30 – 연중무휴
🔍 강원 춘천시 춘천로81번길 16(약사동)
☎ 033-254-7859 Ⓟ 가능

남부해장국 선지해장국 | 우거지해장국 | 콩나물국밥

50여 년 전통의 선지해장국집. 선지해장국에는 큼지막한 선지와 내포, 콩나물 등이 푸짐하게 들어가며 함께 나오는 삭힌 고추, 간 양파 등을 넣어 먹으면 맛있다. 콩나물해장국과 우거지해장국도 시원한 맛이 좋다.

₩ 선지해장국, 한우소머리국밥(각 9천원), 콩나물해장국, 우거지해장국(각 8천원), 내장딩(1민2친원), 우거지갈비탕(1만1천원)
🕒 24시간 영업 – 연중무휴
🔍 강원 춘천시 퇴계로 12(퇴계동)
☎ 033-257-7785 Ⓟ 가능

다우등심 소고기구이

질 좋은 한우등심구이를 즐길 수 있는 곳. 참숯에 구워 먹는 맛이 좋으며 칼칼한 김치찌개도 별미다. 호수 근처에 있어 전망도 좋다.

₩ 한우등심(200g 4만9천원), 한우김치찌개(2인 이상, 1인 5천원)
🕒 10:00~22:00 – 연중무휴
🔍 강원 춘천시 스포츠타운길 399(삼천동)
☎ 033-262-7748 Ⓟ 가능

다윤네집 생선조림 | 닭백숙

모래무지찜을 잘하는 집으로 소문난 곳. 모래무지찜은 고추장 양념 베이스로 얼큰하게 조린 민물생선조림으로, 쪽파와 시래기 등이 푸짐하게 들어간다. 어른 손가락 굵기만한 모래무지가 넉넉히 들어 있다. 닭백숙도 맛이 좋다. 문 닫는 시간이 일정치 않으므로 전화하고 방문하는 편을 추천한다.

₩ 모래무지조림(소 4만원, 대 6만원), 오리능이백숙(6만5천원), 옻닭, 백숙, 닭볶음음탕(각 6만원), 감자부침(1만원)
🕒 09:00~21:00 – 화요일, 명절 휴무
🔍 강원 춘천시 서면 경춘로 647-56
☎ 033-263-1888 Ⓟ 가능

대룡산막국수 막국수

씨앗막국수를 선보이는 곳. 메밀면 위에 메밀싹을 올린 것이 특징이며 특색 있는 맛을 자랑한다. 순메밀로 만든 막국수도 맛볼 수 있으며 전병, 묵사발 등의 향토음식을 곁들이면 좋다. 자가제면소를 갖고 있을 정도로 규모가 큰 편. 겨울에는 메밀싹을 올린 만둣국이, 여름에는 검은콩물냉막국수가 별미다.

₩ 순메밀막국수(각 보통 8천원, 곱빼기 1만원), 메밀새싹쟁반막국수(2인분 1만8천원, 4인분 3만6천원), 메밀전병(1만원), 부침(8천원), 편육(1만8천원)
🕒 10:00~15:00/17:00~21:00(마지막 주문 20:40) – 연중무휴
🔍 강원 춘천시 동내면 동내로 181
☎ 033-261-1421 Ⓟ 가능

대원당 DAEWONDANG 베이커리

춘천에서 가장 오래된 빵집으로, 50여 년의 전통을 자랑한다. 달콤한 잼이 들어간 맘모스빵이 인기며 옛날 스타일의 버터크림빵, 생크림을 듬뿍 넣은 생크림슈 등도 추천한다.

₩ 크림맘모스(6천원), 버터크림빵(2천2백원), 생크림슈(2천5백원), 슈크림빵(1천8백원)
🕒 08:00~22:00 – 연중무휴
🔍 강원 춘천시 퇴계로 191
☎ 033-254-8187 Ⓟ 가능

라모스버거 RAMOS BURGER 햄버거

미군 부대 근무 경력이 있는 외조부의 비법을 전수 받아 빵, 패티, 소스 등을 직접 모두 만드는, 춘천의 오래된 수제버거 전문점. 일본 나고야 지방의 수제버거 가게에서 전수받았다고 하는 나고야버거가 인기 메뉴 중 하나다.

Ⓦ 라모스버거(1만9백원), 나고야버거, 뉴욕치즈의여신, 아보카도삼바버거(각 1만2천9백원), 치즈스틱(7천9백원), 새우튀김(8천9백원)

Ⓒ 10:00~21:00(마지막 주문 20:00) | 금, 토요일 10:00~22:00(마지막 주문 21:00) – 연중무휴

Q 강원 춘천시 옛경춘로 835(삼천동)

☎ 033-252-0006 Ⓟ 가능

라모스버거

라타르타 LATARTA 에그타르트 | 카페

춘천 시내와 산의 전경을 아울러 담고 있는 타르트 카페. 초록 잔디가 깔린 넓은 야외 정원이 무엇보다 운치가 좋다. 겹이 살아있는 포르투갈식 방식으로 베이킹 한 오리지널에그타르트 뿐만 아니라, 각종 토핑이 듬뿍 올라간 다양한 맛의 타르트를 맛볼 수 있다.

Ⓦ 오리지널(2천7백원), 써니사이드(3천5백원), 소보로(3천2백원), 아메리카노(5천3백원), 카페라테(5천8백원)

Ⓒ 11:00~22:30(마지막 주문 22:10) – 연중무휴

Q 강원 춘천시 동면 순환대로 1154-53

☎ 033-253-3420 Ⓟ 가능

만강 일식

춘천에 있는 고급 일식집 중 하나다. 코스에 나오는 회의 종류가 매우 다양하며 음식도 맛깔스럽다. 가격대에 따라 다르지만 참치, 참치뱃살, 광어, 연어 등 여러 가지 종류의 회를 맛볼 수 있다.

Ⓦ 만강스페셜(1인 12만원), 만강특사시미(1인 9만원), 사시미(1인 7만원), 만강정식A코스(5만8천원), 만강정식B코스(4만8천원)

Ⓒ 10:00~23:00 – 연중무휴

Q 강원 춘천시 동내면 외솔길19번길 61

☎ 033-262-5900 Ⓟ 가능

메바우명가춘천막국수 막국수

100% 순메밀을 사용하여 만드는 춘천식 막국숫집. 주전자에 담겨 나오는 동치미는 취향에 맞게 조절해서 먹을 수 있으며, 막국수 위에 청포묵이 올려져 나오는 것이 독특하다. 솔잎이 깔려 있는 찜기에 나오는 편육과 만두가 별미다.

Ⓦ 순메밀막국수(1만원), 메밀묵(1만1천원), 편육(2만3천원), 모둠전(1만2천원), 막국수편육세트(1만9천원)

Ⓒ 10:30~20:30(마지막 주문 20:00)| 토, 일요일 10:30~21:00 – 연중무휴

Q 강원 춘천시 당간지주길 76(근화동)

☎ 033-254-2232 Ⓟ 가능

명가막국수 막국수 | 수육

50여 년 전통의 막국숫집. 원래의 상호인 호반막국수로 유명했던 곳으로, 현지인이 좋아하는 곳이다. 양념장에 배추김치를 잘게 다져서 넣는 것이 특징이며, 무순과 무김치가 고명으로 올라간다. 쫀득한 감자부침과 메밀전병 등을 곁들이면 좋다.

Ⓦ 막국수(소 7천5백원, 보통 9천원, 곱빼기 1만1천원), 편육(1만9천원), 메밀전병(1만1천원), 감자부침(1만원), 메밀부침(9천원), 도토리묵(8천원)

Ⓒ 10:00~21:00 – 연중무휴

Q 강원 춘천시 신북읍 상천3길 8

☎ 033-241-8443 Ⓟ 가능

명물닭갈비 닭갈비

전통으로 내려오는 독특한 양념 비법으로 감칠맛 나는 닭갈비를 맛볼 수 있다. 젊은 사람 입맛에 맞게 양념 소스에 과일을 첨가해 매우면서도 달착지근한 맛이다. 남은 양념에 볶아 먹는 치즈볶음밥과 새싹막국수도 별미로 통한다.

Ⓦ 철판닭갈비, 닭내장, 양념숯불닭갈비(각 300g 1만4천원), 막국수(7천원), 쟁반막국수(3~4인 2만원)

Ⓒ 10:00~21:00 – 연중무휴

Q 강원 춘천시 금강로62번길 8(조양동)

☎ 033-244-2961 Ⓟ 불가

미스타페오 Mistapeo 카페

의암호 주변 카페촌에 자리한 전원 카페. 핸드드립 커피를 비롯해 칵테일, 맥주, 디저트 등 다양한 메뉴를 선보인다. 잔디로 덮인 정원 중앙길을 통해 동화 속에서 나올 법한 빨간 지붕의 실내로 들어가면 통 유리창으로 탁 트인 전망이 한눈에 들어온다.

Ⓦ 핸드드립커피, 아이스커피(각 6천원), 에스프레소(4천5백원), 에스프레소마키야토(5천5백원), 아메리카노(4천5백원), 카푸치노(5천5백원, 6천5백원), 카페라테(5천5백원)

Ⓒ 10:00~22:00 – 연중무휴

Q 강원 춘천시 서면 박사로 1204

☎ 033-243-3989 Ⓟ 가능

별당막국수 막국수 | 수육

옛날 그대로의 방법을 고수하여 옛 맛이 살아 있는 막국수를 맛볼 수 있다. 면이 굵직한 편이며 새콤한 양념 맛이 좋다. 신선한 채소가 듬뿍 들어가는 채소비빔막국수도 별미. 구수한 메밀전병이나 장떡 등을 곁들이는 것도 좋다.

₩ 막국수, 메밀전병, 시골장떡, 촌두부, 메밀전, 도토리묵(각 8천원), 채소비빔막국수(9천원), 편육(2만원), 촌두부찌개(2인 1만4천원), 닭볶음탕(5만원), 토종닭백숙(5만5천원)
🕒 10:00~22:00 – 둘째, 넷째 주 화요일 휴무
🔍 강원 춘천시 춘천로81번길 15(약사동)
☎ 033-254-9603 Ⓟ 가능

봉운장 갈비탕 | 소불고기 | 소갈비찜

춘천에서 유명한 갈빗집으로, 갈비찜이 대표 메뉴다. 큼지막한 갈비와 달착지근한 양념 맛이 잘 어우러진다. 한우불고기도 추천할 만하며, 푸짐한 양의 갈비탕도 식사메뉴로 인기가 좋다.

₩ 한우갈비(300g 6만원), 육우갈비(300g 5만원), 육회(200g 3만3천원), 물냉면, 비빔냉면(각 8천원), 된장찌개(5천원), 갈비탕(1만5천원)
🕒 11:30~14:30/17:00~21:00 – 연중무휴
🔍 강원 춘천시 소양고개길 26(소양로3가)
☎ 033-254-3203 Ⓟ 가능

부안막국수 막국수 | 수육

막국수가 맛있는 곳으로, 곱게 간 메밀로 면을 뽑아 면발이 부드러운 것이 특징이다. 김치가 고명으로 올라가는 것이 특징이며 양념장 맛이 일품이다. 여름에는 정원에 있는 평상에서 시원하게 막국수를 즐길 수 있다. 외지인보다는 춘천 지역민 사이에서 특히 유명한 곳.

₩ 막국수(9천원, 곱빼기 1만1천원), 사리(7천원), 쟁반국수(소 1만2천원, 대 1만8천원), 도토리묵(9천원), 총떡, 빈대떡, 메밀부침(각 9천원), 보쌈(320g 4만원), 편육(3만원), 족발(4만5천원)
🕒 11:00~21:00(마지막 주문 20:30) – 명절 휴무
🔍 강원 춘천시 후석로344번길 8
☎ 033-254-0654 Ⓟ 가능

비와별닭갈비본점 닭갈비

1998년부터 영업하고 있는 춘천 석사동에 위치한 춘천 닭갈비집. 셀프 바가 있어 쌈 채소를 양껏 담아올 수 있다. 전통 닭갈비와 치즈 닭갈비가 인기 메뉴.

₩ 전통닭갈비, 매운닭갈비(각 300g 1만5천원), 퐁듀치즈닭갈비(300g 1만9천원), 감자전(1만5천원), 막국수(8천원)
🕒 11:00~23:00 – 연중무휴
🔍 강원 춘천시 스무숲길 5
☎ 033-262-8899 Ⓟ 가능(식당 옆 주차장 이용)

산토리니 Santorini 파스타 | 이탈리아식 | 카페

춘천에서 손꼽히는 분위기 좋은 곳으로, 디저트와 이탈리아 요리를 선보인다. 춘천 시내를 한눈에 내려다 볼 수 있는 시원한 전망과 그리스의 산토리니를 연상시키는 흰색과 파란색의 건축물이 포토존으로도 유명하다. 구봉산 카페거리를 만든 원조집으로, 최근 리뉴얼하여 실내 분위기도 밝고 쾌적하다.

₩ 에스프레소, 아메리카노(각 5천9백원~6천9백원), 샐러드(1만2천원~1만5천원), 피자(1만7천원~2만3천원), 파스타(1만7천원~2만1천원), 쿠키(3천8백원), 호두파이(6천5백원), 치즈케이크(7천5백원)
🕒 11:00~21:00(마지막 주문 20:00) | 토요일 10:00~22:00(마지막 주문 21:00) | 일요일 10:00~21:00(마지막 주문 20:00) – 연중무휴
🔍 강원 춘천시 동면 순환대로 1154-97
☎ 033-242-3010 Ⓟ 가능

샘밭막국수 막국수 | 수육

3대째 50여 년을 이어온 집이다. 찰기가 없는 메밀에 감자 전분을 섞어 면에 약간의 찰기를 준다고 한다. 참기름을 뿌린 막국수 위에 매운 양념과 김가루, 참깻가루를 올린다. 동치미를 부어 아삭한 신김치와 먹으면 맛이 더 살아난다.

₩ 순메밀막국수(1만2천원), 막국수(8천5백원) 감자전, 녹두전(각 1만원), 순두부, 모두부(각 9천원), 편육(1만6천원~2만원), 보쌈(3만원)
🕒 10:00~20:00 | 명절 전날, 당일 10:00~15:00 – 연중무휴
🔍 강원 춘천시 신북읍 신샘밭로 644 1층
☎ 033-242-1712 Ⓟ 가능

섬향기 닭갈비 | 막국수 | 돼지고기구이

정통 장작구이 닭갈비를 맛볼 수 있는 바비큐 레스토랑. 자연을 벗 삼은 상쾌한 공간에서 바비큐를 비롯해 부대찌개, 막국수 등의 메뉴를 즐길 수 있다. 공간이 넓어 단체 식사 장소로도 좋다.

₩ 철판닭갈비(2인 3만원), 모둠바비큐(2인 3만4천원, 3인 4만8천원, 4인 6만2천원), 버섯불고기전골(2인 3만4천원), 물막국수(1만원), 명태비빔막국수(1만2천원)
🕒 10:30~19:30 – 연중무휴
🔍 강원 춘천시 남산면 남이섬길 1
☎ 031-580-8054 Ⓟ 불가

소울로스터리 SOUL ROASTERY COFFEE 카페

울창한 소나무숲 그늘 아래에서 힐링하기 좋은 대형 베이커리 카페. 로스팅도 직접 하고 있다. 시그니처 음료는 에스프레소와 크림, 그리고 초당옥수수가 어우러진 옥수수커피다. 3개 건물의 실내 공간부터 야외 좌석까지 잘 꾸며놓았다.

₩ 옥수수커피(7천원), 아메리카노, 에스프레소(각 5천5백원), 카페라테(6천원), 콜드브루라테(6천5백원), 크로플(3천원)
🕒 11:00~20:00 | 토, 일요일, 공휴일 11:00~22:00 – 연중무휴
🔍 강원 춘천시 동면 소양강로 530
☎ 033-253-7876 Ⓟ 가능

송&정황토숯불닭갈비 닭갈비

참숯만을 사용하여 화로에 직접 구워 먹는 숯불 닭갈비 전문점. 숯불에 초벌해서 나오는 닭갈비는 기름기를 빼서 담백하며 소스에 찍어 먹는 맛이 일품이다. 함께 나오는 겉절이도 닭고기의 맛을 한층 더 높여준다.

₩ 숯불닭갈비(양념/간장/소금 각 280g 1만5천원), 매콤한닭내장, 고소한닭똥집(각 1만5천원), 쟁반막국수(소 9천원, 대 1만5천원), 칡냉면(4천원)
🕒 11:00~22:00(마지막 주문 21:00) - 월요일 휴무
🔍 강원 춘천시 보안길 15
☎ 033-244-4595 Ⓟ 불가

신흥막국수 막국수

순메밀로 만든 막국수를 맛볼 수 있는 곳이다. 면에 수육과 채썬 오이, 삶은 달걀이 올려져 나오면 취향에 맞춰 참기름에 비벼 먹던가 육수를 부어서 먹는 것이 특징이다. 참기름에 비벼 반 정도 먹다가 육수를 붓는 것도 먹는 방법 중의 하나. 얇게 부쳐져 나오는 감자전도 추천메뉴다.

₩ 메밀막국수, 감자전(각 9천원), 편육(2만2천원)
🕒 11:00~20:00(마지막 주문 19:00) - 월요일 휴무
🔍 강원 춘천시 상마을1길 36(퇴계동)
☎ 033-264-2031 Ⓟ 가능

실비막국수 막국수 | 수육

막국수 전문점으로, 메밀은 평창군에서 계약재배한 것만 사용하며 껍질째 보관했다가 그때그때 방앗간에서 가루를 내다 쓴다. 100% 메밀가루로 만든 국숫발이 적당히 쫄깃하고 매끄러우면서 씹을수록 뒷맛이 고소하다. 한우 사골을 고은 물과 정육 삶은 물로 만든 육수를 부어 먹기도 하고 비벼 먹기도 한다. 50년 넘는 역사를 자랑한다.

₩ 막국수(8천원, 곱빼기 1만원), 빈대떡(8천원), 수육(소 1만1천원, 중 1만7천원, 대 2만2천원), 닭갈비(270g 1만2천원)
🕒 11:30~19:00(마지막 주문 18:30) - 화요일 휴무
🔍 강원 춘천시 소양고개길 25(소양로2가)
☎ 033-254-2472 Ⓟ 가능(후문 쪽의 공영주차장 이용, 무료)

애식주 靄飾州 한식주점

다양한 전통주를 선보이는 한식 주점. 디귿자로 둘러싸인 카운터석, 홀테이블 3개 정도가 마련되어 있다. 웰컴 드링크로 막걸리는 산미 덕에 입맛을 돋우는 식전주로 좋다는 평. 대표 메뉴인 뭉티기와 육회는 목, 금, 토요일에만 한정으로 판매한다.

₩ 뭉티기(3만원), 육회(3만원), 빨간소꼬리찜(4만5천원), 계절가리비술찜(2만4천원), 수육초무침(3만원), 수육전골(3만9천원) 미나리 마른해물전(1만2천원), 고기배추술찜(1만6천원), 얼큰해물술밥(1만2천원), 감자전(1만1천원), 바지락 순두부찌개(1만1천원), 매콤해물로제비(1만8천원), 뿔소라숙회(2만원)
🕒 18:00~01:00(익일)(마지막 주문 24:00) - 월요일 휴무
🔍 강원 춘천시 퇴계로93번길 20-29
☎ 010-2623-9528 Ⓟ 가능

연산골막국수 막국수 | 닭백숙

다양한 강원도 향토 음식을 만날 수 있는 곳. 툭툭 끊기면서 메밀 향이 은근하게 퍼지는 막국수 맛이 토속적이다. 뒷산에서 흘러내리는 맑은 물을 사용하는 것이 맛의 비결이라 한다. 닭백숙은 한 시간 전에 예약하고 가야 한다.

₩ 막국수(9천원, 곱빼기 1만1천원), 메밀전병(1만원), 수육(소 1만9천원, 대 3만5천원), 토종닭누룽지백숙(6만5천원), 오리누룽지백숙(7만원)
🕒 11:10~15:00/17:00~20:00 | 토, 일요일 11:10~20:00 - 화요일 휴무
🔍 강원 춘천시 동면 연산골길 105-12
☎ 033-241-7025 Ⓟ 가능

오수물막국수 막국수

3대가 함께 운영하는 30년 전통의 막국숫집. 면 위에 메밀순을 고명으로 올려주며, 양념은 자극적이지 않고 슴슴한 편이다. 시원한 육수를 조금 넣고 식초, 설탕, 겨자를 곁들여 비벼 먹으면 더 맛있게 즐길 수 있다. 보쌈과 촌두부도 인기 메뉴.

₩ 막국수(8천원), 메밀전병, 빈대떡, 도토리묵, 촌두부(각 9천원), 보쌈(소 4만원, 대 4만5천원), 편육(2만원)
🕒 11:00~20:00(마지막 주문 19:30) - 연중무휴
🔍 강원 춘천시 신북읍 맥국2길 15
☎ 033-242-4714 Ⓟ 가능

왕만두 만두

1979년부터 춘천에서 만두를 팔기 시작한 곳으로, 춘천의 맛집으로 유명하다. 냉면, 국수 등 다양한 음식을 팔고 있지만, 꼭 먹어야 하는 음식은 단연 만두다. 만두피와 속 재료 모두 직접 만들며 속이 알차게 차 있다.

₩ 왕만두(6천5백원), 통만두, 김치만두(각 5천원), 튀김만두(6천원), 채소비빔만두(6천5백원)
🕒 10:00~17:00 - 월요일, 명절 휴무
🔍 강원 춘천시 방송길 77 춘천 센트럴타워 푸르지오 프리미엄몰 지하B125호
☎ 033-251-5480 Ⓟ 가능

우미닭갈비 닭갈비

춘천의 명물 닭갈빗집으로, 양념이 맛있기로 유명한 집 중 하나다. 부드러운 닭고기와 매콤한 양념 맛이 어우러지며, 닭갈비를 다 먹고 난 후 양념에 볶아 먹는 볶음밥도 놓치면 안 된다. 주말에는 줄을 서야 할 정도로 인기가 많은 곳.

₩ 닭갈비(300g 1만4천원), 막국수(9천원), 누룽지볶음밥(3천원)
🕒 10:00~21:00(마지막 주문 20:00) - 수요일 휴무

🔍 강원 춘천시 금강로62번길 4(조양동)
☎ 033-253-2428 Ⓟ 가능

우성닭갈비 닭갈비

2대째 운영하는 춘천 닭갈비 전문점. 국내산 닭다리만을 사용하며, 커다란 부위의 살을 구우면서 가위로 잘라준다. 자극적이지 않은 적절한 매운맛과 부드럽고 쫄깃한 식감이 조화롭다. 건물을 리모델링하여 실내도 넓고 쾌적하다.

₩ 닭갈비, 닭내장(각 300g 1만5천원), 비빔막국수, 돈가스(각 8천원), 우동사리, 볶음밥(각 3천원)
🕒 11:00~15:00/17:00~21:50(마지막 주문 20:30) | 토, 일요일 11:00~21:50(마지막 주문 20:30) - 화요일 휴무
🔍 강원 춘천시 동면 만천양지길 87
☎ 033-242-3833 Ⓟ 가능

원조숯불닭불고기집 닭갈비

춘천 명동에서 원조 닭갈빗집으로 꼽히는 곳이다. 철판에 굽는 방식이 아니라 예전 그대로 숯불 석쇠에 닭갈비를 굽는다. 숯불 향이 나는 닭불고기를 파김치와 상추에 싸서 먹는 맛이 그만이다. 닭갈비를 가스불이 아닌 숯불에 굽기 때문에 기름이 쫙 빠져 맛이 담백하다. 식사로는 멸치육수와 시골된장으로 끓인 된장찌개가 일품이다. 60년 넘는 역사를 자랑한다.

₩ 뼈없는닭갈비, 뼈있는닭갈비, 오돌뼈소금구이, 간장닭갈비, 닭내장,닭모래집(각 250g 1만4천원), 된장찌개(3천원), 막국수(8천원)
🕒 10:30~21:00 - 수요일, 명절 전날, 당일 휴무
🔍 강원 춘천시 낙원길 28-4(중앙로2가)
☎ 033-257-5326 Ⓟ 불가(낙원 공영주차장 이용)

원조중앙닭갈비 닭갈비

명동닭갈비 골목의 수많은 닭갈빗집 중에서 가장 오래된 집 중 하나다. 매콤하면서도 달짝지근한 닭갈비를 맛볼 수 있다. 직접 만드는 특제 양념 비빔장의 맛이 인기의 비결.

₩ 닭갈비, 닭내장(각 300g 1만4천원), 막국수(8천원)
🕒 10:00~23:00 - 수요일 휴무
🔍 강원 춘천시 금강로62번길 13-5(조양동)
☎ 033-253-4444 Ⓟ 가능

유포리막국수 막국수 | 수육

시원한 동치미 국물에 말아낸 순 메밀 막국수 맛이 일품인 집. 김, 양념간장만으로 담백한 맛을 내고 있어, 현대인의 입맛과 타협한 퓨전이 아니라 정통 막국수의 맛을 즐길 수 있다. 감자부침이나 녹두전과 같이 먹으면 좋다. 촌두부는 당일 정해진 수량만 판매한다.

₩ 막국수(9천원), 감자부침, 녹두부침, 촌두부, 메밀전병(각 1만원), 편육(1만8천원)
🕒 11:00~19:30(마지막 주문 19:00) - 명절 2일 휴무
🔍 강원 춘천시 신북읍 맥국2길 123 ☎ 033-242-5168 Ⓟ 가능

유포리막국수

육림닭강정 닭강정

춘천에서 유명한 30여 년 전통의 닭강정 전문점. 매운맛을 세 가지 중에서 고를 수 있다. 설탕 대신 조청을 사용하여 바삭하면서도 부드러운 식감이다. 테이크아웃만 가능하며 닭껍데기 강정은 하루 30개 한정 판매한다.

₩ 프라이드(2만원), 조청닭강정(중간맛 2만2천원, 매운맛 2만3천원), 닭껍데기강정(6천원)
🕒 11:30~20:30 - 연중무휴
🔍 강원 춘천시 소양고개길 46(요선동)
☎ 033-244-1510 Ⓟ 불가

이디오피아 Ethiopia bet espresso 커피전문점

1968년 에티오피아 참전기념탑 제막식에 참석했던 에티오피아 황제의 청으로 지어진 커피 전문점이다. 우리나라 최초로 에티오피아 커피를 판매한 곳으로, 50년 넘는 전통의 원두커피 문화의 원조라 할 수 있다. 실내 분위기는 매우 빈티지하다.

₩ 핸드드립커피(1만원~1만4천원), 아메리카노(5천원, 7천원), 에스프레소(5천5백원), 콘파냐(6천원), 카페라테(6천원, 8천원), 아포가토(1만원)
🕒 10:00~22:00(마지막 주문 21:20) - 연중무휴
🔍 강원 춘천시 이디오피아길 7(근화동)
☎ 033-252-6972 Ⓟ 가능

자유빵집 카페 | 베이커리

춘천에서 정통 프랑스식 빵을 맛볼 수 있는 곳이다. 천연효모를 사용하여 저온숙성한 반죽을 사용한다. 앙버터, 크루아상, 잠봉뵈르가 많이 찾는 메뉴. 카페로도 운영되기 때문에 음료 종류도 많은 편이다.

₩ 앙버터(5천원), 크루아상(3천8백원), 레몬크루아상(4천원), 잠봉뵈르(7천5백원), 크러핀(4천원), 대파빵(5천원), 소금빵(3천원), 크로크무슈(6천8백원), 팽오쇼콜라(3천8백원), 아메리카노(4천5백원), 라테(5천원)
🕒 10:30~18:00(마지막 주문 17:50) - 화요일 휴무
🔍 강원 춘천시 만천로199번길 28 ☎ 033-911-9871 Ⓟ 불가

참나무숯불닭갈비 닭갈비

소양강댐 진입로에 늘어서 있는 닭갈빗집 중 하나. 숯불에 맥반석을 올려놓고 그 위에 양념된 닭갈비를 구워 먹는 맥반석숯불닭갈비가 유명하다. 닭갈비를 먹고난 후에는 쟁반막국수로 마무리한다. 소양강물이 옆에서 흘러 운치가 있다.

₩ 매운맥반석숯불닭갈비, 맥반석숯불닭갈비(250g 각 1만5천원), 된장찌개(3천원), 메밀쟁반막국수(2만원), 메밀싹막국수, 물막국수(각 9천원)

🕒 10:00~21:00(마지막 주문 20:30) – 연중무휴

🔍 강원 춘천시 신북읍 신샘밭로 715

☎ 033-242-0388 Ⓟ 가능

통나무집닭갈비 닭갈비

철판에 볶아 먹는 스타일의 닭갈비다. 점심시간이나 저녁시간 모두 번호표를 받아 기다릴 정도로 손님이 많으며, 소양강댐 아래에 있어 주변 환경이 넓고 쾌적하다. 봄고을2호점은 숯불에 구워먹는 스타일이다.

₩ 닭갈비(250g 1만6천원), 닭내장(250g 1만5천원), 동치미물막국수, 감자부침(각 8천원), 명태회비빔막국수(1만원), 빙어튀김(겨울, 1만2천원)

🕒 10:30~21:30(마지막 주문 20:30) – 연중무휴

🔍 강원 춘천시 신북읍 신샘밭로 763

☎ 033-241-5999 Ⓟ 가능

통나무집닭갈비

퇴계막국수 막국수

남춘천역 바로 맞은편에 자리잡고 있는 곳으로, 은근한 맛을 보여주는 막국숫집이다. 막국수에 곁들여 먹는 감자옹심이도 별미다. 오랜 시간 동안 현지인은 물론 외지인에게도 유명세를 떨치고 있다.

₩ 막국수(8천원, 곱빼기 9천원), 쟁반막국수(2인 1만7천원, 3인 2만4천원), 옹심이칼국수, 녹두전(각 8천원), 옹심이(9천원), 촌두부(5천원), 수육(1만5천원, 특 2만6천원)

🕒 10:30~21:00 – 화요일, 명절 휴무

🔍 강원 춘천시 영서로 2231(퇴계동)

☎ 033-255-3332 Ⓟ 가능

평남횟집 민물생선회 | 민물매운탕

3대에 걸쳐 60여 년을 이어온 집으로, 쏘가리회와 매운탕을 비롯해 송어회, 향어회를 낸다. 특히 예약을 받아 고객의 취향에 맞춰 낸다는 자연산 쏘가리회와 매운탕 맛이 일품이다. 매운탕용으로 따로 담그는 고추장이 맛의 비결이다.

₩ 쏘가리회(시가), 산천어회(소 5만원 중 7만5천원 대10만원), 향어회+송어회(소 4만5천원, 중 6만원, 대 8만원), 메기매운탕(소 4만원, 중 5만원, 대 7만원), 쏘가리매운탕(소 10만원 중 12만원 대 14만원)

🕒 09:30~21:00 – 월요일 휴무

🔍 강원 춘천시 서면 삿갓봉길 25

☎ 033-244-2370 Ⓟ 가능

회영루 會英樓 일반중식

탕수육의 명가. 탕수육 외에도 해물이 듬뿍 들어간 짬뽕의 맛이 일품이다. 화학조미료나 색소를 넣지 않고 재래식으로 만든 전통 중국 춘장만 사용한 백년짜장도 별미다. 춘천에서 가장 오래된 화상중식당으로 알려져 있으며 50여 년의 역사를 자랑한다.

₩ 탕수육(소 2만원, 중 2만5천원, 대 3만5천원), 깐풍기(3만5천원), 짜장면(7천원), 백년짜장, 삼선볶음밥(각 9천원), 짬뽕(8천원)

🕒 11:00~16:00/17:00~22:00(마지막 주문 20:30) | 토,일요일 10:00~22:00(마지막 주문 20:30) – 화요일, 명절 휴무

🔍 강원 춘천시 금강로 38(소양로3가)

☎ 033-254-3841 Ⓟ 가능

강원도 태백시

고사리식당 다슬기 | 재첩

올갱이(다슬기)가 들어간 해장국을 전문으로 하는 곳. 시원하면서도 구수한 맛이 일품이다. 재첩국이나 조기구이도 맛볼 수 있다. 태백산 등산객이 주로 여기서 아침을 먹고 등산길에 오른다.

₩ 올갱잇국, 재첩국(각 8천원), 조기구이(1만2천원)

🕒 08:00~20:00 – 명절 당일 휴무

🔍 강원 태백시 전나무길 3(화전동)

☎ 033-552-8438 Ⓟ 가능

기와집갈비 돼지갈비

양념한 갈비와 통삼겹살을 선보이고 있는 참숯돼지구이 전문점. 갈비는 초벌구이 하여 나오기 때문에 오래 기다리지 않아 먹을 수 있다. 한우탕반과 21곡밥도 별미다.

₩ 통삼겹살(180g 1만5천원), 양념갈비(250g 1만5천원), 육전(180g 1만5천원), 냉면(7천원), 한우탕반(7천원), 시래기밥(3천원)

🕒 11:00~15:20/16:20~21:00 – 연중무휴

🔍 강원 태백시 짐대배기2길 4(황지동)
☎ 033-553-6645 Ⓟ 가능

김서방네닭갈비 닭갈비

국물이 있는 태백식 물닭갈비를 하는 곳으로, 커다란 냄비에 뚜껑을 덮어 내온다. 배추, 미나리 등의 각종 채소와 떡, 면 사리 등이 들어가 있으며, 양념이 고루 퍼지도록 저어가면서 익혀 먹는다. 졸여 먹는 맛이 매력적이다. 남은 국물에 볶아 먹는 볶음밥도 별미.

₩ 물닭갈비(9천원), 사리추가(2천원), 볶음밥(2천원)
🕒 11:00~22:00 – 화요일, 명절 당일 휴무
🔍 강원 태백시 시장남1길 7-1(황지동)
☎ 033-553-6378 Ⓟ 불가

너와집 한정식

1백 년 넘는 강원의 전통 가옥 너와집을 옮겨와 재건축한 식당으로, 강원의 토속 음식을 즐길 수 있는 곳이다. 대표 메뉴인 너와정식을 주문하면 산나물돼지갈비찜을 비롯해 수수전, 메밀전병 등이 한 상 가득 차려진다. 더덕구이와 메밀전병, 수수전 등도 별미.

₩ 너와정식(2인 이상, 1인 2만5천원), 소갈비찜정식(2인 이상, 1인 3만5천원), 옹기솥나물밥(1만3천원), 메밀전병, 수수전(각 1만2천원)
🕒 11:00~15:00/17:00~20:30(마지막 주문 20:00) – 명절 휴무
🔍 강원 태백시 고원로 35(황지동)
☎ 033-553-4669 Ⓟ 가능

배달식육실비식당 소고기구이 | 육회

연탄불에 석쇠를 얹어 고기를 구워 먹는 한우 전문점. 엄선된 한우 1등급 이상만 사용해 고기 단면의 마블링이 좋다. 주문 즉시 손질해 고기가 더욱 신선하다. 가격대비 만족도가 높은 곳.

₩ 갈빗살, 등심(각 180g 3만4천원), 육회(300g 3만원)
🕒 10:00~22:00 – 월요일 휴무
🔍 강원 태백시 황지로 15(황지동)
☎ 033-552-3371 Ⓟ 가능

부래실비식당 소고기구이 | 육회 | 선지해장국

연탄불에 석쇠를 올려 구운 한우를 즐길 수 있는 곳. 갈빗살, 등심, 양념주물럭 등도 있으며 육회도 추천할 만하다. 식사 메뉴로는 선지해장국이 인기가 많다.

₩ 한우갈빗살, 한우등심, 한우주물럭, 한우육회, 한우육사시미(각 200g 3만4천원), 선지해장국(1만원), 설렁탕(1만2천원)
🕒 24시간 영업 – 연중무휴
🔍 강원 태백시 시장북길 24(황지동)
☎ 033-552-9595 Ⓟ 가능

시장실비식당 소고기구이

한우 전문점으로, 연탄불 위에 석쇠를 얹은 뒤 고기를 굽는다. 쟁반에 담아 내오는 고기의 질이 신선하다. 실비모둠을 시키면 등심, 갈빗살, 안창살 등의 부위가 다양하게 나온다. 주물럭과 육회도 추천할 만하다.

₩ 시장실비모둠, 주물럭(각 200g 3만4천원), 목삼겹(200g 1만5천원), 된장소면(5천원), 된장찌개, 소면(각 3천원)
🕒 10:00~22:00 – 연중무휴
🔍 강원 태백시 시장북길 27(황지동)
☎ 033-552-2085 Ⓟ 불가

이모네식당 일반한식 | 김치찌개 | 된장찌개

60여 년간 한식을 전문으로 해온 집. 김치찌개, 된장찌개부터 코다리조림, 갈치조림, 고등어조림 등 어지간한 메뉴는 다 갖추고 있다. 반찬으로 곤드레나물, 오징어젓, 고추장아찌 등이 나오며 지역색이 잘 담겨 있다.

₩ 김치찌개, 된장찌개, 청국장(각 9천원), 제육볶음(2인 이상, 1인 1만2천원), 코다리조림(2인 3만원), 갈치조림, 고등어조림(각 1인 1만2천원)
🕒 06:00~22:00 – 비정기적 휴무
🔍 강원 태백시 먹거리길 31(황지동)
☎ 033-553-5812 Ⓟ 불가

초막고갈두 생선조림 | 두부

원래는 칼국수로 시작한 집이지만, 지금은 갈치조림, 고등어조림, 두부요리가 대표 메뉴다. 시래기를 넣은 고등어조림 맛이 훌륭하다. 1년치 시래기를 한 번에 말려 놓았다가 쓴다. 여러 가지 한약재를 넣어서 달여낸 육수가 맛의 비결.

₩ 갈치조림(2인 이상, 1인 1만2천원), 고등어조림(2인 이상, 1인 1만원), 두부조림(8천원), 우렁두부조림(1만원)
🕒 10:00~15:30 – 일요일 휴무
🔍 강원 태백시 백두대간로 304(황지동)
☎ 033-553-7388 Ⓟ 가능

태백순두부 순두부

현지인이 많이 가는 소박한 순두부집. 순두부 한 그릇에 갓김치, 곤드레나물, 김치를 곁들여 먹으면 속이 든든하다.

₩ 순두부(9천원), 된장(1.5kg 2만원), 고들빼기, 고추장아찌(각 1만원)
🕒 07:30~15:00 – 월요일 휴무
🔍 강원 태백시 초막2길 5(화전동)
☎ 033-553-8484 Ⓟ 가능

태백실비식당 소고기구이

연탄불에 한우를 구워 먹는 곳. 질 좋은 한우를 합리적인 가격에 즐길 수 있으며 은은한 양념을 더한 주물럭도 인기다. 식사로는 소면과 된장찌개 등이 있다.

₩ 모둠갈빗살, 주물럭(각 180g 3만5천원), 삼총사(180g 4만9천원), 안창살, 명품한우(각 160g 4만9천원), 등심(180g 3만8천원), 육사시

미, 육회(각 200g 3만4천원)
⏱ 11:00~22:00 – 연중무휴
🔍 강원 태백시 감천로 8(황지동)
☎ 033-553-2700 Ⓟ 가능

태백한우골실비식당 소고기구이

한우생갈빗살이 유명한 고깃집. 연탄불에 구워 먹는 한우의 맛이 일품이다. 고기를 먹은 뒤에 먹는 된장 소면도 별미다. 기본찬은 무난한 편이며 야외에서도 식사할 수 있다.

₩ 한우생갈빗살, 한우생주물럭(각 180g 3만4천원), 한우모둠(180g 4만1천원), 한우안창살(180g 4만9천원), 한우등심(180g 3만7천원)
⏱ 10:00~22:00 – 연중무휴
🔍 강원 태백시 대학길 35(황지동)
☎ 033-554-4599 Ⓟ 가능

태백한우마을 소고기구이 | 육회

한우짝갈비를 매일 필요한 만큼 손질해서 파는 갈빗살 전문점으로, 30여 년의 역사가 있는 곳이다. 꽃갈빗살과 생갈빗살이 대표 메뉴다. 질좋은 고기를 참숯에 구워먹는 맛이 일품이다.

₩ 한우생갈빗살(200g 3만4천원), 한우꽃갈빗살(180g 4만5천원), 한우안창살(180g 4만8천원), 육회(200g 3만4천원)
⏱ 11:00~21:30| 토,일요일 11:00~21:00 – 둘째, 넷째 주 화요일 휴무
🔍 강원 태백시 번영로 349-1(황지동) 이림상가 1층
☎ 033-552-5349 Ⓟ 가능

태성실비식당 소고기구이 | 육사시미 | 육회

화력 좋은 연탄을 사용한 소박한 상차림이지만 신선한 고기가 인상 깊다. 식사를 주문하면 우거지가 들어간 된장찌개가 함께 나온다. 원탁 테이블에 손님이 다 차면 가스불을 이용한 방과 비닐하우스가 있는 마당으로 나가게 된다.

₩ 한우갈빗살, 한우주물럭, 한우육회, 한우육사시미(각 180g 3만4천원)
⏱ 11:00~21:30 – 둘째, 넷째 주 월요일 휴무
🔍 강원 태백시 감천로 4(황지동) ☎ 033-552-5287 Ⓟ 가능

태성실비식당

강원도 평창군

감자네 곤드레밥 | 닭볶음탕

토종닭으로 만든 닭볶음탕과 곤드레밥을 먹을 수 있는 곳이다. 메뉴는 닭볶음탕과 곤드레돌솥밥 세트 한 가지밖에 없으며 메밀전병, 감자전, 간장계란밥, 치즈돈가스 등을 추가 할 수 있다. 닭볶음탕은 육질이 쫄깃하고 국물이 진하고 걸쭉한 것이 특징이다. 조리시간이 다소 걸리기 때문에 예약하고 가는 것을 추천한다.

₩ 닭볶음탕&곤드레돌솥밥(2인 4만9천원, 4인 7만9천원), 곤드레밥(7천원)
⏱ 11:00~15:00(마지막 주문 14:00)/17:00~20:30(마지막 주문 19:30) – 화요일 휴무
🔍 강원 평창군 진부면 방아다리로 360
☎ 033-335-1948 Ⓟ 가능

고향막국수 막국수

2대째 메밀국수를 선보이는 곳으로, 20여 가지의 채소와 양념을 첨가해 만든 육수가 독특하다. 국물에 꿀을 넣는 것이 맛의 비결이라고 한다. 순메밀정식을 시키면 메밀국수와 돼지수육, 메밀묵, 메밀전, 메밀전병 등이 푸짐하게 나온다.

₩ 메밀물국수, 메밀비빔국수(각 1만2천원), 봉평전통메밀국수(1만3천원), 물,비빔막국수(각 9천원), 메밀모둠(1만5천원), 수육(소 2만3천원, 중 2만7천원), 메밀전병, 메밀왕만두, 감자떡(각 6천원)
⏱ 10:00~19:00 – 셋째 주 수요일 휴무
🔍 강원 평창군 봉평면 이효석길 142
☎ 033-336-1211 Ⓟ 가능

고향이야기 황태 | 곤드레밥 | 솥밥

양념장에 비벼 먹거나 구운 생김에 싸 먹는 곤드레돌솥밥이 별미다. 곤드레밥은 푹 삶은 곤드레나물을 들기름에 살짝 볶은 후 솥바닥에 깔고 밥을 짓는 것이 특징. 생등심, 차돌박이, 오징어불고기 등의 메뉴도 선보인다.

₩ 곤드레돌솥밥(1만4천원), 감자돌솥밥(1만3천원), 오징어불고기(300g 1만7천원), 생등심(150g 5만원), 차돌박이(150g 4만5천원), 황태미역국(1만2천원)
⏱ 11:00~14:00/17:00~21:00(마지막 주문 19:30) – 화요일 휴무
🔍 강원 평창군 대관령면 눈마을길 9
☎ 033-335-5430 Ⓟ 가능

기화양어장횟집 송어

송어요리를 전문으로 하는 곳으로, 식당 옆에 있는 양식장에서 직접 송어를 양식한다. 두툼하게 썬 송어회 맛이 일품이며 콩가루를 넣은 채소무침에 곁들이면 더욱 맛있게 즐길 수 있다. 송어회정식을 주문하면 송어회와 송어튀김, 초밥, 매운탕 등이 푸

짐하게 나온다.

₩ 송어회(200g 2만원), 송어구이, 송어튀김(각 2만원), 송어회정식(2인 이상, 1인 2만3천원), 송어매운탕(소 4만원, 대 5만원), 송어회덮밥(1만5천원)

11:00~20:00(마지막 주문 18:30) – 연중무휴

강원 평창군 미탄면 평창동강로 495-6

033-332-6277 Ⓟ 가능

남경식당 꿩 | 막국수 | 만두

꿩만둣국이 유명한 집. 오돌오돌 씹히도록 꿩의 잔뼈를 넣고 직접 만든 꿩만두는 깨를 뿌려서 고소한 맛이 난다. 매콤한 양념 맛이 좋은 막국수도 수준급이다.

₩ 돼지수육(중 2만5천원 대 3만5천원), 꿩만둣국, 메밀막국수(각 1만원), 찐만두, 떡국(각 8천원)

10:30~19:00 – 명절 휴무

강원 평창군 대관령면 대관령마루길 347

033-335-5891 Ⓟ 가능

납작식당 오징어 | 돼지불고기

오삼불고기의 원조로 일컬어지는 집으로, 50여 년의 내력을 지니고 있다. 큼지막한 오징어를 사용하기 때문에 육질이 두툼해서 씹는 맛이 좋으며 곁들여지는 반찬도 깔끔하다. 맵지 않으면서도 오묘한 맛을 내는 고추장 양념과 오징어, 삼겹살이 좋은 궁합을 이루고 있다.

₩ 오삼불고기, 생삼겹살, 고추장삼겹살(각 200g 1만6천원), 오징어불고기(200g 1만7천원), 황탯국(8천원), 청국장, 된장찌개(각 7천원), 우삼겹된장찌개(9천원)

11:30~14:40/17:00~21:00(마지막 주문 20:00) – 첫째, 셋째 주 화요일 휴무

강원 평창군 대관령면 올림픽로 35

033-335-5477 Ⓟ 가능

노다지 오징어 | 황태 | 돼지불고기

오삼불고기가 맛있는 곳. 신선한 오징어와 돼지불고기, 매콤한 양념이 어우러져 맛이 좋다. 평창 지역의 명물인 황태 특유의 부드럽고 연한 맛이 일품인 황태구이정식도 인기.

₩ 오삼불고기(200g 1인 1만7천원), 곤드레솥밥정식(1인 1만5천원), 황태구이정식(1만5천원), 황태해장국, 황태미역국(각 1만원)

09:30~21:00 – 연중무휴

강원 평창군 대관령면 올림픽로 153

033-335-4647 Ⓟ 가능

대관령숯불회관 소고기구이

얼리지 않은 신선한 대관령 한우 등심이 부드러우면서도 쫄깃하게 씹힌다. 등심 외에도 차돌박이와 매콤한 양념을 더한 주물럭 등을 선보인다. 칼칼하게 끓인 생태찌개도 별미. 한상 가득 차려지는 반찬도 맛깔스럽다.

₩ 생등심(130g 5만9천원), 차돌박이(130g 4만원), 주물럭(130g 3만5천원), 생태찌개(소 4만원, 대 5만원), 도루묵찜(소 5만원, 대 6만원), 된장찌개(5천원)

11:30~22:00 – 연중무휴

강원 평창군 대관령면 횡계2길 3

033-335-5360 Ⓟ 가능

대관령추어탕토종닭 닭백숙 | 닭볶음탕 | 추어탕

닭백숙과 추어탕이 유명한 곳. 마당에 풀어 키운 닭을 압력솥에 감자와 함께 넣고 고아 낸다. 쫄깃한 닭살에 된장을 얹고 배추에 싸 먹는 맛이 일품이며 남은 국물에는 죽을 끓여 먹거나 무를 넣고 국을 끓인다.

₩ 닭백숙, 옻닭백숙, 닭볶음탕(각 6만원), 추어탕, 미꾸라지튀김, 도토리묵무침(각 1만원)

11:00~21:00(마지막 주문 20:00) – 연중무휴

강원 평창군 대관령면 대관령로 202-12

033-335-9333 Ⓟ 가능

대관령황태촌 황태

황태요리 전문점. 대관령 황태덕장마을에서 말린 황태를 사용한다. 새벽 일찍 문을 열기 때문에 인근 주민이나 평창 내 리조트 관광객들이 아침을 먹기 위해 많이 찾으며, 밑반찬이 다양하여 푸짐하게 한끼를 먹을 수 있다.

₩ 황탯국, 황태미역국, 선짓국(각 9천원), 황태구이정식(1만5천원), 황태찜(소 3만5천원, 중 4만원, 대 4만5천원)

06:00~20:00 – 연중무휴

강원 평창군 대관령면 송전길 14

033-335-8885 Ⓟ 가능

도암식당 오징어 | 돼지불고기 | 소고기구이

1층은 정육점, 2층은 식당으로 운영되는 정육식당. 한우등심을 비롯해 질 좋은 소고기와 오삼불고기 등을 맛볼 수 있다. 오삼불고기에는 아삭한 배추가 푸짐하게 들어가며 다 먹은 뒤 밥을 볶아 먹어도 좋다. 식사로는 깔끔한 맛이 일품인 황탯국을 추천한다.

₩ 오삼불고기(250g 1만6천원), 오징어불고기(250g 1만7천원), 삼겹살, 주물럭전골(각 200g 1만6천원), 황태구이(1만3천원), 황탯국, 된장찌개(각 8천원)

11:00~1500/17:00~21:00 – 비정기적 휴무

강원 평창군 대관령면 대관령로 103

033-336-5814 Ⓟ 불가

동양식당 오징어 | 돼지불고기

오삼불고기와 오징어불고기가 맛있는 집이다. 다양한 채소에 양념장을 넣고 즉석에서 양념한 후 돌판에 굽는다. 두부와 황태를 넣고 끓인 뽀얀 국물의 황태해장국도 추천할 만하다. 1978년 문을 열어 40년 넘게 자리를 지키고 있다.

₩ 오삼불고기, 황태구이(각 200g 1만4천원), 오징어불고기(200g 1만6천원), 한우불고기(200g 1만9천원), 더덕구이(1만8천원), 황태해장국(9천원)
⏱ 10:00~21:00 – 수요일 휴무
🔍 강원 평창군 대관령면 대관령로 118
☎ 033-335-5439 Ⓟ 불가

두일막국수 막국수 | 닭백숙

메밀 함량 높은 막국수를 선보이는 곳. 막국수 육수는 달착지근하면서도 느끼하지 않고, 면발은 쫄깃하고 구수하다. 메밀 주산지인 홍천에서 통 메밀을 사다가 그때그때 일정량을 겉껍질만 살짝 벗겨 내고 속껍질째 빻아서 면을 만드는 것이 특징이다.

₩ 메밀막국수, 메밀전병(각 8천원), 메밀비빔막국수(9천원), 도토리묵(1만원), 수육(2만3천원), 능이토종닭백숙(6만5천원), 토종닭볶음탕(5만5천원)
⏱ 10:00~20:00(마지막 주문 19:00) – 격주 수요일 휴무
🔍 강원 평창군 진부면 방아다리로 324
☎ 033-335-8414 Ⓟ 가능

메밀꽃필무렵 막국수 | 메밀 | 묵

소설 〈메밀꽃필무렵〉의 작가 이효석 생가에서 생활하는 관리인 부부가 이효석 생가 답사객을 상대로 메밀국수, 메밀묵밥 등을 팔기 시작한 곳이다. 메밀국수, 메밀묵, 메밀전 등 메밀을 사용한 요리를 맛볼 수 있다. 도라지, 더덕, 명태회, 명이나물, 메밀싹 등을 듬뿍 넣은 메밀비빔막국수가 별미다.

₩ 메밀물국수, 메밀비빔국수(각 1만1천원), 메밀전병(9천원), 순메밀묵밥(1만1천원), 감자떡, 감자만두(각 8천원)
⏱ 09:45~16:30(마지막 주문 16:15) | 금, 토, 일요일 09:45~18:45(마지막 주문 18:30) – 목요일 휴무
🔍 강원 평창군 봉평면 이효석길 33-11
☎ 033-335-4594 Ⓟ 가능

방림메밀막국수 막국수

50년 넘는 오랜 전통의 막국수 전문점. 평창 봉평 메밀을 사용하여 메밀면을 만들며, 새콤달콤한 양념을 더한 비빔막국수가 별미다. 진한 메밀 향이 일품. 메밀 면으로 만든 메밀파스타도 단연 별미다.

₩ 메밀물막국수(1만원), 메밀묵사발, 메밀찐만두(각 8천원), 메밀비빔막국수(1만1천원), 수육(소 1만9천원, 중 2만4천원, 대 2만9천원)
⏱ 10:00~19:00 – 비정기적 휴무
🔍 강원 평창군 방림면 서동로 1323
☎ 033-332-1151 Ⓟ 가능

봉평메밀미가연 味家宴 비빔밥 | 메밀 | 막국수

메밀을 활용한 다양한 요리를 만날 수 있는 곳. 메밀싹나물비빔밥은 채 썰어 데친 감자, 무, 호박, 참나물 그리고 메밀싹을 넣은 간결한 비빔밥으로, 메밀막국수에 이은 또 하나의 봉평 별미로 알려져 있다. 메밀물국수, 메밀비빔국수도 인기며 메밀 함량은 30%와 100% 중 선택할 수 있다.

₩ 메밀싹육회(2만5천원), 이대팔100%육회비빔국수(1만7천원), 이대팔100%메밀미가연, 이대팔100%메밀비빔국수(각 1만2천원), 메밀싹육회비빔밥(1만3천원), 메밀싹묵무침(1만2천원), 메밀전병(7천원)
⏱ 10:00~20:00(마지막 주문 19:00) – 수요일 휴무
🔍 강원 평창군 봉평면 기풍로 108
☎ 033-335-8805 Ⓟ 가능

봉평메밀진미식당 막국수 | 묵

입구에 물레방아가 있는 운치 있는 집으로, 막국수 맛이 깔끔하다. 순메밀막국수도 맛볼 수 있다. 봉평 일대에서 현대막국수와 함께 가장 오래된 집으로, 50년이 넘는 전통을 자랑한다.

₩ 메밀막국수, 메밀비빔막국수(각 9천원), 메밀부침, 메밀전병(각 6천원), 메밀묵말이(1만원), 순메밀막국수(2인 이상, 1인 1만2천원), 메밀묵무침(1만2천원)
⏱ 10:00~18:00 | 일요일 12:30~18:00 – 목요일 휴무
🔍 강원 평창군 봉평면 기풍로 186-3
☎ 033-336-5599 Ⓟ 가능

부림식당 산채정식

산채백반에는 김치와 된장찌개, 두부 외에 15가지 정도의 나물이 올라온다. 두부와 된장찌개, 취나물, 곰취나물, 참나물 등 산나물 향기와 표고, 느타리 등 버섯류의 은은한 향기, 더덕, 두릅의 강한 향기가 산골 정취를 느끼게 해준다.

₩ 산채정식(1만7천원), 산채백반(1만2천원), 더덕구이, 오징어볶음, 소불고기, 도토리묵무침(각 1만5천원)
⏱ 08:00~20:00 – 명절 당일 휴무
🔍 강원 평창군 진부면 진부중앙로 70-3
☎ 033-335-7576 Ⓟ 가능

부산식육식당 소고기구이 | 삼겹살

60년 전통의 고깃집으로, 돌판에 구워 먹는 소고기의 맛이 일품이다. 구수한 된장과 냉이를 넣고 끓인 된장찌개도 별미. 용평리조트가 가까워 겨울철에 스키어들이 많이 찾는다.

₩ 토시살, 살치살, 갈비안창(각 150g 5만원), 등심(150g 4만원), 삼겹살(170g 1만7천원), 된장찌개(5천원)
⏱ 12:00~22:00 – 연중무휴
🔍 강원 평창군 대관령면 대관령로 108
☎ 033-335-5415 Ⓟ 불가

부일식당 산채정식

60년이 넘는 전통의 산채백반 전문점. 손님이 올 때마다 가마솥에 장작을 지펴 밥을 짓고, 전형적인 시골 밥상과 푸짐한 산채 반찬을 내어 온다. 직접 만든 부드러운 두부, 다양한 산채와 반찬은 입맛을 돋운다. 더덕구이 추가를 추천한다. 마지막에 나오는 구수한 누룽지 숭늉으로 식사를 마무리한다.

₩ 산채백반(1만2천원), 더덕구이추가, 황태구이추가(각 1만원, 황태구이는 코다리, 러시아산)
⏲ 08:00~20:00 – 연중무휴
🔍 강원 평창군 진부면 진부중앙로 100-5
☎ 033-335-7232 Ⓟ 가능

부일식당

산골식당 닭백숙 | 닭볶음탕 | 오리

닭, 오리 백숙 전문점. 닭백숙을 시키면 닭똥집과 신선한 간이 식사 전에 나온다. 닭백숙이 나오면 다양한 한약재와 닭 뱃속에 가득 차 있는 솔잎을 빼내고 먹기 시작한다. 토종닭이라 육질이 쫄깃하다. 삭힌 백김치에 닭고기 한 점을 올려 먹으면 별미다. 날이 좋은 때에는 야외에서 운치를 즐기며 식사할 수 있다.

₩ 오리숯불구이, 오리한방백숙(각 9만원), 오리능이백숙, 토종닭능이백숙(각 10만원), 토종닭백숙, 토종닭볶음탕(각 8만원)
⏲ 10:00~22:00 – 명절 휴무
🔍 강원 평창군 대관령면 수하로 673-3
☎ 033-335-1281 Ⓟ 가능

성주식당 곤드레밥 | 닭백숙

말린 곤드레나물로 밥을 지은 곤드레밥을 선보인다. 5월 말부터 여름 사이에는 말리지 않은 파릇한 생곤드레나물로 밥을 하기 때문에 훨씬 향이 좋고 각종 쌈 채소도 풍성하다. 주변 경관이 아름답고 가게 앞에는 계곡이 흐른다.

₩ 곤드레한상(1만3천원), 도토리묵무침(1만원), 메밀전(6천원), 흑미능이닭백숙, 닭볶음탕(각 7만원)
⏲ 10:00~19:00(마지막 주문 18:00) – 수요일, 명절 휴무
🔍 강원 평창군 진부면 방아다리로 306
☎ 033-335-2063 Ⓟ 가능

송어의집 어죽

우리나라에서 처음으로 송어 양식을 시작한 집이다. 직접 기른 송어를 바로잡아내어 놓기 때문에 싱싱하고 윤기 있는 송어회를 저렴하게 맛볼 수 있다. 송어회는 부드럽고 쫄깃하여 씹는 맛이 일품이다. 송어 매운탕 또한 훌륭하다.

₩ 송어회(1인분 180g 2만4천원, 1kg 4만8천원), 송어구이(3만7천원), 곤드레송어덮밥(1만7천원), 매운탕(5천원)
⏲ 11:00~15:00/17:00~20:00(마지막 주문 19:00) | 토, 일요일 11:00~19:00(마지막 주문 18:00) – 연중무휴
🔍 강원 평창군 평창읍 아랫상리길 19-4
☎ 033-332-0505 Ⓟ 가능

오대산가마솥식당 산채정식 | 산채비빔밥

산채요리로 유명한 오대산 월정사 입구 식당촌에서 30년 넘게 산채요리를 전문으로 내놓고 있다. 산채정식을 시키면 두릅, 냉이, 더덕과 각종 버섯요리, 전을 포함하여 30여 가지의 반찬이 나오고 황태구이와 된장찌개도 푸짐하게 한 상 차려진다.

₩ 산채정식(2만2천원), 산채비빔밥, 도토리묵, 감자전, 두부구이(각 1만2천원), 산채돌솥비빔밥, 황태해장국(각 1만3천원), 황태구이정식(2만7천원), 산나물전(1만5천원)
⏲ 08:00~20:00(마지막 주문 19:30) | 동절기 08:00~19:00(마지막 주문 18:30) – 연중무휴
🔍 강원 평창군 진부면 오대산로 152 11동 1호
☎ 033-333-5355 Ⓟ 가능

오대산식당 산채정식

월정사 앞의 오대산먹거리마을 초창기부터 있던 산채 정식 전문점. 정식을 시키면 16 가지의 산채 나물과 버섯, 장아찌, 감자전, 도토리묵, 생선구이, 더덕구이, 떡갈비, 된장찌개 등이 한상 가득 차려진다.

₩ 황태구이정식(3만원), 산채정식(2만5천원), 소불고기(소 4만5천원, 중 5만5천원), 코다리조림(소 3만5천원, 중 4만5천원), 가자미조림(소 4만원, 중 5만원), 제육볶음(2인 2만5천원), 오삼불고기(1인 1만5천원), 오징어김치전(1만7천원)
⏲ 09:00~21:00 – 연중무휴
🔍 강원 평창군 대관령면 횡계길 39
☎ 033-335-6203 Ⓟ 가능

오대산채나라 황태 | 산채비빔밥 | 산채정식

다양한 산채나물을 맛볼 수 있는 산채정식을 전문으로 한다. 20여 가지의 반찬이 한 상 가득 차려지며 된장찌개와 전, 두부구이 등의 반찬이 맛있다. 황태구이와 돌솥밥도 추천할 만하다.

₩ 산채정식(2인 이상, 1인 2만원), 황태구이정식(각 2인 이상, 1인 2만5천원), 곤드레돌솥밥, 곰취돌솥밥, 황태구이(각 1만5천원)
⏲ 09:30~18:30 – 화요일 휴무
🔍 강원 평창군 진부면 진고개로 159
☎ 033-334-9514 Ⓟ 가능

용평회관 소고기구이 | 생태

평창에서 질 좋은 소고기를 구워 먹을 수 있는 곳으로, 등심을 비롯해 차돌박이, 주물럭 등을 선보인다. 고기 외에 칼칼한 생태찌개도 유명하며, 구수하고 진한 된장찌개도 별미다. 실내도 넓

고 깔끔하다. 용평에서 스키 타는 사람은 다 알 만큼 유명한 곳이다.

₩ 등심(150g 5만9천원), 차돌박이, 주물럭(각 150g 4만9천원), 생태찌개(소 4만원, 중 4만5천원), 된장찌개(5천원)
🕒 12:00~15:00/17:00~21:00(마지막 주문 20:30) – 화요일 휴무
🔍 강원 평창군 대관령면 횡계2길 15
☎ 033-335-5217 Ⓟ 불가(맞은편 공영주차장 이용)

운두령 송어

민물생선인 송어회를 전문으로 하는 곳으로, 꽁꽁 얼린 돌판에 송어회를 내오기 때문에 싱싱한 회 맛을 즐길 수 있다. 송어회는 각종 채소에 고추장, 콩가루, 들기름 등을 넣고 새콤매콤하게 무쳐 먹어도 좋다. 회를 먹고 나서 나오는 매운탕이 얼큰하다. 한옥을 개조해 운치 있는 분위기다.

₩ 송어회(1인 4만원 2인 6만원), 송어구이(반마리 3만원, 한마리 5만원)
🕒 11:00~15:00 – 명절 전날 및 당일 휴무
🔍 강원 평창군 용평면 운두령로 825
☎ 033-332-1943 Ⓟ 가능강원1_운두령

운두령

원조맷돌순두부 두부 | 순두부

직접 재배한 콩을 맷돌에 갈아 순두부를 만드는 두부 전문점으로, 담백한 순두부를 맛볼 수 있는 곳이다. 매콤한 순두부찌개와 두부전골 또한 선보이고 있으며. 마감시간이 유동적이니 전화 확인 후 방문하기를 추천한다.

₩ 맷돌순두부(1만원), 순두부찌개(1만1천원), 두부전골(중 3만5천원, 대 4만5천원), 황태전골(4만5천원), 모두부, 모두부찌개(각 1만2천원)
🕒 07:30~20:00 – 연중무휴
🔍 강원 평창군 대관령면 송천길 10
☎ 033-336-2386 Ⓟ 가능

유천막국수 막국수 | 수육

순메밀국수 맛이 입소문으로 퍼져 전직 대통령 일행이 찾아온 집이기도 하다. 대관령 한우뼈를 곤 국물에 동치미 국물을 가미하는 것이 맛의 비결. 육수 맛과 다소 거칠게 간 메밀국수의 구수한 뒷맛이 일품이다.

₩ 메밀물막국수, 도토리묵사발, 메밀전병(각 8천원), 메밀비빔국수, 꿩만두찜, 꿩만둣국(동절기)(각 9천원), 도토리묵(7천원), 수육(소 2만5천원, 대 3만원)
🕒 10:30~20:00 – 비정기적 휴무
🔍 강원 평창군 대관령면 만과봉길 58
☎ 033-332-6423 Ⓟ 가능

진태원 일반중식

바삭하면서도 부드러운 탕수육 맛이 일품이다. 링 모양의 양파와 생부추가 듬뿍 올라가는 것이 특징이다. 횡계 시내에서 잘하는 집으로 소문나 있다.

₩ 탕수육(중 3만2천원, 대 4만원), 짜장면(7천원, 곱빼기 8천원), 짬뽕, 볶음밥(각 8천원, 곱빼기 9천원), 군만두(7천원)
🕒 11:00~16:00 | 일요일 12:30~16:00 – 비정기적, 명절 휴무
🔍 강원 평창군 대관령면 횡계길 19
☎ 033-335-5567 Ⓟ 불가

청성애원 사슴고기

5만여 평의 평원에 사슴 5백 마리를 방목하고 있는 청성애원 내에 있는 식당. 꽃사슴을 각종 한약재와 산야초를 먹여 기르는 것이 특징이다. 녹용약죽, 사슴불고기, 백숙과 닭볶음탕은 예약 필수다.

₩ 사슴전골, 사슴육회(각 180g 4만5천원, 300g 6만원, 400g 8만원), 사슴불고기(2인 4만원), 사슴곰탕(1만5천원), 닭백숙(6만원), 삼계탕(1인 1만5천원), 흑염소전골(200g 3만5천원, 400g 5만원, 500g 7만원), 소불고기(2인 이상, 1인 1만5천원), 두부찌개(8천원), 순두부, 김치찌개, 된장찌개, 비빔밥, 미역국(각 7천원)
🕒 08:00~20:00 – 명절 휴무
🔍 강원 평창군 평창읍 살구실길 53-10
☎ 033-333-6031 Ⓟ 가능

초가집옛골 막국수

메밀꽃의 고장에서만 맛볼 수 있는 메밀 음식 전문점. 100% 순메밀면과 담백하고 자극적이지 않은 육수의 조화가 잘 어우지는 막국수를 맛볼 수 있다.

₩ 메밀물국수(1만원), 메밀비빔국수(1만 1천원), 메밀묵사발, 메밀묵무침(각 1만2천원), 메밀모둠(1만7천원), 옛골수육(소 1만8천원, 대 2만7천원)
🕒 10:00~16:00/17:00~19:30(마지막 주문 18:45) – 화요일 휴무
🔍 강원 평창군 봉평면 메밀꽃길 7
☎ 033-336-3360 Ⓟ 가능

평창축협대관령한우타운 면온점

一松亭 소고기구이 | 송어

질 좋은 한우를 맛볼 수 있는 정육식당. 정육매장에서 구매한 고기를 상차림 비용을 지불하고 구워 먹을 수 있다. 스테이크처럼 크고 두툼하게 썬 대관령 한우 등심을 통째로 굽는다. 한우 육회와 육사시미 등도 별미. 식사 메뉴로는 한우갈비탕, 육개장, 설렁탕 등이 있다. 송어회도 추천할 만하다.

₩ 대관령한우육회(150g 2만5천원), 대관령한우육사시미(150g 4만원), 송어회(2인 4만5천원), 대관령한우갈비탕(1만5천원), 대관령한우국밥(9천원)

⏲ 10:00~23:00(마지막 주문 22:00) - 연중무휴

🔍 강원 평창군 봉평면 태기로 393

☎ 033-333-7043 Ⓟ 가능

허브나라농원 퓨전한식

농장에서 재배한 허브로 만든 허브 요리와 차를 즐길 수 있다. 식사를 하면 2층에서 허브로 우려낸 각종 차를 무료로 맛볼 수 있다. 동절기에는 레스토랑이 휴무며, 대신 카페테리아에서 간단한 식사를 할 수 있다.

₩ 허브꽃비빔밥, 허브카레덮밥(각 1만원), 허브샐러드(1만2천원), 허브닭찜정식(4인 10만원), 허브케사디아(1만2천원), 허브토스트(5천원)

⏲ 11월~4월 09:00~17:30 | 5월~10월 09:00~18:00 - 화요일 휴무, 5월~10월 휴무일 없음

🔍 강원 평창군 봉평면 흥정계곡길 225

☎ 033-335-2902 Ⓟ 가능

현대막국수 막국수

메밀의 고장 봉평에서 진미식당과 함께 가장 오래되고 유명한 집이다. 메밀 함량이 약간 부족한 듯싶으나 이런 경우는 순메밀을 시키면 된다. 사과, 배 등의 과일과 양파를 숙성시켜 육수에 사용하는 것이 특징. 콩나물을 긴 시간 동안 우려낸 육수의 맛이 시원하면서도 약간 달착지근한 편이다.

₩ 메밀물막국수(9천원, 곱빼기 1만원), 메밀묵무침(1만원), 메밀묵사발(8천원), 메밀전병(7천원), 메밀비빔국수(9천원, 곱빼기 1만원), 수육(중 2만5천원, 대 3만5천원), 메밀부침(7천원)

⏲ 10:00~18:00(마지막 주문 17:50) - 연중무휴

🔍 강원 평창군 봉평면 동이장터길 17

☎ 033-335-0314 Ⓟ 가능

황태덕장 황태

대관령에서 눈보라를 맞히며 꾸둑꾸둑하게 말린 황태를 사용한다. 황태를 갖은 양념에 재 놓았다가 콩나물, 미더덕 등과 끓여 내는 매콤한 황태찜이 좋다. 황태 뼈와 머리로 끓여낸 황탯국도 개운하다.

₩ 황태전골(중 4만5천원, 대 5만원), 황태구이정식(1인 1만5천원), 황태미역국, 황탯국(각 1만원)

⏲ 07:00~21:00 - 연중무휴

🔍 강원 평창군 대관령면 눈마을길 21

☎ 033-335-5942 Ⓟ 가능

황태회관 황태

직접 황태덕장을 운영하고 있기 때문에 질 좋은 황태로만 음식을 한다. 7~8가지에 이르는 다양한 황태 요리에 기본 반찬이 10여 가지 정도 나온다. 황태해장국은 뽀얗게 우려내 국물이 담백하며 황태구이는 따뜻한 불판에 얹어 낸다.

₩ 황태해장국(9천원), 황태구이정식(1만5천원), 황태찜(중 3만9천원, 대 4만9천원), 오삼불고기(2인이상 주문 가능, 220g 1만5천원)

⏲ 06:00~22:00(마지막 주문 21:30) - 연중무휴

🔍 강원 평창군 대관령면 눈마을길 19

☎ 033-335-5795 Ⓟ 가능

강원도 홍천군

가리산막국수 닭백숙 | 막국수 | 두부전골

막국수가 맛있는 곳. 구수한 메밀면 위에 비빔 양념장이 올라가며 함께 나오는 동치미 국물을 취향에 따라 부어 먹는다. 잘 삶은 편육이나 감자전 등을 곁들여 먹는 맛이 일품이다. 칼칼하게 끓인 두부전골과 엄나무닭백숙 등도 인기다.

₩ 막국수(1만원), 김치찌개, 민물새우수제비, 두부전골(각 2인 2만원), 편육(300g 2만원), 엄나무닭백숙, 닭볶음탕(각 6만원), 감자전, 두부김치(각 1만원)

⏲ 07:30~20:30(마지막 주문 19:30) - 명절 휴무

🔍 강원 홍천군 두촌면 가리산길23번길 7

☎ 033-435-2704 Ⓟ 가능

길매식당 두부 | 막국수

막국수와 잣두부가 유명한 집. 마을에서 생산한 콩을 사용하여 두부를 만들며 하루 준비량이 다 떨어지면 문을 닫는다. 잣두부는 들기름으로 구워 더욱 고소하며 얼큰한 잣두부전골도 별미다. 막국수를 먹을 때는 동치미 국물을 조금 넣어 먹는 편을 추천한다.

₩ 막국수(동절기 1만원), 잣두부전골, 잣두부구이백반(각 1만4천원), 잣두부구이(1만5천원), 감자전(8천원)

⏲ 10:00~17:00 - 화, 수요일 휴무

🔍 강원 홍천군 화촌면 구룡령로 214-1

☎ 033-432-2314 Ⓟ 가능

늘푸름임꺽정 소고기구이

홍천군 한우 브랜드인 늘푸름 홍천 한우만 취급하는 곳. 열흘 이상 숙성한 1++등급의 홍천 한우를 참숯으로 굽는다. 합리적인 가격에 즐길 수 있는 것이 장점. 별도의 룸을 갖추고 있어 모임을 하기에도 좋다.

Ⓦ 안창살, 토시살, 살치살(각 150g 4만6천원), 등심(150g 4만원), 육회(200g 2만5천원), 막국수(9천원)
Ⓒ 10:00~22:00 – 연중무휴
Q 강원 홍천군 홍천읍 무궁화로4길 11
☎ 033-432-9939 Ⓟ 가능

늘푸름한우사랑 소고기구이 | 쌈밥

홍천군 한우 브랜드인 늘푸름 홍천 한우를 맛볼 수 있는 곳. 가격대도 합리적인 편이며 고기 질이 좋다. 돼지불고기와 신선한 쌈채소, 된장찌개 등이 나오는 쌈밥정식도 식사메뉴로 인기가 많다.

Ⓦ 한우등심(100g 변동), 한우특수부위(100g 1만5천원), 세팅비(1인 4천원), 쌈밥정식(1만2천원), 육회비빔밥(8천원), 육회(130g 1만2천원), 차돌된장찌개(5천원), 후식냉면(4천원)
Ⓒ 10:00~22:00 – 둘째, 넷째 주 일요일 휴무
Q 강원 홍천군 홍천읍 연봉로 36
☎ 033-432-6622 Ⓟ 가능

양지말화로구이 삼겹살

홍천 일대에서 화로구이로 소문난 곳. 냉동시키지 않은 생삼겹살을 고추장 양념에 버무려 참숯에 직화로 구워 먹는다. 고추장 양념과 간장 양념 중 선택할 수 있으며 향긋한 더덕구이도 인기 메뉴다. 후식으로 메밀커피를 무료로 제공한다.

Ⓦ 고추장화로구이(2인 이상, 200g 1만6천원), 간장화로구이(2인 이상, 200g 1만8천원), 더덕구이(400g 3만원), 막국수, 양푼비빔밥(각 1만원), 온면(6천원), 도토리묵사발(1만원)
Ⓒ 11:00~20:30 – 연중무휴
Q 강원 홍천군 홍천읍 양지말길 17-4
☎ 033-435-7533 Ⓟ 가능

오대산내고향 산채정식 | 산채비빔밥 | 두부

산채백반으로 유명한 곳으로, 홍천에서 채집한 산나물로 차리는 산채백반이 푸짐하다. 직접 담근 된장 맛도 일품이다. 닭볶음탕과 백숙은 예약 필수. 은행나무 숲을 방문하는 관광객이 자주 찾는다.

Ⓦ 산채백반(2인 이상, 1인 2만원), 두부전골(2인 이상, 1인 1만원), 산채비빔밥(9천원), 촌두부구이한판(1만2천원), 토종닭백숙, 토종닭볶음탕(각 6만원)
Ⓒ 09:00~20:00 – 일요일 휴무
Q 강원 홍천군 내면 구룡령로 6898
☎ 0507-1444-7794 Ⓟ 가능

원조생곡막국수 막국수

동치미막국수가 맛있기로 소문난 곳. 구수한 메밀면발 위에 오이, 참깨, 김가루 등이 고명으로 올라가며, 함께 나오는 시원한 동치미 국물을 넣어 먹는다. 감자전과 편육 등을 곁들이는 편을 추천한다.

Ⓦ 메밀막국수, 촌두부(각 9천원), 감자전(1만1천원), 편육(1만9천원)
Ⓒ 10:30~20:00 | 동절기 10:30~19:00 – 화요일 휴무
Q 강원 홍천군 서석면 군두리길 310
☎ 033-436-5061 Ⓟ 가능

장남원조보리밥 보리밥

보리밥을 시키면 비벼 먹기에 좋은 나물이 반찬으로 깔리며 함께 나오는 된장찌개의 맛이 일품이다. 건강한 음식으로 한 끼 때울 수 있는 곳. 소박하고 깊은 맛을 느낄 수 있다.

Ⓦ 보리밥정식, 쌀밥정식(각 1만1천원), 두부구이, 감자전(각 9천원), 도토리묵무침(1만5천원)
Ⓒ 07:30~21:00 – 일요일, 명절 휴무
Q 강원 홍천군 두촌면 장남길 34
☎ 033-435-2206 Ⓟ 가능

장원막국수 막국수 | 수육

막국수 전문점으로, 순메밀만을 사용한 막국수를 맛볼 수 있다. 양념이 강하지 않아 깨를 뿌리지 않으며 백김치를 곁들이면 더욱 좋다. 메밀가루는 그때그때 필요한 양만큼 빻아서 쓰는 것이 맛의 비결. 수육과 녹두빈대떡도 추천.

Ⓦ 순메밀물국수(1만2천원), 순메밀비빔국수(1만1천원), 돼지수육(200g 2만5천원), 녹두전(1만3천원)
Ⓒ 10:30~17:00(마지막 주문 16:30) – 화요일, 명절 휴무
Q 강원 홍천군 홍천읍 상오안길 62
☎ 033-435-5855 Ⓟ 가능

풍년식당 순대 | 순댓국

홍천시장 내에 자리한 순댓국 전문점. 오랜 시간 끓인 돼지 사골 국물에 순대와 파, 다진 마늘 등이 푸짐히 들어간다. 순대에는 당면과 찹쌀, 부추, 당근 등을 넣어 잡내 없이 깔끔한 맛이다.

Ⓦ 순대국밥, 순대(각 9천원), 소머리국밥(1만원), 편육, 돼지머릿고기, 술국(각 1만7천원)
Ⓒ 08:00~15:00 – 월요일 휴무
Q 강원 홍천군 홍천읍 신장대로 92
☎ 033-434-4304 Ⓟ 불가

홍천한우애 洪川 韓牛愛 소고기구이

유통 과정을 최소화하여 합리적인 가격대로 즐길 수 있는 한우 전문정육식당. 고기는 숯불에 구워 먹는다. 직판장도 같이 운영하고 있어 우족, 꼬리 등 다양한 특수부위를 구매 할 수 있는 점이 좋다. 넓은 매장과 주차장, 단체룸, 어린이 놀이공간, 오락실

등 편의시설도 갖추고 있다.
₩ 한우애삼합세트(1만8천원), 버섯불고기전골(1만2천원), 갈비탕(1만5천원), 한우국밥(1만원)
🕒 10:30~21:30 – 월요일 휴무
🔍 강원 홍천군 홍천읍 양지말길 12
☎ 033-432-9279 Ⓟ 가능

홍천한우애

강원도 화천군

명가 名家 산천어 | 민물매운탕 | 민물생선회

제대로 된 산천어회와 쏘가리회, 매운탕을 먹을 수 있는 곳이다. 파로호와 화천천에서 잡아올린 민물고기만을 사용한다. 한겨울이 제철인 산천어가 대표 메뉴며 얼큰한 쏘가리매운탕도 인기다. 함께 나오는 밑반찬도 깔끔하다.
₩ 쏘가리회(13만원), 산천어회(4만원), 송어회(3만원), 쏘가리매운탕(1인 2만원), 자연산장어구이(23만원)
🕒 10:00~22:00 – 일요일, 명절 당일 휴무
🔍 강원 화천군 화천읍 상승로 57
☎ 033-442-2957 Ⓟ 가능

천일막국수 막국수 | 수육

화천 읍내에서 가장 오래된 막국수 전문점으로, 현지인이 추천하는 곳이다. 막국수에 고기 고명을 올려 내는 것이 독특하며, 제육은 메밀 삶은 물에 삶는다고 한다.
₩ 막국수(8천원), 편육(소 1만5천원, 대 2만5천원), 빈대떡(1장 4천원)
🕒 11:00~19:00(재료 소진 시 마감) – 연중무휴
🔍 강원 화천군 화천읍 중앙로 34-9
☎ 033-442-2127 Ⓟ 가능

화천어죽탕 어죽

일반적인 고추장을 풀어 만든 어죽이 아닌 추어탕스러운 진한 어죽을 맛볼 수 있다. 산초를 약간 곁들이면 더욱 좋다. 소박하고 시골스러운 반찬에 대나무술도 맛볼 수 있다.
₩ 잡고기어죽탕(1만1천원), 감자부침, 김치전, 두부구이(각 1만원)
🕒 09:00~19:00 – 비정기적 휴무
🔍 강원 화천군 간동면 파로호로 91
☎ 033-442-5544 Ⓟ 가능

강원도 횡성군

강림순대 순대 | 순댓국

구수한 순댓국이 유명한 곳. 직접 담근 막장과 들깨, 내장, 시래기, 순대 등을 넣어 끓이는 것이 맛의 비결이다. 순대를 주문하면 다양한 부위의 부속고기가 함께 나온다.
₩ 순댓국, 감자부침(각 1만원), 순대(1만3천원), 메밀전병(8천원), 머릿고기(1만6천원)
🕒 09:00~19:00 – 넷째 주 일요일 휴무
🔍 강원 횡성군 강림면 주천강로강림5길 35
☎ 033-342-7148 Ⓟ 가능

광암막국수 막국수

메밀막국수 전문점으로, 메밀을 반죽해 직접 뽑은 면이 구수하고 담백하다. 100% 순메밀만 사용하는 것이 특징. 간장 양념을 더한 비빔막국수와 양념한 황태회를 푸짐하게 올린 황태비빔막국수도 별미다.
₩ 물막국수, 비빔막국수, 간장비빔막국수(각 9천원), 황태비빔막국수(1만원), 수육(중 3만3천원, 대 3만8천원), 녹두전(9천원)
🕒 11:00~20:00(마지막 주문 19:30) – 비정기적 휴무
🔍 강원 횡성군 우천면 경강로 2887
☎ 033-342-2693 Ⓟ 불가

단골식당 백반 | 일반한식

소박한 시골 밥상을 받아볼 수 있는 곳으로, 밑반찬 재료는 강원 둔내면의 무공해 채소를, 된장은 7년 정도 숙성하여 사용한다. 청국장이 구수하며 제육볶음과 불고기백반 등의 메뉴도 일품이다.
₩ 된장찌개, 두부찌개, 청국장찌개(각 9천원), 김치찌개(2인 이상, 1인 9천원), 제육볶음, 버섯전골, 부대찌개(각 2인 이상, 1인 1만원), 불고기백반(1만1천원)
🕒 10:00~15:00 – 화요일 휴무
🔍 강원 횡성군 둔내면 둔내로51번길 20
☎ 033-342-1033 Ⓟ 가능

둔내막국수 막국수

새콤한 막국수를 맛볼 수 있는 곳. 메밀이 적당량 함유되어 있어 부드럽고 구수한 면발을 자랑한다. 양배추, 오이, 삶은 달걀이 고명으로 올라가며 양이 매우 푸짐하다. 잡내 없고 부드러운 수육도 함께 곁들이기 좋다. 겨울철에는 뜨끈한 떡만둣국이 인기다.

₩ 물막국수, 비빔막국수, 떡만둣국, 칼만둣국, 찐만두(각 6천원), 돼지수육(1만5천원)
🕒 11:00~19:00(마지막 주문18:30) – 비정기적 휴무
🔍 강원 횡성군 둔내면 둔내로 30 2층
☎ 033-342-1644 Ⓟ 가능

면사무소앞안흥찐빵 찐빵

횡성에서 유명한 대표적인 안흥찐빵집. 직접 빚은 빵을 즉석에서 찌기 때문에 다 팔리면 다시 나올 때까지 줄을 서서 기다려야 한다. 팥앙금이 넉넉히 들어 있으며 반죽이 쫄깃한 것이 특징이다.

₩ 찐빵(1개 1천원, 5개 4천원, 10개 7천원, 16개 1만1천원, 20개 1만3천원)
🕒 08:00~19:00 – 연중무휴
🔍 강원 횡성군 안흥면 안흥로 30
☎ 033-342-4570 Ⓟ 가능

삼정 소고기구이

횡성에서 30여 년 동안 한우를 전문으로 하는 곳. 고기의 질이 좋으며 얇은 석쇠 위에 고기를 구워 먹는다. 고소한 육회와 육사시미를 곁들여도 좋으며 식사 메뉴로는 강원도 토속 된장으로 끓인 된장찌개를 추천한다. 실내 인테리어도 깔끔하고 밑반찬도 정갈하게 나온다.

₩ 삼정한우(예약한정, 1인 200g 14만원), 자연한우(1인 150g 9만2천원), 등심새우살(150g 8만원), 안심, 알등심(각 150g 7만원)
🕒 11:30~15:00/17:00~20:30 – 화요일 휴무
🔍 강원 횡성군 둔내면 경강로 4536-3
☎ 033-342-3365 Ⓟ 가능

새말토종순대 순대국밥 | 순대

강원도식으로 막장을 넣은 순대국밥을 맛볼 수 있다. 매장에서 직접 만드는 순대와 살코기가 듬뿍 들어있으며, 누린내가 나지 않는 국물 맛이 일품이다. 순대국밥 특 사이즈에는 내장도 들어가며, 양이 상당하다.

₩ 장순댓국(일반, 머릿고기 각 1만원, 특 1만3천원), 모둠순대(소 1만8천원, 대 2만5천원), 오소리감투, 머리편육(각 1만3천원), 껍데기편(1만원)
🕒 08:00~15:00/17:00~20:00(마지막 주문 19:30) | 화요일 08:00~15:00(마지막 주문 14:30) – 수요일 휴무
🔍 강원 횡성군 우천면 우항새말길 20-16
☎ 033-342-6469 Ⓟ 가능

심순녀안흥찐빵 찐빵

안흥찐빵의 원조. 50년 넘는 비결과 정성으로 반죽을 숙성하고의 숙성 과정은 물론이고 찜 솥의 김 오르는 모습만으로 가장 맛있는 상태의 찐빵을 정확히 쪄 낸다고 한다. 팥소는 횡성군과 유명 팥 산지에서 나는 국산 햇팥을 들여와 삶아 넣는다.

₩ 찐빵(20개 1만2천원, 25개 1만5천원, 40개 2만4천원, 50개 3만원)
🕒 09:00~19:00 – 연중무휴
🔍 강원 횡성군 안흥면 서동로 1029
☎ 033-342-4460 Ⓟ 가능

용둔막국수 막국수

시골 길가에 있는 작은 막국숫집. 감칠맛 나는 양념이 더해진 막국수가 대표 메뉴로, 고소한 참기름을 살짝 넣으면 더욱 맛있다. 곁들이는 메뉴로는 감자전, 메밀전 등이 있다.

₩ 물막국수, 비빔막국수(각 8천원), 감자전(1만원), 메밀전, 감자찐만두(각 8천원), 수육(소 2만5천원, 대 3만5천원)
🕒 10:30~18:30 – 둘째, 넷째 주 월요일 휴무
🔍 강원 횡성군 우천면 경강로 2883
☎ 033-342-2695 Ⓟ 가능

자매식당 칼국수 | 만둣국

멸치 육수에 된장, 고추장을 푼 국물로 국수를 끓인 장칼국수와 만둣국, 김치만두 등을 선보인다. 장칼국수는 2인 이상 주문 가능하다. 저렴하면서도 푸짐한 양이 장점이며, 감자를 직접 갈아 부치는 감자전도 별미다. 다소 허름한 편이지만, 오랫동안 사랑받는 곳이다.

₩ 칼국수, 칼만둣국, 장칼국수, 만둣국, 떡만둣국(각 7천원), 감자전(8천원)
🕒 10:00~19:00 – 비정기적 휴무
🔍 강원 횡성군 둔내면 둔내로51번길 14
☎ 033-344-2317 Ⓟ 불가

장미산장 소불고기 | 곤드레밥 | 한정식

곤드레밥으로 소문난 집이다. 무쇠솥에 곤드레나물과 들기름을 넣어 즉석에서 밥을 지어내는데, 양념장에 비벼 먹는 맛이 일품이다. 이 외에도 달착지근한 양념 맛이 좋은 코다리구이, 더덕구이정식 등도 인기다.

₩ 곤드레밥정식(2인 이상, 1인 1만5천원), 코다리구이정식(2인 이상, 1인 1만3천원), 더덕구이정식, 돼지두루치기정식(각 2인 이상, 1인 1만5천원), 한우버섯불고기(150g 1만5천원), 한우곰탕(1만원)
🕒 09:00~21:00 – 연중무휴
🔍 강원 횡성군 우천면 전재로 234
☎ 033-342-2083 Ⓟ 가능

저문강에삽을씻고 돈가스 | 경양식

횡성에서 30여 년 가까이 2대에 걸쳐 자리를 지켜온 경양식 레스토랑. 입구의 기찻길을 따라 들어가면 레스토랑이 나온다. 저문강 돈가스가 시그니처 메뉴며 저문강 스페셜 정식은 오늘의 수프로 시작하여 샐러드, 떡갈비 스테이크와 돈가스, 생선가스, 스파게티 등을 합리적인 가격으로 즐길 수 있다.

Ⓦ 저문강돈가스(9천5백원), 저문강스페셜정식(1만5천원), 찹스테이크(1만4천원), 김치볶음밥(8천원), 토마토파스타, 아마트리치아나(각 1만원)

Ⓒ 11:30~16:00/17:00~21:00(마지막 주문 20:00) | 토, 일요일, 공휴일 11:00~16:00/17:00~21:00(마지막 주문 20:00) – 연중무휴

Q 강원 횡성군 횡성읍 화성로 104

☎ 033-343-0125 Ⓟ 가능

큰터손두부 두부

60년 넘게 손수 맷돌에 콩을 갈아서 만드는 두부 맛이 일품인 손두붓집이다. 밭에서 직접 재배한 콩으로 만든 두부를 사용하는 것이 특징이다. 가격도 저렴한 편.

Ⓦ 두부정식(2인 이상, 1인 1만4천원), 두부찜, 두부구이, 모두부(각 1만원), 두부추어탕(1만1천원)

Ⓒ 10:00~20:00 | 하절기 10:00~21:00 – 연중무휴

Q 강원 횡성군 우천면 경강로 3291 ☎ 033-342-2667 Ⓟ 가능

통나무집 소고기구이

통나무로 지은 한우 고깃집. 횡성 숯가마의 참숯을 이용해서 고기를 굽는데, 직화와 흡입식 두 가지로 나뉘어 있어 손님의 취향대로 선택할 수 있게 해 놓았다. 구이 메뉴에는 육회와 간, 천엽 등이 함께 나온다. 신관에는 무료 디저트 카페도 마련되어 있어 식사를 마친 후 방문하는 것도 좋다.

Ⓦ 살치살(150g 4만5천원), 꽃등심A (150g 4만5천원), 갈빗살(150g 4만원), 모둠구이(150g 3만8천원), 한우육회(130g 2만5천원), 모둠주물럭(150g 3만5천원)

Ⓒ 11:00~21:00(마지막 주문 20:30) – 명절 당일 휴무

Q 강원 횡성군 둔내면 고원로 173

☎ 033-344-3232 Ⓟ 가능

함밭식당 육회 | 소고기구이

정육점을 같이 운영하고 있는 고깃집. 직접 선별, 도축한 한우를 들여오기 때문에 고기의 품질을 믿을 만하다. 70년간 3대에 걸쳐 횡성 한우를 전문으로 하고 있다. 원래 읍내에 있던 오래된 식당이었는데 1975년에 섬강 강변으로 옮겨와 새로 단장하였다.

Ⓦ 불고기백반(200g 1만6천원), 두루치기백반(200g 1만4천원), 한우육회비빔밥(1만3천원), 한우육회냉면(1만1천원), 한우육개장, 한우설렁탕(각 1만원), 물냉면, 비빔냉면(각 8천원)

Ⓒ 11:00~21:30(마지막 주문 20:30) – 화요일 휴무

Q 강원 횡성군 횡성읍 섬강로 88

☎ 033-343-2549 Ⓟ 가능

함밭식당

횡성축협한우프라자 소고기구이

횡성 축협에서 선보인 한우 직판장 본점. 명품 횡성 한우의 참맛을 즐길 수 있다. 횡성 한우는 마블링이 뛰어나서 익힌 뒤에도 부드러운 육질과 풍부한 육즙이 살아 있어 입안에서 살살 녹는 맛이 좋다.

Ⓦ 부시모둠(2인 이상, 1인 150g 6만2천원), 원더풀꽃등심, 원더풀모둠(각 2인 이상, 1인 150g 4만9천원), 양념육회(200g 3만원), 생육회(200g 4만원)

Ⓒ 11:00~21:00(마지막 주문 구이용고기 19:30, 일반식사 20:00) – 연중무휴

Q 강원 횡성군 횡성읍 횡성로 337

☎ 033-343-9908 Ⓟ 가능

충청북도

Chungcheongbuk-do Province

충청북도 괴산군

괴산매운탕 민물매운탕 | 민물생선찜

다양한 종류의 민물매운탕을 전문으로 하는 곳. 싱싱한 민물고기에서 우러 나오는 맛이 좋으며 팽이버섯과 채소도 푸짐하게 올라간다. 자작하게 쪄서 나오는 쏘가리, 모래무지찜도 맛있기로 유명하다. 실내도 넓은 편.

₩ 메기매운탕(각 소 4만원, 중 5만원, 대 6만원), 잡고기매운탕, 모래무지(각 소 5만원, 중 6만원, 대 7만원), 빠가사리매운탕(각 소 5만5천원, 중 6만5천원, 대 7만5천원)

09:00~20:30(마지막 주문 19:30) – 셋째 주 월요일 휴무

충북 괴산군 괴산읍 괴강로 248

043-832-2838 Ⓟ 가능

서울식당 다슬기

40년 넘게 다슬기(올갱이)국을 선보이는 곳. 아욱과 부추, 실파를 썰어 넣고 된장을 풀어 푹 끓인 국물이 담백하고 달큰하다. 다슬기에 밀가루 옷을 입힌 후 달걀물을 묻혀서 끓이는 것이 특징이다.

₩ 다슬기해장국(1만원)

06:30~19:00 – 연중무휴

충북 괴산군 괴산읍 읍내로 283-1

043-832-2135 Ⓟ 가능

오십년할머니집 민물매운탕 | 민물생선찜

최고의 민물매운탕집으로 손꼽히는 유명한 곳. 생선조림도 유명했지만, 현재는 매운탕만 맛볼 수 있다. 주방은 작지만 깔끔하며 탕에 들어가는 우거지는 직접 말려서 사용한다.

₩ 메기매운탕(2인 4만원, 3인 5만원, 4인 6만원), 빠가사리매운탕(2인 5만5천원, 3인 6만5천원, 4인 7만5천원), 쏘가리매운탕(2인 9만원, 3인 11만원, 4인 13만원)

08:00~20:00(마지막 주문 19:00) – 연중무휴

충북 괴산군 괴산읍 괴강로느티울길 8-1

043-832-2974 Ⓟ 가능

조령산묵밥청국장 묵밥 | 일반한식

조령산 휴양림 입구에 자리한 묵밥 전문점. 묵 외에도 청국장 같은 토속음식을 선보인다. 노릇하게 부친 감자전도 별미다.

₩ 청국장, 묵밥(각 1만원), 감자전, 해물전, 도토리전, 도토리묵, 손두부(각 1만3천원), 더덕구이+제육(4만원)

10:00~19:00 – 연중무휴

충북 괴산군 연풍면 새재로 1854

043-833-4687 Ⓟ 가능

팔도강산민물매운탕 민물매운탕 | 민물생선찜

괴산 현지인이 많이 찾는 민물매운탕집. 새뱅이를 넣고 끓인 새뱅이매운탕이 대표 메뉴며 메기매운탕, 쏘가리매운탕, 메기찜 등 다양한 민물고기 요리도 선보인다. 매운탕 국물에 넣어 먹는 쫄깃한 수제비 맛도 일품.

₩ 새뱅이매운탕(2인 3만원), 쏘가리매운탕(2인 7만원, 3인 9만원, 4인 11만원), 쏘가리찜(2인 8만원), 빠가사리매운탕(2인 4만5천원, 3인 5만5천원, 4인 6만5천원), 메기매운탕(2인 3만원, 3인 4만원, 4인 5만원), 메기찜(2인 4만원, 3인 5만원, 4인 6만원), 쏘가리회(1kg, 시가)

09:00~21:00 – 연중무휴

충북 괴산군 괴산읍 괴강로느티울길 32

043-833-1165 Ⓟ 가능

충청북도 단양군

그집쏘가리 다슬기 | 민물매운탕

40여 년 동안 대를 이어 쏘가리매운탕을 전문으로 하고 있는 곳. 민물새우를 넣지 않아 자연산 쏘가리 본연의 맛을 느낄 수 있다. 직접 채취한 다슬기로 만든 요리도 별미.

₩ 쏘가리매운탕(소 8만원, 중 11만원, 대 13만원, 특대 15만원), 빠가사리매운탕(소 7만원, 대 9만원), 쏘가리회(1kg 20만원), 다슬기전골(소 5만원, 대 7만원), 다슬기무침(소 3만원, 대 4만원)

08:00~21:00 – 연중무휴

충북 단양군 단양읍 수변로 97

043-423-2111 Ⓟ 불가

금강식당 산채비빔밥 | 산채정식

냉면사리에 20가지 산채나물을 넣어 비벼 먹는 산채도토리쟁반냉면 맛이 일품이다. 채소와 오징어 살이 들어 있는 도토리전이나 도토리묵밥도 인기 메뉴로 통한다.

₩ 산채비빔쟁반냉면(2인 이상, 1인 1만3천원), 도토리묵밥(1만1천원), 도토리전(1만2천원), 금강정식(2인 이상, 1인 2만원), 더덕구이(2만5천원)

08:00~19:00 – 연중무휴

충북 단양군 영춘면 백자1길 11

043-423-7350 Ⓟ 가능

돌집식당 다슬기 | 일반한식

부추, 대파, 된장을 넣고 구수하게 끓여낸 다슬기(올갱이)국을 맛볼 수 있다. 남한강에서 잡은 다슬기를 사용하며 시원한 국물은 숙취 해소에도 좋다. 곤드레정식을 시키면 곤드레나물을 넣은 돌솥밥을 비롯해 반찬이 한 상 가득 깔린다.

Ⓦ 곤드레정식(2인 이상, 1인 1만3천원), 마늘정식(2인 이상, 1인 1만7천원), 흑마늘정식(2인 이상, 1인 2만5천원), 돌집정식(2만2천원), 육회(3만5천원)
Ⓛ 10:00~21:00 – 연중무휴
Q 충북 단양군 단양읍 중앙2로 11
☎ 043-422-2842 Ⓟ 가능

박쏘가리 민물매운탕

민물매운탕을 전문으로 하며 쏘가리매운탕이 유명하다. 남한강에서 잡은 쏘가리를 사용하며 쏘가리가 있는지 미리 확인해 보고 가는 것이 좋다. 남한강변을 바라보며 먹는 매운탕 맛이 일품. 단양마늘을 사용한 떡갈비도 맛이 좋다.
Ⓦ 쏘가리회(1kg 20만원), 쏘가리매운탕(2인 8만원, 3인 11만원, 4인 13만원), 빠가사리매운탕, 잡고기매운탕(2인 6만원, 3인 7만원, 4인 8만원), 메기매운탕(2인 5만원, 3인 6만원, 4인 7만원), 떡갈비정식(2인 이상, 1인 2만원)
Ⓛ 10:00~21:00 – 연중무휴
Q 충북 단양군 단양읍 수변로 85
☎ 043-423-8825 Ⓟ 가능

박쏘가리

복생반점 일반중식

단양에서 3대에 걸쳐 60년 넘게 운영하고 있는 중식당이다. 중국식 우동과 짜장면이 인기 메뉴다. 우동은 개운하고 시원한 맛을 느낄 수 있고 짜장면은 고소하고 진한 춘장의 풍미를 느낄 수 있다.
Ⓦ 짜장면(6천원), 간짜장, 짬뽕, 우동, 볶음밥, 짬뽕밥, 짜장밥(각 8천원), 탕수육(소 2만원, 중 2만7천원, 대 3만4천원), 팔보채(3만5천원)
Ⓛ 11:00~21:00 – 월요일 휴무
Q 충북 단양군 단양읍 삼봉로 312
☎ 043-421-2210 Ⓟ 불가

비원쏘가리 민물매운탕 | 민물생선회

쏘가리를 회로 맛볼 수 있는 곳. 신선한 쏘가리회 맛이 좋으며 매운탕과 약선요리가 함께 나온다. 이외에 메기매운탕, 빠가사리매운탕 등 다양한 민물매운탕과 단양마늘을 사용한 마늘떡갈비 등도 선보인다.
Ⓦ 쏘가리회(시가), 쏘가리매운탕(2인 8만원, 4인 14만원), 잡고기매운탕(2인 7만원, 4인 10만원), 한우단양마늘떡갈비(1인 2만4천원), 한돈단양마늘떡갈비(1인 2만1천원), 숭어회(4만원)
Ⓛ 10:00~21:00 – 연중무휴
Q 충북 단양군 단양읍 삼봉로 179
☎ 043-421-6000 Ⓟ 가능

삼정정육점식당 삼겹살

고추장에 버무려 매콤하면서도 달달한 삼겹살구이를 먹을 수 있는 곳이다. 단양마늘을 얹어 상추와 함께 싸서 먹는 맛이 일품. 정육식당으로 운영하고 있어 고기 질도 좋다.
Ⓦ 별미고추장구이, 돼지주물럭, 갈매기살(각 200g 1만7천원), 한우꽃등심, 한우차돌박이(각 200g 3만원), 목삼겹살, 삼겹살(각 200g 1만5천원)
Ⓛ 08:00~22:00 – 연중무휴
Q 충북 단양군 단양읍 상진2길 36
☎ 043-423-0975 Ⓟ 가능

성골촌 닭백숙 | 오리백숙

산장 같은 분위기에서 식사를 할 수 있는 곳. 진한 닭백숙이 대표 메뉴로, 엄나무, 두충나무, 황기, 천궁, 당귀 등 갖가지 약재를 넣고 푹 고아 낸다. 고소한 닭죽으로 식사를 마무리한다. 앞으로는 계곡물이 흐르고 뒤로는 높은 봉우리가 솟아 있는 경치가 아름다운 곳이다.
Ⓦ 토종닭백숙, 토종닭볶음탕, 오리백숙(각 7만원), 도토리묵무침, 마늘떡갈비(각 1만5천원)
Ⓛ 10:00~20:00 | 토, 일요일 10:00~15:00/17:00~20:00 – 동절기 휴무
Q 충북 단양군 영춘면 남천4길 82
☎ 010-8846-4261 Ⓟ 가능

오학식당 묵밥 | 다슬기

소백산에서 나는 자연산 도토리를 주재료로 만든 도토리묵을 잘게 썰어 육수와 갖은 양념을 곁들인 묵밥 맛이 일품이다. 반찬으로 취나물, 더덕, 고사리 등의 산나물이 나온다. 돼지고기수육과 다슬기전골, 버섯찌개 등도 맛볼 수 있다.
Ⓦ 묵밥(9천원), 손두부(1만원), 돼지고기수육(3만원), 다슬기전골(중 3만원, 대 4만원), 버섯찌개(중 3만원, 대 4만원)
Ⓛ 09:00~21:00 – 명절 휴무
Q 충북 단양군 단양읍 상진13길 4-1
☎ 043-422-3313 Ⓟ 불가

자연식당 더덕 | 백반

2대째 내려오는 더덕 요리 전문점. 쌉싸름한 더덕 맛이 일품이다. 직접 개발했다는 더덕주물럭은 더덕과 돼지목살을 양념에

버무려 구운 것으로, 별미로 통한다. 메기나 잡고기매운탕도 맛볼 수 있다.

₩ 더덕구이정식(1만5천원), 마늘더덕주물럭(200g 2만원), 마늘불백돼지(200g 1만5천원), 산채비빔밥(1만원), 메기매운탕(중 5만원, 대 6만원), 잡고기매운탕(중 6만원, 대 7만원)
🕒 10:00~21:00 – 연중무휴
🔍 충북 단양군 단양읍 별곡10길 5-1
☎ 043-422-3029 Ⓟ 가능

장다리식당 솥밥 | 산채정식

단양 특산품인 육쪽마늘의 참맛을 살린 음식이 한상 가득 나오는 온달마늘정식이 대표 메뉴다. 마늘수육, 마늘육회, 두부김치, 마늘통튀김 등 다양한 음식이 나오며 솥밥에도 마늘이 들어가 맛을 더한다. 마늘떡갈비, 마늘수육 등은 별도 단품으로도 주문할 수 있다.

₩ 마늘정식(1만5천원~3만원), 마늘수육, 마늘떡갈비(각 2만원), 마늘비빔육회(200g 3만원), 진수성찬(3만5천원)
🕒 10:30~20:00 – 월요일 휴무
🔍 충북 단양군 단양읍 삼봉로 370
☎ 043-423-3960 Ⓟ 가능

장림산방 일반한식 | 청국장

60여 년 동안 청국장으로 손맛을 자랑하는 곳. 콩과 대추 등을 넣고 지은 가마솥밥 맛이 좋으며 소백산에서 자생하는 곤드레산나물로 지은 가마솥밥이 나오는 곤드레정식도 인기다. 이외에도 버섯전골, 황태구이 등도 맛볼 수 있다. 모든 메뉴는 2인 이상부터 주문 가능하다.

₩ 약선정식(2만6천원), 산방정식(1만8천원), 곤드레가마솥밥(1만4천원), 능이버섯전골(1만7천원), 마늘석갈비정식(2만2천원), 황태구이(2만5천원), 더덕구이(2만원)
🕒 08:00~21:00 – 수요일 휴무
🔍 충북 단양군 대강면 단양로 142
☎ 043-422-0010 Ⓟ 가능

카페산 CAFE SANN 카페

패러글라이딩으로 유명한 단양 카페. 산꼭대기 야외석에서 커피를 마시며 즐기는 풍경이 장관이다. 원두는 블랙수트와 벨벳화이트 두 종류 중에 선택이 가능하며, 콜드브루크림이 인기 메뉴. 다양한 디저트 종류도 함께 맛볼 수 있다.

₩ 콜드브루크림(7천8백원), 필터커피(5천5백원), 아몬드슈페너(7천5백원), 아이스티(6천원), 초콜릿라테, 레몬에이드, 자몽에이드(각 7천원), 차(6천원~7천원), 브리오슈(5천5백원), 페퍼로니빵(5천8백원)
🕒 09:30~19:00 | 토, 일요일 09:30~19:30 – 연중무휴
🔍 충북 단양군 가곡면 두산길 196-86
☎ 010-8288-0868 Ⓟ 가능

충청북도 보은군

강서면옥 평양냉면 | 수육

보은 최고의 평양냉면으로 꼽는 냉면집. 정통 평양냉면을 기대하고 가면 실망할 수도 있지만 나름 평양냉면에 가까운 맛을 내고 있다. 소머릿고기와 사태, 양지 등이 나오는 한우모둠수육을 곁들이는 것도 좋다.

₩ 메밀물냉면, 메밀비빔냉면(각 1만원), 한우모둠수육(3만5천원)
🕒 11:00~일몰 전 – 동절기 휴무
🔍 충북 보은군 보은읍 동편길 35
☎ 043-544-3895 Ⓟ 가능

경희식당 京希 한정식

법주사 관광단지 내의 전통 있는 한정식집. 계절에 따라 40가지가 넘는 반찬이 나온다. 싸리버섯과 표고버섯전, 호두, 밤 등 견과류, 더덕, 마늘종, 갑오징어, 굴전, 은행, 더덕, 논우렁, 두릅, 감장아찌, 더덕순, 마늘장아찌, 소고기 장조림, 집장, 박고지, 인삼, 도라지, 씀바귀 등의 반찬은 모두 산의 정기를 이어받은 것이다. 50여 년의 역사를 자랑한다.

₩ 한정식(1인 3만5천원), 추가불고기(2만5천원)
🕒 09:00~20:00(마지막 주문 19:30) – 연중무휴
🔍 충북 보은군 속리산면 사내7길 11-4
☎ 043-543-3736 Ⓟ 가능

김천식당 순대 | 곱창전골

순대의 명가. 즉석에서 끓여 먹는 얼큰한 순대전골이 유명하다. 속이 꽉 찬 순대가 푸짐하게 들어가며 전골을 다 먹은 후에는 남은 국물에 밥을 볶아 먹는 맛이 별미다. 솥뚜껑에 볶는 닭갈비도 맛이 좋다.

₩ 순대곱창전골, 닭갈비(각 소 1만8천원, 중 2만3천원, 대 2만9천원, 특대 3만3천원), 소순대(9천원), 왕순대(1만3천원), 순대국밥, 내장국밥(각 8천원)
🕒 10:00~15:00/17:00~21:00(마지막 주문 20:00) – 연중무휴
🔍 충북 보은군 보은읍 삼산로1길 25-4
☎ 043-543-1413 Ⓟ 가능

동아리식당 산채정식 | 버섯전골

산에서 채취하는 자연산 버섯과 느타리, 팽이, 표고버섯 등을 넣은 버섯전골이 일품이다. 산나물이 듬뿍 들어간 산채정식도 추천메뉴다. 구수한 맛이 일품인 올갱이찌개도 인기.

₩ 버섯전골(4만5천원), 산채비빔밥(1만원), 산채불고기정식(1인 2만원), 다슬기해장국(9천원), 동아리맛정식(1인 1만8천원)
🕒 06:00~20:00 – 비정기적, 명절 휴무
🔍 충북 보은군 속리산면 사내5길 5-2 연송호텔
☎ 043-542-5259 Ⓟ 불가(인근 공영 주차장 이용)

석정 산채정식 | 버섯전골

산채정식, 버섯찌개가 대표적인 음식으로, 한상 가득 맛깔스러운 반찬이 푸짐하게 깔린다. 더덕구이가 함께 나오는 더덕정식과 버섯전골 등도 인기가 많으며 해물파전을 곁들여도 좋다.

₩ 능이버섯전골, 산채더덕정식(각 2인 이상, 1인 2만원), 산채비빔밥(1만1천원), 해물파전(1만3천원), 버섯찌개(중 5만원, 대 6만원)
⏲ 08:00~20:00 – 비정기적 휴무
🔍 충북 보은군 속리산면 법주사로 272
☎ 043-543-3686 Ⓟ 가능

속리토속음식점 🎀 산채정식 | 버섯전골

여러 가지 버섯을 넣은 버섯전골과 속리산에서 채취한 산나물로 만든 산채비빔밥 등이 인기 있다. 버섯찌개정식을 시키면 한정식처럼 한상이 차려진다. 정식 메뉴는 2인 이상부터 주문이 가능하다.

₩ 산채정식(1인 1만7천원), 산채비빔밥(1만원), 산채버섯찌개정식, 산채더덕구이정식(각 1인 2만원), 능이버섯전골정식(1인 3만원), 송이버섯전골정식(1인 3만5천원), 토속정식(2만8천원)
⏲ 08:00~20:30(마지막 주문 20:00) – 수요일 휴무, 명절 휴무
🔍 충북 보은군 속리산면 법주사로 261
☎ 043-543-3917 Ⓟ 가능

속리토속음식점

신라식당 🎀 백반

부담없는 가격으로 백반을 맛볼 수 있는 곳. 북어와 애호박, 파 등이 푸짐하게 들어간 북어찌개가 대표 메뉴로, 들기름을 사용해 구수한 맛을 더한다. 취나물, 두릅, 조개젓, 부침개 등 맛깔스러운 반찬이 한 상 가득 나온다.

₩ 북어찌개정식(1만2천원, 특 1만8천원), 불고기정식(1인 2만원), 닭볶음탕(5만5천원), 닭백숙(6만5천원), 삼겹살(200g 1만3천원)
⏲ 10:30~15:00/17:00~21:00(마지막 주문 19:30) – 첫째, 셋째 주 일요일 휴무
🔍 충북 보은군 보은읍 교사삼산길 40
☎ 043-544-2869 Ⓟ 불가

신토불이약초식당 버섯 | 산채비빔밥

약초나물정식이 유명한 곳. 속리산에서 채취한 각종 자연버섯과 산나물, 약초 뿌리와 줄기, 약초 잎을 사용해 개발한 30여 종의 나물 반찬과 자연산 버섯을 담은 약초산채비빔밥이 인기다.

₩ 약초산채버섯비빔밥(1만3천원), 능이해장국(1만1천원), 산채비빔밥(1만원), 약초산채버섯정식(1인 3만원), 더덕구이정식(1인 2만5천원), 버섯전골정식(1인 2만원)
⏲ 08:30~21:00 – 연중무휴(폭설 시 휴무)
🔍 충북 보은군 속리산면 법주사로 268
☎ 043-543-0433 Ⓟ 가능

태화루 일반중식

주문하면 그 자리에서 볶아내는 짬뽕이 별미다. 돼지고기와 꼬막이 넉넉하게 들어가는 것이 특징. 메뉴는 짜장면과 짬뽕 두 가지뿐이다. 하루 100그릇만 판매하고 문을 닫기 때문에 오후 일찍 영업이 끝난다.

₩ 짜장면(6천원), 짬뽕, 짬뽕밥(각 8천원)
⏲ 11:30~16:00 – 화요일 휴무
🔍 충북 보은군 마로면 관기송현로 102
☎ 043-543-2237 Ⓟ 불가

화풍정 버섯 | 산채정식

속리산 법주사 인근 버섯 요리 전문점으로, 한방백숙과 버섯전골을 선보인다. 신선하고 탱탱한 버섯의 향과 식감이 뛰어나다. 산나물과 버섯으로 꾸려진 기본 반찬도 정갈하게 나온다.

₩ 한방능이닭백숙(7만원), 닭볶음탕, 닭백숙(각 6만원), 송이버섯전골(소 4만원, 중 5만원, 대 6만원), 능이버섯전골(소 3만원, 중 4만원, 대 5만원), 산채비빔밥(1만원)
⏲ 07:00~20:00 – 연중무휴
🔍 충북 보은군 속리산면 법주사로 21-5
☎ 043-543-3936 Ⓟ 가능

충청북도 영동군

가선식당 어죽 | 도리뱅뱅이 | 민물매운탕

충청도식 어죽, 도리뱅뱅이가 유명한 곳이다. 어죽에는 칼국수 면과 수제비가 푸짐하게 들어가며 걸쭉하면서도 칼칼한 국물 맛이 좋다. 민물고기매운탕, 진기미(민물새우튀김), 생선튀김 등도 잘하는 편. 60년이 넘는 전통을 자랑한다.

₩ 어죽(9천원), 도리뱅뱅이(1만2천원), 새우튀김, 인삼튀김(각 1만5천원), 큰고기뱅뱅이(1만5천원), 잡고기매운탕(4만5천원)
⏲ 09:30~18:00 – 연중무휴
🔍 충북 영동군 양산면 금강로 760 ☎ 043-743-8665 Ⓟ 가능

덕승관 德昇館 일반중식

오래된 화상 중국집으로, 짜장면과 탕수육이 주메뉴다. 불 맛이 일품인 유니짜장면에는 돼지고기를 갈아 만든 소스가 들어간다. 거북하지 않고 깔끔한 맛이 일품.

₩ 짜장면(보통 7천원, 곱빼기 8천원), 짬뽕, 짬뽕밥(각 8천5백원), 탕수육(소 1만7천원, 중 2만5천원, 대 3만5천원), 군만두(5천원)
ⓒ 11:00~15:00/17:00~19:00 – 월요일 휴무
Q 충북 영동군 황간면 소계로 5
☎ 043-742-4122 Ⓟ 가능(협소)

루나마켓 카페

푸른 숲의 뷰를 즐길 수 있는 전망 좋은 카페로, 잔디가 깔린 루프탑과 테라스 자리가 인기 있다. 시그니처 메뉴인 루나크림라테와 지역특산품인 영동 곶감을 넣어 만든 곶감코코넛쿠키도 맛보길 추천. 토스트, 파니니 등으로 브런치를 즐기기도 좋다.

₩ 아메리카노(4천3백원), 카페라테(4천8백원), 루나크림라테(6천3백원), 에이드(5천5백원~6천원), 쿠키(3천5백원), 프렌치토스트(9천원), 불고기가지파니니(7천5백원)
ⓒ 10:00~19:00(마지막 주문 18:45) | 토, 일요일 10:00~19:30(마지막 주문 19:15) – 월요일 휴무
Q 충북 영동군 황간면 석천길 16-43
☎ 010-4546-0035 Ⓟ 가능

아리랑가든 버섯전골 | 일반한식

능이버섯전골로 유명한 한식당. 한상 가득 차려지는 반찬은 종류도 다양하고 양도 푸짐하다. 시골집에서 해주는 것처럼 편안한 맛이 특징이다.

₩ 능이버섯전골(1만5천원), 청국장비빔밥, 김치전골(각 1만원), 호박고추장찌개(1만2천원), 토종닭볶음탕(6만원), 토종한방닭백숙(6만5천원), 녹차보리굴비정식(2만2천원)
ⓒ 11:00~15:00/17:00~20:30 – 연중무휴
Q 충북 영동군 영동읍 학산영동로 1041
☎ 043-744-0203 Ⓟ 가능

안성식당 다슬기

70여 년 전통의 다슬기(올갱이)국밥집. 다슬기에 계란이나 밀가루를 묻히지 않고 넣은 스타일로, 아욱과 부추가 듬뿍 들어 있다. 능이버섯을 넣은 다슬기국밥도 독특한 메뉴로 통한다.

₩ 다슬기국밥(1만원, 특 1만3천원), 다슬기비빔밥(1만원), 능이버섯다슬기국밥(2만5천원), 자연산잡버섯다슬기국밥(1만오천원), 다슬기된장조림(1만2천원), 다슬기전(1만2천원), 다슬기무침(소 3만원, 중 4만5천원, 대 6만원)
ⓒ 07:00~20:00(마지막 주문 19:30) – 첫째, 셋째 주 월요일 휴무
Q 충북 영동군 황간면 영동황간로 1618
☎ 043-742-4203 Ⓟ 가능

한천가든 민물매운탕 | 민물생선회

금강에서 나는 쏘가리로 만드는 매운탕과 회가 유명한 곳. 송시열이 지은 한천정사라는 서원 부근에 있는 대형 식당으로, 칼칼한 쏘가리매운탕이 별미다.

₩ 쏘가리탕(6만원~11만원), 메기탕(3만원~6만원), 쏘가리회(17만원), 빠가사리탕(4만원~7만원)
ⓒ 10:00~21:00 – 명절 당일 휴무
Q 충북 영동군 황간면 원촌동1길 52
☎ 043-744-9944 Ⓟ 가능

충청북도 옥천군

경진각 일반중식

옥천읍에서 손짜장면을 30년 넘게 이어오고 있다. 짜장은 식용유와 돼지기름을 알맞게 섞어서 볶기 때문에 옛날식의 구수한 맛을 즐길 수 있다. 오징어와 볶은 채소가 푸짐하게 올라간 짬뽕도 인기가 좋다.

₩ 짜장면(8천원), 짬뽕, 짬뽕밥(각 9천원)
ⓒ 11:00~15:00/16:30~18:30 – 월요일 휴무
Q 충북 옥천군 옥천읍 중앙로4길 11
☎ 043-731-2357 Ⓟ 가능

구읍할매묵집 묵

80여 년 전통의 묵집. 메밀묵과 도토리묵을 먹을 수 있다. 직접 도토리를 빻아 만들며 가마솥에 직접 장작을 때어 끓인다. 취향에 따라 뜨겁거나 차갑게 먹을 수 있으며 고소한 도토리전을 곁들여도 좋다.

₩ 도토리묵(8천원), 도토리골패묵(9천원), 도토리전(7천원)
ⓒ 11:00~20:00 – 명절 휴무
Q 충북 옥천군 옥천읍 향수길 46
☎ 043-732-1853 Ⓟ 가능

금강올갱이 다슬기

금강변에서 직접 잡은 다슬기(올갱이)를 재료로 하는 다슬기 전문식당. 된장을 풀고 아욱과 부추 등을 넣어 끓인 다슬기국은 해장에 좋다. 시원하고 구수한 맛이 일품.

₩ 다슬기국밥(보통 1만1천원, 특 1만5천원)
ⓒ 09:00~15:00(마지막 주문 14:50) – 월요일 휴무
Q 충북 옥천군 옥천읍 옥천로 1491
☎ 043-731-4880 Ⓟ 가능

대박집 어탕국수 | 도리뱅뱅이

깔끔한 맛의 생선국수를 맛볼 수 있는 곳. 각종 민물생선과 함께 여러 약재 등을 8시간 이상 삶아 만든 육수로 국물을 낸다.

걸쭉하면서 비리지 않은 매운탕 국물이 얼큰하면서 깔끔하다. 깻잎에 된장을 바른 고추와 마늘을 얹고 피라미를 싸 먹는 도리뱅뱅이도 별미다.

₩ 생선국수, 생선국밥(각 8천원), 도리뱅뱅이(1만5천원), 메기매운탕, 메기+빠가사리매운탕(각 3만원)

🕒 10:00~19:00 – 둘째, 넷째 주 수요일 휴무

🔍 충북 옥천군 옥천읍 성왕로 1250

☎ 043-733-5788 Ⓟ 가능

맥우백년식당 MACWOO 갈비탕

맥우도축 직영판매장과 식당을 겸하고 있는 곳이다. 정육판매장에서 고기를 골라 식당으로 이동해 상차림 가격을 내고 먹을 수 있으며, 한우전골, 냉면 등 다른 메뉴도 주문 가능하다. 갈비탕도 인기가 많다.

₩ 한우전골(소 2만5천원, 대 4만원), 한우갈비탕(1만5천원), 육회비빔밥(1만2천원), 물냉면(7천원) 비빔냉면(8천원), 설렁탕, 사골우거지(각 8천원)

🕒 10:50~20:00 – 월요일 휴무

🔍 충북 옥천군 군서면 성왕로 975

☎ 043-733-9259 Ⓟ 가능

문정식당 일반중식

옥천의 3대 짬뽕집이라고 불리는 곳이다. 연세 지긋하신 주인이 웍을 돌린다. 짬뽕에 표고버섯과 민물새우를 넣어 개운하면서도 시원한 맛을 자랑한다. 비교적 낮은 가격대도 장점.

₩ 짜장면(6천원), 짬뽕, 간짜장(각 8천원), 볶음밥, 짜장밥, 짬뽕밥(각 9천원), 잡채밥(1만2천원), 쟁반짜장(1만8천원), 잡채(2만원)

🕒 11:00~14:30 – 첫째, 셋째 주 월요일 휴무

🔍 충북 옥천군 옥천읍 향수3길 20

☎ 043-731-4407 Ⓟ 불가

방아실돼지집 돼지고기구이

대청호 드라이브하면서 들리면 좋은 곳. 흑돼지 생고기 전문점으로 단일 메뉴만 판매한다. 흑돼지 삼겹살을 카운터 옆에서 직접 썰어줘 믿고 먹을 수 있으며, 가성비가 좋다.

₩ 생고기(250g 1만2천원), 공기밥(1천원)

🕒 11:00~15:00/16:00~20:00 – 연중무휴

🔍 충북 옥천군 군북면 방아실길 9 ☎ 043-732-5653 Ⓟ 가능

별미올갱이해장국 다슬기

40년을 다슬기(올갱이)국밥 한 가지만 전문으로 해 온 곳. 시원한 다슬기국밥에는 아욱과 다슬기가 푸짐하게 들어 있다. 2인분 이상 포장해갈 수도 있다.

₩ 다슬기국밥(1만원), 다슬기장떡(1만5천원)

🕒 08:30~15:00 | 토, 일요일 07:00~18:00 – 연중무휴

🔍 충북 옥천군 옥천읍 삼금로2길 3-1

☎ 043-731-4423 Ⓟ 가능

선광집 🎀 어탕국수 | 도리뱅뱅이

민물생선을 튀긴 후 양념을 끼얹은 도리뱅뱅이를 전문으로 하는 곳으로, 60여 년의 전통을 가지고 있다. 그 외에도 빠가사리, 꺽지, 눈치 등을 배를 따서 튀기는 생선튀김과 각종 민물생선을 넣고 끓인 생선국수를 맛볼 수 있다.

₩ 도리뱅뱅이(소 7천원, 중 1만1천원, 대 1만6천원), 생선튀김(중 1만1천원, 대 1만6천원), 생선국수(중 7천원, 대 8천원)

🕒 10:30~15:30(재료 소진 시 마감) – 월요일, 명절 휴무

🔍 충북 옥천군 청산면 지전1길 26

☎ 043-732-8404 Ⓟ 불가(토, 일요일 청산면사무소 앞 무료 주차 가능)

옥천묵집 일반한식

합리적인 가격에 도토리가 들어간 요리와 직접 만든 도토리 묵을 맛볼 수 있는 곳. 수제비와 칼국수에는 말린 묵이 들어가 꼬들꼬들한 맛이 일품이다.

₩ 도토리묵밥(9천원), 도토리칼국수(8천원), 도토리수제비(8천원), 도토리파전(5천원), 도토리야채무침(7천원)

🕒 11:00~15:00/17:00~20:00 – 일요일 휴무

🔍 충북 옥천군 옥천읍 향수7길 8

☎ 043-732-7947 Ⓟ 가능

옥천초량순대 🎀 순대 | 순댓국

2대째 운영하고 있는 노포 순대국밥집으로 옥천시장 내에 있다. 뽀얀 돼지뼈 육수에 순대와 내장이 넉넉하게 들었으며, 간이 슴슴하게 나오는데 새우젓을 넣으면 감칠맛이 확 올라간다. 간, 오소리감투, 허파 등 부속 고기가 포함된 순대도 잡내 없이 깔끔하며, 양도 푸짐하다.

₩ 순대국밥(보통 8천원, 특 9천원), 막창국밥, 오소리국밥(각 보통 9천원, 특 1만원), 순대(소 1만5천원, 중 1만7천원, 대 2만2천원), 내장전골(중 3만5천원, 대 4만원)

🕒 07:00~22:00 – 첫째, 셋째 주 월요일 휴무

🔍 충북 옥천군 옥천읍 금장로 22

☎ 043-732-1527 Ⓟ 불가

풍미당 분식 | 쫄면

물쫄면으로 유명해진 분식집. 메뉴는 물쫄면, 비밈쫄면, 수제비, 김밥, 4가지로 심플하다. 물쫄면은 잔치국수와 같은 진한 국물에 노란색 면의 쫄면 국수를 사용한다. 진한 멸치 육수와 쫄깃한 면발, 국물에 풀어진 계란 맛이 일품이다. 수제비도 추천 메뉴.

₩ 물쫄면, 비빔쫄면, 수제비(각 보통 8천원, 곱빼기 9천원), 김밥(3천원)

🕒 09:00~18:30 – 월요일 휴무

🔍 충북 옥천군 옥천읍 중앙로 23-1

☎ 043-732-1827 Ⓟ 불가

충청북도 음성군

외할머니집 두부 | 순두부 | 일반한식
상호에서 느껴지듯 옛날 외할머니가 해주시던 정성 어린 음식을 맛볼 수 있는 곳. 고소한 순두부를 비롯해 두부전골, 뚝배기제육볶음 등을 선보인다. 도토리빈대떡이나 두부김치 등을 곁들여도 좋다.

₩ 외할머니순두부, 해장순두부, 청국장(각 1만원), 뚝배기제육볶음(1만1천원), 두부전골(소 2만1천원, 중 3만원, 대 4만원), 손두부김치(1만4천원), 도토리빈대떡(9천원)
06:30~20:00(마지막 주문 19:30) – 월요일 휴무
충북 음성군 감곡면 가곡로 230
043-881-6122 Ⓟ 가능

충청북도 제천시

금왕식당 다슬기
다슬기(올뱅이)해장국을 전문으로 하는 곳. 된장을 베이스로 한 국물에 달걀을 입힌 다슬기와 아욱 등이 푸짐하게 들어가 시원한 맛을 낸다. 다슬기해장국 외에도 선지해장국, 황태해장국, 뼈다귀해장국 등의 해장국을 선보이고 있다.

₩ 다슬기해장국(1만3천원), 다슬기전(2만원), 다슬기무침(3만원), 갈비탕, 해물순두부(각 1만원)
05:00~16:00 – 화요일 휴무
충북 제천시 내토로7길 2
043-645-9100 Ⓟ 가능

꼬네 Cogne 카페 | 커피전문점
직접 원두를 로스팅하는 커피 전문점. 나무를 많이 사용하여 푸근한 느낌을 주는 실내는 공간이 널찍해 쾌적하다. 날씨가 좋을 때는 테라스 이용도 가능하다.

₩ 아메리카노(3천5백원), 카페라테(4천5백원), 논커피(3천원~6천원)
09:00~22:00(마지막 주문 21:30) – 연중무휴
충북 제천시 의림대로 657(모산동)
043-645-4535 Ⓟ 가능

꽃댕이묵마을 두부 | 묵
직접 쑤어 만든 도토리 묵요리와 손두부요리 등을 선보이며, 고소한 도토리빈대떡, 감자전과 생감자옹심이 등의 메뉴를 맛볼 수 있다. 토종닭백숙을 즐기에도 좋다.

₩ 꽃댕이정식(2인 이상, 1인 1만8천원), 도토리묵밥(8천원), 생감자옹심이(9천원), 생감자전(1만원), 도토리빈대떡(1만2천원), 묵무침(1만8천원), 산초두부구이(1만7천원), 토종닭볶음탕, 토종한방백숙, 오리한방백숙(각 7만원)
10:00~21:00 – 일요일 휴무
충북 제천시 백운면 화당로2안길 22
043-653-0077 Ⓟ 가능

꽃댕이묵마을

노다지맛집 비빔밥 | 약선요리
제천의 특산물인 약채락비빔밥을 맛볼 수 있다. 약채락비빔밥에는 황기, 뽕잎, 오가피가 들어가며 놋그릇에 정갈하게 나오는 비빔밥이 입맛을 돋운다. 상차림이 전체적으로 정갈하다. 삼겹살, 한우약선불고기 등도 선보인다.

₩ 약채락전통비빔밥, 돌솥비빔밥(각 1만2천원), 약채락육회비빔밥(1만5천원), 한우약선불고기(150g 2만원), 삼겹살(200g 1만5천원)
11:30~22:00 – 둘째, 넷째 주 일요일(예약 시 영업), 명절 당일 휴무
충북 제천시 내토로47길 21(화산동)
043-648-8865 Ⓟ 불가

느티나무횟집 송어 | 향어 | 민물매운탕
민물고기인 향어회가 유명한 곳. 상추, 무, 양배추, 당근 등 다양한 채소와 함께 새콤하게 무쳐 먹으면 더욱 입맛을 돋운다. 얼큰한 민물매운탕과 장어구이 등도 즐길 수 있다.

₩ 송어회, 향어회(각 200g 2만5천원), 메기매운탕(소 5만원, 대 6만원), 빠가사리매운탕(소 6만원, 중 7만원, 대 8만원)
10:00~22:00(마지막 주문 20:30/마지막 포장 20:30) – 연중무휴
충북 제천시 청풍면 배시론로 4
043-647-0089 Ⓟ 가능

대보명가 약선요리
제천에서 실력 있기로 손꼽히는 맛집으로, 약초를 사용해서 만든 건강한 음식이 한상 가득 차려진다. 약초 공부를 했던 주인이 종종 요리에 사용하는 약초의 효능에 관한 설명을 들려준다.

₩ 제천약초밥상(2만원), 제천약초떡갈비(370g 2만5천원), 한우제천

약초쟁반(6만8천원)
⏲ 11:00~15:00/16:30~21:00 – 목요일 휴무
🔍 충북 제천시 용두대로 287(신월동)
☎ 043-643-3050 Ⓟ 가능

대영식당 돼지고기구이

돼지고기 전문점으로, 양념구이가 대표 메뉴다. 양념한 목살 고기가 적당히 익으면 반찬으로 나온 콩나물과 어묵, 파무침을 넣어 함께 볶아 먹으면 별미다. 마무리로 볶음밥은 꼭 먹기를 추천한다.

₩ 빨간양념구이, 삼겹살(각 200g 1만6천원), 볶음밥, 된장찌개(각 2천원)
⏲ 12:00~14:00/16:00~21:30 – 수요일 휴무
🔍 충북 제천시 명륜로15길 7(중앙로2가) 1층
☎ 043-643-4343 Ⓟ 불가

대흥식당 만둣국

식당 아랫방에서 밀가루를 밀어서 국수 면을 손수 만들고, 만두도 직접 빚어서 판매한다. 만두는 얇은 피와 만두소에 포함된 당면이 인상적이다. 만둣국은 감칠맛이 좋으며, 양도 푸짐하다. 손님이 없으면 문을 일찍 닫는다고 하니 방문 전 전화 확인이 필수다.

₩ 칼국수(7천원), 칼만둣국, 김치만둣국, 장칼국수(각 8천원), 찐만두(1만원)
⏲ 08:00~18:00 – 월요일 휴무
🔍 충북 제천시 백운면 애련로 20 ☎ 043-652-6067 Ⓟ 불가

두꺼비식당 곤드레밥 | 돼지갈비찜

곤드레나물밥과 양푼갈비가 유명한 곳이다. 양푼갈비는 등갈비찜의 일종으로, 자극적이지 않고 적당히 맵다. 담백하고 고소한 곤드레나물밥과 양푼갈비 양념의 조화가 좋다. 양푼갈비에 버섯이나 당면 등을 추가하면 더욱 맛있게 즐길 수 있다.

₩ 양푼등갈비(1만3천원), 곤드레밥(4천원)
⏲ 10:30~22:30(마지막 주문 21:00) – 화요일 휴무
🔍 충북 제천시 의림대로20길 21(중앙로2가)
☎ 043-647-8847 Ⓟ 불가

묵마을 묵

묵을 전문으로 하는 집. 따뜻한 국물에 묵을 썰어 내놓는 채묵이 대표 메뉴로, 김치와 고추, 무채 등을 넣어 먹으면 더욱 맛있게 즐길 수 있다. 고소한 도토리전, 도토리묵무침 등이 입맛을 돋운다.

₩ 채묵밥, 묵김치(각 9천원), 도토리전, 칡전(각 8천원), 도토리묵무침(1만3천원), 통묵(7천원), 도토리들깨수제비(1만원)
⏲ 11:00~19:00 – 화요일 휴무
🔍 충북 제천시 봉양읍 주포로 3-1
☎ 043-647-5989 Ⓟ 가능

빨간오뎅보금자리 어묵 | 분식

제천에서만 맛볼 수 있는 빨간 어묵이 유명하다. 어묵을 떡볶이 양념에 버무려 빨간 것이 특징이며 가격도 매우 낮다. 주말에 가면 줄을 서서 기다려야 할 정도로 인기가 좋다.

₩ 빨간오뎅, 물오뎅(각 6개 3천원), 튀김(4개 2천원), 떡볶이(4천원)
⏲ 07:30~01:00(익일) – 둘째 주 화요일
🔍 충북 제천시 의병대로18길 2(남천동)
☎ 043-643-6395 Ⓟ 불가

사또가든 🎀 두부

건강한 두부요리 전문점. 두부전골, 순두부, 비지장 등 직접 만든 두부의 고소하고 담백한 맛을 즐길 수 있다. 12가지의 반찬이 함께 차려져 가격 대비 가성비도 좋다. 돌판 위에서 들기름에 부쳐 나오는 들기름두부도 별미.

₩ 버섯두부전골(1만원), 순두부, 청국장, 비지장(각 8천원), 모두부(1만원), 들기름두부(1만5천원)
⏲ 09:30~21:30 – 화요일 휴무
🔍 충북 제천시 봉양읍 제원로 394
☎ 043-653-4960 Ⓟ 가능

산아래 쌈밥 | 우렁된장

유기농 쌈밥 전문점. 친환경 국내산 유기농 채소와 한방 식재료를 사용하는 건강식을 맛볼 수 있다. 우렁 쌈장이 곁들여 나오는 우렁쌈밥이 대표 메뉴며, 오징어와 더덕을 매콤하게 두루치기로 만든 오덕쌈밥도 추천 메뉴다. 한쪽에는 반찬과 쌈채소를 마음껏 가져다 먹을 수 있는 셀프바가 있다.

₩ 우렁정식, 한방수육정식, 두루치기정식(각 2만5천원), 오징어더덕두루치기정식(2인 이상, 1인 2만7천원), 오징어더덕두루치기정식(2인 7만원), 한우더덕소불고기정식(2인 7만6천원)
⏲ 11:00~18:00(마지막 주문 17:00) | 금, 토, 일요일 11:00~16:00/17:30~20:30(마지막 주문 19:30) – 수요일 휴무
🔍 충북 제천시 봉양읍 앞산로 174
☎ 043-646-3233 Ⓟ 가능

송학반장 松鶴飯莊 일반중식

60년 넘는 세월의 흔적이 느껴지는 오래된 중식당. 돼지고기를 튀겨 깐풍기로 만든 돼지갈비가 독특하다. 왕만두를 추가해서 먹는 것도 추천.

₩ 삼선짬뽕, 삼선간짜장(각 1만2천원), 기스면(1만원), 잡탕밥(1만5천원), 탕수육(2만4천원), 돼지갈비(3만6천원)
⏲ 12:00~15:00/17:00~20:00 – 월요일 휴무
🔍 충북 제천시 의병대로12길 7(명동)
☎ 043-646-2038 Ⓟ 불가(갓길 주차 or 인근 공영 주차장 이용)

순수해 SOONSOOHAE 베이커리

여러 가지 수제 케이크가 맛있는 디저트 카페. 맞춤케이크나 특별한 케이크 주문도 가능하다. 전체적으로 화이트 톤의 깔끔한

인테리어로 편안한 분위기를 낸다.

₩ 아메리카(4천원), 초콜릿우유, 연유말차라테(각 5천8백원), 스무디(5천5백원), 티(4천5백원~5천5백원), 당근케이크(6천2백원), 말차초코케이크(7천5백원), 초코생크림(6천원), 피칸파이(4천5백원)

🕒 11:00~22:00 – 월, 화요일 휴무

🔍 충북 제천시 죽하로 71-1(장락동)

☎ 043-652-0531 Ⓟ 가능

시골순두부 두부

주인 할머니가 매일 직접 두부를 만들고, 간장을 담그는 한식당. 손두부를 넣은 두부찌개, 두부에 산초기름을 발라서 구운 산초구이 등 건강한 식사 메뉴를 맛볼 수 있다. 두부가 모두 소진되면 영업을 마감한다.

₩ 순두부, 두부찌개, 생두부(각 1인분 1만원), 산초구이, 들기름구이(각 1만3천원), 옥수수엿술(7천원)

🕒 09:00~14:30(재료 소진 시 마감) – 일요일 휴무

🔍 충북 제천시 중말8길 22

☎ 043-643-9522 Ⓟ 가능

청풍떡갈비 소떡갈비

제천 일대에서 떡갈비로 유명한 집. 철판에 구워 내오는 떡갈비를 비롯해 제천 황기와 한약재로 숙성한 양념을 사용하는 한방떡갈비, 단양 마늘을 사용하는 마늘떡갈비 등을 선보인다. 떡갈비와 함께 구수한 된장찌개와 맛깔스러운 반찬이 나오며 기본 2인 이상 주문해야 한다.

₩ 숯불한우떡갈비(230g 2만6천원), 숯불마늘한우떡갈비(230g 2만9천원), 두부김치, 도토리묵무침(각 1만7천원)

🕒 09:30~20:00 | 토, 일요일 10:00~20:00(마지막 주문 19:00) – 연중무휴

🔍 충북 제천시 금성면 청풍호로 1643

☎ 043-644-1600 Ⓟ 가능

청풍떡갈비

청풍황금떡갈비 소떡갈비

강황이 들어간 건강 떡갈비를 파는 곳이다. 소고기떡갈비는 강황과 함께 파인애플, 사과, 배를 갈아 넣고, 양파, 파, 마늘, 간장으로 양념하여 일주일간 숙성시켜 나온다. 1호점은 송어회, 2호점은 송어회와 떡갈비를 모두 먹을 수 있다.

₩ 떡갈비정식(300g, 2만2천원), 떡갈비+돌솥밥정식(300g, 2만6천원), 버섯불고기전골정식(2인 이상, 1인 12만원)

🕒 09:00~20:30 – 연중무휴

🔍 충북 제천시 청풍면 청풍호로 1682

☎ 043-647-6303 Ⓟ 가능

카우보이그릴 COWBOY GRILL 바비큐

테마파크처럼 꾸며진 바비큐 전문점으로, 텍사스 정통 바비큐를 맛볼 수 있는 곳이다. 캠핑 분위기에서 식사하는 이스턴 동과 일반 테이블 공간의 웨스턴 동으로 나뉘어 있다. 플래터를 주문하면 비프립, 치킨, 풀드 포크, 브리스킷 등 여러 부위를 맛볼 수 있다. 식후에 야외 모닥불에서 마시멜로를 구워 먹는 것도 별미.

₩ 존스플래터(2인 8만8천원, 3인 13만2천원, 4인 17만6천원), 잭플래터(2인 11만8천원, 3인 17만7천원, 4인 23만6천원)

🕒 12:00~15:30/16:30~20:00 | 금, 토요일 11:30~15:30/16:30~21:00 | 일요일 11:30~16:00/17:00~20:00 – 화, 수요일 휴무

🔍 충북 제천시 청풍면 학현소야로 415-24

☎ 043-647-3510 Ⓟ 가능

카페1929 카페

1929년에 등기된 고옥이 주는 고즈넉한 분위기가 살아있는 카페. 독일식 팬케이크인 더치베이비를 맛볼 수 있으며, 직접 만드는 수제 정과도 맛이 좋다. 아포가토를 한국식으로 재해석한 한방홍시도 색다르다. 설날에는 안동식혜를 맛볼 수 있는 등 시즌별로 특별한 메뉴가 올라오기도 한다.

₩ 아메리카노(5천원), 카페라테(5천5백원), 한방홍시(9천원), 흑임자크림커피(6천5백원), 더치베이비(1만4천원~2만4천원)

🕒 11:00~19:00(마지막 주문 18:00) – 수요일 휴무

🔍 충북 제천시 단양로10길 104(고명동) 카페1929

☎ 043-651-1929 Ⓟ 가능

카페피노 CAFE PINO 카페

마카롱이 맛있는 디저트 카페. 바삭함과 동시에 쫀득한 식감의 코크에 여러가지 달콤한 필링이 채워진 마카롱 맛이 일품이다. 야외 테이블에서 마카롱과 함께 커피 한 잔의 여유를 즐기기에 좋다.

₩ 에스프레소, 아메리카노(각 4천2백원), 핸드드립커피(5천8백원~6천5백원), 차(6천원~8천5백원), 주스(5천5백원~6천원)

🕒 10:00~22:00(마지막 주문 21:30) – 연중무휴

🔍 충북 제천시 세명로2길 27(모산동)

☎ 043-642-1376 Ⓟ 가능

커피라끄 COFFEE LAC 카페

청풍호가 한눈에 보이는 커피 전문점. 넓은 공간과 탁트인 뷰가 일상의 지친 피로를 풀어준다. 화창한 날 야외 테라스에서 음료와 함께 힐링하기에 좋다.

₩ 에스프레소(4천5백원), 아메리카노(5천5백원), 카페라테(5천8백원), 쑥크림라테(7천원), 쌍화라테(6천5백원), 차(5천5백원~6천5백원), 복숭아자두에이드(6천5백원), 바스크치즈케이크(6천2백원), 누룽지아이스크림(5천5백원)

🕒 10:00~19:00(마지막 주문 18:50) – 연중무휴

🔍 충북 제천시 금성면 청풍호로 1226

☎ 043-646-9741 Ⓟ 가능

학현식당 닭백숙 | 닭볶음탕

토종닭백숙 전문점으로, 직접 수확한 약초들로 백숙 국물을 우려내는 것이 특징. 조리 시간이 오래 걸리기 때문에 전화 예약하고 방문하는 것이 좋다.

₩ 토종닭백숙, 토종닭볶음탕(각 6만원), 산삼닭백숙, 산삼닭볶음탕(각 7만원)

🕒 12:00~20:00 – 연중무휴

🔍 충북 제천시 청풍면 학현소야로 390

☎ 043-647-9941 Ⓟ 가능

해동반점 海東飯店 일반중식

제천에서 40년 넘게 자리를 지키고 있는 중식당이다. 기름에 볶은 춘장에 돼지고기, 채소 등을 넣고 한 번 더 볶아 내어 고소한 맛이 좋은 간짜장이 인기 메뉴며, 위에 달걀 프라이를 얹어준다.

₩ 짜장면(6천원), 짬뽕, 간짜장(각 8천원), 삼선짬뽕(1만2천원), 볶음밥(9천원), 잡채밥(1만원), 군만두(5천원), 탕수육(미니 2만원, 소 2만3천원, 중 2만8천원, 대 3만8천원)

🕒 11:00~19:30 – 비정기적 휴무

🔍 충북 제천시 의림대로 3(영천동)

☎ 043-647-2576 Ⓟ 불가(제천역 공영 주차장 이용)

충청북도 증평군

송원칼국수 칼국수

육수를 끓이다가 직접 면을 넣고 끓여 먹는 칼국숫집. 새우, 미더덕, 바지락 등이 들어 있는 육수가 시원하다. 칼국수를 시키면 보리밥이 함께 나온다. 만두 사리나 해물 사리를 넣어서 먹으면 맛이 더욱 좋다.

₩ 칼국수(2인 이상, 1인 8천원), 해물사리(8천원), 김치만두사리(4천원)

🕒 11:00~15:00/17:00~21:00(마지막 주문 20:00) | 토, 일요일 11:00~16:00/17:00~ 21:00 – 월요일 휴무(공휴일인 경우 화요일 휴무)

🔍 충북 증평군 증평읍 초중로 38

☎ 043-838-8721 Ⓟ 가능

충청북도 진천군

삼창구이 양곱창 | 곱창전골

60여 년 전통의 삼창구이를 먹을 수 있는 곳. 한약재로 우려낸 국물과 함께 곰양과 벌집위를 먹고, 국물이 졸아들면서 육수를 흡수한 곱창을 채소와 함께 구워서 먹는 것이 삼창구이의 특징이다. 냄새가 없고 부드러운 곱창과 구수하면서 깊은 맛을 내는 국물 맛이 일품이다.

₩ 삼창구이(2만8천원), 곱창구이(2만5천원), 곱창전골(2만3천원)

🕒 10:00~22:00 – 일요일 휴무

🔍 충북 진천군 진천읍 중앙동5길 3

☎ 043-533-7511 Ⓟ 가능

송백가든 백반 | 청국장

천룡골프장을 방문하는 손님이 즐겨 찾는 곳. 깔끔한 송백정식이 인기며 구수한 청국장 맛이 좋다. 청국장으로 향토음식 경연대회에서 대상을 받은 곳이기도 하다.

₩ 송백정식(2만3천원), 한우차돌순두부찌개(1만2천원), 간장게장정식(4만원), 제주산갈치조림(8만원)

🕒 08:00~21:00(마지막 주문 20:00) – 연중무휴

🔍 충북 진천군 이월면 진안로 362-6

☎ 043-536-2233 Ⓟ 가능

송애집 붕어찜

붕어찜을 잘하기로 소문난 곳. 시래기를 많이 넣어 구수하고 비린내가 나지 않는다. 얼큰한 붕어찜을 다 먹고 나면 남은 양념에 밥을 볶아 먹는다. 메기찜, 메기매운탕 등도 별미로 통한다.

₩ 붕어찜(중 1만9천원, 대 2만1천원), 메기찜(1만7천원)

🕒 11:00~20:00(마지막 주문 19:00) – 연중무휴

🔍 충북 진천군 초평면 초평로 1051-5

☎ 043-532-6228 Ⓟ 가능

알라팔라 Alla Pala 피자 | 이탈리아식

나폴리 장작 화덕을 이용한 현대식 나폴리 피자를 맛볼 수 있는 곳. 화덕피자는 주문 즉시 조리에 들어가고, 500도 고온에서 단시간에 구워진다. 마르게리타를 많이 찾으며 크게 부푼 크러스트가 특징이다. 라구 라자냐도 인기 메뉴.

₩ 시저샐러드(1만3천원), 카프레제(1만4천원), 라구라자냐, 마르게리타(각 1만8천원), 마르게리타에루콜라, 콰트로포르마지, 디아볼라(각

1만9천원)
⏲ 11:30~20:00 | 토요일 12:00~20:00 – 일요일, 둘째 주, 넷째 주 토요일 휴무
🔍 충북 진천군 덕산읍 대월1길 27-2
☎ 043-753-8444 Ⓟ 가능

폴린커피로스팅룸 POLIN COFFEE 카페

넓은 야외 테라스가 있어서 탁 트인 개방감을 선사하는 카페. 기계에서 자동으로 내려지는 필터 커피를 맛볼 수 있다. 아이스크림과 르뱅 쿠키를 커피와 함께 디저트로 즐길 수 있다. 직접 로스팅 한 커피 원두도 판매한다.

₩ 필터커피(6천5백원~7천원), 에스프레소(4천원), 아메리카노(5천원), 라테(6천원), 바닐라라테(6천5백원), 소프트아이스크림(6천원), 아포가토(7천원), 르뱅쿠키(3천5백원), 커피원두(변동)
⏲ 09:00~21:00 – 수요일 휴무
🔍 충북 진천군 이월면 진광로 231
☎ 0507-1352-3587 Ⓟ 가능

폴린커피로스팅룸

충청북도 청주시

가화한정식 嘉禾 한정식

신선로와 구절판, 회와 잡채, 갈비찜, 모둠전, 청포묵, 두텁떡, 수정과와 식혜 등을 격식 있게 내놓는다. 게장과 젓갈, 풋고추와 장아찌도 일품. 청주에서 손꼽히는 한정식집이다.

₩ 한정식(3만원, 4만원, 5만원), 점심특선(2만3천원)
⏲ 10:00~22:00 – 첫번째, 세번째 화요일 휴무
🔍 충북 청주시 청원구 내덕로 27(내덕동)
☎ 043-221-0231 Ⓟ 가능

강서추어탕 장어 | 추어탕

상호는 추어탕이지만 장어구이가 메인인 식당. 옛 주택을 개조하여 내부는 고풍스러운 매력이 묻어 나는 곳. 주택의 방 구조를 고스란히 살려 룸 좌석이 적당하게 마련되어 있다. 장어구이는 소금과 양념 중에 선택이 가능한데, 13가지 약재로 맛을 낸 양념구이가 인기.

₩ 장어구이(양념/소금 3만2천원), 장어정식(4만2천원), 런치세트(2인 5만2천원, 3인 9만3천원), 추어탕(1만1천원)
⏲ 11:30~14:30/17:00~21:30 – 일요일 휴무
🔍 충북 청주시 흥덕구 가로수로 1142
☎ 043-231-9460 Ⓟ 가능

개신동해장국 🎀 선지해장국 | 소내장탕

소내장탕이 유명한 곳. 뽀얀 국물의 내장탕에 다진 양념이나 삭힌 고추를 넣어 먹으면 시원하다. 해장국에도 뽀얀 국물에 선지가 섞여 나오는 것이 특징. 고기와 내장이 푸짐하게 들어 있어 만족스럽다.

₩ 내장탕(1만5천원), 해장국(1만1천원), 소머리국밥(1만3천원), 소머리수육(3만원), 내장수육, 내장무침(각 4만원)
⏲ 06:00~15:30/17:00~21:00 – 연중무휴
🔍 충북 청주시 서원구 모충로 16(개신동)
☎ 043-273-4546 Ⓟ 가능

고은정육점삼흥집 돼지고기구이 | 삼겹살

간장소스에 담근 후 구워 먹는, 일명 시오야키라고 불리는 삼겹살이 유명한 집이다. 냉동이 아닌 생고기를 사용하는 것이 특징이며 은박지를 깐 팬에 구워 먹는다. 파절임을 곁들이면 더욱 맛있게 즐길 수 있다.

₩ 삼겹살, 목살, 황지(각 200g 1만4천원), 셀프볶음밥(2천원)
⏲ 10:00~22:00 – 월요일 휴무
🔍 충북 청주시 상당구 남일면 단재로 748
☎ 043-297-5162 Ⓟ 불가

공원당 일식돈가스 | 일식우동

60여 년 전통의 돈가스 전문점. 빵집과 우동을 전문으로 시작하였으며 현재는 돈가스와 우동이 주메뉴다. 멸치와 다시마로 국물을 낸 우동을 맛볼 수 있다. 시원한 메밀소바도 별미.

₩ 돈가스(9천원~1만4천원), 우동(7천원), 판메밀소바(보통 8천원, 곱빼기 1만2천원), 새우튀김우동(9천원)
⏲ 11:00~15:00/17:00~19:30 – 연중무휴
🔍 충북 청주시 상당구 상당로55번길 40-2(남문로2가)
☎ 043-255-3894 Ⓟ 불가(성안길상점가 공영주차장 이용 시 30분 지원)

나루터가마솥소머리곰탕 곰탕

곰탕 전문점으로, 천일염으로 간을 맞추는 것이 특징이다. 국물 맛이 진하며 고기도 실하게 들어 있어 만족도가 높은 곳이다.

매장이 넓고 좌석이 많아 수용 가능 인원이 많으며 문의나들목 인근에 자리하여 접근성도 좋다.
㉻ 곰탕(1만5천원), 양곰탕(1만7천원), 우족탕(2만5천원), 수육(5만원)
🕒 09:30~15:00/16:30~20:30 – 연중무휴
🔍 충북 청주시 상당구 문의면 미천고은로 73
☎ 043-284-3700 Ⓟ 가능

남들갈비 🎀 돼지갈비

1960~70년대 포장마차 분위기로, 큼직한 갈비뼈가 붙어 있는 돼지갈비 맛이 좋다. 전날 절여 놓은 고기를 스테인리스 그릇에 내오는데, 마늘과 참기름, 채소즙이 들어간 양념 맛이 독특하다.
㉻ 돼지갈비(300g 1만5천원), 잔치국수, 동치미국수(각 5천원)
🕒 11:30~23:00 – 연중무휴
🔍 충북 청주시 서원구 청남로2133번길 8(모충동)
☎ 043-285-5599 Ⓟ 불가

남주동해장국 🎀 선지해장국

80여 년 전통의 해장국집으로, 푸짐한 뚝배기에 담긴 칼칼하고 진한 국물 맛이 일품이다. 뼈다귀해장국과 선지해장국, 콩나물해장국이 주메뉴. 소뼈, 꼬리, 방광 등을 가마솥에 넣고 진한 국물을 만든 다음 선지를 넣으면 선지해장국이 되고 뼈다귀를 넣으면 뼈다귀해장국이 된다. 미나리, 오이, 양파, 참깨 등으로 양념된 돼지껍데기무침도 별미다.
㉻ 소고기해장국, 선지해장국(각 1만원, 특 1만2천원), 수육(소 2만5천원, 대 4만원)
🕒 06:00~15:00/17:00~20:00 – 월요일 휴무
🔍 충북 청주시 상당구 무심동로304번길 10(남주동)
☎ 043-256-8575 Ⓟ 가능

다성식당 일반한식 | 청국장

청국장이 유명한 집. 국내산 콩으로 만든 구수하고 진한 청국장 맛이 일품이며 10여 가지의 반찬이 푸짐하게 나온다. 양푼 그릇에 밥과 반찬을 넣고 청국장을 떠서 비벼 먹으면 더욱 맛있다.
㉻ 청국장, 해물순두부(각 9천원), 두부버섯전골(중 4만원 대 4만9천원)
🕒 08:00~20:00 | 일요일 08:00~17:00 – 명절 당일 휴무
🔍 충북 청주시 흥덕구 예체로179번길 4(봉명동)
☎ 043-272-2399 Ⓟ 가능

당조 🎀 糖朝 일반중식

화상이 운영하는 노포 중국집으로, 50여 년 가까운 역사를 지녔다. 전반적으로 음식의 맛이 자극적이지 않고 담백하며, 깔끔하다. 달지 않은 소스와 함께 바삭하게 튀겨져 나오는 탕수육의 인기가 많은 편.
㉻ 짜장면(7천원), 짬뽕(8천원), 탕수육(소 1만6천원, 중 2만2천원, 대 3만2천원), 양장피(3만8천원)
🕒 11:30~14:30/17:00~20:00 – 화요일 휴무
🔍 충북 청주시 상당구 상당로 40-8(서운동)
☎ 043-256-1780 Ⓟ 불가(가게 바로 앞 유료주차장 이용)

대명도리탕 🎀 닭볶음탕

매운 맛의 닭볶음탕을 맛볼 수 있는 곳. 새빨간 국물 색깔이 눈에 띈다. 파전, 계란말이, 오징어찜 등 반찬도 푸짐하게 나오는 편이며 반찬으로 매운맛을 중화하면서 먹으면 좋다. 다 먹은 후에는 밥을 볶아 먹는다.
㉻ 닭볶음탕(소 2만3천원, 중 2만8천원, 대 3만6천원), 토종닭볶음탕(4만5천원), 묵은지닭볶음탕(중 3만원, 대 4만원)
🕒 06:00~16:00/17:00~24:00 | 금, 토, 일요일 및 공휴일 06:00~23:00 – 연중무휴
🔍 충북 청주시 흥덕구 백봉로 188-1(봉명동)
☎ 043-268-2560 Ⓟ 가능

대추나무집 🎀 일반한식

청주 출신 이외의 사람들에게는 생소한 짜글짜글 찌개 전문점. 맵게 양념한 돼지고기 찌개를 자글자글 끓인 후 고기를 채소에 싸 먹다가 남은 국물에 밥을 볶아 먹는다. 돼지 비곗살이 고기에 붙은 채로 넣는 것이 특징.
㉻ 촌돼지짜글찌개, 촌돼지김치찌개(각 1만3천원), 갈비짜글찌개(1만5천원)
🕒 11:00~20:00(마지막 주문 19:30) – 두 번째, 네 번째 월요일 휴무
🔍 충북 청주시 청원구 사천로18번길 5(사천동)
☎ 043-217-8866 Ⓟ 가능

더스프링 The Spring 이탈리아식

코스요리와 단품을 즐길 수 있는 이탈리안 레스토랑. 스테이크가 맛있기로도 유명하다. 넓고 화려한 인테리어의 실내에 창밖으로 보이는 경치도 좋다. 날씨가 좋을 때는 테라스에서의 식사도 추천.
㉻ 감자뇨키(1만5천원), 한우안심라자냐(2만7천원), 오징어먹물파에야(3만5천원), 문어구이(2만2천원), 이베리코스테이크(4만2천원), 한우안심스테이크(5만7천원), 런치코스(5만8천원), 코스1(6만7천원), 코스2(12만원), 2인세트(8만9천원), 4인세트(21만원)

더스프링

⏲ 11:30~21:30 – 월요일 휴무
🔍 충북 청주시 서원구 2순환로1814번길 56(장성동)
☎ 043-294-5677 Ⓟ 가능

데어데어 THEIR THERE 베이커리

청주 시내에서 가까운 무심천 라인에 위치한 대형 베이커리 카페. 1층은 중정이 있는 가든뷰, 2층은 무심천뷰, 3층은 루프탑이다. 케이크를 비롯한 베이커리의 종류도 다양하며 소금빵이 인기 메뉴다.

₩ 티티라테(7천원), 아메리카노(5천5백원), 카페라테(6천원), 스무디(7천원), 티, 에이드(각 6천8백원), 호두바스크(6천2백원), 무화과파운드(6천5백원), 소금빵(2천5백원)
⏲ 09:00~22:00 – 연중무휴
🔍 충북 청주시 상당구 무심동로 72(용암동)
☎ 043-295-9000 Ⓟ 가능

르미뇽 Le Mignon 구움과자 | 디저트카페

프랑스식 디저트를 맛볼 수 있는 디저트 전문점. 과일을 토핑으로 올린 다양한 에클레어 종류가 인기 메뉴다. 제철 과일을 사용하여 구성은 조금씩 달라지며, 인스타그램에서 확인할 수 있다.

₩ 얼그레이에클레어, 레몬라임에클레어(각 7천원), 바닐라타르트, 누아젯쇼콜라, 체리코코, 옥수수(각 8천원), 에스프레소(3천5백원), 아메리카노(4천원), 카페라테(5천원)
⏲ 10:00~19:00 – 월, 화요일 휴무
🔍 충북 청주시 상당구 호미로 167 1층
☎ 010-4070-3713 Ⓟ 불가

리정식당 설렁탕 | 육개장

설렁탕과 육개장이 유명한 집. 60여 년 넘는 역사를 자랑한다. 깔끔한 국물의 설렁탕은 담백한 맛으로 인기가 좋다. 다진 마늘과 송송 썬 대파가 푸짐하게 들어간 육개장은 칼칼한 맛이 좋다. 잘 삶은 수육을 곁들이는 것도 좋다. 저녁때는 술 한잔 하기에도 좋다.

₩ 육개장, 설렁탕(각 1만원, 특 1만2천원), 수육(소 3만원, 대 3만5천원)
⏲ 08:00~21:30(마지막 주문 21:00) – 일요일 휴무
🔍 충북 청주시 청원구 우암로 71-1(내덕동)
☎ 043-254-8947 Ⓟ 가능

무심천드래곤 無心川龍 미국식중식 | 퓨전중식

미국 스타일의 퓨전 중식을 맛볼 수 있는 곳. 인테리어는 홍콩풍으로 꾸몄다. 식사로는 갈릭프라이드라이스, 크림짬뽕과 요리로는 궈바로우가 추천 메뉴.

₩ 우육탕면(1만4천원), 새우완탕면(1만1천원), 탄탄면(1만원), 크림짬뽕(1만2천원), 곤이마파두부덮밥(1만2천원), 갈릭프라이드라이스(9천원), 오렌지치킨(1만5천원), 인절미궈바로우(1만7천원)

⏲ 11:30~15:00/17:00~22:00(마지막 주문 21:00) – 월요일 휴무
🔍 충북 청주시 상당구 상당로121번길 34
☎ 043-232-0939 Ⓟ 불가

미몽 味夢 일식오마카세

일식 오마카세 전문점으로, 충청도 향토 식재료에 일식 기법을 가미한 제철 요리를 선보인다. 8명 이하의 인원만 수용하여 조용한 분위기에서 음식에만 집중할 수 있다. 메뉴는 계절에 따라 변경되어 숙성 생선회와 계절 과일 및 채소를 활용한 식전 요리, 본식, 디저트까지 조화롭게 맛볼 수 있다. 음료나 주류 주문은 필수다.

₩ 디너오마카세1인(8만9천원)
⏲ 19:00~23:00 | 금, 토요일 18:00~23:00 – 일요일 휴무
🔍 충북 청주시 청원구 오창읍 중심상업로 32-13 엔젤프리존 2층 207호
☎ 0507-1469-0538 Ⓟ 가능

밀리미터베이커리카페&키친 MILLIMETER BAKERY CAFE & KITCHEN 베이커리 | 양식

루프탑을 포함해 3층으로 운영되는 대형 베이커리 카페. 2층은 밀리터리키친, 3층은 프라이빗 파티를 즐길 수 있는 가든으로 운영된다. 청주 특산물인 쌀을 빻아 만들어 쌀가루가 씹히는 독특한 식감의 '직지쌀슈페너'가 시그니처. 브레이크타임에는 식사 주문이 되지 않으니 참고할 것.

₩ 에스프레소(4천5백원), 아메리카노(5천원), 피콜로라테(5천5백원), 직지쌀슈페너(6천5백원), 소금빵(2천5백원), 베이컨치아바타(4천2백원), MM라자냐(1만6천9백원), 왕새우필라프(1만3천9백원), 채끝등심스테이크(3만7천원)
⏲ 10:00~22:00 – 연중무휴
🔍 충북 청주시 서원구 남지로5번길 18 1, 2층
☎ 043-288-3417 Ⓟ 가능(전용 주차장)

바누아투과자점 Vanuatu 베이커리

2016년 세계제빵월드컵에서 1위를 차지한 박용주 제빵사가 운영하는 베이커리. 모든 빵에 건포도를 발효시켜 만든 자연 효모가 들어가는 것이 특징이다. 다크초콜릿이 들어간 팽오쇼콜라를 비롯해 파바게트, 크루아상 등 다양한 빵을 맛볼 수 있다.

₩ 팽오쇼콜라(3천3백원), 크루아상(3천원), 팡도르(4천9백원), 몽블랑(5천원), 파바게트(6천원), 소금빵(2천2백원), 피낭시에(2천5백원)
⏲ 08:00~23:00 – 명절 당일 휴무
🔍 충북 청주시 흥덕구 죽천로79번길 29
☎ 043-236-0788 Ⓟ 가능

바바라코코 babara coco 카페 | 커피전문점

직접 로스팅한 원두로 내린 커피를 선보이는 곳. 핸드드립 커피를 비롯해 차갑게 내린 콜드브루 등을 맛볼 수 있다. 특히 부드

러운 핑크소금크림을 얹은 핑크소금라테가 시그니처음료로 인기가 많다. 포근하면서도 감각적인 꾸민 인테리어가 눈길을 사로잡는다.

₩ 핑크소금라테, 초코소금라테(각 5천8백원), 달고나라테(6천원), 초코라테, 녹차라테(각 5천원), 얼그레이페퍼민트티(4천5백원~5천5백원), 박수박수무디(6천3백원), 젤라토(3천5백원)

⏱ 10:00~19:00 – 연중무휴

🔍 충북 청주시 청원구 율량로 135(주성동) 대원칸타빌3차아파트상가동 3층

☎ 043-211-7488 Ⓟ 가능

반암막국수 🎀 닭백숙 | 막국수

막국수, 메밀부침, 해물감자옹심이, 쟁반국수, 한방토종닭 등 다양한 음식을 맛볼 수 있다. 시원하고 깔끔한 막국수 맛을 느낄 수 있는 곳으로, 메밀부침도 인기 있다.

₩ 물막국수, 비빔막국수(각 8천원), 한방편육(2만5천원), 닭볶음탕, 한방토종닭(각 5만5천원)

⏱ 10:30~21:00 – 연중무휴

🔍 충북 청주시 청원구 오창읍 성산2길 20

☎ 043-217-2863 Ⓟ 가능

백로식당 돼지불고기

한방양념불고기로 유명한 집. 쿠킹호일 위에 고추장으로 버무린 삼겹살을 구워 먹는 것으로, 특허까지 받았을 정도다. 마지막에는 김치를 넣어 밥을 볶아먹는 것도 별미다.

₩ 한방양념불고기(200g 1만4천원), 볶음밥(2천원), 치즈볶음밥(2천5백원)

⏱ 11:00~22:00 – 연중무휴

🔍 충북 청주시 흥덕구 1순환로 418(신봉동)

☎ 043-273-0713 Ⓟ 불가

버섯찌개경주집 🎀 버섯 | 버섯전골

표고버섯찌개 전문점. 감자와 양파, 대파, 당면 위에 표고버섯과 다진 소고기 양지 살을 얹어 육수를 부어 가며 즉석에서 끓인다. 버섯 향이 향기롭고 육수를 연상케 하는 짙고 강한 국물 맛이 이채롭다. 반찬은 깍두기와 울릉도 취나물뿐이다. 50여 년의 역사를 자랑한다.

₩ 버섯찌개(2인 이상, 1인 1만1천원)

⏱ 10:00~14:30/17:00~20:00(마지막 주문 19:00) – 월요일, 명절 휴무

🔍 충북 청주시 상당구 남사로93번길 21(서문동)

☎ 043-221-6523 Ⓟ 불가

베이징 Beijing 일반중식 | 북경식중식

좋은 식자재를 사용한 100여 가지의 정통 북경식 요리를 선보인다. 별실이 따로 마련되어 있어 가족모임, 소규모 연회 장소로 이용하기에 좋다.

₩ 삼선짜장면, 삼선볶음밥(각 1만3천2백원), 해물볶음면(1만6천5백원), 중새우칠리소스(소 4만4천원, 대 6만5백원), 전가복(소 6만5백원, 대 8만2천5백원)

⏱ 12:00~15:00/18:00~21:00(마지막 주문 20:30) – 월요일 휴무

🔍 충북 청주시 청원구 충청대로 114(율량동) 그랜드플라자 청주 2층

☎ 043-290-1210 Ⓟ 가능

베이커리446 🎀 베이커리

건강한 빵을 만들고 판매하는 곳. 토, 일요일 오후 2시에 가면 빵이 안 남아 있을 정도로 인기 빵집 중 하나다. 1인 가게로 대량생산을 할 수 없어 빵 종류 당 4~5개씩만 만든다. 빵 나오는 시간은 오전 9시에서 10시 사이다.

₩ 호두단팥빵, 치즈롤(각 1천5백원), 흑임자크림치즈(2천원), 호두빵(2천5백원), 치아바, 올리브후가스(각 3천원), 소시지빵(3천), 크렌베리바게트, 바질치즈빵(각 3천5백원)

⏱ 08:00~19:00(빵 소진 시 마감) – 월요일 휴무

🔍 충북 청주시 상당구 용정로38번길 17-1(용정동)

☎ 043-292-4460 Ⓟ 불가

보테가 🎀 BOTTEGA 퓨전

청주의 부티크호텔 호텔뮤제오에 자리한 퓨전 레스토랑. 퓨전짬뽕, 리조토, 파스타, 스테이크 등 새롭게 재해석한 퓨전 요리를 다양하게 선보인다. 점심에는 비교적 캐주얼한 메뉴를, 저녁에는 스테이크 코스 등을 즐길 수 있다.

₩ 애플리코타샐러드(1만9천원), 살치살블랙리조토(2만5천원), 불짬뽕(1만5천원), 크림짬뽕(1만6천원), 2인코스(2인 10만4천원, 15만원) 4인코스(21만원, 25만5천원), 돌문어청양트러플파스타(1만9천원), 살치살스테이크(4만8천원)

⏱ 11:30~15:00(마지막 주문 14:30)/17:30~21:00(마지막 주문 20:30) – 연중무휴

🔍 충북 청주시 흥덕구 가로수로1164번길 41-20(강서동)

☎ 043-231-3205 Ⓟ 가능

보테가

본정 本情 디저트카페 | 초콜릿

초콜릿과 다양한 디저트를 전문으로 하는 카페로, 청주 곳곳에 지점을 두고 있다. 진한 풍미의 초콜릿을 활용한 케이크, 마카롱, 에클레르 등 다양한 디저트를 선보이고 있으며 공간이 넓어 여유롭게 커피를 즐기기도 좋다.

₩ 조각케이크(5천3백원~5천9백원), 홀케이크(3만5천원~5만3천2백원), 초콜릿(2천원~4천7백원)

⏲ 09:00~21:00(마지막 주문 20:30) | 일요일,공휴일 10:00~20:00 – 연중무휴

Q 충북 청주시 서원구 사직대로 86(사창동)

☎ 043-278-3700 Ⓟ 불가

봉용불고기 삼겹살

시오야키라고 하는, 청주 스타일의 삼겹살을 하는 곳. 얼린 삼겹살을 간장으로 만든 물에 담가 두었다가 구워 먹는 것이 특징이다. 원래 시오야키는 소금구이라는 뜻이지만 청주에서는 물간장에 담갔다가 먹는 것을 시오야키라고 한다. 달짝지근한 파절임과 같이 먹는 삼겹살 맛이 일품이다. 고기를 다 먹은 후에는 김치를 넣어 밥을 볶아 먹는다.

₩ 돼지고기(200g 1만5천원), 기사백반(100g 1만원)

⏲ 08:00~21:50 – 연중무휴

Q 충북 청주시 청원구 상당로203번길 14(우암동)

☎ 043-259-8124 Ⓟ 가능(2시간 무료)

상주집 다슬기

50년 가까이 다슬기(올갱이)국을 끓여 온 집이다. 다슬기를 민물조개와 함께 넣고 된장을 알맞게 풀어 우거지를 넣어 끓인 다슬깃국은 구수하고 시원하면서도 뒷맛이 쌉쌀해 해장에 좋다. 술안주용으로 다슬기무침이 있다.

₩ 다슬깃국(1만2천원), 다슬기무침(4만원)

⏲ 07:30~20:30 – 연중무휴

Q 충북 청주시 상당구 남사로93번길 17(서문동)

☎ 043-256-7928 Ⓟ 가능

소영칼국수 칼국수

50년 가까이 이어온 칼국숫집이다. 가늘고 부드러운 칼국수와 사골 베이스 육수의 조화가 좋다. 은은하고 깊은 맛을 내며 쑥갓을 올려 먹는 것이 특징이다. 양념을 얼큰하게 풀면 해장용으로도 좋다.

₩ 칼국수(7천원), 두부(5천원)

⏲ 11:00~20:00 – 첫째 주 월요일 휴무

Q 충북 청주시 상당구 교동로3번길 146(수동)

☎ 043-224-2642 Ⓟ 가능

수암골연어곳간 퓨전한식 | 연어전문점

방울 모양이 특징인 꽃방울 연어 초밥, 연어 소바, 덮밥 등을 맛볼 수 있는 연어 요리 전문점. 음식 플레이팅이 정갈하게 나오는 편이며 연어 덮밥을 많이 찾는다. 사이드 메뉴로는 푸짐하게 쌓아 올린 고구마튀김을 맛볼 수 있다.

₩ 우삼겹덮밥(1만1천원), 육회덮밥(1만3천원), 장어덮밥(2만1천원), 단새우소바(1만3천5백원), 연어소바(1만4천5백원), 꽃방울초밥(1만7천5백원), 불연어새우덮밥(1만6천5백원), 수암골벽화마을연어덮밥(1만7천5백원), 고구마튀김(7천5백원)

⏲ 11:00~15:00/17:00~21:00(마지막 주문 20:30) – 수요일 휴무

Q 충북 청주시 흥덕구 대농로 39 LK트리플렉스 B동 106호

☎ 043-904-7776 Ⓟ 가능

수이재1928 🎀 소고기구이

100년의 역사가 있는 고택을 리뉴얼한 한우코스요리 전문점. 육회로 만든 아뮈즈부슈로 시작해 메인 요리인 소고기구이까지 코스로 진행된다. 직원이 고기를 구워 잘 달궈진 개인 돌판 위에 올려주기 때문에 식사 내내 고기 온도를 유지할 수 있다.

₩ 런치코스(6만3천원), 코스(S 15만9천원, A 12만3천원, B 9만3천원), 수이재한우불고기(150g 3만원), 언양식한우석쇠불고기(150g 1만5천원), 서울식한우불고기(200g 2만5천원)

⏲ 11:30~15:00/17:00~22:00 – 월요일 휴무

Q 충북 청주시 흥덕구 강서로71번길 4(강서동)

☎ 043-235-1928 Ⓟ 가능

스티즈커피로스터스
Steeze Coffee Roasters 커피전문점

직접 로스팅한 질 좋은 커피를 맛볼 수 있는 커피 전문점. 커피 원두는 2가지 중에 고를 수 있으며, 모든 음료 메뉴에 시럽과 크림을 추가할 수 있다.

₩ 스페셜티브루잉(7천원~2원), 커피(4천8백원~6천8백원), 망고에이드(6천5백원), 바닐라마들렌(2천7백원), 초코머핀(3천5백원), 블루베리머핀(3천8백원), 파미유(4천2백원)

⏲ 10:00~19:00 – 명절 당일 휴무

Q 충북 청주시 청원구 토성로120번길 165(정상동)

☎ 043-217-3445 Ⓟ 가능

아성청국장 백반 | 청국장

청국장과 비지장을 잘하기로 유명한 곳. 구수하면서도 깔끔한 청국장의 맛이 일품이며 순두부와 된장국이 나오는 백반 메뉴도 인기다. 다른 백반 메뉴를 시켜도 기본찬으로 비지장을 약간씩 내주는 것이 특징이다.

₩ 청국장, 비지장, 순두부, 된장찌개(각 1만원), 두부김치(반접시 5천원, 한접시 1만원), 오징어볶음(3만원), 홍어찜(6만원)

⏲ 10:30~21:00 – 연중무휴

Q 충북 청주시 흥덕구 흥덕로 166(운천동)

☎ 043-266-0888 Ⓟ 불가

양자강 일반중식

기본에 충실한 중국요리 전문점으로, 이 지역 일대에서 이름있는 곳이다. 홍합이 한가득 나오는 짬뽕이 인기 메뉴며 불 맛을 살린 요리도 맛이 좋다. 합리적인 가격에 다양한 음식을 선보이는 코스 요리도 추천할 만하다.

Ⓦ 짜장면(7천원), 짬뽕, 짬뽕밥, 양자강냉면(각 9천원), 탕수육(소 1만5천원, 중 2만5천원, 대 3만원), 스페셜코스요리(3인 이상, 1인 2만5천원, 3만원, 3만5천원, 5만5천원, 8만원, 10만원)

🕒 11:00~21:00 – 월요일 휴무

🔍 충북 청주시 흥덕구 직지대로 608(봉명동)

☎ 043-266-8585 Ⓟ 가능

에이커 ACRE 베이커리

높은 층고, 한쪽 벽면 전체를 차지하는 통창이 개방감 있는 대형 베이커리 카페. 합리적인 가격에 다양한 베이커리를 맛볼 수 있다. 2층과 3층은 노키즈존으로 운영되니 참고할 것.

Ⓦ 에스프레소(5천원), 아메리카노(5천원), 카페라테(5천5백원), 크림라테(6천원), 올리브소금빵(3천원), 감자빵(3천5백원), 잠봉뵈르(8천3백원)

🕒 10:00~23:00(마지막 주문 22:00) – 연중무휴

🔍 충북 청주시 서원구 용평로113번길 47

☎ 043-297-1162 Ⓟ 가능(전용주차장)

옥산장날순대 순대 | 순댓국

70여 년의 역사를 자랑하는 오래된 순대국밥집이다. 뽀얀 국물이 아니라 얼큰하게 끓이는 스타일로, 누린내가 나지 않는 순대와 진한 국물이 일품이다. 국물에 가득 들어 있는 내장과 머릿고기가 부드럽다.

Ⓦ 순대국밥(보통 9천원, 특 1만1천원), 장날순대(중 1만8천원, 대 2만3천원), 곱창전골(중 4만원, 대 5만원)

🕒 07:00~21:00 – 명절 휴무

🔍 충북 청주시 흥덕구 옥산면 청주역로 653-7

☎ 043-260-4944 Ⓟ 가능

육거리소문난만두 만두

육거리시장 내에서 유명한 만두집. 직접 만든 만두피로 다양한 종류의 만두를 낸다. 얇은 만두피로 만드는 전통고기만두가 대표 메뉴며 새우 한 마리가 통째로 들어가는 통새우왕만두도 인기 메뉴. 금방 튀겨내는 꽈배기와 도너츠도 많이 찾는다.

Ⓦ 전통고기만두, 전통김치만두(각 10개 6천원), 청양고추핵폭탄만두(5개 7천원), 고기왕만두, 김치왕만두, 통새우왕만두(각 5개 6천원), 도넛류&옛날찐빵(4개 3천원), 고로케(2개 3천원)

🕒 09:00~19:00(마지막 주문 18:30) – 화요일 휴무

🔍 충북 청주시 상당구 상당로5번길 11(석교동)

☎ 043-252-1195 Ⓟ 불가

율량반점 일반중식

해물탕 스타일의 짬뽕이 인기 있는 중식당이다. 짬뽕은 주꾸미, 홍합, 새우 등 해물이 그릇 위에 듬뿍 올려져서 나오는 것이 특징이며, 맵기는 3단계로 선택할 수 있다.

Ⓦ 짜장면(6천원), 짬뽕(9천원), 우동(1만원), 간짜장(8천원), 해물백짬뽕(1만원), 사천탕수육(소 2만2천원, 중 2만7천원, 대 3만2천원), 과일탕수육(소 1만9천원, 중 2만4천원, 대 2만9천원)

🕒 11:00~20:20 – 연중무휴

🔍 충북 청주시 청원구 율량로 30(주중동)

☎ 043-213-3553 Ⓟ 불가

잇츠베이글 It's bagel 베이글

뉴욕식 전통 레시피로 만든 베이글을 맛볼 수 있는 곳. 베이글은 반죽을 약 16시간 이상의 저온숙성한 뒤 매일 새벽에 구워져서 나온다. 베이글과 어울리는 다양한 크림치즈도 있다.

Ⓦ 플레인베이글(3천원), 에브리띵, 어니언, 시나몬레이즌, 갈릭, 치즈(각 3천3백원), 블루베리(3천5백원), 쪽파크림치즈, 메이플월넛, 토마토바질크림치즈(각 2천8백원)

🕒 08:00~19:00 | 토, 일요일 08:00~18:00 – 연중무휴

🔍 충북 청주시 청원구 오창읍 양청택지로 116

☎ 043-213-1103 Ⓟ 가능(매장 앞)

잇츠베이글

장수정 장어

60여 년간 장어구이를 전문으로 해 온 집. 초벌구이가 된 장어를 숯불에 구워 먹는다. 소금구이와 양념구이 중에 선택할 수 있으며 생강채를 곁들이면 더욱 맛있다.

Ⓦ 장어구이1kg(손질후 500g 5만9천원), 장어탕(1만원)

🕒 11:00~21:00(마지막 주문 20:00) – 연중무휴

🔍 충북 청주시 서원구 현도면 청남로 12

☎ 042-932-1127 Ⓟ 가능

전통꽃게장 게장 | 꽃게

간장게장이 맛있기로 유명한 집. 속이 꽉 차있으며 짭조름하면서도 맛깔스러운 양념의 맛이 좋다. 칼칼하게 끓인 꽃게탕도 별미다.

₩ 꽃게간장게장정식(1인 중 4만원, 특 4만5천원), 꽃게양념게장정식(1인 4만원), 꽃게탕(각 소 6만5천원, 중 7만5천원, 대 8만5천원), 꽃게LA갈비전골(소 7만5천원, 중 8만5천원, 대 9만5천원)
11:30~15:30/17:30~22:00 – 첫째 주 화요일 휴무
충북 청주시 흥덕구 주현로41번길 19(봉명동)
☎ 043-271-1451 Ⓟ 불가

점선에스프레소바 에스프레소바

에스프레소를 다양한 베리에이션으로 즐길 수 있는 곳이다. 아이스 에스프레소인 코니엘로, 우유와 견과류 크림이 올라가는 점선브레베 등이 시그니처 메뉴. 하루 12개만 판매하는 에스프레소와 크렘브륄레 세트도 기회가 된다면 추천한다.

₩ 에스프레소(2천8백원), 스페셜에스프레소(5천원~), 에스프레소크렘드쇼콜라, 에스프레소피스타치오(각3천3백원), 아이스에스프레소코니엘로(5천원), 점선브레베(5천5백원), 에스프레소오렌지, 에스프레소로마노(각 3천8백원)
12:00~20:00 – 월, 화요일 휴무(공휴일이나 대체 공휴일 경우 정상 영업)
충북 청주시 흥덕구 가로수로1164번길 41-48(강서동) 경성하늘 1층 108호
☎ 010-2313-9367 Ⓟ 가능

제이슨굿맨코튼클럽&화이트크리스마스
JASON GOODMAN COTTON CLUB 프랑스식

충북을 대표하는 파인 다이닝 레스토랑 화이트크리스마스에서 선보이는 또 다른 콘셉트의 세컨드 레스토랑. 유럽 위스키 바 감성을 가미한 곳으로, 캐주얼한 프렌치 코스를 경험할 수 있다. 앤티크한 소품들부터 고풍스러운 인테리어가 시선을 이끈다. 바 안쪽에는 화이트크리스마스가 자리하고 있다.

₩ 화이트코스(11만원)
10:00~15:30/17:30~22:00 – 연중무휴
충북 청주시 흥덕구 비하로42번길 2
☎ 043-287-1225 Ⓟ 가능

조선면옥 소갈비 | 소불고기 | 물냉면

소갈비를 즐길 수 있는 곳. 천연 채소 과즙으로 양념한 소갈비를 선보이며, 양념하지 않은 생갈비도 인기다. 갈비 외에도 꽃등심, 안창살 등도 선보이며 냉면, 갈비탕 등의 식사메뉴도 있다.

₩ 양념특갈비(2대 3만4천원), 양념생갈비(2대 6만5천원), 한우불고기(200g 2만3천원), 꽃등심(130g 6만원), 물,비빔냉면(각 1만원), 회냉면(1만1천원), 갈비탕(1만3천원)
11:00~22:00 – 명절 휴무
충북 청주시 상당구 상당로69번길 58(서문동)
☎ 043-254-6666 Ⓟ 가능

조선칡냉면 칡냉면

청주에서 유명한 냉면 전문점. 냉면에 고기 고명이 올라가 있지 않지만, 칡이 들어간 면발이 쫄깃하고 국물이 시원해 냉면 맛이 꽤 괜찮다. 가격에 비해 만족도가 높다. 여름철이면 사람들로 붐빈다.

₩ 물냉면, 비빔냉면(각 9천원), 반반냉면(1만원), 만두(6천5백원)
10:30~22:00 – 일요일 휴무(11월~2월), 명절 휴무
충북 청주시 청원구 율봉로181번길 14(율량동)
☎ 043-212-2756 Ⓟ 가능(국민은행 주차장 이용, 주차권 제공)

청송통닭 삼계탕 | 통닭

삼계탕과 통닭 두 가지만 전문으로 하는 곳. 깔끔한 국물 맛이 좋은 삼계탕은 영계를 사용하며 안에 백미가 들어 있어 든든하게 식사할 수 있다. 닭 한 마리를 통째로 튀겨내는 통닭도 단연 인기다. 50여 년의 역사가 있는 곳.

₩ 삼계탕(1만6천원), 통닭(1만8천원)
10:00~21:00 – 연중무휴
충북 청주시 상당구 남사로 116(남문로2가)
☎ 043-255-6535 Ⓟ 가능(중앙주차장 이용)

청풍미가 한정식

한정식 코스를 즐길 수 있는 한정식 전문점. 모둠회, 백합탕, 불고기, 인삼튀김 등 아주 많은 요리가 코스로 나온다. 정원이 있고 작은 폭포도 조성돼 있어 식사를 마친 후 쉬기에 좋다.

₩ 청풍정식(5만5천원), 위품정식(3만3천원), 미가정식(2만5천원), 사모님동안정식(평일 2만1천원)
09:30~21:30 – 연중무휴
충북 청주시 상당구 문의면 문의시내2길 9-14
☎ 043-287-8805 Ⓟ 발레 파킹

타베르나 TABERNA 스페인식

10년 넘게 스페인 요리 경력을 쌓은 셰프가 스페인 바스크 지방의 현지 맛을 구현하는 곳. 대표 메뉴는 토마토부라타치즈와 새우관자. 와인 리스트도 합리적인 편이며, 제철 식재료를 사용하여 선보이기 때문에 메뉴 가격이 변동될 수 있다.

₩ 계절메뉴(변동)
12:00~15:00(마지막 주문 13:45)/17:00~22:00(마지막 주문 20:45) – 월요일 휴무
충북 청주시 청원구 율봉로 270(율량동) 1층 102호
☎ 043-212-7950 Ⓟ 가능(협소)

타볼라 TAVOLA 피자 | 파스타

부부가 운영하는 피자와 파스타 전문점. 피자는 화덕에 구워져 나오며, 제철 식자재를 사용하여 계절마다 추천 메뉴가 변동된다. 피자 도우를 직접 반죽하는 것은 물론, 피클과 에이드도 수제로 담는다.

₩ 아마트리치아나파스타(1만8천원), 봉골레파스타(1만7천원), 마르

게리타(2만2천원), 페퍼로니피자, 카프리쵸사(각 2만3천원), 고르곤졸라피자(2만2천원), 스테이크피자(2만5천원), 알리오올리오(1만5천원)
⌚ 11:30~15:00(마지막 주문 14:00)/17:30~21:00(마지막 주문 20:00) - 일, 월요일 휴무
🔍 충북 청주시 서원구 무심서로 487(사직동) 2층
☎ 010-8795-5082 Ⓟ 가능

트리브링 treebring 카페 | 베이커리

식물원 분위기의 초대형 베이커리 카페. 매장 한가운데 실내 정원으로 꾸민 분수대가 설치되어 있다. 40여 가지가 넘는 베이커리 종류와 신선한 샐러드를 선보이며, 아이스크림초코버터푸딩과 크림스콘이 시그니처다.

Ⓦ 아메리카노(5천5백원), 카페라테(6천원), 트리플베리에이드(6천5백원), 생딸기우유(7천원), 코코넛잼크루아상(4천5백원), 우유크림팡도르(6천8백원), 대파크림치즈프레첼(5천8백원)
⌚ 10:00~22:00(마지막 주문 21:00) - 연중무휴
🔍 충북 청주시 서원구 남이면 청남로 1388-36
☎ 043-267-7566 Ⓟ 가능

포이드캐롯 NEW POIL DE CAROTTE 베이커리

붉은 벽돌 건물에 자리한 2층 대형 베이커리 카페. 메주 식빵, 게살 치아바타, 단호박 파운드 등을 맛볼 수 있으며 음료는 스카치 캐러멜 밀크에 에스프레소, 피스타치오 크림을 곁들인 포이드 슈페너와 키위 에이드 베이스에 오렌지 당근 소르베가 올라간 포이드 캐롯을 추천할 만하다.

Ⓦ 메주식빵(4천8백원), 치즈타르트(5천8백원), 단호박파운드(6천7백원), 게살치아바타(4천5백원), 포이드슈페너, 포이드캐롯(각 8천원), 포이드애플파인(7천8백원), 히비스커스로즈(7천3백원), 말차라테, 초코라(각 6천8백원)
⌚ 09:00~22:00(마지막 주문 21:00) - 연중무휴
🔍 충북 청주시 흥덕구 가포산로 39-18
☎ 0507-1462-5402 Ⓟ 가능

푸에고네그로 Fuego Negro 스페인식

스페인 바스크 지방 요리로 유명한 타베르나에서 운영하는 곳. 숯불을 이용한 다양한 바스크 요리를 선보인다. 새끼 돼지를 통으로 저온 조리하는 스페인 전통 요리 코치니요아사도는 사전 예약해야 맛볼 수 있다.

Ⓦ 하몽피자(1만7천원), 스페인꿀대구(2만8천원), 해산물파에야(2만9천원), 푸에고라자냐(1만5천원), 코치니요아사도(반마리 19만원, 1마리 37만원), 이베리코안심웰링턴(200g 3만6천원), 참돔숯불구이(4만2천원), 촐레타스테이크(500g 9만원)
⌚ 11:30~15:00/17:00~22:00 - 연중무휴
🔍 충북 청주시 청원구 상당로 314 문화제조창 1층
☎ 0507-1388-5032
Ⓟ 가능(문화제조창 평일 2시간 무료, 주말과 공휴일 종일무료)

하우트커피컴퍼니 🎀

HAUTE COFFEE COMPANY 커피전문점 | 베이커리

청주 외곽에 있어 드라이브 코스로도 좋은 커피 전문점으로, 타이어공장이었던 건물을 개조한 곳이다. 오랜 경력의 로스터가 로스팅한 스페셜티 커피를 합리적인 가격에 맛 볼 수 있으며 프랑스 정통 크루아상과 베이커리가 있다.

Ⓦ 에스프레소, 아메리카노(각 4천5백원), 카페라테(5천5백원), 바닐라라테(6천원), 핸드드립커피(6천원), 소금빵(2천8백원), 크루아상(3천8백원), 팽오쇼콜라(4천원)
⌚ 08:00~19:00 - 연중무휴
🔍 충북 청주시 청원구 내수읍 충청대로 904
☎ 070-4042-3212 Ⓟ 가능

화이트크리스마스 🎀🎀

White Christmas 프랑스식

충북을 대표하는 파인 다이닝 프렌치 레스토랑. 2000년 충주에서 시작하여 2015년에 청주로 옮겨 문을 열었다. 정통 프렌치 요리를 코스로 즐길 수 있는 곳으로, 맛과 분위기에 대한 평이 모두 좋다. 고풍스러운 인테리어와 소품에서 오너의 애정이 느껴진다. 10세 이하의 어린이는 출입할 수 없으며, 드레스코드는 포멀 슈트, 비즈니스 캐주얼, 스마트 캐주얼이다.

Ⓦ 블루코스(25만원), 그린코스(32만원)
⌚ 17:30~22:00(마지막 주문 20:30) | 토, 일요일 12:00~15:30(마지막 주문 13:30)/17:30~22:00(마지막 주문 20:30) - 월요일 휴무
🔍 충북 청주시 흥덕구 비하로42번길 2(비하동)
☎ 043-287-1225 Ⓟ 가능

화이트크리스마스

활력추어탕 추어탕

푹 끓인 미꾸라지를 체에 걸러 육수에 끓인 추어탕을 낸다. 미꾸라지가 통으로 들어가는 통추어탕도 선보이고 있으며 추어도리뱅뱅이, 미꾸라지와 고기를 섞어 만든 추어돈가스 등 이색적인 메뉴도 맛볼 수 있다.

Ⓦ 추어탕, 추어돈가스(각 1만원), 추어튀김(1만2천원), 통추어탕(1만1

천원), 추어도리뱅뱅이(2만5천원)
◷ 10:00~21:15 – 명절 휴무
🔍 충북 청주시 상당구 월평로184번길 106(용암동)
☎ 043-294-1020 Ⓟ 불가

효자촌묵집 묵

따뜻한 국물에 말아 내오는 도토리묵밥으로 유명한 집. 여름에는 동치미국물에 나오는 시원한 냉묵밥이 별미로 통한다. 묵밥 외에도 도토리로 만든 전, 수제비 등 다양한 음식을 선보인다.
₩ 묵밥, 냉묵밥(각 9천원), 도토리수제비(2인 이상, 1인 9천원), 도토리전(7천원), 쟁반국수(2만원), 묵정식(2인분 2만6천원, 3인분 3만6천원, 4인분 4만8천원, 5인분 6만원)
◷ 11:00~15:00/17:00~21:00(마지막 주문 20:30) – 목요일 휴무
🔍 충북 청주시 상당구 남일면 단재로 469
☎ 043-297-3768 Ⓟ 가능

흥흥제과 디저트카페

과일을 듬뿍 올린 타르트를 비롯해 직접 구운 쿠키, 스콘, 브라우니 등을 선보인다. 플랫화이트와 아인슈페너 등의 커피도 맛이 좋다. 타르트는 늦은 오후가 되면 거의 다 팔리는 편이니 일찍 방문하는 것이 좋다.
₩ 딸기타르트, 블루베리타르트, 망고타르트(각 5천9백원), 당근케이크(3천5백원), 브라우니(3천5백원), 잼스콘(3천3백원), 쿠키(3천8백원), 아메리카노(4천5백원), 카페라테, 콜드브루라테(각 5천원)
◷ 12:00~21:00 – 연중무휴
🔍 충북 청주시 상당구 중앙로 5-3(북문로2가)
☎ 070-8827-7058 Ⓟ 불가

충청북도 충주시

감나무집 꿩 | 닭백숙

꿩 요리 전문점. 샤부샤부, 튀김, 만두, 탕수육, 부추볶음, 육회, 탕 등 7가지 요리를 코스로 즐길 수 있다. 메인으로 나오는 꿩샤부샤부가 특히 인기다. 꿩 코스 외에도 산채정식, 꿩송이백숙 등도 선보인다. 아름다운 정원과 창이 있고 주변 경관도 좋은 곳.
₩ 꿩코스정식(2인 이상, 1인 3만5천원), 산나물정식(2인 이상, 1인 2만원), 꿩송이백숙(7만원)
◷ 11:00~20:30(마지막 주문 19:30) | 토, 일요일 11:00~16:00/17:00~20:30 – 월요일 휴무
🔍 충북 충주시 수안보면 미륵송계로 339-1
☎ 043-846-0608 Ⓟ 가능

강변횟집 민물매운탕

민물매운탕으로 유명한 곳. 빠가사리와 새우 등을 넣어 끓여낸 매운탕이 얼큰하고 시원하다. 참매자로 만든 매자조림도 인기 메뉴다.
₩ 참매자조림, 빠가사리매운탕(소 4만원, 중 5만5천원, 대 7만원), 메기조림, 메기매운탕(소 3만5천원, 5만원, 6만5천원), 쏘가리매운탕(소 7만원, 중 10만 5천원, 대 14만원)
◷ 10:00~20:00(마지막 주문 19:00) – 연중무휴
🔍 충북 충주시 엄정면 구룡로 473
☎ 043-852-0799 Ⓟ 가능

달달숲 카페 | 베이커리

사방이 숲으로 둘러싸인 베이커리 카페. 주차를 한 후 숲길을 걸어 올라가면 카페가 나온다. 통유리를 통해 보이는 숲 전망이 매력적이다. 야외 공간은 반려견과 함께 놀기에도 좋다.
₩ 아메리카노(5천원), 어른커피, 카페라테(각 5천5백원), 버터크림커피, 수제얼그레이밀크티(각 6천원), 크로넛, 크루아상(각 3천5백원), 스콘(3천8백원), 시금치페스토파스타(1만4천원)
◷ 11:00~21:00 | 토, 일요일 10:30~21:00 – 월요일 휴무
🔍 충북 충주시 신니면 모남1길 128
☎ 070-8879-1128 Ⓟ 가능

대봉식당 칼국수 | 일반한식

수안보 일대에서 잘 알려진 한식집으로, 손칼국수가 맛있다. 콩가루를 넣어 만든 칼국수 면이 쫀득하며 깔끔한 국물과도 잘 어울린다. 가격대가 낮은 편이며 김치찌개, 청국장 등의 찌개류도 인기가 좋다.
₩ 칼국수(8천원), 녹두전, 감자전, 부추전(각 1만2천원)
◷ 10:00~15:00 | 토요일 10:00~18:00 | 일요일 10:00~16:00 – 월요일 휴무
🔍 충북 충주시 수안보면 물탕2길 4
☎ 043-846-3404 Ⓟ 가능

만리식당 꿩

다양한 꿩 요리를 코스로 즐길 수 있는 곳. 육수에 꿩 고기를 담가 먹는 꿩샤부샤부를 비롯해 불고기, 만두, 깐풍기 등 8가지 요리를 선보인다. 꿩 코스 외에 토끼볶음탕, 꿩볶음탕 등을 별도로 주문할 수도 있다. 50여 년 역사를 자랑한다.
₩ 꿩샤부샤부코스(2인 7만원, 3인 10만원, 4인 12만원), 꿩볶음탕, 토끼볶음탕(각 8만원)
◷ 07:30~23:00 – 비정기적 휴무
🔍 충북 충주시 수안보면 물탕2길 5
☎ 043-846-3206 Ⓟ 가능

신라정 장어 | 민물생선찜

쏘가리찜은 쏘가리가 눌어붙지 않도록 냄비 바닥에 젓가락을 깔고 무를 넣고 졸여낸다. 맵고 얼큰한 국물 맛이 푹 스며들어

민물고기조림의 맛을 제대로 느낄 수 있게 해 준다. 돌판에 양파와 생강을 깔아 내놓는 장어구이도 수준급이다. 50여 년 역사를 자랑하는 곳.

₩ 장어구이(2만9천원), 장어곰탕(1만2천원), 간장게장(3만원)
🕒 11:00~22:00 – 연중무휴
🔍 충북 충주시 목행초길 13(목행동)
☎ 043-844-7117 Ⓟ 가능

아주식당 순대 | 순댓국

합리적인 가격에 토속적인 순대를 푸짐하게 즐길 수 있다. 돼지뼈를 고아낸 진하고 깔끔한 국물의 순댓국도 자랑거리인데, 다진마늘이 푸짐하게 올라가는 것이 특징이다.

₩ 순대국밥(9천원), 머릿고기, 토종순대(각 1만7천원), 모둠순대(2만3천원), 순대전골(3만원), 술국(1만7천원)
🕒 09:00~22:00 – 명절 휴무
🔍 충북 충주시 예성로 168(성서동) 중앙시장
☎ 043-847-2998 Ⓟ 가능(중앙시장 주차장, 30분 무료 확인)

열명의농부 뷔페_한식 | 뷔페_채식

열명의 농부가 길렀다는 농산물로 만든 채식 요리를 뷔페식으로 맛 볼 수 있다. 콩고기 불고기, 저염 쌈장, 갖가지 쌈 채소, 충주사과로 만든 국수 등 다양한 채식 요리를 선보인다.

₩ 뷔페(성인 1만7천9백원, 초등 1만2천원, 유아 8천원)
🕒 11:30~15:00 – 명절 휴무
🔍 충북 충주시 신니면 장고개2길 62-46
☎ 0507-1431-6262 Ⓟ 가능

영화식당 🎀 산채정식 | 일반한식

산채정식을 시키면 돌솥밥과 된장찌개를 중심으로 산과 들에서 난 채소로 만든 30여 가지 반찬이 나온다. 그릇마다 나물 이름이 쓰여 있어서 알고 먹는 재미가 있다. 표고, 느타리 등 여러 가지 버섯이 들어간 버섯전골도 맛있다.

₩ 산채정식(2만원), 불고기(1만8천원), 더덕구이, 능이전골(각 2만5천원)
🕒 09:00~20:00(마지막 주문 19:00) – 화요일 휴무
🔍 충북 충주시 수안보면 물탕1길 11
☎ 043-846-4500 Ⓟ 가능

운정식당 🎀 다슬기

일대에서 다슬기(올갱이)해장국의 원조로 꼽히는 집. 괴산, 충주 남한강 일대, 철원, 무주 구천동 등에서 잡은 다슬기를 넣고 끓인 시원한 국물 맛이 일품이다. 아욱을 넣어 시원한 맛이 나며 함께 나오는 반찬도 맛깔스럽다.

₩ 다슬기해장국(1만원), 육개장(9천원), 된장찌개, 순두부(각 8천원)
🕒 06:00~22:00 – 연중무휴
🔍 충북 충주시 중원대로 3432-1(문화동)
☎ 043-847-2820 Ⓟ 불가(농협 하나로 마트 주차장 이용)

중앙탑초가집 🎀🎀 닭볶음탕 | 민물매운탕 | 민물새우

매운탕과 닭볶음탕이 유명한 집. 한방 재료를 넣어 끓인 닭백숙을 비롯해 민물새우의 일종인 새뱅이매운탕이 대표 메뉴로 통한다. 충주호를 둘러싼 중앙공원 내에 있는 200년 된 초가집에 위치했으나 초가집이 유형문화재로 지정되면서 공원 밖으로 이전하였다.

₩ 새뱅이매운탕(소 3만5천원, 중 4만5천원, 대 5만5천원), 쏘가리매운탕(시가), 빠가매운탕(소 5만원, 중 6만원, 대 7만원), 메기매운탕(소 4만원, 중 5만원, 대 6만원), 오리주물럭(500g 4만원, 800g 6만원), 한방토종닭볶음탕(6만원), 누룽지닭백숙(6만원)
🕒 11:00~21:00(마지막 주문 20:00) – 수요일 휴무
🔍 충북 충주시 중앙탑면 중앙탑길 10
☎ 043-845-6789 Ⓟ 가능

투가리식당 🎀 다슬기 | 민물새우

구수한 다슬기해장국이 유명한 곳. 남한강 상류에서 잡은 다슬기와 아욱, 부추 등을 넣고 된장을 풀어 시원하게 끓여내며 해장에도 좋다. 민물새우의 일종인 새뱅이를 넣고 끓인 새뱅이찌개도 별미다.

₩ 다슬기해장국, 황태해장국, 청국장, 순두부찌개(각 8천원), 새뱅이찌개(중 3만2천원, 대 4만2천원)
🕒 07:00~21:00 – 연중무휴
🔍 충북 충주시 수안보면 온천중앙길 15
☎ 043-846-0575 Ⓟ 가능

향나무집 두부 | 청국장

국산 콩으로 두부와 청국장, 콩비지를 거의 만들어내는 곳으로, 푸짐한 한정식 상차림을 맛볼 수 있다. 더덕구이정식, 산채정식, 꿩샤부샤부, 버섯전골 등을 맛볼 수 있다.

₩ 향나무정식(1만6천원), 청국장, 비지장, 순두부, 비빔밥, 된장찌개(각 9천원), 불고기백반(200g 1만4천원), 꿩샤부샤부(10만원), 자연산버섯전골(2인 이상, 1인 1만7천원), 토종닭백숙(6만원)
🕒 09:30~15:00/17:00~20:30(마지막 주문 20:15) – 연중무휴
🔍 충북 충주시 수안보면 장터1길 11
☎ 043-846-2813 Ⓟ 가능

충청남도

Chungcheongnam-do Province

충청남도 계룡시

신도리한우촌 소고기구이 | 곰탕
소고기구이 전문점이지만, 점심에만 내는 곰탕으로 더욱 유명한 집이다. 부드러운 고기가 가득 들어가 있으며 제대로 고은 국물이 속까지 든든하게 해준다.

₩ 꽃등심, 치마살(각 150g 3만5천원), 토시살, 안창살(각 150g 4만원), 살치살(150g 4만5천원), 육사시미, 육회(각 100g 3만원), 곰탕(1만원), 메밀왕만두(5천원)

⏲ 10:00~15:00/16:20~22:00(마지막 주문 21:00) – 명절 휴무

🔍 충남 계룡시 엄사면 번영11길 4-57

☎ 042-841-7748 Ⓟ 가능

예사랑막국수 막국수 | 족발
깔끔하고 매콤한 맛의 막국수가 인기다. 여름에는 시원한 국물이 들어간 막국수를 맛볼 수 있다. 양념족발도 이 집의 별미.

₩ 메밀막국수(8천5백원, 곱빼기 9천5백원), 메밀비빔막국수(9천원, 곱빼기 1만원), 양념족발(중 1만3천원, 대 1만9천원), 찐만두(8개 3천원)

⏲ 11:00~21:00(마지막 주문 20:00) – 연중무휴

🔍 충남 계룡시 계룡대로 263(금암동)

☎ 042-841-7171 Ⓟ 가능

장원복집 복
참복, 밀복 등 다양한 복요리를 맛볼 수 있다. 시원한 맛의 복지리가 특히 인기며 생복수육도 추천할 만하다. 계룡대 인근의 지역 주민들이 많이 찾는 곳이다.

₩ 참복지리, 참복탕(각 2만2천원), 아구찜(소 3만3천원, 중 4만4천원, 대 5만5천원)

⏲ 10:00~14:00/16:00~22:00 – 일요일, 명절 휴무

🔍 충남 계룡시 엄사면 평리길 71

☎ 042-841-7804 Ⓟ 가능

충청남도 공주시

까우 CCOW 파스타 | 이탈리아식
파스타를 비롯한 다양한 메뉴를 맛볼 수 있는 이탈리안 레스토랑. 파스타는 소스, 파스타 면 종류 등도 다양해서 취향껏 고를 수 있다. 가격 대비 양도 많은 편이다.

₩ 매운새우크림파스타(1만1천9백원), 청양봉골레오일, 명란로제(각 1만3천9백원), 트러플크림파네(1만5천9백원), 라구아란치니, 치킨크림카레리조토(각 1만4천9백원), 라구파타테(1만6천9백원), 오리스테이크(2만8천9백원)

⏲ 11:00~15:00/17:00~22:00(마지막 주문 20:00) – 연중무휴

🔍 충남 공주시 번영3로 58

☎ 010-9399-9358 Ⓟ 불가

동해원 일반중식
공주에서 짬뽕으로 유명한 집이다. 메뉴는 짜장과 짬뽕, 탕수육 세 가지로 간소하며 점심시간에만 영업하는 것이 특징이다. 매콤한 짬뽕 국물 맛이 일품이다.

₩ 짬뽕, 짬뽕밥(각 1만원), 짜장면(7천5백원), 짜장밥(8천5백원), 탕수육(소 1만6천원, 대 2만6천원)

⏲ 11:00~15:00 | 토요일 11:00~15:30 – 일요일 휴무

🔍 충남 공주시 납다리길 22(소학동)

☎ 041-852-3624 Ⓟ 가능

매향막국수 막국수 | 평양냉면
100% 순메밀면을 사용하여 만든 막국수와 평양냉면을 맛볼 수 있는 곳으로, 메밀면은 아침마다 맷돌에 직접 갈아 만든다. 냉면보다는 막국수가 메밀 고유의 맛을 느끼기 더 좋다는 평이다. 편육을 매콤한 양념에 비빈 편육 무침도 별미로 통한다.

₩ 평양냉면, 막국수(각 1만2천원), 편육무침(1만8천원)

⏲ 11:00~15:00 – 연중무휴

🔍 충남 공주시 백미고을길 18(금성동)

☎ 041-881-3161 Ⓟ 가능

부자떡집 떡
산성시장 모퉁이에서 시작한 오래된 떡집. 대부분 국산 재료를 이용해서 만들며 인절미, 설기, 무지개떡 등을 많이 찾는다. 매장 안쪽에는 각종 떡이 베이커리처럼 전시되어있다. 당일 제작 당일 판매의 원칙을 고수한다.

₩ 알밤모찌(3개 6천원, 8개 1만6천원), 부자떡(10개 1만3천원, 20개 2만7천원), 인절미(4천5백원), 흑임자인절미(5천원), 찰떡(5천2백원)

⏲ 08:00~19:00 – 명절 휴무

🔍 충남 공주시 용당길 11(산성동)

☎ 041-854-5454 Ⓟ 불가

삼부자손두부집 두부 | 닭백숙
직접 만든 손두부 맛이 좋은 곳. 고소한 모두부는 묵은지와 함께 먹으면 그 맛이 일품이다. 간을 하지 않고 뚝배기에 끓여낸 순두부는 양념간장을 넣어 먹는다. 얼큰한 요리를 맛보고 싶다면 두부버섯전골이나 두루치기를 주문하는 것이 좋으며 든든한 닭백숙도 맛볼 수 있다.

₩ 두부, 순두부, 청국장(각 8천원), 두부두루치기(1만6천원), 제육볶음(2만5천원), 능이두부전골(3만원), 닭볶음탕(5만원), 능이닭백숙(6만원), 오리백숙(6만5천원)

⏲ 09:00~20:00 | 토, 일요일 08:30~20:00 – 두번째, 네번째 수요일 휴무

충남 공주시 반포면 동학사1로 174
☎ 042-825-1533 Ⓟ 가능

새이학가든 소고기국밥

오랫동안 따로국밥을 해온 곳. 1947년 5일장에서 장터국밥을 팔기 시작한 것이 시초로, 현재는 넓은 좌석을 갖춘 대형 식당으로 발전했다.

₩ 공주국밥, 하얀국밥(각 1만1천원), 연잎밥정식(3인 이상, 1인 2만5천원), 국밥정식(3인 이상, 1인 2만5천원), 버섯불고기(180g 1만5천원)
10:30~21:30 - 월요일, 명절 당일 휴무
충남 공주시 금강공원길 15-2(금성동)
☎ 041-855-7080 Ⓟ 가능

싸리골 게장 | 생선조림

간장게장, 갈치조림 등이 알려진 집. 반찬은 한정식집 수준으로 차려진다. 싸리골정식을 주문하면 갈치조림과 구이, 보리굴비를 모두 맛볼 수 있다. 행정 구역은 공주지만 대전에서 가까워 대전 사람도 많이 찾는다.

₩ 싸리골정식(2인 이상, 1인 3만5천원), 갈치조림, 갈치구이(1인 각 2만5천원), 간장꽃게장(1인 3만2천원), 보리굴비(1인 3만원)
11:30~21:00 - 명절 당일 휴무
충남 공주시 반포면 정광터1길 137
☎ 041-856-9300 Ⓟ 가능

어썸845 awesome845 카페

공주 계룡산 동학사로 올라가는 길목에 자리한 카페. 피자, 샌드위치, 안줏거리 등이 다양해 음료뿐만 아니라 간단한 식사를 즐기기에도 좋다. 3층 모두 전면 유리로 되어있어 계룡산을 바라보며 커피를 즐길 수 있다.

₩ 에스프레소, 아메리카노(각 5천원), 카페라테(6천원), 공주밤라테(7천5백원), 수제차(6천5백원~7천원), 고르곤졸라피자, 페퍼로니피자(각 1만9천원), 케이크(7천원)
10:00~22:00(마지막 주문 21:45) - 연중무휴
충남 공주시 반포면 동학사1로 209-8
☎ 042-822-5577 Ⓟ 가능

옛날배씨네집 장어 | 참게 | 민물매운탕

숯불장어구이와 참게탕 등을 전문으로 한다. 숯불에 구운 후 고추장 양념을 발라 한 번 더 구워 내오는 장어 맛이 일품이다. 테이블에 놓인 숯불화로에서 원하는 만큼 더 구워 먹는다. 쏘가리매운탕과 참게탕도 유명하다.

₩ 숯불장어구이(6만5천원), 참게탕, 새우탕, 메기매운탕(각 소 3만5천원, 중 4만5천원, 대 5만5천원), 빠가매운탕(소 4만원, 중 5만원, 대 6만원), 쏘가리매운탕(시가)
10:00~21:00 - 목요일 휴무
충남 공주시 반포면 창벽로 718 ☎ 041-852-7371 Ⓟ 가능

원진노기순청국장 청국장 | 돼지갈비

노기순 전통장 명인이 운영하는 청국장집. 구수한 청국장찌개와 한정식 못지 않은 맛깔스러운 반찬이 한상 가득 나오는 청국장정식이 대표 메뉴다. 짜지 않으면서도 구수한 국물 맛이 좋다. 돼지갈비와 새콤한 한우물회도 인기.

₩ 청국장정식(공기밥 1만3천원, 솥밥 1만5천원), 김치짜글이(2인분 이상, 1인분 공기밥 1만4천원, 솥밥 1만6천원), 한우물회(1만3천원), 소갈비(280g 3만5천원), 돼지갈비(250g 1만7천원)
11:00~15:00/17:00~20:00 - 월요일 휴무
충남 공주시 백미고을길 6(금성동)
☎ 041-855-3456 Ⓟ 가능

장순루 長順樓 일반중식

공주의 3대 짬뽕이라고 불리는 곳. 고추를 잔뜩 넣은 매운 고추짬뽕이 유명하다. 서울 광진구에 있는 장순루 주인장과는 친척지간이라고 한다.

₩ 짜장면(8천원), 짬뽕(1만원), 고추짬뽕(1만1천원), 탕수육(2만5천원), 고추잡채(3만5천원), 쟁반짜장(2만4천원)
11:00~16:00 - 월요일 휴무
충남 공주시 계룡면 마방길 5-12
☎ 041-857-5010 Ⓟ 가능

청양어죽 도리뱅뱅이 | 민물매운탕 | 어죽

충청도의 향토음식인 어죽을 맛볼 수 있는 곳. 개인 뚝배기에 나와 식사가 끝날 때까지 따뜻하게 먹을 수 있다. 민물새우, 감자, 애호박과 소면, 밥이 들어있다. 다른 민물고기 매운탕이나 도리뱅뱅이도 맛볼 수 있다.

₩ 어죽(9천원), 도리뱅뱅이, 민물새우매운탕(각 1만3천원), 잡고기매운탕, 메기매운탕(각 1만5천원)
11:00~21:00 - 화요일 휴무
충남 공주시 한적2길 37-20(금흥동)
☎ 041-881-6516 Ⓟ 가능

청운식당 일반중식

공주에서 짬뽕으로 유명한 집 중 하나다. 동해원, 진흥각과 함께 공주 3대 짬뽕집으로 꼽힌다. 얼큰한 국물 맛이 일품이다. 점심시간에만 영업하며 메뉴도 짜장면과 짬뽕뿐이다.

₩ 짬뽕(1만원, 곱빼기 1만1천원), 짜장면(7천원, 곱빼기 8천원)
10:40~14:40(마지막 주문 14:30) - 일요일 휴무
충남 공주시 의당면 의당로 321-8
☎ 041-853-8314 Ⓟ 가능

황해도전통손만두국 만두

손으로 직접 밀어 쫄깃하면서도 부드러운 식감의 만두를 맛볼 수 있다. 냉동만두가 아닌 그날 만들어 손님 상에 내놓는 정성 가득한 만두다. 고추절임, 김치, 마늘종 등의 밑반찬도 깔끔하고

맛이 좋다. 만두가 소진되면 더 이상 장사를 하지 않는데, 보통 매장을 오픈하고 두 시간이면 동이 난다.

₩ 군만두(8천원), 만두백반, 만두전골(1인 9천원)
🕒 11:00~15:00/17:00~20:00 | 일요일 11:00~15:00 – 명절 휴무
🔍 충남 공주시 우금티로 744(옥룡동)
☎ 041-855-4687 Ⓟ 가능

충청남도 금산군

강변가든 어죽 | 도리뱅뱅이 | 민물새우

금강변 어죽거리에 있는 어죽집 중 하나. 어죽과 도리뱅뱅이가 주메뉴다. 어죽은 밥과 국수가 반 정도의 비율로 들어 있다. 민물새우튀김과 빠가사리매운탕 맛도 일품.

₩ 인삼어죽(2인 이상, 1인 8천원), 도리뱅뱅이, 인삼튀김, 새우튀김(각 1만2천원), 빠가사리매운탕(중 4만5천원, 대 5만5천원), 메기매운탕(중 4만원, 대 5만원)
🕒 10:30~18:30 – 연중무휴
🔍 충남 금산군 제원면 용화로 10 ☎ 041-752-7760 Ⓟ 가능

금산관광농원 어죽

빠가사리, 메기 등의 민물고기에 인삼을 넣은 인삼어죽을 맛볼 수 있다. 쌀, 국수, 수제비를 넣어 어죽을 끓이는 것이 특징. 얼큰하면서도 구수한 맛을 자랑한다.

₩ 인삼어죽(2인 이상, 1인 1만원), 도리뱅뱅이, 민물새우튀김(각 1만2천원), 빠가사리매운탕(중 5만원, 대 6만원), 인삼튀김(1만5천원)
🕒 11:00~19:00 – 수요일 휴무
🔍 충남 금산군 제원면 금강로 286-8
☎ 041-754-8388 Ⓟ 가능

명성각 일반중식

매운 짬뽕으로 소문난 중국집. 홍합, 오징어, 꽃게 등 해물이 푸짐하게 들어있는 얼큰하고 매운맛의 짬뽕 국물이 일품이다. 탕수육은 고기가 두툼하고 푸짐하면서 가격도 합리적이다. 주말에는 웨이팅이 있으나 회전율이 좋아 오래 기다리지 않는 편.

₩ 짜장(7천원), 짬뽕, 우동, 볶음밥, 짬뽕밥(각 9천원), 쟁반짜장(1만6천원), 탕수육(1만5천원), 국밥(2인 이상, 1인 9천원)
🕒 11:00~14:30 | 토, 일요일 11:000~18:30 – 월요일 휴무
🔍 충남 금산군 추부면 하마전로 64 ☎ 041-753-5549 Ⓟ 가능

원골식당 어죽 | 도리뱅뱅이

인삼어죽 전문점으로, 피라미, 꺽지, 쉬리, 쭈구리, 참마자 등 각종 민물고기를 뼈째 고아낸 육수에 된장을 풀고 인삼과 채소, 수제비를 넣어 다시 끓여 내온다. 프라이팬에 민물고기인 피라미를 빙 둘러 튀겨내 양념한 도리뱅뱅이는 맛이 고소하여 술안주로 좋다.

₩ 어죽(2인 이상, 1인 9천원), 도리뱅뱅이, 새우튀김(각 1만2천원), 인삼튀김(1만5천원)
🕒 11:00~20:00 | 동절기 11:00~19:00 – 명절 휴무
🔍 충남 금산군 제원면 금강로 588 ☎ 041-752-2638 Ⓟ 가능

인삼골식당 어죽

금산의 명물인 인삼을 넣어서 만든 어죽이 별미다. 어죽과 함께 먹기 좋은, 쌉싸름하면서도 고소한 인삼튀김도 인기 메뉴다.

₩ 인삼어죽(2인이상 9천원), 인삼튀김(1만5천원), 도리뱅뱅이, 새우튀김, 생선튀김(각 1만원)
🕒 11:00~18:00 – 연중무휴
🔍 충남 금산군 제원면 용화로 2 금강수석민속품전시판매장
☎ 041-752-7516 Ⓟ 가능

저곡식당 어죽 | 도리뱅뱅이

금산의 명물인 인삼어죽과 도리뱅뱅이를 맛볼 수 있는 곳. 금강변에서 잡은 민물고기를 고아서 끓이며 인삼의 고유한 향이 잘 느껴진다. 파김치, 물김치, 나박김치, 고들빼기김치 등의 맛도 뛰어나다. 50년 넘는 역사를 자랑한다.

₩ 인삼어죽(9천원), 도리뱅뱅이, 생선튀김(각 1만원), 새우튀김(1만2천원)
🕒 11:00~18:00 – 격주 월요일 휴무
🔍 충남 금산군 제원면 금강로 286 ☎ 041-752-7350 Ⓟ 가능

충청남도 논산시

고향식당 도가니탕

40여 년간 한우 도가니만을 사용해온 도가니탕집. 도가니를 잔뜩 넣은 도가니탕은 국물 맛이 진하고 씹히는 맛이 살아 있다. 도가니 수급이 쉽지 않아 재료가 금방 떨어지기 때문에 일찍 방문하는 것이 좋다.

₩ 도가니탕(1만9천원)
🕒 11:00~14:00 – 일요일 휴무
🔍 충남 논산시 연산면 선비로 317 ☎ 041-735-0407 Ⓟ 가능

대둔산양촌한우타운 소고기구이 | 소갈비 | 육회

한우영농조합원이 손수 키운 소를 직접 공급하기 때문에 저렴한 가격에 한우를 맛볼 수 있는 곳이다. 1층에서 고기를 구입한 뒤 2층으로 들고 가서 먹으며 구워 먹는 비용은 고기 100g당 1천 원이다. 실한 갈비가 3대 들어간 갈비탕도 먹을 만하다.

₩ 한우(시가), 상차림비(100g당 1천원), 우족도가니탕(1만2천원), 한우탕, 설렁탕, 내장탕(각 1만원)

⏲ 10:30~21:30(마지막 주문 20:30) – 명절 휴무
🔍 충남 논산시 양촌면 황산벌로 478 ☎ 041-741-0838 Ⓟ 가능

만복정 한정식

전통 한옥으로 된 실내에서 한상 가득 차려지는 깔끔한 한정식을 받아볼 수 있는 곳이다. 비교적 합리적인 가격으로 한정식을 즐길 수 있어 인기가 많다. 잘 꾸민 정원이 운치를 더한다.

₩ 만복정식(3만3천원), 란정식(4만3천원)
⏲ 11:20~15:00/17:00~21:00 – 화요일 휴무
🔍 충남 논산시 상월면 대촌4길 81 ☎ 010-8802-5054 Ⓟ 가능

소나무한정식 Pine tree korean restaurant 한정식

한옥에서 조용하고 고급스럽게 즐기는 한정식 전문점. 전반적으로 음식이 자극적이지 않고 정갈하다. 입구에서부터 운치 있는 소나무와 한옥이 고즈넉한 느낌을 준다. 2층 룸에서는 가족이나 모임이 식사하기 좋다. 한정식 코스는 2인 이상부터 주문이 가능하다.

₩ 국화한정식(1인 2만5천원), 백합한정식(1인 3만5천원), 소나무한정식(1인 4만5천원), 주말공휴일정식(1인 4만원)
⏲ 11:30~15:00(마지막 주문 14:00)/17:00~20:00(마지막 주문 19:00) – 수요일, 명절 휴무
🔍 충남 논산시 논산대로 357(취암동)
☎ 041-735-7191 Ⓟ 가능

소나무한정식

신풍매운탕 민물매운탕

식당 앞에 펼쳐진 저수지를 바라보며 식사할 수 있는 곳. 얼큰한 매운탕을 맛볼 수 있으며 곁들여 나오는 반찬도 정갈하다.

₩ 참게탕(소 4만5천원, 중 5만5천원, 대 6만5천원), 매운탕, 새우탕, 메기탕(각 소 3만5천원, 중 4만5천원, 대 5만5천원)
⏲ 11:30~20:00 – 화요일, 명절 휴무
🔍 충남 논산시 부적면 신풍길 84-15
☎ 041-732-7754 Ⓟ 가능

연산시장도토리묵 묵 | 묵밥

연산시장에서 도토리묵만 판매하다가 찾는 사람이 많아져 식당을 낸 곳. 대표 메뉴는 시원한 묵밥이며 도토리묵무침, 도토리해물파전 등을 곁들여도 좋다. 직접 도토리묵을 쑤는 모습도 볼 수 있다. 12~14시 사이에는 도토리묵 정식이 주문 가능하며 묵무침, 도토리해물파전, 홍어무침보쌈 등이 함께 나온다.

₩ 묵밥, 묵냉채(각 9천원), 묵무침(1만3천원), 도토리파전(1만6천원), 도토리묵정식(2인 이상, 1인 1만5천원)
⏲ 10:00~20:00 – 명절 휴무
🔍 충남 논산시 연산면 연산4길 10-5
☎ 041-735-1080 Ⓟ 불가

원조연산할머니순대 순대 | 순댓국

신선한 돼지 선지로 만든 순대를 맛볼 수 있는 곳. 맑고 담백하게 끓인 국물에 내장, 순대 등이 푸짐하게 들어간 순대국밥의 맛도 일품이다.

₩ 따로국밥(1만원), 순대국밥(9천원), 순대(소 1만원, 중 1만5천원, 대 2만원)
⏲ 08:00~14:30/15:00~19:30 – 연중무휴
🔍 충남 논산시 연산면 황산벌로 1525 ☎ 041-735-0367 Ⓟ 가능

은진손칼국수 칼국수

메뉴는 손칼국수밖에 없으며 여름에는 콩국수도 한다. 멸치로 국물을 낸 육수가 시원하다. 점심때는 줄을 서야 할 정도로 인기가 있다.

₩ 칼국수(6천원, 곱빼기 7천원), 콩국수(8천원, 곱빼기 9천원)
⏲ 11:30~18:30 – 일요일 휴무
🔍 충남 논산시 은진면 매죽헌로25번길 8
☎ 041-741-0612 Ⓟ 가능

지산농원 오골계 | 닭백숙

큰 규모로 오골계를 양식하는 데 성공한 곳. 한방에 쓰이는 약재들과 더덕, 대추, 마늘, 고추를 넣어 푹 찐 오골계황기탕은 보양식으로도 좋다. 방문 전에 예약해야 한다.

₩ 오골계황기탕(3만5천원), 오골계황기보탕(2만5천원)
⏲ 11:00~20:00 – 월요일 휴무
🔍 충남 논산시 연산면 화악길 70
☎ 041-735-0707 Ⓟ 가능

평매매운탕 민물매운탕 | 참게

충청도 일대에서 가장 큰 저수지인 탑정저수지 인근에 있는 매운탕집. 대표 메뉴는 참게매운탕이다. 참게를 넣고 얼큰하게 팔팔 끓인다. 여기에 가을에 말려둔 무시래기와 민물새우, 우렁을 함께 넣어 시원한 맛을 더한다.

₩ 참게매운탕, 섞어매운탕(각 소 4만원, 중 5만원, 대 6만원, 특대 7만원), 새우매운탕, 메기매운탕(각 소 3만원, 중 4만원, 대 5만원, 특

대 6만원), 붕어찜(1인 1만7천원), 공기밥(1천원)
⏲ 11:00~15:00/17:00~20:00(마지막 주문 19:00) – 화요일 휴무
🔍 충남 논산시 가야곡면 산노1길 89-21
☎ 041-741-0926 Ⓟ 가능

황산옥 생선회 | 웅어 | 복

3대에 걸쳐 90년 이상 영업을 해오고 있다. 1층은 주차장, 2층은 식당, 3층은 횟집, 4층은 연회장으로 구성된 규모가 큰 식당이다. 새콤달콤한 양념이 별미인 우어(웅어)무침이 일품이다. 깊은 국물맛이 훌륭한 황복탕도 인기 메뉴다.

Ⓦ 황복탕(4만5천원), 생복탕(3만원), 복탕(1만7천원), 아귀찜(소 4만5천원, 대 6만원), 우어무침(4만5천원 특 5만5천원), 장어구이(반판 3만원, 한판 6만원)
⏲ 10:30~20:30(마지막 주문 20:00) – 연중무휴
🔍 충남 논산시 강경읍 금백로 34
☎ 041-745-4836 Ⓟ 가능

충청남도 당진시

게눈감추듯 게장

당진에서 맛있기로 손꼽히는 간장게장 전문점. 김치전, 청국장 등의 반찬도 맛깔스럽게 나온다. 밥은 솥밥으로 나오기 때문에 도착하기 전에 미리 예약하는 것이 좋다.

Ⓦ 간장게장(1인 3만5천원)
⏲ 11:00~15:00/17:00~20:00 – 첫째, 셋째 주 일요일 휴무
🔍 충남 당진시 송악읍 안섬포구길 24-4
☎ 041-356-0036 Ⓟ 가능

길손가든 오리 | 오리백숙 | 오리불고기

오리훈제, 오리백숙, 오리 생구이, 주물럭 등을 맛볼 수 있는 오리요리 전문점. 오리 정식을 주문하면 오리 생구이, 주물럭, 훈제, 영양죽, 칼국수를 맛볼 수 있다. 오리탕과 오리백숙도 추천할 만하다. 내부 공간은 넓은 편이며, 매장 안쪽에 좌식 테이블방이 마련되어 있다.

Ⓦ 오리정식(4인 8만5천원 3인 6만7천원, 2인 4만5천원), 오리훈제, 오리백숙(각 7만원), 오리생구이, 오리주물럭(각 6만5천원), 오리탕(6만7천원)
⏲ 11:00~14:30/16:30~21:00 – 화요일 휴무
🔍 충남 당진시 합덕읍 예덕로 187
☎ 041-362-5686 Ⓟ 가능

등대횟집 실치 | 생선회

갓 잡은 실치를 회로 내거나 시금치와 된장을 넣고 끓여낸다. 실치회는 얇게 썬 채소와 초장을 넣어서 비벼 먹는다. 실치 철이 아닐 때는 다른 횟감을 맛볼 수 있다.

Ⓦ 광어회, 우럭회(각 6만5천원), 산낙지(시가), 멍게(3만5천원), 실치회(중 4만원, 대 5만5천원), 매운탕(중 5만5천원, 대 6만원)
⏲ 07:00~21:00 – 연중무휴
🔍 충남 당진시 석문면 장고항로 301
☎ 041-353-0261 Ⓟ 가능

로드1950 ROAD 1950 브런치카페 | 카페

이국적인 분위기를 느낄 수 있는 오션뷰 카페. 미국 여행 온 듯한 분위기를 연출한다. 다양한 베이커리와 브런치도 맛볼 수 있으며, 야외테라스에 앉아 경치 구경하기도 좋다.

Ⓦ 로드1950버거, 올데이브런치(각 1만9천5백원), 슈림프버섯크림파스타(2만2천원), 바비큐폭립(3만6천원), 수비드돈마호크(4만5천원), 1950아인슈페너, 해나루쌀크림라테, 애플시나몬라테(각 9천5백원)
⏲ 10:30~21:00 | 브런치 10:30~15:00/16:00~21:00(마지막 주문 19:00) – 연중무휴
🔍 충남 당진시 신평면 매산로 170
☎ 041-363-1950 Ⓟ 가능

미당면옥 평양냉면

한정식집 미당이 냉면과 수육을 전문으로 하는 미당면옥으로 다시 시작한다. 돼지고기로 만든 제육과 소고기로 만든 수육을 구분해서 팔고 있는 것이 특징. 푸른 청보리밭이 창너머로 펼쳐지는 뷰가 아름답다. 정원은 산책 코스로도 인기가 있다.

Ⓦ 미당면상(1만8천원, 선착순 20상 한정), 순메밀평양물냉면, 순메밀비빔냉면(각 1만3천원), 순메밀들기름냉면(1만2천원), 한우맑은곰탕(1만3천원), 평양식만두(8천원), 제육(2만7천원), 한우수육(3만원)
⏲ 11:00~19:30(마지막 주문 19:00) – 둘째, 넷째 주 금요일 휴무
🔍 충남 당진시 합덕읍 합덕대덕로 502-22
☎ 041-362-1500 Ⓟ 가능

석문명가 삼계탕 | 닭백숙

100년 넘은 기왓집에서 오리와 닭 백숙을 맛볼 수 있는 곳. 정원도 잘 꾸며두어 고풍스럽다. 한방 재료를 넣고 끓여 고기와 국물 맛이 좋다. 남은 국물에는 죽도 해 먹을 수 있다.

Ⓦ 한방옻오리백숙(한마리 9만원), 한방오리백숙(한마리 8만원), 오리주물럭(한마리 5만8천원, 한마리반 8만5천원, 반마리 2만9천원), 오리훈제(5만8천원)
⏲ 11:00~21:00 – 일요일 휴무
🔍 충남 당진시 석문면 다리들길 19
☎ 0507-1319-6768 Ⓟ 가능

용왕횟집 생선회 | 실치

실치회로 유명한 집. 실치는 3월 중순부터 4월 중순까지만 회로 맛볼 수 있다. 오이, 깻잎, 미나리, 양배추, 당근 등의 채소를 썰어 넣어 초고추장에 버무려 먹고 남은 양념에는 밥을 비벼 실치된장국과 먹는다. 실치회를 맛볼 수 없는 시기에는 자연산 도다리, 광어, 놀래미 등을 낸다.

Ⓦ 회스페셜(15만원), 활어회(소 6만원, 중 10만원 대 12만원), 실치회(중 4만원, 대 5만원), 주꾸미샤부샤부(7만원), 우럭매운탕(6천원)
Ⓛ 07:00~22:00 – 연중무휴
Q 충남 당진시 석문면 장고항로 308
☎ 041–352–4649 Ⓟ 가능

장수꽃게장 게장 | 꽃게

꽃게장이 맛있는 집으로 현지인에게 많이 알려져 있다. 양파, 대파, 청양고추 등을 넣은 채소 육수와 까나리액젓, 간장 등을 이용해 간장게장을 담근다. 채소 육수가 많이 들어가 게장이 짜지 않은 것이 특징이다. 이외에도 꽃게탕, 꽃게찜, 꽃게범벅 등 다양한 꽃게 요리를 선보인다.

Ⓦ 꽃게장(1인 2만9천원), 꽃게무침(3만원), 꽃게탕(소 5만8천원, 중 6만8천원, 대 7만8천원), 꽃게찜, 낙지볶음(각 시가)
Ⓛ 11:00~15:00/17:00~21:00 – 둘째, 넷째 주 월요일 휴무
Q 충남 당진시 당진중앙2로 344(원당동)
☎ 041–355–3014 Ⓟ 가능

제일꽃게장 게장

슴슴한 꽃게장 맛이 일품인 곳. 태안 안흥항에서 잡힌 알이 꽉 찬 암게로 간장게장을 담근다. 게다리를 잘 발라먹은 후 게딱지에 밥을 넣고 비벼, 커다란 김에 싸 먹는다.

Ⓦ 게장백반(1인 3만원), 꽃게탕(소 5만원, 중 6만7천원, 대 8만원)
Ⓛ 11:00~21:30(마지막 주문 20:30) – 명절 휴무
Q 충남 당진시 백암로 246(채운동)
☎ 041–353–6379 Ⓟ 가능

제일꽃게장

주희네칼국수 칼국수

직접 뽑은 면으로 만드는 바지락칼국수가 맛있는 집이다. 싱싱한 바지락을 사용하여 국물이 담백하고 맛이 좋다. 해물파전도 별미다.

Ⓦ 바지락칼국수, 얼큰이칼국수, 들깨수제비(각 1만원), 해물파전(1만7천원), 왕만두(8천원)
Ⓛ 11:00~14:00/17:00~20:00(마지막 주문 19:00) – 월요일 휴무
Q 충남 당진시 송산면 유곡1길 21–10
☎ 041–354–0312 Ⓟ 가능

카페피어라 Piora 카페 | 베이커리

넓은 정원과 청보리밭으로 유명한 전망좋은 카페. 디저트 종류도 여러 가지 갖추고 있다. 봄에는 벚꽃, 초여름에는 청보리가 아름답다. 차 한잔 하고 산책하기 좋은 관광 코스이기도 하다. 미당면옥에서 함께 운영하고 있다.

Ⓦ 할머니크림블크림라테(7천5백원), 아메리카노(6천원), 카페라테(6천5백원), 밀크티, 주스(각 7천원), 피어라에이드(7천5백원), 레몬케이크, 그린티케이크(각 6천8백원), 할머니당근케이크, 클래식초코케이크(각 7천5백원)
Ⓛ 10:30~20:00(마지막 주문 19:30) – 연중무휴
Q 충남 당진시 합덕읍 합덕대덕로 502–24
☎ 041–362–9900 Ⓟ 가능

충청남도 보령시

갱스커피 gang's coffee 카페

옛 탄광목욕탕이었던 건물을 개조해 만든 카페로, 요즘 인기를 끌고 있다. 병에 담아 판매하는 밀크티가 특히 인기다. 작은 도랑에 나 있는 돌다리를 건너면 입구로 이어진다. 독특한 분위기를 풍기며 산이 한눈에 내려다보이는 전망을 자랑한다.

Ⓦ 아메리카노(6천원), 카페라테(7천원), 노을에이드, 밀크티(8천원)
Ⓛ 10:00~20:00(마지막 주문 19:00) – 연중무휴
Q 충남 보령시 청라면 청성로 143
☎ 041–931–9331 Ⓟ 가능

김가네사골수제비 수제비

40년 넘게 수제비를 전문으로 해온 집. 사골 국물에 수제비를 끓이는 것이 특징이다. 국물 맛이 담백하면서도 개운하다. 잘 익은 배추김치와 무짱아찌가 수제비와 잘 어울린다. 재료 소진 시 조기 영업 종료하니 참고 할 것.

Ⓦ 사골수제비(9천원), 김치수제비(1만원), 도가니사골수제비(1만3천원), 물만두(6천원)
Ⓛ 09:30~14:00(마지막 주문 13:30) – 화, 수요일 휴무

🔍 충남 보령시 석서1길 57(신흑동)
☎ 041-934-4706 Ⓟ 가능

대전횟집 간자미 | 생선회

오천항의 별미 간자미를 맛볼 수 있는 곳. 간자미회무침을 먹은 후 냉면사리를 추가해 말아 먹거나 간자미회냉면을 시켜 맛보는 것도 좋다.

₩ 간자미무침(중 5만원, 대 6만원), 매운탕(소 4만원, 중 5만원, 대 6만원)
🕒 10:00~22:00 – 명절 당일 휴무
🔍 충남 보령시 오천면 소성안길 2
☎ 041-932-4188 Ⓟ 가능

두발횟집 생선회

자연산 회가 유명한 곳으로, 세 시간 숙성한 회를 맛볼 수 있다. 회정식을 주문하면 모둠회와 함께 굴, 조개, 생선구이 등이 계속 나오고 식사로는 김밥을 말아준다. 마지막에 나오는 전복죽의 맛이 별미다. 메뉴는 코스 한 가지며 예약제로만 운영된다. 횟집 거리 뒤편에서 단골 위주로 장사하다 유명해진 집이다.

₩ 모둠회코스요리(1인 5만원, 2인 11만원)
🕒 12:00~15:00/17:00~21:00 | 금, 토요일 12:00~15:00/17:00~21:30 | 일요일 12:00~15:00/17:00~19:30 – 월요일 휴무(월요일이 공휴일인 경우 정상 영업, 화요일 휴무)
🔍 충남 보령시 해수욕장4길 140(신흑동)
☎ 041-934-6940 Ⓟ 가능

먹쇠네굴집 굴

합리적인 가격에 굴과 바지락이 들어간 해물 칼국수와 알이 큰 굴이 듬뿍 들어간 굴찜을 맛볼 수 있다. 칼국수와 굴찜 둘 다 양이 상당하며, 싱싱한 굴만 사용해 비리지 않다.

₩ 굴찜(작은솥 4만5천원, 큰솥 5만원), 가리비찜(변동), 소라찜(변동), 낙지탕탕이(변동), 해물칼국수(1만원), 닭발편육한접시(1만원), 생굴한접시(2만원)
🕒 11:00~20:00 – 연중무휴
🔍 충남 보령시 천북면 홍보로 117
☎ 041-641-6200 Ⓟ 가능

삼대냉면 물냉면

50여 년간 냉면 하나로 승부하는 집. 한우사골, 양지, 다시마, 엄나무, 헛개나무, 표고버섯, 디포리 등 15가지 재료와 함께 끓여 닭육수와 혼합하여 깊은 맛을 낸다. 면을 먹는 중간에 육수를 마시면 더욱 진한 냉면 맛을 느낄 수 있다.

₩ 물냉면(7천원), 비빔냉면(8천원), 떡갈비(4천원)
🕒 11:00~16:00 – 연중무휴
🔍 충남 보령시 청라면 냉풍욕장길 6
☎ 041-932-8280 Ⓟ 가능

시월애 카페

해안 절벽 위에 자리한 전망 좋은 카페 겸 레스토랑. 갓 볶아낸 원두로 만든 커피를 즐길 수 있으며, 각종 차 외에 식사도 가능하다. 한쪽 면이 통 유리창으로 되어 있어 바다가 내려다보여 낙조를 감상하기에 최적이다.

₩ 아메리카노, 에스프레소(각 5천원), 카페라테(6천원), 생과일주스(8천원~9천원), 와플, 케이크(각 5천원)
🕒 11:00~21:00 – 연중무휴
🔍 충남 보령시 천북면 홍보로 1061-166 동양관광휴양지
☎ 041-641-0240 Ⓟ 가능

오양손칼국수 비빔국수 | 칼국수

비빔국수와 칼국수가 유명한 곳으로, 직접 만드는 육수와 면의 맛이 뛰어나다. 별미로 통하는 비빔국수는 납작한 그릇에 채소와 양념장이 푸짐하게 나오는 모습이 독특하다. 인심이 좋아 양도 넉넉하다.

₩ 오징어키조개칼제비(2인 이상, 1만3천원), 비빔오징어키조개칼제비(2인 이상, 1인 1만4천원), 콩국수(1만2천원), 갑오징어한접시(350g 1만5천원), 만두(7천원)
🕒 10:30~15:00/16:00~19:00 – 월요일 휴무(공휴일인 경우 정상영업)
🔍 충남 보령시 오천면 소성안길 55
☎ 041-932-4110 Ⓟ 가능

우리횟집 생선회

우럭, 광어 등 신선한 회를 맛볼 수 있다. 회만 먹을 수도 있으며, 갖가지 찬을 곁들여 코스로도 즐길 수 있다. 회를 뜨고 남은 것으로 매운탕을 끓여준다.

₩ 회덮밥(1만2천원), 특회덮밥(1만5천원)
🕒 10:00~15:00 – 일요일 휴무
🔍 충남 보령시 오천면 오천해안로 782-12
☎ 041-932-4055 Ⓟ 가능

우유창고 카페

창고를 개조하여 만든 체험형 카페. 아이스크림 만들기, 버터 만들기 등 유기농 보령우유 체험이 가능한 곳이다. 목장에서 직접 생산한 우유로 음료를 제조하며, 저지방과 무지방, 오리지널 우유 중에 선택할 수 있다. 유기농 재료로 만든 디저트 종류와 호밀 발효종으로 만든 빵도 함께 선보인다. 우유팩 모양을 본딴 건물들이 재미있다.

₩ 우유아이스크림(4천3백원), 아메리카노(6천원), 목장크림라테(7천5백원), 카페라테(7천원), 우유창고빵(2천5백원)
🕒 11:00~19:00 – 연중무휴
🔍 충남 보령시 천북면 홍보로 574
☎ 041-642-5710 Ⓟ 가능

조개까는남자 생선회 | 조개구이

싱싱한 활어회와 조개구이를 맛볼 수 있는 곳. 유명 음식점과 호텔을 거친 요리사의 노하우와 자부심이 음식에서 느껴진다.

₩ 조개구이활어회세트(2인 10만원, 3인 13만원, 4인 16만원), 우럭, 광어(각 소 8만원, 중 12만원, 대 16만원), 도미, 농어(각 소 10만원, 중, 13만원, 대 16만원), 조개구이(소 6만원, 중 9만원, 대 12만원)

⏱ 11:00~04:30(익일) – 연중무휴

🔍 충남 보령시 해수욕장4길 16(신흑동)

☎ 041-932-8988 Ⓟ 가능

한울타리 생선구이

생선구이를 무한 리필할 수 있는 곳이다. 미리 구워 놓은 것이 아니라 주문하면 그 자리에서 굽기 시작한다. 메뉴는 2인 이상부터 주문이 가능하며, 인원수에 맞춰 주문해야 무한 리필이 가능하다.

₩ 한울타리특선(2인 이상, 1인 1만6천원), 부대찌개(2인 이상, 1인 9천원)

⏱ 11:00~14:00/17:00~20:00 – 월요일 휴무

🔍 충남 보령시 남대천로 51(대천동)

☎ 041-936-0996 Ⓟ 불가

황해원 일반중식

짬뽕과 짜장면 두 가지 메뉴만 전문으로 하는 곳. 짬뽕에는 돼지고기와 오징어가 푸짐하게 올라간다. 칼칼하면서도 깊은 국물 맛이 일품. 점심때만 영업한다.

₩ 짜장면(6천원), 짬뽕, 짬뽕밥(각 9천원)

⏱ 10:30~14:00 – 셋째 주 수요일 휴무

🔍 충남 보령시 성주면 심원계곡로 6 ☎ 041-933-5051 Ⓟ 가능

충청남도 부여군

구드래돌쌈밥 쌈밥 | 솥밥

부여의 구드래라는 동네에서 쌈밥으로 명성을 쌓은 집이다. 돌솥밥과 쌈밥이란 말을 줄인 돌쌈밥이 인기 있다. 돌쌈밥정식을 시키면 케일, 겨자잎 등 20가지 이상의 쌈 채소가 나오며 채소에 밥과 돼지고기 편육 또는 소불고기를 싸서 먹는다. 고기의 풍미와 채소의 신선함이 어우러져 훌륭한 맛을 자랑한다.

₩ 주물럭돌쌈밥(1인 2만원), 불고기돌쌈밥(1인 2만1천원), 돌쌈밥정식(2인 이상, 1인 2만6천원)

⏱ 11:00~21:00 – 연중무휴

🔍 충남 부여군 부여읍 나루터로 31

☎ 041-836-9259 Ⓟ 가능

구드래황토정 소갈비 | 소고기구이

한우 전문점으로, 한우 생등심을 참숯으로 구워 먹는다. 백제 문화와 역사를 자랑하는 부소산 자락에 한옥의 전통적인 분위기를 느낄 수 있으며 백마강을 끼고 있어 전망도 좋다.

₩ 특선모둠(140g 3만원), 스페셜(140g 4만원), 육회(200g 2만5천원), 육사시미(180g 일반부위 2만5천원, 특수부위 3만5천원)

⏱ 11:00~15:00/17:00~21:30 – 월요일 휴무

🔍 충남 부여군 규암면 백제문로 30

☎ 041-834-6263 Ⓟ 가능

나루터식당 장어 | 민물매운탕

50년 이상의 내력을 가진 집으로, 장어를 전문으로 하고 있다. 백마강에서 잡아올린 장어를 사용한 양념구이장어는 장어 특유의 비린내를 없애주는 양념장에 맛의 비결이 있다.

₩ 장어구이(2인이상 1인 3만9천원), 장어덮밥(1인 3만원), 보리굴비(2인 이상, 1인 3만3천원), 새우매운탕(소 6만원, 대 8만원)

⏱ 11:30~15:00/17:00~21:00(마지막 주문 20:00) – 월요일 휴무

🔍 충남 부여군 부여읍 나루터로 37

☎ 041-835-3155 Ⓟ 가능

산장식당 민물매운탕 | 장어

백마강 앞에 있는 매운탕 전문점이다. 쏘가리를 넣은 쏘가리 매운탕이 특히 인기다. 느끼하지 않은 담백한 맛의 장어구이도 별미로, 부담 없이 먹을 수 있어 여성이나 아이들도 많이 찾는다. 봄에 제철인 우어회도 별미로 통한다.

₩ 메기매운탕(소 4만5천원, 중 5만5천원, 대 6만5천원, 특대 7만5천원), 장어구이(1인 3만원)

⏱ 11:00~22:00 – 비정기적 휴무

🔍 충남 부여군 부여읍 사비로 11

☎ 041-835-3039 Ⓟ 가능

삼호식당 일반한식 | 산채비빔밥

무량사 앞에 있는 한식집. 식사를 시키면 정갈한 밑반찬이 열 종류 넘게 나온다. 표고버섯이 들어간 도토리묵이 독특하다. 집에서 담근 막걸리에 파전을 곁들이는 것도 좋다.

₩ 버섯전골(소 3만원, 중 4만원, 대 5만원), 파전, 우렁된장백반 (각 1만원)

⏱ 09:00~17:30 – 명절 당일 휴무

🔍 충남 부여군 외산면 무량로 190

☎ 041-836-5038 Ⓟ 가능

서동한우 소고기구이

숙성한 국내산 한우암소를 선보이는 곳. 다양한 부위의 한우를 비교적 합리적인 가격에 맛볼 수 있다. 고기를 시키면 육회와 간, 천엽이 기본으로 나온다. 참기름으로 양념한 고소한 육회의 맛이 특히 좋다.

₩ 서동명작(150g 9만9천원), 서동명품(150g 4만8천원), 서동사시미

(2만5천원)

⏲ 11:00~14:30/16:30~21:10 – 명절 휴무

🔍 충남 부여군 부여읍 성왕로 256

☎ 041-835-7585 Ⓟ 가능

충청남도 서산시

가야관 소고기구이 | 한정식

푸짐한 한정식과 한우를 맛볼 수 있는 곳. 돌판에 구워 먹는 한우의 맛이 일품이며 한정식도 정갈하게 나온다. 2층 건물에 8개의 별실이 따로 있어 가정집 같은 편안한 분위기다.

₩ 낮정식차림상(1인당 A코스 2만5천원, B코스 3만8천원), 저녁정식차림상(1인당 A코스 4만8천원, B코스 5만8천원), 간장게장차림상(3만5천원)

⏲ 11:30~21:30 – 명절 휴무

🔍 충남 서산시 명륜3길 24-35(읍내동)

☎ 041-667-6681 Ⓟ 가능

낙지한마당 낙지

박속낙지탕으로 유명한 곳. 박속, 감자, 양파, 고추 등을 넣어서 끓인 물에 낙지를 넣어 데쳐 먹는다. 낙지를 다 건져 먹은 후에는 칼국수를 넣어서 끓여 먹는데, 밀국낙지(산낙지)는 5월에서 7월까지만 맛볼 수 있다. 원두막에서 바다를 바라보며 먹는 맛이 일품이다.

₩ 산낙지(소 2만원, 중 4만원), 박속낙지, 낙지볶음(각 소 6만5천원, 중 8만원, 대 10만원)

⏲ 11:00~21:00 – 연중무휴

🔍 충남 서산시 지곡면 어름들2길 83

☎ 041-662-9063 Ⓟ 가능

맛동산 🎀 굴밥 | 간자미

견과류와 함께 굴을 넣어 짓는 영양굴밥은 담백한 맛이 일품이다. 굴밥에 넣는 굴은 겨울에 잡아서 급랭시킨 것을 사용하기 때문에 여름에도 영양굴밥을 즐길 수 있다. 굴밥 외에 갱개미(간자미) 무침도 맛볼 수 있다.

₩ 영양굴밥정식(1만5천원), 굴파전(1만5천원), 갱개미무침(3만원)

⏲ 10:00~17:00 – 연중무휴

🔍 충남 서산시 부석면 간월도1길 95-5

☎ 041-669-1910 Ⓟ 가능

맛있게먹는날 🎀 해물탕 | 주꾸미 | 새조개

서해안에서 잡은 싱싱한 해산물 요리를 맛볼 수 있는 곳. 해물탕은 낙지, 꽃게, 가리비 등 다양한 해산물이 푸짐하게 들어가며 새조개 사부샤부도 인기 메뉴다. 사부샤부를 먹고 남은 해물 육수에 라면을 끓여 먹거나 밥을 볶아 먹는다.

₩ 해물탕(중 5만5천원, 대 6만5천원), 간자미무침(3만5천원), 아나고볶음/탕, 주꾸미볶음/샤부, 새조개샤부, 낙지볶음/탕(각 시가)

⏲ 10:00~22:00 – 첫째, 셋째 다섯째 주 월요일 휴무

🔍 충남 서산시 시장2로 13(동문동)

☎ 041-665-9435 Ⓟ 불가

반도회관 🎀 한정식

50년 역사의 한정식집. 육류와 해물이 풍성하게 올라오는 서산의 밥상을 맛볼 수 있다. 서산의 명물인 어리굴젓을 비롯하여 조기, 오징어, 멍게, 낙지, 홍어 등 다양한 해산물과 산나물이 한 상 가득 차려진다.

₩ 육개장, 소머리국밥(각 1만원), 소머리내장탕(1만1천원), 찰솥육개장(1만2천원), 한정식(3인이상 A코스 1인 5만8천원, B코스 4만8천원), 2인 정식(2인 12만원)

⏲ 09:20~21:00 – 명절 당일 휴무

🔍 충남 서산시 홍안벌로 136

☎ 041-665-2262 Ⓟ 가능

산해별미 🎀 우럭

서해안의 별미인 우럭젓국을 전문으로 하는 곳. 우럭을 말렸다가 쪄내는 우럭포찜, 우럭포와 새우젓, 두부 등을 넣은 우럭젓국을 먹을 수 있다. 담백한 맛이 일품이다. 가격은 시장 상황에 따라 변동될 수 있다.

₩ 우럭젓국(소 2만8천원, 중 4만2천원, 대 5만5천원), 우럭포(5만5천원), 간장게장(3만원), 산해정식(4인 14만원)

⏲ 09:00~21:00 – 일요일 휴무

🔍 충남 서산시 대사동5로 10(동문동)

☎ 041-663-7853 Ⓟ 가능

삼기꽃게장 🎀 게장 | 꽃게

간장게장으로 유명한 집. 큼직한 꽃게에 짭짤하게 배어든 장맛과 게살을 파먹는 재미가 있다. 숙성이 잘 된, 짭짤한 스타일의 간장게장이다. 반찬으로 나오는 어리굴젓 맛도 일품이다.

₩ 간장게장(1인 2만8천원), 꽃게탕(2인 5만6천원)

삼기꽃게장

⌚ 11:30~16:00 – 첫째, 셋째 주 일요일, 명절 휴무
🔍 충남 서산시 고운로 162(동문동)
☎ 041-665-5392 Ⓟ 가능

삽교신창집 곱창전골 | 양곱창

곱이 가득 들어 있는 돼지곱창으로 유명한 집이다. 곱창의 씹는 식감이 특히 좋다. 곱창구이와 함께 얼큰한 국물의 곱창찌개도 별미로 통한다. 채소는 셀프바에서 무제한으로 리필 가능하다.

₩ 곱창구이(250g 1만4천원), 곱창찌개(소 3만원, 중 3만5천원, 대 4만천원), 볶음밥(2천원)
⌚ 10:00~22:30(마지막 주문 21:30) – 명절 당일 휴무
🔍 충남 서산시 한마음8로 64(석림동)
☎ 041-667-4120 Ⓟ 가능

소박한밥상 한정식

농가 한정식집으로, 직접 만든 장류를 사용하고 직접 재배하거나 국산 식재료만 사용하여 가마솥에 밥을 짓는다. 메뉴는 연잎밥정식, 쌀밥정식 두 가지며, 굴비, 수육, 연잎밥, 부추전 등을 추가할 수 있다. 고추장, 된장 등은 판매도 하고 있다. 점심만 영업하며 반드시 예약하고 찾아가야 한다.

₩ 연잎밥정식(1인 2만3천원), 쌀밥정식(1인 2만원), 참보리굴비(8천원), 수육(1만4천원), 연잎밥(5천원), 부추전(3천원)
⌚ 11:00~15:00 – 월요일 휴무
🔍 충남 서산시 인지면 애정길 150-22
☎ 010-8718-3826 Ⓟ 가능

수석가든 닭백숙 | 순두부

국산 콩을 사용하여 맛이 부드러운 순두부가 유명하다. 순두부가 나오는 구수한 맛의 보리밥도 인기 메뉴. 엄나무와 한약 재료를 넣고 푹 끓인 토종닭백숙도 추천할 만하다.

₩ 보리밥순두부된장(9천원), 두부전골(중 2만5천원, 대 3만2천원), 토종닭엄나무한방백숙, 토종닭볶음탕(각 6만5천원), 제육볶음(2인 이상, 1인 9천원)
⌚ 11:00~15:00/17:00~21:00 – 둘째, 넷째 주 일요일, 명절 휴무
🔍 충남 서산시 수석1길 173(수석동)
☎ 041-667-3563 Ⓟ 가능

안흥일품꽃게장 게장 | 꽃게

서산에서 꽃게장으로 유명한 곳이다. 꽃게는 그리 크지 않은 편이며 짜지 않은 양념이 괜찮다. 된장찌개에 조기찜, 열무김치, 김 등 반찬도 맛이 좋다.

₩ 간장게장정식(소 2만원, 중 2만8천원, 대 3만5천원), 양념게장정식(2만5천원), 꽃게탕(2인 7만원, 4인 8만5천원)
⌚ 10:00~21:00 – 명절 당일 휴무
🔍 충남 서산시 양열로 212(석남동) ☎ 041-681-8601 Ⓟ 가능

영성각 永盛閣 일반중식

얼큰하고 매운 짬뽕이 유명한 중식당. 해산물 등의 내용물도 충실하다. 탕수육도 옛날 맛을 간직하고 있으며 소스와 고기의 조화가 훌륭하다.

₩ 짜장(7천원), 짬뽕, 짬뽕밥(각 8천원), 탕수육(1만6천원), 팔보채(3만5천원)
⌚ 10:40~19:00 – 월요일, 명절 휴무
🔍 충남 서산시 해미면 남문1로 40-1
☎ 041-688-2047 Ⓟ 불가

용현집 민물매운탕 | 어죽

다양한 민물고기를 사용한 매운탕을 맛볼 수 있다. 서산에 오면 꼭 맛봐야 하는 어죽의 맛이 좋다. 양이 푸짐하게 나와 어죽 한 그릇으로 든든하게 식사를 할 수 있다.

₩ 어죽(2인 이상, 1인 8천원), 빠가사리매운탕(중 4만5천원, 대 5만5천원), 닭백숙(6만원)
⌚ 4~10월 11:00~17:00 | 토, 일요일 11:00~18:00 | 11~3월 11:00~15:00 | 토, 일요일, 공휴일 11:00~17:00 – 월요일, 명절 당일 휴무
🔍 충남 서산시 운산면 마애삼존불길 66
☎ 041-663-4090 Ⓟ 가능

원조부석냉면 물냉면

깔끔하고 산뜻한 육수 맛의 냉면을 전문으로 한다. 육수에 서산의 지역 특산물인 생강이 들어간 것이 특징. 부드러운 육수와 쫄깃쫄깃한 면발의 조화도 인상적이다. 돼지고기와 달걀 등 고명을 얹고 매콤한 양념장에 비벼 먹는 비빔냉면 맛도 괜찮다.

₩ 물냉면(8천원), 비빔냉면(9천원)
⌚ 09:00~17:00 – 명절 당일 휴무
🔍 충남 서산시 부석면 취평2길 15-10
☎ 041-662-4128 Ⓟ 가능

진국집 게국지

서산의 명물인 게국지 전문점. 게국지는 게장 국물에 김치, 황석어젓, 새우 등을 넣고 끓인 찌개를 말하는 것으로, 구수한 맛이 일품이다. 간이 약간 강한 편이지만 밥과 함께 먹으면 적당하다. 다양한 종류의 나물이 함께 나온다.

₩ 게국지백반(8천원), 게국지수육정식(1만5천원)
⌚ 08:30~21:00 – 명절 당일 휴무
🔍 충남 서산시 관아문길 19-10(읍내동)
☎ 041-665-7091 Ⓟ 불가

청원꽃게장 게장 | 우럭

꽃게장과 우럭젓국을 맛볼 수 있다. 우럭젓국은 말린 우럭으로 끓이는데, 말린 우럭은 북어보다 살이 많고 부드럽다. 여기에 고막을 넣고 새우젓으로 간을 해 칼칼한 국물 맛이 속을 달래는 네는 그만이다. 함께 나오는 10여 가지 밑반찬도 깔끔하다.

₩ 간장게장+보리굴비(4인 10만원), 보리굴비(1인 2만3천원), 돌솥정식, 우럭젓국(각 1만2천원)
⏲ 11:00~21:30 – 연중무휴
🔍 충남 서산시 율지8로 80(동문동) 한양빌딩
☎ 041-667-2012 Ⓟ 가능

큰마을영양굴밥 굴 | 굴밥

은행, 대추, 호두, 밤 등이 들어 있는 영양굴밥이 추천메뉴다. 밥을 덜어 먹은 후 솥에 뜨거운 물을 부어 숭늉을 만들어 먹는다. 메인 요리와 반찬 모두 양이 매우 푸짐하다.

₩ 영양굴밥, 바지락영양밥(각 1만7천원), 굴파전(2만원), 바지락무침, 간자미회무침(각 소 2만5천원, 대 3만5천원)
⏲ 09:00~19:30 – 연중무휴
🔍 충남 서산시 부석면 간월도1길 65
☎ 041-662-2706 Ⓟ 가능

향수가든 보리밥

보리밥정식을 시키면 삼삼한 맛의 나물과 다양한 종류의 싱싱한 쌈이 한가득 나온다. 보리밥에 나물을 비벼 쌈에 싸 먹는 맛이 일품이다. 같이 내는 비지찌개도 고소하다.

₩ 오리주물럭(소 3만5천원, 중 4만5천원, 대 5만5천원), 보리밥정식(2인 이상, 1인 1만원)
⏲ 11:20~22:00 – 명절 휴무
🔍 충남 서산시 해미면 관터로 43
☎ 041-688-3757 Ⓟ 가능

충청남도 서천군

서산회관 주꾸미 | 꽃게

매콤한 주꾸미철판구이가 별미다. 미나리가 푸짐하게 올라가며 남은 양념에 밥을 볶아 먹으면 맛있다. 이외에도 주꾸미샤부샤부, 꽃게탕, 우럭찌개 등도 선보인다.

₩ 주꾸미철판볶음(각 중 5만원, 대 6만원), 주꾸미샤부샤부, 꽃게탕, 우럭탕(각 6만원)
⏲ 10:00~20:00 – 명절 휴무
🔍 충남 서천군 서면 서인로 318
☎ 041-951-7677 Ⓟ 가능

유정식당 꽃게

깔끔한 맛의 꽃게살 비빔밥을 맛볼 수 있다. 꽃게무침이 꽃게살을 발라 만든 꽃게살 비빔밥인데, 깔끔한 양념에 살이 듬뿍 들어 있다. 청양고추가 듬뿍 들어가 매콤한 맛이 특징이다.

₩ 꽃게살무침, 붕장어구이(각 2인분 5만원)
⏲ 11:00~14:30/16:30~21:00 – 둘째, 넷째 주 화요일, 명절 당일 휴무
🔍 충남 서천군 장항읍 장서로29번길 24
☎ 041-956-5494 Ⓟ 불가(식당 바로 앞 공영 주차장 이용)

할매온정집 아귀

3대째 아귀 맛을 이어오고 있는, 서천에서 유명한 아귀 전문점이다. 서해안에서 잡아오는 생아귀만을 사용한다. 시원하면서도 얼큰한 국물과 아귀의 쫄깃쫄깃한 맛이 어우러져 맛이 좋고 비린내도 없다.

₩ 아귀찜(중 8만원, 대 12만원), 아귀탕(2인 이상, 1인 1만9천원, 특 2만2천원)
⏲ 10:30~15:00/17:00~20:30 – 월요일 휴무
🔍 충남 서천군 장항읍 장서로47번길 20
☎ 041-956-4860 Ⓟ 가능

해돋이회센타 전어 | 생선회

전어 축제로 유명한 서천에서 전어로 인기 있는 집이다. 2대째 내려오는 손맛이 일품. 전어를 잘게 썬 다음 갖은 양념과 채소로 버무린 전어무침, 전어 몸통에 칼집을 내어 구운 전어구이, 뼈째 썰어낸 전어회가 유명하다.

₩ 광어, 우럭(각 8만원), 농어, 놀래미(각 9만원), 주꾸미전골, 주꾸미볶음, 주꾸미무침(각 중 5만원, 대 6만원), 전어무침, 전어회(중 4만원 대 5만원, 계절요리)
⏲ 09:00~22:00 – 연중무휴
🔍 충남 서천군 서면 서인로 299
☎ 041-951-9803 Ⓟ 가능

충청남도 아산시

고려옥 설렁탕 | 곰탕

부드러운 고기가 듬뿍 들어간 진한 국물의 곰탕을 맛볼 수 있다. 함께 나오는 양념장에 고기를 찍어 먹거나 곰탕에 넣어 먹어도 맛이 좋다.

₩ 소머리곰탕(1만1천원), 진곰탕(1만3천원), 우족곰탕(1만8천원), 꼬리곰탕(2만원), 도가니탕(1만7천원)
⏲ 10:00~15:00/17:00~22:00(마지막 주문 21:30) – 연중무휴
🔍 충남 아산시 청운로 163(권곡동)
☎ 041-545-6254 Ⓟ 가능

길조식당 국수

호박국수가 유명한 곳. 애호박을 섞어서 만드는 면이 고소하고 쫄깃하다. 맛있는 국물에 호박 고명이 올라가 비주얼 또한 훌륭하다. 겨울에는 늙은호박, 여름에는 애호박으로 고명을 올린다. 식사 메뉴는 2인 이상부터 주문이 가능하다.

₩ 호박국수(7천원), 감자전(8천원), 홍어삼합(6만원)

⌚ 11:00~15:00(재료 소진 시 마감) – 일요일 휴무
🔍 충남 아산시 도고면 도고온천로 164-17
☎ 041-542-0370 Ⓟ 가능

메밀집 평양냉면

저온 보관한 신선한 통메밀을 자가제분하여 만든 메밀면으로 평양냉면을 선보인다. 담백하고 구수한 평양냉면 본연의 맛을 살리기 위해 식초는 뿌려 먹지 않는 것이 좋다. 직접 빚은 평양식 손만두를와 곁들 좋다.

₩ 평양냉면, 비빔냉면(각 1만1천원), 맑은곰탕(1만원), 튀김만두(5개 8천원), 수육(200g 2만3천원, 100g 1만2천원)
⌚ 11:30~16:00(마지막 주문 15:40) – 화요일 휴무
🔍 충남 아산시 탕정면 선문로254번길 159
☎ 041-541-2378 Ⓟ 가능

목화반점 일반중식

줄 서서 먹는 중국집. 매장 입구에서 대기 순서를 적으면 전화를 해준다. 촉촉하고 탱글한 면발과 바삭한 탕수육이 인기 비결인 곳. 탕수육은 소스가 부어서 나오기 때문에 따로 먹고 싶을 때는 미리 요청해야 한다. 주말에는 재료 소진이 빠른 편이니 일찍 가서 먹는 것 추천.

₩ 짜장면(7천원), 짬뽕(1만원), 간짜장(2인 이상, 1인 1만원), 볶음밥, 짜장밥, 잡채밥(각 1만원), 탕수육(소 2만3천원, 대 4만3천원), 류산슬, 양장피(각 5만원)
⌚ 11:00~18:00 – 월요일 휴무
🔍 충남 아산시 온주길 28-8(읍내동)
☎ 041-545-8052 Ⓟ 가능

밀터칼국수 칼국수

해물칼국수가 유명한 집. 인원수대로 칼국수를 주문하면, 사리를 무료로 추가할 수 있다. 새우, 게 등 해물이 풍부하게 들어가 있어 국물 맛이 칼칼하다.

₩ 칼국수(9천원), 녹두해물전(1만6천원), 미니족볶음(2만2천원), 도토리전병(7천원)
⌚ 10:00~14:30/17:00~20:00 – 금요일 휴무
🔍 충남 아산시 신창면 순천향로 43
☎ 041-532-1897 Ⓟ 가능

브릭빈커피로스터스
BRICK BEAN COFFEE ROASTERS 커피전문점

국가대표 황인규 바리스타의 커피를 맛볼 수 있는 카페. 다크초콜릿과 커피의 맛을 함께 느낄 수 있는 클라우드 쇼콜라, 화이트 초콜릿과 연유, 크림이 조화롭게 어우러진 퓨어스노우를 맛볼 수 있다. 브루잉 커피도 추천하는 메뉴.

₩ 클라우드쇼콜라, 퓨어스노우(각 7천5백원), 에스프레소, 아메리카노(각 4천원), 카페라테, 카푸치노(각 4천5백원), 브루잉커피(6천원~8천원)
⌚ 10:00~22:00(마지막 주문 21:30) – 월요일 휴무
🔍 충남 아산시 탕정면 탕정면로8번길 47-3
☎ 0507-1356-1034 Ⓟ 가능

소나무집 한정식

제대로 된 한정식집. 20여 가지의 밑반찬이 나오며 해마다 된장, 막장, 간장, 고추장을 비롯하여 김치, 장아찌 등을 모두 직접 담가서 사용한다.

₩ 무쇠솥영양밥정식(2만원), 소불고기정식(2만5천원), 불고기전골(1만5천원), 육회(3만5천원), 한정식(4만5천원)
⌚ 11:00~15:00/16:40~21:00(마지막 주문 20:00) | 토, 일요일 11:00~21:00(마지막 주문 20:00) – 연중무휴
🔍 충남 아산시 충무로97번길 16(권곡동)
☎ 041-547-9598 Ⓟ 가능

연춘식당 🎀 장어 | 닭구이

장어와 닭숯불구이로 유명한 곳으로, 3대째 운영하는 80년이 넘는 전통의 식당이다. 간장, 흑설탕, 마늘, 생강, 후추, 참깨, 물엿 등으로 생닭을 양념해서 숯불에 구워 먹는다. 바로 옆 호수 경치를 보면서 실외에서 식사를 즐길 수 있다. 밤나무, 전나무, 앵두나무, 배나무 등 수백 그루의 수목이 어우러져 있어 좋은 휴식처이기도 하다.

₩ 장어구이(한마리 3만3천원, 한판 9만9천원), 닭구이(한판 3만8천원), 닭고기야채볶음(중 4만원 대 4만5천원), 된장찌개(2천원)
⌚ 11:30~21:30(마지막 주문 21:00) – 월요일 휴무
🔍 충남 아산시 신정호길 67(득산동)
☎ 041-545-2866 Ⓟ 가능

염치정육점식당 🎀 소고기구이 | 육사시미 | 육회

선도와 질이 좋은 고기를 비교적 합리적인 가격에 먹을 수 있는 것으로 유명하다. 숯불구이가 아니라 철판에 우지를 녹인 후 구워 먹는 방식이다. 고기를 시키면 간장게장, 된장찌개 등 반찬도 10여 가지를 내어 준다.

₩ 꽃등심+특수부위(180g 5만원), 꽃등심(180g 4만원), 생등심(180g 3만3천원), 육회, 육사시미, 차돌박이(각 180g 3만원), 생삼겹살(180g 1만5천원), 육회비빔밥(1만원), 갈비탕(1만2천원)
⌚ 10:00~22:00 – 명절 휴무
🔍 충남 아산시 염치읍 염성길 110
☎ 041-542-2768 Ⓟ 가능

큰고개정육점식당 🎀 소고기구이 | 육사시미 | 육회

아산온천 인근에서 이름난 정육점 식당 중 하나. 직접 소를 기르기 때문에 고기 질이 상당히 좋다. 가스불에 구워먹는 한우 맛이 일품이다.

₩ 고등심(150g 6만원), 생등심(150g 4만3천원), 육사시미, 육회(각 150g 3만8천원), 차돌박이(150g 3만5천원), 삼겹살(150g 1만6천원), 육회비빔밥(1만5천원), 육개장(1만2천원)

⏲ 10:00~21:30 – 연중무휴
🔍 충남 아산시 염치읍 염성길 107
☎ 041-541-3391 Ⓟ 가능

평양면옥 평양냉면 | 함흥냉면

평양냉면 전문점으로, 한우사골과 뼈로 국물을 내며 잘 삶은 고기와 오이, 삶은 달걀 등이 고명으로 올라간다. 비빔냉면은 함흥냉면식으로 나오는 것이 특징. 노릇하게 구운 녹두부침을 곁들여도 좋다.

₩ 평양냉면, 함흥냉면(각 1만원), 녹두부침(1만6천원)
⏲ 11:00~16:00 – 월요일 휴무
🔍 충남 아산시 온천대로 1420-1(온천동)
☎ 041-546-0092 Ⓟ 가능

충청남도 예산군

고덕갈비 소갈비

연탄불에 구워 먹는 한우소갈비 맛이 일품이다. 갈빗대가 통째로 붙어 나오며 특제 양념과 고기의 조화도 훌륭하다. 저녁때는 고기가 일찍 떨어질 수 있으므로 확인해야 한다.

₩ 한우갈비(2인씩 주문 가능, 250g 4만원), 비빔냉면(7천원), 소면, 물냉면(각 6천원)
⏲ 11:00~20:00(마지막 주문 19:20) – 명절 휴무
🔍 충남 예산군 덕산면 덕산온천로 371-8
☎ 041-337-8700 Ⓟ 가능

동가룰가든 민물매운탕

예당저수지에서 잡은 민물고기로 만든 매운탕과 어죽을 맛볼 수 있다. 넉넉한 양의 어죽은 물고기를 갈아 양념과 소면을 넣는 것이 특징. 일부러 찾아오는 손님으로 북적인다.

₩ 어죽(1인 1만원), 빠가사리매운탕, 메기탕, 붕어찜, 메기찜(각 소 4만원, 중 5만원, 대 6만원)
⏲ 09:00~19:00(마지막 주문 18:30) | 토, 일요일 09:00~15:00/16:00~19:00(마지막 주문 18:30) – 연중무휴
🔍 충남 예산군 대흥면 예당긍모로 358-27
☎ 041-334-9988 Ⓟ 가능

뜨끈이집 선지해장국

선지해장국이 유명한 집이다. 모든 탕의 육수는 한우 사골로 맛을 낸다. 시래기가 듬뿍 들어가 있으며 선지가 넉넉하게 따로 나온다. 이외에 꼬리곰탕, 도가니탕, 수육 등도 맛볼 수 있다.

₩ 해장국(1만원), 곰탕(1만2천원), 양곰탕(1만4천원), 도가니탕(1만9천원), 우족탕(1만7천원), 꼬리곰탕(2만3천원)
⏲ 06:00~15:30/17:00~20:30(마지막 주문 19:40) – 수요일, 명절 당일 휴무
🔍 충남 예산군 덕산면 덕산온천로 331-6
☎ 041-338-3993 Ⓟ 가능

산마루가든 어죽 | 민물매운탕 | 민물새우

예당저수지의 댐 정상에 있어 전망이 아주 좋으며 민물고기를 사용한 어죽으로 유명하다. 걸쭉하게 끓인 어죽과 칼칼한 메기매운탕이 대표 메뉴며 민물새우탕도 별미다.

₩ 어죽(기본 9천원, 곱빼기 1만원), 새우매운탕, 메기매운탕(각 소 3만5천원, 중 4만5천원, 대 5만원)
⏲ 09:30~19:10 – 월요일, 명절 휴무
🔍 충남 예산군 대흥면 예당긍모로 406
☎ 041-334-9235 Ⓟ 가능

삼우갈비 소갈비 | 갈비탕

예산에서 갈비로 유명한 집 중 하나. 주문하면 갈비가 구워져 나온다. 갈비 양념이 잘 배어 있어 맛이 좋다. 굴탕은 굴을 차가운 물에 넣고 양념장을 푼 것으로, 시원한 국물 맛을 자랑하며 해장에 좋다.

₩ 갈비(200g 4만4천원), 갈비탕(1만7천원), 굴탕(3만5천원), 설렁탕(9천원)
⏲ 11:30~14:00/17:00~20:00 – 연중무휴
🔍 충남 예산군 예산읍 임성로23번길 8
☎ 041-335-6230 Ⓟ 가능

소복갈비 소갈비

예산에서 손꼽히는 갈비 전문점. 입구의 큼직한 화덕에 숯불을 피워 놓고 갈비를 구워 낸다. 양념갈비가 주메뉴다. 참숯불에 구운 갈비를 돌판에 담아 낸다.

₩ 한우생갈비(250g 1인 5만2천원), 한우양념갈비(250g 4만4천원), 갈비탕(1만7천원), 설렁탕(9천원), 물냉면, 국수(각8천원), 비빔냉면(9천원), 굴회(소 1만9천원, 대 3만4천원)
⏲ 11:00~14:00/17:00~19:00 – 연중무휴(재료 소진 시 마감)
🔍 충남 예산군 예산읍 천변로195번길 9
☎ 041-335-2401 Ⓟ 가능

소복갈비

신창집 곱창전골 | 돼지곱창

돼지곱창으로 유명한 곳이다. 양념이 거의 되어 있지 않지만, 돼지 특유의 냄새가 나지 않고 부드럽다. 양념 없이 통마늘과 같이 굽는 것이 특징. 반찬으로 나오는 묵은지와 곁들여도 깔끔하고 좋다. 얼큰한 곱창전골도 인기 메뉴다. 삽다리곱창의 원조집이며, 60여 년의 전통을 자랑한다.

₩ 곱창구이(500g 2만4천원), 곱창찌개(소 2만5천원, 중 3만원, 대 3만5천원)
🕒 11:00~21:00(마지막 주문 20:00) – 연중무휴
🔍 충남 예산군 삽교읍 삽교로4길 7-9
☎ 041-338-2357 Ⓟ 가능

입질네어죽 어죽 | 민물매운탕

어죽은 붕어, 피라미 등 잡고기를 푹 삶아서 뼈를 골라낸 후 고추장 양념을 하여 국수와 쌀을 넣어 만든 죽이다. 레몬과 소금을 쳐서 비린내를 없앤 것이 특징. 중면이 들어가 양이 푸짐하다. 어죽 외에도 다양한 민물매운탕을 선보인다. 둔리저수지 근처에 자리 잡고 있어 맑은 공기와 멋진 경치를 자랑한다.

₩ 어죽(1만원), 새우매운탕(소 4만원, 중 4만5천원, 대 5만원), 빠가사리매운탕(소 4만원, 중 4만5천원, 대 5만원)
🕒 09:00~20:00 – 명절 휴무
🔍 충남 예산군 덕산면 가루실길 30
☎ 041-337-5989 Ⓟ 가능

중앙산채명가 산채정식 | 산채비빔밥

수덕사 입구에 있는 곳으로, 산채더덕구이한정식, 산채비빔밥, 우렁된장찌개 등을 맛볼 수 있다. 한상 가득 맛깔스러운 찬이 깔리며 아삭아삭한 더덕구이가 특히 별미다. 50년의 역사를 자랑한다.

₩ 더덕구이산채정식(2인 이상, 1인 2만원), 더덕구이산채비빔밥(2인 이상, 1인 1만3천원), 더덕구이, 더덕무침(각 2만5천원), 도토리묵, 도토리빈대떡(각 1만5천원)
🕒 08:00~21:00 – 명절 휴무
🔍 충남 예산군 덕산면 수덕사안길 42-1
☎ 041-337-0077 Ⓟ 가능

호반식당 붕어찜 | 민물매운탕

붕어 및 민물고기 요리를 전문으로 하는 식당. 붕어는 웬만한 잉어급으로 상당히 크다. 가시를 바르는 일이 번거롭기는 하지만 담백한 맛이 일품이다. 예당저수지 앞에 있어 경치가 좋다.

₩ 어죽(2인 이상, 1인 8천원), 빠가사리매운탕(소 4만5천원, 대 6만원), 붕어조림(소 3만5천원, 대 5만원), 메기조림(소 4만원, 대 5만5천원), 붕어매운탕(소 3만원, 대 4만5천원), 메기매운탕(소 3만5천원, 대 5만원)
🕒 11:00~19:00(마지막 주문 18:00) – 화요일 휴무
🔍 충남 예산군 대흥면 예당로 848 ☎ 041-332-0121 Ⓟ 가능

충청남도 천안시

갈재산장 닭백숙

시원한 계곡을 바라보며 식당 평상에 앉아 백숙 등을 즐길 수 있는 물 좋고 공기 좋은 식당이다. 광덕산에서 차로 오를 수 있는 마지막 지점에 자리 잡고 있다. 넓고 운동 시설도 마련되어 있어서 단체 워크숍 등에 좋다. 방문 전 전화 문의 필수.

₩ 옻닭, 옻오리, 능이닭백숙(각 9만원), 닭볶음탕(7만5천원), 호두빈대떡, 도토리묵(각 2만원)
🕒 09:30~21:00 – 비정기적 휴무
🔍 충남 천안시 동남구 광덕면 해수길 348
☎ 041-567-4231 Ⓟ 가능

광덕산호두과자전문점 호두과자

천안의 명물 호두과자를 전문으로 하는 곳. 팥앙금, 단호박앙금과 흑미오곡앙금 중 종류를 선택할 수 있다. 달지 않아 인기가 좋은 곳이다. 호두의 함량도 높은 편. 학화할머니호두과자와 함께 천안 호두과자의 양대산맥이다.

₩ 단호박앙금호두과자, 흑미오곡앙금호두과자(각 15개 5천원, 30개 1만원)
🕒 08:00~20:00 – 연중무휴
🔍 충남 천안시 동남구 천안대로 524(구성동) 1층
☎ 041-555-5700 Ⓟ 가능

기린더매운갈비찜 돼지갈비찜

한돈 생갈비를 사용하는 매운갈비찜 전문점. 매운 강도를 세 가지 중에 골라서 주문할 수 있다. 낙지, 어묵, 당면, 치즈 등 입맛에 맞는 사리를 추가하면 좋다. 계란말이나 주먹밥을 함께 먹으면 매운맛을 잡아준다.

₩ 한돈기린매운갈비찜(200g 1만3천원), 호주산기린매운소갈비찜(250g 2만3천원), 생치즈계란말이(1만3천원), 생치즈퐁듀(6천원), 생치즈밥볶음(4천5백원), 주먹밥(3천5백원)
🕒 12:00~15:30/17:00~21:30 | 토, 일요일 11:30~21:30(마지막 주문 20:30) | 월요일 16:00~21:30(마지막 주문 20:30) – 화요일 휴무
🔍 충남 천안시 서북구 불당16길 34-6(불당동)
☎ 041-523-9498 Ⓟ 가능

나정식당 양곱창 | 곱창전골

소곱창구이를 잘하는 곳으로, 일단 초벌구이해서 나온 것을 다시 구워 먹는다. 고소하고 쫄깃쫄깃한 맛이 일품. 얼큰한 국물 맛의 소곱창전골도 맛이 좋다는 평이다.

₩ 소곱창구이(5만8천원), 모둠구이(6만원), 소곱창전골(소 3만9천원, 중 4만5천원, 대 5만2천원)
🕒 11:30~15:00/16:30~22:00(마지막 주문 21:00) – 일요일 휴무
🔍 충남 천안시 동남구 원성2교길 32
☎ 041-562-1305 Ⓟ 가능

남해전복 전복 | 삼계탕

전복을 전문으로 하는 곳으로, 다양한 전복 요리를 맛볼 수 있다. 코스를 시키면 전복회, 참치회, 전복구이, 전복초밥, 해삼탕, 철판 요리, 전복죽, 내장무침 등이 나온다. 전복을 푸짐하게 넣어 끓인 전복삼계탕도 인기가 좋다.

₩ 전복삼계탕(1만9천원), 전복뚝배기(1만3천원), 한마리전복죽(1인 1만2천원, 반그릇 6천원), 매생이전복죽(1만3천원)
🕒 10:00~22:00 – 연중무휴
🔍 충남 천안시 동남구 개목6길 11(봉명동)
☎ 041-556-4001 Ⓟ 가능

녹원 한정식

깔끔한 맛의 한정식을 즐길 수 있는 곳. 모든 음식은 놋그릇에 준비되어 나오며 다양한 음식이 정갈하게 나온다. 가격대도 부담없는 편이며 실내가 각각의 개별 룸으로 나누어져 있어 모임을 하기에도 적합하다.

₩ 귀빈정식(2만5천원), 녹원정식(1만5천원)
🕒 11:30~21:00 – 월요일 휴무
🔍 충남 천안시 동남구 유량로 140(유량동)
☎ 041-555-3531 Ⓟ 가능

대안식당 김치찌개 | 돼지고기구이

푹 익힌 김치에 고기를 푸짐하게 넣고 끓이는 김치찌개가 유명하다. 생삼겹, 목삼겹 등의 고기도 구워 먹을 수 있다. 사람이 늘 많아 음식이 빨리 나오는 편.

₩ 김치찌개(9천원), 생삼겹, 목삼겹(각 180g 1만4천원)
🕒 10:30~22:00(마지막 주문 21:00) – 명절 휴무
🔍 충남 천안시 서북구 도원7길 17(성정동)
☎ 041-575-4158 Ⓟ 불가

도프 dope 파스타

직접 뽑는 생면을 사용한 10여 가지가 넘는 파스타 & 리조토를 전문으로 하는 곳. 라구 볼로네제, 대파 스파게티 등 개성 있는 메뉴를 맛볼 수 있다. 두 가지 파스타가 나오는 시그니처 코스를 추천하며, 생면 파스타는 판매도 하고 있다.

₩ 구운뇨키(1만8천원), 대파스파게티(1만7천원), 아마트리치아나(1만8천원), 페스토봉골레스파게티(1만8천원), 시그니처코스(2만5천원), 안심스테이크(120g 3만5천원)
🕒 11:00~15:30(마지막 주문 14:30)/17:00~21:30(마지막 주문 20:30) – 월요일 휴무
🔍 충남 천안시 서북구 불당32길 28 1층 102호
☎ 041-568-1692 Ⓟ 가능

동순원 同順園 일반중식

옛맛이 느껴지는 짬뽕과 탕수육을 맛볼 수 있는 곳. 얼큰한 국물 맛을 내는 짬뽕은 채 썬 양파가 넉넉히 들어가 시원한 맛을 낸다. 바삭하게 튀겨낸 탕수육이나 깐풍기를 곁들이면 더욱 좋다.

₩ 짜장면(7천원), 짬뽕, 우동(각 8천원), 중국식냉면(9천원), 탕수육(소 1만8천원, 대 3만원), 탕수기(2만4천원)
🕒 11:00~21:00 – 월요일 휴무
🔍 충남 천안시 서북구 성환읍 성환중앙로 33
☎ 041-581-2070 Ⓟ 불가

뚜쥬루과자점 Toujours 베이커리 | 빙수 | 카페

천안에서 유명한 빵집. 널찍한 매장에 다양한 빵이 준비되어 있다. 2층은 카페로 운영된다. 천연효모를 사용하여 14시간 이상 발표시켜 만든 거북이 빵이 대표 메뉴며, 여름에는 우유 팥빙수가 인기가 좋다. 조각피자도 많이 찾는다.

₩ 거북이빵(2천3백원), 소금빵(2천2백원), 조각피자(6천3백원), 카이막브리오슈(6천원), 뚜쥬루팥빙수(1만8백원), 아메리카노(4천5백원), 카페라테(5천원).
🕒 08:00~22:00 – 명절 당일 휴무
🔍 충남 천안시 서북구 백석로 270(성정동)
☎ 041-576-0086 Ⓟ 가능

룸816 Room816 타르트 | 디저트카페

과일이 듬뿍 올라간 타르트를 맛볼 수 있는 디저트 카페다. 딸기가 듬뿍 올라간 크림 딸기타르트가 가장 인기 있는 메뉴다. 생과일 주스도 과일을 듬뿍 갈아주어 깊은 맛이 좋다.

₩ 아메리카노, 에스프레소(각 4천5백원), 카페라테(5천5백원), 스위트룸-버터스카치크림라테(6천5백원), 제주말차초코타르트(6천8백원), 크림딸기타르트, 무화과타르트, 복숭아타르트, 천도복숭아타르트(각 7천5백원), 생과일주스(6천5백원), 초코라테(6천원)
🕒 12:00~22:00 – 화요일 휴무
🔍 충남 천안시 동남구 터미널2로 8(신부동) 대흥빌딩 1층
☎ 070-8887-8995 Ⓟ 가능(지하주차장 이용)

매주리커피 카페

넓은 잔디밭 정원이 있는 한옥 카페. 아매주리카노, 매주라테, 매주리밀크티 등을 맛볼 수 있으며 매숫가루 스무디와 매주리성환 배빵, 미숫가루가 곁들여진 매라미수도 추천할 만하다.

₩ 아매주리카노(5천원), 매주라테(5천5백원), 매주리성환배빵(6천원), 매주리밀크티, 매숫가루스무디(각 7천원), 매숫가루크림라테(7천5백원), 매라미수(6천원)
🕒 11:00~21:50 – 연중무휴
🔍 충남 천안시 서북구 성환읍 성환18길 24
☎ 0507-1329-5723 Ⓟ 가능

박순자아우내순대 순대 | 순댓국

천안의 명물인 병천순대 전문점. 돼지 내장을 깨끗이 씻어 밀가루를 바른 다음 들깨, 배추, 찹쌀, 마늘, 파, 당면 등 15가지의 양념을 넣어 삶아 만든다. 돼지머리와 사골을 삶아낸 국물에 머릿

고기를 듬뿍 넣어 파와 양념을 얹어낸 순대국밥은 술국으로도 좋다.

₩ 순대국밥(9천원), 모둠순대(1만4천원)
⏲ 08:10~18:30 | 토, 일요일, 공휴일 08:10~18:10 – 비정기적 휴무
🔍 충남 천안시 동남구 병천면 아우내순대길 47
☎ 041-564-1242 Ⓟ 가능

배나무숲 카페

넓게 펼쳐진 배나무밭 풍경을 볼 수 있는 대형 카페. 갤러리 느낌의 인테리어에 다양하고 편안한 테이블 구조로 꾸며져 있어 숲 전망을 즐기기 좋으며, 테라스 좌석은 배밭 가까이에 자리해 있다. 하얀 배꽃이 피는 봄이 절경이지만, 초록이 만연한 배나무숲도 청량감과 편안함을 준다.

₩ 아메리카노(5천5백원), 카페라테(6천원), 바닐라크림콜드브루(7천원), 티라미수(5천8백원), 레드벨벳케이크(각 6천원)
⏲ 10:00~22:00(마지막 주문 21:30) – 연중무휴
🔍 충남 천안시 서북구 직산읍 상덕로 137
☎ 041-415-0048 Ⓟ 가능

비스트로오마주 BISTRO HOMMAGE 이탈리아식

전망 좋은 곳에서 파스타를 즐길 수 있는 이탈리안 레스토랑. 명란젓을 듬뿍 넣은 명란 오일 파스타와 바질페스토 리조토가 인기 메뉴다. 구운 채소가 곁들여져 나오는 스테이크도 좋다.

₩ 명란오일파스타(1만6천원), 간장오일파스타(1만7천원), 라구파스타(1만9천원), 바질페스토리조토(2만3천원), 채끝등심스테이크(250g 5만5천원)
⏲ 11:00~15:00/17:00~21:00(마지막 주문 20:20) – 일요일 휴무
🔍 충남 천안시 동남구 각원사길 166 2,3층
☎ 041-417-0166 Ⓟ 가능

쁘띠빠리 Petit Paris 베이커리

다양한 종류의 빵과 케이크를 판매하고 있으며 식사빵 종류가 많은 편. 모든 빵은 우리밀과 생과일만을 사용하여 만들며 커피 로스팅도 직접 한다. 1층에서 3층까지 빵과 음료를 즐길 수 있는 공간이 있으며 잔디가 깔려 있는 루프탑 테라스도 이용할 수 있다.

₩ 아메리카노(4천5백원), 카페라테(5천원), 블루베리베이글(2천9백원), 꽈배기(2천7백원), 고로케(3천원), 모카빵(5천원)
⏲ 08:00~22:00 – 명절 당일, 근로자의 날 휴무
🔍 충남 천안시 서북구 한들3로 88(백석동)
☎ 041-553-6346 Ⓟ 가능

생생이두부보쌈 🎀 두부 | 보쌈

직접 만드는 두부와 보쌈이 유명한 곳. 숯불에 굽는 고추장불고기와 녹두전도 추천할 만하다. 백 년 넘은 한옥을 개조한 실내 분위기가 토속적이다.

₩ 보쌈, 숯불고추장불고기(각 소 3만2천원, 중 4만8천원, 대 6만4천원), 순두부정식(2인 이상, 1인 1만3천원), 녹두전(6천원)
⏲ 11:00~15:00/16:30~22:00(마지막 주문 20:30) – 일요일, 명절 휴무
🔍 충남 천안시 동남구 서부대로 265(신방동)
☎ 041-575-2877 Ⓟ 가능

송연 한정식

정갈한 한식을 먹을 수 있는 곳. 코스로 요리를 먹은 후 반찬과 생선, 밥이 나온다. 그릇 세팅도 깔끔하고 한옥으로 된 건물 분위기도 좋다.

₩ 평일점심특선친구상차림(2만원), 송연상차림(2만8천원), 다나한상차림(3만8천원), 은혜상차림(5만8천원), 수라상차림(8만8천원)
⏲ 11:30~15:00/17:00~20:00 – 월요일 휴무
🔍 충남 천안시 동남구 양지말1길 11-4(유량동)
☎ 041-554-2330 Ⓟ 가능

슈엔 順 일반중식 | 딤섬

70년 전통의 동순원에서 시작한 중화요리 전문점. 샤오룽바오의 육즙 가득 머금은 맛이 일품이다. 모던 차이니즈 풍의 이국적인 인테리어와 연회장과 프라이빗룸이 마련되어 있어 모임 장소로 추천할 만하다.

₩ 딤섬(7천원~1만원), 우육탕면, 차돌짬뽕(각 8천원), 새우완자탕(8천원), 대만흑돼지탕수육(1만4천원), 딤섬스페셜코스(1인 2만5천원), 세트(1만5천원, 1만6천원, 2만원)
⏲ 11:30~22:00 – 명절 휴무
🔍 충남 천안시 서북구 성정중1길 26-2(성정동)
☎ 041-588-8899 Ⓟ 가능

아비시니아커피 🎀

ABYSSINIA COFFEE ROASTERS 커피전문점

스페셜티 원두를 직접 로스팅하는 커피 전문점. 20가지가 넘는 원두를 골라 브루잉으로 즐길 수 있다. 블랙스노우라테, 블랑블랑아인슈페너가 시그니처 메뉴. 커피와 함께 와플도 많이 찾는다. 실제 장작을 넣어 불을 때는 벽난로가 있어 불멍카페라고 불리기도 한다.

₩ 에스프레소(4천3백원), 아메리카노(4천8백원), 카페라테(5천3백원), 블랑블랑아인슈페너(6천3백원), 블랙스노우라테(6천8백원), 브루잉커피(5천8백원~7천원), 미니와플(5천3백원), 베이직와플(8천8백원)
⏲ 10:00~23:00 – 연중무휴
🔍 충남 천안시 서북구 서부대로 471-8(쌍용동) 아비시니아커피
☎ 041-575-6211 Ⓟ 가능

아우내큰엄니순대국 순대 | 순댓국

채소를 많이 넣어 순대가 담백하다. 양파와 양배추를 줄이고 취나물을 비롯한 산나물을 섞어 색다른 맛을 낸다. 순대 한 접시와 순대국밥, 그리고 술국을 곁들이면 진정한 순대의 맛을 느낄

수 있다.

㉥ 순대국밥, 수육국밥, 내장국밥(9천원), 순대모둠(1만4천원), 곱창순대전골(소 2만5천원, 중 3만원, 대 3만5천원)
ⓒ 07:00~21:00 – 연중무휴
Q 충남 천안시 동남구 병천면 아우내순대길 41
☎ 041-564-1490 Ⓟ 가능

온달네식당 육개장

천안에서는 육개장으로 손꼽히는 집. 가마솥에 끓인 육개장 맛이 진하면서도 시원하다. 한우를 사용하여 옛날 맛이 느껴진다. 밥에 상황버섯 가루를 넣어서 짓는 것이 특징.

㉥ 육개장(1만원), 도가니탕(1만2천원), 떡국(8천원)
ⓒ 06:00~21:30 – 일요일 휴무
Q 충남 천안시 동남구 봉정로 56(봉명동)
☎ 041-573-2006 Ⓟ 불가

원조천안옛날호두과자 호두과자

80여 년간 호두과자를 만들어온 원조집 중의 하나. 당일 생산 당일 판매를 원칙으로 한다. 팥앙금과 호박앙금이 있으며, 덜 달아서 물리지 않고 계속 먹을 수 있다.

㉥ 옛날호두과자(16개 6천원, 32개 1만2천원, 48개 1만7천원, 64개 2만2천원), 튀김소보로호두과자(1개 1천원, 7개 6천5백원, 14개 1만3천원, 28개 2만5천원)
ⓒ 07:00~23:00 – 연중무휴
Q 충남 천안시 동남구 대흥로 237-1(대흥동)
☎ 041-561-5000 Ⓟ 불가

육화미본점 肉花美 돼지고기구이

돼지고기의 6가지 부위를 오마카세 형식으로 즐길 수 있다. 고기를 직접 구워주면서 각 부위에 대한 설명과 맛있게 먹는 방법도 추천 받을 수 있으며, 프라이빗 룸도 구비하고 있다. 파, 양파,꽈리고추, 감자 등 다양한 채소도 함께 구워준다.

㉥ 신의한점화치스페셜(7만2천원), 육화미숙성오겹살(160g 1만6천원), 소고기스페셜(500g 12만4천원), 프리미엄갈비꽃살(150g 3만1천원)
ⓒ 11:00~15:00/17:00~22:30(마지막 주문 21:30) | 토, 일요일 11:00~16:00/17:00~22:30(마지막 주문 21:30) – 명절 휴무
Q 충남 천안시 서북구 불당26로 100-10(불당동)
☎ 041-554-8053 Ⓟ 가능(매장 앞 무료 공영 주차장 이용)

진주회관 소불고기 | 갈비탕

성환의 특산품인 성환 배가 들어간 불고기가 유명한 집. 성환 배를 넣어 달착지근한 맛이 일품이며 당면이 들어가 있다. 대표 메뉴인 불고기 외에 갈비탕 등도 많이 찾는다. 80년이 넘는 역사를 자랑하는 오래된 집이다.

㉥ 불고기, 고추장불고기, 삼겹살(2인 이상, 각 1인 1만5천원), 갈비탕, 왕돈가스, 비빔밥(각 1만원), 공기밥(1천원)
ⓒ 09:00~16:00/17:00~20:00(마지막 주문 19:30) – 연중무휴
Q 충남 천안시 서북구 성환읍 성환11길 15
☎ 041-581-2065 Ⓟ 불가

청화집 순댓국 | 순대

50년이 넘는 세월 동안 3대에 걸쳐 내려오는 곳으로, 충남집과 함께 원조로 통한다. 돼지 사골과 머리뼈를 은근한 불과 센 불에 교대로 24시간 이상 우려낸 국물에 머릿고기와 염통 등을 담아 내오는 순대국밥이 인기다.

㉥ 순대국밥(8천원), 순대(1만3천원)
ⓒ 09:00~18:00 | 토, 일요일 08:30~18:00 – 월요일, 명절 휴무
Q 충남 천안시 동남구 병천면 충절로 1749
☎ 041-564-1558 Ⓟ 가능

청화집

충남집순대 순댓국 | 순대

진한 국물의 순대국밥은 식사로, 다진 양념을 푼 순대국밥은 술 마시고 난 뒤 해장으로 추천할 만하다. 선지가 많이 들어가 부드러운 맛을 낸다. 돼지 큰 창자를 쓰는 함경도식과는 달리 병천순대는 작은 창자를 사용해서 만드는 것이 특징이다. 병천아우내 순대골목에서 청화집과 함께 순대국밥 원조집으로 통한다.

㉥ 순대국밥(9천원), 순대(1만5천원)
ⓒ 08:00~19:00 – 연중무휴
Q 충남 천안시 동남구 병천면 충절로 1748
☎ 041-564-1079 Ⓟ 가능(협소)

취팔선객잔 醉八仙客栈 일반중식

현지 요리사가 만드는 정통 중식을 맛볼 수 있는 곳이다. 불향이 진하게 남아 있는 정통 중국요리가 일품이다. 실내 분위기도 중국 현지의 분위기를 재현하였다.

㉥ 삼선짜장면, 삼선짬뽕(각 1만원), 잡탕밥(1만5천원), 취팔선냉채(6만원), 탕수육(소 2만원, 중 2만5천원)
ⓒ 11:20~15:00/16:30~24:00 | 토요일 11:00~21:30 – 일요일 휴무
Q 충남 천안시 서북구 두정상가8길 20(두정동)
☎ 041-567-2888 Ⓟ 가능

클라시코 Classico 이탈리아식 | 파스타

코스요리를 비롯하여 파스타, 리조토, 스테이크 등을 선보이는 이탈리안 레스토랑이다. 파스타를 주문하면 전채요리가 함께 나온다. 전체적으로 음식의 완성도가 높은 편이다.

₩ 코스(A 6만8천원, B 8만8천원, 스페셜 12만원), 시칠리아식새우링귀네(2만5천원), 포치니버섯리조토(2만8천원), 양갈비스테이크(5만8천원), 한우채끝스테이크(180g 6만5천원)

⏲ 11:30~15:00/17:00~22:00 | 월요일 17:00~22:00 – 일요일 휴무

🔍 충남 천안시 서북구 불당5길 20(불당동) 1층

☎ 041-621-1204 Ⓟ 가능

투가리해장국 선지해장국 | 일반한식

선지해장국을 비롯한 다양한 해장국을 선보이는 곳. 해장국에 날달걀을 넣어 먹는 것이 독특하다. 겉절이 김치와 깍두기 모두 맛나다.

₩ 선지해장국, 콩나물해장국(각 8천원), 내장탕(1만원), 전골(중 4만3천원, 대 5만3천원)

⏲ 09:00~15:00(마지막 주문 14:15)/17:00~22:00(마지막 주문 21:15) – 명절 휴무

🔍 충남 천안시 동남구 일봉로 12-12(신방동)

☎ 041-577-1397 Ⓟ 가능

평양냉면 평양냉면

천안에서 이북식 평양냉면을 맛볼 수 있는 곳. 10시간 이상 끓여낸 사골 국물에 동치미 국물을 섞어서 육수를 만든다. 면은 주문하면 즉시 뽑아내는 것이 특징. 평양냉면 특유의 밍밍한 맛이 살아 있으며 평양식으로 심심하게 담근 김치 맛도 좋다. 중앙시장에서 가장 오래된 식당 중의 하나로, 70여 년의 오랜 내력을 자랑한다.

₩ 평양냉면, 비빔냉면, 온면(각 1만3천원), 불고기(1인 1만6천원), 녹두빈대떡(1만2천원), 사리추가(냉면 5천원, 비빔 6천원), 접시만두(1만원)

⏲ 11:00~15:30 – 비정기적 휴무

🔍 충남 천안시 동남구 큰시장길 27(사직동)

☎ 041-551-4851 Ⓟ 불가

학화할머니호도과자 호두과자

천안 호두과자의 원조로 알려졌다. 1934년에 처음 장사를 시작했다고 하니 80년을 훌쩍 넘겼다. 바삭하고, 촉촉한 빵 안에는 전통적인 방법으로 만든 달콤한 백앙금과 큰 호두가 들어 있다. 가게 앞에는 처음 호두과자를 만들었다는 심복순 할머니의 사진이 붙어 있다.

₩ 호두과자(15개 5천원, 30개 1만원, 45개 1만5천원, 60개 2만원)

⏲ 07:00~21:00 – 연중무휴

🔍 충남 천안시 동남구 대흥로 233(대흥동)

☎ 041-551-3370 Ⓟ 불가

한결가치칼국수 칼국수

닭칼국수를 전문으로 하는 곳으로, 매장에서 직접 면을 뽑은 칼국수를 맛볼 수 있다. 저녁 특선 메뉴인 닭한마리 칼국수가 별미다. 다양한 사리를 추가해서 먹을 수 있으며 얼큰한 맛도 선택할 수 있다. 밑반찬으로 나오는 섞박지, 배추김지, 물김치는 칼국수와 궁합이 잘 맞다.

₩ 닭칼국수(9천원, 곱빼기 1만1천원), 멸치칼국수(7천원, 곱빼기 9천원), 닭국밥(9천원), 수육국밥, 장칼국수(각 1만원), 한접시수육(1만8천원)

⏲ 10:00~15:00/16:30~22:00(마지막 주문 21:30) – 연중무휴

🔍 충남 천안시 서북구 검은들3길 46(불당동) 미래시티빌딩 105, 106, 107호

☎ 041-418-3388 Ⓟ 가능

한일한정식 한정식 | 삼계탕

백반 스타일의 한정식집. 시래기나물과 잡채, 김치전, 도토리묵, 불고기, 계란찜 등의 반찬이 푸짐하면서도 맛깔스럽다. 밥은 돌솥밥에 나온다. 삼계탕도 인기 메뉴 중 하나.

₩ 한일정식(1만원), 소머리국밥(1만1천원), 돌솥삼계탕(1만4천원), 돌솥정식(1만3천원)

⏲ 11:00~21:00 – 명절 당일 휴무

🔍 충남 천안시 서북구 미라1길 3(쌍용동)

☎ 041-576-8887 Ⓟ 불가

화강반점 일반중식

볶음밥을 주문하면 짬뽕도 맛볼 수 있는 집. 볶음밥은 불향이 살짝 배어있으며 고슬고슬하다. 볶음밥에 딸려나오는 짬뽕 국물에도 조개, 오징어 등 여러 가지 종류의 건더기가 들어가 있다. 돼지고기는 문경 약돌돼지를 사용해 비린내가 거의 없다.

₩ 짜장(5천원), 짬뽕, 볶음밥(각 7천원)

⏲ 11:00~15:00 – 공휴일 휴무

🔍 충남 천안시 동남구 차돌로 99(봉명동)

☎ 041-572-9363 Ⓟ 불가

후연 한정식

정갈한 한정식 코스를 맛볼 수 있는 곳이다. 코스 요리가 끝나고 마지막으로 나오는 된장국도 별미. 가격도 비교적 합리적이며 활어회, 모둠수육 등을 추가로 주문할 수도 있다. 식당 실내와 넓은 정원에 옛날 자동차들이 전시되어 있어 구경하는 재미가 쏠쏠하다.

₩ 점심보리굴비정식(2만5천원), 점심특선(1만6천원), 한정식코스(2만9천원, 3만9천원, 5만5천원, 7만5천원, 11만원)

⏲ 11:30~22:00(마지막 주문 20:30) – 명절 휴무

🔍 충남 천안시 서북구 성거읍 봉주로 210

☎ 041-582-5100 Ⓟ 가능

충청남도 청양군

바닷물손두부 두부 | 청국장 | 일반한식

직접 손두부와 청국장을 만드는 곳. 손두부를 전문으로 하지만 청국장백반, 보리밥, 도토리묵 등도 맛볼 수 있다. 손두부는 일반 두부와 검은콩두부, 구기자두부 등 다양한 종류의 손두부를 맛볼 수 있다. 점심때는 줄을 서서 기다려야 할 정도다.

₩ 청국장백반, 비빔밥, 보리밥(각 9천원), 도토리묵(1만2천원), 바닷물손두부(1만7천원)
⏲ 10:00~20:00 – 명절 휴무
🔍 충남 청양군 대치면 한티고개길 1
☎ 041-943-6617 Ⓟ 가능

영순각 永順閣 일반중식

청양군에서 가장 오래된 화상 중식당이다. 고소한 맛과 고슬고슬한 식감이 좋은 볶음밥과 바삭한 돼지고기튀김에 은은한 단맛과 새콤한 소스를 부은 탕수육이 인기다.

₩ 짜장면(6천원), 간짜장, 짬뽕, 볶음밥(각 8천원), 유니짜장, 잡채밥(각 9천원), 탕수육(소 1만5천원, 대 2만5천원)
⏲ 11:00~19:30 – 비정기적 휴무
🔍 충남 청양군 청양읍 칠갑산로 265-1
☎ 041-943-2218 Ⓟ 불가

칠갑산맛집 두부 | 일반한식

손두부 한 접시를 시키면 산나물, 김치, 된장찌개가 함께 나온다. 청양에서 나오는 콩으로 두부와 메주를 만들어 사용한다. 나물비빔밥은 칠갑산에서 채취한 나물을 이용하는 것이 특징이다.

₩ 청국장나물비빔밥(1만원), 토속정식(1만5천원), 버섯두부전골(4만5천원), 닭백숙, 닭볶음탕(각 6만원), 오리백숙(6만5천원)
⏲ 09:00~20:00 – 연중무휴
🔍 충남 청양군 대치면 장곡길 119-39
☎ 041-943-5912 Ⓟ 가능

태풍루 泰豊樓) 일반중식

청양군에서 50여 년 동안 운영하고 있는 중식당이다. 강한 매운맛을 맛볼 수 있는 청양짜장면이 인기다. 짬뽕은 국물이 자극적이지 않고 맑고 개운한 편이다.

₩ 짜장면(6천원), 짬뽕(7천원), 고추짜장면, 고추짬뽕(각 9천원), 굴짬뽕, 냉우동(각 1만원), 유산슬밥(3만5천원), 탕수육(소 1만5천원, 중 2만원, 대 2만5천원), 양장피, 팔보채(3만5천원)
⏲ 10:30~20:00 – 연중무휴
🔍 충남 청양군 청양읍 중앙로 137
☎ 041-943-2178 Ⓟ 불가

충청남도 태안군

두메식당 우럭

우럭을 말렸다가 국을 끓여 먹는 우럭젓국이라는 향토음식이 유명하다. 대파와 고추 등이 들어간 냄비에 거뭇한 우럭과 큼지막한 두부가 들어간다. 우럭은 오래 끓일수록 맛이 우러나기 때문에 미리 주문해 놓는 것이 좋다.

₩ 우럭젓국, 낙지볶음, 불고기(각 2인 이상, 1인 1만5천원), 제육볶음(1만2천원), 등심(2인이상, 1인 4만원)
⏲ 09:00~21:00 – 연중무휴
🔍 충남 태안군 원북면 원이로 830
☎ 041-672-4487 Ⓟ 가능

르스튜디오블루 LE STUDIO BLEU 카페

안면도의 리솜리조트 내에 있는 카페. 탁 트인 창으로 보이는 바다를 보며 커피 한 잔의 여유를 만끽할 수 있다. 호텔에 체크인하는 손님에게는 10% 할인 혜택도 있다.

₩ 아메리카노(5천5백원), 카페라테(6천원), 애플망고에이드(8천원), 초코라테(7천원), 레몬진저티(6천5백원), 딸기, 망고생과일주스(각 1만원)
⏲ 10:00~19:00(마지막 주문 18:30) – 연중무휴
🔍 충남 태안군 안면읍 꽃지해안로 204 아일랜드리솜
☎ 041-671-7120 Ⓟ 가능

몽대횟집 🎀 생선회 | 주꾸미

자연산을 취급하며 회를 시키면 기본 상차림으로 나오는 꽁치, 우럭조림, 조기구이 등의 맛이 좋다. 회를 다 먹고 나면 얼큰하게 매운탕을 끓여준다. 겨울철 별미로 주꾸미샤부샤부도 막볼 수 있다.

₩ 모둠회(소 7만원, 중 9만원, 대 12만원), 주꾸미샤부샤부(중 6만원, 대 7만원)
⏲ 09:00~21:30 – 명절 당일 휴무
🔍 충남 태안군 남면 몽대로 495-83
☎ 041-672-2254 Ⓟ 가능

물새집 생선회 | 조개구이

신선한 활어회와 조개구이를 즐길 수 있는 곳. 여름에는 한창 살이 오른 농어의 맛을 제대로 볼 수 있다. 회를 시키면 아나고, 낙지, 해삼, 굴 등이 나오고 매운탕으로 식사한다. 겨울에는 숭어가 유명하다. 조개구이도 많이 찾는 메뉴.

₩ 모둠회(소 11만원, 중 13만원, 대 15만원, 특대 17만원), 조개구이, 조개찜(각 중 8만원, 대 9만원)
⏲ 11:00~24:00 – 비정기적 휴무
🔍 충남 태안군 안면읍 방포1길 29-1 ☎ 041-673-4576 Ⓟ 가능

바다꽃게장 게장

현지인이 많이 찾는 간장게장 맛집. 게딱지에 알도 꽉 차 있으며 반찬으로 나오는 어리굴젓 맛도 일품이다. 서해안의 명물인 우럭젓국도 맛볼 수 있다. 광어, 조개 등이 들어 있는 수족관도 있어 손님이 예약하면 회도 떠준다.

₩ 꽃게게장, 꽃게게탕(각 1인 3만3천원), 우럭젓국(2인이상 1인 2만3천원)
⏲ 09:00~20:00 – 명절 휴무
🔍 충남 태안군 태안읍 능샘1길 45
☎ 041-674-5197 Ⓟ 가능

바다꽃게장

선창횟집 실치 | 회덮밥

봄철이면 실치회를 먹으러 사람들이 몰려 오는 곳. 실치회는 실치와 같이 잡히는 작은 새우류와 함께 나오고 밑반찬으로 실치전, 실치볶음, 실칫국 등이 나온다. 초고추장으로 무친 실치회무침은 소면과 비벼 먹으면 좋다. 실치 외에 주꾸미샤부샤부, 갱개미(간자미)무침 등의 메뉴가 있다.

₩ 갑오징어물회(4만원), 갑오징어물회+회덮밥(2인 5만5천원, 4인 7만7천원), 우럭, 광어(각 1kg 2인기준 7만원), 매운탕, 지리탕(각 소 4만5천원, 대 6만5천원), 실치회(계절메뉴, 2만원)
⏲ 11:00~21:00 – 연중무휴
🔍 충남 태안군 남면 마검포길 427-5
☎ 041-674-6270 Ⓟ 가능

솔밭가든 게국지 | 우럭

직접 말린 우럭으로 끓여 내는 우럭젓국 맛이 일품. 주문이 들어오면 바로 조리하기 때문에 갓 만든 따끈한 음식을 맛볼 수 있다. 게국지와 대하탕도 추천할 만하다.

₩ 우럭젓국(중 6만5천원, 대 7만5천원, 특대 8만5천원), 꽃게탕(중 8만5천원, 대 10만5천원), 게장백반(1인 3만2천원), 2인세트(10만5천원), 4인세트(13만5천원, 16만5천원)
⏲ 09:00~20:00 – 비정기적 휴무
🔍 충남 태안군 안면읍 장터로 176-5
☎ 041-673-2034 Ⓟ 가능

송정꽃게집 게장 | 게국지

꽃게요리 전문점으로, 간장게장이 유명하다. 꽃게 살을 발라서 쌈장을 만든 꽃게쌈장은 이곳에서 개발한 메뉴로, 상추에 싸 먹거나 밥에 비벼 먹어도 좋다. 얼큰한 국물의 게국지도 서해안에 오면 맛봐야 할 메뉴.

₩ 간장게장(중 3만3천원, 대 3만6천원, 특대 4만원), 양념게장(2만8천원), 꽃게쌈장(3만원), 게국지(소 5만5천원, 중 6만5천원, 대 7만5천원)
⏲ 09:00~21:00 – 명절 휴무
🔍 충남 태안군 안면읍 방포로 46 ☎ 041-673-2666 Ⓟ 가능

승진횟집 생선회

회를 시키면 같이 깔리는 해산물의 종류가 다양하고 신선해서 좋다. 굵은 소금을 뿌려 구워낸 우럭구이는 쫄깃한 식감이며 별미로 통한다. 회의 신선도 역시 훌륭해 식감이 살아 있다.

₩ 우럭, 광어(각 소 9만원, 중 11만원, 대 13만원), 모둠회(소 10만원, 중 12만원, 대 14만원), 우럭구이백반(1인 2만원)
⏲ 10:00~22:00 – 연중무휴
🔍 충남 태안군 안면읍 방포항길 38
☎ 041-673-3378 Ⓟ 가능

아일랜드57 ISLAND57 라운지바

서해안 일몰 선셋을 볼 수 있는 야외 비치 라운지 바. 해변을 바라보며 제천, 서산, 공주 등 근처 지역의 수제 병맥주를 맛볼 수 있는 것이 특징이다. 매주 금, 토요일에는 버스킹 공연도 관람할 수 있다.

₩ 비어캔플레터(3만2천원), 예산시장소시지(2만8천원), 폭립플래터(4만2천원), 가리비어묵탕(3만5천원), 대하구이(7만원), 돈가스치즈롤(1만5천원)
⏲ 17:00~21:00(마지막 주문 20:30) – 연중무휴
🔍 충남 태안군 안면읍 꽃지해안로 204 아일랜드리솜
☎ 041-671-7154 Ⓟ 가능

원풍식당 낙지

박속밀국낙지탕이 유명. 박속과 대파, 마늘, 감자, 조개 등을 넣고 끓인 국물에 갯벌에서 잡은 산낙지를 통째로 넣어 샤부샤부처럼 해 먹는다.

₩ 박속밀국낙지탕, 낙지볶음(2인이상, 각 2만원), 산낙지(2만원), 우럭젓국(1만5천원)
⏲ 09:30~20:00 – 연중무휴
🔍 충남 태안군 원북면 원이로 841-1 1층
☎ 041-672-5057 Ⓟ 가능

이원식당 낙지

60년 넘게 박속밀국낙지탕을 해온 집이다. 박속을 넣고 끓여 시원한 육수에 산낙지를 통째로 넣어 삶는다. 살짝 익혀서 부드러운 낙지를 먹고 난 후에 수제비나 칼국수를 넣어 끓여 먹는다.

Ⓦ 박속낙지탕, 낙지볶음, 한우샤브(각 2만원), 불고기(2인이상 200g 2만원), 삼겹살(2인이상 200g 1만5천원), 백반(1만원), 낙지탕탕이(3만원)
ⓒ 09:00~21:00 – 연중무휴
Q 충남 태안군 이원면 원이로 1539
☎ 041-672-8024 Ⓟ 가능

일송꽃게장백반 🎀 게장 | 꽃게
서해안에서 나는 싱싱한 꽃게로 담근 짭짤한 간장게장이 유명하다. 흑미 찹쌀밥에 시원한 조개탕이 나오고 밑반찬도 푸짐하게 깔린다.
Ⓦ 간장게장(1인 3만원), 대하장(1인 2만8천원), 양념게장(소 5만5천원, 대 8만5천원), 꽃게탕(2인 8만5천원, 3인 12만원, 4인 14만5천원), 게국지(2인 7만3천원, 3인 11만원, 4인 13만5천원)
ⓒ 09:00~21:00 – 연중무휴
Q 충남 태안군 안면읍 안면대로 2676
☎ 041-674-0777 Ⓟ 가능

진미각 중국만두 | 일반중식
서울 면목동에서 만두로 유명했던 진미각이 태안에 새로 오픈하였다. 부추와 돼지고기가 듬뿍 들어간 찐만두가 추천 메뉴. 짜장면과 짬뽕도 수준급이며 전체 메뉴는 만두와 식사류, 탕수육으로 단출하다.
Ⓦ 짜장면, 찐만두(각 7천원), 튀김만두(8천원), 간짜장(9천원), 짬뽕(1만원), 짬뽕밥(1만1천원), 볶음밥(8천원), 탕수육(1만7천원)
ⓒ 10:00~19:00 – 둘째, 넷째 주 수요일 휴무
Q 충남 태안군 태안읍 원이로 352
☎ 010-9582-8988 Ⓟ 가능

천리포횟집슈퍼 생선회
천리포해수욕장 부근에서 인기 있는 집. 태안의 특산물인 갱개미(간자미)를 맛볼 수 있다. 충청도 스타일의 아나고 두루치기도 인기 메뉴다.
Ⓦ 간자미회, 간자미무침, 간자미찜, 간자미매운탕(각 소 4만원, 중 5만원, 대 6만원), 아나고두루치기(4만5천원, 5만5천원, 6만5천원), 우럭, 광어(각 소 7만원, 중 9만원, 대 11만원)
ⓒ 09:00~21:00 – 명절 휴무
Q 충남 태안군 소원면 천리포1길 277
☎ 041-672-9170 Ⓟ 가능

태안명품박속낙지탕 🎀 낙지
낙지와 박속을 넣어서 끓이는 박속낙지탕이 유명한 곳. 뻘에서 자란 세발낙지를 사용하기 때문에 통발낙지보다 훨씬 연하고 부드러운 맛이다. 세발낙지를 건져 먹고 남은 국물에는 국수를 넣어 끓여 먹기도 한다. 태안에서는 밀국이라고도 부르는 국수는 파래를 갈아 만들어 담백하다.
Ⓦ 박속낙지탕(변동), 한우샤부샤부(1만8천원), 한우등심불고기전골(1인 1만8천원), 한우갈비탕(1만3천원)
ⓒ 10:30~20:30(마지막 주문 19:30) – 월요일 휴무
Q 충남 태안군 원북면 원이로 791
☎ 041-672-4540 Ⓟ 가능

토담집 🎀 게장 | 우럭
알이 성글성글 꽉 찬 꽃게장이 유명한 곳으로, 싱싱한 게의 단맛이 잘 살아 있다. 굽지 않은 김에 밥을 싸 양념간장을 발라 먹거나 톳, 어묵무침, 갱개미젓갈 등을 넣고 비빔밥을 만들어 먹기도 한다. 우럭젓국은 말린 우럭으로 끓인 맑은 국이다. 북엇국에 비해 생선 향이 강하지만 그만큼 국물이 진하다.
Ⓦ 꽃게장(1인 3만2천원), 우럭젓국(1인 1만7천원), 우럭포찜(1마리 5만원), 꽃게포장(1kg 8만5천원)
ⓒ 10:00~20:00 – 연중무휴
Q 충남 태안군 태안읍 동백로 161
☎ 041-674-4561 Ⓟ 가능

파스타포포 🎀 PASTA FOR FOUR 파스타 | 피자
서울의 파인 다이닝 레스토랑 테이블포포의 김성운 셰프가 운영하는 파스타 전문 레스토랑. 태안의 로컬 재료들을 이용한 이탈리아 요리를 맛볼 수 있다. 신선한 해산물로 만든 해산물파스타, 꽃게파스타 등이 인기 메뉴.
Ⓦ 한우파타테피자(2만3천원), 해산물김피자(2만5원), 봉골레오일파스타(1만9천원), 꽃게로제파스타(2만2천원), 해산물파스타(2만5천원), 성게오일파스타(2만3천원)
ⓒ 11:30~15:00/17:30~20:30(마지막 주문 19:50)(비수기에 영업시간 변경될 수 있음) – 비정기적 휴무(네이버 플레이스에 공지)
Q 충남 태안군 소원면 만리포2길 154
☎ 010-7473-1186 Ⓟ 가능

향토꽃게장 게국지 | 게장
꽃게장을 비롯한 게 요리 전문점. 게장 국물로 간을 하고 묵은지를 넣어서 끓이는 게국지도 유명하다. 주로 해산물로 이루어진 반찬도 푸짐하게 따라 나온다.
Ⓦ 꽃게탕, 게국지(중 8만원, 대 9만원), 간장게장(1인 3만3천원)
ⓒ 09:00~21:00 – 명절 휴무
Q 충남 태안군 태안읍 능샘1길 44
☎ 041-674-5591 Ⓟ 가능

화해당 🎀🎀 花蟹堂 게장
서해 태안에서 나는 꽃게로 담그는 게장 맛이 일품이다. 매년 봄에 싱싱한 꽃게를 급랭하여 일년 내내 사용한다. 인테리어가 모던하고 테라스 자리도 넉넉해서 분위기 있게 꽃게를 즐길 수 있다. 위생적으로 진공 포장해서 보내주는 택배도 이용해볼 만하다.
Ⓦ 간장게장과돌솥밥(4만3천원)
ⓒ 10:00~20:00(마지막 주문 19:00) – 화요일 휴무

🔍 충남 태안군 근흥면 근흥로 901-8
☎ 041-675-4443 Ⓟ 가능

충청남도 홍성군

내당한우 內堂 소고기구이 | 육사시미
30여 년 전통의 소고기 전문점이다. 살치살, 치맛살, 안창살 등 다양한 부위의 소고기를 맛볼 수 있다. 모두 날로 먹을 수 있을 정도로 신선하다. 좋은 고기가 없으면 문을 열지 않으므로 전화로 확인해 보는 것이 좋다.
₩ 안창살, 살치살(각 150g 6만원), 육회(200g 3만5천원), 추천모둠(150g 4만5천원), 육회(200g 3만5천원), 육사시미(180g 3만5천원)
🕒 11:00~15:00/17:00~22:00 – 명절 휴무
🔍 충남 홍성군 홍성읍 아문길52번길 6
☎ 041-632-0156 Ⓟ 가능

라파쏘나 LA FASSONA 파스타
이탈리아 가정식을 표방하는 곳으로, 생면 파스타를 전문으로 한다. 생면의 매력을 제대로 살리는 메뉴를 다양하게 갖추고 있다. 테이블 간격이 넓어 여유롭고 편안하게 식사할 수 있는 분위기다.
₩ 갑오징어샐러드(3만2천원), 감자수프(2만5천원), 카프레제(1만8천원), 레몬크림파스타(2만4천원), 살시챠파스타(2만5천원), 봉골레파스타(2만4천원), 볼로네제파스타(2만6천원), 멜란자네롤(2만2천원), 등심스테이크(250g 4만6천원), 생면라자냐(3만원), 볼로네제리조토(2만2천원), 봉골레리조토(2만2천원), 마르게리타(1만8천원), 평일런치세트(3만8천원), 고르곤졸라(2만2천원)
🕒 11:00~22:00(마지막 주문 20:40) – 월요일 휴무
🔍 충남 홍성군 홍북읍 애향4길 35 101호
☎ 041-633-0070 Ⓟ 가능

삼거리갈비 갈비탕 | 소갈비
40년이 넘게 영업해 온, 홍성 읍내에서는 유명한 갈빗집이다. 독특한 무쇠 불고기판에 구워주는 양념갈비 맛이 일품이다. 점심시간에는 갈비탕이 인기가 많다.
₩ 한우생갈비(200g 5만3천원), 안창살(150g 5만8천원), 한우양념갈비(200g 4만3천원), 갈비탕(1만8천원)
🕒 12:00~22:00 – 일요일, 명절 휴무
🔍 충남 홍성군 홍성읍 월계천길 238
☎ 041-632-2681 Ⓟ 가능

삼삼복집 복
역사가 오래된 복어탕 전문점. 메뉴는 복어탕 한 가지뿐이며 김치와 무절임이 반찬으로 나온다. 아욱이 수북하게 나오는 복어탕은 얼큰한 국물에 고춧가루가 뿌려져 있다. 아욱을 건져 먹다 보면 복어 살이 익어간다.
₩ 생복어탕(2만원), 건복어탕(2만5천원)
🕒 10:00~16:00(마지막 주문 15:20) | 토, 일요일 10:00~18:00(마지막 주문 17:20) – 명절 휴무
🔍 충남 홍성군 갈산면 갈산로114번길 7-3
☎ 041-633-2145 Ⓟ 가능

삼천리수산횟집 대하구이 | 새조개 | 생선회
천수만에서 잡은 대하가 크고 싱싱하다. 알루미늄 호일에 올려놓고 번개탄에 구워 먹는 맛이 담백하다. 살아 있는 새우를 껍질만 벗겨 먹는 맛도 특별하다. 대하는 봄, 가을이 제철이며 겨울에는 새조개샤부샤부가 인기 있다.
₩ 대하, 새조개샤부샤부(각 시가), 우럭, 광어(각 7만원)
🕒 09:00~22:00 – 명절 휴무
🔍 충남 홍성군 서부면 남당항로 210
☎ 041-634-2672 Ⓟ 가능

이슬회수산 생선회 | 조개찜
남당항 앞에 즐비한 횟집 중에서도 신선도를 자랑하는 곳. 키조개, 새조개, 대하 등 철따라 방문하면 합리적인 가격에 신선한 해산물을 마음껏 먹을 수 있다. 자연산, 양식산 등 다양한 종류의 어종과 해산물을 갖추고 있다.
₩ 해물탕(소 6만원, 중 8만원, 대 10만원), 모둠회(2인 7만원, 3인 11만원, 4인 14만원), 농어(1kg 8만원), 조개찜세트(2인 6만5천원, 3인 9만원, 4인 11만원)
🕒 09:00~20:00 – 연중무휴
🔍 충남 홍성군 서부면 남당항로213번길 1 홍성남당항 해양수산 복합공간
☎ 041-633-4857 Ⓟ 가능

인발루 일반중식
화교가 30년 넘게 운영을 하고 있는 중식당이다. 외관에서부터 오랜 세월의 흔적을 풍긴다. 돼지고기, 오징어, 갖은 채소를 듬뿍 넣은 짬뽕이 인기다. 제대로 볶아 깊은 풍미를 느낄 수 있는 간짜장도 별미다. 양도 푸짐한 편이다.
₩ 짜장면(6천원), 짬뽕, 간짜장, 볶음밥(각 8천원), 삼선짜장, 삼선짬뽕, 삼선울면(각 1만2천원), 잡채밥(9천원), 잡탕밥(1만7천원), 탕수육(소 2만원, 중 2만4천원, 대 2만7천원)
🕒 11:00~20:00 – 연중무휴
🔍 충남 홍성군 결성면 홍남서로 732-1
☎ 041-642-8206 Ⓟ 불가

전라북도

Jeonbuk State

전라북도 고창군

강촌숯불장어구이 장어
풍천장어를 사용하여 장어의 맛이 더욱 좋다. 고추장양념구이와 소금구이 둘 다 괜찮은 편이다. 참나물무침, 취나물 등 같이 내는 반찬이 다양하며 수준 이상의 맛을 자랑한다.
₩ 갯벌풍천장어(마늘양념, 고추장양념 각 4만2천원, 소금구이 4만1천원), 풍천장어(마늘양념, 고추장양념 각 3만6천원, 소금구이 3만5천원), 메기매운탕(중 4만5천원, 대 5만원), 장어누룽지탕(1인 7천원)
⏱ 10:00~21:00(마지막 주문 20:00) – 비정기적 휴무
🔍 전북 고창군 아산면 인천강서길 6
☎ 063-563-3471 Ⓟ 가능

꺼먹고무신 장어
고창에서 유명한 풍천장어를 맛볼 수 있는 곳이다. 느끼하지 않은 장어의 맛이 입맛을 돋운다. 장어는 구워 내주어 먹기 편하다. 같이 내는 찬도 괜찮은 편. 후식으로 나오는 복분자 엑기스도 인기가 좋다.
₩ 장어정식(4만2천원), 장어탕(3만원), 장어구이(4만원)
⏱ 11:00~19:00(마지막 주문 18:00) | 토, 일요일 11:00~15:30/16:30~19:00(마지막 주문 18:00) – 월요일 휴무
🔍 전북 고창군 아산면 선운사로 63-7
☎ 063-561-1564 Ⓟ 가능

다은회관 백합
고창의 유명한 백합을 사용하여 만든 다양한 요리가 준비되어 있다. 시원한 백합탕에서부터 깔끔한 백합죽까지 전북의 백합 요리를 만날 수 있는 곳이다. 탕, 구이, 회, 죽 등을 코스별로 맛볼 수 있는 백합정식이 인기다.
₩ 백합정식(1인 3만5천원), 백합삼탕(1인 1만8천원), 백합죽(1만3천원), 백합전(1만5천원), 백합무침(3만원)
⏱ 11:00~15:00/17:00~21:00(마지막 주문 20:00) – 셋째 주 일요일, 명절 휴무
🔍 전북 고창군 고창읍 동산7길 1
☎ 063-564-3304 Ⓟ 가능

명가풍천장어 장어
고창 선운사 입구 장어촌에서 유명한 양념장어구이 전문점이다. 장어 맛이 일품이고, 같이 나오는 반찬도 전라도 특유의 내공이 느껴진다.
₩ 풍천장어(1인 3만6천원)
⏱ 09:00~22:00 – 연중무휴
🔍 전북 고창군 아산면 선운사로 16-5
☎ 063-561-5389 Ⓟ 가능

베이크샵워너비 NEW
Bake shop by wannabe 베이커리
제대로 만든 프랑스식 빵을 맛볼 수 있는 베이커리. 쇼콜라, 깨, 크랜베리&호두, 무화과&크림치즈 등 다양한 맛의 캄파뉴와 치아바타, 브리오슈 등의 빵과 브라우니, 갈레트브루통, 피낭시에 등의 디저트가 준비되어 있다.
₩ 바게트(3천5백원), 팡콩플레(5천8백원), 캄파뉴6종(5천원~6천5백원), 브리오슈(6천원), 크루아상(4천원), 팽오쇼콜라(4천3백원), 갈레트브루통(2천5백원), 피낭시에(2천3백원), 티그레(1천3백원), 마들렌(2천3백원), 세이글(5천8백원), 팡브리에2종(5천원~5천 5백원), 치아바타(2천5백원), 잠봉뵈르(4천5백원), 소금빵(2천3백원), 스콘(2천5백원), 자허토르테(4천8백원)
⏱ 09:00~18:30 – 일요일 휴무
🔍 전북 고창군 고창읍 성산2길 50
☎ 063-923-9993 Ⓟ 불가(가게 옆 공영주차장 이용)

본가 백합
백합 전문 요리점으로, 4월이면 제철인 백합 요리를 맛볼 수 있다. 변산반도와 전남 영광에서 잡은 백합을 사용한다. 새콤하게 무쳐낸 조개회무침이 추천할 만하다. 마당이 백합 껍데기로 뒤덮여 있는 모습이 독특하다.
₩ 백합정식(2인 이상, 1인 3만5천원), 백합무침+죽(2인 이상, 1인 2만5천원), 백합죽(1만4천원), 바지락죽, 바지락비빔밥, 바지락국밥(각 1만1천원)
⏱ 08:00~21:30 – 명절 휴무
🔍 전북 고창군 고창읍 석정2로 160
☎ 063-564-5888 Ⓟ 가능

수궁회관 한정식
굴밥정식과 게장정식을 전문으로 하는 곳. 간이 제대로 배어 있는 게장정식백반이 인기다. 백반이지만 게장의 양이 푸짐하다. 함께 나오는 반찬도 손맛이 있으며 망둥어구이가 인기가 좋다.
₩ 굴밥정식(1만5천원), 게장정식(중 2만원, 대 2만5천원, 특 3만원, 특대 3만5천원)
⏱ 10:00~21:00 – 연중무휴
🔍 전북 고창군 심원면 심원로 218
☎ 063-564-5035 Ⓟ 가능

신덕식당 장어
풍천장어골목에서 오래된 장어 전문점. 장어를 고아 뽑아낸 육수에 고추장과 갖은 양념을 해 다시 몇 시간 동안 푹 끓여 장을 덧발라 가며 재벌구이한다. 곰삭은 젓갈과 대여섯 가지의 찬이 따라나오는 식사와 함께 진한 복분자주를 곁들여도 좋다.
₩ 죽염소금, 양념구이장어(각 1인 3만5천원)
⏱ 11:00~20:00(마지막 주문 19:00) – 연중무휴
🔍 전북 고창군 아산면 선운사로 8
☎ 063-562-1533 Ⓟ 가능

아산가든 장어
선운사 앞 장어타운에 있는 장어 전문점 중 하나. 소금구이와 양념구이가 있다. 초벌구이 되어 나온 장어는 테이블에서 구워 먹는다. 채소와 여러 가지 밑반찬도 정갈하게 나온다. 실내 공간이 넓어 단체로 방문하기에도 좋다.
㉻ 풍천장어(3만5천원)
🕒 10:30~21:00 – 첫 번째, 세 번째 화요일 휴무
🔍 전북 고창군 아산면 선운사로 116
☎ 063-564-3200 Ⓟ 가능

연기식당 장어
신덕식당과 더불어 고창 풍천장어골목에서 오래된 집 중 하나다. 고추장양념구이와 소금구이 중에서 선택할 수 있다. 치어를 방류해서 기른 반자연산 장어도 맛볼 수 있다. 강을 바라보며 식사할 수 있다.
㉻ 보통장어(3만8천원), 갯벌장어(4만1천원), 장어탕(1만2천원)
🕒 09:00~21:00 – 연중무휴
🔍 전북 고창군 아산면 선운대로 2727
☎ 063-561-3815 Ⓟ 가능

우정회관 게장
싱싱하고 알이 꽉 찬 간장게장을 맛볼 수 있는 곳. 짜지 않고 슴슴한 간장게장을 선보인다. 흰쌀밥에 비벼 김에 싸 먹는 것도 맛있게 먹는 방법. 주말만 영업을 하니 참고할 것.
㉻ 간장게장정식(중 2만5천원, 대 3만원, 특대 3만5천원)
🕒 10:00~16:00(마지막 주문 15:30) – 월~금요일 휴무
🔍 전북 고창군 심원면 심원로 196
☎ 063-561-2481 Ⓟ 가능

유신식당 장어
장어구이와 장어탕을 맛볼 수 있는 장어요리 전문점. 장어는 소금구이와 양념구이 중 선택해 맛볼 수 있으며 통 큰 장어를 주문할 경우 소금구이만 맛볼 수 있다. 장어 양념구이에 사용되는 양념은 20가지 이상의 재료를 넣어서 만들었다. 사군자탕 육수에 장어와 시래기를 넣고 끓인 장어탕도 많이 찾는 편.
㉻ 장어구이(1인분 3만7천원), 통큰장어(1kg 8만7천원), 더덕무침(2만원), 장어탕(1만5천원), 누룽지(3천원), 공깃밥(2천원)
🕒 10:00~20:00(마지막 주문 19:30) – 연중무휴
🔍 전북 고창군 아산면 선운사로 25
☎ 063-562-1566 Ⓟ 가능

할매집풍천장어숯불구이 장어
선운사 앞 장어 전문점 40여 군데 중에 평이 좋은 곳 중 한 곳이다. 고소하고 쫀득한 풍천장어가 일품이다. 매콤한 양념을 발라 먹는 것도 좋으며, 밑반찬도 깔끔하게 나온다. 리모델링하여 분위기도 쾌적하다.
㉻ 장어구이(1인 3만5천원), 돌솥밥(3천원)
🕒 10:30~20:00 – 둘째, 넷째 주 월요일 휴무
🔍 전북 고창군 아산면 선운사로 29
☎ 063-562-1542 Ⓟ 가능

전라북도 군산시

개화당 開花當 프랑스식
프랑스에서 수학하고 온 오윤석 셰프의 프렌치 레스토랑. 화사한 인테리어에서 아기자기한 프랑스 가정식 요리를 맛볼 수 있다. 1인 레스토랑이지만, 재료나 소스가 겹치는 부분 없이 많은 정성을 들이고 있다. 소고기를 페이스트리 반죽으로 감싸 구운 피티비에는 꼭 맛봐야 하는 메뉴로 미리 예약이 필요하다.
㉻ 버섯파스, 토마토라구라자냐(각 2만원), 라타투이(2만3천원), 전복크림파스타(2만2천원), 뵈프부르기뇽(2만4천원), 양갈비스테이크(300g 4만4천원), 퐁당오쇼콜라(1만원)
🕒 11:45~15:00(마지막 주문 14:00)/17:30~21:00(마지막 주문 20:00) – 일요일 휴무
🔍 전북 군산시 신평안길 64(지곡동)
☎ 063-464-7057 Ⓟ 가능(주택가 골목에 주차)

계곡가든 게장
30여 년 역사의 꽃게장집. 간장에 한약재를 넣은 것이 맛의 비결이다. 간장게장, 양념게장 모두 후회하지 않을 맛이다. 게장정식을 시키면 한정식 수준의 반찬이 나온다. 4월에서 5월까지 알이 잘 밴 꽃게를 한 번에 구입해서 급랭하여 사용하며 택배 주문도 가능하다.
㉻ 양념게장정식, 꽃게탕(각 3만원), 꽃게통찜(중 6만원, 대 8만원)
🕒 11:00~20:30 – 연중무휴
🔍 전북 군산시 개정면 금강로 470
☎ 063-453-0608 Ⓟ 가능

계곡가든

고우당 古友堂 카페

일본강점기에 지어진 건물을 사용하는 게스트하우스에서 운영하는 카페. 고즈넉한 분위기에서 다양한 종류의 커피와 음료를 즐길 수 있다. 음료 가격도 합리적인 편이며 더치커피도 병으로 판매하고 있다.

㉳ 에스프레소(3천원), 아메리카노(3천원~3천5백원), 카페라테(5천원~5천5백원), 홍차, 허브차(각 4천원~4천5백원)
⏲ 08:00~22:00 – 연중무휴
🔍 전북 군산시 구영6길 19(월명동)
☎ 063-443-2606 Ⓟ 가능

군산복집 생선회

오랜 경력의 주방장이 내는 회 맛이 좋다. 농어, 고등어 등 다양한 회가 있으며 상호와는 달리 복어는 찜과 탕만 하고 있다. 복탕을 시키면 회와 오징어 숙회, 굴이 서비스로 나온다. 밑반찬도 종류와 양이 많다.

㉳ 복찜(각 소 6만원, 중 7만원, 대 8만원, 특대 9만5천원), 아귀찜(소 5만8천원, 중 6만8천원, 대 7만8천원, 특 9만5천원), 조기탕, 아귀탕(각 1인 1만6천원), 갈치찜(2만5천원)
⏲ 09:00~15:00/16:30~20:30(마지막 주문 19:30)| 토, 일요일 09:00~21:00 – 월요일 휴무
🔍 전북 군산시 구영7길 15(월명동)
☎ 063-446-0118 Ⓟ 가능

군산옥 염소고기

염소 잡내를 잘 제거한 흑염소 요리를 맛볼 수 있는 곳. 흑염소 무침은 밑반찬으로 나와 조금씩 맛 볼 수 있다. 수육과 전골은 2인분 이상 주문해야 한다.

㉳ 흑염소수육, 흑염소무침(각 2만5천원), 흑염소전골(2만원), 흑염소탕(1만3천원), 왕갈비탕(1만2천원)
⏲ 12:00~20:00 – 일요일 휴무
🔍 전북 군산시 조촌안3길 25(조촌동)
☎ 063-452-1340 Ⓟ 불가

금강꽃게장 게장

가격대가 낮은 꽃게장백반을 맛볼 수 있는 곳. 백반은 2인분 이상부터 주문 가능하다. 순두부, 생선구이 등 반찬이 여러 가지 나온다. 꽃게장 정식도 가격대비 양이 많다는 평.

㉳ 꽃게장정식(1인 3만원), 양념게장(2인이상 1인 2만5천원), 꽃게장백반(2인이상, 1인 1만4천원), 꽃게탕(6만원), 순두부(9천원)
⏲ 11:30~20:00 – 목요일 휴무
🔍 전북 군산시 진포로 210(경암동)
☎ 063-443-5760 Ⓟ 불가

기연 일식오마카세

서울의 일본요리점 모노로그에서 근무한 후 고향인 군산으로 내려온 전훈 셰프의 일본요리점이다. 매일 조금씩 달라지는 제철 식재료를 사용한 신선하면서도 훌륭한 맛의 정통 일본 요리를 오마카세 형식으로 낸다. 사케 리스트도 합리적인 가격에 구성도 훌륭하며 2부는 저녁 9시 반에 시작하기 때문에 2차로 들러 밤을 즐기기에도 좋다.

㉳ 오마카세(10만원)
⏲ 1부 19:00~20:30/2부 21:30~23:00| 토요일, 공휴일 1부 18:00~19:30/2부 20:30~22:00 – 비정기적 휴무
🔍 전북 군산시 구영3길 39(월명동)
☎ 010-9445-3028 Ⓟ 불가(인근 공영주차장 이용)

대가꽃게장 게장

군산 현지인이 추천하는 꽃게장집. 남도답게 게장을 주문하면 한정식 수준의 반찬이 깔린다. 짜지 않고 슴슴한 게장 맛이 일품이다. 실내 분위기도 넓고 쾌적하다.

㉳ 꽃게장, 꽃게무침(1인분 3만원), 꽃게탕(소 6만2천원, 중 9만2천원, 대 12만2천원)
⏲ 11:00~15:00/17:00~20:00 – 월요일 휴무
🔍 전북 군산시 개정면 금강로 466
☎ 063-453-0831 Ⓟ 가능

돈키호테 타파스바 | 스페인식

스페인 현지식 요리와 술을 즐길 수 있는 타파스 바. 타파스는 스페인에서 식사 전 술을 곁들여 간단히 먹는 음식을 의미한다. 토마토 마리네이드, 가지구이, 감바스 알 아히요 등 다양한 타파스를 선보인다. 스페인 생맥주와 병맥주도 있다.

㉳ 토마테스라마, 베렌헤레예나(각 1만원), 참피뇨네스(1만3천원), 감바스알아히요(5피스 1만2천5백원, 10피스 2만5천원), 알본디가스(5피스 1만3천5백원, 10피스 2만7천원), 안심스테이크(200g 4만2천원), 봉골레파스타(1만6천원), 샤퀴테리(9천5백원~2만7천원)
⏲ 17:30~23:00(마지막 주문 22:00) – 일, 월요일 휴무
🔍 전북 군산시 구영6길 111-7
☎ 0507-1322-7467 Ⓟ 불가

등대로 燈臺路 생선회 | 생선매운탕

군산 비응항 방파제에 자리한 횟집. 아름다운 서해 낙조를 바라보며 신선한 회를 즐길 수 있다. 신선한 해물과 초밥, 활어회, 대하구이 등이 한 상 가득 푸짐하게 차려지는 코스를 추천할 만하다. 시원한 생우럭매운탕과 생조개버섯전골 등도 인기.

㉳ 등대로코스(A 7만원, B 6만원, C 5만원), 생우럭매운탕(1인 2만7천원), 생조개버섯전골(중 6만4천원 대 10만6천원)
⏲ 12:00~14:30(마지막 주문 14:00)/17:00~21:00(마지막 주문 19:30) – 월요일 휴무, 명절 전날과 당일 휴무
🔍 전북 군산시 비응로 71(비응도동) 아무들광장 2층
☎ 063-446-9500 Ⓟ 가능

락원 樂園 청국장

군산에서 잘 알려진 한정식집이었지만, 최근에는 청국장과 뭇국을 선보이고 있다. 한식집이지만 음식점 내부는 근대 일본식 가옥 형태를 유지하고 있다. 식사를 마치고 인근에 영화 촬영 장소도도 쓰인 일본 전통가옥 히로쓰가옥을 둘러보는 것도 좋다.

㈜ 청국장, 뭇국(각 9천원)
⏲ 07:30~14:30 – 첫째, 셋째 주 월요일 휴무
🔍 전북 군산시 구영3길 21-1(월명동)
☎ 063-446-9255 Ⓟ 가능

명월갈비 🎀 소갈비

60년이 넘는 전통의 갈빗집으로 한우 소갈비 한 가지 메뉴만 전문으로 한다. 갈비를 시키면 도토리묵, 계란찜, 물김치 등의 반찬이 푸짐하게 깔린다. 숯불에 구운 갈비를 상추에 얹어 양파 장아찌를 얹어 먹으면 맛이 일품이다. 식사로는 작은 양으로 나오는 곰탕을 시켜 먹으면 좋다.

₩ 한우양념갈비(1인분 200g 3만원), 생갈비(1인분 200g 4만원), 잔치국수(3천원, 곱빼기 4천원), 곰탕(3천원)
⏲ 11:00~21:00 – 둘째, 넷째 주 수요일 휴무
🔍 전북 군산시 구영7길 59(신창동)
☎ 063-445-8283 Ⓟ 불가

미곡창고 🎀 Migok Storage 커피전문점

군산에 있던 농협쌀창고를 고쳐 만든 카페로, 요즘 뜨거운 인기를 끌고 있다. 스페셜티 커피를 전문으로 하며 최고급 게이샤커피도 맛볼 수 있다. 함께 곁들일 수 있는 빵과 케이크 등의 디저트도 추천할 만하다. 복층 구조로 꾸몄으며 층고가 높아 탁 트인 느낌이 든다.

₩ 미곡아메리카노, 미곡에스프레소, 구암아메리카노, 구암에스프레(각 6천원), 미곡라테, 구암라테(각 6천5백원), 브루잉커피(7천~1만원)
⏲ 10:00~22:00 – 연중무휴
🔍 전북 군산시 구암3.1로 253(구암동) ☎ 063-465-3007 Ⓟ 가능

복성루 🎀 일반중식

돼지고기 고명이 얹어진 꼬막짬뽕으로 유명한 중식당이다. 점심때는 짬뽕과 짜장면만 주문할 수 있다. 전국에서 가장 짬뽕 맛이 좋은 중식당 중 하나로 꼽히고 있다. 50년 넘는 역사를 자랑한다.

₩ 짜장면(8천원), 짜장밥(9천원), 물짜장(1만2천원), 짬뽕, 짬뽕밥(각 1만1천원), 볶음밥(1만원)
⏲ 10:00~16:00 – 일요일 휴무
🔍 전북 군산시 월명로 382(미원동)
☎ 063-445-8412 Ⓟ 가능

빈해원 濱海園 일반중식

70년이 넘는 내력을 자랑하는 화상중식당이다. 화상답게 짬뽕을 잘하기로 유명하다. 널찍한 실내 분위기가 중국 본토스러운 대형 중식당 중 하나.

₩ 짜장면(6천원), 짬뽕(8천원), 군산삼선짬뽕, 하얀해물짬뽕(각 1만원), 탕수육(소 1만5천원, 중 2만5천원), 잡채(1만5천원), 짬뽕밥(9천원)
⏲ 10:30~21:00(마지막 주문 20:00) | 토, 일요일 10:00~21:00 – 월요일 휴무
🔍 전북 군산시 동령길 57(장미동)
☎ 063-445-2429 Ⓟ 불가

사계절꽃게무침 🎀 꽃게

간장 게장이 대세인 군산에서 드물게 전라도식 꽃게무침을 내는 곳. 숙성되지 않은 신선하고 달큰한 게살과 물엿을 사용해 매콤, 달콤, 끈적한 자극적인 양념 맛의 조화가 매우 훌륭하다. 음식점 보다는 주점에 가까운 형태로 운영되며 주인의 손맛이 좋아 반찬 및 요리가 두루두루 맛있다.

₩ 꽃게무침(암게 8만원), 꽃게탕(숫게, 5만원), 간자미무침(소 3만5천원, 중 5만원), 병어조림, 갈치조림(각 소 3만5천원, 중 5만원), 대하소금구이(3만원), 참홍어회, 참홍어무침(각 5만원)
⏲ 17:00~24:00 – 일요일 휴무
🔍 전북 군산시 부원로 8(나운동)
☎ 063-463-2239 Ⓟ 가능(주택가 골목)

송강식당 생선찜 | 생선매운탕

꽃게, 대하, 홍어 등 다양한 생선의 매운탕 맛이 뛰어난 것으로 유명하다. 졸복튀김 등의 메뉴도 별미. 가격대비 만족도가 높다.

₩ 아귀탕(1만원), 대하탕(1만3천원), 꽃게탕(2만원), 복어찜, 아귀찜, 홍어찜(소 2만5천원, 중 4만원, 대 5만원), 복튀김(1만원)
⏲ 11:00~16:00/17:00~20:00(마지막 주문 19:30) – 연중무휴
🔍 전북 군산시 구영6길 120(영화동)
☎ 063-445-0255 Ⓟ 가능

송정식당 생선매운탕

홍어탕, 서대탕, 우럭탕 등 생선매운탕을 잘하는 집이다. 반찬으로 새우, 주꾸미, 소라 등과 함께 굴비, 갈치속젓, 생선회무침, 생선전 등이 등장하고 나물 반찬도 함께 나온다.

₩ 아귀탕, 홍어탕(각 1만3천원), 대하탕(1만5천원), 복어탕, 서대탕(각 1만6천원), 복어찜(소 5만5천원, 중 6만5천원, 대 7만5천원), 아귀찜(소 4만5천원, 중 5만5천원, 대 6만5천원)
⏲ 11:00~21:30 – 일요일 휴무
🔍 전북 군산시 구암3.1로 6-3(대명동)
☎ 063-446-0303 Ⓟ 가능

쌍용반점 일반중식

바닷가에 인접한 군산답게 해산물이 듬뿍 들어간 짬뽕을 맛볼 수 있다. 주문하면 그때부터 재료를 볶아서 내는 정통 짬뽕을 맛볼 수 있다. 영업시간과 관계없이 재료가 떨어지면 문을 닫는다.

Ⓦ 조개짬뽕(1만원), 전복짬뽕(1만5천원), 짜장면(9천원), 탕수육(소 2만4천원, 중 2만7천원), 팔보채(3만1천원)
⏲ 11:00~20:00 – 둘째, 넷째 주 월요일 휴무
🔍 전북 군산시 내항2길 121(금동)
☎ 063-443-1259 Ⓟ 불가

안젤라분식 떡볶이 | 분식

달착지근하고 매콤한 떡볶이로 유명한 분식집. 오뎅탕은 달걀노른자를 풀어 먹으면 더욱 고소하고 맛있다. 콩나물과 오이, 양념장을 당면과 함께 비벼 먹는 잡채도 인기 메뉴다. 영업시간과 관계없이 재료가 떨어지면 문을 닫는다.

Ⓦ 오뎅(1인분 3천원), 김밥(2줄 5천원), 떡볶이, 잡채(각 6천원), 세트(2만원)
⏲ 11:00~16:00 – 연중무휴
🔍 전북 군산시 구영5길 118-14(영화동)
☎ 063-443-3929 Ⓟ 불가

압강옥 일반한식 | 이북음식

전라도식으로 변형된 이북 음식을 하고 있다. 쟁반전골이라고도 하는 어복쟁반, 냉면 등이 주메뉴. 놋그릇에 담겨 나오는 반찬이 정갈하다.

Ⓦ 복튀김(중 3만5천원, 대 4만5천원), 갈비구이(2인 이상, 1인 220g 3만원), 물냉면(1만원), 비빔냉면(1만1천원), 쟁반전골(2인 이상, 1인 2만1천원), 압강옥정식(예약필요 4인 18만원)
⏲ 11:40~15:00(마지막 주문 14:30)/17:00~20:30(마지막 주문 19:30) – 둘째, 넷째 주 화요일 휴무
🔍 전북 군산시 삼수길 46(사정동)
☎ 063-452-2777 Ⓟ 가능

영국빵집 베이커리

보리단팥빵이 맛있기로 유명한 빵집. 흰찹쌀보리빵은 밀가루 대신 군산에서 재배한 흰찹쌀보리를 사용해 만든 것으로, 고소하고 담백한 맛이 특징이다. 그 밖에 다른 빵도 가격이 싸고 맛이 좋다는 평.

Ⓦ 보리단팥빵(2천원), 생크림빵, 채소빵(각 2천5백원), 양파치즈빵(3천5백원)
⏲ 08:00~21:00 – 연중무휴
🔍 전북 군산시 대학로 144-1(신풍동)
☎ 063-466-3477 Ⓟ 불가

옹고집쌈밥 쌈밥 | 우렁된장

쌈밥정식을 전문으로 하는 곳이다. 황토에서 양식한 우렁이 들어간 쌈장 맛이 구수하다. 쌈 종류도 다양하게 나오며 호박과 두부를 썰어 넣고 끓여 낸 된장찌개도 담백하다. 직접 담가 2년 동안 푹 묵힌 된장을 사용한다. 밥은 군산 특산물인 청정쌀과 흰 찰보리쌀을 섞어 지었다. 폐교된 시골학교를 리모델링하여 식당으로 사용하고 있다.

Ⓦ 소불고기쌈밥(2만원), 매콤제육쌈밥(1만2천원), 한우육회(1만8천원), 소불고기추가(1만5천원), 제육추가(8천원)
⏲ 10:20~20:30 – 연중무휴
🔍 전북 군산시 나포면 서왕길 34
☎ 063-453-8883 Ⓟ 가능

완주옥 소떡갈비

80여 년 전통의 떡갈비 전문점. 다져서 만든 떡갈비가 아니라 갈빗살을 저며 만든 떡갈비다. 연탄불에 마늘과 함께 터프하게 구워져 나온다. 현지인과 관광객 모두 많이 찾는 집. 공깃밥은 별도로 주문해야 한다

Ⓦ 한우떡갈비(2인 이상, 1인 200g 2만8천원), 한우곰탕(1만2천원), 미니곰탕(2천원)
⏲ 11:00~15:00/16:00~21:00 – 둘째, 넷째 주 화요일, 명절 휴무
🔍 전북 군산시 큰샘길 42(죽성동)
☎ 063-445-2644 Ⓟ 가능

완주옥

우리떡갈비 곰탕 | 소떡갈비

30여 년 역사의 군산의 명물 떡갈비를 맛볼 수 있다. 한우를 다져서 넓적하게 만들었다. 달달한 향에 불맛을 입힌 것이 특징이다. 부추와 쪽파를 무친 파김치와 함께 먹는다. 공기밥을 시키면 작은 그릇의 곰탕이 함께 나온다.

Ⓦ 떡갈비(190g 2만8천원), 곰탕(1만3천원), 양곰탕(1만3천원), 술국(5천원), 미니곰탕(2천원)
⏲ 11:30~14:00/17:30~21:00 – 수요일 휴무
🔍 전북 군산시 백토로 36(문화동)
☎ 063-463-4279 Ⓟ 가능

유락식당 준치 | 아귀 | 게장

준치회덮밥과 간장게장, 아귀찜을 내세우는 곳. 간장게장은 1인도 주문 가능하며 아귀찜에는 아귀가 넉넉히 들어가 있다. 반찬도 한정식을 연상시킬 정도로 다양하고 푸짐하게 나온다.

₩ 반지회덮밥, 아귀탕, 아나고탕, 조기탕, 오징어회덮밥(각 1만6천원), 간장게장(2만8천원), 아귀찜(소 5만원, 중 6만원, 대 7만원), 복어찜(중 6만원, 대 7만원)
⏲ 11:00~21:00 – 월요일 휴무
🔍 전북 군산시 해망로 146-25(금암동)
☎ 063-445-6730 Ⓟ 가능

유성꽃게장 꽃게

꽃게장 전문점으로, 대표 메뉴인 간장꽃게장은 알이 꽉 차 있으며 비린내가 나지 않는다. 알이 꽉 차 있는 철에 서해에서 잡은 꽃게를 구매해 냉동해서 사용하므로 1년 내내 좋은 질의 꽃게장을 먹을 수 있다.

₩ 꽃게장, 꽃게무침, 꽃게탕(각 1인 3만원), 꽃게찜 (1kg 9만4천원)
⏲ 10:40~20:30(마지막 주문 19:20) – 연중무휴
🔍 전북 군산시 성산면 철새로 6-1
☎ 063-464-6670 Ⓟ 가능

이성당 베이커리

우리나라 최초의 제과점으로, 단팥빵과 팥빙수가 유명하다. 넓은 매장에 다양한 종류의 빵들이 진열되어 있으며 샌드위치, 밀크쉐이크 등 젊은이들이 좋아하는 메뉴도 맛볼 수 있다. 70여 년이 넘는 역사를 자랑하는 군산의 상징이다.

₩ 단팥빵(2천원), 야채빵(2천5백원), 팥빙수(8천원), 통알밤앙금빵(3천3백원), 찹쌀깨찰빵, 고구마빵(각 2천5백원), 쌀메론빵(3천원)
⏲ 08:00~21:30 | 금, 토, 일요일 08:00~22:00 – 한 달에 한 번 비정기적 휴무
🔍 전북 군산시 중앙로 177(중앙로1가)
☎ 063-445-2772 Ⓟ 가능

일해옥 콩나물국밥

새우젓으로 미리 간이 다 되어 나오는 방식의 콩나물국밥이 유명하다. 토렴을 거쳐 나오는 것이 특징. 전주 콩나물국밥처럼 수란이 따로 나오지 않고 국밥에 달걀을 넣어 나온다

₩ 콩나물국밥(7천원), 공기밥, 모주(각 1천원)
⏲ 05:00~15:00 – 명절 휴무
🔍 전북 군산시 구영7길 19(월명동)
☎ 063-443-0999 Ⓟ 가능

일흥옥 콩나물국밥

콩나물국밥을 전문으로 하는 곳. 멸치로 육수를 내어 맛이 시원하면서도 깔끔하다. 해장국과 함께, 쌀과 보리로 만든 모주를 곁들이는 것도 좋다. 50여 년간 한 자리를 지켜온 오랜 역사를 자랑한다.

₩ 콩나물국밥(7천원), 모주(1천5백원)
⏲ 05:00~15:00 – 수요일 휴무
🔍 전북 군산시 구영7길 25(월명동)
☎ 063-445-3580 Ⓟ 가능

장어골숯불구이 장어

군산에서 유명한 장어구이 전문점. 소금구이를 전문으로 하는 곳이다. 양념구이로 먹기 원할 경우에는 미리 말하면 양념을 발라준다. 방문 전 미리 연락하고 찾는 것이 좋다.

₩ 장어소금구이, 양념구이(각 1kg 8만5천원)
⏲ 16:00~24:00 – 일요일 휴무
🔍 전북 군산시 미장7길 11(미장동)
☎ 063-452-0709 Ⓟ 가능

중동호떡 호떡

1943년부터 전통을 이어온 군산의 명물 호떡집. 기름에 튀기지 않고 구워내는 전통 방식을 사용하여 기름기 없이 담백한 맛이다. 흑설탕을 사용한 꿀도 전통적인 맛을 간직하고 있다. 주문 즉시 호떡을 만들어 주는데 집게로 잘라 먹어야 혀를 데지 않고 먹을 수 있다.

₩ 호떡(1개 1천5백원, 5개 7천원), 뽕잎크림치즈호떡(1개 2천5백원, 4개 9천원), 아메리카노(2천원)
⏲ 10:00~19:00 | 일요일 13:00~18:00 – 연중무휴
🔍 전북 군산시 서래로 52(경암동)
☎ 063-445-0849 Ⓟ 불가

지린성 짬뽕전문점 | 일반중식

현지인이 자주 찾는 중국 음식점으로, 짬뽕과 고추짜장이 유명하다. 짬뽕은 해물이 듬뿍 들어가 푸짐하며 고추짜장은 양파와 고추가 들어간 양념을 한번 볶아서 면과 따로 내는 스타일이다.

₩ 짬뽕, 짬뽕밥(각 1만원), 고추짬뽕, 고추짜장(각 1만1천원), 짜장면(8천원), 짜장밥(9천원)
⏲ 10:00~16:00(재료 소진 시 마감) | 토, 일요일 09:30~16:00 – 화요일 휴무
🔍 전북 군산시 미원로 87(미원동)
☎ 063-467-2905 Ⓟ 가능

지미원 知味園 한정식

궁중음식을 전문으로 하는 한정식집. 무형문화재 궁중음식 38호로 지정된 조선왕조 궁중음식을 선보이며 방짜유기 그릇에 깔끔하게 나온다. 예약제로만 운영되며 상견례 하기 적합한 장소다.

₩ 한정식(2인 18만원, 4인상 24만원)
⏲ 12:00~19:30(예약 필수) – 연중무휴
🔍 전북 군산시 부곡1길 6(나운동)
☎ 063-463-3900 Ⓟ 가능

진갈비 소떡갈비

떡갈비로 유명한 집. 주문하면 바로 양념해서 구워주는 떡갈비 맛이 신선하다. 뜨거운 돌판 위에 나와 따뜻하게 먹을 수 있다. 함께 나오는 밑반찬도 깔끔하다는 평.

₩ 떡갈비(200g 2만8천원), 한우곰탕(1만2천원)
⏲ 11:30~14:30/16:30~21:30(마지막 주문 20:30) – 월요일 휴무
Q 전북 군산시 구영1길 108-7(영화동)
☎ 063-446-7707 Ⓟ 가능

째보식당 게장

군산에서 인기를 끌고 있는 해물 전문점으로, 간장에 절인 해물 요리를 주로 선보이고 있다. 특히 꽃게장을 비롯해 전복장, 새우장, 소라장, 연어장 등 다양한 메뉴로 구성된 째보간장모둠이 특히 인기다. 점심때는 꽃게장정식이나 연어장정식, 새우장정식과 같은 정식 메뉴를 맛볼 수 있다.

₩ 째보간장모둠세트(2인 3만8천원), 째보양념게장세트(2인 5만원), 꽃게탕정식(2만5천원), 꽃게장정식(1만9천원), 연어장정식, 날치알꼬막비빔밥(각 1만3천원), 새우장정식, 전복장정식, 소라장정식(각 1만원)
⏲ 11:00~15:00/16:30~20:00 – 비정기적 휴무
Q 전북 군산시 구영3길 70(신창동)
☎ 070-8860-5312 Ⓟ 불가

카페신민회 新民會 카페

일제 적산가옥을 리모델링하여 외관부터 실내 소품까지 근현대의 정서가 물씬 풍기는 카페로, '신민회'의 역사적 의미를 콘셉트로 하고 있다. 말차슈페너와 신민회로얄밀크티가 대표 음료이며, 근대문화거리에 위치해 있어 군산 여행 중에 들르기 좋다.

₩ 말차슈페너(6천7백원), 아메리카노(4천5백원), 로열밀크티(6천7백원), 바스크치즈케이크(5천8백원), 말차바스크치즈케이크(6천3백원), 호떡크로플(1만2천원)
⏲ 11:00~21:30(마지막 주문 21:00) – 연중무휴
Q 전북 군산시 구영7길 55(신창동)
☎ 063-910-8202 Ⓟ 불가

한일옥 소고기국밥

해장에 좋은 소고기뭇국이 유명한 집. 무와 소고기가 듬뿍 들어 있어 맑고 깔끔한 국물이 시원하다. 반찬은 김치와 풋고추 등 단출한 편이다. 고춧가루를 약간 뿌리면 얼큰한 맛이 좋다. 비빔밥은 평일 낮 12시부터 주문할 수 있다.

₩ 육회비빔밥(1만1천원), 콩나물국(6천원), 비빔밥, 김치찌개(각 9천원), 닭국(8천원)
⏲ 06:00~21:30(마지막 주문 20:40) – 명절 당일 휴무
Q 전북 군산시 구영3길 63(신창동)
☎ 063-446-5502 Ⓟ 가능

전라북도 김제시

대흥각 일반중식

길게 자른 돼지고기 고명이 듬뿍 올라가 있는 고추짬뽕이 유명한 중식당. 잘게 다진 돼지고기가 들어 있는 유니짜장 맛도 좋다. 포슬포슬하게 튀겨낸 탕수육도 범상치 않은 솜씨다. 탕수육 소스는 케첩이 들어간, 우리나라에만 있는 소위 사천식 탕수육이다. 점심때는 사람이 많아 요리를 주문하기 어려울 수도 있다.

₩ 고추짬뽕, 육미짜장(각 1만원), 고추짬뽕밥(1만1천원), 탕수육, 덴푸라(각 3만원)
⏲ 11:30~15:30/17:00~19:00 – 일요일 휴무
Q 전북 김제시 검산택지1길 29(검산동)
☎ 063-547-5886 Ⓟ 가능

매일회관 한정식

반찬이 맛 좋기로 손꼽히는 한정식집. 30여 종의 반찬에 옛날 어머니의 손맛을 그대로 재현해 담아냈다. 밥은 찰기 있고 기름진 지평선 쌀로 짓는다.

₩ 특식(8만원), 불낙새전골(2인 이상, 1인 1만7천원), 버섯전골, 불고기전골(각 2인 이상, 1인 1만4천원)
⏲ 10:00~14:00(마지막 주문 13:00)/17:00~20:00(마지막 주문 19:00) – 일요일 휴무
Q 전북 김제시 남북로 140(요촌동)
☎ 063-542-7345 Ⓟ 가능

전라북도 남원시

경방루 일반중식
남원에서 가장 오래된 중국집으로, 100년이 넘게 4대째 가업을 이어오고 있는 노포다. 대표 메뉴는 탕수육으로, 연근, 목이버섯 등이 들어간 소스가 부어져 나오며, 고기가 부드러우면서도 바삭하다. 짬뽕도 이곳의 추천 메뉴.

₩ 짜장면(7천원), 짬뽕(9천원), 우동, 간짜장(각 8천원), 볶음밥(9천원), 탕수육(소 2만원, 대 3만원)
🕒 11:00~15:00/17:00~21:00 – 첫째, 셋째 주 월요일 휴무
🔍 전북 남원시 광한북로 29(금동)
☎ 063-631-2325 Ⓟ 가능

금생춘 金生春 일반중식
짜장면과 짬뽕이 주메뉴다. 짬뽕은 남도의 신선한 해물을 풍성하게 사용하여 국물 맛이 시원하고 얼큰하다. 탕수육, 팔보채 등의 요리메뉴도 추천할 만하다.

₩ 짬뽕(9천원), 짜장면(7천원), 울면(9천원), 탕수육(소 1만2천원, 중 1만8천원, 대 2만4천원)
🕒 10:30~14:30(재료 소진 시 마감) – 일요일 휴무
🔍 전북 남원시 가방뜰길 117(조산동)
☎ 063-631-7597 Ⓟ 가능

늘,파인 cafe always pine 카페
커다란 소나무 숲 속에 들어와 있는 듯한 느낌을 주는 숲 전망 카페. 루프탑에서도 소나무 정원을 감상할 수 있으며, 카페 뒤편 돌길을 따라가면 소나무 숲길로 연결되어 산책할 수 있다. 쑥크림라테인 쑥스러워와 소나무토핑의 말차라테인 아이파인땡큐가 시그니처 음료이다.

₩ 쑥스러워, 아임파인땡큐, 치즈폼아인슈페너, 딸기크림라테(각 6천5백원), 늘,파인에이드(6천원), 아메리카노(5천원), 카페라테(5천5백원), 아이구마(5천8백원)
🕒 10:30~20:00(마지막 주문 19:30) | 금, 토요일 10:30~21:00(마지막 주문 20:30) – 첫번째, 세번째 월요일 휴무
🔍 전북 남원시 운봉읍 삼산길 8-17 ☎ 010-8530-5674 Ⓟ 가능

두꺼비집 민물매운탕 | 붕어찜
붕어를 끓인 국물에 우거지를 넣고 나서 된장, 간장, 다진 마늘 등 갖은 양념을 넣고 끓인 어탕 맛이 맑고 개운하다. 냇가에서 잡은 생선을 바로 끓여 먹는 맛이 일품이다. 참붕어가 많이 잡힐 때에는 즙을 내어 팔기도 한다.

₩ 어탕, 어탕국수(각 1만2천원), 붕어찜, 메기찜, 메기매운탕(각 소 4만원, 대 5만원)
🕒 08:30~21:00 – 둘째, 넷째 주 화요일 휴무
🔍 전북 남원시 인월면 인월장터로 3
☎ 063-636-2979 Ⓟ 불가

부산집 추어탕
50년이 넘는 전통 있는 집으로, 단골손님이 많다. 토종 자연산 미꾸라지를 고집하며 직접 담근 간장과 된장, 고추장으로 맛을 낸다. 들기름에 볶은 추어숙회도 술안주로 좋다. 현지인이 많이 찾는 곳이다.

₩ 추어탕(1만2천원), 튀김(소 1만원, 대 2만원)
🕒 08:00~15:00/17:00~20:00(마지막 주문 19:15) – 첫째, 셋째 주 월요일 휴무
🔍 전북 남원시 요천로 1411(천거동)
☎ 063-632-7823 Ⓟ 가능

산들다헌 카페 | 전통차전문점 | 빙수
대추빙수로 유명한 찻집. 한옥을 개조해서 만든 곳으로, 전통적인 분위기가 물씬 풍긴다. 바깥으로는 나무로 만든 입식 테이블이, 방에는 좌식 테이블이 놓여져 있다. 작은 소품까지 구석 구석 주인의 손길이 닿지 않은 곳이 없어 구경하는 재미도 쏠쏠하다. 티라미수는 음료와 함께 주문 시 7천원에 맛볼 수 있다.

₩ 대추팥빙수(1만1천원), 티라미수(9천원), 아메리카노(4천5백원), 카페라테(5천원), 쌍화차(8천원), 오미자차(5천5백원), 허브차(6천원), 스무디(6천원)
🕒 11:00~21:00 | 일요일 11:00~17:00 – 월요일 휴무
🔍 전북 남원시 향단로 21(쌍교동)
☎ 063-632-3251 Ⓟ 불가

새집추어탕 추어탕
60년이 넘는 전통의 남원추어탕 터줏대감으로, 추어숙회를 개발한 곳이기도 하다. 미꾸리는 시골에서 흔히 잡던 토종 미꾸라지로, 길고 둥글며 맛이 더 좋다. 미꾸리가 통째로 나오는 추어숙회를 깻잎이나 상추에 싸서 초고추장에 찍어 먹는 맛도 일품이다. 모든 장류는 직접 담가서 사용한다.

₩ 추어탕(1만2천원), 추어숙회(중 4만원, 대 5만원), 새집정식(12만원), 춘향정식(10만원)
🕒 09:00~20:30 – 연중무휴
🔍 전북 남원시 천거길 9(천거동)
☎ 063-625-2443 Ⓟ 가능

새집추어탕

신촌매운탕 민물매운탕 | 닭볶음탕

시원하고 칼칼한 메기매운탕과 매콤한 닭볶음탕이 인기다. 지리산 약초와 과실로 만들어진 백합을 원료로 하는 춘향주를 비롯하여 복분자주를 식사에 곁들이면 더욱 좋다. 외딴곳에 있어 한적하다.

Ⓦ 메기매운탕(소 3만5천원, 중 4만5천원, 대 5만5천원), 메기빠가사리탕(소 4만5천원, 중 5만5천원, 대 6만5천원), 닭볶음탕(소 3만5천원, 대 4만5천원), 토종백숙(6만원)

11:30~15:00/17:00~21:00 – 목요일 휴무

전북 남원시 원천로 27-8(신촌동)

☎ 063-625-6291 Ⓟ 가능

심원첫집 산채정식 | 돼지고기구이

하늘 아래 첫 마을이라고 하는 심원마을에서 갖가지 산채정식을 먹을 수 있는 집이다. 산채정식을 시키면 20여 가지의 산나물들이 나온다. 흑돼지구이도 많이 찾는 메뉴며 직접 쑨 도토리묵과 청국장의 맛도 일품이다.

Ⓦ 산채정식(2만원), 산채비빔밥(1만5천원), 산채더덕구이정식(2만5천원), 엄나무오가피백숙, 묵은지닭볶음(각 7만5천원), 돼지두루치기(2만5천원), 도토리묵무침(2만원)

11:00~15:00/17:00~20:00 – 월요일 휴무

전북 남원시 모정길 21-3(신촌동) 1층

☎ 063-632-5475 Ⓟ 가능

지리산천왕봉식당 산채비빔밥 | 민물매운탕 | 닭백숙

산채비빔밥은 지리산 자락에서 나는 갖은 산나물을 주재료로 사용한다. 직접 닭을 키우고 있어 닭백숙이나 닭볶음탕을 시키면 바로 잡아서 요리해 준다. 그 밖에 송어회나 표고버섯탕 등도 맛볼 수 있다. 예약하고 가는 편이 좋다.

Ⓦ 산채정식(1만원), 닭볶음탕, 백숙(각 6만원), 옻닭(6만5천원), 표고버섯탕(소 3만5천원, 대 4만5천원)

08:00~20:00 – 비정기적 휴무

전북 남원시 산내면 지리산로 1241

☎ 063-626-1915 Ⓟ 가능

현식당 추어탕

남원에서 현지인이 좋아하는 추어탕집 중 하나. 남원에서 나는 미꾸라지를 사용하며 시래기와 고구마순이 듬뿍 들어 있는 추어탕 맛이 구수하다. 추어탕이 부족한 사람에게는 리필을 해주는 등 인심도 후하다. 점심때는 줄을 설 각오를 해야 한다.

Ⓦ 추어탕(1만2천원)

07:30~15:00/17:00~20:00(마지막 주문 19:40) – 둘째 주 수요일 휴무

전북 남원시 의총로 8(천거동)

☎ 063-626-5163 Ⓟ 가능

전라북도 무주군

강나루 민물매운탕 | 어죽

금강에서 잡은 민물고기로 끓이는 얼큰한 어죽 맛이 일품이다. 시래기를 듬뿍 넣어 끓이는 매운탕도 맛볼 만하다. 무주반딧불축제가 열릴 때면 관광객이 몰리는 곳이다.

Ⓦ 어죽(1만원), 도리뱅뱅, 빙어튀김(각 1만3천원), 빠가매운탕(중 5만원, 대 6만원), 쏘가리매운탕(중 7만원, 대 9만원)

09:00~20:00 – 명절 휴무

전북 무주군 무주읍 내도로 123

☎ 063-324-2898 Ⓟ 가능

금강식당 민물매운탕 | 어죽

어죽의 원조로 꼽히는 곳으로, 25여 년 역사를 자랑하는 민물고기 전문점. 민물고기 특유의 비린내를 제거하여 담백하고 깔끔한 맛을 내는것이 특징이다. 여러가지 약재와 재료로 끓인 육수로 만들어 시원하고 칼칼한 맛의 매운탕도 인기 메뉴.

Ⓦ 어죽(1만원), 쏘가리탕(소 6만원, 중 8만원, 대 10만원), 빠가사리탕(중 5만5천원, 대 6만5천원), 메기탕(중 4만5천원, 대 5만5천원), 빠가사리국밥(1만2천원), 사리(2천원~7천원)

10:30~19:30 – 연중무휴

전북 무주군 무주읍 단천로 102

☎ 063-322-0979 Ⓟ 불가

별미가든 산채정식

산채정식이 유명한 곳이다. 덕유산에서 나는 40여 가지의 산채로 상이 차려진다. 약초를 넣어 만든 동동주를 곁들이면 좋다.

Ⓦ 산채정식(2만5천원), 특산채비빔밥(1만5천원), 더덕정식(2만5천원)

10:00~17:00 – 비정기적 휴무

전북 무주군 설천면 구천동로 948

☎ 063-322-3123 Ⓟ 가능

섬마을 민물매운탕 | 어죽

빠가사리를 많이 넣어 국물이 시원한 어죽을 맛볼 수 있다. 재료는 직접 금강에 나가 잡아 오는 것을 주로 사용한다. 빠가국밥을 시키면 밥은 따로 나온다.

Ⓦ 빠가사리어죽, 빠가사리국밥(각 1만원), 쏘가리탕(중 8만원, 대 10만원), 빠가매운탕(중 6만원, 대 7만원), 메기매운탕(중 5만원, 대 6만원), 빙어튀김, 도리뱅뱅이(각 1만5천원)

10:00~15:00/17:00~21:00(마지막 주문19:30) – 연중무휴

전북 무주군 무주읍 내도로 126

☎ 063-322-2799 Ⓟ 가능

창복평양냉면 평양냉면 | 꿩

한우 사골을 오랜시간 고아서 육수를 내는 평양식 냉면 전문점. 면 또한 직접 메밀로 반죽하여 뽑아낸다. 겨울철에 맛볼수 있는 여러가지 꿩요리 또한 별미인데 1시간 전에 예약 필수다.

₩ 회냉면(1만5천원), 비빔냉면, 물냉면(각 1만원), 갈비탕(1만1천원), 손통만두(7천원), 한우차돌박이(200g 1만8천원), 삼겹살(200g 1만3천원)

10:00~19:00 – 연중무휴

전북 무주군 무주읍 단천로 114

☎ 063-324-3883 Ⓟ 가능

천지가든 일반한식 | 산채비빔밥

산채비빔밥은 뜨겁게 달궈나온 돌솥에 밥과 버섯, 산나물, 달걀 등을 집어넣고 고추장 양념에 비벼 먹는 스타일이다. 석이, 싸리 등의 버섯 향기가 입맛을 돋운다. 이 외에도 다양한 메뉴를 갖추고 있다.

₩ 산채비빔밥(1만원), 버섯전골(1만5천원), 토종닭백숙(6만원)

11:00~20:30(마지막 주문 19:00) | 토, 일요일 11:00~15:00/17:00~20:00(마지막 주문 18:30) – 명절 휴무

전북 무주군 무주읍 괴목로 1313

☎ 063-322-3456 Ⓟ 가능

카페로뎀 cafe RODEM 카페

무주의 남대천 둔치가 한눈에 보이는 로스터리 카페. 적당한 산미의 깊고 깔끔한 커피를 맛볼 수 있으며 다양한 음료 및 디저트도 판매한다. 커피향 그윽한 넓은 공간에서 여유를 만끽하기 좋은 곳.

₩ 에스프레소(3천9백원), 아메리카노(3천9백원~4천5백원), 카페라테(4천5백원~5천원), 아포가토(5천원), 딸기라테(5천5백원), 차(4천5백원~5천5백원), 빙수(1만1천원~1만5천9백원)

11:00~21:00 | 토요일 11:00~18:00 – 일요일 휴무

전북 무주군 무주읍 적천로 317

☎ 063-324-0715 Ⓟ 불가

전라북도 부안군

계화회관 백합

40년이 넘는 역사를 자랑하는 곳으로, 백합죽이 유명하다. 쌀을 불려 끓이다가 다진 백합살을 넣어 만들어 담백하고 고소하다. 깨끗한 백합에 물을 붓고 끓인 백합탕은 송송 썰어 넣은 고추맛과 어우러져 시원하고 얼큰하다. 백합이 듬뿍 들어가고, 두툼한 두께의 백합파전도 별미다.

₩ 백합죽(1만3천원), 백합파전(1만7천원), 백합탕(3만2천원), 백합구이(각 3만4천원), 백합찜(3만6천원)

09:30~15:00/17:00~20:00(마지막 주문 19:00) – 화요일 휴무

전북 부안군 행안면 변산로 95

☎ 063-584-3075 Ⓟ 가능(8대)

곰소쉼터 백반

담백한 창란, 오징어젓갈과 전어, 갈치속젓의 깊은 맛이 일품이다. 곰소젓갈정식을 시키면 3개월 숙성된 어리굴젓부터 2년 삭힌 갈치속젓까지 아홉 가지 젓갈을 작은 종지에 조금씩 담아 내온다.

₩ 곰소젓갈정식(1만원), 돌게장정식(1만3천원), 꽃게장정식(2만5천원), 꽃게탕(2만원), 광어회(중 13만원, 특 15만원)

09:00~20:00 – 연중무휴

전북 부안군 진서면 청자로 1086 곰소쉼터휴게소

☎ 063-584-8007 Ⓟ 가능

군산식당 생선회 | 백합

신선한 백합을 사용한 백합죽과 푸짐한 생선회로 인기인 곳이다. 대표 메뉴는 충무공정식으로, 꽃게탕에 제육볶음, 양파김치, 갑오징어무침, 각종 젓갈, 갈치조림 등이 푸짐하게 나온다. 외지인은 물론 현지인도 많이 찾는 곳.

₩ 충무공정식(2~3인 5만원, 4인 6만원), 백합죽(1만2천원), 백합정식(2인 6만5천원, 3인 9만5천원, 4인 11만원), 우럭매운탕, 해물탕(각 중 5만5천원, 대 6만5천원)

08:30~15:00/16:30~20:00 – 명절 휴무

전북 부안군 변산면 격포항길 16

☎ 063-583-3234 Ⓟ 가능

김인경원조바지락죽 죽 | 바지락

바지락을 아끼지 않고 넣은 삼삼한 맛의 바지락죽 전문점. 죽 하나를 시켜도 반찬이 푸짐하게 나와 든든하게 식사할 수 있다.

₩ 바지락죽(1만원), 뽕잎바지락죽(1만2천원), 바지락뽕회무침(3만원), 바지락뽕잎전(1만9천원)

08:00~20:00 | 동절기 08:00~19:00 – 연중무휴

전북 부안군 변산면 묵정길 18

☎ 063-583-9763 Ⓟ 가능

내소식당 청국장 | 일반한식

뽕잎밥과 청국장으로 이름난 곳. 청국장과 손두부는 100% 국산콩으로 직접 만든다. 2인 이상 주문 가능한 뽕잎밥 정식에는 청국장, 조기구이, 전, 젓갈 등 반찬이 한상 가득 차려진다. 바지락전, 뽕잎비빔밥도 별미.

₩ 뽕잎밥정식(2인 이상, 1인 2만원), 뽕잎비빔밥(1만원), 청국장(1만원), 젓갈백반(1만3천원), 해물파전(1만7천원), 바지락전, 도토리묵(각 1만5천원), 손두부(1만2천원)

09:00~17:45 – 연중무휴

전북 부안군 진서면 내소사로 181

☎ 063-582-7281 Ⓟ 불가

다해꽃게장 게장

간장게장과 젓갈을 함께 맛볼 수 있는 곳. 정식을 주문하면 다양한 젓갈이 기본 찬으로 나온다. 식사 후 입 안을 헹굴 수 있는 양치실이 마련되어 있으며, 옆 건물 곰소다해젓갈에서 포장 판매도 겸하고 있다.

₩ 꽃게장정식(2인 이상, 1인 3만1천원), 돌게장정식(2인 이상, 1인 1만7천원), 새우장정식(1만7천원), 젓갈정식(1인 1만3천원)
⏲ 10:00~19:30(마지막 주문 19:00) – 둘째, 넷째 화요일 휴무
🔍 전북 부안군 보안면 청자로 1283 ☎ 063-582-7205 Ⓟ 가능

당산마루 한정식 | 붕어찜

한정식 전문점. 매콤한 양념의 참붕어찜과 계절마다 다른 생선을 쓰는 매운탕, 생선회, 홍어찜, 조기구이, 고등어조림 등 30여 가지의 반찬이 상에 오른다. 조개젓, 갈치속젓 등의 젓갈도 입맛을 돋운다. 집에서 빚은 동동주를 곁들이는 것도 좋다. 전통 한옥과 농장이 있는 고풍스러운 분위기다.

₩ 오디한정식(10만원), 당산마루한정식(15만원), 매창한정식(20만원), 돌솥밥(1만5천원)
⏲ 11:00~21:00 – 명절 휴무
🔍 전북 부안군 부안읍 당산로 71
☎ 063-581-1626 Ⓟ 가능

변산명인바지락죽 죽

바지락죽을 처음 개발했다고 알려진 집. 바닷가가 보이는 곳에 대형으로 운영되고 있다. 관광객은 물론이고 지역 주민도 많이 찾는다.

₩ 인삼바지락죽(1만2천원), 바지락회비빔밥(1만3천원), 모밀바지락전(1만6천원), 바지락회무침(소 2만5천원, 중 3만5천원)
⏲ 08:40~15:00/16:00~19:00(마지막주문 18:30) – 명절 휴무
🔍 전북 부안군 변산면 변산해변로 794
☎ 063-584-7171 Ⓟ 가능

변산온천산장 바지락

30년 전통의 변산의 명물 바지락죽 전문점. 인근 해창 갯벌에서 갓 캐낸 바지락 살을 잘 발라 인삼, 마늘, 당근, 녹두와 함께 끓인 바지락죽은 10년 이상 된 국내산 소금으로만 간을 한다. 고운 고춧가루로 만든 숙성 양념을 곁들인 매콤새콤한 바지락회무침 역시 인기 있는 메뉴로, 참기름을 넣어 밥에 비벼 먹으면 더욱 맛있다.

₩ 바지락죽(8천원, 특 1만원), 바지락무침(소 3만원, 중 4만원, 대 5만원), 바지락채소전(1만원)
⏲ 08:00~20:00 – 연중무휴
🔍 전북 부안군 변산면 묵정길 83-6
☎ 063-584-4876 Ⓟ 가능

신용횟집 생선회

회를 시키면 밑반찬이 한 상 푸짐하게 깔리는 곳. 주꾸미 철에는 상추와 깻잎에 싸 먹는 주꾸미회 맛이 일품이다. 식당 통유리로 보이는 시원한 바다 전망이 멋스럽다.

₩ 회모둠(소 8만원, 중 12만원, 대 15만원, 스페셜 20만원), 백합탕, 꽃게탕(각 중 5만원, 대 7만원), 백합찜(중 4만원, 대 5만원)
⏲ 11:00~21:00 – 비정기적 휴무
🔍 전북 부안군 변산면 궁항영상길 11
☎ 063-582-8911 Ⓟ 가능

오뚜기회관 백반

가격대가 낮으면서 정갈한 맛의 백반이 인기인 식당으로, 주로 찌개 종류를 전문으로 한다. 생선구이, 게장, 잡채, 풀치조림 등 여러 가지 반찬이 맛깔스럽다. 저녁때는 삼겹살을 구워 먹기에도 좋다.

₩ 가정식백반, 청국장백반, 홍어탕백반(각 7천원), 갈치찌개백반(1인 1만원, 기본 3만원)
⏲ 08:00~21:00 | 일요일 08:00~13:00 – 명절 휴무
🔍 전북 부안군 부안읍 부풍로 7
☎ 063-584-3012 Ⓟ 가능

칠산꽃게장 게장

부안 일대에서 유명한 간장게장 전문점. 짜지 않고 적당한 간의 게장이다. 감칠맛 나는 양념이 더해진 꽃게무침이 추천메뉴. 게장과 꽃게무침은 기본 2인분 이상 주문해야 한다. 반찬으로 나오는 오징어젓갈의 맛이 좋다.

₩ 꽃게간장게장, 꽃게양념게장(각 2인 이상, 1인 2만8천원), 꽃게탕(소 4만5천원, 대 6만원), 돌게장(1인 1만5천원)
⏲ 09:00~19:00 – 명절 휴무
🔍 전북 부안군 진서면 청자로 906
☎ 063-581-3470 Ⓟ 가능

풍차식당 백합 | 죽 | 바지락

바지락요리 전문점. 바지락을 사용한 다양한 요리가 준비되어 있다. 위에 부담 없이 먹을 수 있는 삼삼한 백합죽과 시원한 맛이 강한 바지락 칼국수가 특히 인기다.

₩ 바지락칼국수(2인 이상, 1인 9천원), 백합죽(2인 이상, 1인 1만1천원), 바지락회무침(3만원), 왕만두(6천원)
⏲ 08:00~20:00 – 비정기적 휴무
🔍 전북 부안군 하서면 변산로 1449
☎ 063-583-3883 Ⓟ 가능

전라북도 순창군

2대째순대 순댓국 | 순대

60년 가까운 전통을 자랑하는 순대 전문점으로, 2대째 맛을 전하고 있다. 대창에 당근, 콩나물 등의 채소와 선지를 알차게 넣은 피순대의 맛이 좋다. 맑게 끓인 순댓국도 식사메뉴로 인기가 많으며 다양한 내장과 순대, 콩나물 등이 들어가는 순대전골도 추천할 만하다.

₩ 순대국밥, 내장국밥(각 8천원), 막창국밥(1만원), 순대수육(소 1만원, 중 2만원, 대 3만원), 순대전골(소 2만원, 중 3만원, 대 4만원)
🕒 08:00~15:00 – 비정기적 휴무
🔍 전북 순창군 순창읍 남계로 52
☎ 063-653-0456 Ⓟ 가능

남원집 한정식

60여 년 역사의 한정식집. 한 상을 주문하면 2층으로 쌓인 80여 가지 반찬이 나온다. 고추장이 유명한 순창답게 장아찌반찬이 별미. 그 외에 마늘장아찌, 무장아찌, 감장아찌, 더덕장아찌와 산나물, 육류 등이 푸짐하게 차려진다. 고추장은 판매도 한다. 2~3일 전에 예약해야 하며 현금만 받는다.

₩ 한정식(6인 이상, 1인 3만원)
🕒 10:00~20:00 – 명절 휴무
🔍 전북 순창군 순창읍 순창5길 12-1
☎ 063-653-2376 Ⓟ 가능

남원집

민속집 한정식

합리적인 가격의 백반 스타일 한정식을 맛볼 수 있다. 된장찌개, 연탄불에 구운 생선구이와 돼지불고기 외에도 낙지, 계란찜 등 20여 가지의 반찬이 깔린다. 반찬은 계절에 따라 조금씩 달라진다. 60여 년 역사를 자랑한다.

₩ 한정식(2인 3만6천원, 3인 5만원, 4인이상 1인 1만5천원)
🕒 11:30~19:30 – 연중무휴
🔍 전북 순창군 순창읍 순창8길 5-1
☎ 063-653-8880 Ⓟ 가능

새집 한정식

순창에서 손꼽히는 한정식집. 연탄불에 구운 석쇠 불고기와 함께 장아찌, 전, 생선구이, 꽃게탕, 동치미 등 30여 종 이상의 반찬이 나온다. 불고기 정식은 사람 수가 많을수록 가격이 내려간다. 오래된 한옥 온돌방에서 받는 한상차림이 푸짐하다. 60여 년 역사를 자랑한다.

₩ 한정식(1인 2만2천원), 조기탕, 홍어탕(각 5만원), 소불고기(3만원), 돼지불고기(2만5천원)
🕒 12:00~19:00 – 명절 휴무
🔍 전북 순창군 순창읍 순창6길 5-1
☎ 063-653-2271 Ⓟ 가능

순창전통유과 한과

60여 년간 이어오고 있는 전통 순창 유과집. 전통적인 제조 방식을 유지하기 위해 모든 작업은 수작업으로 진행되며 질 좋은 찹쌀로 만든 유과는 기름을 사용하지 않아 맛이 깔끔하다. 전국 배송이 가능하며 직접 방문할 경우 영업시간이 일정하지 않기 때문에 하루 전 문의하는 것이 좋다.

₩ 나락유과, 가루유과(각 6천원)
🕒 09:00~19:00(전화 문의 필수) – 연중무휴
🔍 전북 순창군 순창읍 순창1길 23-10
☎ 063-653-2254 Ⓟ 가능

향가산장 민물매운탕

민물매운탕이 유명한 집. 부드러운 시래기와 메기살을 얼큰한 국물과 함께 떠 먹으면 칼칼하다. 고추장아찌, 연근조림, 브로콜리, 미역냉채 등의 반찬도 깔끔하게 입맛을 돋운다.

₩ 메기탕(소 2만8천원, 중 3만8천원, 대 4만8천원), 메기찜(소 3만8천원, 중 4만8천원, 대 5만8천원), 참게메기탕(소 3만8천원, 중 4만8천원, 대 5만8천원)
🕒 11:00~15:00 | 토, 일요일 11:00~16:00(마지막 주문 15:00)(재료 소진 시 마감) – 연중무휴
🔍 전북 순창군 풍산면 향가로 574-45
☎ 063-653-6651 Ⓟ 가능

전라북도 완주군

골목집 한정식

작은 간판만 걸어두고 영업하고 있어 아는 사람만 아는 곳으로, 푸짐한 전주식 한정식을 맛볼 수 있다. 적어도 한두 시간 전에 전화 예약을 하고 찾아가야 한다.

₩ 한정식(4인 8만원)
🕒 12:00~19:00 – 월요일 휴무
🔍 전북 완주군 고산면 고산로 97-5
☎ 063-262-5176 Ⓟ 가능

다다미일식 일식

전원주택에 온 듯한 분위기의 한국식일식집. 보리굴비정식이 대표 메뉴로, 직접 농사지은 채소로 만드는 반찬을 맛볼 수 있다. 전주에서 가장 오래된 일식집 중의 하나로 꼽혔던 곳으로, 현재는 전주 근교인 완주군으로 이전하였다.

₩ 보리굴비정식(2만6천원), 참조기탕, 떡갈비구이, 대구탕(각 2만3천원), 대나무잎고등어구이(2만5천원), 사시미(2인기준 6만원, 3인기준 8만원, 4인기준 10만원)
🕒 12:00~22:00 – 연중무휴
🔍 전북 완주군 소양면 소양로 257-34
☎ 063-241-8114 Ⓟ 가능

목향밥상 일반한식

견과류와 밥을 연잎에 찐 연잎밥 정식이 인기있는 곳. 된장찌개도 함께 나오고 밑반찬도 가짓수가 많아 밥과 먹기 좋다. 보리굴비 정식도 추천.

₩ 연잎밥정식(1만2천원), 보리굴비정식(2만원), 메밀전(1만원), 약선버섯탕(1만2천원), 한방누룽지닭백숙(5만5천원), 한방누룽지오리백숙(6만원)
🕒 11:00~21:00 – 연중무휴
🔍 전북 완주군 구이면 원두현길 3-12
☎ 063-229-3689 Ⓟ 불가

산에는꽃이피네 전통차전문점

통나무집으로 된 전통찻집. 직접 솔을 따다 만들어내는 솔즙, 진한 대추즙, 호박죽, 흑임자깨를 갈아서 만든 깨죽 등 국산 재료로 만든 전통차를 즐길 수 있다.

₩ 대추차, 쌍화차(각 1만원), 모과차(7천원), 유자차, 산수유(각 6천원)
🕒 11:00~19:00 – 명절 휴무
🔍 전북 완주군 구이면 구이로 797-18
☎ 063-221-6513 Ⓟ 가능

스시우니&어스테판 すしうに 스시 | 데판야키

전주 혁신도시에 위치한 스시야. 지리산 함양 철갑상어알, 철원 생와사비, 이천쌀 등 엄선된 식재료를 사용하여 스시 오마카세를 추구하는 정성이 엿보인다. 메인 테이블 외에 룸도 여유롭게 있어 모임을 하기에도 좋다.

₩ 스시우니런치오마카세(9만원), 스시우니디너오마카세(16만원), 모둠사시미(5만8천원), 해물나베(2만7천원)
🕒 오마카세 12:00~13:10/13:30~14:40/18:00~20:00 | 이자카야 12:00~14:00/17:30~01:00(익일) – 일, 월요일 휴무
🔍 전북 완주군 이서면 오공로 21-13 호텔원빌딩 3층
☎ 063-225-9331 Ⓟ 가능

원조화심두부 순두부 | 두부

60년이 넘는 전통의 직접 만드는 생두부집. 모두부를 시키면 썰지 않고 덩어리째로 나오는데, 칼을 대면 맛이 없어지기 때문에 숟가락으로 파 먹어야 한다. 바지락이나 굴이 들어가는 순두부 백반도 얼큰하고 시원하다. 두부로 만든 도넛을 후식으로 곁들이면 좋다.

₩ 화심순두부, 고기순두부(각 8천5백원), 버섯순두부(9천5백원), 들깨순두부(1만원)
🕒 08:30~20:00 – 명절 휴무
🔍 전북 완주군 소양면 전진로 1066
☎ 063-243-8952 Ⓟ 가능

유성식당 순댓국

여러 가지 돼지부속고기가 푸짐하게 들어간 순대국밥을 맛볼 수 있는 곳. 순대국밥이지만 순대는 따로 요청해야 넣어주는 것이 특징이다. 인근의 익산 지역 주민도 일부러 찾아 오는 40년이 넘는 전통의 유명한 맛집이다.

₩ 순대국밥, 머리국밥(각 9천원, 곱빼기 1만원), 막창피순대, 머릿고기(각 1만8천원), 모둠순대(2만3천원)
🕒 07:00~21:00 – 두 번째, 네 번째 월요일, 명절 휴무
🔍 전북 완주군 삼례읍 동학로 29
☎ 063-291-8182 Ⓟ 불가

할머니국수집 국수

양은 대접에 심플하게 나오는 국수가 맛있는 곳. 금방 말아 내놓은 국수 위에 곱게 빻은 고춧가루와 파가 올라가 있으며, 국물 맛이 담백하고 얼큰하다. 부뚜막을 중심으로 ㄴ자 형태로 배치된 의자에 앉아 먹는다.

₩ 할머니국수(소 5천원, 중 6천원, 대 7천원, 특대 8천원)
🕒 동절기(11월~3월) 10:00~18:30 | 하절기(4월~10월) 10:00~20:00 – 월요일 휴무
🔍 전북 완주군 봉동읍 봉동동서로 138-1
☎ 063-261-2312 Ⓟ 불가

전라북도 익산시

고려당 메밀국수 | 찐빵

익산에서 메밀소바가 맛있기로 유명한 곳. 해산물을 넣고 진하게 우린 쯔유에 구수한 메밀면을 찍어 먹는 맛이 좋다. 달달한 단팥 앙금이 들어간 찐빵과 만두 등을 곁들이면 더욱 맛있다. 50년이 넘는 역사를 자랑한다.

₩ 냉메밀(중 7천원, 대 9천원), 비빔메밀, 비빔국수, 쫄면, 온소바(각 7천원), 찐빵, 만두(1인분 7천원)
🕒 11:00~17:00 | 토, 일요일, 공휴일 11:00~16:00 – 월, 화요일 휴무
🔍 전북 익산시 중앙로 52(갈산동)
☎ 063-856-8373 Ⓟ 불가

마동국수 콩국수 | 잔치국수 | 비빔국수

깔끔한 맛의 잔치국수를 맛볼 수 있는 곳. 멸치로 진한 육수 맛을 내며 별다른 고명이 올라가지 않는다. 얼갈이김치와 먹으면 일품이며 새콤하게 무쳐낸 비빔국수와 콩국수 등도 맛이 좋다. 직접 뽑는 면은 쫄깃한 면발을 자랑한다.

₩ 물국수(6천원), 비빔국수(8천원), 콩국수(9천원), 곱빼기(1천원 추가)
🕒 11:00~16:00 | 일요일 11:00~15:00 – 둘째, 넷째 주 일요일 휴무
🔍 전북 익산시 서동로 160-1(마동)
☎ 063-853-0334 Ⓟ 불가

마띠나 MATTINA 이탈리아식 | 와인바

익산 신시가지에 위치한 김성수 셰프의 작은 와인바로 클래식 이탈리안 퀴진을 지향한다. 트러플을 올린 타야린, 관찰레를 사용한 아마트리치아나, 카르보나라 등 식재료의 사용, 구성, 조립법 모두 현지 스타일이며 특히 건면 파스타는 라파브리카, 젠틸레 등 고급 아티장 제품을 사용한다. 셰프가 와인에 조예가 깊어 와인 리스트도 수준급이며 가격도 합리적이다.

₩ 카르파치오(2만5천원), 카르보나라, 아마트리치아나(각 1만9천원), 샤프란봉골레(2만5천원), 티본스테이크(100g 1만4천원), 채끝등심(190g 3만9천원), 티라미수(1만원)
🕒 17:30~01:00(익일) – 일, 월요일 휴무
🔍 전북 익산시 하나로11길 32-7(영등동) 훈하우스 1층
☎ 070-8285-8048 Ⓟ 불가

마띠나

미륵산순두부 순두부 | 두부

직접 만드는 순두부 전문점. 순두부백반을 시키면 감자전, 부추겉절이, 배추겉절이 등의 반찬이 나온다. 붉은 순두부찌개가 얼큰하면서 시원하다. 두부 공장이 바로 옆에 있다.

₩ 한방순두부찌개(1만1천원), 순두부찌개(1만원), 생두부(6천원), 오리주물럭(6만원)
🕒 10:30~15:00/16:30~20:00 | 월요일 10:30~15:00 | 토, 일요일 09:00~20:00 – 명절 휴무
🔍 전북 익산시 금마면 미륵사지로 397
☎ 063-835-8919 Ⓟ 가능

신동양 新東洋 일반중식

매콤하면서 동시에 시원한 고추짬뽕으로 유명한 식당이다. 돼지고기로 육수를 내어 새하얀 국물에 각종 해산물을 넣었다. 그 위에는 배추와 청양고추를 썰어 곁들였다.

₩ 하얀고추짬뽕(8천5백원), 짜장면(6천원), 짬뽕, 볶음밥(각 8천원), 삼선물짜장(1만1천원)
🕒 11:00~15:00/17:00~20:00 – 토요일 휴무
🔍 전북 익산시 평동로11길 60(갈산동)
☎ 063-855-3100 Ⓟ 불가

야래향 夜來香 일반중식

1930년대 문을 열어 80여 년 넘게 화교가 대를 이어 운영하는 노포 중국집. 간판에 '만두가게'라고 적혀 있을 만큼 먹을 때 육즙이 팡 터지는 군만두로 유명한 곳이다. 고소한 된장 맛이 나는 된장짜장도 추천 메뉴.

₩ 군만두(7천원), 된장짜장, 짬뽕(각 8천원), 탕수육, 마파두부(각 1만5천원)
🕒 11:00~15:00/17:00~20:00 – 월요일 휴무
🔍 전북 익산시 중앙로 12-249(중앙동2가)
☎ 063-855-3302 Ⓟ 불가

예지원 한정식

한옥을 개조한 한정식집으로, 예약제로만 운영한다. 다양한 한정식 상차림을 선보이며 환갑, 돌잔치 등 큰 행사를 하기에 좋다.

₩ 한정식(4인 기준 1상 12만원)
🕒 예약제로 운영 – 연중무휴
🔍 전북 익산시 춘포면 미등골길 290
☎ 063-835-1155 Ⓟ 가능

이탈 ITAL 이탈리아식 | 와인바

이탈리안 요리를 캐주얼하게 풀어낸 레스토랑으로, 식사와 함께 와인 한잔하기 좋은 곳이다. 부드러운 식감의 뇨키, 생면을 사용하는 아롱사태 라구, 훈연의 맛이 살아있는 이베리코 등이 추천 메뉴.

Ⓦ 카프레제(1만2천원), 어란파스타(2만1천원), 뇨키(1만8천원), 아란치니(3개 1만1천원), 카르파치오(1만6천원), 봉골레(1만9천원), 이베리코(3만9천원), 비스테카(4만8천원)

⏲ 17:30~23:00(마지막 주문22:00) – 일요일 휴무

🔍 전북 익산시 무왕로17길 44-4(영등동) 유진빌딩 1층

☎ 063-833-1744 Ⓟ 불가

정순순대 순대

선지로 속을 채우는 피순대를 맛볼 수 있다. 돼지고기 육수에 순대를 넣고 국수를 말아내는 순대국수가 독특하다. 50여년의 역사를 지닌 집이다.

Ⓦ 순댓국밥(9천원), 순대국수(7천원), 모둠피순대(1만5천원)

⏲ 09:30~21:30 – 연중무휴

🔍 전북 익산시 중앙로1길 24-9(창인동1가)

☎ 063-854-0922 Ⓟ 불가

진미식당 비빔밥 | 육회 | 순대

90여 년의 역사를 자랑하며, 황등 비빔밥을 유명하게 만든 곳. 육회 비빔밥은 사골국물에 토렴하여 따뜻하게 데워진 상태로 맛볼 수 있다. 정성이 가득한 음식에서 느껴지는 맛이 일품이다. 같이 나오는 선짓국의 맛도 좋다.

Ⓦ 육회비빔밥(1만1천원, 특 1만4천원), 소불고기비빔밥(1만원), 선짓국밥(9천원), 선짓국(5천원), 육회(3만8천원), 고구마순대(1만2천원)

⏲ 11:00~19:00(마지막 주문 18:30) – 일요일 휴무

🔍 전북 익산시 황등면 황등로 158

☎ 063-856-4422 Ⓟ 불가

태백칼국수 칼국수

익산역 인근에서 칼국수로 유명해진 곳. 달걀물을 풀어 넣은 것이 특징이며 김가루와 다진고기가 고명으로 올라간다. 담백한 국물 맛이 일품. 칼국수 외에도 떡국, 비빔밥, 왕만두 등을 다양하게 선보인다.

Ⓦ 칼국수(8천원, 곱빼기 9천원), 만둣국, 떡국(각 9천5백원), 왕만두, 비빔밥(각 8천원)

⏲ 11:00~16:00/17:00~19:00 – 둘째, 넷째 주 월요일 휴무

🔍 전북 익산시 중앙로 15-5(중앙동1가)

☎ 063-855-1529 Ⓟ 가능

풍성제과 P.S BAKERY 베이커리

익산을 대표하는 노포 베이커리. 옥수수식빵으로 유명하다. 기본 옥수수식빵 외에 옥수수찹쌀식빵, 옥수수밤식빵, 마늘바게트도 추천한다. 맘모스빵, 꽈배기 등 옛날 빵 종류가 많아 빵지 순례자에게 인기 있는 곳 중 하나다.

Ⓦ 옥수수식빵, 옥수수찹쌀식빵(각 4천5백원), 옥수수꽈배기(1천2백), 마늘(4천원)

⏲ 08:00~22:00 – 첫째, 셋째 주 월요일 휴무

🔍 전북 익산시 서동로 103(마동) ☎ 063-856-8408 Ⓟ 불가

한솔가든 닭볶음탕

닭볶음탕과 오리주물럭구이가 대표 메뉴다. 육질이 좋은 닭을 약간 매운 양념에 버섯, 양파, 감자, 당근을 넣고 조린다. 오리주물럭은 갖은 채소와 버섯을 넣고 국물이 많지 않게 자글자글 끓여 먹는다.

Ⓦ 닭볶음탕(5만3천원), 오리주물럭, 오리탕(각 5만6천원), 한방오리백숙(5만8천원)

⏲ 11:10~15:00/17:00~20:30 | 토, 일요일 11:10~20:30 – 월요일 휴무

🔍 전북 익산시 쌍능길 20-1(덕기동)

☎ 063-832-5327 Ⓟ 가능

한일식당 비빔밥 | 육회

익산 스타일의 황등비빔밥을 맛볼 수 있는 곳. 황등비빔밥은 밥이 고추장 양념에 비벼 나오고 그 위에 육회가 푸짐하게 올라가는 것이 특징이다. 갈비탕 국물에 선지가 들어가는 국물이 함께 나온다.

Ⓦ 황등육회비빔밥(1만1천원), 특황등육회비빔밥(1만3천원), 한우육회(300g 3만5천원)

⏲ 11:30~15:30/17:00~20:30 – 월요일 휴무

🔍 전북 익산시 황등면 황등로 106

☎ 063-856-4471 Ⓟ 불가

황등시장비빔밥 선지해장국 | 비빔밥

익산의 명물 황등비빔밥을 전문으로 하는 곳. 시장 안에 있는 허름한 식당이지만 맛은 뛰어나다. 순대와 다양한 내장 부위가 들어간 선지해장국 맛도 일품이다. 맑게 나오는 국물에 다진 양념을 풀어 먹는다.

Ⓦ 육회비빔밥(1만1천원, 곱빼기 1만3천원), 선지순대국밥(9천원)

⏲ 11:00~14:00 – 일요일 휴무

🔍 전북 익산시 황등면 황등7길 25-8 황등시장

☎ 063-858-6051 Ⓟ 가능

전라북도 임실군

하루 전통차전문점
전북 고창군 해리면에서 옮겨온 유서깊은 송하정이라는 정자와 녹차밭으로 이루어진 전통찻집. 고즈넉한 건물에서 녹차밭을 바라보며 힐링할 수 있는 공간을 대여해준다. 섬진강의 인공호수 옥정호를 바라보며 차를 즐길 수 있는 공간이다. 공간 대여 후 1인 1만5천원을 추가하면 다과와 음료를 즐길 수 있다.

₩ 공간대여(문의), 음료및다과(1인 1만5천원)
🕒 10:30~17:30 – 예약제로 운영
🔍 전북 임실군 운암면 강운로 1175-17
☎ 010-5204-2357 Ⓟ 가능

행운집 국수
임실에서만 생산되는 자연건조 방식의 백양면을 사용한 국수를 맛볼 수 있다. 시골스러운 투박한 맛과 멋이 있는 곳. 주인 할머니가 가게를 비우고 밭에 나가 있을 경우가 많으므로 가기 전에 확인해야 한다.

₩ 묵국수(3천원), 비빔국수(3천5백원), 팥칼국수(4천원), 다슬기수제비(6천원)
🕒 08:30~19:00 – 둘째, 넷째 주 일요일 휴무
🔍 전북 임실군 강진면 호국로 14-12
☎ 010-4364-1094
Ⓟ 불가

전라북도 전주시

PNB풍년제과본점 PNB 베이커리
70년이 넘는 역사의 오래된 빵집. 팥빵, 슈크림빵 등 옛날 스타일의 빵 맛이 좋다. 전주 명물이 된 초코파이는 하루에 5천 개 이상 팔릴 정도로 인기 메뉴다. 프랜차이즈 빵집에서는 느낄 수 없는 옛 맛을 느낄 수 있어 찾는 손님이 많다.

₩ 오리지널초코파이(2천3백원), 화이트초코파이, 바나나초코파이(각 2천5백원), 단팥빵, 슈크림빵(각 2천원), 콘붓세, 초코잇슈(각 2천3백원)
🕒 08:00~22:30 – 연중무휴
🔍 전북 전주시 완산구 팔달로 180(경원동1가)
☎ 063-285-6666 Ⓟ 불가

가운데집 족발
양념족발을 전문으로 하는 집이 몰려 있는 용산다리(추천대교) 인근에서도 오래되기로 유명한 곳. 50년이 넘는 전통의 족발집이다. 일반적인 족발과 달리 매운 양념을 해서 구워 나오는 것이 특징이다.

₩ 양념족발(1만5천원), 비빔밥(5천원), 물국수, 누룽지(각 3천원)
🕒 10:30~20:30 – 월요일 휴무
🔍 전북 전주시 덕진구 추천로 171(팔복동2가)
☎ 063-211-5366 Ⓟ 가능

가족회관 일반한식 | 비빔밥
한옥마을 인근의 비빔밥 전문집. 비빔밥을 시키면 한정식처럼 15가지 반찬이 나온다. 유기를 사용하기 때문에 시간이 지나도 나물 향이 그대로 남아 있고 사골 국물로 지은 밥알이 쫀득쫀득한 맛을 유지한다. 가족회관정은 예약해야 한다.

₩ 전주비빔밥(1만4천원), 육회비빔밥(1만7천원), 가족회관정식(4인 12만원)
🕒 10:30~20:00(마지막 주문 19:50) – 명절 휴무
🔍 전북 전주시 완산구 전라감영5길 17(중앙동3가)
☎ 063-284-0982 Ⓟ 가능

감로헌 약선요리
약선요리를 하는 곳. 약선상차림에 추가하여 수육, 더덕생채 등의 메뉴를 추가해서 먹을 수 있다. 약선오리전골과 약선오리주물럭은 2시간 전에 예약해야 한다.

₩ 약선정식(2만2천원), 약선밥상(1만6천원)
🕒 11:30~21:00 – 일요일 휴무
🔍 전북 전주시 덕진구 권삼득로 247(금암동)
☎ 063-275-8811 Ⓟ 가능

갑기회관 비빔밥
정갈한 비빔밥을 맛볼 수 있는 곳. 비빔밥은 놋그릇에 담겨 나오는데 뜨거우므로 조심해야 한다. 속을 개운하게 해주는 콩나물국이 함께 나온다. 전골 종류도 추천할 만하다. 멸치, 동치미, 고사리 등의 기본 반찬이 비빔밥과 잘 어울린다.

₩ 육회비빔밥(1만7천원), 불낙전골(1만9천원), 갈비전골(2만4천원), 육회(200g 3만2천원, 300g 4만2천원)
🕒 11:00~21:00 – 연중무휴
🔍 전북 전주시 덕진구 상리로 50(팔복동2가)
☎ 063-212-5766 Ⓟ 가능

갓포마츠 KAPPO MATSU 갓포요리
전주 신시가지에 위치한 재패니즈 다이닝. 사시미의 선도와 숙성도도 훌륭하고 흔히 판매하지 않는 우설 이시야키 등 독특한 메뉴도 있다. 식사로도 좋고 다이닝 후 2차로 가더라도 여흥을 이어줄 수 있을 정도로 요리의 수준이 훌륭하다. 다양한 라인업의 사케 셀렉션도 큰 장점 중 하나다.

₩ 사시미모리아와세(2인 5만6천원), 독도새우(2만원), 금태숯불구이(대 4만4천원, 소 3만4천원), 호주안심구이(250g 3만8천원), 누룩항정살구이(200g 3만원), 모치프라이(1만2천원), 만체고치즈아에(2만5

천원)
ⓒ 18:00~01:00(익일)(마지막 주문 23:30) – 일요일 휴무
Q 전북 전주시 완산구 홍산북로 25 2층
☎ 063-222-2221 Ⓟ 불가(인근 공영주차장)

갓포마츠

걸프 gULP. 햄버거

주택을 개조해서 만든 아늑한 분위기의 수제버거 전문점. 다양한 사이드 메뉴도 있으며 탱글한 새우버거가 인기 많다. 매장에서 직접 패티와 빵을 만들며 번은 따로 판매도 하고 있다. 2층은 노키즈존이니 참고할 것.

₩ 걸프클래식버거(110g 8천3백원), 더블버거(220g 1만2천원), 안녕하새우버거(200g 1만2천8백원), 베이컨버거(140g 1만1천5백원), 비프칠리버거(140g 1만5백원), 잠봉뵈르(7천5백원), 어니언링(6천3백원)
ⓒ 11:00~21:00(마지막 주문 20:30) | 일요일 11:00~20:00(마지막 주문19:30) – 마지막 주 수요일 휴무
Q 전북 전주시 완산구 전주객사4길 96(고사동) 1, 2층
☎ 0507-1362-6051 Ⓟ 가능(GS타임즈 전주고사동주차장 이용, 1시간 무료)

고궁 古宮 비빔밥

옛날 임금의 수라상에 오르던 궁중의 비빔밥을 현대 감각에 맞게 재현하였다. 골동반정식을 시키면 모주, 수삼샐러드, 불고기, 전주식묵육회, 코다리찜, 홍어찜, 해물신선로, 모둠전 등 한상차림이 나온다. 전통 유기그릇에 전주식 생육회와 오실과로 맛과 멋을 낸 전주 전통 비빔밥이 돋보인다.

₩ 전주전통비빔밥(1만2천원), 돌솥비빔밥(1만3천원), 육회비빔밥(1만6천원), 채소불고기전골(1만8천원)
ⓒ 11:00~21:00(마지막 주문 20:30) – 명절 휴무
Q 전북 전주시 덕진구 송천중앙로 33(덕진동2가)
☎ 063-251-3211 Ⓟ 가능

고궁담 비빔밥

전주비빔밥 전문점 고궁에서 운영하는 한정식집. 정식을 주문하면 한 상 가득 정갈한 전라도 음식이 차려진다. 고궁의 비빔밥과 달리 미리 비벼져 나오는 것이 특징. 모던하고 세련된 인테리어가 갤러리를 연상케 하며, 음식을 담는 그릇도 모두 도기를 사용하여 고급스러운 느낌이다. 별도의 룸도 갖추고 있어 돌잔치나 상견례 장소로도 인기가 많은 곳.

₩ 평일점심(1만9천원), 한상차림(3만3천원), 담정식(4만3천원), 스페셜정식(5만3천원), 연회정식(20인 이상, 1인 3만8천원)
ⓒ 11:30~14:30/17:00~21:30 | 토, 일요일 11:30~21:30 – 월요일 휴무
Q 전북 전주시 완산구 유연로 170(효자동3가)
☎ 063-228-3711 Ⓟ 가능

광커피로스터리
光 COFFEE ROASTERY 커피전문점

스페셜티 커피를 선보이는 로스팅 전문 카페. 수제로 만드는 티라미수도 인기가 좋으며 로스팅과 커핑, 핸드드립을 직접 배워 볼 수 있는 클래스도 운영하고 있다.

₩ 에스프레소, 아메리카노(각 3천5백원), 카페라테(4천5백원), 필터커피(6천원~8천원), 패션후르차(4천5백원), 캐러멜피낭시에(2천8백원)
ⓒ 11:00~19:00 – 일요일, 마지막 주 월요일 휴무
Q 전북 전주시 완산구 서학로 29(동서학동)
☎ 063-288-5816 Ⓟ 불가

교동고로케 고로케

전주 한옥마을에 자리하고 있는 도넛, 고로케 전문점이다. 한옥을 개조하여 운치 있는 분위기에서 시간을 보낼 수 있는 것이 특징. 다양한 도넛과 고로케를 선보이며 담백한 맛을 자랑한다.

₩ 도넛(1천원), 감자, 카레고로케(각 2천원), 크림치즈고로케(2천5백원), 떡갈비고로케, 전주비빔밥고로케, 불고기비빔밥고로케(각 3천원)
ⓒ 10:30~20:30 – 연중무휴
Q 전북 전주시 완산구 경기전길 126(교동)
☎ 063-283-5555 Ⓟ 불가

교동다원 전통차전문점

100년이 넘은 한옥을 개조하여 만든 찻집으로, 본채와 아래채 두 채로 나뉘어 있다. 찻집에 들어서면 한약재로 만든 천연 향내가 가득하다. 전통 우리차와 중국차를 편안하게 즐길 수 있으며 요기할 수 있게 전통 과자가 준비되어 있다.

₩ 황차, 동정오룡(각 6천5백원), 보이차, 삼림계(각 7천원), 가바오룡, 목책철관음(각 8천원), 동방미인(1만원), 흑임자양갱(4천2백원), 밤양갱, 구름설기, 꿀약과(각 4천5백원)
ⓒ 11:00~20:00 | 토요일 11:00~21:00 – 화요일 휴무(화요일이 공휴일인 경우 정상 영업)
Q 전북 전주시 완산구 은행로 65-5(교동)
☎ 063-282-7133 Ⓟ 불가

궁 宮 한정식

전주 최고의 한정식으로 꼽을 만한 곳. 궁중요리를 충실히 재현하면서 적절하게 현대화하였다. 전통 음식의 고장 전주답게 유기그릇에 음식이 정갈하게 담겨 나와 손님을 접대하기에도 좋은 곳이다. 모든 그릇은 무형문화재 이봉주공방의 유기를 사용하며 실내 분위기도 전통과 현대적인 것이 적절히 조화되었다.

₩ 류(1인 7만원), 운(1인 8만원), 본(1인 2만5천원), 기(1인 3만5천원)
⏲ 12:00~15:00/18:00~21:00 – 명절 휴무
🔍 전북 전주시 완산구 천잠로 337(효자동3가)
☎ 063-227-0844 Ⓟ 발레 파킹

금암우족탕 우족탕

3대째 이어오고 있는 우족탕 전문점으로, 50여 년의 업력을 가진 곳. 우족탕은 우족, 소머리 등 다양한 부위를 끓여내는데, 다른 곳과 달리 오직 한우로만 푹 고아 깔끔하고 고소한 맛이 특징이다. 국밥과 함께 내어주는 수육은 초장에 들깨가루를 섞은 소스에 살짝 찍어 먹는다.

₩ 한우특우족탕(1만9천원), 전복우족탕(1만6천원), 한우갈비탕(1만5천원), 한우설렁탕(1만2천원), 수육(중 4만5천원, 대 5만5천원)
⏲ 08:00~22:00 – 연중무휴
🔍 전북 전주시 덕진구 태진로 136
☎ 063-252-8052 Ⓟ 가능(가게 앞)

금암피순대 순대

돼지 대창에 양념한 선지를 가득 넣은 피순대를 맛볼 수 있는 곳이다. 식사로도 든든하지만 술안주로도 제격이다. 대표 메뉴는 순대 국밥이며, 막창 모둠도 많이 찾는다. 기본 반찬으로 김치와 깍두기, 부추무침, 콩나물무침이 나온다.

₩ 순대국밥, 머리국밥(각 1만원), 피순대국밥(1만1천원), 피순대(1만5천원), 머릿고기, 막창모둠(소 2만원, 대 2만5천원)
⏲ 10:00~22:00 – 명절 휴무
🔍 전북 전주시 덕진구 기린대로 400-61(금암동)
☎ 063-272-1394 Ⓟ 가능

기찻길옆오막살이 닭볶음탕

닭볶음탕 전문점으로, 비법 마늘양념으로 24시간 저온 숙성한 마늘닭볶음탕이 대표 메뉴다. 국물이 얼큰하면서 진하다. 식당 이름의 콘셉트에 어울리게 입구에는 기찻길을 만들어 놓고, 아이들이 탈 수 있는 기차놀이 기구도 있다.

₩ 마늘숙성닭볶음탕(중 3만5천원, 대 4만9천원), 만새전(1만7천8백원), 묵은지김치전(1만4천9백원), 타이거 왕새우튀김(2마리 5천원)
⏲ 11:30~15:00/17:00~21:30 – 월요일 휴무
🔍 전북 전주시 덕진구 인교9길 71(우아동1가)
☎ 063-245-5870 Ⓟ 가능

김판쇠전주우족탕 우족탕

전주에서 우족탕이 맛있기로 유명한 집. 보통 우족탕이라 하면 소 다리로 끓인 탕을 생각하지만, 전주에서 말하는 우족탕은 머릿고기 등을 포함해 소의 다양한 부위를 한데 넣고 끓인 탕을 의미한다. 깔끔하게 끓인 국물에 머릿고기와 우족, 소꼬리, 도가니 등이 푸짐하게 들어가 만족도가 높다.

₩ 전주우족탕(1만5천원, 특 1만9천원), 전주갈비탕(1만4천원), 도가니탕(2만원), 수육(소 4만5천원, 대 5만5천원)
⏲ 07:30~21:00 – 연중무휴
🔍 전북 전주시 덕진구 태진로 132(금암동)
☎ 063-252-5010 Ⓟ 가능

꽃밭정이 추어탕

추어탕을 시키면 겉절이와 추어튀김이 함께 나온다. 얼큰한 추어탕에 부추를 듬뿍 넣어 먹으면 좋다. 가격대비 만족도가 높은 편이다. 포장 구매는 오전 9시부터 할 수 있다.

₩ 추어탕, 치즈돈가스(각 1만원), 추어튀김(1만2천원), 추어군만두(7천원)
⏲ 11:00~15:00/17:00~21:00 – 명절 휴무
🔍 전북 전주시 완산구 평화17길 11(평화동1가)
☎ 063-223-6923 Ⓟ 가능

남양집 민물매운탕

70여 년 전통의 매운탕집. 전주천에서 잡히는 메기와 쏘가리, 피래미 등을 넣어 얼큰하게 끓여내는 매운탕 맛이 일품이다. 채소, 양념을 적당히 섞어 끓인 국물과 양념이 짙게 밴 민물고기 맛이 얼큰하면서도 담백하다.

₩ 쏘가리매운탕(소 7만원, 중 10만원, 대 12만원), 빠가사리매운탕(소 5만원, 중 6만원, 대 7만원), 메기매운탕, 피라미매운탕, 새우매운탕(각 소 4만, 중 5만원, 대 6만원)
⏲ 09:00~21:00(마지막 주문 20:30) – 연중무휴
🔍 전북 전주시 완산구 전주천동로 10(교동)
☎ 063-284-1912 Ⓟ 가능(생태박물관 주차장 무료 이용)

다이닝스푼 Dining spoon 이탈리아식 | 파스타

아늑한 분위기와 식물을 활용한 인테리어가 어우러진 이탈리안 레스토랑. 크림소스파스타, 로제파스타, 오일파스타, 토마토파스타 등 10여 가지 종류의 파스타를 선보이는데, 블루크랩이 올라간 꽃게파스타와 차돌박이가 들어간 로제파스타 등이 인기다.

₩ 통오징어먹물리조토, 타이거바질크림리조토, 누룽지해산물리조(각 1만7천원), 목살들깨크림파스타(1만4천원), 오리엔탈목살스테이크(2만2천원), 살치살스테이크(3만1천원)
⏲ 11:30~15:00/17:00~22:00(마지막 주문 21:00) – 수요일 휴무
🔍 전북 전주시 완산구 전주객사4길 74-11(고사동)
☎ 063-255-9636 Ⓟ 불가

덕천식당 순대국밥

매운 양념이 들어간 칼칼한 국물이 특징인 순대국밥집. 이름은 순댓국이지만 순대 없이 내장만 들어가는 내장국밥에 가깝다. 잘 삶은 내장과 막창은 잡내가 없으며 칼칼한 국물은 밥을 말면 부드럽고 구수해진다.

₩ 순대국밥, 머리국밥(각 8천원), 콩나물국밥(6천5백원), 막창따로국밥(9천원), 머릿고기, 내장, 막창, 모둠(각 소 1만5천원, 대 1만8천원)

07:30~20:30(마지막 주문 19:50) – 일요일 휴무

전북 전주시 덕진구 명륜1길 6(금암동)

☎ 063-254-7365 Ⓟ 가능

동영커피 커피전문점

매장에서 로스팅한 커피와 동경제과학교 출신의 파티시에가 만든 디저트를 맛볼 수 있는 카페. 소금캐러멜라테가 독특한 메뉴다. 인기 디저트 메뉴로는 부드러운 바스크 치즈케이크와 커스터드푸딩이 있다.

₩ 에스프레소, 아메리카노(각 4천5백원), 카페라테(5천원), 바스크 치즈케이크(각 7천원), 커스터드푸딩(5천원)

10:00~20:00(마지막 주문 19:30) – 연중무휴

전북 전주시 완산구 전주객사4길 73-18(고사동)

☎ 063-273-4180 Ⓟ 불가

라볼타 la volta 이탈리아식

중화산동 신시가지 일대에서 인기를 끌고 있는 곳으로, 흰색 외관과 실내가 깔끔한 느낌을 주는 레스토랑. 오픈키친에서 만드는 생면 파스타를 맛볼 수 있다. 분위기, 맛, 서비스 모두 만족할 만한 곳이다.

₩ 해산물파스타(2만6천원), 킹크랩크림파스타(2만9천원), 코스메뉴(런치 3만9천원, 디너 10만원, 15만원)

11:30~15:00/17:30~22:00(마지막 주문 21:00) – 일, 월요일 휴무

전북 전주시 완산구 화산천변6길 7-3

☎ 063-224-3314 Ⓟ 불가

라볼타

마노 MANO 이탈리아식

신선한 재료로 만든 이탈리안 코스를 맛볼 수 있는 곳. 예약제로만 운영된다. 제철 식재료를 사용하여 매번 바뀌는 코스의 구성을 경험할 수 있다. 예약제로만 운영한다.

₩ 셰프테이스팅코스(11만5천원), A코스(9만5천원), B코스(6만8천원)

11:30~15:00/17:00~21:00 – 연중무휴

전북 전주시 완산구 홍산로 253

☎ 063-229-9011 Ⓟ 가능(건물 지하주차장 이용)

마래당 디저트카페

필링이 많이 들어간 일명 '뚱카롱'으로 인기인 카페. 마카롱의 종류가 다양하고 단맛, 식감 모두 좋은 평가를 받고 있다. 당고와 크림이 올라간 커피가 함께 나오는 마래당고커피도 시그니처 메뉴. 음식 담음새부터 인테리어까지 하나하나 보는 재미가 있다.

₩ 마카롱(2천8백원), 마래당고커피인절미, 마래당고커피흑임자(각 7천원), 아메리카노(4천5백원), 카페라테(5천원)

12:30~21:00 | 토, 일요일 12:30~20:30 – 연중무휴

전북 전주시 완산구 전주객사3길 46-12(고사동)

☎ 070-7543-5005 Ⓟ 불가

만성한정식 한정식

현지인 사이에서 인기가 많은 한정식집. 40여 가지 찬과 요리가 푸짐하게 나오는 한상차림을 선보인다. 깔끔하고 쾌적한 분위기로 꾸며 모임 장소로도 좋다. 오찬과 만찬의 식사시간은 각각 오전 11시 30분, 오후 5시30분부터이며, 비정기적으로 월 3회 월요일, 일요일이 휴무기 때문에 전화로 문의해야 한다.

₩ 4인한상차림(16만원, 20만원, 24만원, 32만원, 40만원), 만성스페셜(56만원)

10:00~22:00 – 일, 월요일 월 3회 휴무

전북 전주시 완산구 바우배기1길 31-9(효자동2가)

☎ 063-232-4141 Ⓟ 가능

메르밀진미집 메밀국수 | 콩국수

메밀국수를 면으로 사용하여 만든 검은색 국수에 하얀 콩 국물을 부은 콩국수의 맛이 일품이다. 전주식으로 설탕을 넣어 단맛이 나기도 하지만 중독성 있는 맛이다. 달착지근한 소스에 찍어 먹는 소바도 한번 맛볼 만하다. 콩국수, 소바, 냉면은 사계절 맛볼 수 있으며 한겨울에는 칼국수, 팥죽 등의 메뉴도 선보인다.

₩ 메밀소바, 메밀비빔소바, 메밀콩국수, 메밀물냉면, 메밀비빔냉면(각1만원)

10:00~20:00(마지막 주문 19:30) – 연중무휴

전북 전주시 완산구 전주천동로 94(전동)

☎ 063-288-4020 Ⓟ 가능(남부시장 천번 유료주차장 1시간 무료)

무궁화 한정식
한국 정통 반가 음식을 새롭게 해석한 고급 한정식을 내는 곳. 전주의 팔미를 다채롭게 즐길 수 있다. 탕평채, 소라무침, 더덕구이, 대하찜, 장어구이, 조기찜, 게장, 모둠전, 보쌈 등 화려한 한 상이 차려진다
₩ 한정식(4인 16만원~52만원), 평일굴비정식(2만7천원)
⏲ 11:00~21:30 – 연중무휴
🔍 전북 전주시 덕진구 권삼득로 436(덕진동2가)
☎ 063-271-3307 Ⓟ 가능

미곡로스터리 MIGOK ROASTERY 커피전문점
곡식 창고를 개조한 대형 로스터리 카페. 다양한 굿즈와 베이커리, 그리고 큐그레이더가 직접 감별한 브루잉 커피가 준비되어 있다.
₩ 미곡아메리카노(6천원), 카페라테(6천5백원), 무산소아메리카노(8천원), 만다린카페라테(7천원), 초코라테(7천5백원), 레몬차(6천5백원), 소금빵(3천원), 블루베리스콘(4천3백원)
⏲ 09:00~22:00(마지막 주문 21:30) – 연중무휴
🔍 전북 전주시 덕진구 금상길 10 산정창고
☎ 063-247-0701 Ⓟ 가능

반야돌솥밥 비빔밥
돌솥밥을 최초로 개발한 식당으로 자부심이 높은 곳. 지금도 돌솥밥 한 가지만 전문으로 한다. 한약재를 우린 물로 밥을 지어 밥맛이 좋다. 밤, 잣, 검은콩, 완두콩, 당근, 버섯, 옥수수, 우엉, 은행을 넣어 지은 밥에 간장양념장을 넣고 비벼 먹는 비빔밥 맛이 일품이다.
₩ 반야돌솥밥(1만4천원), 소고기돌솥밥, 인삼돌솥밥(각 1만8천원)
⏲ 10:50~15:00/17:00~20:30 – 명절 휴무
🔍 전북 전주시 완산구 홍산1길 6(효자동2가)
☎ 063-288-3174 Ⓟ 가능

밥스터 Bopster 커피전문점
원두와 추출방식을 선택할 수 있는 커피 전문점. 추출방식은 에스프레소 머신, 핸드드립, 사이폰 3가지 중 하나를 택할 수 있다. 커피 음료 외에 마카롱, 시폰 등 디저트류도 맛이 좋아 인기다.
₩ 에스프레소(4천원), 롱블랙, 카페라테(각 5천원), 더치커피, 핸드드립커피(각 6천원), 스페셜커피(7천원)
⏲ 09:00~22:00 – 연중무휴
🔍 전북 전주시 완산구 마전로 11(효자동3가)
☎ 070-7762-0659 Ⓟ 가능

백송회관 비빔밥 | 육회
육회비빔밥이 유명한 곳이다. 비빔밥과 함께 나오는 갖가지 반찬이 맛깔스럽다. 평일에는 서비스로 육사시미가 나오기도 한다. 식후에 나오는 누룽지가 구수하다.
₩ 전주비빔밥, 육회비빔밥(각 1만원, 특 1만3천원), 갈비탕(1만2천원, 특 1만5천원)
⏲ 10:00~22:00 – 명절 휴무
🔍 전북 전주시 완산구 기린대로 177(서노송동)
☎ 063-282-5001 Ⓟ 가능

베테랑칼국수 칼국수
전주를 상징하는 칼국숫집. 고춧가루, 김가루, 들깻가루가 듬뿍 얹어져 나오는 것이 특징이다. 같이 먹는 깍두기 맛도 별미다. 널찍한 전용 주차장이 마련되어 있을 정도로 늘 문전성시를 이루고 있다. 40년이 넘는 역사를 자랑한다.
₩ 칼국수(8천원), 쫄면(7천원), 만두(6천원)
⏲ 09:00~20:00 – 연중무휴
🔍 전북 전주시 완산구 경기전길 135(교동)
☎ 063-285-9898 Ⓟ 가능

삼백집 콩나물국밥 | 일반한식
전주를 대표하는 콩나물국밥은 콩나물, 김치, 밥, 새우젓 등 단출한 재료를 뚝배기에 담아 끓이는 간단한 음식이다. 하루에 3백 그릇만 팔았다고 해서 삼백집이라고 한다. 국밥 안에도 달걀이 들어가 있고 반찬으로 달걀프라이가 하나씩 나온다. 외지인에게도 이미 널리 알려진, 70년 이상 된 오랜 전통의 집이다.
₩ 콩나물국밥(8천원), 한우선지온반(1만원), 고추군만두(5천원), 대패삼겹철판(200g 1만9천원)
⏲ 06:00~22:00(마지막 주문 21:30) – 연중무휴
🔍 전북 전주시 완산구 전주객사2길 22(고사동)
☎ 063-284-2227 Ⓟ 가능

삼백집

삼양다방 카페
전주에서 가장 오래된 다방. 옛 다방의 인테리어와 소품들이 레트로한 분위기를 준다. 오랫동안 자리를 지켜온 곳으로, 1950년대의 수많은 영화인과 예술인들의 발자취가 담겨 있다. 향수를 불러일으키는 조용한 분위기에서 쌍화탕과 함께하면 옛날 정취를 즐길 수 있다.

₩ 허브티, 홍차, 녹차, 수제차(각 5천원), 옛날팥빙수(1만2천원), 삼양커피(4천원)
🕒 09:00~23:00(마지막 주문 22:30) – 연중무휴
🔍 전북 전주시 완산구 동문길 94(경원동2가)
☎ 063-231-2238 Ⓟ 가능

성미당 비빔밥

비빔밥 전문점으로, 60년 가까이 한 자리를 지키고 있다. 비빔밥에는 고사리, 표고버섯, 도라지, 오이, 당근, 쑥갓, 상추, 김, 잣, 밤, 대추 등이 들어간다. 찹쌀고추장, 간장, 참기름은 직접 만들어 사용한다. 밥을 양념에 비벼 놋그릇에 담고 육회 등 11가지 고명을 올려 불에 얹어 지진 후 나무받침에 받쳐 내는, 전형적인 전주 스타일이다.

₩ 전주전통육회비빔밥(1만7천원), 전주비빔밥(1만5천원), 해물파전, 황포묵무침(각 1만4천원), 황포묵(1만원), 육회(소 3만5천원, 대 4만5천원)
🕒 11:00~16:00/17:30~20:00 – 월요일 휴무
🔍 전북 전주시 완산구 전라감영5길 19-9(중앙동3가)
☎ 063-287-8800 Ⓟ 가능

세이토 SEITO 일식우동

자가제면으로 만드는 우동을 먹을 수 있는 곳. 탄력 있는 면발을 느낄 수 있는 마제우동이 대표 메뉴다. 닭다리살과 대파가 들어간 토리우동도 인기. 육수는 8가지가 넘는 재료의 배합으로 만든다.

₩ 가케우동(8천5백원), 마제우동, 토리우동, 니쿠우동, 덴푸라우동(각 1만2천5백원), 가쓰카레(1만3천5백원)
🕒 11:30~14:30/17:30~21:00(마지막 주문 20:00) – 월요일 휴무
🔍 전북 전주시 완산구 마전중앙로 13(효자동3가) 동화빌딩 1층
☎ 0507-1354-4322 Ⓟ 불가

수정관 일반중식

전주의 명물로 유명한 물짜장을 맛볼 수 있는 중화요리집. 물짜장은 전분이 들어가 점성이 있는 것이 특징이며, 해산물이 푸짐히 올라간다. 흔히 짬뽕과 울면, 짜장면이 섞인 듯한 느낌이라고 하지만, 정확히 설명하기 어려운 오묘한 맛을 자랑한다.

₩ 물짜장, 짬뽕, 간짜장(각 8천원), 짜장면(6천원), 탕수육(중 2만3천원, 대 2만8천원)
🕒 10:30~19:00 – 화요일 휴무
🔍 전북 전주시 완산구 문화광장로 18(서노송동)
☎ 063-287-7268 Ⓟ 불가

수플레 souffle 디저트카페

다양한 케이크와 구움과자를 전문으로 하는 디저트 카페. 시폰케이크, 당근케이크 등 다양한 종류의 디저트를 선보인다. 시그너처 음료는 피넛크림라테. 야외 정원과 테라스 자리도 아담하게 꾸며놓았다.

₩ 당근케이크(7천5백원), 딸기생크림케이크(7천8백원), 피낭시에(3천원), 무화과얼그레이파운드(3천2백원), 에그타르트(4천원), 아메리카노(4천5백원), 카페라테(5천원), 아몬드피넛크림라테(7천원)
🕒 11:00~21:00 – 연중무휴
🔍 전북 전주시 완산구 우전2길 63(효자동2가)
☎ 063-236-0246 Ⓟ 가능

스시요헤이 すしよへい 스시

서울 워커힐호텔 출신 김영대 오너 셰프가 운영하는 스시야. 그날 들어온 최상의 재료로 만드는 오마카세 단일 코스만을 선보이며 합리적인 가격대로 다양한 구성의 스시를 만날 수 있다. 스시를 알맞게 숙성하여 내는 것이 특징.

₩ 점심오마카세(4만8천원), 저녁오마카세(9만원)
🕒 12:00~14:30/18:00~22:30 – 일요일 휴무
🔍 전북 전주시 완산구 우전로 299(효자동3가)
☎ 063-221-9500 Ⓟ 불가

시즈너 seasoner 이탈리아식

오픈된 키친에서 이탈리안 요리를 선보이는 레스토랑. 제철 식재료를 사용하여 시즌마다 새로운 메뉴를 개발한다. 시그니처인 오렌지 연어 크림 파스타는 사계절 맛볼 수 있는 메뉴다. 실내는 확 트인 통유리창으로 되어 시원한 느낌을 준다.

₩ 봉골레파스타, 새우로제파스타, 홍가리비관자토마토파스타(각 1만8천원), 돌문어먹물리조토(각 1만9천원), 오렌지연어크림파스타(2만원), 부채살포르치니리조토(2만3천원), 채끝스테이크(3만8천원)
🕒 11:00~15:00(마지막 주문 14:00)/17:00~21:30 – 월요일 휴무
🔍 전북 전주시 덕진구 만성서로 121-18(여의동) 2층
☎ 0507-1318-1178 Ⓟ 가능

아느양과 구움과자

구움과자 전문점으로, 포장만 가능하며 줄 서서 먹을 정도로 인기 있다. 제품이 오후 3시쯤이면 소진되니 일찍 방문하는 것을 추천한다. 메뉴 라인업은 SNS 공지 참고할 것.

₩ 에그타르트, 마들렌(3천5백원), 피낭시에, 카늘레(각 3천원), 파운드케이크(4천원), 아메리카노(4천5백원), 카페라테(5천원)
🕒 12:00~19:00 | 일요일 12:00~17:00(제품 소진 시 마감) – 월, 화, 수요일 휴무
🔍 전북 전주시 완산구 팔달로 110 1, 2층
☎ 0507-1321-8007 Ⓟ 불가

아중도토리묵촌 닭도가니탕 | 묵

토종닭에 찹쌀과 한약재를 넣고 요리한 다음 채소를 곁들여 담백하고 맑게 우려낸 닭도가니탕이 별미다. 닭도가니탕 코스를 시키면 닭도가니탕에 도토리묵무침, 도토리묵냉채, 도토리전, 닭볶음탕이 코스로 나온다.

₩ 닭도가니탕, 닭매운탕(각 5만5천원, 세트 6만7천원), 도토리묵, 도토리전(각 1만원), 도토리냉채(9천원) 도토리묵밥(8천원)

🕒 11:30~15:00/17:00~21:30(마지막 주문 20:30) – 명절 휴무
🔍 전북 전주시 덕진구 동부대로 381(우아동1가)
☎ 063-244-1233 Ⓟ 가능

야키토리켄 焼鳥賢 일식

동경의 센가쿠지본젠 몬야에서 오랫동안 근무한 오현인 셰프의 본격적인 일본요리. 자극적이지 않고 심심한 듯 하면서도 맛있는 본토 스타일을 구사한다. 료테이(料亭)에서 맛볼 수 있는 가이세키 요리의 그 맛이다. 가격에 비해 고급 재료를 듬뿍 사용하는 것도 인상 깊다.

₩ 일본식오뎅모둠(1만7천원), 전복크림고로케(2만원), 마제소바(1만3천원), 가지고기튀김(1만5천), 붕장어튀김(2만3천원), 겨울멸치사시미(2만1천원)혼마구로사시미(4만원), 우니(50g 2만9천원)
🕒 18:00~24:00(마지막 주문 23:00) – 월요일 휴무
🔍 전북 전주시 완산구 바우배기2길 17-5
☎ 063-222-5289 Ⓟ 불가(인근 공영주차장 이용)

야키토리켄

양반가 한정식

전주 한옥마을 내에 자리한 한정식 전문점. 코스 메뉴가 다양하게 있으며 게장, 갈비찜, 황태구이 등의 단품요리도 준비되어 있다. 전통 한옥 형식의 내외관이 고풍스러운 분위기를 낸다.

₩ 한정식(미 12만원, 선 14만원, 진 18만원, 특 22만원, 수라상 30만원), 커플상(2인 7만원, 11만원)
🕒 11:00~15:00/17:00~21:00 – 화요일 휴무
🔍 전북 전주시 완산구 최명희길 30-2(풍남동3가)
☎ 063-282-0054 Ⓟ 불가

엄스키야키 호루몬 | 모츠나베

일본식 대창요리를 전문으로 하는 곳이다. 대창전골인 모츠나베와 대창볶음인 호르몬야키소바가 대표 메뉴다. 모츠나베를 먹은 후 마무리로 고소한 계란죽을 추천한다.

₩ 엄스키야키(100g 3만5천원), 솥밥(7천원~8천원), 육회, 닭고기전골(각 1만8천원), 닭고기소금야키소바(1만6천원), 돼지고기조림(1만4천원)
🕒 11:30~15:30/18:00~22:00(마지막 주문 21:00) – 일요일, 매월 마지막 주 월요일 휴무
🔍 전북 전주시 덕진구 세병로 21 포레나 전주에코시티상가 B-102호
☎ 070-4047-7133 Ⓟ 가능(상가 주차장)

에루화 돼지떡갈비

전주에서 유명한 돼지고기 떡갈빗집. 참 숯불에 구운 후 다시 무쇠 돌판에 구워 먹는 떡갈비를 맛볼 수 있다. 노릇하게 구워진 떡갈비와 함께 먹는 냉면과 김치찌개의 조합이 훌륭하다. 비교적 부담 없는 가격에 떡갈비를 즐길 수 있다.

₩ 떡갈비(200g 1만4천원), 동치미냉면, 비빔냉면(각 9천5백원), 우거지탕, 김치찌개(9천원)
🕒 11:00~21:00 – 월요일 휴무
🔍 전북 전주시 완산구 고사평5길 25(서신동)
☎ 063-252-9946 Ⓟ 가능

연지본관 소머리국밥 | 수육

우족탕(우두탕), 설렁탕을 맛볼 수 있는 전주의 오래된 노포 중 하나. 다른 지역과 달리 전주의 우족탕은 소머리와 다양한 부위를 넣고 끓인다. 우족탕의 끈적한 감칠맛과 설렁탕의 뽀얗고 고소한 맛을 동시에 느낄 수 있다. 모둠탕은 우족, 꼬리, 도가니, 소힘줄(스지) 등 다양한 부위가 푸짐하게 들어간다.

₩ 우두탕(1만2천원, 특 1만6천원), 설렁탕(1만원, 특 1만4천원), 갈비탕(1만3천원, 특 1만8천원), 모둠탕(1만7천원, 특 2만원), 수육(4만원), 꼬리수육(5만원), 현미수육(5만5천원), 모둠수육(5만원)
🕒 09:00~21:20 – 연중무휴
🔍 전북 전주시 완산구 현무1길 15(경원동3가)
☎ 063-286-4988 Ⓟ 가능

옛촌막걸리 한식주점

전주의 독특한 막걸리 문화인 막걸리 한상차림을 선보이는 곳으로, 부담없는 가격으로 막걸리와 푸짐한 안주를 즐길 수 있다. 주문하는 상의 종류에 따라 삼계탕, 돼지고기김치찜, 족발, 부침개, 메밀전병, 생선구이, 홍어삼합 등의 안주가 푸짐하게 차려진다.

₩ 커플상(4만3천원), 가족상(5만9천원), 잔칫상(7만9천원), 스페셜상(9만9천원)
🕒 13:00~22:00(마지막 주문 21:00) | 토요일 15:00~23:00(마지막 주문 22:00) – 연중무휴
🔍 전북 전주시 완산구 서신천변로 11(서신동)
☎ 063-272-9992 Ⓟ 불가

오뉴월 카페

전통 한옥의 멋과 현대적인 스타일과 소품이 잘 어우러진 카페. 커피 음료 외에도 다양한 종류의 프라페, 허브티, 전통차를 즐길 수 있다. 곳곳에 포토존도 마련되어 있다.

₩ 에스프레소, 아메리카노(각 4천5백원), 카페라테(5천5백원), 사케라토(6천원), 오미자에이드(8천원), 전통차(6천원~8천원), 당근케이크(6천5백원)
⏱ 09:00~22:00 – 연중무휴
🔍 전북 전주시 완산구 향교길 56(교동)
☎ 063-284-2588 Ⓟ 불가(교동주차장 이용)

오래옥 콩나물국밥

전주식 콩나물국밥 전문점. 표고버섯과 헛개나무 등을 넣어 육수를 끓이는 것이 특징으로, 속을 풀어주는 해장음식으로 제격이다. 메뉴는 콩나물국밥 한 가지뿐이며, 맛깔스러운 모주를 곁들이면 더욱 좋다.

₩ 콩나물국밥(7천원)
⏱ 06:30~15:00(재료 소진 시 마감) – 월요일 휴무
🔍 전북 전주시 완산구 홍산남로 14(효자동2가)
☎ 063-227-9935 Ⓟ 불가

오원집 돼지고기구이

연탄불에 구워내는 고추장 돼지고기구이를 맛볼 수 있는 곳. 상추에 김밥과 돼지고기를 함께 싸 먹는 것이 특징. 고기를 먹고 나면 가락국수로 마무리한다.

₩ 연탄불돼지구이, 양념족발(각 1만2천원), 오징어볶음, 무뼈닭발볶음(각 1만3천원), 가락국수(4천원), 닭볶음탕(2만5천원), 김밥(2천원)
⏱ 16:20~03:20(익일)(마지막 주문 02:50) – 연중무휴
🔍 전북 전주시 완산구 공북로 82(태평동)
☎ 063-275-1123 Ⓟ 불가

왱이콩나물국밥 콩나물국밥

전주 남부시장식 국밥의 대표 격으로, 콩나물국밥만 선보인다. 중탕으로 흰자위를 익혀 나오는 수란에 국물을 몇 숟가락 떠 넣고 김가루를 넣어 국밥이 나오기 전에 먼저 먹는다. 국밥에는 오징어 토막이 들어 있는 것이 특징이며 다시마 등으로 낸 국물이 시원하다.

₩ 콩나물국밥(8천원), 어린이국밥(7천원)
⏱ 07:00~21:00(마지막 주문 20:30) – 연중무휴
🔍 전북 전주시 완산구 동문길 88(경원동2가)
☎ 063-287-6980 Ⓟ 가능

외할머니솜씨 전통차전문점 | 빙수 | 떡카페

한옥마을에 자리한 한식 디저트 전문점. 다양한 전통차, 떡, 빙수 등을 즐길 수 있다. 여름에는 흑임자팥빙수가 유명하다. 한옥으로 된 실내가 운치 있다. 여름에는 줄을 서서 기다려야 할 때가 많다.

₩ 옛날흑임자팥빙수(9천원), 단팥죽(1만원) , 흑임자깨죽(8천원), 파시솜솜, 딸기솜솜(각 1만5천원)
⏱ 11:00~21:00(마지막 주문 20:30) – 연중무휴
🔍 전북 전주시 완산구 오목대길 81-8(교동)
☎ 063-232-5804 Ⓟ 불가

용진집막걸리 한식주점

전주식 막걸릿집. 삼천동 막걸리 골목에서 가장 오래되고 유명한 집 중 하나다. 막걸리 한 주전자를 시키면 열 가지가 넘는 안주가 깔린다. 안주가 무한으로 리필된다는 점도 장점. 40년이 넘는 전통을 자랑한다.

₩ 가족한상차림(7만5천원), 커플상(4만3천원), 주전자추가(1만원), 주전자+안주추가(1만8천원)
⏱ 15:00~22:50(마지막 주문 22:05) | 금요일 15:00~23:50(마지막 주문 23:05) | 토요일 14:00~23:50(마지막 주문 23:05) – 연중무휴
🔍 전북 전주시 완산구 거마산로 14(삼천동1가)
☎ 063-224-8164 Ⓟ 불가

원제과점 베이커리

80여 년의 오랜 역사를 지닌 제과점. 추억의 바나나빵이 대표 메뉴로, 빵의 향과 촉감이 인상적이다. 전주 여행 후 지인들을 위한 선물로 추천한다.

₩ 바나나빵, 콘스틱(각 2천2백원), 초코파이(2천원)
⏱ 09:00~22:00 – 명절 당일 휴무
🔍 전북 전주시 완산구 풍남문3길 3(전동)
☎ 063-288-6820 Ⓟ 불가

원조치마살숯불구이 돼지고기구이

돼지 치마살을 맛볼 수 있는 곳. 치마살은 항정살을 결을 다르게 썰어낸 부위로, 지나치게 기름지지 않고 부드럽고 고소한 맛이다. 고춧가루와 가볍게 버무려 수북하게 담아 내어주는 파무침과 궁합이 좋다. 직접 담근 김치, 볶음김치, 동치미 등 반찬도 훌륭하다. 구수한 청국장은 식사의 마무리로 추천한다.

₩ 치마살숯불구이, 소막창숯불구이(각 180g 1만7천원), 누룽지, 라면(각 4천원)
⏱ 16:00~22:00(마지막 주문 21:00) – 일요일 휴무
🔍 전북 전주시 완산구 산월2길 32
☎ 063-225-9779 Ⓟ 불가

이연국수 잔치국수 | 비빔국수

부담없는 가격에 잔치국수를 맛볼 수 있는 곳다. 대표 메뉴인 잔치국수는 진하게 우린 멸치육수와 자가제면한 가늘고 부드러운 면이 조화를 이룬다. 첨가제 없이 자연건조한 면을 건식숙성하는 것이 비결이며, 취향에 따라 간장으로 간을 한 후 먹으면 된다.

₩ 잔치국수, 비빔국수(각 5천원), 냉국수(6천원), 동동만두(2인 6천원), 불오징어(1만6천5백원)
⏱ 11:00~18:00 – 월요일, 명절 휴무
🔍 전북 전주시 덕진구 견훤왕궁로 286-3(인후동2가)
☎ 063-242-0036 Ⓟ 가능

일송정 소갈비찜

갈비찜과 갈비탕이 맛있는 집. 대표 메뉴는 갈비찜으로, 달달하면서도 감칠맛 나는 양념이 밴 소갈비를 맛볼 수 있다. 식사메뉴로는 깔끔한 국물 맛과 큼지막한 갈비가 어우러진 갈비탕을 추천할 만하다.

₩ 갈비찜(소 4만2천원, 중 5만9천원, 대 7만8천원, 특대 9만8천원), 갈비탕(1만4천원 특 1만8천원), 숯불구이갈빗살(130g 4만원), 양념갈비(250g 3만5천원)
🕒 11:30~15:00/17:00~21:30(마지막 주문 20:30) – 월요일 휴무
🔍 전북 전주시 완산구 중화산로 49(중화산동2가)
☎ 063-223-9393 Ⓟ 가능

일품향 一品香 중국만두 | 일반중식

우동과 군만두가 유명한 화상중식당. 튀긴 군만두가 아닌, 제대로 팬에 구운 군만두를 맛볼 수 있다. 우동은 국물이 맑고 깔끔한 스타일이다. 70년의 전통을 자랑한다.

₩ 군만두, 찐만두, 물만두, 우동(각 8천원), 짜장면(7천원), 탕수육(소 1만8천원, 대 2만8천원), 잡채밥(1만원)
🕒 11:00~15:00/16:30~21:00 – 화요일 휴무
🔍 전북 전주시 완산구 전주객사3길 12-8(중앙동2가)
☎ 063-284-1901 Ⓟ 가능

일피오레 IL FIORE 파스타 | 피자

모던한 인테리어의 이탈리안 레스토랑. 실내가 통유리창으로 되어 있어 확 트인 느낌이다. 직접 만든 생면과 도우를 사용하여 쫄깃한 식감의 요리를 선보인다. 오징어먹물 반죽으로 만든 칼조네피자가 인기 메뉴. 세트 메뉴로 주문하면 할인된 가격으로 맛볼 수 있다.

₩ 매콤치킨로제파스타(1만5천원), 새우로제파스타, 오징어먹물리조토, 카프레제샐러드(각 1만7천원), 라구라자냐(1만9천원), 베이컨크림칼조네(2만원), 찹스테이크바질리조토, 찹스테이크리조토(각 1만8천원)
🕒 11:30~15:00/17:00~21:00 – 연중무휴
🔍 전북 전주시 완산구 홍산4길 8(효자동3가) 2층
☎ 063-223-1454 Ⓟ 가능

전라도음식이야기 ✂ 한정식

3대째 대를 이어 맛을 전하고 있는 한정식집으로, 전라도 전통 한정식을 선보이는 곳이다. 된장과 고추장, 간장 등을 모두 직접 담가 사용하는 것이 특징이다. 홍어삼합을 비롯해 신선한 회, 간장게장, 떡갈비, 갈비찜, 조기찜 등 20여 가지의 맛깔스러운 요리가 한 상 가득 차려진다.

₩ 선 (1인 5만원), 진(1인 7만원), 미(1인 4만원), 향(1인 3만원), 란(1인 2만원)
🕒 11:00~15:00/16:30~21:30 – 월요일 휴무
🔍 전북 전주시 덕진구 아중6길 14-6(우아동2가)
☎ 063-244-4477 Ⓟ 가능

전라회관 ✂✂ 한정식

70여 년 전통의 한정식집으로, 4인 기준으로 한 상 가득 차려진다. 서해의 풍부한 해산물과 기름진 평야의 오곡, 각종 산나물을 재료로 만든 맛깔스러운 반찬 20여 가지가 푸짐하게 나온다. 각종 나물을 비롯해 구절판, 간장게장, 탕평채, 떡갈비, 민물새우인 토하(새뱅이)로 만든 토하젓, 해파리냉채, 갈비찜, 홍어삼합 등 다채로운 음식이 상에 오른다.

₩ 한정식(4인 16만원)
🕒 12:00~15:00/18:00~21:30 – 명절 휴무
🔍 전북 전주시 완산구 안행4길 5(삼천동1가)
☎ 063-228-3033 Ⓟ 가능

전일갑오 가맥집

전주에서 빼놓을 수 없는 가맥문화를 대표하는 곳. 가맥이란 가게에서 먹는 맥주라는 뜻으로, 황태구이나 갑오징어를 눌러 구운 안주로 맥주를 즐길 수 있다. 잘게 찢은 황태구이를 이곳만의 특제 마요네즈 소스에 찍어 먹는다.

₩ 황태포(1만2천원), 달걀말이(8천원), 병맥주(3천원), 한치(2만원), 갑오징어(2만원~3만원)
🕒 15:00~01:00 – 일요일 휴무
🔍 전북 전주시 완산구 현무2길 16(경원동3가)
☎ 063-284-0793 Ⓟ 불가

조점례남문피순대 순대

남부시장 내에 있는 오랜 역사의 순댓집. 돼지창자에 선지와 고기, 채소 등을 넣어 만드는데, 선지가 들어가서 부드러우면서도 진한 맛을 느낄 수 있다. 하룻동안 돼지 사골을 푹 고아 만든 육수에 순대를 넣어 끓이는 순대국밥은 해장에도 좋다. 여름 성수기에는 새벽 1시까지 영업한다.

₩ 피순대(소 1만4천원, 대 1만9천원), 순대국밥(9천원), 모둠순대(소 1만4천원, 대 1만9천원)
🕒 06:00~22:00 – 명절 휴무
🔍 전북 전주시 완산구 풍남문2길 39(전동) 남부시장
☎ 063-232-5006 Ⓟ 가능

종로회관 ✂ 비빔밥

전주식 비빔밥을 전문으로 하는 곳. 각종 채소와 양념된 육회가 들어가는 육회비빔밥과 불고기가 올라가는 비빔밥이 대표 메뉴다. 놋그릇에 비빔밥을 내는 것이 특징. 밑반찬도 정갈하게 나온다.

₩ 전주비빔밥(1만4천원), 육회비빔밥(1만7천원), 육회(180g 3만원), 한상차림(2만1천원), 산더미불고기(중 4만8천원, 대 6만4천원), 떡갈비, 파전(1만4천원)
🕒 10:50~20:30 – 연중무휴
🔍 전북 전주시 완산구 전동성당길 98(전동)
☎ 063-288-4578 Ⓟ 가능

진미반점 일반중식
된장으로 만든 물짜장과 짬뽕이 유명한 곳. 푸짐한 해물과 은은하게 감도는 된장 맛이 일품이다. 함께 곁들일 깐풍육도 많이 찾는 메뉴다.

Ⓦ 된장해물짜장, 된장해물짬뽕(각 9천원), 짜장(6천원), 짬뽕(7천원), 물짜장(8천원), 깐풍육(2만4천원), 탕수육(소 1만7천원, 중 2만원, 대 2만5천원), 군만두(6천원)

🕒 10:00~21:00 – 월요일 휴무

🔍 전북 전주시 덕진구 명주3길 19-2(인후동2가)

☎ 063-246-9295 Ⓟ 가능

진미집 돼지불고기
돼지불고기와 돼지족발이 유명한 곳. 매장 한가운데서 주인장이 직접 연탄불에 고기를 굽고 있는 모습을 볼 수 있다. 이곳에서는 특별히 고기와 김밥을 상추에 싸 먹는데 그 맛이 일품이다.

Ⓦ 돼지불고기, 양념족발(각 1만2천원), 닭발볶음, 오징어볶음(각 1만5천원), 닭똥집, 김치찌개(각 7천원), 김밥, 어묵(각 2천원)

🕒 17:00~01:00(익일) – 첫째, 셋째 주 일요일 휴무

🔍 전북 전주시 완산구 노송여울2길 106(서노송동)

☎ 063-254-0460 Ⓟ 가능

카메짱 カメちゃん 이자카야 | 일식꼬치
쿠시카츠를 전문으로 하는 이자카야. 갈릭닭, 관자, 블랙타이거새우, 모차렐라치즈 등 갓 튀긴 오사카식 튀김 꼬치를 다양하게 맛볼 수 있다. 일본 느낌이 풀풀 풍기는 포스터와 사진, 소품들로 꾸며져 있어 일본 술집에 온 듯한 감성에 젖어들게 한다.

Ⓦ 쿠시카츠(1천5백원~2천5백원), 오뎅나베(2만원), 나가사키짬뽕(2만3천원), 명란크림우동(1만8천원)

🕒 18:00~02:00(익일) | 금, 토요일 18:00~03:00(익일) – 연중무휴

🔍 전북 전주시 완산구 홍산남로 69-20(효자동3가)

☎ 010-2640-1230 Ⓟ 가능(지하 주차장)

토방 백반 | 일반한식 | 청국장
푸짐한 양의 불고기 백반으로 유명해진 백반 전문점. 양푼이도 제공하여 불고기, 채소, 나물반찬, 계란 후라이를 넣어 비빔밥을 해 먹을 수 있다. 기본으로 나오는 청국장도 구수하며, 요청 시 잡곡밥으로 변경도 가능하다.

Ⓦ 가정식백반(9천원), 돼지불고기백반(2인 이상, 1인 1만1천원), 보쌈정식백반(2인 이상, 1인 1만4천원), 보쌈(소 3만원, 중 4만원, 대 4만5천원), 묵은지닭볶음탕(5만원)

🕒 09:30~20:30 – 일요일 휴무

🔍 전북 전주시 완산구 평화18길 19

☎ 063-226-1080 Ⓟ 불가

파스톨로지 PASTOLOGY 뇨키 | 파스타
뇨키가 맛있기로 유명한 파스타 전문점. 꾸덕함이 제대로 살아있는 버섯크림소스의 뇨키를 맛볼 수 있다. 아란치니와 트러플 감자튀김도 사이드 메뉴로 추천. 호주 시드니에 있는 이탈리아 레스토랑에서 경력을 쌓은 김광욱 셰프는 블로그를 통해 자신의 요리를 소개하기도 한다. 외관과 실내는 오래된 건물의 느낌을 살렸다.

Ⓦ 프라이크림뇨키, 해산물리조토, 베이컨크림스파게티(각 1만6천원), 볼로네즈스파게티(1만5천원), 로제스파게티(1만6천원), 트러플감자튀김(9천원)

🕒 11:30~15:00/17:00~20:50 – 월요일 휴무

🔍 전북 전주시 완산구 전주객사3길 98(고사동)

☎ 010-6858-3001 Ⓟ 불가

파인 🎀 FINE 모던한식 | 뉴코리안
한식당 가온의 수셰프였던 최영 셰프가 고향인 전주로 내려와 오픈한 컨템포러리 코리안 다이닝. 가온과 마찬가지로 직접 장류를 만들고 누룩소금을 만들어 사용하는 등 심혈을 기울였다. 진안 등 전남 지역의 식재료를 적극 사용하며 구성 요소는 모두 한식이나 양식적인 테크닉을 사용하여 세련된 아시안 프렌치를 맛보는 느낌이다.

Ⓦ 런치코스(10만원), 디너코스(15만원)

🕒 17:30~22:00(마지막 주문 19:30) – 월, 화, 수요일 휴무

🔍 전북 전주시 완산구 바우배기1길 31-11(효자동2가)

☎ 063 225 6243 Ⓟ 불가(인근 공영주차장 이용)

파인

펄펄닭내장 🎀 닭내장
지방 고유의 음식인 닭내장탕을 전문으로 하는 곳. 닭내장과 닭똥집 등의 부속물에 미나리 등을 얹고 고추장과 고춧가루 양념을 해서 끓여 나온다. 양이 매우 푸짐하며 남은 국물에 볶아 먹는 밥의 맛도 일품이다.

Ⓦ 닭내장탕, 돼지갈비전골(소 2만8천원, 중 3만5천원, 대 4만원, 특대 5만원), 닭내장주물럭(중 3만5천원, 대 4만원, 특대 5만원)

🕒 10:00~22:00 – 연중무휴

🔍 전북 전주시 완산구 공북로 100(서노송동)

☎ 063-277-3257 Ⓟ 가능(1시간 무료)

페어링 PAIRING 와인바

부산 라꽁띠에서 근무한 모현문 셰프의 와인바로, 내추럴 와인을 주로 다룬다. 부냉누아, 포르게타와 같이 쉽게 접하기 힘든 요리도 맛볼 수 있으며, 파인다이닝 레스토랑의 요리 기법을 사용하는 정성을 경험할 수 있다. 1인 매장으로 준비된 재료가 많지 않아, 예약을 추천한다.

₩ 사워도우(5천원), 부라타치즈(1만7천원), 구운대구(3만원), 화이트라구, 오늘의파스타(각 2만3천원), 칠리콘카르네라자냐(3만4천원), 이베리코플루마(200g 4만3천원), 한우안심1+(200g 6만8천원)

🕒 18:00~24:00(마지막 주문 21:30) – 일, 월요일 휴무

🔍 전북 전주시 덕진구 건지로 10-10

☎ 0507-1326-8123 Ⓟ 불가

풍남정 비빔밥

전주한옥마을 내에 자리한 전주비빔밥 전문점으로, 현지인뿐만 아니라 많은 여행객이 찾는 곳이다. 사골을 우린 물로 밥을 짓는 것이 특징이며 콩나물과 미나리, 애호박, 소고기, 노란 황포묵, 달걀노른자 등 10여 가지의 신선한 재료가 푸짐히 들어간다. 놋그릇에 정갈하게 담아 보기에도 멋스럽다. 소고기 대신 육회가 올라간 육회비빔밥도 단연 별미.

₩ 전주비빔밥(1만2천원), 돌솥비빔밥(1만3천원), 육회비빔밥(1만5천원), 육회(200g 3만원)

🕒 10:30~21:00(마지막 주문 20:30) – 연중무휴

🔍 전북 전주시 완산구 태조로 52(전동)

☎ 063-285-7782 Ⓟ 불가

풍전콩나물국밥 콩나물국밥

달걀을 따로 수란으로 내주는 전주식 콩나물국밥집이다. 잘게 썬 김치와 콩나물이 푸짐하다. 한약재를 넣고 끓인 모주를 해장국과 함께 곁들이면 좋다.

₩ 콩나물국밥, 선짓국, 시래깃국(각 8천원), 모주(5천원)

🕒 24시간 영업 – 연중무휴

🔍 전북 전주시 완산구 동문길 73(경원동2가)

☎ 063-231-0730 Ⓟ 가능

하숙영가마솥비빔밥 비빔밥

청포묵, 나물 등이 들어간 전주식 육회비빔밥으로 유명한 집. 대접에 나물과 육회가 담겨 나오고 가마솥에 갓 지은 밥이 함께 나온다. 직원이 직접 비벼 주는 것이 특징. 밥을 덜어낸 솥에는 물을 부어 누룽지를 만들어 먹는다. 여름에는 육회가 아니라 익힌 고기를 사용한다. .

₩ 옛날가마솥육회비빔밥(1만7천원), 옛날가마솥비빔밥(1만5천원), 육회(200g 3만5천원), 해물파전(1만5천원), 황포묵무침(각 1만3천원)

🕒 11:00~15:30/17:30~19:50 | 수요일 11:00~14:30(마지막 주문 14:00) | 토, 일요일 11:00~19:50 – 연중무휴

🔍 전북 전주시 완산구 전라감영5길 19-3(중앙동3가)

☎ 063-285-8288 Ⓟ 가능

한국관 비빔밥

전주식 비빔밥 전문점. 육회비빔밥은 다양한 나물과 육회가 넉넉히 들어가며 전통 놋그릇에 담겨 나온다. 비빔밥마다 나오는 그릇이 다른 것이 특징. 큰 뚝배기 그릇에 약재를 넣어 달인 모주도 한 잔 곁들이면 좋다. 50여 년의 역사를 자랑한다.

₩ 전통육회비빔밥(1만5천원), 채소비빔밥(각 1만2천원), 돌그릇비빔밥, 놋그릇비빔밥(1만3천원), 놋그릇인삼비빔밥, 황포묵(각 1만6천원), 불고기(250g 1만7천원), 뚝배기불고기(200g 1만3천원)

🕒 11:30~16:00/17:00~20:30(마지막 주문 20:00) – 연중무휴

🔍 전북 전주시 덕진구 기린대로 425(금암동)

☎ 063-272-9229 Ⓟ 가능

한국식당 백반

30여 가지 반찬이 나오는, 한정식 못지않은 푸짐한 백반을 맛볼 수 있는 곳. 구수하게 끓인 된장찌개, 김치찌개, 달걀찜을 비롯해 생선구이, 나물, 장아찌 등 밑반찬의 맛이 깔끔하다. 식사는 2인부터 가능하다.

₩ 백반정식(1만원), 홍어탕, 소불고기(각 1만6천원)

🕒 11:00~20:00 – 명절 휴무

🔍 전북 전주시 완산구 전라감영로 48-1(중앙동4가)

☎ 063-284-6932 Ⓟ 가능

한국집 비빔밥

70년 넘게 3대째 전주 전통 비빔밥을 지키고 있는 곳이다. 갖은 나물 외에도 호두, 잣, 대추, 은행, 밤, 소고기 등의 고명도 화려하다. 육회, 녹두묵회, 불고기, 비빔밥 등을 코스로 즐길 수 있는 정식메뉴도 추천할 만하다. 한옥으로 된 외관과 아늑한 실내 정원이 운치 있다.

₩ 전주비빔밥, 돌솥비빔밥(각 1만5천원), 육회비빔밥(1만7천원), 갈비탕(1만6천원), 한국집정식(2인 이상, 1인 3만8천원)

🕒 09:30~16:00/17:00~21:00 – 연중무휴

🔍 전북 전주시 완산구 어진길 119(전동)

☎ 063-284-2224 Ⓟ 가능(업체 확인증 발급 필요)

한벽집 민물매운탕

시래기를 뚝배기 안에 깔고 메기, 쏘가리 등을 넣고 얼큰하게 끓인 오모가리(뚝배기의 전주 사투리)탕으로 유명하다. 얼큰한 매운탕의 맛이 일품이며 밑반찬도 푸짐히 나온다.

₩ 쏘가리탕(소 7만원, 중 10만원, 대 12만원), 빠가사리탕(소 5만원, 중 6만원, 대 7만원), 메기탕, 피라미탕, 새우탕(각 소 4만원, 중 5만원, 대 6만원)

🕒 11:00~15:00/17:00~21:00(마지막 주문 14:30, 20:30) – 명절 휴무

🔍 전북 전주시 완산구 전주천동로 4(교동)

☎ 063-284-2736 Ⓟ 가능

한양불고기 돼지불고기

40년이 넘는 전통을 자랑하는 불고기 전문점이다. 돼지불고기에 콩나물과 당면을 넣어 끓여 먹는 것이 특징. 솥에 고기와 각종 채소 등을 넣고 끓여 먹는데, 다 먹은 후 남은 양념에 밥을 볶아 먹어도 좋다.

₩ 돼지불고기(200g 1만3천원), 낙지불고기, 돼지갈비전골(각 200g 1만5천원), 한우소불고기(200g 1만7천원), 한우불낙전골(200g 1만8천원)

⏲ 11:00~22:00 – 연중무휴

🔍 전북 전주시 완산구 우전2길 6(효자동2가)

☎ 063-228-8011 Ⓟ 가능

한일관 콩나물국밥

70여 년 전통의 콩나물해장국집. 팔팔 끓는 뚝배기에 토종 콩나물을 듬뿍 넣고 새우젓, 깨소금, 다진 파 등을 얹어 나온다. 자극적이지 않으면서도 깔끔한 뒷맛이 해장에 좋다. 전주에서 유명한 비빔밥도 맛이 좋다는 평.

₩ 콩나물국밥(8천원), 전주비빔밥(1만1천원)

⏲ 07:00~15:30/17:00~20:00 – 일요일 휴무

🔍 전북 전주시 완산구 어은로 48(중화산동2가)

☎ 063-226-1569 Ⓟ 가능

해이루 감자탕

돼지등뼈를 사용한 뼈다귀해장국 맛이 일품이다. 돼지등뼈에 살이 많이 붙어 있으며 푹 익혀 나와 살을 발라내기가 편하다. 묵은지를 사용한 묵은지감자탕도 별미다.

₩ 감자탕(1만원), 묵은지감자탕(1만1천원), 감자탕전골(중 3만원, 대 3만5천원), 묵은지감자탕전골(중 3만5천원, 대 4만원)

⏲ 09:30~15:00/17:00~21:00(마지막 주문 20:40) – 월요일 휴무

🔍 전북 전주시 덕진구 명륜5길 9(덕진동1가)

☎ 063-905-5000 Ⓟ 가능

현대옥남부시장점 콩나물국밥

왱이콩나물국밥집과 같은 스타일의 해장국을 내는 집으로, 국물이 맑고 시원한 맛을 낸다. 잘 삶은 오징어를 추가해 먹는 것도 좋으며 젓갈과 김치 등을 곁들여 먹는다. 의자가 10여 개에 불과하기 때문에 이른 아침부터 줄을 선다.

₩ 콩나물국밥(8천원), 오징어사리(2천원)

⏲ 06:00~14:00 – 연중무휴

🔍 전북 전주시 완산구 풍남문2길 63(전동3가) 남부시장

☎ 063-282-7214 Ⓟ 불가(인근 공영주차장 이용)

호남각 한정식 | 비빔밥

고급스러운 한정식집. 현대화된 한정식으로, 현지인에게는 인기가 좋은 곳이다. 전주의 명물인 전주비빔밥도 맛이 좋다는 평. 비빔밥 정식을 시키면 비빔밥과 함께 한정식이 한 상 차려진다. 주말에는 정식 메뉴만 가능하니 참고할 것.

₩ 정찬(2인상 8만5천원, 3인 이상 1인 4만1천원), 전주비빔밥정식(2인이상, 1인 3만원), 영양소갈비찜비빔밥정식(2인이상, 1인 3만5천원), 전통소불고기비빔밥정식(2인이상, 1인 3만2천원)

⏲ 11:00~21:00(마지막 주문 20:30) – 명절 휴무

🔍 전북 전주시 덕진구 시천로 65(송천동2가)

☎ 063-278-8150 Ⓟ 가능

화순집 민물매운탕

뚝배기에 민물고기와 시래기, 들깨 등을 넣고 얼큰하게 끓인 민물매운탕집. 짜지 않고 개운한 맛이 일품이다. 시원하게 흐르는 전주천이 가게 바로 앞에 있어 경치도 좋다. 아침 식사는 솥밥 조리 시간이 있으므로 예약하는 것이 좋다.

₩ 쏘가리탕(7만원~12만원), 빠가탕(5만원~7만원), 메기탕(4만원~6만원)

⏲ 09:00~21:00 – 명절 당일 휴무

🔍 전북 전주시 완산구 기린대로 1-1(교동)

☎ 063-284-6630 Ⓟ 가능

효자동커피집 커피전문점

전주 신시가지에 자리한 카페. 커피와 음료 메뉴가 다양한데, 크림이 올라간 음료와 조각 케이크가 특히 인기다. 깔끔하고 차분한 인테리어로 유명하다.

₩ 아메리카노(3천5백원), 카페라테(4천원), 초코라테(4천5백원), 자몽차, 레몬차, 라임차(각 5천원), 메론소다, 체리콕(각 4천5백원)

⏲ 10:00~22:00 – 연중무휴

🔍 전북 전주시 완산구 배학6길 10-4(효자동3가)

☎ 없음 Ⓟ 불가

효자문 갈비탕 | 소갈비찜

간장을 넣어 간을 맞춰 국물 색깔이 진한 갈비탕이 독특하다. 갈비도 푸짐하게 들어 있다. 연탄불에 즉시 구워내는 불갈비도 맛이 좋다는 평.

₩ 갈비탕(1만5천원, 특 1만8천원), 영양갈비탕(2만원), 우두탕(1만5천원), 불갈비(2인 이상, 1인 200g 3만9천원), 갈비전골(소 6만2천원, 대 7만7천원), 수육(소 4만원, 대 5만원)

⏲ 10:30~15:00/16:00~21:00 – 월요일 휴무

🔍 전북 전주시 완산구 전주객사4길 43-24(고사동)

☎ 063-284-4236 Ⓟ 가능

흑두부이야기 두부

검정콩으로 만든 건강한 맛의 흑두부를 선보이는 곳. 국산 서리태만을 사용해 두부를 만드는 것이 특징이며 천연 해수간수를 사용해 두부를 만든다. 간장게장, 부침개, 잡채 등 맛깔스러운 반찬이 맛을 더한다. 부드럽게 삶은 보쌈을 흑두부와 부추무침, 김치 등에 싸 먹는 흑두부보쌈도 인기가 많으며 칼칼하게 끓인 흑두부버섯전골도 식사메뉴로 좋다.

₩ 서리태흑두부(1만원), 서리태청국장, 흑순두부찌개, 서리태콩국수(각 1만원), 흑두부보쌈세트(소 4만6천원, 중 6만원, 대 8만원), 흑두부버섯전골(소 2만4천원, 중 3만6천원, 대 4만8천원)
⏲ 11:30~22:00 – 명절 당일 휴무
🔍 전북 전주시 완산구 서곡2길 30–19(효자동3가)
☎ 063–273–2332 Ⓟ 가능

전라북도 정읍시

대일정 백반 | 참게

섬진강 하구에서 잡은 신선한 민물참게를 요리하는 곳으로, 참게장백반과 민물참게탕이 인기 있다. 참게장백반을 시키면 남도식으로 15가지 이상의 반찬이 같이 나오며 참게장에는 매콤한 양념이 얹어져 나오는 것이 특징.

₩ 참게장정식, 한돈떡갈비정식, 한돈주물럭정식(각 2만5천원), 떡갈비탕(1만5천원), 백반(1만2천원), 참게탕(6만5천원)
⏲ 10:30~20:30 – 화요일 휴무
🔍 전북 정읍시 태인면 수학정석길 3
☎ 063–534–4030 Ⓟ 불가

백학정 🎀🎀 백반 | 소떡갈비

3대째 내려오는 떡갈비백반 전문점. 손질된 고기를 뼈에 다시 붙인 후 양념장을 발라 숯불에 굽는다. 장아찌 등의 밑반찬도 20여 가지가 나온다. 참게장백반도 인기가 좋다. 토, 일요일에는 예약이 필수다.

₩ 떡갈비백반(2인 이상, 1인 3만6천원), 갈비탕(1만5천원), 기본백반(1만2천원), 참게장백반(1인 2만5천원)
⏲ 11:00~15:00 | 토, 일요일 11:00~20:00 – 수요일 휴무
🔍 전북 정읍시 태인면 태인로 29–3
☎ 063–534–4290 Ⓟ 가능

백학정

삼일회관 한정식

내장산 입구에 있는 산채정식 전문점으로, 홍어찜, 죽순구이 등 30여 가지 반찬이 함께 나오는 정갈한 한정식을 맛볼 수 있다. 내장산을 찾는 관광객이 반드시 들르는 집.

₩ 삼일산채정식(4인 12만원), 불고기백반(2만5천원), 버섯전골찌개백반(1만8천원), 돌솥산채비빔밥(1만4천원), 산채비빔밥(1만2천원), 된장찌개(1만원), 더덕구이(4만원)
⏲ 10:00~19:00 – 연중무휴
🔍 전북 정읍시 내장산로 930–8(내장동) ☎ 063–538–8131 Ⓟ 가능

신가네정읍국밥 🎀 순댓국

정읍에서 오래된 순대국밥 전문점. 찰순대국밥에는 찹쌀순대가 들어가고 신국밥에는 내장이, 정읍국밥에는 내장과 순대가 들어간다. 국물은 얼큰한 스타일이다. 반찬으로는 배추김치, 깍두기와 부추무침이 나온다. 국밥에 부추를 듬뿍 넣어 먹으면 좋다.

₩ 정읍국밥, 돼지국밥, 신국밥(각 9천5백원), 암뽕국밥(1만5백원), 순대국밥, 콩나물국밥(각 8천5백원), 전통순대(1만5천원), 곱창전골(소 3만원, 중 4만원, 대 4만5천원)
⏲ 10:00~21:00 – 금, 토요일 휴무
🔍 전북 정읍시 수성5로 19(수성동)
☎ 063–531–6610 Ⓟ 가능

제이포렛 J. FOREST 카페

꽃과 숲 정원이 있는 카페. 전라북도 민간정원 3호인 들꽃마당과 협업으로 운영되고 있어 정원의 규모가 상당히 크고 잘 관리되어 있다. 카페에서 음료를 구매하면 정원 관람이 가능하다. 노키즈, 노펫 존인 점은 참고할 것.

₩ 아메리카노(6천원), 카페라테(6천5백원), 바닐라라테(7천원), 바아라, 녹아라, 오미자에이드, 백향과에이드(각 7천5백원), 케이크(6천원~6천5백원)
⏲ 10:30~18:00(마지막 주문 17:30) – 연중무휴
🔍 전북 정읍시 정읍사로 388(신월동)
☎ 063–531–3877 Ⓟ 가능

종가집 한정식

전통 전주식 한정식 전문식당으로, 60여 년의 전통을 자랑하며 3대째 이어오고 있다. 산채비빔밥과 더덕구이 등이 인기 메뉴이다. 내장산의 정취와 함께 맛있는 음식을 즐길 수 있어 등산을 온 단체손님이 많다.

₩ 산채한정식(3만원), 불고기정식, 더덕구이정식(각 2만5천원), 산채돌솥비빔밥(1만4천원), 버섯된장찌개, 전주비빔밥(각 1만2천원), 닭볶음탕(6만원)
⏲ 10:00~21:00 – 연중무휴
🔍 전북 정읍시 내장산로 927(내장동)
☎ 063–538–8078 Ⓟ 가능

청해횟집수산 생선회

신선한 숙성 회를 먹을 수 있는 곳. 쫀득하고 찰진 완도산 대광어회가 대표 메뉴며, 곁들임 반찬도 풍성한 편이다. 1999년에 소주대학이라는 이름으로 시작해 현재는 상호를 청해횟집수산으로 바꾸어 운영한다.

㉻ 광어, 우럭(각 소 7만원, 중 10만원, 대 13만원), 물회(1만5천원), 회덮밥(1만원)
ⓛ 11:30~14:00/16:30~22:30 – 일요일 휴무
Q 전북 정읍시 수성택지5길 26(수성동) 청해횟집수산
☎ 063-531-5908 Ⓟ 가능

풍성한숯불갈비 돼지갈비

숯불에 구워 나오는 돼지갈비가 맛있는 집. 돼지갈비는 뜨거운 돌판 위에 올려져 나오며 주방에서 완전히 조리되어 나온다. 일반 가정집을 개조해서 만든 곳으로, 편안한 분위기에서 식사할 수 있다.

㉻ 돼지갈비(300g 1만5천원), 냉면(7천원), 국수(4천원)
ⓛ 10:30~22:00(마지막 주문 21:00) – 월요일 휴무
Q 전북 정읍시 초산3길 3(시기동)
☎ 063-535-2373 Ⓟ 가능

화순옥 순댓국 | 순대

80여 년이라는 오랜 전통의 순대국밥집. 부드러운 내장이 들어간 얼큰한 순대국밥을 맛볼 수 있다. 뒤집은 소창에 선지, 채소 등을 푸짐하게 넣은 순대의 맛이 일품이다. 저녁때 술 한잔하기에도 좋다.

㉻ 국밥(8천원), 막창국밥, 술국(각 1만원), 순대(2만원), 모둠안주(1만5천원)
ⓛ 08:00~20:00 – 일요일 휴무
Q 전북 정읍시 태평7길 8(시기동)
☎ 063-531-6837 Ⓟ 불가

전라북도 진안군

정담213 카페

마이산 국립공원 입구에 있어 전망이 좋은 카페. 커피 등의 음료와 함께 케이크, 마카롱도 함께 즐길 수 있으며 여름에는 눈꽃팥빙수가 인기다. 실내에는 사진 작품이 걸려 있고, 연주할 수 있는 피아노와 무대도 준비되어 있다.

㉻ 에스프레소(4천5백원), 에스프레소마키아토(5천원), 아메리카노(4천5백원), 카페라테(5천5백원), 지접끓인한방쌍화차, 한방대추차(각 1만원)
ⓛ 11:00~20:00 – 연중무휴
Q 전북 진안군 마령면 마이산남로 213 카페정담213
☎ 063-433-0205 Ⓟ 가능(마이산남부주차장 이용)

진안관 애저

전국에서 몇 안 되는 애저(새끼 돼지) 전문점. 양파, 파, 후추, 마늘, 생강 등 채소와 양념을 넣고 쪄낸 애저찜을 다 먹은 후에는 양념한 육수를 냄비에 붓고 끓이면서 식사를 곁들이면 된다. 조리하는 데 3시간 가량 소요되므로 미리 예약하는 것이 좋다.

㉻ 애저(1인 2만5천원), 불낙전골(1만8천원), 소불고기(2만원), 돼지불고기(1만2천원)
ⓛ 09:00~20:00 – 명절 휴무
Q 전북 진안군 진안읍 진장로 21
☎ 063-433-2629 Ⓟ 가능

진안제일순대 순대국밥 | 순대

깔끔한 국물의 콩나물이 들어간 순대국밥을 맛볼 수 있다. 취향에 맞게 새우젓과 고추를 넣어 먹는다. 국밥과 잘 어울리는 섞박지, 배추김치, 무생채도 좋다.

㉻ 순대국밥(보통 9천원, 특 1만3천원), 내장국밥(8천원), 암뽕국밥(1만원), 순대(소 1만2천원, 중 1만5천원, 대 2만원), 암뽕(2만원), 술안주뚝배기(8천원)
ⓛ 10:00~22:00 – 연중무휴
Q 전북 진안군 진안읍 우화4길 2
☎ 031-963-3033 Ⓟ 가능

초가정담 산채정식 | 산채비빔밥 | 돼지등갈비

산채비빔밥과 산채정식 전문점. 참나무 장작에 구운 돼지등갈비도 인기 있는 메뉴다. 마이산도립공원 안쪽에 있기 때문에 입장료를 내지 않고 식당만 방문하려면 식당에 전화를 해서 직원과 함께 들어가야 한다.

㉻ 산채비빔밥(1인 1만원), 정담세트2인(A 3만원, B 3만5천원), 돌솥비빔밥(1인 1만2천원), 참나무장작등갈비구이, 참나무장작돼지목살구이(각 소 1만2천원, 대 1만7천원)
ⓛ 09:00~21:00 – 연중무휴
Q 전북 진안군 마령면 마이산남로 213
☎ 063-432-2469 Ⓟ 가능

전라남도

Jeollanam-do Province

전라남도 강진군

강진만한정식 🎀 한정식
한정식으로 유명한 강진의 손맛을 느낄 수 있는 곳. 갖가지 나물과 게장, 철에 따른 생선회, 육회와 홍어삼합, 떡갈비까지 푸짐하게 한상 차려지는 한정식을 맛볼 수 있다. 기본 4인 기준으로 한정식이 차려지기 때문에 인원수를 맞춰가야 한다.

₩ 일품한정식(4인 16만원), 명품한정식(4인 20만원), 강진만정식(4인 13만원), 영랑정식 (4인 6만6천원), 다산정식(8만8천원)

🕒 11:30~14:30/17:30~21:00 – 비정기적 휴무

🔍 전남 강진군 강진읍 보은로 73

☎ 061-433-0234 Ⓟ 가능

경포대산장 🎀 닭백숙
부드러운 닭고기 육질이 그대로 살아있는 닭백숙을 낸다. 양이 풍부하여 푸짐하게 식사를 할 수있다. 백숙과 곁들여 먹는 김치 맛이 특히 좋다. 경포대 계곡에 있어 주변 경치도 한몫하는 곳.

₩ 옹기백숙코스(한마리 6만9천원), 옹기백숙, 닭갈비(각 한마리 6만5천원), 녹차파전, 도토리묵(각 1만원)

🕒 10:00~20:00 – 명절 휴무

🔍 전남 강진군 성전면 백운로 148-8

☎ 061-432-5767 Ⓟ 가능

도반 🎀🎀 道伴 사찰요리
서울 양재동에서 홍승 스님이 운영한 사찰요리 전문점으로, 강진으로 이전하며 강진사찰음식체험관에 자리하고 있다. 토마토, 더덕, 우엉, 감자, 버섯, 마, 수삼 등 채소만으로 이루어진 요리를 낸다. 코스는 예약제로 운영되며, 전화로 문의.

₩ 점심(1만원), 점심특선(1만6천원), 코스(정진 3만원, 선정 5만원, 반야 7만원)

🕒 11:30~14:00/16:30~20:00 – 화요일 휴무

🔍 전남 강진군 강진읍 오감길 2 누리타운 3동

☎ 061-432-6665 Ⓟ 가능

둥지식당 🎀 한정식
한정식이 유명한 강진에서도 손꼽히는 한정식집. 강진에서 나는 각종 해산물과 육류로 푸짐하게 한상이 차려진다. 특히 낙지호롱말이와 생고기문어쌈 등 맛깔스러운 반찬이 입맛을 돋운다.

₩ 정겨워정식(4인 10만원), 정드네정식(4인 12만원), 정갈한정식(4인 16만원), 둥지정식(4인 20만원)

🕒 11:00~19:00 – 명절 휴무

🔍 전남 강진군 강진읍 보은로3길 48-3

☎ 061-433-2080 Ⓟ 가능

명동식당 🎀 한정식
강진을 대표하는 한정식집 중 한 곳. 생선회, 생선구이, 새우찜 등의 해산물부터 육류까지, 바다와 육지 음식이 조화롭게 차려진다. 바로 맞은편에 있는 해태식당과 함께 인기 있는 한정식집.

₩ 한정식(2인 8만원, 3인 10만원, 4인 12만원)

🕒 11:00~22:00 – 비정기적 휴무

🔍 전남 강진군 강진읍 서성안길 5 ☎ 061-433-2147 Ⓟ 가능

목리장어센터 장어
자연산 민물장어를 취급하는 곳으로, 60년이 넘는 전통을 자랑한다. 목리포구에서 잡히는 자연산 장어를 사용하는 것이 특징이며 알맞게 구워서 내온다. 예약하고 방문하는 편을 추천한다.

₩ 큰장어(3만원), 작은장어(2만5천원), 장어죽(3천원), 장어육수(5천원)

🕒 11:00~14:00/17:00~21:00 – 명절, 비정기적 휴무

🔍 전남 강진군 강진읍 목리길 80 ☎ 061-432-9292 Ⓟ 가능

설성식당 🎀 한정식
푸짐하게 나오는 남도식 한정식을 맛볼 수 있는 곳. 가격은 백반 수준이지만 나오는 상차림은 한정식 못지않다. 숯불돼지고기, 홍어, 조기구이 등의 맛이 좋다.

₩ 2인상(2만6천원), 1인추가(1만3천원), 생선추가, 연탄불고기추가, 홍어추가(각 1만2천원)

🕒 11:00~15:00/17:00~19:00 – 월요일, 명절 휴무

🔍 전남 강진군 병영면 병영성로 92 ☎ 061-433-1282 Ⓟ 가능

수인관 한정식
돼지불고기백반이 유명한 집. 연탄불에 굽는 돼지불고기와 함께 토하젓을 비롯한 20여 가지의 반찬이 나온다. 직접 재배한 채소를 사용하여 반찬을 만드는 것이 특징. 후덕한 시골의 인심을 즐길 수 있다.

₩ 연탄불고기백반(2인 3만4천원, 3인 4만2천원, 4인 5만6천원)

🕒 11:00~20:00 – 수요일 휴무

🔍 전남 강진군 병영면 병영성로 107-10

☎ 061-432-1027 Ⓟ 가능

청자골종가집 🎀🎀 한정식
종갓집에 초대되어 대접을 받는 듯한 기분을 즐길 수 있는 한정식 전문점. 육사시미, 생선회, 돼지고기 편육, 살짝 데친 꼬막, 더덕양념구이, 조기구이, 산낙지, 돔배, 밴댕이부터 바지락젓과 매실, 무장아찌 등 입맛 돋우는 젓갈류, 고사리, 토란 등 각종 나물까지 40여 가지의 반찬이 푸짐하게 차려진다. 청자의 고장 강진답게 그릇들은 모두 청자기를 사용한다. 4인 기준으로 한상이 차려지므로 인원을 맞춰가야 한다. 고택과 넓은 정원이 운치를 더한다.

₩ 한정식(4인 16만원, 20만원)

⏲ 11:30~20:30 – 명절 휴무
🔍 전남 강진군 군동면 종합운동장길 106-11
☎ 061-433-1100 Ⓟ 가능

해태식당 🎀 한정식

기름진 농토와 청정 갯벌에서 생산되는 농수산물을 재료로 한 상 가득 차려진다. 계절이 바뀔 때마다 제철 음식이 나온다. 겨울에는 매생잇국이 상에 오르며, 산낙지, 조기구이, 피조개, 세꼬막, 갈비 등의 음식이 맛깔스럽다.

₩ 해태정식(2인 8만원, 3인 12만원, 4인 16만원)
⏲ 11:00~22:00 – 비정기적 휴무
🔍 전남 강진군 강진읍 서성안길 6 ☎ 061-434-2486 Ⓟ 가능

전라남도 고흥군

mkr커피 mkr coffee 커피전문점

정겨운 정취의 녹동항에 비집고 들어온 트렌디한 무드의 카페. 약간은 러프하지만 세련된 감각이 느껴지는 곳. 시그니처인 아인슈페너에 올라가는 크림은 오리지널과 바닐라 중에 고를 수 있다. 커피의 산미와 달달한 크림의 밸런스가 좋다는 평.

₩ 아메리카노, 에스프레소(각 4천원), 라테, 플랫화이트(각 4천5백원), 아인슈페너(5천5백원~6천5백원), 초콜릿라테, 말차크림, 레몬크러시, 자몽크러시(각 5천5백원)
⏲ 11:00~21:00(마지막 주문 20:30) – 수요일 휴무
🔍 전남 고흥군 도양읍 비봉로 177
☎ 061-843-0023 Ⓟ 불가(가게 맞은편 공영주차장 이용)

대흥식당 🎀 백반

고흥 현지인 사이에서 오랫동안 사랑받는 가정식 백반 전문점. 백반을 주문하면 맛깔스러운 갈치조림을 비롯해 10여 가지가 훌쩍 넘는 밑반찬이 한상 가득 깔린다. 다양한 반찬에서 남도의 구수한 맛이 느껴진다. 백반정식이나 특정식은 예약해야 한다.

₩ 백반(2인 이상, 1인 1만원), 매운탕(2인이상, 1인 1만5천원), 장어탕(2인 이상, 1인 1만4천원), 4인백반특정식(12만원), 4인백반정식(8만원)
⏲ 06:00~21:00 – 연중무휴
🔍 전남 고흥군 고흥읍 고흥로 1694
☎ 061-834-4477 Ⓟ 불가

소문난갈비탕 갈비탕 | 소갈비찜

60여 년 전통의 갈비탕집. 갈비 두 대가 푸짐하게 들어가는 갈비탕의 국물 맛이 좋다. 왕소금, 고춧가루로 양념해 칼칼한 맛이 나며 달걀을 풀어 부드러운 맛을 더한다. 대추, 은행을 넣고 푹 찐 갈비찜도 유명하다.

₩ 소갈비탕(1만2천원, 특 1만5천원), 갈비찜(5대 기본 7만원, 1대 추가 1만4천원)
⏲ 08:00~20:00 – 명절 휴무
🔍 전남 고흥군 동강면 고흥로 4259
☎ 061-833-2052 Ⓟ 가능

일성식당 일반중식

해물짬뽕을 전문으로 하는 곳. 조개, 홍합, 새우 등의 해물이 그릇에 산처럼 수북하게 쌓여 나온다. 칼칼한 국물 맛도 좋으며 겨울에는 굴짬뽕이 별미다.

₩ 해물짬뽕(1만1천원), 전복해물짬뽕(1만3천원), 문어해물짬뽕(1만6천원), 굴짬뽕(9천원), 짬뽕(8천원), 짜장면(6천원)
⏲ 10:00~19:30 – 월요일 휴무
🔍 전남 고흥군 영남면 팔영로 629
☎ 061-834-7016 Ⓟ 가능

전라남도 곡성군

가든산장 참게 | 은어

섬진강과 보성강이 만나는 아름다운 압록유원지에서 맑은 강물을 바라보며 먹는 은어튀김과 참게매운탕 맛이 일품이다. 인기 메뉴는 메기와 참게를 넣고 끓인 매운탕으로, 참게 특유의 향이 좋다.

₩ 매운탕, 참게탕, 메기탕(각 소 3만5천원, 중 5만원, 대 6만원), 은어튀김(소 2만원, 중 3만원, 대 4만원)
⏲ 10:30~20:00 – 비정기적 휴무
🔍 전남 곡성군 죽곡면 섬진강로 1015
☎ 061-362-8343 Ⓟ 가능

광주가든 민물생선회 | 민물매운탕

보성강변에 있는 민물매운탕집. 민물고기 살이 꽉 차 있으며 칼칼한 국물 맛이 좋다. 매운탕과 회뿐만 아니라 자라, 오골계 등으로 만드는 용봉탕도 보양식으로 유명하다.

₩ 쏘가리탕(소 5만원, 중 8만원, 대 10만원), 쏘가리회(1kg 12만원), 참게탕, 잡어탕, 메기탕(소 3만5천원, 중 5만원, 대 6만원)
⏲ 10:00~21:00 – 연중무휴
🔍 전남 곡성군 죽곡면 대황강로 1071
☎ 061-363-6700 Ⓟ 가능

나루터 민물매운탕

섬진강변에 자리한 민물매운탕 전문점. 쏘가리탕, 메기탕, 참게탕 등의 민물매운탕이 칼칼한 맛을 자랑한다. 참게에 수제비를 넣은 참게수제비도 별미이며 1시간 전에 예약해야 한다. 새콤한 다슬기회무침을 곁들여도 좋다.

₩ 메기탕(소 3만5천원, 중 4만5천원, 대 5만5천원), 참게탕(소 4만

원, 중 5만원, 대 6만원), 참게수제비(1만5천원)
11:00~20:00 – 비정기적 휴무
전남 곡성군 죽곡면 하한길 3
061-362-5030 Ⓟ 가능

새수궁가든 민물매운탕 | 참게

참게장이 유명한 곳. 새송이버섯과 무를 먹인 참게장 맛이 일품이다. 강바람에 말린 무청시래기와 집에서 담근 된장, 들깻물을 넣고 끓인 메기탕도 맛있다. 평일에는 요리 강의로 인해 휴무할 수도 있어 전화로 문의하는 것이 좋다.

₩ 참게장(10만원), 참게탕(소 5만원, 중 6만원, 대 7만원), 메기탕(소 3만5천원, 중 5만원, 대 6만원), 은어튀김(소 3만원, 대 4만원)
11:00~17:00 – 비정기적 휴무
전남 곡성군 죽곡면 섬진강로 1015-2
061-363-4633 Ⓟ 가능

석곡식당 돼지불고기

80여 년 동안 돼지고기 숯불구이를 해온 집. 돼지고기를 고추장, 고춧가루, 마늘, 생강, 간장 양념을 해서 미리 재워둔다. 양념된 고기를 석쇠에 가지런히 올리고 간장 소스를 덧발라 참숯불에 구워 내는 맛이 일품이다.

₩ 석쇠불고기(350g 3만5천원, 500g 5만원, 600g 6만원)
09:00~21:00 – 수요일 휴무
전남 곡성군 석곡면 석곡로 60
061-362-3133 Ⓟ 가능

용궁산장 은어 | 참게

민물생선을 전문으로 하는 곳. 석쇠에 구운 은어를 왕소금에 찍어 먹는 은어구이가 대표 메뉴다. 은어회, 조림, 튀김 등 다양한 은어 요리를 맛볼 수 있다. 쏘가리매운탕이나 송어회도 많이 찾는 메뉴. 들깻물을 넣고 끓이는 참게탕도 고소하면서 시원하다.

₩ 은어회(소 3만원, 중 4만원, 대 5만원), 송어회(7만원), 참게탕, 메기탕, 잡탕(각 소 3만5천원, 중 5만원, 대 6만원), 쏘가리탕(소 6만원, 중 7만원, 대 8만원), 용봉탕(시가)
09:00~22:00 – 연중무휴
전남 곡성군 죽곡면 대황강로 1598-17
061-362-8346 Ⓟ 가능

하한산장 민물매운탕 | 참게 | 은어

압록강 인근에서 민물매운탕이 유명한 곳 중 하나. 살이 꽉 찬 참게탕을 비롯해 메기탕, 쏘가리탕 등의 매운탕을 맛볼 수 있다. 쫄깃한 은어회와 다슬기무침도 별미.

₩ 참게탕(소 4만원, 중 5만원, 대 6만원), 쏘가리탕(소 6만5천원, 중 7만5천원, 대 8만5천원)
10:30~19:00(마지막 주문 18:30) – 연중무휴
전남 곡성군 죽곡면 섬진강로 849
061-362-8473 Ⓟ 가능

전라남도 광양시

광양불고기금목서 소불고기

광양식 숯불구이 불고기가 유명하다. 양념에 잰 한우 불고기를 참숯에 구워 육질이 살아 있다. 각종 장아찌와 묵은지, 나물 등의 밑반찬도 고기와 잘 어울린다. 잘 꾸며진 마당에는 오래된 금목서 나무가 서 있다.

₩ 한우광양불고기(150g 2만5천원), 특양구이, 갈비살불고기(각150g 2만7천원), 왕갈비탕(1만2천원)
11:00~21:00(마지막 주문 20:00) – 수요일 휴무
전남 광양시 광양읍 읍성길 199
061-761-3300 Ⓟ 가능

광양불고기금목서

대중식당 소불고기

광양불고기를 전문으로 하는 곳. 양념에 잰 불고기를 참숯불에 구워 먹는 맛이 일품이다. 불고기와 함께 약간의 곱창을 곁들여 내는 것이 특징. 파채와 파김치 등에 싸 먹으면 더욱 맛있다. 불고기는 기본 3인 이상 주문해야 한다.

₩ 불고기(180g 2만원), 꽃등심(180g 4만원), 양구이(150g 2만5천원)
10:00~21:30(마지막 주문 20:30) – 명절 휴무
전남 광양시 광양읍 매일시장길 12-9
061-762-5670 Ⓟ 가능

대한식당 소불고기

주문이 들어오면 바로 양념을 해서 전통적인 방식으로 석쇠에 올려 참숯불에 굽는다. 양념이 자극적이지 않아서 고기의 맛을 충분히 느낄 수 있다. 외지인보다는 지역 주민이 많이 찾는 곳. 가격대비 만족도도 뛰어나다.

₩ 국내산광양불고기(180g 2만5천원), 호주산광양불고기(200g 2만원), 소특양구이(200g 2만5천원)
11:30~15:30/16:30~21:30(마지막 주문 21:00) – 연중무휴
전남 광양시 광양읍 매일시장길 12-15
061-763-0095 Ⓟ 가능

매실한우광양불고기 소불고기

광양 한우 불고기 전문점. 불고기를 포함한 모든 특수 부위도 한우만을 취급하기 때문에 고기의 신선도가 좋으며, 가격도 합리적인 편이다. 곁들임 반찬으로 나오는 매실 장아찌가 불고기의 감칠맛을 더해준다.

₩ 광양한우불고기(180g 1만9천원), 한우특수부위(120g 3만3천원), 돼지숯불불고기(200g 1만3천원), 후식냉면(5천원)
🕒 11:00~15:00/17:00~21:00 – 연중무휴
🔍 전남 광양시 광양읍 서천1길 46
☎ 061-762-9178 Ⓟ 가능

모리 森 후토마키 | 일식장어 | 일식덮밥

나고야식 장어덮밥인 히쓰마부시, 연어덮밥인 사케동, 후토마키를 전문으로 하는 일식당. 제대로 만든 일식 요리를 즐길 수 있다. 쟁반에 1인분씩 담겨 나와 깔끔하게 식사할 수 있다. 사시미나 장어구이, 닭구이 등의 안주 메뉴도 준비되어 있으며 실내 분위기도 넓고 쾌적하다.

₩ 생연어덮밥정식(1만5천원), 생연어반반덮밥정식(1만6천원), 특선민물장어히쓰마부시(5만5천원), 바다장어히쓰마부시(2만6천원), 후토마키정식(8pcs 3만원, 4pcs 1만6천원), 돈토로동(1만6천원), 토리스미비동(1만4천원)
🕒 11:30~15:00/17:00~22:00 | 일요일 11:30~21:00 – 월요일 휴무
🔍 전남 광양시 길호5길 2(중동) 1층
☎ 061-792-8009 Ⓟ 불가(근처 공영주차장 유료 이용)

삼대광양불고기집 소불고기 | 소고기구이

참숯불에 구운 광양불고기를 전문으로 하는 곳. 구리 석쇠 불판에 고기를 구워 먹으며 한우와 호주산 중 선택할 수 있다. 양념이 달거나 짜지 않아 남녀노소 부담 없이 즐길 수 있다. 갈빗살과 특양구이 등도 인기.

₩ 불고기(한우 180g 2만5천원, 호주산 180g 1만9천원), 갈빗살, 특양구이(각 180g 2만7천원), 누룽지(2천원)
🕒 11:00~21:00(마지막 주문 20:00) – 연중무휴
🔍 전남 광양시 광양읍 서천1길 52
☎ 061-763-9250 Ⓟ 가능

시내식당 소불고기

광양불고기로 유명한 집 중 하나로, 70여 년간 3대째 맛을 이어오고 있다. 광양식으로 즉석에서 양념한 불고기를 참숯불에 구워 먹는다. 불고기 외에 특양구이도 별미로 통한다.

₩ 광양불고기(한우 180g 2만5천원, 호주산 180g 1만9천원), 특양구이(180g 2만5천원), 후식냉면(5천원)
🕒 10:30~21:00(마지막 주문 20:00) – 명절 휴무
🔍 전남 광양시 광양읍 서천1길 38
☎ 061-763-0360 Ⓟ 가능

인마치 café In March 카페 | 베이커리

섬진강과 숲이 보이는 전망 좋은 대형 베이커리 카페. 다양한 음료와 크로플, 케이크, 소금빵 등의 베이커리 메뉴를 함께 즐길 수 있다. 섬진강 매화 축제 때 가볼 것을 추천.

₩ 아메리카노(5천원), 달콤한헤이즐넛아메리카노(5천5백원), 밀크티, 초코라테, 녹차라테, 고구마라테(각 6천원), 레몬차, 백향과차, 매실차(only HOT, 각 6천원), 오렌지주스, 자몽주스(각 7천5백원)
🕒 10:30~21:50 – 연중무휴
🔍 전남 광양시 다압면 원동길 70-18
☎ 061-772-8622 Ⓟ 가능

장원회관 소고기구이

참숯불에 구워 먹는 광양불고기를 전문으로 하는 곳. 양념에 잰 불고기를 참숯불에 구워 먹는 스타일로, 함께 나오는 밑반찬도 맛깔스럽다. 구수한 누룽지로 식사를 마무리하는 편을 추천한다.

₩ 광양불고기(한우 180g 2만5천원, 호주산 180g 2만원), 특양구이(180g 2만5천원), 누룽지(2인이상 2천원)
🕒 11:00~21:30(마지막 주문 20:30) – 명절 당일 휴무
🔍 전남 광양시 광양읍 매천로 821-5
☎ 061-761-6006 Ⓟ 가능

지곡산장 닭구이

토종닭숯불구이로 유명한 곳. 갓 잡은 닭고기를 숯불에 구워 먹는 맛이 일품이다. 닭 한 마리를 시키면 간, 닭똥집 등 모든 부위를 골고루 맛볼 수 있다. 닭가슴살회와 식사 후 나오는 녹두죽의 맛도 별미다.

₩ 토종닭숯불구이, 토종닭한방백숙, 토종닭볶음탕(각 6만5천원), 토종닭능이백숙(9만5천원)
🕒 16:30~21:30 – 일요일 휴무
🔍 전남 광양시 광양읍 서북로 59
☎ 061-761-3335 Ⓟ 가능

청룡식당 재첩

50년 가까이 재첩 요리만을 전문으로 하는 곳이다. 대형 솥에 항상 재첩국을 끓이고 있어 바로바로 재첩국을 맛볼 수 있다. 재첩회에는 직접 만든 과일 식초와 고추장이 들어가며, 텃밭에서 재배한 채소를 사용한다. 여름 장마철에 재첩 맛이 떨어질 때는 영업을 일시 중단하기도 한다. 섬진강이 흐르는 모습이 한눈에 들어오는 강변에 있어 경치가 좋다.

₩ 재첩국(8천원), 재첩회(소 2인 1만5천원, 중 3인 2만5천원, 대 5인 3만5천원)
🕒 10:00~19:30 – 월요일, 명절 휴무
🔍 전남 광양시 진월면 섬진강매화로 160-1
☎ 061-772-2400 Ⓟ 가능

한국식당 소불고기

광양불고기로 유명한 집 중의 하나. 4대째 불고기를 하는 집으로, 광양에서도 이름이 높다. 즉석에서 양념해 오는 고기를 백운산 참숯불에 구워 먹는다. 반찬도 가짓수가 많지는 않지만 깔끔하다. 50여 년의 역사를 자랑한다.

₩ 광양불고기(한우 180g 2만7천원, 호주산 180g 2만원), 특양구이(180g 2만7천원), 곱창(180g 2만3천원)
10:00~22:00 – 명절 휴무
전남 광양시 광양읍 매일시장길 48
☎ 061-761-9292 Ⓟ 가능

전라남도 구례군

당골식당 닭백숙 | 닭구이

산닭구이가 유명한 곳. 갓 잡은 토종닭을 참숯불에 구워 먹는 것으로, 고소한 양념 맛이 좋다. 준비 시간이 길기 때문에 예약 후 방문하는 것을 추천한다. 전채로 나오는 신선한 닭육회도 별미로 통한다.

₩ 산닭구이, 백숙, 옻닭, 닭곰탕, 닭볶음탕(각 7만원)
12:00~20:00 – 화요일 휴무
전남 구례군 산동면 당골길 86-31
☎ 061-783-1689 Ⓟ 가능

동아식당 돼지족탕 | 가오리

구례읍내에서 오래된 식당 중의 하나로, 지역 주민의 사랑방 역할을 하는 곳이다. 맑고 칼칼하게 끓인 돼지족탕과 감칠맛 나는 양념을 더한 가오리찜이 대표 메뉴다. 기본으로 나오는 밑반찬도 깔끔하다.

₩ 가오리찜(중 2만5천원, 대 3만5천원), 돼지족탕(중 2만원, 대 3만원)
12:00~15:00/17:00~21:00 – 연중무휴
전남 구례군 구례읍 봉동길 4-5 ☎ 061-782-5474 Ⓟ 불가

만남가든 산채정식

화엄사 가는 길에 자리한 곳으로, 30여 가지의 반찬이 나오는 산채정식을 전문으로 한다. 산채와 함께 조기구이, 된장찌개 등이 나오며 쌉쌀한 산나물 고유의 향과 맛이 그대로 살아 있다. 구례에서 유명한 산수유막걸리를 곁들여도 좋다.

₩ 산채한정식(1만8천원), 산채비빔밥(1만1천원), 백반정식(1만3천원), 순두부백반(8천원), 토종한방백숙(8만원)
08:00~19:30 – 연중무휴
전남 구례군 마산면 한국통신로 8
☎ 061-782-9172 Ⓟ 가능

목월빵집 Mogwol Bread 베이커리

천연효모로 자연 발효하여 빵을 굽는 베이커리. 구례에서 생산되는 품종인 금강밀을 기본으로 하는 건강한 빵을 맛볼 수 있다. 계란과 우유를 사용하지 않는 것이 특징이며 버터는 페이스트리에만 사용한다. 매장 앞에 빵이 나오는 시간표가 적혀 있으니 참고할 것. 주말에는 웨이팅을 감수해야 한다.

₩ 앉은키통밀덩어리빵, 아라진흑밀덩어리빵(각 1만1천5백원), 짭조름빵(3천원), 보리순긴빵(4천원), 블루베리오곡빵(9천원), 커피무화과크림치즈빵(5천원)
11:00~19:00 – 월요일, 격주 화요일 휴무
전남 구례군 구례읍 서시천로 85
☎ 061-781-1477 Ⓟ 불가

목화식당 선지해장국

30년이 넘는 전통의 소내장탕집. 선지와 곱창, 양, 허파 등의 소내장이 다양하게 들어가 있는 맑은 국물 스타일이다. 함께 나오는 부추무침과 깍두기도 맛있다. 건물은 허름하지만 멀리서도 찾아오는 손님이 있을 만큼 유명하다.

₩ 한우소내장탕(1만원), 선짓국(8천원)
07:30~20:00 – 비정기적 휴무
전남 구례군 구례읍 구례2길 33
☎ 061-782-9171 Ⓟ 가능

봉성식당 소머리국밥 | 돼지국밥

돼지국밥과 소머리국밥이 유명한 곳. 깔끔하게 끓인 국물 맛이 좋다. 부담없는 가격에 든든하게 끼니를 해결할 수 있는 곳이며 국물과 밥은 무한리필된다.

₩ 돼지국밥, 순대국밥(각 8천원), 소머리곰탕(9천원), 돼지머리수육(소 1만5천원, 대 2만원), 소머리수육(3만원)
08:00~15:00/17:00~20:00 | 토요일 08:00~15:00(마지막 주문 14:20) | 일요일 장날 08:00~15:00 – 일요일 휴무(일요일이 장날인 경우에는 정상 영업)
전남 구례군 구례읍 봉동길 8-9
☎ 061-782-7262 Ⓟ 불가

부부식당 다슬기 | 수제비

구수하고 맑은 다슬기수제비가 맛이 좋기로 유명한 곳. 다슬기가 푸짐하게 들어가며 우리밀로 반죽한 수제비가 맛을 더한다. 특사이즈를 시키면 전체적인 양이 아니라 다슬기 양이 많아진다. 새콤하게 무쳐져 나오는 다슬기회무침이 입맛을 돋운다. 영업시간과 관계없이 재료가 소진되면 일찍 문을 닫는다.

₩ 다슬기수제비(1만원), 다슬기회무침(소 3만원, 대 4만원)
11:00~14:00 – 월요일 휴무
전남 구례군 구례읍 구례2길 30
☎ 061-782-9113 Ⓟ 가능

수구레국밥 수구레국밥

구례오일장 안에 있는 수구레국밥집. 소 목덜미 아래 부분 가죽 안쪽의 쫄깃한 부위인 수구레와 선지가 넉넉히 들어가며 얼큰한 맛이 일품이다.

㉥ 수구레국밥, 섬진강재첩국(각 1만원), 수구레술국(9천원)
🕒 06:30~18:00 – 매월 4, 9, 14, 19, 24, 29일 휴무
🔍 전남 구례군 구례읍 5일시장작은길 20
☎ 061-783-2228 Ⓟ 불가

양미한옥가든 염소고기 | 닭구이

지리산에서 방목해서 키운 닭을 숯불에 구워 먹는 닭구이가 유명하다. 후추, 참기름, 마늘로만 간을 하는 것이 특징이며 불 맛을 살린 맛이 일품이다. 식사로는 닭죽이 나온다. 닭구이 외에도 염소불고기, 흑돼지구이 등도 맛볼 수 있다. 운치 있는 한옥이 분위기를 더욱 자아낸다.

㉥ 토종닭구이(7만원), 토종닭백숙(8만원), 염소불고기(140g 2만2천원), 흑돼지구이(140g 1만4천원), 멧돼지구이(140g 1만7천원)
🕒 11:00~22:00 – 명절 휴무
🔍 전남 구례군 산동면 당골길 110
☎ 061-783-7079 Ⓟ 가능

전원가든 🎀 은어 | 민물매운탕

쏘가리, 메기, 참게 매운탕 등 얼큰하고, 시원한 맛이 일품인 매운탕 전문점. 은어, 빙어 튀김도 식감이 바삭하고, 고소한 맛이 훌륭하다. 새콤, 달콤한 맛이 별미인 산수유 식혜를 후식으로 시원하게 맛볼 수 있다.

㉥ 은어튀김, 빙어튀김(각 중 3만원, 대 5만원), 쏘가리탕(소 7만원 중 9만원 대 12만원), 메기+참게탕(소 4만원, 중 6만원, 대 7만5천원), 참게탕(소 4만5천원, 중 6만원, 대 7만5천원), 산수유식혜(3천원)
🕒 11:00~15:00/16:00~19:30(마지막 주문 18:00) – 월요일 휴무
🔍 전남 구례군 구례읍 섬진강로 76
☎ 061-782-4733 Ⓟ 가능

지리각식당 버섯 | 백반

지리산에서 채취한 싸리버섯을 넣고 끓인 싸리버섯전골이 추천메뉴. 싸리버섯은 8월~10월이 제철이며, 나머지 기간에는 염장해 놓은 싸리버섯을 사용한다. 산나물로 된 20여 가지의 반찬이 입맛을 돋운다.

㉥ 버섯전골(2인 이상, 1인 1만6천원), 산채백반(2인 이상, 1인 1만4천원), 더덕구이정식(2인 이상, 1인 1만8천원)
🕒 07:30~19:30 – 연중무휴
🔍 전남 구례군 마산면 화엄사로 381
☎ 061-782-2066 Ⓟ 가능

평화식당 비빔밥 | 설렁탕

구례에서 비빔밥 하면 떠오르는 집으로, 60여 년간 비빔밥을 해왔다. 육회비빔밥은 신선한 한우육회, 소박한 나물, 곱게 부쳐낸 달걀프라이, 과하지 않은 양념과의 어우러짐이 좋다. 새웃국을 함께 내는 것이 이색적이다.

㉥ 육회비빔밥(1만2천원, 특 1만6천원), 육회(중 4만원, 대 5만원), 한우떡국(1만원)
🕒 10:00~20:00(마지막 주문 19:45) – 첫번째, 세번째 목요일 휴무
🔍 전남 구례군 구례읍 북교길 12 ☎ 061-782-2034 Ⓟ 가능

전라남도 나주시

60년전통남평할매집 🎀 곰탕

나주곰탕이 유명한 집. 나주곰탕은 뼈를 사용하지 않고 고기만을 사용하여 육수를 내기 때문에 국물이 맑은 것이 특징이다. 일반 곰탕 같은 진한 여운은 없지만 깔끔하고 개운한 맛이다. 60여 년의 전통을 자랑한다.

㉥ 곰탕(1만1천원), 수육곰탕(1만3천원), 수육(500g 3만8천원)
🕒 08:00~21:00 – 공휴일, 명절 당일 휴무
🔍 전남 나주시 금성관길 1-1(금계동)
☎ 061-334-4682 Ⓟ 가능

금일홍어 홍어

나주 홍어거리에 있는 홍어집 중 하나로, 가게에 들어서자마자 홍어 특유의 냄새가 코를 찌른다. 국내산스페셜메뉴를 주문하면 홍어애, 특수부위 6종, 홍어껍질, 홍어전, 홍어튀김, 홍어무침, 삼합, 홍어찜, 홍어앳국이 푸짐하게 나온다.

㉥ 칠레산정식(2인 4만원, 4인 8만원), 국내산스페셜(4인 12만원), 국내산홍어삼합(소 5만원, 중 6만원, 대 7만원), 칠레산홍어삼합(소 3만원, 중 4만원, 대 5만원)
🕒 09:00~21:00 – 연중무휴
🔍 전남 나주시 영산포로 202(영산동)
☎ 061-334-0092 Ⓟ 가능

노안집 🎀 곰탕 | 수육

3대에 걸쳐 60년이 넘는 전통을 이어가는 나주곰탕집. 한우고기와 사골뼈를 전통 가마솥에서 3~4시간 우려내 담백하면서도 구수한 맛이 난다. 아롱사태와 소 머릿고기가 푸짐하게 들어간 수육곰탕도 인기. 취향에 따라 고기를 초장에 찍어 먹으면 더욱 맛있게 즐길 수 있다.

㉥ 곰탕(1만1천원), 수육곰탕(1만3천원), 수육(300g 3만5천원)
🕒 07:00~20:00 – 월요일 휴무
🔍 전남 나주시 금성관길 1-3(금계동)
☎ 061-333-2053 Ⓟ 가능

대지회관 백반

20여 가지의 반찬이 나오는 전라도식 상차림으로 유명한 백반집이다. 반찬이 정갈한 편이며, 직접 담은 김치도 칼칼하게 입맛을 돋운다. 예약하고 방문하는 편을 추천한다.

₩ 대지정식(소 1만원, 중 1만7천원, 대 2만2천원 특대 2만7천원), 육회, 육사시미, 홍어무침, 홍어사시미(각 4만원), 우낙탕탕이(7만원)
⏲ 11:00~21:00 – 연중무휴
🔍 전남 나주시 삼영2길 9(삼영동)
☎ 061-332-5353 Ⓟ 가능

사랑채 한정식

나주의 유명한 한정식집. 맛깔스러운 각종 반찬이 깔리고 찌개와 돼지불고기, 조기구이 등이 추가로 나온다. 예약제로 운영된다. 고택인 박경중 가옥의 사랑채를 그대로 활용하고 있다.

₩ 한정식(2인 3만원), 특정식(4인 6만원), 특대정식(4인 8만원), 굴비정식(1인 1만7천원)
⏲ 11:50~14:30/17:30~20:30 – 일요일 휴무
🔍 전남 나주시 금남길 61 (산정동)
☎ 061-333-0116 Ⓟ 가능

송현불고기 돼지고기구이

간판도 없는 곳이지만 연탄불에 돼지불고기를 구워주는 집으로 유명하다. 돼지고기 목살과 삼겹살 부위만 직접 손으로 썰어서 연탄불에 구워 독특한 맛을 낸다. 짜지 않은 된장과 싱싱한 채소에 싸 먹는 맛이 좋다. 양도 푸짐하다.

₩ 불고기(250g 1만4천원)
⏲ 11:00~15:00/17:00~21:00(마지막 주문 20:30) | 토, 일요일 11:00~15:00/16:30~21:00(마지막 주문 20:30) – 월요일 휴무(월요일이 공휴일인 경우 화요일 휴무)
🔍 전남 나주시 건재로 193 (대호동)
☎ 061-332-6497 Ⓟ 불가

신흥장어 장어

나주에서 오래된 장어구이 전문점. 소금구이와 양념구이 중 선택할 수 있다. 장어구이는 완전히 구워 철판 위에 얹어 나온다. 생강채를 곁들이면 더욱 맛있게 즐길 수 있다.

₩ 양념장어구이, 소금장어구이(각 2만7천원), 장어탕(1만4천원), 장어구이(1kg 8만원)
⏲ 11:00~21:00(마지막 주문 20:15) – 마지막 주 월요일 휴무
🔍 전남 나주시 다시면 구진포로 58
☎ 061-335-9109 Ⓟ 가능

영일복집 복

시원한 복탕전골을 맛볼 수 있는 곳. 살이 통통하게 오른 복어와 시원한 국물 맛이 잘 어우러진다. 미나리와 살짝 넣은 된장이 더욱 맛을 더한다. 콩나물냉채, 파김치, 갈치속짓 등의 밑반찬도 깔끔하고 정갈하다. 진한 장어탕도 별미.

₩ 복탕전골(2인이상 1인 2만원)
⏲ 11:00~14:00/17:00~20:00 – 일요일 휴무
🔍 전남 나주시 영산3길 22(영산동)
☎ 061-334-3596 Ⓟ 가능

하얀집 곰탕 | 수육

곰탕을 끓여온 햇수만 해도 1백 10년이 넘는 곳. 시할머니, 시어머니에게 배운 곰탕의 맛을 4대째인 며느리가 이어오고 있다. 곰탕은 국물이 맑은 스타일로, 달걀지단이 올라가는 것이 특징이다. 커다란 가마솥과 살강에 놓인 뚝배기, 커다란 나무 둥치를 통째로 쓰는 도마가 눈에 띈다. 시할머니 때부터 써온 이 가마솥은 1백 년이 넘는다고 한다. 두 개의 커다란 가마솥에서는 항상 곰탕이 끓고 있다.

₩ 곰탕(1만1천원), 수육곰탕(1만3천원), 수육(3만8천원)
⏲ 08:00~20:00 – 수요일 휴무
🔍 전남 나주시 금성관길 6-1(중앙동)
☎ 061-333-4292 Ⓟ 불가(인근 공영주차장 이용)

하얀집

헤일로로스터스 HALO ROASTERS 커피전문점

국가대표 바리스타 출신이 운영하는 곳으로, 로스팅을 직접 하고 원두 납품도 겸하고 있다. 아메리카노나 라테를 시킬 때는 4가지 블렌딩 원두 중에 고를 수 있다. 눈앞에서 내려지는 사이폰커피는 보는 재미가 있다. 여러 가지 맛의 피낭시에와 같은 구움과자도 직접 베이킹하고 있다.

₩ 에스프레소, 아메리카노(4천원), 브루잉커피(6천원~9천원), 라테(4천5백원), 헤일로크림라테(6천원), 시즌메뉴(변동)
⏲ 08:00~21:30| 토, 일요일 09:00~17:30 – 연중무휴
🔍 전남 나주시 빛가람로 747(빛가람동) 108호
☎ 061-334-8444 Ⓟ 가능

홍어1번지 홍어

홍어로 유명한 집. 남도 스타일로 푹 삭힌, 톡 쏘는 홍어회를 맛볼 수 있는 홍어삼합과 매콤한 양념으로 무친 홍어무침 등이 있다. 50년이 넘는 전통을 자랑한다.

Ⓦ 국내산홍어정식(2인 7만원, 3인 9만원, 4인 12만원), 국내산홍어삼합(소 5만원, 중 7만5천원), 국내산홍어회(소 5만5천원, 중 7만5천원), 칠레산홍어삼합(소 3만원, 중 4만5천원), 칠레산홍어회(소 3만원, 중 4만원), 홍어무침(2만원)
⏲ 10:30~15:00/16:00~20:30(마지막 주문 19:45) – 월요일, 명절 휴무
🔍 전남 나주시 영산3길 2-1 (영산동)
☎ 061-332-7444 Ⓟ 가능

전라남도 담양군

남도예담 소떡갈비 | 돼지떡갈비 | 대통밥

참숯에 노릇하게 구워진 떡갈비, 그리고 담양 대나무 통밥으로 유명한 식당. 천장을 가득 메운 대나무 조명이 독특하면서 인상 깊은 곳. 정식에는 13가지 종류의 푸짐하고 정갈한 밑반찬이 제공 된다. 떡갈비는 한우와 한돈 중에서 고를 수 있으며 반반으로도 가능하다.

Ⓦ 한우떡갈비정식(공깃밥 3만3천원, 대통밥 3만6천원), 반반떡갈비정식(공깃밥 2만8천원, 대통밥 3만1천원), 한돈떡갈비정식(공깃밥 2만3천원, 대통밥 2만6천원)
⏲ 11:00~21:00(마지막 주문 20:00) – 명절 휴무
🔍 전남 담양군 월산면 담장로 143 남도예담
☎ 0507-1437-7768 Ⓟ 가능

달빛뜨락 소떡갈비 | 삼계탕

담양식 한우떡갈비와 죽순 영계탕과 전문으로 하는 곳이다. 떡갈비를 시키면 한정식 한상이 차려진다. 죽순삼계탕은 부드러운 영계를 사용하여 저염식으로 조리하는 것이 특징. 식사를 마친 후 직접 만든 시원한 수정과도 맛볼 수 있다.

Ⓦ 전통닭국(1만5천원), 죽순영계탕, 참옻삼계탕(각 1만7천원), 한방삼계탕(1만8천원), 한우떡갈비(1인 150g 2만5천원), 달빛정식(2만9천원)
⏲ 11:00~20:00(마지막 주문 19:30) – 연중무휴
🔍 전남 담양군 봉산면 한수동로 155
☎ 061-382-2355 Ⓟ 가능

담빛예술창고 카페

양곡창고를 개조하여 문화예술공간으로 재탄생한 카페. 통유리창으로 보이는 대나무숲의 경치가 좋으며, 실내에서 파이프 오르간 정기 연주도 감상할 수 있다. 바로 옆 건물에서 기획 전시도 운영하는 것이 특징.

Ⓦ 에스프레소(4천원), 아메리카노(4천원~4천5백원), 카페라테(4천5백원~5천원), 백향과에이드(5천5백원), 스무디(6천원), 백향과차(4천5백원~5천원), 티라미수, 초코칩쿠키, 아몬드튀일(각 6천원)
⏲ 10:00~18:00 – 명절 당일 휴무, 월요일 전시 휴관
🔍 전남 담양군 담양읍 객사7길 75
☎ 061-383-8240 Ⓟ 가능

담양앞집 🎀 소떡갈비 | 국수

담양 떡갈비와 떡갈비국수 전문점. 면은 메밀과 담양 댓잎을 이용해 매일 자가제면하며, 참숯에 직화로 구워낸 떡갈비는 구운 채소와 함께 유기에 정갈하게 차려져 나온다. 창너머로 대나무가 보이는 실내 공간은 좌석이 넓직하게 배치되어 쾌적하며, 뒷마당에는 휴식 공간이 잘 꾸며져 있다.

Ⓦ 매운떡갈비국수(1만7천원), 죽순바삭만두(1만2천원), 댓잎비빔국수(1만1천원), 죽순비빔국수(1만4천원), 앞집평양냉면(1만2천원), 한돈숯불떡갈비(520g 2만3천원), 한우숯불떡갈비(520g 3만7천원), 대통밥(6천원)
⏲ 11:00~14:30/17:00~21:00(마지막 주문 19:30) | 토, 일요일 11:00~15:00/17:00~21:00(마지막 주문 19:30) – 화요일 휴무
🔍 전남 담양군 담양읍 죽향문화로 22
☎ 061-381-1990 Ⓟ 가능

덕인갈비 🎀 대통밥 | 소떡갈비

떡갈비 전문식당. 초벌구이를 해서 나온 떡갈비를 무쇠 솥에서 조금 더 익혀 먹는다. 남도답게 반찬은 15가지 가량 푸짐하게 나온다. 떡갈비와 더불어 담양의 3대 음식으로 통하는 추어탕, 대통밥을 모두 맛볼 수 있는 장점이 있다.

Ⓦ 덕인떡갈비(200g 3만원), 갈빗살불고기(370g 6만원), 통밥정식(2만7천원), 대통밥(1만3천원), 죽순추어탕(9천원)
⏲ 11:00~20:00 – 연중무휴
🔍 전남 담양군 담양읍 담주1길 6
☎ 061-381-2194 Ⓟ 가능

들풀 🎀 산채정식

산채 정식을 시키면 댓잎이 담겨 있는 물병이 나오고 이어 정식, 샐러드와 삼합, 7가지 잡곡으로 지은 밥, 집에서 만든 두부전, 새송이버섯전, 도토리묵 등이 나온다. 40여 가지 반찬이 푸짐하게 차려진다.

Ⓦ 들풀정식(2인 이상, 1인 2만원), 떡갈비(1만2천원), 육전, 새우구이(각 1만원)
⏲ 11:00~14:00/16:00~20:00(마지막 주문 19:00) – 화요일 휴무, 명절 휴무
🔍 전남 담양군 고서면 분향용대길 3-6
☎ 061-381-7370 Ⓟ 가능

명가은 🎀 茗可隱 전통차전문점

20년 넘게 자리를 지키고 있는 전통찻집. 아늑한 한옥에 넓고 운치있는 정원이 편안하고 아름답다. 부담스럽지 않은 한식 디저트와 계속 리필해서 우릴 수 있는 전통차를 즐길 수 있다. 차

도구와 찻잎도 판매하고 있다.

₩ 연꽃차(2만원~3만3천원), 연잎차, 홍차, 황차, 말차, 백화차, 냉오미자말차(각 7천원), 양갱과살찜카스테라(7천원), 약밥, 구운인절미(각 6천원), 다과, 양갱과카스테라(각 7천원)

🕒 10:00~18:00 – 월, 화요일 휴무

🔍 전남 담양군 가사문학면 반석길 48-8

☎ 061-382-3513 Ⓟ 가능

송죽정 죽순 | 대통밥

대나무통 속에 다섯 가지 곡물을 넣고 1시간쯤 쪄내 대나무 향이 배어 있는 대통밥을 맛볼 수 있다. 죽순에 민물우렁과 산나물을 넣고 새콤달콤하게 무친 죽순회도 별미다.

₩ 대통밥(1만원), 송죽정정식(1인 2만원), 떡갈비정식(1인 2만8천원), 죽순회무침(소 1만원, 중 2만원, 대 2만5천원)

🕒 10:30~20:30 – 연중무휴

🔍 전남 담양군 담양읍 죽향대로 1171

☎ 061-381-3291 Ⓟ 가능

승일식당 돼지갈비

돼지갈비가 유명한 곳. 돼지갈비를 생강, 마늘, 양파 등의 양념에 푹 담가 두었다가 초벌구이한 뒤 다시 숯불에 구워 먹는다. 황토아궁이에서 직접 만든 숯 향이 고기 맛을 더한다. 재래식 집된장을 이용한 시래깃국과 백김치, 무나물 등도 인기. 고기를 다 먹은 후에는 누룽지로 입가심한다. 냉동고기가 아닌 생고기를 사용한다.

₩ 숯불돼지갈비(1인 1만9천원), 물냉면, 비빔냉면(각 7천원)

🕒 09:30~21:00(마지막 주문 20:00) – 명절 휴무

🔍 전남 담양군 담양읍 중앙로 98-1

☎ 061-382-9011 Ⓟ 가능

신식당 소떡갈비 | 비빔밥

담양을 대표하는 떡갈빗집으로, 약한 참숯불에 양념장을 발라 구운 부드러운 떡갈비 맛이 일품이다. 가마솥에 갈빗살과 뼈를 넣고 푹 고아내 국물 맛이 진한 갈비탕, 그리고 각종 나물과 직접 담근 고추장 맛이 좋은 비빔밥을 추천할 만하다. 1909년부터 떡갈비를 시작하여 4대째, 1백 년이 넘게 내려오는 곳으로, 떡갈비의 원조로도 알려졌다.

₩ 떡갈비구이(250g 3만5천원), 죽순떡갈비전골(250g 4만원), 신식당소반(2인 이상, 1인 떡갈비 167g+대통밥, 2만9천원), 비빔밥(1만2천원)

🕒 11:30~20:00(마지막 주문 1930) – 명절 휴무

🔍 전남 담양군 담양읍 중앙로 95

☎ 061-382-9901 Ⓟ 가능

신식당

어텐션플리즈 Attention please 카페

곳곳이 포토존 같은 담양 카페. 마당에 깔린 푸른 잔디와 농구 코트, 내부엔 쨍한 컬러를 포인트로 마치 미국 하이틴 영화에 나올 것 같은 인테리어가 특징. 중앙아시아식 디저트로 인기가 좋다는 카이막을 활용한 디저트가 인기.

₩ 에스프레소(5천원), 아메리카노(6천원), 카페라테(6천5백원), 바닐라라테(7천원), 너티라테(7천6백원), 티(7천원), 코코레드주스(7천2백원), 카이막과프렌치토스트(1만4천원), 카이막과바게트(1만2천원), 벌쓰디브라우니(9천원)

🕒 11:00~20:00(마지막 주문 19:30) – 연중무휴

🔍 전남 담양군 금성면 금성산성길 271

☎ 061-383-8636 Ⓟ 가능(가게 앞 전용주차장)

옛날진미국수 비빔국수

담양 국수거리에서 유명한 국수집. 비빔국수에 열무와 콩나물, 쪽파가 들어가서 매콤새콤하면서도 아삭한 식감을 느낄 수 있다. 멸치를 깊게 우린 국물에 호박, 콩나물, 당근 등 각종 야채가 들어간 멸치국수도 일품이다. 가격도 합리적이다.

₩ 비빔국수, 멸치국수(각 6천원), 파전(1만원)

🕒 10:30~19:00 – 수요일 휴무

🔍 전남 담양군 담양읍 객사3길 26

☎ 061-382-0984 Ⓟ 가능

원조대나무국수 국수

40년이 넘는 전통의 국숫집. 멸치육수가 진하고 구수하다. 다른 국숫집보다 국수 면발이 더 오동통한 편이다. 댓잎을 넣고 삶아 낸 댓잎달걀도 쫀득하고 비리지 않아 별미다.

₩ 멸치국수(5천원), 열무비빔국수(6천원), 열무냉국수(7천원), 검정콩국수(8천원), 댓잎달걀(2개 1천원)

🕒 08:00~21:00 – 비정기적 휴무

🔍 전남 담양군 담양읍 객사2길 15-69

☎ 061-383-6445 Ⓟ 가능

원조창평시장국밥 돼지국밥

오랜 전통의 돼지국밥집. 창평시장의 국밥 거리에서도 원조로 알려진 곳이다. 가격대비 푸짐한 국밥을 즐길 수 있다. 인공적이지 않고 자연스러운 맛. 슴슴하게 느껴질 때는 다진 양념을 넣

으면 좋다.

₩ 따로국밥, 비빔밥(각 9천원), 내장국밥, 선지국밥, 머리국밥, 비빔밥(각 8천원), 콩나물국밥(8천원), 국수(보통 7천원, 특 8천원), 수육(1만7천원)
08:30~16:00/17:00~20:30 – 수요일, 명절 휴무
전남 담양군 창평면 사동길 14-25
061-383-4424 Ⓟ 가능

전통식당 남도음식 | 한정식

남도 한정식의 진수를 맛볼 수 있는 곳이다. 홍어삼합부터 시작해서 담양의 특산품인 죽순숙회, 다진 소고기로 속을 채운 섬진강 참게장, 민물새우젓인 토하젓과 굴로 만든 진석화젓, 전어 내장젓인 돔배젓 등 젓갈류만 해도 여러 종류가 나온다. 갈치구이 등의 생선 요리는 물론 떡갈비찜, 감장아찌, 더덕장아찌와 10여 가지의 산나물 등 반찬 수가 40여 가지에 이른다. 여러 차례 방송 이후 관광객들의 방문이 많아지며 이들의 요청에 따라 젓갈과 장아찌 반찬이 줄어들고 있는 추세지만, 여전히 남도 밥상의 진수를 보여준다.

₩ 담양한상(1인 1만8천원), 소쇄원한상(1인 2만9천원)
11:00~15:30/16:30~20:00(마지막 주문 19:00) – 명절 휴무
전남 담양군 고서면 고읍현길 38-4
061-382-3111 Ⓟ 가능

죽림원가든 대통밥 | 죽순

죽순회와 대통밥을 전문으로 한다. 대통밥 정식을 시키면 죽순나물, 생지, 묵은지, 버섯나물 등의 반찬이 나온다. 대통용찜은 토종닭, 문어, 한우 등 열 가지 재료를 대나무에 넣어 찐 것으로, 시간이 걸리므로 미리 주문하는 것이 좋다. 마당에는 5천여 평에 달하는 대나무 숲이 펼쳐져 있다.

₩ 대통밥정식(1인 1만5천원), 우렁죽순회, 떡갈비(각 1만8천원), 떡갈비정식, 모둠정식(각 2만9천원), 대통용찜(4인 이상, 1인 4만9천원)
11:00~20:00(마지막 주문 19:00) – 연중무휴
전남 담양군 월산면 가산길 358
061-383-1292 Ⓟ 가능

진우네집국수 국수

담양국수거리의 원조집으로 꼽히는 곳 중 하나. 특별한 맛은 아니지만 어릴 때 어머니가 해주던 소박한 맛과 부담없는 가격으로 유명하다. 삶은 달걀을 따로 사서 까먹는 것도 재미있다. 60년 넘는 역사를 자랑한다.

₩ 멸치국수, 비빔국수(각 5천원), 삶은달걀(2개 1천원)
09:00~20:00 – 명절 휴무
전남 담양군 담양읍 객사3길 32
061-381-5344 Ⓟ 가능

창평전통안두부 두부

70년이 넘게 3대가 이어온 손두부 맛이 일품이다. 두부전골에는 별다른 반찬이 없지만 국물이 맑고, 다진 양념이 따로 나와 기호에 맞게 넣어 먹을 수 있다.

₩ 순두부찌개, 두부국수, 콩죽국수(각 8천원), 보쌈정식(1인 1만2천원), 두부버섯전골(소 2만2천원, 대 3만3천원)
10:30~15:30/17:00~20:00(마지막 주문 19:30) | 토, 일요일 11:00~16:00/17:00~20:00(마지막 주문 19:30) – 월요일 휴무(공휴일인 경우 정상영업)
전남 담양군 창평면 의병로 31
061-383-9288 Ⓟ 가능

청운식당 순댓국 | 순대

전라도식 토종순대를 맛볼 수 있는 곳. 선지와 콩나물을 넣어 만든 옛날 순대 외에 돼지 내장의 일종인 암뽕으로 만든 순대를 다양하게 선보인다. 남도식 추어탕도 맛이 좋다.

₩ 막창순대, 암뽕반반(각 2만5천원), 순대국밥, 내장국밥, 추어탕(각 9천원), 새끼보국밥(1만원)
10:30~20:00(마지막 주문 19:30) – 명절 휴무
전남 담양군 담양읍 담주1길 7
061-381-2436 Ⓟ 가능

한상근대통밥집 대통밥 | 죽순

제대로 된 대나무통밥을 맛볼 수 있는 곳. 직접 가꾼 대밭에서 채취한 죽순으로 차려내는 죽순회와 죽계탕이 별미다. 햇죽순을 삶은 후 초고추장과 물엿으로 맛을 낸 죽순회가 새콤달콤하다. 대통밥 정식을 시키면 죽순을 넣은 된장국과 찰진 대통밥에 남도식 반찬이 가득 차려진다.

₩ 한상근정식(1인 2만8천원), 대통밥정식(1인 1만8천원), 돼지숯불갈비(200g 1만8천원), 한우떡갈비(200g 2만9천원)
10:30~15:00(마지막 주문 14:30) | 금, 일요일 10:30~20:30(마지막 주문 19:30) – 명절 휴무
전남 담양군 월산면 담장로 113 1층
061-382-1999 Ⓟ 가능

한우명가 갈비탕 | 소고기구이

한우 정육식당으로, 생등심이나 갈빗살 같은 고기가 신선하고 육질이 좋다. 가격대비 만족도가 높으며 소고기육회와 생고기비빔밥도 인기가 있다.

₩ 생고기(500g 4만2천원), 육회(500g 4만6천원), 생고기비빔밥, 익힘비빔밥 (1만1천원, 2인 이상 주문 시 1인 1만원), 갈비탕(1만5천원)
11:00~21:00(마지막 주문 20:30) – 명절 휴무
전남 담양군 담양읍 추성로 1313
061-382-8969 Ⓟ 가능

전라남도 목포시

가락지 떡

목포의 명물인 쑥꿀레를 만들어 파는 곳이 목포에서 단 두 곳인데 그중 한 곳이다. 목포역과 10분 거리에 있어 별미 간식 선물로 사가기 좋다. 푸짐하게 나오는 팥칼국수도 인기 메뉴다.

₩ 쑥꿀레(6천원), 칼국수팥죽, 해물칼국수(각 8천원), 호박죽, 야채죽, 깨죽, 동지팥죽(각 9천원)
⏲ 10:00~20:00 – 연중무휴
🔍 전남 목포시 수문로 45(남교동)
☎ 061-244-1969 Ⓟ 불가

곰집갈비 비빔냉면 | 돼지갈비 | 낙지

갈비 맛도 좋지만, 냉면 위에 산낙지 한마리가 통째로 들어간 세발낙지 비빔냉면이 유명하다. 비빔냉면과 함께 나오는 수육무침도 단연 추천할 만하다.

₩ 돼지갈비(250g 1만9천원), 매운돼지갈비(250g 2만원), 후식물냉면, 후식비빔냉면(각 9천원), 수육무침(4만4천원), 돼지갈비수육무침(4만3천원)
⏲ 11:30~15:00/17:00~21:00(마지막 주문 20:30)(재료 소진 시 마감) – 화요일 휴무
🔍 전남 목포시 호남로58번길 14(창평동)
☎ 061-244-1567 Ⓟ 가능

금메달식당 홍어

흑산도 홍어만을 고집하고 있으며 삶은 돼지고기, 2년 가량 묵힌 배추김치에 막걸리를 함께 곁들이는 홍탁삼합이 일품이다. 홍어의 독특한 맛과 미나리의 향긋한 맛이 조화를 이루는 홍어회도 좋다. 홍어탕은 홍어삼합을 시키면 추가 메뉴로 주문할 수 있다. 한때 무안으로 잠시 이전하였다가 현재는 목포의 원래 위치로 재이전하였다.

₩ 흑산도홍어삼합+탕(2인 15만원, 4인 25만원), 흑산도홍어삼합+탕+찜(2인 20만원, 4인 35만원), 흑산도홍어탕(2만5천원)
⏲ 10:00~22:00 – 연중무휴
🔍 전남 목포시 후광대로143번길 8(옥암동)
☎ 061-272-2697 Ⓟ 가능

능소화 브런치카페 | 양식

커다란 통창이 시원한 개방감을 선사하는 곳. 대표 메뉴인 로제비프 라자냐는 치즈의 고소함과 짭짤한 라구 소스의 조화가 좋다는 평이며, 바삭한 바게트 빵을 곁들여 먹기에도 좋다. 개화시기에 맞춰 방문할 경우, 담장에 활짝 핀 능소화를 눈에 담을 수 있다.

₩ 안심스테이크(160g 3만8천원), 스페셜스테이크(4만8천원), 로제비프라자냐(2만4천원), 바질새우스포시니(2만8천원), 아보카도오픈샌드위치(1만3천9백원), 능소화플래터(1만9천9백원), 페퍼로니치즈샌드위치(1만5천9백원)
⏲ 11:30~15:30/17:00~21:00(마지막 주문 20:00) – 월요일 휴무
🔍 전남 목포시 영산로 19-1
☎ 061-244-4198 Ⓟ 불가

대반동201 브런치카페 | 카페

목포 스카이워크에 위치한 전망 좋은 카페. 넓고 탁 트인 공간에서 바다를 바라보며 음료와 치킨, 피자, 샌드위치 등을 즐길 수 있다. 디트 불고기 피자와 크림치즈 마늘빵이 인기 메뉴.

₩ 트러플크림리조토, 관자오일파스타(각 2만3천원), 로제소스소시지(2만원), 치즈피자, 페퍼로니피자(각 1조각 6원), 크림치즈당근케이크, 딸기생크림케이크(각 7천5백원), 시나몬롤, 크림치즈마늘빵(각 6천원), 아메리카노(6천원), 초당옥수수라테(7천5백)
⏲ 10:00~23:00 – 연중무휴
🔍 전남 목포시 해양대학로 59(죽교동) 유달유원지2층
☎ 061-244-8884 Ⓟ 가능

덕인집 홍어

홍어와 삼합이 유명한 곳. 가격이 비교적 합리적인 편이라 서민적인 주점이라고 할 수 있다. 홍어회와 구기자 동동주의 궁합이 잘 맞는다. 홍어회 외에도 은학상어, 강달이 등 목포에서 맛볼 수 있는 먹거리가 많다.

₩ 흑산홍어삼합(9만원), 흑산홍어(8만원), 흑산홍어찜(10만원), 홍어애탕(3만원), 돼지수육(각 2만원)
⏲ 12:00~21:00 – 월요일, 명절 휴무
🔍 전남 목포시 영산로73번길 1-1(무안동)
☎ 061-242-3767 Ⓟ 가능

독천식당 낙지

40여 년간 낙지만 요리해 온 집으로, 갈낙탕이 유명하다. 갈비탕을 끓인 후 세발낙지 몇 마리를 넣고 담백하게 국물을 우려낸다. 살짝 볶은 낙지와 콩나물, 미나리, 무채 등을 얹은 낙지비빔밥에 갈낙탕이나 연포탕을 곁들이면 더욱 좋다. 연포탕은 낙지를 연하게 익힌 탕으로, 상에 올린 다음 적당한 크기로 잘라준다. 연포탕이나 갈낙탕은 고춧가루나 고추장을 넣지 않고 말갛게 끓인다.

₩ 갈낙탕(1인 2만3천원), 연포탕(1인 2만원), 낙지비빔밥(1만4천원), 산낙지, 낙지무침, 낙지볶음(각 중 4만5천원, 대 6만원)
⏲ 11:00~15:00/17:00~20:50 – 둘째, 넷째 주 일요일, 명절 휴무
🔍 전남 목포시 호남로64번길 3-1(호남동)
☎ 061-242-6528 Ⓟ 가능

뚱보횟집 낙지

목포 북항 회센터에 있는 낙지 전문점. 세발낙지를 나무젓가락에 돌돌 감아 초고추장에 찍어 한입에 먹는다. 연포탕은 개운한 국물 맛과 담백한 낙지살을 즐기기에 좋다.

₩ 낙지회, 낙지볶음, 우럭매운탕, 연포탕(각 5만원~8만원), 광어,

농어, 참돔, 우럭(각 12만원)
⏱ 10:00~22:00 – 연중무휴
🔍 전남 목포시 해안로 271(광동1가)
☎ 061-244-4508 Ⓟ 가능

만선식당 밴댕이 | 남도음식

목포 9미 중 하나인 우럭간국으로 유명한 노포 식당. 전라도에선 송어나 밴댕이라고도 부르는 반지를 회로 맛볼 수 있는 곳으로, 진한 목포의 풍미를 즐길 수 있다. 풀치조림, 밴댕이 고추젓 등 반찬도 맛이 좋다.

₩ 우럭탕(우럭간국)(소 3만9천원, 중 4만9천원, 대 5만9천원), 송어회(밴댕이회)(2만9천원), 병어회(5만원), 갈치조림(중 5만5천원, 대 6만5천원), 장어탕(1만5천원)
⏱ 10:30~15:30/16:30~20:30 – 두번째, 네번째 월요일 휴무
🔍 전남 목포시 서산로 2
☎ 061-244-3621 Ⓟ 불가(인근 공영주차장)

만호유달횟집 민어

40년이 넘는 전통의 민어 전문점. 민어의거리에서도 원조로 꼽히는 집. 민어회를 시키면 낙지, 병어, 홍어회 등이 제철에 맞게 나온다. 민어회정식을 시키면 민어전부터 시작해 민어회, 민어탕 등 부담 없이 민어의 모든 것을 맛볼 수 있다.

₩ 민어전, 민어회(각 5만원), 민어회정식(2인 10만원, 3인 13만원, 4인 16만원, 5인 20만원)
⏱ 10:00~21:00 – 연중무휴
🔍 전남 목포시 번화로 46(만호동)
☎ 061-242-8025 Ⓟ 가능

먼바다전복 전복

전복 요리를 잘하는 것으로 소문나 있다. 전복죽에 큼지막한 전복이 꽤 들어 있다. 함께 나오는 돌게장은 슴슴한 맛이 밥반찬으로 좋다.

₩ 자연산전복(시가), 활어회(1kg 8만원), 장어탕(1만5천원), 전복죽(1인 1만5천원), 매운탕(2인 2만5천원), 회덮밥(1만원)
⏱ 10:00~22:00 – 연중무휴
🔍 전남 목포시 죽교천로136번길 4(산정동)
☎ 061-245-1150 Ⓟ 가능

명신식당 곰탕 | 갈비탕

달걀을 올린 옛날식 갈비탕을 맛볼 수 있는 곳. 칼집이 들어가 있는 갈빗대에는 고기가 제법 붙어 있는데, 다짐육을 뼈에 붙인 것이다. 진한 국물 맛이 좋으며 양도 넉넉한 편.

₩ 떡갈비탕(1만5천원), 곰탕, 육개장(각 1만2천원), 수육(5만원), 내장탕(1만3천원)
⏱ 10:00~19:30 – 둘째 주 화요일 휴무
🔍 전남 목포시 영산로40번길 10(중앙동2가)
☎ 061-244-0479 Ⓟ 가능

명인집 홍어 | 생선조림 | 게장

약식동원 사상을 근본으로 하는 오래된 한정식집. 좋은 재료만 엄선하여 만든 전라도 음식을 맛볼 수 있다. 갈치조림, 간장게장 등이 대표 메뉴다.

₩ 갈치조림(2인 이상, 1인 2만5천원, 특 3만7천원), 병어조림(소 7만원, 대 10만원), 간장게장(1인 4만2천원), A코스(2인 16만원, 4인 20만원), B코스(2인 20만원, 4인 30만원)
⏱ 11:00~15:00/17:00~21:30(마지막 주문 20:30) – 연중무휴
🔍 전남 목포시 하당로30번길 14(상동)
☎ 061-245-8808 Ⓟ 가능

미락식당 🎀 게장

목포에서 꽃게살비빔밥으로 유명한 곳이다. 꽃게살비빔밥은 이름 그대로 양념을 가미한 꽃게 살을 밥에 비벼 먹는 비빔밥이다. 생물 꽃게만 사용해서 비리지 않으며 양념에는 비파열매로 담근 청을 넣어 감칠맛을 잘 살려냈다. 목포의 명물 생선인 민어의 새끼를 가리키는 말인 '통치'를 구운 생선구이도 인기다.

₩ 꽃게비빔밥(1인 1만5천원), 갈치구이(2인 이상, 1인 2만원), 생선구이(2인 이상, 1인 1만5천원), 꽃게찜, 꽃게탕, 꽃게무침(각 중 7만원, 대 10만원)
⏱ 11:00~15:30/17:00~21:00(마지막 주문 20:30) – 월요일 휴무
🔍 전남 목포시 백년대로231번길 12(상동)
☎ 061-272-3828 Ⓟ 불가

별스넥 🎀 생선찜 | 덕자 | 병어

덕자와 병어, 삼치만을 전문으로 하는 곳. 덕자찜은 생선조림처럼 매운 양념에 보글보글 끓여서 먹는다. 살이 두툼하면서도 달콤한 맛이 일품이다. 덕자회와 찜 세트로 시킬 것을 추천하며 덕자회만 먹을 경우 부대찌개로 마무리하는 것도 좋다.

₩ 덕자회+찜(소 13만9천원, 중 15만5천원, 대 16만9천원), 덕자찜(중 8만5천원, 대 9만원), 병어찜(소 7만원, 중7만5천원, 대 8만원), 덕자회(7만9천원), 병어회(6만5천원), 삼치회(6만원), 부대찌개(소 2만2천원, 중 3만2천원, 대 4만2천원)
⏱ 11:30~14:00/17:00~23:00(마지막 주문 22:00) – 수요일 휴무
🔍 전남 목포시 옥암로 11(상동)
☎ 061-283-8114 Ⓟ 불가

석심횟집 생선회 | 민어

용당동 민어의거리에서 유명한 횟집 중 하나. 부드러우면서도 찰지게 숙성된 민어회 맛이 일품이다. 민어회를 시키면 민어 부레, 껍질 등의 특수부위와 병어회무침 같은 곁들이 음식이 간단하게 나온다. 민어매운탕 맛도 좋다.

₩ 민어전, 민어회, 농어, 광어(각 5만5천원), 낙지(시가)
⏱ 10:00~21:30 – 일요일 휴무
🔍 전남 목포시 영산로307번길 16(용당동)
☎ 061-279-6060 Ⓟ 가능

선경준치회집 준치

목포 음식의 정체성을 잘 표현하는 식당 중 하나. 다른 곳에서 보기 드문 준치회무침이 메인이며 병어회, 송어회(밴댕이), 갈치조림, 장어구이 등 다양한 요리를 선보인다. 맛의 고장 목포답게 반찬도 준수하며 묵은지와 뼈까지 씹어먹을 수 있는 풀치(건조한 어린 갈치) 조림이 일품이다

Ⓦ 준치회무침, 병어회무침, 송어회무침(각 1인 1만원), 병어사시미(3만원), 송어사시미(2만원), 조기구이, 갈치구이, 갈치찜, 병어찜(각 2인 이상, 1인 1만5천원)
Ⓣ 10:30~20:40 – 월요일 휴무
Q 전남 목포시 해안로57번길 2(온금동)
☎ 061-242-5653 Ⓟ 가능

선창횟집 준치 | 병어

준치와 병어만 전문으로 하는 횟집. 준치회무침과 밥이 담긴 대접이 나오면 준치회무침을 넣어 비벼 먹는다. 준치 철은 5월로, 이때 잡은 것을 냉동해두었다가 일 년 내내 내고 있다. 병어찜 맛도 일품이다.

Ⓦ 준치회무침(소 2만원, 중 3만원, 대 4만원), 병어회(5만5천원), 병어찜, 갈비찜(각 중 4만5천원, 대 5만5천원)
Ⓣ 11:00~15:00(마지막 주문 14:30)/17:00~20:0(마지막 주문 19:30) – 일요일 휴무
Q 전남 목포시 만호로 6-1(금동2가) ☎ 061-244-3708 Ⓟ 가능

성식당 소떡갈비

목포에서 떡갈비로 유명한 곳. 석쇠에 고기를 올려 연탄불에 구워서 내온다. 갈빗대에 붙어 있는 살을 그대로 칼집을 내어 떡갈비로 만든 스타일로, 터프한 질감을 느낄 수 있다. 떡갈비와 떡갈비 백반은 모두 2인 이상 주문해야 한다. 60여 년간 대를 이어온 집이다.

Ⓦ 떡갈비(2인 이상, 1인 3만2천원), 떡갈비백반(2인 이상, 1인 3만3천원), 갈비탕(1만5천원), 내장탕(1만3천원)
Ⓣ 11:30~15:30/17:00~20:00 – 목요일 휴무
Q 전남 목포시 수강로4번길 6(영해동1가)
☎ 061-244-1401 Ⓟ 불가

성식당

쑥꿀레 떡

목포여고 앞에서 유명한 집. 쑥꿀레는 쑥을 빚어 만든 찹쌀떡 경단에 콩고물을 묻힌 후 묽은 조청에 굴려 먹는 간식이다. 쑥꿀레 외 다른 분식류도 맛이 좋다는 평.

Ⓦ 쑥꿀레, 단팥죽, 떡볶이(각 6천원), 냄비국수(8천원), 비빔국수(9천원)
Ⓣ 11:00~15:30/16:30~21:00 – 명절 휴무
Q 전남 목포시 영산로59번길 43-1(죽동)
☎ 061-244-7912 Ⓟ 불가

영란횟집 생선회 | 민어

40년이 넘는 전통의 민어회 전문 횟집. 민어회 외에 민어의 껍질, 부레, 뼈와 살을 다져 양념한 것 등 다양한 민어요리를 맛볼 수 있다. 막걸리를 6개월 삭혀 만든 식초와 엿, 된장, 파, 생강, 고춧가루로 만들어내는 초고추장이 별미다. 민어매운탕은 깔끔하고 시원한 맛이다.

Ⓦ 민어회, 민어회무침, 민어전(각 5만원), 민어코스요리(2인 10만원, 3인 13만원, 4인 16만원), 뻘낙지(4만원), 매운탕(1인 5천원)
Ⓣ 10:00~22:00 – 연중무휴
Q 전남 목포시 번화로 42-1(만호동)
☎ 061-243-7311 Ⓟ 가능

영암식당 소떡갈비

60여 년 전통을 자랑하는 떡갈비 전문점. 떡갈비와 함께 차려지는 풍성한 반찬에 한 번, 지글지글 떡갈비의 맛에 두 번 놀라게 된다. 김치류와 젓갈류가 맛을 더한다.

Ⓦ 떡갈비정식, 생고기(각 2만9천원), 갈비탕, 비빔밥(각 1만5천원)
Ⓣ 09:00~21:30 – 명절 휴무
Q 전남 목포시 수문로35번길 1(죽동)
☎ 061-244-4600 Ⓟ 가능

옥정한정식 한정식

전통 궁중 한정식집으로 유명한 곳이다. 주택을 개조해 식당으로 사용하고 있어 운치가 있다. 전복회, 민어회, 떡갈비 등 다양한 요리를 한상으로 즐길 수 있다.

Ⓦ 옥정한정식(2인상 15만원, 4인상 22만원), 1인추가(5만5천원)
Ⓣ 12:00~21:30 – 연중무휴
Q 전남 목포시 미항로 8(상동)
☎ 061-243-0012 Ⓟ 가능

원조탕탕이맛집 낙지

복층으로 된 작은 가게가 탕탕이를 먹는 손님으로 늘 붐빈다. 신선한 소고기와 낙지로 만든 탕탕이는 고소하고 씹는 맛이 좋다. 비빔공기를 주문해서 탕탕이를 적당히 넣고 비벼 먹어도 좋다.

Ⓦ 소고기낙지탕탕이, 낙지연포탕, 낙지초무침, 낙지볶음(각 중 5만원, 대 6만5천원), 비빔공기(2천원)

⏲ 12:00~23:00 – 일요일 휴무
🔍 전남 목포시 원산중앙로 51(산정동)
☎ 061-278-2358 Ⓟ 가능

유달콩물 일반한식 | 콩국수

여러 가지 한식 메뉴를 하는 집이지만 콩물이 가장 유명하다. 콩물은 아침 식사 대신 간단히 마시거나 식사 후 디저트로 마셔도 좋다. 콩물은 따로 포장해갈 수도 있다.

₩ 노란콩(콩물 5천원, 콩국수 1만1천원 곱빼기 1만3천원), 검은콩(콩물 6천원, 콩국수 1만3천원, 곱빼기 1만5천원), 비빔밥, 육회비빔밥(각 1만원)
⏲ 08:00~18:00 | 동절기(11월~4월) 08:00~15:00(마지막 주문 14:30) – 동절기 화요일, 명절 휴무
🔍 전남 목포시 호남로58번길 23-1(대안동)
☎ 061-244-5234 Ⓟ 불가

인동주마을 홍어 | 게장

인동초를 이용하여 만든 인동주 막걸리와 인동초참게장이 유명한 집. 게장백반을 시키면 여러 가지 안주와 식사가 나온다. 홍어에 묵은지와 반찬으로 나온 매생이를 싸 먹어도 좋다.

₩ 인동주마을정식(수입산홍어 5만9천원, 국내산흑산도홍어 9만원), 홍어삼합(수입산 3만원, 국내산 6만5천원), 간장꽃게장정식(3만9천원)
⏲ 10:00~22:00 – 연중무휴
🔍 전남 목포시 복산길12번길 5(옥암동)
☎ 061-284-4068 Ⓟ 가능

장터식당 꽃게

꽃게무침을 전문으로 하는 곳. 양념게장과 비슷해 보이지만 생게에 양념을 해서 바로 먹는 것이 차별점이다. 삭히는 과정이 빠지므로 게장과는 맛이 다르고 양념도 게장보다 덜 자극적이다. 몸통의 살을 빼먹고 나서 껍질에 들어찬 양념에 밥과 함께 나온 나물을 넣고 비벼 먹는 것이 제대로 즐기는 방법.

₩ 꽃게무침, 꽃게살, 준치, 간재미초무침(각 2만7천원), 꽃게탕(소 3만5천원, 대 4만5천원)
⏲ 11:30~15:00/17:30~21:30 – 첫째, 셋째 주 일요일, 둘째, 넷째, 다섯째 주 월요일 휴무
🔍 전남 목포시 영산로40번길 23(중동1가)
☎ 061-244-8880 Ⓟ 가능

조선쫄복탕 졸복

졸복을 으깨어 푹 익혀 걸쭉한 졸복탕을 맛볼 수 있다. 취향껏 부추무침을 넣고 식초를 살짝 뿌려 먹는다. 밑반찬도 남도식의 진한 맛이 특징이며, 갈치속젓에 무친 고추장아찌가 별미다.

₩ 졸복탕(1만5천원), 졸복지리, 까치복지리(2인 이상, 예약 주문, 각 1인 1만8천원), 밀복(2인 이상, 예약 주문, 1인 2만원)
⏲ 08:00~20:00(마지막 주문 19:00) – 명절 휴무
🔍 전남 목포시 해안로 115
☎ 061-242-8522 Ⓟ 가능

중화루 中華樓 일반중식

목포에서만 볼 수 있는 중깐이라는 메뉴를 개발한 원조집. 중깐은 '중화식당의 간짜장'의 준말로, 간짜장보다 양념이 더 잘게 다져 있는 형태라고 생각하면 된다. 옛날 스타일의 탕수육도 맛볼 수 있다.

₩ 탕수육(소 2만4천원, 대 3만3천원), 유산슬, 팔보채(각 소 4만5천원, 대 5만원), 삼선삭스핀(12만원), 짬뽕밥, 간짜장, 짬뽕(각 9천원), 삼선짬뽕, 삼선간짜장(각 1만6천원)
⏲ 11:00~15:00/16:30~19:00 – 월요일 휴무
🔍 전남 목포시 영산로75번길 6(상락동2가)
☎ 061-244-6525 Ⓟ 불가

초원음식점 꽃게 | 갈치

꽃게무침이 유명한 곳이다. 처음에는 게살로만 무치지 않고 껍데기째 다져서 게살무침을 했지만, 손님들이 껍데기를 싫어해 게살만을 빼서 무쳐본 것이 지금의 맛을 내게 되었다고 한다. 꽃게가 많이 나는 봄에 1년 치 꽃게를 사서 냉동실에 넣어둔다. 먹음직스러워 보이는 두툼한 갈치구이도 괜찮다. 주문은 2인부터 가능하다.

₩ 갈치찜, 갈치구이, 꽃게살비빔밥, 병어찜(각 2인 이상, 1인 1만5천원)
⏲ 09:30~15:00(마지막 주문 14:30)/17:00~19:30(마지막 주문 19:00) – 둘째, 넷째 주 화요일 휴무
🔍 전남 목포시 영산로 42(대의동2가)
☎ 061-243-2234 Ⓟ 불가

초원음식점

코롬방제과 Colombang 베이커리

70년이 넘는 전통의 빵집. 생크림을 목포에서 처음 사용한 곳으로, 크림치즈바게트와 새우바게트가 유명하다. 2층은 1층에서 산 빵을 가져다 먹을 수 있는 카페로 되어 있다.

₩ 크림치즈바게트, 새우바게트, 마늘바게트, 연유볼(각 6천원)

ⓒ 08:00~21:00 - 연중무휴
🔍 전남 목포시 영산로75번길 7(무안동)
☎ 061-244-0885 Ⓟ 가능

태동반점 일반중식

목포의 명물인 중깐이 유명한 중식당. 현지인들이 선호하는 곳이다. 중깐은 목포에만 있는 짜장면 형태로, 가는 면발에 재료를 잘게 다져 만든 짜장 소스가 얹어진다. 삼선짜장에는 해산물이 듬뿍 들어가며 중깐과 짜장을 시키면 짬뽕과 탕수육이 나오는 것이 특징.

₩ 짜장(6천원), 간짜장, 짬뽕(각 7천원), 볶음밥(8천원), 중깐(7천원), 삼선짬뽕, 삼선간짜장(각 1만원), 탕수육(소 2만원 중 2만5천원 대 3만5천원), 팔보채(4만원)
ⓒ 11:00~14:50/15:40~19:00 - 첫째, 셋째 주 화요일 휴무
🔍 전남 목포시 마인계터로40번길 10-1(죽동)
☎ 061-243-3351 Ⓟ 불가(공영 주차장 이용)

트라이팟 NEW 이탈리아식 | 파스타

목포의 제철 식재료를 사용한 이탈리안 음식을 맛볼 수 있는 레스토랑. 흑미와 문어, 홍새우와 그라니타 등 애피타이저부터 새우 소시지와 쥬키니 크림, 꽃게 살 파스타, 와규 스테이크 등의 메인 메뉴를 다양하게 맛볼 수 있다.

₩ 흑미와문어, 먹물아란치니(각 1만1천원), 버섯샐러드(1만7천원), 새우소시지와쥬키니크림(1만9천원), 꽃게살파스타(2만2천원), 와규스테이크(200g 5만5천원)
ⓒ 12:00~15:00(마지막 주문 14:00)/17:00~21:30(마지막 주문 20:30) - 화요일 휴무
🔍 전남 목포시 당가두로14번길 28 1층
☎ 0507-1357-7698 Ⓟ 가능

포도원횟집 민어

민어로 유명한 곳. 민어의거리에 있는 민어 전문점 중 하나다. 영란횟집보다 부레와 껍질 등 특수 부위를 더 다양하게 준다는 평이다. 민어 철에는 민어만 취급한다. 정식을 주문하면 회, 무침, 전, 탕을 골고루 먹을 수 있다.

₩ 민어회, 민어회무침, 민어전(각 5만원), 매운탕(2인 이상, 1인 5천원), 민어정식(2인 10만원, 4인 16만원)
ⓒ 10:00~22:00 - 연중무휴
🔍 전남 목포시 번화로 41(중앙동1가)
☎ 061-245-3755 Ⓟ 가능

피시테리안 FISHTERIan 샤퀴테리

프랑스와 일본 동경의 피에르 가니에르에서 근무하고 돌아온 김하연 셰프가 오픈한 곳으로, 생선으로 만든 샤퀴테리(피시테리)와 목포산 해산물 요리를 전문으로 하는 파인다이닝 레스토랑이다. 피시테리는 김셰프의 독자적인 개발 메뉴로 참치, 민어 등 제철 생선에 향신료를 첨가해 육류처럼 드라이에이징 하는 데 감칠맛과 풍미가 일품이다. 요리는 단품으로도 주문 가능하며 미리 예약하면 코스 요리도 맛볼 수 있다.

₩ 피시테리안코스(6만5천원)
ⓒ 17:00~23:00(마지막 주문 22:00) - 월, 화요일 휴무
🔍 전남 목포시 수강로 11-2(수강동1가)
☎ 061-981-0350 Ⓟ 가능

한미르 한정식

신선로와 홍어삼합에 남도음식 40여 가지가 나오는, 궁중한정식에 전통 남도식 상차림을 가미한 한정식집이다. 홍어삼합, 계절 생선회 등 해산물이 정갈하면서도 푸짐하다. 한정식 한 상은 3~4인 기준으로 준비되므로 인원수를 맞춰 가는 것이 좋다.

₩ 2인정식(11만원), 한정식(4인 14만원~21만원)
ⓒ 10:00~22:00 - 월요일 휴무
🔍 전남 목포시 유달로 112(유달동)
☎ 061-243-7227 Ⓟ 가능

전라남도 무안군

구로횟집 낙지

산낙지, 낙지물회가 유명하며, 이외에도 연포탕, 낙지볶음 등 낙지 요리를 고루 맛볼 수 있다. 낙지물회는 낙지를 살짝 데쳐서 식초에 갖은 양념을 넣고 새콤달콤하게 무쳐 내온다. 연포탕은 한우 사골로 육수를 끓여 국물 맛이 맑고 개운하다. 낙지 외에도 겨울부터 초봄까지는 숭어, 여름철에는 농어와 민어, 오도리(보리새우), 가을에는 참숭어, 전어 등 철 따라 횟감이 푸짐하다.

₩ 낙지볶음, 낙지무침, 낙지물회(각 중 7만원, 대 8만원), 낙지전복연포탕(1인 2만5천원)
ⓒ 11:30~21:00 - 연중무휴
🔍 전남 무안군 청계면 구로길 25-12
☎ 061-453-1250 Ⓟ 가능

도리포횟집 생선회

숭어를 전문으로 하는 집. 숭어 새끼인 동어는 물론 숭어 알을 말린 어란도 맛볼 수 있다. 갓 잡아 올린 모치(숭어 새끼)를 바닷물로 씻어 굵은 소금에 절여 보름 정도 둔다. 진액이 우러나면 찹쌀과 돼지 비계를 넣고 함께 끓여 낸다.

₩ 숭어한상차림(2인 5만원, 3인 8만원, 4인 10만원), 매운탕(소 5만원, 중 6만원, 대 7만원)
ⓒ 11:00~21:00 - 연중무휴
🔍 전남 무안군 해제면 만송로 838-17
☎ 061-454-6890 Ⓟ 가능

동원식당 웅어 | 낙지

기절낙지를 주문하면 낙지 다리를 큰 소쿠리에 넣고 점액질이 빠질 때까지 문질러 댄다. 이렇게 기절시킨 낙지를 소스에 찍으면 다시 살아나는데 부드럽지만 미끈거리지 않고 꼬들꼬들하게 씹히는 맛이 일품이다. 10월 낙지 제철에 맞춰서 가면 푸짐하게 먹을 수 있다. 여름에는 웅어회로 만든 회비빔밥이 별미다.

₩ 계절초무침(1인 1만원), 아나고탕(2인이상, 1인 1만원), 낙지초무침(1만5천원), 기절낙지(시가)
🕒 11:00~14:00 – 일요일 휴무
🔍 전남 무안군 망운면 압창길 6
☎ 061-452-0754 Ⓟ 가능

두암식당 🎀 삼겹살

불이 센 짚불을 이용하여 돼지고기를 굽는다. 처음에는 솔잎으로 굽다가 그을음이 많이 나서 볏짚으로 바꾸었다고 한다. 삼겹살과 목살을 석쇠에 끼운 후 불타는 볏짚에 집어넣는다. 볏짚이 나면서 내는 연기가 훈제 효과를 낸다. 짚불돼지고기에 게소스, 양파 김치를 함께 곁들이면 더욱 맛있다.

₩ 짚불구이(삼겹살 200g 1만6천원, 목살 180g 1만5천원), 칠게장비빔밥(5천원)
🕒 11:00~15:00/16:00~20:00(마지막 주문 19:00) – 목요일 휴무
🔍 전남 무안군 몽탄면 우명길 52
☎ 061-452-3775 Ⓟ 가능

무안식당 🎀 소고기구이

무안 5미 중 하나인 양파한우 전문점. 부드럽게 씹히는 한우 맛이 일품이다. 고기를 먹은 후 식사로 누룽지를 시키면 갓김치, 매생이, 물김치, 토하젓 등 7가지 반찬이 새로 나온다. 샤부샤부와 안창살구이가 대표 메뉴다.

₩ 한우생고기(300g 5만5천원), 샤부샤부, 로스구이(각 150g 3만7천원), 육회비빔밥(1만원 특 1만5천원), 돌솥비빔밥(1만2천원 특 1만5천원), 불고기백반(1만6천원)
🕒 09:00~22:00 – 연중무휴
🔍 전남 무안군 무안읍 면성2길 36
☎ 061-453-1919 Ⓟ 가능

불란서식당 🎀 bullanseo 프랑스식

목포와 무안을 연결하는 남악신도시에 오픈한 작은 비스트로. 합리적인 가격에 디테일 좋은 다섯가지 코스 요리를 맛볼 수 있다. 공간도 아늑하고 와인 가격도 부담 없어 와인 마시기도 좋으며, 콜키지도 가능하다.

₩ 디너코스(4만원)
🕒 1부 18:00~20:00 | 2부 19:00~21:00 | 3부 20:00~22:00 – 수, 목요일 휴무
🔍 전남 무안군 삼향읍 남악4로34번길 6 에드가채움 주상복합 아파트 1층 121호
☎ 0507-1383-980 Ⓟ 가능(상가 주차장)

불란서식당

숙이네식당 낙지

신선한 해물과 낙지 등이 들어간 낙지초무침으로 유명하다. 자연산 낙지를 사용해 맛이 더욱 좋다. 굴과 생선회를 가득 담아 내는 굴물회도 별미.

₩ 낙지탕탕이(소 5만원, 중 6만원, 대 7만원), 호롱구이(시가), 낙지비빔밥(2만원), 육낙탕탕이(7만원), 초무침, 볶음(각 소 5만원, 중 6만원, 대 7만원), 굴물회(2인 3만5천원, 3인 4만5천원)
🕒 09:00~21:00 – 첫째, 셋째 주 화요일 휴무
🔍 전남 무안군 무안읍 성남1길 172
☎ 061-452-9857 Ⓟ 가능

옛날시골밥상 🎀 백반

전남 무안 일로전통시장 골목에 위치한 백반집이다. 나물 반찬, 해물, 각종 김치류, 젓갈을 포함해 약 스물 다섯 가지의 정갈한 반찬이 푸짐하게 차려진다. 가짓수가 많아도 허투루 내는 반찬 없이 알차다. 생선탕과 생선조림도 좋으며, 젓갈과 김치는 남도의 풍미를 제대로 느낄 수 있다.

₩ 백반(1만원)
🕒 10:00~19:00 – 연중무휴
🔍 전남 무안군 일로읍 시장길 17-10
☎ 061-282-7777 Ⓟ 불가(인근 공영주차장 이용)

제일회식당 🎀 낙지

살아 있는 낙지를 대바구니에 넣어 비비면서 점액질을 알맞게 뺀 기절낙지가 일품이다. 낙지발을 물초장에 찍어 참기름을 발라 상추에 싸 먹는다. 병어, 준치, 죽상어, 갯장어 등 계절 생선으로 회무침을 낸다.

₩ 기절낙지, 낙지호롱(각 2만원), 연포탕(2만5천원), 낙지비빔밥(1만5천원)
🕒 11:00~21:00 – 첫째, 셋째 주 월요일 휴무
🔍 전남 무안군 망운면 망운로 13
☎ 061-452-1139 Ⓟ 가능

향림낙지한마당 낙지

무안의 명물인 산낙지를 전문으로 하는 집. 뜨거운 돌솥비빔밥 재료 위에 산낙지를 올려서 비비면 살짝 데친 낙지가 된다. 산낙지와 달리 탱글탱글한 맛이 일품이다. 땅속 항아리에 묻어두었다 내오는 묵은지, 밑반찬도 나무랄 데가 없다. 살아있는 낙지를 먹는 것이 부담스러운 사람들에게는 기절낙지를 추천한다.

₩ 낙지볶음, 낙지초무침(각 소 5만원, 대 7만원), 연포탕(소 4만원, 중 6만원, 대 8만원), 산낙지돌솥비빔밥, 산낙지생비빔밥(각 1인 2만원, 특 2만5천원), 세발낙지, 기절낙지, 낙지호롱(각 시가)
⏲ 10:00~21:00 – 한 달에 한 번 비정기적 휴무
🔍 전남 무안군 무안읍 뻘낙지길 34
☎ 061-453-2055 Ⓟ 가능

전라남도 보성군

국일식당 꼬막

벌교읍 꼬막식당 중 가장 명성이 있는 식당이다. 겨울철에는 꼬막을 삶아서 내놓고, 여름철에는 간장, 고춧가루 등 양념에 무쳐내고 6월과 7월에는 국물이 있는 꼬막장을 내놓는다. 백반에는 고사리, 버섯, 고구마순 등의 나물과 전어, 갈치, 조기구이, 홍어, 숭어사시미, 전어회무침, 삶은 꼬막, 묵, 주꾸미불고기, 토하젓이 나오고 농어, 노래미, 도다리를 넣고 끓인 매운탕까지 다양한 요리가 한상 가득 나온다.

₩ 꼬막정식(2만원), 백반(중 1만원, 대 1만5천원, 특대 2만원), 삼계탕(1만2천원), 대구탕(1만5천원)
⏲ 08:00~21:00 – 명절 휴무
🔍 전남 보성군 벌교읍 태백산맥길 18-1
☎ 061-857-0588 Ⓟ 가능

벌교우렁집 우렁 | 우렁된장

우렁 요리를 전문으로 하는 곳. 대표 메뉴는 우렁쌈정식으로, 우렁을 넣은 구수한 강된장과 신선한 쌈채소 등이 푸짐하게 나온다. 구수한 우렁탕도 별미.

₩ 우렁쌈정식(1만8천원), 우렁탕(9천원), 우렁정식(1만5천원)
⏲ 11:00~20:00 – 월요일, 명절 휴무
🔍 전남 보성군 벌교읍 채동선로 367
☎ 061-857-7613 Ⓟ 가능

보성양탕 염소고기

보성의 별미인 양탕이라고 하는 염소탕을 맛볼 수 있다. 양탕은 육개장처럼 고춧가루를 넣어 맵게 끓인 것으로, 국물 맛이 깔끔하다. 염소 고기로 만든 수육도 누린내 없이 깔끔한 맛이다.

₩ 양탕(1만5천원, 특 1만7천원), 수육(6만원)
⏲ 07:00~20:00 | 일요일 07:00~19:00 – 연중무휴
🔍 전남 보성군 보성읍 신일길 13-5
☎ 061-852-2412 Ⓟ 불가

수복식당 백반 | 꼬막

꼬막정식이 유명한 곳. 정식메뉴에 함께 나오는 반찬이 정갈하다. 꼬막정식에는 꼬막전, 꼬막튀김, 꼬막무침 등이 나온다. 백반을 주문하면 제육볶음과 생선구이, 10여 종의 반찬을 내어준다.

₩ 꼬막정식(2만원), 떡갈비(1만8천원), 백반(1만원)
⏲ 06:00~20:00 – 명절 휴무
🔍 전남 보성군 보성읍 중앙로 102-1
☎ 061-853-3032 Ⓟ 가능

역전식당 짱뚱어 | 꼬막

짱뚱어와 꼬막을 전문으로 하는 곳. 짱뚱어탕은 추어탕과 비슷한 방식으로 된장, 시래기, 풋고추 등을 넣어 끓인다. 국물 맛이 얼큰하고 감칠맛이 나며 개운하다. 벌교의 명물인 꼬막회도 별미로 통한다.

₩ 짱뚱어탕(1만원), 짱뚱어전골(3인 이상, 1만5천원), 꼬막회무침(1만원), 꼬막정식(1만7천원)
⏲ 08:30~20:00 – 비정기적 휴무
🔍 전남 보성군 벌교읍 계성1길 3-1
☎ 061-857-2073 Ⓟ 가능

원조꼬막식당 꼬막

꼬막정식이 대표 메뉴다. 꼬막회, 꼬막무침, 꼬막전 등 꼬막으로 만든 반찬과 기타 맛깔스러운 반찬이 한 상 가득 나온다. 추가 리필이 가능한 꼬막탕이 별미다.

₩ 꼬막정식(2인 이상, 1인 2만원), 참꼬막정식(2인 이상, 1인 3만원)
⏲ 09:30~21:00 – 설날 당일 휴무
🔍 전남 보성군 벌교읍 채동선로 213
☎ 061-857-7675 Ⓟ 가능

초록잎이펼치는세상 전통차전문점

다원을 운영하는 주인이 운영하는 전통찻집. 생엽 하나를 띄운 녹차에 직접 만든 녹차양갱을 곁들이는 맛이 훌륭하다. 민박도 겸하고 있어 하루 묵으면서 아침 일찍 일어나 차밭을 거니는 것도 좋다.

₩ 녹차, 녹차라테, 홍차, 녹차아이스크림(각 5천원), 말차(7천원), 녹차양갱, 쿠키(각 2천원), 티라미수(3천원)
⏲ 11:00~18:00 – 수요일 휴무
🔍 전남 보성군 회천면 녹차로 613
☎ 061-852-7988 Ⓟ 가능

행낭횟집 전어 | 생선회

어머니의 뒤를 이어 아들이 맛을 내는 50여 년 전통의 횟집. 싱싱한 전어회를 맛볼 수 있다. 빨간 양념에 무쳐 내오는 전어회

맛이 고소하며 밥에 전어회를 얹어 먹는 비빔밥도 별미다. 바지락회도 유명하다.

₩ 전어회(소 4만원, 중 5만원, 대 6만원), 특선활어회(15만원), 키조개무침, 키조개구이(각 소 4만원, 중 5만원, 대 6만원)
11:00~22:00 – 연중무휴
전남 보성군 회천면 남부관광로 2285-18
☎ 061-852-8072 Ⓟ 불가

전라남도 순천시

강변장어 장어

대대포구 선착장 근처에 자리 잡은 장어구이 전문점으로, 순천만에서 나는 자연산 장어와 양식 장어를 맛볼 수 있다. 장어를 굽는 동안 나오는 참꼬막 등의 밑반찬도 푸짐하다. 짱뚱어를 갈아 넣은 짱뚱어탕도 별미로 통한다.

₩ 양념장어정식, 소금장어정식(각 1인 3만원), 짱뚱어탕(중 4만5천원, 대 5만5천원), 장뚱어전골(6만원)
10:00~21:00(마지막 주문 19:30) – 격주 월요일 휴무
전남 순천시 순천만길 436(대대동)
☎ 061-742-4233 Ⓟ 불가

건봉국밥 돼지국밥 | 수육

입구에 가마솥을 걸어놓고 24시간 동안 돼지 뼈를 고아 육수를 만든다. 육수를 만드는 공간이 별개로 마련되어 있을 만큼 국밥을 전문으로 한다. 반찬도 여러 가지가 나오며 모두 정갈하다. 국밥에 들어가는 밥은 토렴해서 나온다.

₩ 건봉국밥, 머리국밥, 내장국밥(각 9천원), 머리내장수육(소 2만원, 중 2만5천원, 대 3만원), 모둠수육(소 2만5천원, 중3만원, 대 3만5천원)
06:30~15:00/16:00~21:00(마지막 주문 20:30) | 토, 일요일 06:30~21:00(마지막 주문 20:30) – 명절 휴무
전남 순천시 장평로 65(인제동) 건봉빌딩 1
☎ 061-752-0900 Ⓟ 불가

고력당 羖攊堂 염소고기

염소고기를 전문으로 하는 곳으로, 감각적인 인테리어로 꾸민 것이 특징이다. 친환경 흑염소 농장에서 직접 염소고기를 받아온다. 잡냄새 없이 끓인 궁중 수육 전골도 별미. 점심시간에는 합리적인 가격에 정식 메뉴를 선보인다.

₩ 흑비고력뼈대갈비(250g 5만8천원), 참숯생불고기(120g 3만8천원), 고력당불고기전골(150g 5만원), 고력백수육전골, 고력홍수육전골(각 2인 10만원)
11:30~15:00/17:00~22:00(재료 소진 시 마감, 마지막 주문 21:00) – 연중무휴
전남 순천시 왕지3길 18-28(왕지동)
☎ 061-727-0013 Ⓟ 가능(법원 공영주차장 3시간 무료)

고향정가 일반한식 | 보리밥

조계산 등산로에 있는 보리밥집으로 등산객과 관광객에게 인기 있는 곳이다. 보리밥과 함께 나오는 찬이 푸짐하다. 조계산의 절경이 보리밥의 맛을 더한다.

₩ 보리밥정식(2인이상, 1인 1만2천원), 갈치조림(2인 이상, 1인 1만5천원), 버섯불고기, 꼬막정식(각 2인 이상, 1인 2만원), 도토리묵, 김치찌개(각 1만원)
08:00~20:30(마지막 주문 20:00) – 명절 휴무
전남 순천시 낙안면 삼일로 34
☎ 061-754-3419 Ⓟ 가능

금빈회관 백반 | 소떡갈비

큼직한 떡갈비와 함께 갈치속젓 등 20여 가지의 반찬이 차려진다. 살코기만 다져서 납작하게 만들어 구운 방식의 떡갈비가 나온다. 주문은 2인 이상부터 가능하다. 토, 일요일과 공휴일에는 누룽지가 나오지 않는다.

₩ 돼지떡갈비한정식(1인 200g 1만8천원), 한우떡갈비한정식(1인 200g 3만원)
11:00~21:00 – 화요일, 명절 휴무
전남 순천시 장명4길 8(장천동)
☎ 061-744-5553 Ⓟ 가능

금성가든 흑염소떡갈비

흑염소고기로 만드는 흑염소떡갈비가 독특하다. 흑염소의 여러 부위를 뭉쳐 떡갈비로 만들어 숯불에 구워낸다. 반찬 종류가 매우 많으며 김치와 장아찌류가 훌륭하다. 식사를 주문하면 나오는 흑염소 뼈를 고아 만든 곰탕도 별미다.

₩ 흑염소떡갈비(1인분 3만원), 토종닭장, 토종백숙, 토종닭구이(각 6만원)
11:00~20:30 – 셋째 주 화요일 휴무
전남 순천시 승주읍 선암사길 358 ☎ 061-754-6060 Ⓟ 가능

남창식당 민물매운탕

민물매운탕 전문점으로, 참게탕, 쏘가리탕, 빠가사리탕 등 매운탕 종류가 다양하다. 국물 맛이 칼칼한 편. 50년이 넘는 역사를 자랑한다.

₩ 참게탕(소 5만원, 중 7만원, 대 9만원), 메기탕(소 3만5천원, 중 5만원, 대 6만5천원), 잡어탕(소 4만원, 중 5만5천원, 대 7만원), 쏘가리탕(소 7만원, 중 9만원, 대 11만원)
09:00~20:00 – 명절 휴무
전남 순천시 황전면 섬진강로 228
☎ 061-782-3705 Ⓟ 가능

대원식당 한정식 | 남도음식

남도에서 손꼽히는 한정식집. 정식을 주문하면 진석화젓, 토하젓, 돔배젓, 게장, 표고전, 호박전, 더덕구이, 수삼무침, 능성어조림, 양태구이, 버섯나물, 배추나물, 무볶음, 꼬막, 된장찌개, 동치미, 깍두기, 김치 그리고 싱싱한 열무와 배추 쌈재료 등이 한 상 가득 차려진다. 40여 년의 넘는 역사를 자랑하는 곳으로, 2인상 이상부터 주문할 수 있다.

₩ 수라상정식(1인 3만9천원), 대원상정식(1인 4만9천원)
🕒 11:30~15:00/17:00~21:30(마지막 주문 20:00) – 월요일 휴무
🔍 전남 순천시 장천2길 30-29(장천동)
☎ 061-744-3582 Ⓟ 가능

르꼬앙 LE COIN BISTRO 프랑스식

프랑스의 가정식 식당에 온 듯한 감성의 레스토랑이다. 프랑스 출신의 셰프가 직접 요리하여 프랑스 현지의 맛을 경험할 수 있다. 와인 안주로 제격인 샤퀴테리 플래터도 있으며, 메뉴판에는 어울리는 와인을 와인과 음료를 표기해두었다. 프랑스 가정식인 비프 부르기뇽을 맛볼 수 있는 기회.

₩ 비프부르기뇽(2만7천원), 라자냐(1만8천원), 새우레몬파스타(1만7천원), 샤퀴테리플래터(스몰 1만8천원, 미디움 3만4천원, 라지 5만원), 프랑스피자(1만9천원~2만7천원), 클래식피자(1만5천원~1만8천원), 크레페(7천원~8천원)
🕒 10:00~15:00/17:00~21:00(마지막 주문 20:00) – 월요일 휴무
🔍 전남 순천시 오천2길 3-15(오천동)
☎ 010-5555-2099 Ⓟ 불가

리노 LINO 이탈리아식

밀라노와 트란티노-알토 아디제 지역에서 근무 후 귀국한 박건호 셰프의 업장이다. 순천 문화의 거리에 위치한 고즈넉하고 로맨틱한 한옥 건물에서 이탈리안 코스 요리를 선보인다. 간결하면서도 진한 맛이 이탈리아 본토에서 맛보는 듯하다. 와인 리스트도 매우 훌륭하며 순천 인근 와인 애호가들의 아지트이기도 하다.

₩ 런치파스타(2만5천원), 런치스테이크(5만원), 코스(7만원)

🕒 12:00~15:00(마지막 주문 14:00)/17:00~21:30(마지막 주문 20:00) – 일, 월요일 휴무
🔍 전남 순천시 영동길 71(행동)
☎ 061-753-0623 Ⓟ 불가(인근 공영주차장 이용)

벌교식당 산채정식

정갈하게 손질한 산나물이 어우러지는 산채비빔밥을 맛볼 수 있다. 송광사 입구에 있는 여러 식당 중 규모가 큰 편으로, 항상 많은 사람으로 붐빈다.

₩ 산채비빔밥(1만원), 산채정식(1만7천원), 더덕정식(2만원), 촌닭백숙(7만원)
🕒 08:00~20:00 | 동절기 09:00~19:00 – 연중무휴
🔍 전남 순천시 송광면 송광사안길 125
☎ 061-755-2305 Ⓟ 가능

송광사길상식당 산채정식 | 산채비빔밥

절에 가는 길에 들려서 먹는 산채정식이나 산채비빔밥의 맛이 좋다. 산채정식에는 고사리, 취, 토란나물, 더덕, 죽순무침, 생채, 묵은지, 홍어, 굴, 버섯전, 조기구이 등 20여 가지의 음식이 푸짐하게 나온다. 김을 서너 장씩 튀겨서 기름을 뺀 다음, 엿과 간장으로 만든 양념장에 담근 김장아찌의 맛이 일품이다. 50여 년의 역사를 자랑한다.

₩ 산채비빔밥(1만원), 더덕산채정식(2만5천원), 더덕정식(4인 이상, 1인 2만5천원), 꼬막나물백반(1만5천원)
🕒 09:00~20:00 – 연중무휴
🔍 전남 순천시 송광면 송광사안길 123
☎ 061-755-2173 Ⓟ 불가

수정식당 카페

선암사 초입에 몰려있는 식당 중 하나. 산채나물 반찬, 도토리묵, 더덕구이 등을 내는 전형적인 산 밑턱 음식점이지만, 산채나물 반찬이 도드라지게 훌륭하다. 백반이나 정식을 주문하면 스물대여섯 가지의 푸짐한 찬을 곁들인 한상을 맛볼 수 있다. 자극적이지 않은 건강한 맛이다.

₩ 백반(2인 이상, 1인 1만6천원), 정식(4인 이상, 1인 4만원), 닭백숙(7만원), 도토리묵, 파전(각 1만5천원), 비빔밥(1만2천원)
🕒 08:00~18:00– 연중무휴
🔍 전라남도 순천시 승주읍 승암교길 17
☎ 0507-1442-710 Ⓟ 가능(선암사 주차장 이용)

순천한정식명궁관 明窮館 한정식

20여 년 전통의 남도 한정식을 맛볼 수 있는 한정식 전문점. 메뉴는 수라상, 용궁상, 명궁상, 보리굴비 정식 등으로 구성되어 있다. 수라상을 주문하면 죽, 활어회, 홍어삼합, 한우육사시미, 히 무침 등을 맛볼 수 있다.

₩ 법성포굴비정식(점심 2만5천원, 저녁 3만원), 한우눈꽃떡갈비(3만5천원), 명궁상(8만9천원), 용궁상(5만9천원), 수라상(3만9천원)

🕒 11:00~15:00(마지막 주문 14:30)/17:00~21:30(마지막 주문 20:30) | 일요일 11:00~15:00(마지막 주문 14:30) – 월요일, 명절 휴무
🔍 전남 순천시 중앙2길 7(장천동)
☎ 061-741-2020 Ⓟ 가능(주차비 1천원 지원)

신화정 한정식

남도의 맛을 제대로 느낄 수 있는 곳. 떡갈비를 메인으로 한 한정식을 맛볼 수 있다. 정갈하면서도 깔끔한 스타일의 음식으로 상견례나 손님 접대 장소로도 좋다. 2인, 3인, 4인 기준으로 한 상이 차려지며 1인 반상도 주문 가능하다.

₩ 반반떡갈비반상(1인 3만8천원, 2인 6만2천원, 3인 8만9천원, 4인 11만4천원), 한우떡갈비반상(1인 4만3천원, 2인 7만1천원, 3인 10만4천원, 4인 13만2천원)
🕒 11:30~15:30(마지막 주문 14:30)/17:00~21:30(마지막 주문 20:30) – 연중무휴
🔍 전남 순천시 구암길 26(연향동)
☎ 061-741-8100 Ⓟ 가능

양와당 양갱

앤티크한 분위기의 한식 디저트 전문점. 수제 양갱과 옛날 팥빙수를 선보인다. 인공첨가제를 사용하지 않고 달지 않은 건강식 디저트를 만드는 것이 특징이다. 선물용으로 별도 포장도 가능한 곳.

₩ 팥양갱(2천4백원), 구운찰떡(2천원), 양와빙수(9천원), 아메리카노(4천원), 흑임자크림라테(5천5백원), 백향과에이드(5천원), 백향과차(6천원)
🕒 11:00~22:00(마지막 주문 21:00) – 연중무휴
🔍 전남 순천시 구암1길 11-3(연향동)
☎ 061-745-2345 Ⓟ 가능

오트르망 AUTREMENT 프랑스식

영국과 프랑스에서 20여년간 근무하고, 피에르상 셰프와 오랫동안 함께한 이노선 셰프가 2021년 말 귀국하여 고향인 순천에 오픈한 프렌치 레스토랑. 클래식에 기반하면서도 경쾌하고 트위스트가 있는 컨템포러리 스타일이며, 치즈, 감귤류, 큐민 등의 스파이스의 사용이 과감한데도 호불호 갈리지 않을 정도로 밸런스가 훌륭하다.

오트르망

₩ 런치코스(5만원), 디너코스(9만6천원)
🕒 12:00~14:00/18:00~22:00 – 일, 월요일 휴무
🔍 전남 순천시 이수1길 15-6(조곡동)
☎ 010-6559-0156 Ⓟ 불가(인근 공영주차장 이용)

일일캠프닉타운 카페

출사지로도 유명한 물 위의 찻집. 주암호 주변 깊은 산속에 있어 풍경이 멋지다. 입장료를 내면 사진도 찍고 차도 마실 수 있다. 아침 일찍 물안개 오를 때 가면 멋진 사진을 찍을 수 있다.

₩ 입장료(5천원, 8월 1만원)
🕒 08:00~18:00 – 연중무휴
🔍 전남 순천시 송광면 월산길 400
☎ 061-755-4545 Ⓟ 가능

장원식당 산채정식 | 닭백숙

선암사 관광단지에서 음식점 간판을 가장 먼저 내건 원조집이다. 산채정식과 산채백반, 토종닭백숙이 고향의 맛으로 손꼽힌다.

₩ 산채비빔밥(1만1천원), 백반(2인이상, 1인 1만4천원), 산채정식(2인이상, 1인 1만9천원), 닭백숙, 닭볶음탕, 닭장(각 6만5천원)
🕒 08:30~19:00(마지막 주문 18:30) – 연중무휴
🔍 전남 순천시 승주읍 승암교길 15
☎ 061-754-6362 Ⓟ 가능

조계산보리밥집 보리밥

조계산의 선암사와 송광사를 찾는 관광객이 자주 들르는 보리밥집. 보리밥에 여러 가지 산나물을 넣고 참기름을 뿌려 고추장에 비벼 먹는 맛이 일품이다.

₩ 보리밥(9천원), 도토리묵(8천원), 채소파전(1만원)
🕒 10:00~16:30(마지막 주문 15:30) – 월, 화요일 휴무
🔍 전남 순천시 송광면 굴목재길 247
☎ 061-754-3756 Ⓟ 불가

진일기사식당 김치찌개

프라이팬에 돼지고기를 큼지막하게 썰어 넣어 만든 김치찌개로 유명하다. 기본으로 나오는 파김치, 무김치, 갓김치, 신김치 등과 각종 나물 반찬이 10여 가지가 넘는다.

₩ 김치찌개백반(1만원), 삼겹살백반(2인 이상, 1만2천원)
🕒 07:00~20:00 – 명절 휴무
🔍 전남 순천시 승주읍 선암사길 48
☎ 061-754-5320 Ⓟ 가능

청강다슬기 다슬기

다슬기 요리 전문점. 자그마한 다슬기가 가득 들어간 시원한 맛의 푸른 다슬기탕이 인기다. 다슬기탕을 시키면 돌솥밥이 함께

나온다. 매콤새콤한 다슬기회무침도 별미며 전골은 예약해야 맛볼 수 있다.

㈐ 돌솥밥+다슬기탕(1만3천원), 돌솥밥+제첩탕(1만원), 다슬기수제비(1만2천원), 다슬기전골(3만원), 다슬기회무침(3만원)

⏲ 07:00~14:00/17:00~22:00 | 일요일 07:00~14:00 – 둘째, 넷째 주 일요일, 명절 휴무

🔍 전남 순천시 연향상가4길 7(연향동) ☎ 061-724-0078 Ⓟ 불가

파인와플 PINEWAFFLE 와플

벨기에 리에주 와플의 전통 레시피를 기본 베이스로 하는 와플 전문점으로, 주문 즉시 바로 구워낸 미니와플을 맛볼 수 있다. 천연발효종과 유기농 밀가루, 동물복지 무항생제 유정란, 프랑스 고급 발효버터 등을 사용한다. 벨기에 펄슈가를 사용한 은은한 단맛에 와플 표면을 코팅시켜 겉은 바삭하고 속은 부드럽다.

㈐ 청포도톡톡생크림와플(6천원), 바나나누텔라생크림와플(5천5백원), 애플시나몬와플(3천원), 와플빵(2천원), 아메리카노(4천원), 카페라떼(5천원)

⏲ 11:00~18:00 – 일요일 휴무

🔍 전남 순천시 해룡면 향매로 124 103호

☎ 061-721-1028 Ⓟ 가능

풍미통닭 통닭 | 마늘치킨

40년 가까운 역사의 통닭집으로, 순천에서 마늘통닭의 원조라고 불리운다. 닭을 옛날식으로 압력솥에 통째로 튀겨내 촉촉한 육즙이 살아있으며, 알싸한 마늘향의 풍미가 가득하다. 17시 이전이라면 마늘통닭과 새싹주먹밥, 음료수가 나오는 풍미정식도 추천할 만하다.

㈐ 마늘통닭(2만2천원), 프라이드통닭(2만원), 시골통닭(1만7천원), 닭모래집(소 1만원, 대 1만5천원), 양념닭모래집(1만6천원), 풍미정식(2만6천원)

⏲ 11:00~24:00 – 연중무휴

🔍 전남 순천시 성남뒷길 3(장천동) 태광대리점 1층

☎ 061-744-7041 Ⓟ 가능(도로변 주차)

할머니옛날순대국밥집 순댓국 | 순대

순천괴목시장 내에 있는 순대국밥집. 콩나물과 양배추, 선지 등을 넣어 만든 피순대를 맛볼 수 있으며 진한 맛이 인상적이다. 돼지 사골로 끓인 순대국밥과 내장, 순대가 푸짐하게 들어간 국밥이 대표 메뉴다.

㈐ 순대만국밥(1만원), 모둠국밥(9천원), 새끼보국밥(1만2천원), 순대, 모둠순대(각 소 2만원, 중 2만5천원, 대 3만원)

⏲ 08:00~21:30 – 명절 휴무

🔍 전남 순천시 황전면 괴목길 21

☎ 061-754-0052 Ⓟ 불가

향토정 香土亭 한정식

한상 푸짐하게 나오는 남도 한정식집. 계절 정식을 시키면 육사시미부터 시작해서 홍어삼합, 생선회, 소불고기 등이 나오고 여러 가지 반찬과 함께 밥상 차림이 나온다. 정식에는 일품요리를 추가로 주문할 수 있다. 가격 대비 만족도도 높은 편이다.

㈐ 남도정식(2만9천원), 계절정식(3만9천원), 평일점심한돈떡갈비정식(2만원), 평일점심영광보리굴비정식(2만5천원), 평일점심한우떡갈비정식(3만원), 2인한정식(A 7만원, B 10만원), 순천길정식(3인이상 1인 3만9천원~5만9천원)

⏲ 11:00~15:00/17:00~21:30(마지막 주문 20:30) – 화요일 휴무

🔍 전남 순천시 남신월4길 13-26(조례동)

☎ 061-726-6692 Ⓟ 가능

화월당 베이커리

1928년부터 만들어 온 볼카스텔라와 옛날식 찹쌀떡을 맛볼 수 있는 곳. 볼카스텔라는 카스텔라 안에 팥앙금이 듬뿍 들어 있는 것으로, 부드러운 팥과 카스텔라 특유의 맛이 조화롭게 잘 어울린다. 카스텔라와 찹쌀떡 위주로 판매하고 있으며 예약 판매로 운영하므로 전화로 예약해야 한다.

㈐ 찹쌀떡(낱개 1천3백원, 12개 1만5천6백원, 21개 2만7천3백원), 볼카스텔라(1천9백원, 6개 1만1천4백원, 12개 2만2천8백원)

⏲ 10:00~18:00 – 둘째, 넷째 주 일요일 휴무

🔍 전남 순천시 중앙로 90-1(남내동)

☎ 061-752-2016 Ⓟ 불가

흥덕식당 남도음식 | 백반

남도 한정식 차림을 부담없는 가격으로 맛볼 수 있는 백반집. 2인 이상 주문해야 하며 20여 가지의 맛깔스러운 반찬이 한상 가득 나온다. 순천만을 찾아오는 관광객이 많이 방문하는 곳.

㈐ 백반(2인 이상, 1인 9천원), 정식(2인 이상, 1인 1만4천원), 소불고기전골(2인 이상, 1인 1만7천원)

⏲ 08:00~15:00/16:00~20:00(마지막 주문 19:30) – 두번째, 네번째 화요일 휴무

🔍 전남 순천시 역전광장3길 21(풍덕동)

☎ 061-744-9208 Ⓟ 가능

전라남도 신안군

바다횟집 홍어 | 생선회

홍어회와 홍어찜을 잘한다. 홍어 철이 아닐 때는 우럭, 전복, 농어 등 자연산 회를 맛볼 수 있다. 흑산도의 뛰어난 경치를 바라보며 먹는 홍어의 맛이 일품이다.

㈐ 홍어회, 삼합(각 소 5만원, 대 7만원), 우럭, 농어(각 1kg 7만원), 광어(1kg 8만원)

Ⓛ 07:30~22:00 – 비정기적 휴무
Q 전남 신안군 흑산면 예리1길 64
☎ 061-275-5152 Ⓟ 불가

지도횟집 생선회

신안 앞바다에서 바로 잡은 싱싱한 민어회를 먹을 수 있는 곳으로, 전국 각지에서 찾아올 정도다. 살아 있는 민어를 잡은 후 얼음 속에서 하루 동안 숙성시켜서 내는 것이 맛의 비결이다.

Ⓦ 실장님스페셜, 민어코스(각 20만원), 민어회(중 12만원, 대 15만원), 돔(중 10만원, 대 13만원), 숭어(중 8만원, 대 10만원)
Ⓛ 11:00~21:00 – 토, 일요일 휴무
Q 전남 신안군 지도읍 송도2길 47
☎ 061-275-7119 Ⓟ 가능

전라남도 여수시

경도회관 갯장어

하모(갯장어) 전문점답게 메뉴는 하모유비키와 하모회 두 가지다. 유비키는 샤부샤부식으로 팔팔 끓인 육수에 살짝 데쳐 먹는 것으로, 육수는 장어 뼈와 머리, 인삼과 감초 등의 한약재를 넣고 10시간 이상 고아낸 것이다. 여기에 살 전체에 섬세한 칼집을 넣어 포를 뜬 하모를 살짝 익혀 먹으면 된다. 간장을 달인 소스나 초고추장에 찍어 먹어도 좋고 담백하게 소금에 찍어 먹어도 좋다. 9월에는 주꾸미샤부샤부를, 겨울에는 새조개샤부샤부를 선보인다.

Ⓦ 하모유비키(13만원), 하모사시미(9만원), 하모유비키반추가(6만5천원), 하모사시미반추가(4만5천원)
Ⓛ 11:00~15:30/16:30~20:50(마지막 주문 19:50) – 연중무휴
Q 전남 여수시 대경도길 2-2(경호동)
☎ 061-666-0044 Ⓟ 가능

구백식당 서대 | 생선회

대표 메뉴는 서대회와 금풍생이구이, 거문도갈치왕소금구이다. 금풍생이는 생선의 배를 가르지 않고 그대로 굽는다. 발효된 듯한 깊은 맛을 내는데, 집에서 직접 만든 막걸리 식초로 맛을 내는 것이 비결이다. 서대회는 음력 4월에서 6월이 가장 좋은 맛을 낸다.

Ⓦ 서대회, 갈치구이(각 1만3천원), 아귀탕(1만2천원), 금풍생이구이(1만5천원), 내장탕(1만3천원), 대창찜(2만5천원)
Ⓛ 07:00~15:00 | 토, 일요일 07:00~18:00 – 둘째, 넷째 주 화요일 휴무
Q 전남 여수시 여객선터미널길 18(교동)
☎ 061-662-0900 Ⓟ 가능

길손식당 서대 | 생선회

서대회로 유명한 곳. 식초가 많이 들어간 듯 새콤한 맛이 특징이며 회무침은 포장해갈 수도 있다. 서대회 외에도 생선조림, 생선구이, 매운탕 등 다양한 음식을 선보인다.

Ⓦ 서대회, 아귀찜(2인 이상, 각 1인 1만5천원)
Ⓛ 11:00~21:00 – 비정기적 휴무
Q 전남 여수시 중앙로 54(교동)
☎ 061-666-0046 Ⓟ 불가

꽃게살비빔밥꽃게탕시청점 꽃게

꽃게 사시미부터 꽃게탕, 꽃게살 비빔밥 등 꽃게 요리를 전문으로 하는 곳. 양념은 단맛보다는 매운 맛이 진한 편이다. 비빔밥과 꽃게탕을 함께 즐길 수 있는 세트도 선보인다.

Ⓦ 꽃게살비빔밥(2인 이상, 1인 1만2천원), 꽃게사시미(예약 주문, 5만원), 꽃게탕(소 4만5천원, 대 5만5천원), 꽃게회무침(소 3만원, 대 4만원), 꽃게살비빔밥+꽃게탕(2인 이상, 1인 2만1천원)
Ⓛ 11:30~15:00/17:30~20:30(마지막 주문 19:30) – 둘째, 넷째 주 화요일 휴무
Q 전남 여수시 시청서1길 50-7
☎ 0507-1316-4022 Ⓟ 불가

꽃게살비빔밥꽃게탕시청점

노래미식당 생선회

여수의 별미인 노래미탕과 노래미정식을 50년 가까운 세월 동안 내는 곳이다. 노래미탕을 처음 개발한 곳이기도 하다. 노래미 정식에는 모둠회와 여러 가지 곁들이 음식이 나온다.

Ⓦ 선어사시미(소 5만원, 중 8만원, 대 15만원, 특대 20만원), 전복사시미(중 6만원, 대 10만원), 활어(시가)
Ⓛ 09:30~22:00 – 일요일 휴무
Q 전남 여수시 중앙1길 10(중앙동)
☎ 061-662-3782 Ⓟ 가능

대풍마차 전어 | 생선회 | 갯장어

봄철 도다리를 맛볼 수 있는 제철회 전문점으로, 여름에는 갯장어(하모), 가을에는 전어, 겨울에는 대방어를 맛볼 수 있다. 맛보

기 회, 밑반찬, 산낙지, 생선구이 등으로 푸짐하게 차려주고 회를 먹은 후에는 알밥과 전도 내어 준다.

₩ 도다리(소 9만원, 중 11만원, 대 13만원, 특대 15만원), 매운탕(소 3만원, 중 4만원), 하모(소 8만원, 중 10만원, 대 12만원), 전어세트(2인 6만원, 3인 8만원, 4인 10만원, 5인 12만원), 대방어(소 8만원, 중 10만원, 대 12만원, 특대 15만원)
⏲ 10:00~22:00 – 일요일 휴무
🔍 전남 여수시 소호4길 10-1 대풍마차
☎ 061-681-7295 Ⓟ 가능

돌산식당 서대 | 갈치

갈치조림이 유명한 집으로, 아침과 점심만 영업한다. 메뉴는 갈치조림과 서대회 두 가지로, 새콤하게 무친 서대회가 별미다. 남도식으로 기본 반찬이 한 상 가득 나온다.

₩ 갈치조림백반(1만5천원), 서대회(1만2천원)
⏲ 08:00~15:00 – 화요일 휴무
🔍 전남 여수시 교동남2길 13(중앙동)
☎ 061-662-3037 Ⓟ 가능

돌산황금게장 일반한식 | 게장 | 갈치

신선한 꽃게장과 돌게장을 맛볼 수 있다. 짜지 않고 적당한 간의 간장 게장이 인기메뉴다. 노릇노릇한 생선구이가 함께 나오는 정식도 추천.

₩ 꽃게장정식(2인 이상, 1인 3만원), 게장정식(2인 이상, 1인 1만5천원), 서대회무침(소 2만원, 중 4만원, 대 6만원), 갈치조림, 갈치구이(2인 이상, 각 1인 2만원), 생선구이정식(2인 이상, 1인 2만 5천원)
⏲ 09:00~20:00(마지막 주문 19:10) – 연중무휴
🔍 전남 여수시 돌산읍 돌산로 3396
☎ 061-644-3939 Ⓟ 가능

돌섬선어 생선회

선어 숙성회 전문점. 찰진 숙성회의 맛이 제대로인 현지인 추천 맛집이다. 테이블 4~5개의 아담한 식당이지만 묵은 갓김치, 나물 등의 반찬을 정갈하고 맛깔나게 내어주며, 조기도 푸짐하게 구워준다. 회를 미리 숙성해야 하므로 점심은 전날에 예약해야 하며, 저녁 식사는 당일 예약 가능하다.

₩ 선어모둠(3인 10만5천원, 4인 14만원), 마구로참치(15만원)
⏲ 12:30~14:00/15:00~22:00 – 연중무휴
🔍 전남 여수시 신기남4길 18(신기동)
☎ 061-681-2947 Ⓟ 불가

동백회관 한정식 | 해물

해물한정식을 전문으로 한다. 60가지 이상의 반찬이 차려지는 한정식이 시선을 끈다. 한정식은 기본 2인 이상 주문해야 한다.

₩ A코스(53만원), B코스(48만원), C코스(45만원), A정식(2인상 12만원, 3인상 14만원, 4인상 16만원, 5인상 20만원)
⏲ 11:00~15:00/17:00~21:00 – 명절 휴무
🔍 전남 여수시 오동도로 74(수정동)
☎ 061-664-1487 Ⓟ 가능

동서식당 회백반 | 서대 | 백반

여수종합버스터미널 인근에 위치한 백반집. 새콤달콤하면서 쫄깃쫄깃한 서대회가 함께 나오는 서대회백반이 대표 메뉴다. 함께 나오는 밑반찬의 맛도 좋다.

₩ 서대회, 꼬막장 (각 2인 이상, 1인 1만3천원), 백반(1만원)
⏲ 11:30~15:00/17:00~20:00 – 수요일 휴무
🔍 전남 여수시 장군산길 71(오림동) ☎ 061-653-9251 Ⓟ 불가

두꺼비게장 백반 | 게장

고등어, 정어리쌈이 함께 나오는 게장백반 전문점이다. 짭조름한 돌게장이 중독성 있는 맛으로 인기다. 백반을 주문하면 양념게장과 간장게장이 같이 나오며, 양념게장과 간장게장 중 한 가지를 1회 리필도 가능하다.

₩ 돌게장정식(1인 1만4천원), 갈치조림+돌게장정식(2인 이상, 1인 2만원), 모둠꽃게장정식(2인 이상, 1인 3만원)
⏲ 08:00~21:00(마지막 주문 20:20) – 명절 휴무
🔍 전남 여수시 봉산남3길 12(봉산동) ☎ 061-643-1880 Ⓟ 가능

등가게장 게장

봉산동 게장골목에서 유명한 게장집 중 하나. 질 좋은 국산 돌게장을 사용하고 있다. 게장백반을 주문하면 간장게장과 양념게장이 나오고 10여 가지의 반찬이 깔린다. 간장게장은 1회에 한하여 리필이 가능하다.

₩ 게장정식(1인 1만4천원), 갈치조림+게장정식(2인이상, 1인 2만원)
⏲ 09:00~20:30 – 연중무휴
🔍 전남 여수시 봉산남4길 12(봉산동)
☎ 061-643-0332 Ⓟ 불가

라피끄 RAFIK 카페 | 베이커리

돌산 여수 예술랜드 내에 있는 베이커리를 겸하는 카페. 층고가 무척 높아 통창 너머로 탁 트인 바다를 볼 수 있는 최고의 전망을 자랑한다. 해변가의 테라스 자리도 추천. 몽돌해변으로 이어지는 길도 있어 바닷가 산책하기도 좋다.

₩ 라피끄라테(8천원), 아메리카노(6천5백원), 아이스티(6천원), 카페라테(7천원), 말차라테(7천5백원), 요거트볼(1만1천9백원), 시오빵(3천2백원), 육쪽마늘빵(7천원), 생크림롤, 초코롤(각 7천원), 과일몽블랑(1만원)
⏲ 09:00~19:00(마지막 주문 18:30) – 연중무휴
🔍 전남 여수시 돌산읍 무술목길 142-1
☎ 061-924-1004 Ⓟ 가능

명동게장 게장

한상 가득 차려지는 게장과 갈치조림 백반 전문점. 모둠꽃게장을 주문하면 전복, 문어, 대하, 딱새우, 간장게장이 담겨 나온다.

게장은 돌게장으로 3회까지 리필이 가능하다.
₩ 갈치조림+돌게장정식(2인 이상, 1인 2만2천원), 모둠꽃게장+양념꽃게장정식(2인 이상, 1인 3만5천원), 돌게장백반정식(1인 1만6천원), 1인돌게장정식(1만8천원)
◷ 07:00~20:50(마지막 주문 20:20) – 연중무휴
🔍 전남 여수시 봉산남4길 23-26(봉산동)
☎ 010-3621-0593 Ⓟ 가능

미로횟집 생선회

자연산 회를 선보이는 곳으로, 그날그날 들어오는 생선을 사용한다. 광어, 도미, 농어 등이 주로 나오며 특별한 생선이 들어오는 날은 시가로 계산한다. 잘 숙성된 회 맛이 일품이다. 곁들여 나오는 해산물도 푸짐하여 술 한잔하기 좋다.
₩ 광어+참돔(1인 4만원), 광어+참돔+방어/감성돔(1인 5만원), 광어+방어+감성돔(1인 6만원), 광어+방어/감성돔+돌돔(1인 7만원), 돌돔+붉바리(1인 10만원)
◷ 17:00~22:00 – 일요일 휴무
🔍 전남 여수시 시청서3길 18(학동)
☎ 061-682-3772 Ⓟ 불가

미림횟집 갯장어

하모 요리(갯장어 요리)의 원조 격인 곳이다. 몸통의 잔뼈가 씹히지 않도록 칼집을 넣는 솜씨가 뛰어나다. 샤부샤부를 해 먹은 후 국물에 불려둔 쌀을 넣어 죽을 쑤어 먹는다. 찰옥수수, 감자가루, 밀가루를 혼합해서 만든 개떡도 별미.
₩ 갯장어회(10만원), 갯장어샤부샤부(2인 10만원, 중 12만원, 대 15만원), 죽, 라면사리(각 2천원)
◷ 10:00~22:00 – 비정기적 휴무
🔍 전남 여수시 대경도길 2(경호동)
☎ 061-666-6677 Ⓟ 가능

복춘식당 아귀 | 서대

아귀찜이 유명하다. 된장 국물에 끓이기 때문에 맵지 않은 편이라 초고추장에 찍어 먹기도 한다. 아귀찜을 시키면 커다란 대접에 김 가루를 뿌린 밥이 함께 나온다. 아귀 간과 대창이 듬뿍 들어있다. 50여 년의 역사를 자랑하는 곳이다.
₩ 아귀찜(2인 이상, 1인 1만5천원), 아귀탕, 서대회, 장어탕(각 1만원), 아귀대창(1인 2만원)
◷ 09:00~15:00/17:00~21:00(마지막 주문 20:00) – 월요일 휴무
🔍 전남 여수시 교동남1길 5-8(교동)
☎ 061-662-5260 Ⓟ 불가

사시사철삼치회 서대 | 생선회 | 삼치

여수의 대표적인 음식인 삼치회를 전문으로 한다. 삼치회를 다진 마늘, 참기름 등을 넣은 간장에 찍어 먹는 맛이 일품이다. 삼치회는 참치회처럼 썰어 내기 때문에 얼핏 보면 참치회와 비슷해 보인다.
₩ 삼치회(소 4만원, 중 6만원, 대 8만원), 생선회(소 4만원, 중 6만원, 대 8만원), 서대탕(1만3천원), 대구지리탕(2만6천원), 회덮밥(1만원), 갈치구이(1만5천원), 서대회무침(1만2천원), 갈치조림(2인 3만원)
◷ 08:30~22:00 – 연중무휴
🔍 전남 여수시 교동남1길 5-11(교동)
☎ 061-666-1445 Ⓟ 가능

산골산장어 장어

소금구이와 양념구이 장어구이로 유명한 곳이다. 구이를 먹은 뒤 공깃밥을 주문하면 장어탕이 서비스로 나온다. 숙주나물과 쑥갓이 올라가는 장어탕은 여수에서 해장용으로도 인기다. 장어구이에 반찬으로 나오는 간장게장도 맛있다.
₩ 소금구이, 양념구이(각 1인 150g 2만4천원), 장어탕(1만6천원)
◷ 08:00~22:30 – 명절 휴무
🔍 전남 여수시 봉산1로 24(봉산동)
☎ 061-642-3455 Ⓟ 가능

삼학집 생선회

60년이 넘게 서대회를 전문으로 하는 곳. 밥을 비벼 먹을 수 있게 그릇과 참기름이 함께 나온다. 무와 초고추장을 버무려 새콤하게 무친 맛이 일품이다. 돌산 갓김치와도 잘 어울린다.
₩ 서대회무침(1인분 1만5천원), 갈치구이(두토막 1만4천원)
◷ 09:00~21:00(마지막 주문 20:10) – 수요일 휴무
🔍 전남 여수시 이순신광장로 200-3(종화동) 1층
☎ 061-662-0261 Ⓟ 가능(1시간 무료)

상록수식당 생선회 | 생선매운탕

여수 금오도의 유명한 맛집이다. 상다리가 휘어질 정도로 푸짐한 밑반찬과 싱싱한 활어회와 제철 나물까지 맛볼 수 있다. 금오도에서 나는 해물만을 사용하며 바다가 바로 앞에 있어 전망도 좋다.
₩ 생선회(소 6만원, 대 8만원), 매운탕(2인이상 1인 1만5천원), 회정식(2인 8만원, 4인 12만원)
◷ 09:00~20:00 – 연중무휴
🔍 전남 여수시 남면 금오로 854
☎ 061-665-9506 Ⓟ 불가

순심원 順心園 일반중식

여수에서 몇 안 되는 화상 중국집. 해산물이 푸짐하게 들어가는 것이 특징이다. 갓김치와 깍두기가 반찬으로 나온다.
₩ 짜장면(7천원), 삼선짬뽕(1만2천원), 볶음밥(9천원), 탕수육(중 2만6천원, 대 3만8천원), 깐풍기(3만7천원), 양장피(4만3천원)
◷ 11:00~15:00/17:00~20:00 – 화요일 휴무
🔍 전남 여수시 교동남1길 5-17(교동)
☎ 061-663-5482 Ⓟ 불가

아와비 あわび 죽 | 전복

펜션처럼 지어진 하얀 건물의 운치 있는 전복 전문점이다. 지역에서 해녀와 잠수부가 채취한 참전복만을 사용한다. 전복회를 시키면 다양한 해물이 곁들여 차려진다. 내장(게우)을 넣어서 만든 전복죽은 담백하고 깊은 맛이 난다.

₩ 전복죽(2만3천원), 전복죽포장(1만5천원), 전복(500g 8만원, 1kg 15만원)

🕒 11:30~19:00 – 일요일 휴무

🔍 전남 여수시 돌산읍 돌산로 595

☎ 061-644-2255 Ⓟ 불가

언덕에바람 전통차전문점

전통차를 비롯해 직접 키운 허브차를 즐길 수 있는 곳. 바다가 보이는 언덕 위에 놓인 나무 의자에 앉아 바다를 볼 수 있으며 실내에서는 창밖으로 작은 배, 바다, 섬이 내다보인다. 해질 무렵 가면 분위기가 더욱 좋다.

₩ 에스프레소, 아메리카노(6천원), 카페라테(6천5백원), 아포가토(8천원), 허브차(7천원)

🕒 10:00~18:30 | 토, 일요일 10:00~19:30 – 화요일 휴무

🔍 전남 여수시 돌산읍 돌산로 717

☎ 061-643-6338 Ⓟ 가능

여수당 아이스크림 | 베이커리

특제 소스로 만든 매콤한 바게트버거와 쑥의 깊은 향을 느낄 수 있는 쑥 아이스크림으로 유명한 곳. 쑥당버블티도 인기가 많다. 30년의 역사를 지닌 곳으로, 최근 바게트버거와 쑥아이스크림으로 유명세를 타고 있다.

₩ 바게트버거(5천원), 쑥아이스크림, 옥수수아이스크림(각 4천원)

🕒 08:00~22:00 – 연중무휴

🔍 전남 여수시 중앙로 72(중앙동)

☎ 061-661-0222 Ⓟ 불가

원앙식당 게장

여수의 명물인 돌게장 전문점. 게장백반을 주문하면 양념게장과 간장게장이 한 접시씩 나온다. 게장 외의 반찬도 한정식집 수준으로 푸짐하게 차려진다.

₩ 게장백반(1만3천원), 채소불고기(1만5천원), 서대회무침(소 2만원, 대 4만원)

🕒 09:00~16:00(마지막 주문 15:00) | 토요일 09:00~ 20:00(마지막 주문 19:00) – 명절 휴무

🔍 전남 여수시 교동남1길 6-7(교동)

☎ 061-664-5567 Ⓟ 불가

자매식당 붕장어 | 장어

장어구이를 비롯해 통장어탕이 유명하다. 큼지막하게 토막 낸 장어가 들어가는 통장어탕은 된장과 우거지로 구수한 맛을 낸다. 장어구이는 기본 2인 이상 주문해야 하며 아침 식사도 가능하다.

₩ 통장어탕(1만6천원), 소금구이, 양념구이(2인 이상, 각 1인 2만4천원)

🕒 06:30~20:00 – 연중무휴

🔍 전남 여수시 어항단지로 21(국동)

☎ 061-641-3992 Ⓟ 가능

조일식당 삼치

삼치회 전문 식당으로, 숙성이 알맞게 잘 된 삼치회를 맛볼 수 있다. 특제 소스에 찍어 김에 싸 먹으면 그 맛이 일품이다. 삼치회 외에도 삼치구이, 초밥 등도 맛볼 수 있다.

₩ 선어사시미(4만원, 5만원, 6만원), 새우튀김(1만8천원)

🕒 16:00~22:00 – 일요일 휴무

🔍 전남 여수시 여문문화1길 65

☎ 061-655-0774 Ⓟ 불가(여문공원공용주차장 이용, 1시간 무료 확인)

지노한우노블 소고기구이

한우 숯불 구이 전문점 지누한우의 프리미엄 브랜드. 한우 목장을 직접 운영하고 있으며, 21일 숙성한 한우도 맛볼 수 있다. 소금, 된장, 기름장, 연겨자 등 고기에 곁들일 수 있는 양념장도 다양하다. 실내는 모두 룸으로 되어 있어 모임을 하기에도 좋다.

₩ 한우특생갈빗살모둠(100g 3만5천원), 한우육사시미, 육회(각 180g 3만6천원), 한우특수부위모둠세트(400g 15만9천원), 한우특상한정부위(100g 4만9천원), 한우특된장찌개(5천원), 한우육전평양냉면(6천원)

🕒 11:00~22:00(마지막 주문 21:00) – 연중무휴

🔍 전남 여수시 시청서3길 25-8

☎ 061-921-9285 Ⓟ 발레 파킹

진남식당 꽃게 | 게장

꽃게탕게장백반이 유명한 곳. 양념게장과 간장게장이 나오고 생선구이 등 다른 반찬도 푸짐하게 나온다. 된장을 넣고 끓인 구수한 꽃게탕의 맛이 일품이다.

Ⓦ 꽃게탕게장백반, 갈치조림(각 2인 이상, 1인 1만5천원), 김치찌개(9천원)

◷ 09:30~15:00/17:00~21:00 | 토, 일요일 09:30~21:00 – 둘째, 넷째 주 화요일 휴무

🔍 전남 여수시 통제영5길 10-6(중앙동)

☎ 061-663-6965 Ⓟ 불가

진미꽃게탕 해물탕 | 꽃게

꽃게탕과 꽃게찜을 전문으로 하는 곳. 큼지막한 낙지도 한 마리 들어간 꽃게탕은 국물이 끓일수록 꽃게 맛이 우러나와 더욱 맛있어 진다.

Ⓦ 꽃게탕(소 4만원, 중 5만원, 대 6만원), 꽃게찜매콤한맛(소 4만원, 중 5만원, 대 6만원), 꽃게찜담백한맛(싯가)

◷ 09:00~15:00/17:00~21:00 – 월요일 휴무

🔍 전남 여수시 시청서1길 8-12(학동)

☎ 061-684-1747 Ⓟ 가능

청정게장촌 🎀 생선조림 | 게장

봉산동 게장골목에 자리 잡은 게장집. 게장뿐만 아니라 갈치조림도 함께 판매하며 여수갈치의 맛을 제대로 느낄 수 있다. 양념게장과 간장게장 모두 포장해갈 수 있다.

Ⓦ 갈치조림+돌게장정식(2인 이상, 1인 2만2천원), 돌게장정식(1만6천원), 모둠꽃게장정식+서대회무침(3만7천원)

◷ 07:00~21:00(마지막 주문 20:15) – 연중무휴

🔍 전남 여수시 봉산남4길 23-32(봉산동)

☎ 061-643-7855 Ⓟ 가능

칠공주장어탕 🎀 장어

장어골목으로 유명한 교동의 10여 곳의 장어탕집 중 여수 사람들이 주저 없이 손꼽는 집이다. 다른 집처럼 미리 한꺼번에 끓여 두는 것이 아니라 주문을 받고 나서 분량에 맞게 작은 냄비에 끓여 내오는 것이 특징이다. 숙취 후 해장으로도 좋다. 장어구이는 양념구이와 소금구이 중 선택할 수 있으며 구이를 주문하면 장어탕 국물이 함께 나온다.

Ⓦ 장어구이(2인 이상, 1인 180g 2만4천원), 장어탕(1만5천원), 후식장어탕(2천원)

◷ 09:30~14:00/16:00~20:00 – 명절 휴무

🔍 전남 여수시 교동시장2길 13-3(교동)

☎ 061-663-1580 Ⓟ 가능

프롬나드 PROMENADE 카페

식물원 콘셉트의 오션뷰 카페. 초록 식물의 실내 정원이 있는 공간에서 통창으로 펼쳐지는 바다 전망을 즐길 수 있다. 아인슈페너나 라테 음료를 추천하며, 베이커리도 다양하다. 지하는 동백나무 둘레길이나 바닷길로 연결되어 산책을 즐길 수도 있다.

Ⓦ 아메리카노(6천5백원), 카페라테(7천원), 해풍쑥라테(8천원), 여수바다솔티아인슈페너(8천7백원), 썸머라테, 애플망고에이드(각 8천5백원), 아이스티(6천5백원), 망고스무디(8천8백원), 소금빵(3천5백원), 크루아상(4천원)

◷ 09:00~21:00(마지막 주문 20:30) – 연중무휴

🔍 전남 여수시 돌산읍 우두3길 98

☎ 061-641-1248 Ⓟ 가능

한일관 한정식

남도 한정식을 하는 곳으로, 회정식이 주메뉴다. 메밀화전과 함께 나오는 굴, 멍게, 개불, 전복, 해삼 등 신선하고 다양한 해산물이 맛깔스럽다.

Ⓦ 해산물한정식특(2인 12만원, 3인 16만원, 4인 20만원), 해산물한정식(2인 10만원, 3인 13만원, 4인 16만원), 생선회, 전복회(각 5만원)

◷ 11:00~14:30/17:00~21:00(마지막 주문 20:10) – 명절 휴무

🔍 전남 여수시 봉산2로 32(봉산동)

☎ 061-654-0091 Ⓟ 가능

함남면옥 함흥냉면 | 만두 | 수육

여수에서 유명한 함흥냉면집. 기호에 따라 차가운 육수를 부어 먹을 수 있는 것이 특징이며 맛깔스러운 양념장을 더해도 좋다. 회냉면에는 새콤한 가오리무침이 올라가 맛을 더한다. 70년이 가까운 역사를 지닌 곳.

Ⓦ 냉면(1만1천원, 곱빼기 1만3천원), 회냉면(1만3천원, 곱빼기 1만5천원), 왕찐만두(4개 6천원), 한우소머리수육(5만원)

◷ 10:30~20:00 – 비정기적 휴무

🔍 전남 여수시 중앙1길 8(중앙동)

☎ 061-662-2581 Ⓟ 가능

힐론카페&힐론다이닝
Hillon cafe & Hillon dining 이탈리아식

여수바다 오션뷰를 즐길 수 있는 4층에 위치한 레스토랑으로, 1~3층은 베이커리 카페로 운영된다. 신선한 해산물을 넣은 파스타가 추천 메뉴다. 프라이빗한 룸도 준비되어 모임을 하기도 좋다.

Ⓦ 매생이우렁리조토(2만원), 가리비봉골레파스타, 바질토마토롤 라자냐(각 2만3천원)

◷ 11:30~15:30/17:30~22:00 – 화요일 휴무

🔍 전남 여수시 안산1길 62 힐론

☎ 061-692-0725 Ⓟ 가능

전라남도 영광군

007식당 🎀 한정식 | 굴비
굴비정식을 주문하면 20여 가지의 반찬이 푸짐하게 차려진다. 양념게장, 병어조림, 장대찌개 등도 맛나지만 압권은 굴비. 노릇노릇한 상등품 굴비가 맛있다.
₩ 굴비정식(중 6만원, 대 8만원, 특 10만원~15만원), 조기매운탕(중 4만원, 대 5만원), 꽃게탕(5만원), 부세보리굴비백반(1인 2만원)
🕒 09:00~20:30 – 명절 휴무
🔍 전남 영광군 법성면 굴비로 98
☎ 061-356-2216 Ⓟ 가능

동원정 🎀 한정식 | 굴비
굴비한정식을 전문으로 하는 곳으로, 한정식을 주문하면 고추장굴비, 간장게장, 서대찜, 굴비구이, 조기매운탕 등과 함께 30여 가지의 반찬이 정성스럽게 나온다.
₩ 2인정식(6만원, 9만원), 3인정식(8만원, 11만원), 4인정식(9만원, 12만원), 5인정식(15만원), 특정식(16만원), VIP특정식(20만원)
🕒 11:00~15:00/17:00~20:40(마지막 주문 19:30) | 토, 일요일 11:00~20:40(마지막 주문 19:30) – 둘째, 넷째 주 수요일, 명절 휴무
🔍 전남 영광군 법성면 법성포로3길 12-19
☎ 061-356-3323 Ⓟ 가능

문정한정식 한정식
남도한정식 전문점. 다양한 종류의 찬이 깔끔하게 나온다. 간장게장, 굴비구이, 떡갈비 등 삼삼한 남도의 맛을 느낄 수 있다.
₩ 한정식(4인 10만원, 15만원, 20만원)
🕒 12:00~14:00/15:30~20:30 – 첫째 주 월요일, 명절 휴무
🔍 전남 영광군 영광읍 중앙로5길 16-10
☎ 061-352-5450 Ⓟ 가능

일번지식당 굴비 | 한정식
굴비한정식 전문점. 고추장굴비, 굴비찜, 굴비장아찌 등 굴비로 만들 수 있는 음식을 맛볼 수 있다. 굴비 외에도 활어회, 육회, 떡갈비, 홍어회, 간장게장 등의 음식이 나온다. 2층에서는 바다 풍경이 한눈에 보여 전망이 좋다.
₩ 굴비정식(2인 5만원, 3인 6만5천원, 4인 8만원), 굴비한정식(특 10만원, 특선 12만원, 특품 14만원)
🕒 11:00~21:10(마지막 주문 20:00) – 연중무휴
🔍 전남 영광군 법성면 굴비로 37
☎ 061-356-2268 Ⓟ 가능

종가집굴비정식설궁 🎀 굴비
정갈한 영광굴비 정식을 맛볼 수 있는 곳. 20여 가지의 정갈한 밑반찬에 간장게장과 양념게장도 나오며, 한상 푸짐하게 깔리는 남도 음식 스타일의 식사를 할 수 있다. 밥은 돌솥에 나온다.
₩ 영광굴비정식(1만8천원), 보리굴비정식(2만원), 간장게장정식(2만3천원), 영광한상(2만5천원), 불갑산한상(3만5천원), 백수해안도로한상(4만원)
🕒 10:00~22:00(마지막 주문 21:30) – 연중무휴(재고 소진에 따라 임시 휴무)
🔍 전남 영광군 영광읍 천년로11길 14
☎ 061-351-8585 Ⓟ 가능

전라남도 영암군

독천식당 🎀🎀 낙지
독천리 낙지골에서 갈낙탕의 원조로 꼽히는 집이다. 갈낙탕에는 낙지 한 마리와 갈비 한 대가 들어간다. 낙지만을 넣어 조리하던 연포탕에 소갈비를 함께 끓여 내면서 인기를 얻은 것. 같이 나오는 10여 가지의 반찬도 입맛을 돋운다. 50년이 넘는 전통을 자랑한다.
₩ 갈낙탕, 낙지연포탕(각 1인 2만6천원), 낙지구이, 산낙지다짐(각 소 4만원, 중 6만원), 낙지볶음, 낙지초무침(각 소 5만원, 중 7만원)
🕒 11:00~16:00/17:00~19:40 | 토, 일요일 11:00~19:40 – 넷째 주 월요일, 명절 휴무
🔍 전남 영암군 학산면 독천로 162-1 ☎ 061-472-4222 Ⓟ 가능

동락식당 낙지
남도 특유의 전어창젓과 토하젓 및 맛깔스러운 반찬이 푸짐하게 한상 차려지는 세발낙지 전문점이다. 식당 한쪽에는 낙지가 들어 있는 수족관이 있어 볼거리도 제공한다.
₩ 낙지볶음(1인 1만5천원), 낙지초무침(소 6만원, 중 8만원), 연포탕(2만5천원), 육낙탕탕이(소 5만원, 중 7만원, 대 9만원)
🕒 10:00~14:30/17:00~20:00 – 둘째, 넷째 주 화요일, 명절 휴무
🔍 전남 영암군 영암읍 서문로 10
☎ 061-473-2892 Ⓟ 가능

수궁한정식 백반
전형적인 전라도식 백반으로 20여 가지가 넘는 반찬이 차려진다. 된장찌개 대신 해물탕이 나오는 것이 특징이다. 합리적인 가격에 다양한 맛을 볼 수 있어 좋다는 평이다.
₩ 정식(1인 1만3천원, 2인 이상 1인 1만2천원)
🕒 09:00~16:00/17:00~20:00(마지막 주문 19:30) – 일요일, 명절 휴무
🔍 전남 영암군 삼호읍 용당로 80-1
☎ 061-464-9652 Ⓟ 가능

중원회관 짱뚱어 | 낙지
갈낙탕과 짱뚱어탕을 맛볼 수 있는 곳. 짱뚱어는 기름진 뻘에서만 나는 청정 어종으로, 고소하고 담백한 맛이 일품이다. 갈낙탕

과 짱뚱어탕을 받쳐주는 토종 양념으로 숙성시킨 여러 가지 젓갈 맛도 좋다.

㉺ 갈낙탕(2만2천원), 짱뚱어탕(9천원), 육낙탕탕이(시가), 호롱구이(시가)

🕒 09:00~21:30 – 명절 휴무

🔍 전남 영암군 영암읍 군청로 2-13

☎ 061-473-6700 Ⓟ 가능

전라남도 완도군

미원횟집 전복

전복구이가 유명한 곳. 싱싱한 회와 전복을 비교적 합리적인 가격에 맛볼 수 있다. 전복 코스는 4인 기준으로 한상이 나온다.

㉺ 전복코스(1인 5만원), 전복구이(1kg 12만원)

🕒 12:00~20:30(마지막 주문 20:00) – 일요일 휴무

🔍 전남 완도군 완도읍 해변공원로 65

☎ 061-554-2506 Ⓟ 가능

신지횟집 전복 | 생선회

전복회와 전복요리를 전문으로 하는 식당. 전복 스페셜 메뉴를 주문하면 전복구이, 전복회, 전복죽, 전복 탕수육, 전복 물회 등의 상차림이 나오며 기본 반찬도 푸짐하게 내어준다. 전복회는 기름장 찍어서 먹는 것이 별미.

㉺ 전복스페셜(2인 10만원, 3인 15만원, 4인 20만원), 전복회, 전복구이(각 1kg 12만원), 줄돔(20만원), 매운탕, 지리탕, 장어탕(각 중 6만원, 대 7만원)

🕒 11:00~21:00(마지막 주문 20:00) – 연중무휴

🔍 전남 완도군 완도읍 해변공원로 117

☎ 061-552-5244 Ⓟ 가능

유일정식당 백반

합리적인 가격의 백반정식을 맛볼 수 있는 한식당. 미역국과 12가지가 넘는 다양한 밑반찬을 한 상차림으로 내어준다. 나물 반찬과 해산물 반찬 등 골고루 맛볼 수 있으며 전복 해초 비빔밥도 많이 찾는다.

㉺ 백반정식(2인이상 1인 1만원), 준치회무침(2인이상 1인 1만5천원), 전복해초비빔밥(1만3천원), 갈치찜, 병어찜(각 중 3만5천원, 대 4만5천원)

🕒 08:00~14:00 – 일요일 휴무

🔍 전라남도 완도군 완도읍 개포로 11-28

☎ 061-552-1265 Ⓟ 불가(공영주차장 이용)

전라남도 장성군

루몽드917 NOUS MONDE917 카페

수목원까지 경험해 볼 수 있는 장성에 위치한 대형카페. 아이스 음료는 리유저블컵에 담겨 나와 소장할 수 있다. 2층은 사고예방을 위한 노키즈존으로 운영되고 있으니 참고할 것. 야외 자리는 반려견 동반도 가능하다.

㉺ 에스프레소, 아메리카노(각 6천원), 카페라테(6천5백원), 바닐라콜드브루(8천원), 루몽드크림라테(8천5백원), 수목원라테(8천5백원), 루몽드에이드(8천원), 생딸기우유(7천원), 라벤더동산(6천원), 소금빵(3천8백원), 에그타르트(3천8백원)

🕒 11:00~19:00 – 수, 목요일 휴무

🔍 전남 장성군 북이면 방장로 917-34

☎ 061-392-0580 Ⓟ 가능(전용 주차장)

마음한끼 두부 | 순두부

편백산 숲을 감상하며 국내산 콩으로 만든 두부 요리를 맛볼 수 있는 곳이다. 마음한끼 정식을 시키면 두부 강정, 두부 수육, 두부 전골 등 다양한 두부 요리를 먹을 수 있다.

㉺ 마음한끼정식(2만원), 들깨순두부(1만원), 해물순두부(1만원), 모둠돈가스(1만2천원), 강황가마솥밥(3천원)

🕒 11:00~15:00 – 월요일 휴무

🔍 전라남도 장성군 서삼면 축령로 917

☎ 0507-1328-8045 Ⓟ 가능

정읍식당 산채정식 | 산채비빔밥

백암사 인근 산채정식의 원조집. 특정식이나 산채정식 모두 괜찮다. 두릅, 계란찜, 홍어, 죽순, 된장찌개, 낙지, 도라지, 더덕, 우렁, 미나리, 생취나물, 고사리, 해파리냉채 등 상차림이 푸짐하다. 파전, 도토리묵 등을 곁들이면 더욱 좋다.

㉺ 산채정식(1인 2만원), 산채비빔밥(1만2천원), 촌닭백숙(7만원), 버섯전골(5만5천원), 해물파전(1만7천원), 도토리묵, 메밀전병(각 1만5천원), 더덕구이, 더덕무침(각 3만8천원)

🕒 10:00~22:00 – 연중무휴

🔍 전남 장성군 북하면 백양로 1112

☎ 061-392-7427 Ⓟ 가능

전라남도 장흥군

명희네음식점 일반한식

초록색 매생이를 듬뿍 넣고 끓인 매생이탕이 대표 메뉴다. 고기를 먹은 후 느끼해진 속을 달래기에도 좋다. 시원한 국물에 국수를 말아 먹는 한우된장물회도 인기 있다.

₩ 매생이탕, 매생이떡국(각 9천원), 바지락비빔밥(1만3천원), 바지락회무침(중 4만원, 대 5만원)
🕒 09:00~21:00 – 화요일 휴무
🔍 전남 장흥군 장흥읍 토요시장2길 3-6
☎ 061-862-3369 Ⓟ 가능

바다하우스 키조개 | 바지락

2대째 대를 이어 운영하고 있는 집. 바지락회무침이 유명하다. 주인이 직접 막걸리로 만든 천연 식초와 고추장이 맛의 비결. 새콤매콤한 양념은 부드러운 조갯살과 조화를 잘 이룬다.

₩ 바지락회무침, 키조개무침(각 1만7천원), 키조개탕(1만9천원), 우럭매운탕(중 4만원, 대 5만원), 소고기삼합(3만9천원), 키조개구이(2만5천원)
🕒 11:00~21:00(마지막 주문 19:30) – 월요일 휴무(공휴일인 경우 정상 영업)
🔍 전남 장흥군 안양면 수문용곡로 139
☎ 061-862-1021 Ⓟ 가능

청송횟집 물회

먹음직스럽게 차려져 나오는 불그스름한 된장물회는 싱싱한 돔, 열무김치, 된장, 식초 맛이 어우러져 새콤하면서도 매콤담백함이 일품이다. 얼음이 동동 떠 있는 국물에 밥을 말면 밥이 쫄깃쫄깃해진다. 7월과 8월에는 물회 손님으로 가득 찬다.

₩ 된장물회(2인 3만2천원, 3인 4만3천원, 4인 5만4천원)
🕒 10:00~21:00 – 연중무휴
🔍 전남 장흥군 회진면 회진중앙길 16
☎ 061-867-6245 Ⓟ 가능

취락식당 소고기구이 | 키조개

키조개로스구이로 유명한 집이다. 키조개 관자와 얇게 썬 소고기 등심을 돌판에 올려 구워 먹는다. 고기를 다 먹은 후에는 돌판에 된장찌개를 부어 끓여 먹는다. 된장찌개에도 해물이 듬뿍 들어간다.

₩ 삼합(200g 2만8천원), 한우육회비빔밥(1만1천원)
🕒 11:30~21:00 – 두번째, 네번째 일요일 휴무
🔍 전남 장흥군 장흥읍 물레방앗간길 36
☎ 061-863-2584 Ⓟ 불가

전라남도 진도군

신호등회관 꽃게

간장게장, 꽃게살 비빔밥, 성게알 비빔밥 등 다양한 해산물 요리를 즐길 수 있는 곳. 잘 발라진 꽃게살을 밥에 비벼 먹으면 조화가 좋다. 밑반찬으로 푹 익은 김치와 곰삭은 갈치속젓을 내어준다.

₩ 꽃게살비빔밥(1만3천원), 간장게장(1인 3만9천원), 양념게장(1인 1만5천원), 낙지비빔밥, 전복비빔밥(각 2만원), 생해삼내장비빔밥, 성게비빔밥(각 1만7천원), 불고기백반, 묵은지고등어(각 2인 이상, 1인 1만5천원)
🕒 10:00~15:00/17:00~20:30(마지막 주문 20:00) – 화요일 휴무
🔍 전남 진도군 진도읍 남동1길 66
☎ 0507-1413-4449 Ⓟ 가능(협소)

옥천횟집 한정식

회정식을 전문으로 하는 곳으로, 회와 해물이 주로 나오는 한정식을 맛볼 수 있다. 김치나 나물, 떡갈비나 육회를 제외하고 모두 바다에서 나는 재료로 음식을 만든다. 된장국도 해초의 일종인 가시리로 끓인다. 전복젓, 해삼창자젓, 성게알젓, 전복창젓 등 직접 담근 20여 가지의 젓갈을 번갈아 상에 올린다. 점심에는 장어탕이나 매운탕도 먹을 수 있다. 회정식은 예약 필수.

₩ 회정식(4인 20만원), 장어탕(2인 3만원), 매운탕(2인 3만원, 4인 5만원)
🕒 10:00~22:00 – 예약제로 운영
🔍 전남 진도군 진도읍 성동길 9
☎ 061-543-5664 Ⓟ 가능

이화식당 꽃게

진도에서 손 꼽히는 해산물 맛집. 진도와 목포의 독특한 음식인 꽃게 살만 발라낸 꽃게 무침이 유명하다. 일반적인 형태의 꽃게 무침과 알, 내장을 무쳐낸 양념이 게껍데기에 담겨 나온다. 매콤하면서도 시원하고 달큰한 맛이 일품이다 꽃게살무침은 밥에 비벼 비빔밥으로 먹을 수 있는데, 매콤하면서도 시원하고 달큰한 맛이 일품이다. 식사를 주문하면 16가지 정도의 반찬이 나오는데 모두 정갈하니 맛있다.

₩ 꽃게탕(중 6만원, 대 8만원), 장어탕, 연포탕, 우렁간국(각 중 5만원, 대 6만원), 꽃게무침(중 6만원, 대 8만원), 낙지초무침(중 5만원, 대 6만원), 간재미무침, 전어회무침, 바지락초무침(각 중 4만원, 대 5만원)
🕒 11:00~15:00/17:00~20:00 – 수요일 휴무
🔍 전남 진도군 진도읍 남동1길 55
☎ 061-544-5688 Ⓟ 가능(인근 공터 주차장 이용)

전라남도 함평군

대흥식당 비빔밥 | 육회

대를 이어 50여 년 가까이 육회를 팔고 있다. 소고기는 함평 우시장에서 나오는 한우의 박살만 사용하는 것이 특징이다. 박살은 엉덩이 부위를 말하는데, 기름이 거의 없고 육질이 부드럽다. 육회를 넣은 육회비빔밥도 맛있다. 선지를 넣고 끓인 맑은 국물도 함께 나온다.

₩ 육회비빔밥(1만원, 특 1만5천원), 육회, 생고기(각 250g 3만5천원)
🕒 11:00~15:00/17:00~19:30 – 화요일, 명절 당일 휴무
🔍 전남 함평군 함평읍 시장길 112
☎ 061-322-3953 Ⓟ 가능

목포식당 비빔밥 | 육회

바닷가에서 사육되는 질 좋은 함평 한우를 이용한 한우 육회와 육회비빔밥을 선보인다. 남도 특유의 풍미를 맛볼 수 있는 곳으로 70년이 넘는 역사를 자랑한다.

₩ 육회비빔밥(1만원, 특 1만5천원), 육회, 생고기(각 250g 3만5천원)
🕒 10:30~20:30 – 명절 당일, 다음날 휴무
🔍 전남 함평군 함평읍 시장길 32
☎ 061-322-2764 Ⓟ 가능

장안식당 곱창전골 | 곱창국밥

다른 곳에서는 보기 드문 곱창국밥을 전문으로 하는 곳. 곱창이 듬뿍 들어 있는 국밥은 된장을 풀어 구수한 맛이다. 곱창전골과 곱창수육도 맛볼 수 있다.

₩ 곱창국밥(보통 1만원, 특 1만3천원), 생고기비빔밥(보통 1만원, 특 1만 5천원), 선지국밥(보통 9천원, 특 1만2천원), 생고기, 육회(각 300g 4만원)
🕒 11:00~14:00/17:30~20:00 – 월요일 휴무
🔍 전남 함평군 함평읍 함평천우길 54
☎ 061-322-5723 Ⓟ 가능

화랑식당 비빔밥 | 육회

생고기 육회비빔밥이 유명하다. 밥 위에 콩나물과 부추, 육회가 올라가고 김, 계란, 파 등이 고명으로 올라간다. 선짓국과 돼지비계도 따라나오는 것이 특징. 보통 선짓국은 양념을 한 해장국 스타일이지만 이곳에서는 소고기뭇국처럼 말갛게 나온다. 비빔밥에 양념장을 한 숟가락 넣고 비계를 함께 섞어 비벼 먹는다.

₩ 육회비빔밥(보통 1만원, 특 1만5천원), 낙지비빔밥(시가), 생고기, 육회(각 300g 4만원, 450g 6만원)
🕒 10:00~20:00 – 명절 휴무
🔍 전남 함평군 함평읍 시장길 96
☎ 061-323-6677 Ⓟ 가능

전라남도 해남군

바다동산 전복 | 생선회

땅끝마을 해남에서 오래된 식당 중 하나다. 전복과 매생이를 사용한 다양한 메뉴를 선보이며 신선한 활어회도 맛볼 수 있다. 함께 나오는 곁들이 음식도 깔끔한 편.

₩ 활어회(소 8만원, 중 11만원, 대 13만원), 산낙지연포탕, 산낙지볶음(소 4만원, 중 5만원, 대 6만원), 전복비빔밥(2만원), 전복매생이, 전복물회, 전복죽(각 1만5천원)
🕒 09:00~22:00 – 명절 휴무
🔍 전남 해남군 송지면 땅끝마을길 52
☎ 061-532-3004 Ⓟ 가능

소망식당 백반

돼지 주물럭 정식과 홍어만 선보이는 곳으로, 주물럭 정식은 인원수대로 주문해야 한다. 다양한 밑반찬과 김치찌개나 된장찌개도 내어준다. 뚝배기에 나오는 매콤달콤한 양념의 주물럭은 양도 상당한 편.

₩ 뚝배기주물럭정식(1인 1만4천원), 뚝배기주물럭추가(1만4천원), 찌개추가(6천원), 홍어(반접시 8천원, 한접시 1만6천원)
🕒 10:30~15:00/16:00~20:00 – 일요일 휴무
🔍 전남 해남군 해남읍 구교2길 2
☎ 061-533-3456 Ⓟ 불가(공영 주차장 또는 길가에 주차)

어성장어센타 장어

장어는 맛이 고소하고 담백하며 비릿한 맛이 전혀 느껴지지 않는다. 장어구이가 나오기 전에 민물잡어튀김이 먼저 나온다. 1천2백 평의 농장에서 밑반찬의 재료나 쌈배추, 고추, 양파, 과일 등을 직접 재배한다.

₩ 장어구이정식, 장어통찌개(각 3만원), 장어탕(1만2천원), 용봉탕(시가)
🕒 11:00~14:00/17:00~21:00(마지막 주문 20:00) – 첫번째, 세번째 월요일 휴무(6, 7, 8월 무휴)
🔍 전남 해남군 삼산면 해남화산로 464
☎ 061-534-4944 Ⓟ 가능

용궁해물탕 해물탕

해물탕을 전문으로 하는 곳. 보리새우, 세발낙지, 꽃게, 석화, 미더덕 등 30여 가지나 되는 재료를 넣어 해물탕을 만든다. 멸치로 만든 육수에 콩나물, 미나리를 더해 시원한 국물을 낸다.

₩ 해물탕(2인 5만원, 3인 6만원, 4인 7만원)
🕒 09:00~21:30 – 토, 일요일 휴무
🔍 전남 해남군 해남읍 행운길 7
☎ 061-535-5161 Ⓟ 가능

원조장수통닭 오리 | 닭백숙

닭 한 마리를 코스로 선보이는 곳. 닭고기회를 시작으로 닭주물럭, 닭육수로 끓인 녹두죽, 백숙 등이 차례로 나온다. 특히 고소하고 담백한 닭고기회가 별미다. 한 마리를 시키면 3~4인이 배부르게 먹을 수 있다.

₩ 토종닭코스요리, 토종닭주물럭(각 8만원), 오리주물럭(8만원)
⏲ 11:00~21:00(마지막 주문 19:30) – 둘째, 넷째 주 수요일 휴무
Q 전남 해남군 해남읍 고산로 295
☎ 061-535-1003 Ⓟ 가능

전주식당 버섯 | 버섯전골

표고전골로 잘 알려진 집. 두륜산 고지대에서 캐온 표고버섯에 소고기, 바지락, 새우 등 해물과 채소를 듬뿍 넣고 육수를 부어 내온다. 두륜산 표고는 그 향이 진하며 크고 두툼하다. 표고산적은 채소와 소고기를 다져 달걀을 입힌 후 표고 위에 얹어 지져 낸다. 1년 이상 묵힌 김치에 싸서 먹는 맛이 일품이다. 생더덕, 두릅, 파전, 더덕구이, 표고산적 등 30여 가지 음식이 차례대로 나오는 산채정식도 추천 메뉴다.

₩ 산채버섯비빔밥(1만2천원), 표고전골(1만5천원), 토종닭백숙(7만원)
⏲ 09:00~20:00 – 명절 휴무
Q 전남 해남군 삼산면 대흥사길 170
☎ 061-532-7696 Ⓟ 가능

천일식당 한정식

1924년에 오픈하여 3대째 대를 이어오고 있는 집이다. 주메뉴는 두 가지로, 불고기한정식과 떡갈비한정식이다. 20여 가지가 넘는 다양한 반찬을 한 상 가득 내놓는다. 철따라 나오는 제철 음식과 토하젓, 석화젓, 돔배젓 등의 젓갈들이 전라도의 독특한 맛을 보여준다.

₩ 떡갈비정식(3만2천원), 불고기정식, 갈비추가(각 2만7천원), 목살구이추가(2만원)
⏲ 10:00~21:00 – 연중무휴
Q 전남 해남군 해남읍 읍내길 20-8 ☎ 061-535-1001 Ⓟ 불가

천일식당

전라남도 화순군

금성대중음식점 홍어

화순고인돌전통시장 인근의 홍어 전문 식당으로, 현지인들에게 인기가 많다. 저렴한 가격에 푸짐한 양의 홍어탕을 맛볼 수 있으며, 홍어애가 들어간 진한 국물이 인상적이다. 홍어 요리 외에도 갈치탕, 조기탕 등을 맛볼 수 있으며 미더덕, 꽃게 등을 함께 넣어 국물이 깔끔하고 시원하다.

₩ 홍어탕, 갈치탕, 조기탕(각 2인 이상, 1인 9천원), 홍어찜(중 2만5천원, 대 3만5천원), 홍어삼합(중 3만원, 대 4만원), 홍어회(중 2만원, 대 3만원)
⏲ 10:00~21:00(마지막 주문 20:00) – 매월 30일 휴무
Q 전남 화순군 화순읍 시장길 40
☎ 061-374-4365 Ⓟ 가능

능주삼거리식당 족발

돼지 머릿고기와 족발이 유명한 곳. 족발을 처음 한 번 소금으로 간을 맞춰 삶아낸 후 다시 찜통에서 수증기로 삶는다. 마늘씨와 참기름을 넣어 잡내를 잡는 것이 특징.

₩ 돼지족발(1만3천원), 돼지주물럭(1만원), 돼지머릿고기(7천원), 돼지머리국밥, 돼지내장국밥, 순대국밥(각 8천원)
⏲ 08:00~20:00 – 일요일, 명절 휴무
Q 전남 화순군 능주면 죽수길 25
☎ 061-372-1376 Ⓟ 가능

달맞이흑두부 일반한식 | 두부

검은콩으로 만든 흑두부를 선보이는 곳. 그날그날 사용할 두부를 가마솥에 장작불로 직접 끓여서 만든다. 흑두부보쌈, 흑두부삼합, 흑두부탕수육 등 흑두부로 만든 다양한 메뉴가 있다.

₩ 흑두부삼합(소 4만5천원, 대 5만5천원), 흑두부보쌈(소 3만5천원, 대 4만5천원), 흑두부탕수육(2만원), 가마솥흑두부(8천원)
⏲ 09:30~20:00 – 명절 휴무
Q 전남 화순군 동면 충의로 849
☎ 061-372-8465 Ⓟ 가능

사평다슬기수제비 다슬기

다슬기로 만드는 해장국을 잘하는 집. 섬진강에서 잡은 다슬기를 사용한다. 다슬기를 곱게 갈아 맑은 국물에 끓여 호박, 파, 고추 등을 넣어 맛을 내는 것이 특징. 부드럽고 쌉쌀한 맛이 숙취 해소에 좋다.

₩ 다슬기탕(8천원), 다슬기수제비(1만원), 다슬기비빔밥(1만1천원), 다슬기전(1만3천원)
⏲ 10:30~14:30/17:00~20:30 | 토, 일요일 10:30~20:30 – 첫째 주 월요일 휴무
Q 전남 화순군 화순읍 서양로 79
☎ 061-372-6004 Ⓟ 가능

색동두부 두부 | 보쌈

포두부보쌈이 유명한 집. 포를 뜨듯 얇게 만든 포두부를 깔고 그 위에 돼지 머릿고기, 표고버섯, 달걀지단, 고추, 새우젓 등을 올려 싸 먹는다. 찰진 잡곡밥이 맛있고 밑반찬도 정갈하다. 두부전골과 순두부백반도 먹을 만하다.

₩ 강황두부보쌈(소 2만7천원, 중 3만3천원, 대 4만원), 색동두부(소 3천원, 대 5천원), 두부전골(소 2만5천원, 중 3만5천원, 대 4만원), 색동탕수두부(1만원)

🕒 11:00~22:00 – 명절 휴무

🔍 전남 화순군 도곡면 지강로 438

☎ 061-375-5066 Ⓟ 가능

석란 한정식

정갈한 한정식을 즐길 수 있는 곳. 생선회, 육회, 삼합, 잡채, 홍어찜, 버섯전, 떡, 밤, 멍게, 해삼, 버섯구이, 계란찜, 떡갈비, 매생이국 등이 나온다. 한상을 받으려면 4인이 가야 한다.

₩ 한정식(1인 2만원, 3만원, 4만원), 석란특선(2인 1만3천원)

🕒 11:30~14:00/17:30~21:00 | 일요일 11:30~14:00 – 연중무휴

🔍 전남 화순군 화순읍 교동길 20

☎ 061-375-5333 Ⓟ 가능

수림정 樹林庭 한정식

화순에서 손꼽히는 한정식집으로, 코스로 나온다. 샐러드를 시작으로 매생이국, 회, 병어조림, 홍어삼합, 떡갈비, 생선구이, 잡채, 부침개 등이 잇따라 나온다. 이어 전복, 개불, 해삼 등이 든 해산물 한 접시와 멍게 한 접시, 홍합오징어 요리, 꼬막 삶은 것, 다슬깃국, 튀김 등 맛깔스러운 남도 반찬이 한 상 가득 나온다.

₩ 기본정식(2만5천원), 특정식(3만5천원), 여미정식(4만5천원), 수림정식(6만원), 굴비한마리정식(1만7천원)

🕒 11:10~15:00/17:00~21:00(마지막 주문 20:00) – 연중무휴

🔍 전남 화순군 화순읍 진각로 154

☎ 061-374-6560 Ⓟ 가능

엄지빈 카페 | 빙수

화순산 팥으로 만드는 팥빙수가 유명한 카페. 우유와 물을 섞어 얼린 얼음을 사용하며, 비벼 먹지 않고 그대로 떠먹어야 맛있다. 빙수 외에도 커피와 차, 과일주스 등도 즐길 수 있다.

₩ 팥빙수(7천원), 단팥죽(5천원), 아메리카노(3천원), 카페라테(3천5백원), 계절과일주스(6천원)

🕒 10:00~21:00 – 연중무휴

🔍 전남 화순군 화순읍 진각로 168

☎ 061-374-9193 Ⓟ 가능

오케이목장가든

오케이목장가든 닭구이

안양산자락의 넓은 부지에 사슴, 흑염소, 닭 등을 기르며, 직접 잡아 요리하는 곳이다. 양념 없이 참숯에 구워 먹는 닭구이가 대표 메뉴. 닭구이를 시키면 백숙과 닭육회 등이 함께 나온다. 촌닭 특유의 탄탄한 식감과 쫄깃한 껍질의 맛이 일품이다. 주변 경관도 훌륭하다.

₩ 산닭참숯불구이, 오리참숯불구이(각 한마리 7만원, 반마리 4만5천원), 산닭백숙(7만원), 닭볶음탕(7만5천원), 녹용백숙(8만원)

🕒 11:30~15:00(마지막 주문 14:00)/17:00~21:00(마지막 주문 20:00) | 토, 일요일 11:30~15:00/16:00~21:00(마지막 주문 20:00) – 월요일 휴무

🔍 전남 화순군 화순읍 안양산로 72 ☎ 061-372-9433 Ⓟ 가능

하늘아래 닭백숙

계곡에서 물놀이하면서 식사할 수 있는 곳. 다리 아래로 계곡이 흘러 야외 좌석에 앉으면 물에 발을 담글 수 있다. 산양 산삼 4뿌리, 백숙, 삼 달인 물, 죽이 코스로 나오는 산양산삼촌닭, 산양산삼오리가 대표 메뉴다. 6천 평이나 되는 큰 규모다.

₩ 낙지닭볶음, 약찜닭, 옻닭(각 3인 7만5천원), 꾸지뽕촌닭(3인 7만원) 장뇌삼촌닭, 장뇌삼낙지닭볶음, 장뇌삼오리(각 3인 11만원), 흑염소(1마리 시가), 흑염소수육(3인 6만5천원)

🕒 11:30~21:00 – 연중무휴

🔍 전남 화순군 동면 건덕길 75

☎ 061-373-9229 Ⓟ 가능

화성식육식당 소고기구이 | 생고기 | 돼지고기구이

생고기비빔밥이 유명한 생고기 전문점. 소머리, 돼지머리 편육이 주메뉴다. 고기는 물론 김치까지도 국내산을 사용한다. 1975년에 개업해서 현재까지 화순의 대표식당으로 자리잡은 곳이다.

₩ 생고기(150g 2만4천원), 돼지고기편육(200g 1만원), 소머리국밥(1만원), 생삼겹살, 생목살(각 180g 1만4천원)

🕒 09:00~15:00/16:30~21:00(마지막 주문 20:30) – 연중무휴

🔍 전남 화순군 화순읍 칠충로 162

☎ 061-374-2806 Ⓟ 가능

경상북도

Gyeongsangbuk-do Province

경상북도 경산시

남산식육식당 소고기구이

한우로 유명한 경산에서도 잘 알려진 고깃집. 돌판에 소기름을 두르고 갈빗살을 구워 먹는다. 마블링 좋은 고기는 별다른 밑반찬 없이도 부족함이 느껴지지 않는다. 소고기찌개라고 할 만큼 소고기가 가득한 된장찌개 맛도 일품이다. 육회와 생고기만 주문 가능하며 토시살과 안창살은 예약 주문해야 한다.

₩ 안창살(120g 2만8천원), 토시살(120g 3만원), 육회, 생고기(각 260g 3만6천원)

🕒 11:00~20:30(마지막 주문 19:30) – 월요일 휴무(공휴일인 경우 화요일 휴무)

🔍 경북 경산시 남산면 산양1길 6

☎ 053-852-5124 Ⓟ 가능

부천성 富泉城 일반중식

경산에서 유명한 깔끔하고 고급스러운 분위기의 중식당이다. 구수하고 부드러운 삼선누룽지탕과 바삭하고 달콤한 탕수육이 별미다. 저녁 코스 요리도 추천할 만하며 기본 2인 이상 주문해야 한다.

₩ 짜장면(9천원), 삼선누룽지탕(소 3만8천원, 중4만9천원), 탕수육(소 2만7천원, 중 4만3천원),

🕒 11:30~15:00/17:00~21:00 | 토, 일요일, 공휴일 11:30~21:00 – 명절 휴무

🔍 경북 경산시 대학로 73-2(중방동)

☎ 053-814-5042 Ⓟ 가능

성암골가마솥국밥 소고기국밥

대구, 경산 지역에서 유명한 해장국집. 육개장 스타일의 국밥을 먹을 수 있다. 장작불로 가마솥에 불을 때서 끓이는 것이 특징이며 시원한 국물 맛을 자랑한다. 경산시에 있지만 대구에서도 가까워 대구 시민들이 많이 찾는다.

₩ 국밥, 육국수(각 1만1천원), 떡갈비(300g 2만5천원)

🕒 07:00~21:30 – 둘째, 넷째 주 월요일 휴무

🔍 경북 경산시 삼성현로 42(옥산동)

☎ 053-815-0130 Ⓟ 가능

커피명가본 카페 | 베이커리

대구에서 품질좋은 커피와 딸기케이크로 인기를 끌었던 커피명가가 이전한 본점. 로스팅 공간을 겸하고 있는 대형 베이커리카페다. 높은 층고와 통창이 시원한 느낌을 주며, 층별로 다른 콘셉트의 테이블과 의자로 인테리어 되어 있다.

₩ 아메리카노(6천원), 카페라테, 명가치노, 말차명가치노, 진저레모네이드, 리얼쇼콜라(각 6천원), 딸기케이크(8천5백원), 당근케이크(6천5백원), 레밍턴(4천3백원)

🕒 10:00~21:00(마지막 주문 20:30) | 금, 토, 일요일 10:00~21:30(마지막 주문 21:00) – 연중무휴

🔍 경북 경산시 압량읍 임당로 230

☎ 053-815-0892 Ⓟ 가능

경상북도 경주시

1894사랑채 카페

황리단길 한옥카페로, 예전에는 게스트하우스로 운영되었다고 한다. 1894년에 지어졌다는 한옥 여러 채로 구성되어 있어 프라이빗 공간이 많다. 정원에는 우물과 연못도 있어 한옥의 운치를 즐길 수 있다.

₩ 에스프레소(5천원), 아메리카노(5천5백원), 카페라테(6천원), 티(6천5백원~7천5백원), 오미자에이드(6천5백원), 케이크, 브라우니(각 7천원)

🕒 11:00~22:00(마지막 주문 21:00) | 토, 일요일 10:00~ 22:00(마지막 주문 21:00) | 명절 당일 11:00~22:00 – 연중무휴

🔍 경북 경주시 포석로1068번길 23(황남동)

☎ 054-776-4086 Ⓟ 불가

1894사랑채

경주원조콩국 콩국수

오래된 콩국수 전문점. 70여 년 세월 동안 3대째 내려오고 있다. 진한 콩국에 찹쌀도넛과 검은깨, 들깨, 검은콩, 계란노른자 등과 참기름, 꿀, 흑설탕이 첨가된 이색적인 콩국을 낸다. 여름에는 시원하게 겨울에는 따뜻하게 즐길 수 있다. 해장용으로도 많이 찾는다.

₩ 콩국수(소 9천원, 대 1만원), 냉우무콩국(7천원), 순두부찌개, 생콩우거지탕(각 1만2천원), 생콩해물파전(1만3천원)

🕒 09:00~10:30/11:30~16:30/17:30~19:45(마지막 주문 19:15) – 일요일, 명절 휴무

🔍 경북 경주시 첨성로 113(황남동)

☎ 054-743-9644 Ⓟ 가능

경주콩나물국밥 콩나물국밥 | 소고기국밥 | 굴국밥
콩나물국밥, 굴 국밥, 소고기 국밥 등을 맛볼 수 있는 곳. 콩나물국밥은 전주식이 아닌 경주식으로 조리된다. 기본 콩나물국밥에 굴, 소고기 등이 들어간 국밥도 추천할 만하다. 산채비빔밥에는 시금치, 당근, 고사리, 도라지, 무생채, 콩나물 등 8가지 채소가 들어가며 제철에 따라 조금씩 종류가 변경될 수 있다.

₩ 콩나물국밥(8천원), 굴국밥, 소고기국밥, 산채비빔밥(각 9천원)
⏱ 07:00~1600(마지막 주문 15:45) – 화요일 휴무
Q 경북 경주시 태종로791번길 7–1
☎ 054–742–0358 Ⓟ 불가

고도커피 KODO COFFE BAR 커피전문점
경주 대릉원 돌담길 옆에 있어 대릉원 뷰를 보며 커피를 즐길 수 있으며, 외관의 한옥도 멋스럽고 커피에 대한 자부심이 느껴지는 카페다.

₩ 아메리카노(5천원), 카페라테(5천5백원), 크림샤워(5천8백원), 아이스크림라테, 쿠스미티(각 6천5백원), 바닐라라테(6천원), 피낭시에(2천5백원~3천원)
⏱ 11:00~18:00 | 토, 일요일 11:00~19:00 – 연중무휴
Q 경북 경주시 손효자길 22(황남동)
☎ 054–777–7776 Ⓟ 불가

고향숯불갈비 소고기구이
한우 생고기를 저렴하게 먹을 수 있는 곳. 특수부위로는 안창살, 꽃갈비 등 다양한 부위를 취급하고 있다. 양념불고기보다는 생고기가 더 인기가 높다. 반찬도 정갈하게 나온다.

₩ 소금구이, 양념구이(각 100g 2만5천원), 꽃갈비, 안창살(각 100g 3만원), 육회(200g 3만원), 된장국수(5천원)
⏱ 10:00~21:00 – 명절 휴무
Q 경북 경주시 천북면 화산안길 11–15
☎ 054–774–0962 Ⓟ 가능

골목횟집 생선회
저렴하게 회를 맛볼 수 있다. 모둠회에는 광어와 붕장어(아나고)가 플라스틱으로 된 바구니에 나온다. 채소에 된장을 섞어 비벼 먹기도 한다. 서비스로 나오는 매운탕도 일품이다. 가정집을 개조한 곳으로, 골목횟집이라는 유사 상호가 많으니 잘 찾아가야 한다.

₩ 모둠회 (1인 1만7천원), 오징어, 광어, 우럭, 도미, 농어(각 시가), 아나고(2만원), 매운탕(3천원)
⏱ 11:00~21:00 – 명절 휴무
Q 경북 경주시 양남면 양남로 231–4
☎ 054–744–0553 Ⓟ 불가

교리김밥 김밥
채 썬 달걀지단을 듬뿍 넣은 김밥을 내며, 관광객에게 인기기 좋다. 소박한 김밥이지만 나름의 개성이 있어 교촌 한옥마을과 경주 향교를 산책할 때 간식으로 맛보기 좋다. 1인당 2줄씩 판매한다.

₩ 김밥(2줄 1만1천원, 3줄 1만6천5백원), 잔치국수(7천5백원)
⏱ 08:30~17:30 | 토, 일요일, 공휴일 08:30~18:30 – 수요일 휴무(공휴일인 경우 정상 영업)
Q 경북 경주시 탑리3길 2(탑동)
☎ 054–772–5130 Ⓟ 가능

국시집 칼국수
경주 시내에서 칼국수로 소문이 자자한 곳이다. 밀가루의 느끼함이 없고 부드러운 면발이 일품이다. 입속에서 목으로 후루룩 넘어가는 맛이 좋다. 겉절이 김치를 곁들여 먹는다.

₩ 칼국시(8천원), 만두(5천원), 콩국수(9천원)
⏱ 11:00~15:00/17:00~20:30 – 일요일, 공휴일 휴무
Q 경북 경주시 북문로 31(성건동)
☎ 054–773–3050 Ⓟ 불가

놋전국수 국수
다양한 국수를 전문으로 하는 곳. 주문을 하면 그 자리에서 국수를 삶기 시작하기 때문에 조금 기다려야 한다. 투박한 양은그릇에 담겨나오는 국수에 김치와 김가루, 호박, 양념장이 올라가 있다. 멸치육수의 향도 좋다. 개업한 지 40년이 넘는 집이다.

₩ 잔치국수(6천원), 비빔국수, 칼국수(각 7천원), 회국수(9천원), 파전, 부추전(각 1만원)
⏱ 11:00~19:00 – 화요일 휴무
Q 경북 경주시 첨성로 55–8(사정동)
☎ 054–749–2162 Ⓟ 가능

단석명가찰보리빵 팥빵
경주에는 황남빵과 함께 찰보리빵이 유명하다. 찰보리빵은 찰보리 가루를 우유 버터로 반죽해 얇게 구워 샌드위치처럼 겹쳐 그 사이에 단팥을 넣은 빵이다. 1개씩 낱개로 포장이 되어 있다. 팥이 많이 들어가 있지 않고 빵 자체에 양념이 되어 있어 빵이 찰지게 씹힌다.

₩ 찰보리빵(5개 4천5백원, 10개 9천원, 20개 1만8천원, 30개 2만7천원), 찰보리아이스크림(2천5백원)
⏱ 08:00~22:00 – 연중무휴
Q 경북 경주시 금성로 237(사정동)
☎ 054–741–7520 Ⓟ 가능

대구갈비 돼지갈비찜
대구의 매운 갈비찜에서 유래한, 고춧가루로 버무린 돼지갈비찜이 별미다. 상추나 깻잎에 싸 먹으면 매운맛이 많이 누그러진다. 양은냄비에 나오는 갈비찜을 다 건져 먹고 남은 양념에는 상추와 깻잎, 매운 풋고추를 잘라 넣고 밥을 비벼 먹는다.

₩ 돼지갈비찜, 돼지갈비(각 1만2천원), 소갈비찜, 소갈비(각 2만2천원), 갈비탕(1만원)

⏲ 09:00~22:00 – 명절 휴무
🔍 경북 경주시 북정로 5(황오동)
☎ 054-772-1384 Ⓟ 불가

대구막창 돼지막창

초벌구이 된 막창을 연탄불 위 석쇠에 올려놓고 구워 먹는 방식이다. 동국대학교 경주캠퍼스 인근을 지나는 형산강이 보이는 큰 건물 1층에 자리 잡고 있다.

₩ 생막창(120g 9천원), 생삼겹살, 갈매기살(각 120g 9천원), 한우차돌박이(100g 1만2천원)
⏲ 16:30~03:00(익일) – 비정기적 휴무
🔍 경북 경주시 양정로 197(동천동)
☎ 054-741-4663 Ⓟ 가능

도솔마을 한정식

한국적인 분위기에서 정갈한 한식을 즐길 수 있는 곳. 저렴한 가격에 맛깔스러운 음식을 푸짐하게 먹을 수 있다. 들어가는 입구에는 나무가 울창하여 상쾌한 기분이 든다. 140년 된 한옥을 개조하여 고풍스러운 느낌이 든다.

₩ 수리산정식(1만3천원), 모둠전, 파전, 가오리무침, 가자미구이, 떡갈비(정식 주문시 추가가능 각 1만원)
⏲ 11:00~15:00/17:00~21:00(마지막 주문 20:00) – 화, 수요일 휴무
🔍 경북 경주시 손효자길 8-13(황남동)
☎ 054-748-9232 Ⓟ 가능

랑콩뜨레 🎀 Rencontre 베이커리

대전 성심당 출신의 파티시에가 운영하는 곳. 황성동 일대에서는 손꼽히는 빵집이다. 피낭시에, 마카롱 등 프랑스식 디저트도 맛볼 수 있다. 얼그레이 프레첼과 멜론빵을 많이 찾는다.

₩ 슈크림빵(2천8백원), 얼그레이프레첼(4천5백원), 멜론빵(3천2백원), 마늘바게트(5천2백원), 마카롱, 피낭시에(각 2천8백원)
⏲ 08:30~22:00 – 연중무휴
🔍 경북 경주시 황성로27번길 10(황성동) 신안상가 1층 102호
☎ 054-743-8017 Ⓟ 불가

료미 후토마키 | 일본가정식 | 일식덮밥

일본 가정식을 먹을 수 있는 곳. 후토마키와 다양한 덮밥을 전문으로 하며, 소바에 깻잎과 바질페스토가 어우러진 고마소바도 인기 메뉴다. 한옥의 멋스러움을 잘 살려낸 인테리어로 분위기가 좋다.

₩ 후토마키(5피스 1만6천원, 10피스 3만1천원), 스테이크덮밥, 소보로덮밥, 가쿠니덮밥(각 1만4천원), 고마소바, 돈지루소바, 야키소바(각 1만2천원)
⏲ 11:00~15:00/17:00~21:00(마지막 주문 20:30) – 연중무휴
🔍 경북 경주시 포석로 1058-1(황남동)
☎ 054-624-5060 Ⓟ 불가

리루하 lionel louis house 이탈리아식

예약제로 운영되는 이탈리안 레스토랑. 셰프 한 명이 운영하며 한 팀만 프라이빗하게 식사할 수 있도록 예약제로 운영된다. 직접 만든 소스를 사용한 파스타를 비롯해 송아지안심스테이크 등의 이탈리아 요리를 단품으로 선보인다.

₩ 트러플송화버섯크림파스타, 송아지굴라시(각 2만2천원), 송아지안심스테이크(180g 4만8천원), 송아지티본스테이크(4만8천원), 2인코스(2인 15만원), 3인코스(22만5천원)
⏲ 11:00~21:00(마지막 주문 20:00) – 월요일 휴무
🔍 경북 경주시 양남면 신대로 66-9
☎ 010-2836-7719 Ⓟ 가능

릭버거 lik burger 햄버거

한옥으로 된, 카페 같은 느낌의 햄버거 전문점. 부드럽고 두툼한 패티에 베이컨과 치즈 등이 들어간 릭버거가 시그니처 메뉴다. 감자튀김에 칠리소스가 얹어진 칠리 콘 카르네도 사이드 메뉴로 꼭 맛보아야 한다.

₩ 치즈버거, 경주버거(각 9천5백원), BLT버거(9천8백원), 릭버거(1만8백원), 감자튀김(5천원), 칠리콘카르네(8천5백원)
⏲ 10:00~21:00(마지막 주문 20:30) – 수요일 휴무
🔍 경북 경주시 포석로 1039-1(사정동)
☎ 010-9520-9999 Ⓟ 불가

릭버거

맷돌순두부 🎀 순두부 | 돼지고기구이

콩을 직접 맷돌로 갈아 가마솥에 쪄서 만든 순두부에 새우와 바지락 등 해물을 듬뿍 넣은 순두부찌개가 인기 메뉴다. 계절마다 곁들이는 신선한 채소와 버섯류가 순두부찌개의 얼큰하고 시원한 맛을 더한다. 특별 메뉴로는 통돼지바비큐가 있다.

₩ 맷돌순두부찌개(1만2천원), 맷돌순두부(1만원), 해물파전(1만3천원), 반모두부(7천원), 바비큐샐러드(1만5천원)
⏲ 08:00~16:00/17:00~21:00 | 토, 일요일 08:00~21:00 – 목요일 휴무
🔍 경북 경주시 북군길 7(북군동)
☎ 054-620-9000 Ⓟ 가능

밀면식당 밀면

경주역 부근의 밀면 골목에서 유명한 집으로, 경주에서는 밀면의 원조로 꼽히는 곳이다. 육수에 한약재를 넣어 만드는 것이 특징이며 비빔밀면보다는 물밀면이 더 인기가 좋다. 겨울철에는 영업을 하지 않으므로 사전에 확인하고 가는 것이 좋다.

₩ 물밀면, 비빔밀면(각 8천원, 곱빼기 9천원), 손만두(6천원)
⏲ 11:00~19:00(마지막 주문 18:45, 재료 소진 시 마감) – 명절, 목요일 휴무
🔍 경북 경주시 태종로791번길 9(황오동)
☎ 054-749-8768 Ⓟ 불가

박용자경주명동쫄면 쫄면

40년 넘게 영업하고 있는 쫄면집으로, 경주에서 학창시절을 보낸 사람들에게는 추억이 서려 있는 식당이다. 일반적인 비빔쫄면 외에도 따뜻한 멸치 육수에 쫄면을 담아 내는 유부쫄면, 어묵쫄면 등도 인기가 많다.

₩ 비빔쫄면, 유부쫄면, 어묵쫄면, 냉쫄면(각 9천원)
⏲ 11:30~15:00/16:30~19:30 | 토, 일요일 11:30~19:30 – 화, 수요일 휴무
🔍 경북 경주시 계림로93번길 3(노동동)
☎ 054-743-5310 Ⓟ 불가

반도불갈비식당 소갈비

경주 시내에서 50여 년간 영업한 식당으로, 소갈비와 소갈빗살을 취급한다. 가격에 비해 마블링이 좋은 고기를 내며 과하게 달지 않은 양념구이가 인기다. 연탄불에 석쇠로 구워 먹는 정취가 인상적이다.

₩ 한우생갈비, 한우양념갈비, 한우갈빗살소금구이, 한우갈빗살양념구이(각 110g 2만2천원)
⏲ 15:30~21:00 – 연중무휴
🔍 경북 경주시 화랑로 83(서부동)
☎ 054-772-5340 Ⓟ 불가

백년찻집경주점 전통차전문점

대구팔공산점에 이어 사랑받는 전통찻집이다. 전통 한옥과 넓은 정원이 어우러져 운치가 있다. 조명이 은은한 실내에서 차 한잔의 여유를 느낄 수 있으며 한지로 만든 아름다운 등공예와 아기자기한 다기도 구경할 수 있다.

₩ 백년차, 대추차, 솔잎차, 보이차(각 8천원), 석류차, 계피차, 수정과, 매실차, 오미자차, 장미차, 국화차(각 7천원)
⏲ 11:00~24:00 – 연중무휴
🔍 경북 경주시 양북면 추령재길 72
☎ 054-773-3450 Ⓟ 가능

별채반교동쌈밥 일반한식 | 쌈밥

푸짐한 쌈밥정식을 맛볼 수 있는 곳. 10여 기지가 넘는 맛깔스러운 반찬이 한상 가득 깔리며 고기의 종류는 돼지불고기와 오리불고기, 한우불고기 중 선택할 수 있다.

₩ 돼지불고기쌈밥(2인 이상, 1인 1만7천원), 오리불고기쌈밥(2인 이상, 1인 1만8천원), 한우불고기쌈밥(2인 이상, 1인 2만원), 산채비빔밥, 육부촌육개장(각 1만3천원)
⏲ 11:00~16:00/17:00~21:00 – 명절 휴무
🔍 경북 경주시 첨성로 77(황남동)
☎ 054-773-3322 Ⓟ 가능

복길 Bokgil 솥밥 | 전복

전복 솥밥과 전복죽을 대표 메뉴로 맛볼 수 있는 전복요리 전문점. 솥밥과 죽에는 버터가 들어가 있다. 솥밥은 골고루 비벼 김과 젓갈을 곁들여 먹는다. 전복 외에 한우불고기솥밥도 추천할 만하다.

₩ 전복솥밥, 전복죽, 한우불고기솥밥(각 1인 1만7천원), 고등어구이(1만원), 전복구이(6마리 1만8천원, 10마리 3만원)
⏲ 10:30~16:00/17:00~21:00 – 연중무휴
🔍 경북 경주시 첨성로 71
☎ 054-748-3555 Ⓟ 가능(1시간 무료)

부성식당 일반한식 | 보리밥

구수한 보리밥정식을 맛볼 수 있는 곳. 조미료를 사용하지 않은 나물이 푸짐히 나오며 돼지불고기와 고등어구이가 곁들여져 나오는 것이 특징이다. 인근에 포석정이 있어, 관광객들이 주로 찾는 곳이다.

₩ 토속보리밥정식(2인 이상, 1인 1만3천원), 땡초부추전, 도토리묵(각 6천원)
⏲ 11:30~15:00/16:30~20:00 – 화요일 휴무
🔍 경북 경주시 포석로 588-5
☎ 054-772-2256 Ⓟ 가능

브래드몬스터 BREAD MONSTER 베이커리

유럽식 천연발효빵 전문점. 빵은 다양한 천연발효종을 사용해 12시간 이상 저온숙성과 자연발효 과정을 거쳐 담백하고 풍미 깊은 맛을 낸다. 가격대비 만족도가 높은 곳이다.

₩ 캄파뉴(5천원~5천3백원), 베리넛(5천2백원), 앙버터(4천5백원), 바게트(4천2백원), 치아바타플레인(4천원)
⏲ 10:30~19:00(마지막 주문 18:30) – 일요일 휴무
🔍 경북 경주시 용담로92번길 53(황성동)
☎ 054-777-1710 Ⓟ 불가

산해 山海 돼지고기구이

석쇠 연탄불에 구운 양념 돼지고기에 김치찌개 스타일의 김치찜을 곁들여 먹는 곳이다. 돼지고기 석쇠구이는 연탄불에 구워 상으로 가져다준다. 김치찜은 두툼한 삼겹살을 넣어 끓여 나오며 2인 이상 주문해야 한다.

₩ 석쇠구이(2인 이상, 1인 170g 1만2천원), 청국장(8천원), 간상게상(한 마리 2만원), 김치찜(1만원)

ⓛ 11:00~15:30/17:00~20:30(마지막 주문 20:00) – 명절 휴무
Q 경북 경주시 숲머리길 130-5(보문동)
☎ 054-743-7791 Ⓟ 가능

삼릉고향칼국수 칼국수

납작하게 밀어서 만든 손칼국수가 유명하다. 우리 밀을 사용하여 면을 만들며 국물은 멸치육수에 잡곡 가루를 넣어 걸쭉한 것이 특징이다. 오징어가 가득 들어간 해물파전을 곁들이면 좋다.

₩ 손칼국수(8천원, 곱빼기 9천원), 해물파전(1만원), 소머리수육(1만2천원), 도토리묵(8천원)
ⓛ 08:30~20:30 – 연중무휴
Q 경북 경주시 삼릉3길 2(배동)
☎ 054-745-1038 Ⓟ 가능

서라벌찰보리빵 팥빵

경주 건천 농협에서 계약재배한 100% 무농약 찰보리를 사용해 달지 않고 쫀득쫀득한 맛이 일품이다. 수익금 일부는 노인복지와 문화사업에 사용되고 있다.

₩ 찰보리빵(1개 6백원, 20개 1만2천원, 30개 1만8천원, 40개 2만4천원)
ⓛ 10:00~20:00 – 일요일, 명절 휴무
Q 경북 경주시 원화로 250(황오동)
☎ 054-777-0070 Ⓟ 불가

석하한정식 한정식

석하는 옛 강이라는 뜻으로 과거에 강이 있던 자리여서 붙여진 이름이라고 한다. 단정하면서도 웅장한 전통 한옥에 고풍스러운 장식품이 있는 실내, 창 너머로 과수원과 포도원이 보이는 풍경이 아름답다. 정갈한 한식이 코스로 제공된다.

₩ 한정식(1인 3만5천원, 4만5천원, 6만원, 7만5천원), 점심특선(1만9천원)
ⓛ 12:00~15:00/16:30~21:30 – 명절 휴무
Q 경북 경주시 흥무로 51-14(충효동)
☎ 054-774-2050 Ⓟ 가능

설월 雪月 카페 | 디저트카페

한국식 디저트를 선보이는 카페. 내부 인테리어도 모던하면서 한국 전통의 미를 표현하였다. 대표 메뉴는 대릉원타르트며 커피의 종류도 다양하다.

₩ 대릉원타르트(8천원), 증편파니니(9천원), 제철과일케이크(8천5백원), 필터커피(7천5백원), 아메리카노(5천원), 피치청귤에이드(7천5백원), 젤라토아이스크림(5천5백원)
ⓛ 11:00~21:00(마지막 주문 20:50) – 연중무휴
Q 경북 경주시 첨성로81번길 22-13(황남동)
☎ 010-3292-6011 Ⓟ 불가

수리뫼 한정식

조선왕조 궁중음식 기능 이수자가 운영하고 있는 한식당. 정갈하면서도 깔끔한 아름다운 한국 음식의 맛과 멋을 느낄 수 있으며 주변 경치도 뛰어나다. 손님이 방문하는 시간에 맞춰 요리를 만들기 시작하기 때문에 방문 하루 전 전화 문의는 필수다.

₩ 한정식(찬 3만5천원, 품 4만5천원, 단 5만5천원, 자 7만원, 수라 10만원)
ⓛ 11:30~15:30/17:00~21:00(마지막 주문 20:00) – 화요일 휴무
Q 경북 경주시 내남면 포석로 110-32
☎ 054-748-2507 Ⓟ 가능

수석정 壽石政 한정식

경주박물관 앞에 있는 오래된 한정식집. 현지인들이 많이 가는 곳이다. 정식을 시키면 신선한 해산물과 갈비찜 등이 차려진다. 음식은 자극적이지 않고 담백한 편이다. 상호처럼 정원에 오래된 소나무와 분재, 돌들이 가득하다.

₩ 궁중비빔밥(1만7천원), 떡갈비정식(2인 이상, 1인 2만5천원), 주인상(1인 3만원, 2인 6만3천원), 수라상(1인 4만원 2인 8만3천원), 석류상(1인 5만원 2인 10만3천원)
ⓛ 11:00~20:30(마지막 주문 19:20) – 명절 휴무
Q 경북 경주시 내리길 41(배반동)
☎ 054-748-0835 Ⓟ 가능

숙영식당 淑英 일반한식 | 비빔밥

동동주, 찰보리비빔밥으로 유명한 50여 년 역사의 집. 보리밥에 도라지, 미나리, 고사리 등의 나물을 넣고 양념과 참기름을 넣어 비벼 먹는 맛이 일품이다. 생선구이, 된장찌개 등 밑반찬도 15가지 나온다.

₩ 찰보리밥정식(2인 이상, 1인 1만원), 나홀로정식(1만1천원), 파전(1만원), 논고동더덕무침(2만원), 동동주(반 되 6천원, 한 되 1만원)
ⓛ 11:00~15:00/17:00~20:00 – 화요일, 명절 휴무
Q 경북 경주시 계림로 60(황남동)
☎ 054-772-3369 Ⓟ 가능

슈만과클라라 Schumann & Clara 커피전문점

진한 맛의 일본식 핸드드립 커피를 마실 수 있다. 클래식 음반만 1만6천여 장을 보유하고 있어 음악과 커피를 즐길 수 있는 곳이다.

₩ 핸드드립커피(8천원~1만2천원), 아메리카노(6천원~7천원), 생과일쥬스(7천원~1만원), 차(6천원~7천5백원), 마롱브레드(6천5백원)
ⓛ 10:30~22:30 – 연중무휴
Q 경북 경주시 한빛길36번길 36-1(성건동)
☎ 054-749-9449 Ⓟ 가능

스틸룸 STILLROOM 이탈리아식

이탈리안 다이닝 & 바. 한우 채끝 등심을 다른 재료들과 함께 페이스트리로 감싸 만든 비프 웰링턴이 시그니처 메뉴며 세트

메뉴를 시키는 것이 가격 대비 만족도가 높다. 저녁때는 위스키나 와인바로도 이용된다. 창밖으로 봉황대 공원이 보이는 전망을 자랑한다.

Ⓦ 한우웰링턴(160g 4만4천원), 한우채끝스테이크(160g 3만4천원), 이베리코베요타항정살(2만4천원), 우리비스크파스타(2만5천원), 라구볼로네제파스타(1만8천원), 단새우와감태냉파스타(1만6천원), 영덕붉은대게냉파스타(2만3천원), 전복리조토(2만원), 샐러드, 카프레제(각 1만1천원), 뇨키(1만8천원)

Ⓛ 17:00~24:00 | 토, 일요일, 공휴일 11:30~15:00/17:00~24:00(마지막 주문 22:30) – 연중무휴

Q 경북 경주시 원효로 87

☎ 054-741-7001 Ⓟ 가능(해동주차장 2시간 지원)

시즈닝 seasoning 파스타

전통 한옥을 재현하여 앤티크한 분위기의 이탈리안 레스토랑. 한국적인 맛을 가미한 개성 있는 파스타와 덮밥 등을 맛볼 수 있다. 가격대비 만족도도 높은 편이다.

Ⓦ 크림파스타(1만3천원), 치킨마니스, 쿠로라이스, 쿠로라이스, 시즈닝크림리조토(각 1만3천5백원), 콥샐러드, 푸틴(각 7천5백원)

Ⓛ 10:30~15:30/17:00~21:00(마지막 주문 20:30) – 화요일 휴무

Q 경북 경주시 첨성로99번길 25-2(황남동)

☎ 054-774-7477 Ⓟ 불가

어향원 御香苑 일반중식

1960년대에 화교출신 셰프가 오픈하여 3대째 운영중인 중식당. 찹쌀 탕수육이 인기 메뉴며 다양한 코스요리도 있어 식사 대접하기에도 좋다. 노포지만, 내부와 음식이 전반적으로 깔끔하다. 대만식동파육이 새로운 메뉴. 처음에 미화반점에서 시작하여 연래춘을 거쳐 현재 위치로 오면서 상호를 어향원으로 변경하였다.

Ⓦ 코스메뉴(4인 이상, 1인 2만원~20만원), 삼선짜장면, 삼선짬뽕, 삼선우동, 삼선울면(각 1만원), 간짜장, 짬뽕(각 7천원), 탕수육(R 2만원, L 3만원), 궈바로우(R 2만2천원 L 3만2천원)

Ⓛ 11:00~15:00(마지막 주문 14:30)/17:00~21:00(마지막 주문 20:30)

– 월요일 휴무

Q 경북 경주시 화랑로 76-1(서부동)

☎ 054-772-2821 Ⓟ 가능

엘로우 LLOW 카페

한옥 건물을 개조한 2층 대형 카페. 보문호와 초록빛 정원을 감상할 수 있도록 통창으로 되어 있다. 야외 테라스 자리도 있어 자연을 감상하며 커피를 마시기 좋은 곳. 곶감말이, 푸딩 같은 디저트 메뉴도 준비되어 있다.

Ⓦ 에스프레소, 아메리카노(각 6천5백원), 카페라테(7천원), 더블베리라테, 곶감라테(각 8천원), 에이드(8천원), 와플볼(1만4천원), 곶감말이(1만4천원), 바나나푸딩, 베리푸딩(각 8천원)

Ⓛ 10:00~22:00(마지막 주문 21:30) – 비정기적 휴무

Q 경북 경주시 경감로 375-16

☎ 010-9498-3011 Ⓟ 가능

연화바루 사찰요리

사찰음식을 전문으로 하는 곳. 정식을 주문하면 사찰음식을 약간 변형한 퓨전 스타일의 음식을 정갈하게 코스로 내온다. 자연식 재료만을 사용해 만든 건강한 웰빙음식을 맛볼 수 있으며 깔끔한 인테리어와 상차림이 돋보인다.

Ⓦ 바루특정식(1인 1만9천원), 산채비빔밥(9천원), 녹두빈대떡(1만원), 버섯탕수(중 1만5천원 대 2만원), 소이찜(2만5천원)

Ⓛ 12:00~21:00 – 둘째, 넷째 주 월요일 휴무

Q 경북 경주시 대경로 4827(서악동)

☎ 054-774-5378 Ⓟ 가능

영양숯불갈비 육회 | 소고기구이

50년의 오래된 역사를 가진 고깃집이다. 숯불에 석쇠를 올려 구워 먹는다. 국내산 한우 고기만을 취급하며, 고기가 얇지만 부드러운 편이다. 직접 만든 된장으로 끓인 찌개의 맛도 일품이며 아삭한 배와 어우러지는 육회의 맛도 추천할 만하다.

Ⓦ 한우갈빗살양념구이, 한우갈빗살소금구이(각 110g 2만5천원), 한우치마살양념구이, 한우치마살소금구이(각 110g 2만8천원), 육회(120g 1만7천원)

Ⓛ 10:30~15:00/17:00~21:00(마지막 주문 20:30) | 토, 일요일 10:30~21:30(마지막 주문 21:00) – 명절 당일 휴무

Q 경북 경주시 봉황로 79(서부동)

☎ 054-771-2627 Ⓟ 가능

옛날경주숯불 소고기구이 | 소갈비

화산 불고기 단지에 자리한 고깃집. 고기 질이 좋기로 유명하다. 숯불에 구워 먹는 고기가 가격 대비 만족도가 높다. 육즙이 가득하고, 풍미가 훌륭한 소고기를 부위 별로 다양하게 맛볼 수 있다.

Ⓦ 갈빗살소금구이, 갈빗살양념구이(각 100g 2만원), 살치실(100g 2만7천원), 안창살(100g 3만2천원), 차돌박이(100g 1만8천원), 한우육

회(200g 2만5천원)
⏲ 11:00~21:00 – 명절 휴무
🔍 경북 경주시 천북면 천강로 447
☎ 054-776-8301 Ⓟ 가능

온당 溫堂 파스타

초록색 벽과 은은한 조명의 분위기가 좋은 비스트로. 다이닝과 함께 와인이나 하이볼을 함께 즐기기 좋은 곳이다. 게우파스타, 보타르가 등의 이탈리안 베이스 파스타와 차돌 숙주볶음, 부추땡초전 등 퓨전 한식 메뉴가 적절히 조화를 이루고 있다.

₩ 게우파스타(1만9천원), 슈림프크림파스타, 목살매콤크림파스타(각 1만7천원), 차돌숙주볶음, 김치삼겹살볶음(각 1만8천원), 부라타치즈샐러드(1만6천원), 명란달걀말이(8천원)
⏲ 17:30~00:30(익일) – 연중무휴
🔍 경북 경주시 용황로8길 20(용강동)
☎ 010-5506-9656 Ⓟ 가능(공영주차장, 건물 주차장, 길가 주차)

온당

올바릇식당 꼬막

보문호 경치가 좋은 꼬막 전문점. 시그니처인 꼬막육전대판은 꼬막무침과 꼬막비빔밥, 소고기육전이 한판에 가득 담겨 나온다. 꼬막비빔밥을 콩나물 반찬과 함께 비벼 먹으면 더욱 맛있게 먹는 방법. 김에 싸서 간장게장 소스에 찍어 먹는 것도 좋다.

₩ 꼬막육전대판(3만7천원), 꼬막대판(3만8천원), 꼬막1인상(1만3천원), 소고기육전(1만2천원)
⏲ 11:00~15:30/17:00~21:00(마지막 주문 20:30) | 토, 일요일 11:00~20:00(마지막 주문 19:30) – 연중무휴
🔍 경북 경주시 보문로 368-5(신평동) 1층
☎ 054-777-7793 Ⓟ 가능

외바우 🎀 버섯전골

50년 넘게 2대에 걸쳐 한우 전문점을 운영하는 곳. 버섯한우전골이 대표 메뉴다. 버섯한우전골에는 여러 가지 버섯이 듬뿍 들어가 있고, 국물이 시원하다. 한우 전골에 들어간 콩나물과 당면이 어우러진 맛이 일품이다.

₩ 버섯한우전골(1만5천원), 버섯한우낙지전골(1만7천원), 한우육회(중 3만7천원, 대 5만5천원), 버섯불낙지새우철판볶음(2만2천원)
⏲ 11:00~22:00 – 연중무휴
🔍 경북 경주시 안강읍 구부랑3길 12
☎ 054-763-7733 Ⓟ 가능

요석궁1779 🎀🎀 瑤石宮 한정식

50년 역사의 요석궁이 2022년 4월 리뉴얼 오픈하였다. 유서깊은 한옥 건물에서 사계절의 절기를 주제로 펼쳐지는 전통 한식을 맛볼 수 있다. 신라시대 요석공주가 살던 궁궐의 이름을 따서 요석궁이라고 부르는 곳으로, 경주를 대표하는 유서 깊은 최부자집으로 알려진 곳이기도 하다. 예약제로만 운영된다.

₩ 자미(6만9천원), 천미(12만원)
⏲ 12:00~16:00/17:00~21:00(마지막 주문 20:30) – 화요일 휴무
🔍 경북 경주시 교촌안길 19-4(교동)
☎ 054-772-3347 Ⓟ 가능

용강국밥 🎀 돼지국밥

경주를 대표하는 돼지국밥집. 정구지(부추)와 새우젓을 넣어 먹는다. 순대국밥, 내장국밥, 따로국밥 등의 여러 가지 국밥 메뉴가 있다. 수육과 두루치기도 추천할 만하다.

₩ 돼지국밥, 순대국밥, 내장국밥(각 1만원), 소수육(소 3만5천원, 대 4만5천원), 전골, 두루치기(각 소 3만원, 대 3만5천원)
⏲ 10:00~21:00 – 둘째, 넷째 주 일요일 휴무
🔍 경북 경주시 승삼3길 16(용강동) 금화골든파크 2층
☎ 054-771-8290 Ⓟ 가능

월성과자점 구움과자 | 디저트카페

경주시 건축상을 받을 정도로 외관과 인테리어가 인상적인 디저트 카페. 대릉원과 황리단길의 한옥뷰를 보며 다양한 커피와 디저트를 즐길 수 있다.

₩ 피낭시에(2천5백원~3천원), 로투스스모어쿠키(5천5백원), 르뱅쿠키(5천원), 크로플(1만2천원), 에스프레소(4천5백원), 아메리카노(5천원), 카페라테(5천5백원), 우유아이스크림(3천8백원), 미숫가루바닐라라테(6천원)
⏲ 10:00~20:00(마지막 주문 19:30) | 토, 일요일 10:00~21:00(마지막 주문 20:30) – 연중무휴
🔍 경북 경주시 포석로1068번길 17-7(황남동)
☎ 054-624-7010 Ⓟ 불가

은정횟집 생선회 | 복

감포회타운에서 30여 년 전통을 자랑하는 복국집. 맑게 끓여 내는 복어탕이 대표 메뉴며, 복어풀코스는 2명 기준으로 나온다. 코스는 세꼬시를 비롯한 해산물과 복회, 복껍질, 내장 수육, 복어탕 등으로 구성된다. 복 외에 여러 가지 회도 맛볼 수 있으며 밑반찬도 깔끔한 편이다.

₩ 참복탕(3만5천원), 생아귀탕(1만5천원), 참복코스(2인 14만원), 잡

어회(소 6만원, 중 8만원, 대 9만원)
⏱ 09:00~21:00 – 비정기적 휴무
🔍 경북 경주시 감포읍 감포로2길 113-3
☎ 054-744-8600 Ⓟ 가능

이스트1779 CAFE EYST 1779 카페

1779년 교동에서 터를 잡은 최부잣집의 내력과 가풍을 잇는 하우스오브초이에서 운영하는 카페. 오래된 양옥을 리모델링해서 만들었다. 전통 지붕 선, 오래된 고목들, 미니멀한 붉은 벽돌의 현대적 건축물이 잘 어우러져 웅장한 느낌을 준다. 소금을 올린 크림라테가 시그니처 메뉴.

₩ 시그니처초이라테, 딸기밀크티, 팥밀크티(각 7천원), 아메리카노(6천원), 카페라테(6천5백원)
⏱ 11:00~21:00 | 토요일 11:00~22:00 – 화요일 휴무
🔍 경북 경주시 교촌안길 21(교동)
☎ 054-777-4500 Ⓟ 가능

이조한정식 한정식

4백 평 가까운 기와집으로, 한옥과 어우러진 정취를 느낄 수 있다. 기본 요리 12가지에 밑반찬 20여 가지가 나오며 기본 2인분부터 상차림이 가능하다. 모둠회, 생선회, 생선구이, 새우찜, 오향장육, 부꾸미, 죽순 등의 요리가 차례로 제공된다. 밀전병에 채소와 고기를 싼 담백하고 고소한 부꾸미의 맛이 일품이다. 식사로는 솥밥이 1인분씩 나온다. 명절 당일에는 오전에만 영업한다.

₩ 한정식코스(건 2만9천원, 강 3만5천원, 을 4만9천원, 담 5만5천원, 다 6만9천원)
⏱ 11:00~15:00/17:00~21:00(마지막 주문 20:00) – 수요일 휴무
🔍 경북 경주시 숲머리길 136(보문동)
☎ 054-775-3260 Ⓟ 가능

이풍녀구로쌈밥 쌈밥

전라도의 젓갈, 갓김치와 경상도의 무짠지, 콩잎절임, 배추겉절이 등 서로 색다른 맛이 어우러진 상차림이 특징이다. 쌈밥에 콩잎장아찌를 포개고 젓갈을 얹어 함께 싸 먹는 맛이 일품이다. 머구, 신선초 등 10여 가지에 달하는 쌈과 해물파전이 밥상에 오른다.

₩ 구로쌈밥(1만5천원)
⏱ 09:00~20:30 – 연중무휴
🔍 경북 경주시 첨성로 155(황남동)
☎ 054-749-0060 Ⓟ 가능

일레븐체스터필드웨이

11 Chesterfield Way 캐주얼다이닝 | 와인바

11체스터필드웨이가 2022년 6월에 나시 돌아왔다. 1인 업장으로 운영하며 다양한 요리를 단품으로 맛볼 수 있다. 단품 테이스팅 코스와 메뉴판에 없는 계절 식자재와 고급 식자재를 활용한 고메 코스도 준비되어 있다.

₩ 새우비스크파스타(2만원), 카르보나라(1만5천원), 뇨키(1만8천원), 채끝등심(180g 3만9천원), 초콜릿폰단트(9천원), 테이스팅코스(7만원), 미식코스(10만원)
⏱ 12:00~15:00(마지막 주문 14:00)/17:00~22:00(마지막 주문 21:00) – 연중무휴(휴무 시 인스타그램 공지)
🔍 경북 경주시 화랑로37번길 30-1(성건동) 1층
☎ 054-624-7045 Ⓟ 가능

주스트윤 Juste Une 프랑스식

분위기 좋은 프렌치 레스토랑. 소고기나 양고기 스테이크를 즐기기 좋은 곳이다. 앙트레부터 디저트까지 구성이 좋으며, 메뉴는 계절에 따라 약간씩 변동이 있다. 황리단길 인근에서 주차가 가능한 것도 장점이다.

₩ 코스(6만원, 9만원)
⏱ 12:00~15:00(마지막 주문 14:00)/17:00~23:00(마지막 주문 21:00) – 연중무휴
🔍 경북 경주시 화랑로107번길 10-5(동부동) 1층
☎ 010-7650-0984 Ⓟ 가능

줄리스 Julies 파스타

퓨전이탈리안 레스토랑. 한옥 특유의 분위기를 현대적으로 잘 해석해 낸 인테리어가 인상적이다. 음식 맛도 수준급.

₩ 클래식치킨시저샐러드(1만3천원), 슈림프알리오올리오, 머시룸리조토, 치킨케사디아(각 1만4천원), 버터치킨커리플래터(1만6천원)
⏱ 10:00~15:00/17:00~21:00 – 수요일 휴무
🔍 경북 경주시 손효자길 20(황남동)
☎ 054-705-5705 Ⓟ 불가

진미식당 일반한식 | 쌈밥

쌈밥으로 유명한 곳. 아침 주인 직접 만드는 밑반찬으로 채워지는 기본 상차림과 메인요리인 불고기와 떡갈비로 든든하고 건강한 한 끼를 먹을 수 있다.

₩ 불고기쌈밥(1만5천원), 떡갈비쌈밥(1만4천원), 해물순두부, 대패순두부(각 1만원)
⏱ 10:00~20:30 – 명절 당일 휴무
🔍 경북 경주시 포석로 985(사정동)
☎ 054-746-5656 Ⓟ 가능

최영화빵 팥빵

황남빵의 원조집. 4대째 전통을 이어가고 있는 곳으로, 경주산 팥을 사용하며 팥 본연의 맛을 느낄 수 있는 것이 특징이다. 팥소는 입안에 넣자마자 사르르 녹을 만큼 부드럽다.

₩ 1개(1천2백원), 10개(1만2천원), 20개(2만4천원), 30개(3만6천원)
⏱ 09:00~21:00 – 연중무휴
🔍 경북 경주시 북정로 6-1 ☎ 054-749-5599 Ⓟ 불가

커피플레이스 Coffee Place 커피전문점

경주를 기반으로 스페셜티 커피를 선도하고 있는 곳. 창가에 앉으면 봉황대가 눈에 들어와(일명 능 뷰) 경주에 있음을 실감하게 해준다.

₩ 에스프레소, 아메리카노(각 3천원~4천원), 카페라테(3천5백원), 밀크티(4천5백원), 생강라테(4천5백원)

🕒 08:00~18:00(마지막 주문 17:45) – 명절 당일, 근로자의 날 휴무

🔍 경북 경주시 중앙로 18(노동동)

☎ 010-2352-2573 Ⓟ 불가

타베르나 TAVERNA 프랑스식 | 유럽식

스위스 로잔과 미국 콜로라도 프렌치 파인 다이닝 레스토랑에서 근무한 셰프가 오픈한 천년고도 경주의 한옥 프렌치 다이닝. 프랑스 조리법을 기본으로 한국인의 입맛에 맞게 재해석하여 선보인다. 날씨가 좋을 때는 2층 테라스에서 전망을 즐기며 식사할 것을 추천.

₩ 시그니처코스(2인 9만5천원), 에스카르고(1만4천원), 양파수프(1만2천원), 푸타네스카(2만1천원), 양갈비(250g 4만8천원), 무스오쇼콜라(7천원)

🕒 11:30~15:00/17:00~21:00(마지막 주문 20:00) – 화요일 휴무

🔍 경북 경주시 첨성로81번길 18(황남동) 타베르나

☎ 010-6321-4247 Ⓟ 불가(공영주차장 유료 이용)

텀즈 terms 베이커리

탁 트인 곳에 자리한 독채 건물 카페. 마당에는 텐트가 설치 되어 있어서 캠핑을 하러 온 듯한 분위기를 느낄 수 있다. 라테와 카늘레를 많이 찾는다. 잉글리시 브렉퍼스트와 바스크 치즈케이크도 맛볼 수 있다.

₩ 에스프레소, 아메리카노(각 6천원), 카페라테, 플랫화이트(각 6천5백원), 당근라테(8천원), 바스크치즈케이크(1만원), 카늘레(3천5백원)

🕒 10:30~20:00(마지막 주문 19:30) | 토, 일요일 10:30~21:00(마지막 주문 20:30) – 연중무휴

🔍 경북 경주시 양남면 외남로 348-5 ☎ 010-8841-9888 Ⓟ 가능

토함 吐含 생선조림

초가집의 토속적인 분위기의 한식당. 조용하고 오붓한 분위기에서 식사를 즐길 수 있다. 개별 방이 있어 연인끼리 가거나 가족 모임을 갖기에도 좋다. 고등어와 갈치조림이 유명하다.

₩ 동태찌개정식(2인 이상, 1인 1만2천원), 고등어조림정식(2인 이상, 1인 1만3천원), 갈치조림정식(2인 이상, 1인 1만5천원)

🕒 10:00~21:00 – 연중무휴

🔍 경북 경주시 숲머리길 159(보문동)

☎ 054-748-6969 Ⓟ 가능

평양냉면집 함흥냉면 | 평양냉면

지방에서는 드물게 전통적인 냉면 맛이 유지되는 집이다. 배, 무, 배추, 오이, 돼지고기, 계란 등 냉면에 들어가는 고명은 평양냉면의 기본을 지키고 있다. 육수는 동치미 국물을 섞은 맛이며 면발은 전분이 많이 들어간 스타일이다. 함흥식 냉면도 따로 주문할 수 있다. 고기는 3인분 이상 주문 가능하다.

₩ 물냉면(1만원), 함흥식비빔냉면(1만1천원), 갈비탕(1만3천원), 한우양념갈비(100g 1만8천원), 돼지양념갈비(200g 1만1천원)

🕒 11:00~21:30 – 명절 휴무

🔍 경북 경주시 원효로105번길 10

☎ 054-774-5445 Ⓟ 불가

하연지 한정식

연요리를 전문으로 하는 곳으로, 연을 주제로 한 여러 가지 요리와 연밥이 나오는 한정식을 즐길 수 있다. 연을 테마로 한 소품으로 된 인테리어가 인상적이다. 연샐러드, 연잡채 등 푸짐하게 나오는 연잎한정식이 대표 메뉴.

₩ 원효반상(1인 1만8천원), 선덕반상(1인 1만5천원), 돼지불고기(1만원)

🕒 11:30~19:00 – 명절 당일 휴무

🔍 경북 경주시 포석로 932-4(탑동)

☎ 054-777-5432 Ⓟ 가능

향화정 일반한식 | 육회 | 꼬막

정갈한 한식을 맛볼 수 있는 곳으로, 맛깔나게 버무린 벌교 꼬막무침 비빔밥이 인기 메뉴다. 곳곳에 자리한 고풍스러운 소품과 한옥을 재현한 실내 및 외관이 눈길을 끈다.

₩ 꼬막무침비빔밥(2인 2만8천5백원), 육회(2만8천원), 한우육회비빔밥, 한우육회물회(각 1만3천5백원), 경주소불고기(1만8천원), 해물파전(1만5천원)

🕒 11:00~15:00(마지막 주문 15:00)/17:00~21:30(마지막 주문 20:30) – 연중무휴

🔍 경북 경주시 사정로57번길 17(사정동)

☎ 0507-1359-8765 Ⓟ 불가

현대밀면 밀면

경주에서 유명한 밀면집. 메뉴는 물밀면과 비빔밀면 두 가지뿐이다. 양도 매우 푸짐한 편이어서 곱빼기를 따로 주문하지 않아도 배부르게 먹을 수 있다. 점심때는 줄을 서야 할 정도로 사람이 많다.

₩ 밀면, 비빔밀면(각 8천원) 곱빼기(1천원 추가), 사리추가(2천원)

🕒 11:00~20:00 | 동절기 11:00~18:20(마지막 주문 18:05) – 연중무휴

🔍 경북 경주시 화랑로 61(서부동)

☎ 054-771-6787 Ⓟ 불가

화산숯불 소고기구이 | 소갈비

화산불고기단지 안에서도 맛있기로 소문난 집이다. 주문하면 즉석에서 고기를 썰어주는 것이 특징이며 1+ 등급 이상의 암소만 사용하는 것이 맛의 비결이다. 매주 금요일과 토요일 저녁에는 라이브 공연도 진행한다.

㉻ 갈빗살소금구이, 갈빗살양념구이(각 100g 2만2천원), 등심(100g 2만5천원), 안창살(100g 3만2천원), 육회(150g 2만원)
🕒 11:00~21:00 | 일요일 11:00~20:30 – 연중무휴
🔍 경북 경주시 천북면 천강로 460
☎ 054-774-0768 Ⓟ 가능

황남맥주 크래프트맥주바

전통 한옥을 개량한 맥주전문점으로, 대한민국 주류대상에서 대상을 수상한 맥주를 선보이고 있다. 고흥에서 생산된 유자를 사용하는 등 한국 취향에 맞추면서도 맥주 본연의 맛을 지키고 있다.

㉻ 바이젠, 라거, 알트(각 6천5백원), 유자페일에일, 옐로우IPA(각 7천원), 바닐라스타우트(8천5백원), 맥주5종(1만5천원), 황남버거(1만6천원), 불고기케사디야(1만4천원)
🕒 17:00~24:00(마지막 주문 23:20) – 화요일 휴무
🔍 경북 경주시 포석로 1064-6(황남동)
☎ 010-2513-5077 Ⓟ 불가

황남빵 팥빵

1939년부터 영업하고 있는 곳으로, 경주를 대표하는 별미인 황남빵을 판매한다. 뜨거울 때는 바삭한 껍질이 식으면서 부드러워진다. 식혀서 먹는 것이 더 맛이 좋다. 적당히 달콤한 맛의 앙금과 얇고, 부드러운 빵피가 잘 어울린다.

㉻ 황남빵(1호 20개 800g 2만4천원, 2호 30개 1,200g 3만6원)
🕒 08:00~22:00 – 연중무휴
🔍 경북 경주시 태종로 783(황오동)
☎ 054-749-7000 Ⓟ 가능

경상북도 고령군

고령모듬추어탕 추어탕

국내산 미꾸라지로 만드는 경상도식 추어탕을 맛볼 수 있는 곳. 우거지와 된장을 넣어서 끓이는 스타일이며 얼큰하게 끓인 미꾸라지매운탕도 맛볼 수 있다.

㉻ 추어탕(9천원), 미꾸라지매운탕(1인 1만2천원), 미꾸라지조림, 미꾸라지튀김(각 1만6천원)
🕒 10:00~20:00 – 연중무휴
🔍 경북 고령군 대가야읍 장기터길 10-7
☎ 054-954-3757 Ⓟ 불가

원조소풍 칼국수 | 꼬리곰탕

곰탕, 칼국수, 닭도리탕 등 다양한 한식과 흔치 않은 닭고기전까지 맛볼 수 있는 곳. 닭고기전은 잘게 찢은 살코기를 전으로 부쳐내는데 촉촉하고 바삭한 식감과 짭조름 고소한 풍미가 튀긴 닭이나 구운 닭과는 또 다른 별미. 고디탕(다슬기국)도 시원한 맛이 추천할 만하다.

㉻ 닭고기전(1만1천원), 곰탕(1만4천원), 바지락칼국수, 얼큰칼국수(각 8천원), 들깨고디탕(9천원), 해물닭도리탕(중 3만원, 대 4만원)
🕒 10:30~20:00 – 연중무휴
🔍 경북 고령군 쌍림면 영서로 3379-3
☎ 054-956-1007 Ⓟ 가능(가게 앞)

원조소풍

경상북도 구미시

곱곱 양곱창

당일 도축한 한우 곱창을 맛볼 수 있는 곳으로, 옥계동에서 유명했던 황소돌양곱창이 이전해서 오픈하였다. 초벌 되어 나오는 곱창을 돌판에 구워 먹는다. 반반 모둠구이에는 곱창과 대창이 함께 나온다. 뭉티기라고 하는 육사시미와 육회 맛도 좋은 편. 뭉티기는 월, 수, 금요일에만 주문 가능하니 참고할 것.

㉻ 반반모둠구이, 곱창구이, 대창구이(각 250g 2만4천원), 뭉티기(한접시 2만9천원), 한우육회(한접시 2만4천원), 낙곱새(1인 1만3천원), 주먹밥(4천원)
🕒 13:00~23:30(마지막 주문 22:30) – 일요일 휴무
🔍 경북 구미시 산호대로23길 27(옥계동)
☎ 010-6616-8365 Ⓟ 가능(이마트 에브리데이 앞 무료주차장 이용)

농우마실 소불고기 | 돼지고기구이 | 돼지갈비

구미에서 돼지갈비 맛집으로 유명한 곳이나. 석쇠에 구워 먹는 돼지갈비의 맛이 일품이며 고기는 기본 3인분 이상 주문해야

한다. 식당 옆의 정육점에서 소고기를 구매한 후 상차림비만 내고 구워 먹을 수도 있다. 한우버섯불고기 등의 점심특선 메뉴도 추천할 만하다.

₩ 돼지갈비(200g 1만1천원), 삼겹살(150g 1만2천원), 한우육회(130g 1만8천원), 한우버섯불고기(1인 1만3천원)
🕒 11:00~22:00 – 명절 휴무
🔍 경북 구미시 금오대로 401(오태동)
☎ 054-464-1282 Ⓟ 가능

대한곱창 돼지곱창

50년이 넘는 전통을 자랑하는 곱창 전문점. 생곱창을 기계가 아닌 손으로 일일이 손질하여 냄새를 잡는다. 곱창은 국산돼지곱창만을 취급하며 얼리지 않은 생곱창만을 가공한다.

₩ 곱창전골(9천원), 볶음밥, 대접밥(각 2천원)
🕒 11:00~21:00 – 연중무휴
🔍 경북 구미시 선산읍 남문로 44
☎ 054-481-2970 Ⓟ 가능

동광알탕 東光 알탕

동광일식에서 동광알탕으로 상호를 바꾸고 영업할 정도로 알탕으로 유명한 집이다. 알탕에 명란이 많이 들어가 약간 퍽퍽하지만 구수한 맛을 느낄 수 있다.

₩ 동광알탕(1만4천원), 불고기덮밥(1만3천원), 메밀국수(하절기 1만2천원), 뚝배기우동(해물 1만1천원, 소고기 1만3천원)
🕒 10:00~20:00(마지막 주문 19:30) – 연중무휴
🔍 경북 구미시 1공단로7길 86-9(공단동)
☎ 054-463-3001 Ⓟ 가능

로칸다오라 Locanda ora 파스타 | 이탈리아식

이탈리아 현지 음식의 맛을 내는 곳. 제철 식재료를 테마로 메뉴가 바뀌며 모든 면과 빵은 유기농 밀로 자가제면 한다. 런치타임은 하루 전에 예약해야 식사 가능하다.

₩ 오라시저샐러드, 에스카르고(각 1만8천원), 프로슈토피자(2만4천원), 폴포(2만6천원), 홍새우비스큐오일파스타(2만2천원), 라구파스타, 감베리(각 2만4천원)
🕒 11:30~14:30/17:00~21:30(마지막 주문 20:30) | 일요일 11:30~14:30(마지막 주문 13:30) – 둘째, 넷째 주 일요일
🔍 경북 구미시 송정대로6길 20(송정동)
☎ 054-456-1238 Ⓟ 불가

싱글벙글복어 복

50여 년 전통의 복요리집이다. 시원한 국물이 일품인 복지리와 얼큰한 복매운탕이 대표 메뉴고, 황복과 밀복 중 선택할 수 있다. 복튀김과 복껍질무침회도 별미로 즐기기 제격이다. 지금은 분점도 많이 생겼지만, 역시 본점이 가장 낫다는 평이다.

₩ 복지리, 복매운탕(각 황복 1만2천원, 밀복 1만6천원), 복튀김(소 1만2천원, 중 2만4천원, 대 3만6천원), 복수육(중 4만6천원, 대 6만1천원)
🕒 08:00~21:00 – 연중무휴
🔍 경북 구미시 역전로 10(원평동)
☎ 054-456-4515 Ⓟ 가능

싱글벙글복어

외할머니가 청국장 | 게장 | 일반한식

흰색 외관의 카페 같은 분위기의 청국장집. 청국장에는 순두부가 듬뿍 넣어져 나온다. 낙지볶음, 양념게장, 전복장 등 세트는 2인 이상 주문 가능하다. 반찬도 여섯 가지 정도 정갈하게 나온다.

₩ 직화낙지볶음, 돼지불고기(각 1만5천원), 양념게장(1만7천원), 오징어무침회(1만6천원), 맛보기수육(1만4천원)
🕒 10:30~15:00(마지막 주문 14:00)/17:00~21:00(마지막 주문 20:00) | 일요일 10:30~15:00 – 첫째, 셋째, 다섯째 일요일 휴무
🔍 경북 구미시 인동중앙로7길 17(황상동)
☎ 054-476-8882 Ⓟ 불가

이조곰탕 곰탕

구미에서 유명한 곰탕집. 한촌설렁탕과 더불어 구미의 양대 탕집이라는 평가를 받고 있다. 찾아가기가 조금 어려운 편이라 전화로 문의해서 가는 것이 좋다.

₩ 곰탕(1만3천원), 돌솥곰탕, 설곰탕, 양곰탕(각 1만8천원), 도가니탕(2만원), 모둠수육(7만원)
🕒 10:00~20:00 – 명절 휴무
🔍 경북 구미시 구미중앙로31길 12(원평동)
☎ 054-456-6188 Ⓟ 가능

천안문 天安門 일반중식

구미에서는 가장 유명하다고 하는 50여 년 전통의 중식당으로, 고추짜장이 유명하다. 흑미가 들어간 흑미면이 독특하다. 고추짜장에는 잘게 썰어낸 청양고추가 들어가 매콤한 맛을 낸다. 짬뽕과 탕수육 맛도 기본은 하는 편이다.

₩ 짜장면(6천원), 짬뽕(7천원), 고추쟁반짜장면(1만6천원), 탕수육(소 2만원, 중 2만5천원, 대 3만원)

⏲ 10:30~20:30 – 연중무휴
🔍 경북 구미시 봉곡로10길 10(봉곡동)
☎ 054-444-1008 Ⓟ 가능

한촌설렁탕 설렁탕

이조곰탕과 더불어 구미에서 유명한 설렁탕집. 설렁탕 한 가지만으로 오랫동안 사랑받아온 곳으로, 분당에서 유명한 감미옥의 전통을 이어받았다고 한다. 설렁탕에 손만두가 들어간 만두설렁탕도 추천할 만하다. 2층에서는 돼지갈비, 소갈빗살 등을 맛볼 수 있다.

Ⓦ 설렁탕(1만1천원), 얼큰설렁탕, 만두설렁탕(각 1만2천원), 도가니탕(1만9천원), 손만두(8천원)
⏲ 10:00~21:00 – 명절 당일 휴무
🔍 경북 구미시 금오시장로1길 14(원평동)
☎ 054-456-6114 Ⓟ 가능

경상북도 김천시

강성면옥 평양냉면 | 수육

김천에서 유명한 평양냉면집. 평양냉면식으로 나오는 물냉면은 양념과 고명을 듬뿍 올리는 스타일이며, 함흥냉면식으로 나오는 비빔냉면은 매콤새콤한 양념 맛이 좋다. 회를 올린 회냉면도 별미. 부드럽게 삶은 수육을 곁들여도 좋다.

Ⓦ 함흥냉면, 평양냉면(각 1만원), 회냉면(1만1천원), 수육(1만8천원)
⏲ 11:30~15:00/17:00~20:00(마지막 주문 19:30) – 연중무휴
🔍 경북 김천시 구농고2길 3(부곡동)
☎ 054-432-4582 Ⓟ 가능

마타아시타 MATAASHITA 일본가정식

일본 가정식을 선보이는 곳. 대표 메뉴는 미카야키현의 일품요리인 치킨난반 정식으로, 닭다리살을 이용하여 부드러운 맛을 낸다. 인기 메뉴인 미소가스 정식은 일일 한정 수량으로 판매한다.

Ⓦ 치킨난반정식(1만2천원), 미소가스정식(1만1천원), 미소치즈가스정식(1만3천5백원), 우삼겹카레정식, 가라아게카레정식(각 1만1천원), 돈가스카레정식(1만3천원)
⏲ 11:30~16:00/17:00~21:00 – 연중무휴
🔍 경북 김천시 시청1길 27(신음동)
☎ 010-4157-0870 Ⓟ 가능

서울식당 산채정식

산채정식을 전문으로 하는 곳으로, 불고기와 더덕구이를 비롯한 30여 가지 반찬이 한상에 푸짐하게 나온다. 직지사를 찾는 방문객들이 꼭 들르는 곳이다.

Ⓦ 산채모둠한정식(2만원), 산채한정식, 더덕구이(각 1만5천원), 산채비빔밥(8천원)
⏲ 09:00~21:00 – 연중무휴
🔍 경북 김천시 대항면 황학동길 10
☎ 054-436-6121 Ⓟ 가능

장영선지례원조삼거리불고기 🎀

돼지불고기 | 돼지고기구이

60년 넘게 한 자리에서 흑돼지를 전문으로 하는 곳. 대표 메뉴는 양념불고기로, 연탄불 위에 석쇠를 놓고, 그 위에 고기를 초벌구이해 손님에게 낸다. 두툼한 소금구이도 추천할 만하며 나물과 함께 비벼 먹는 보리밥도 식사메뉴로 제격이다.

Ⓦ 양념불고기(소 3만원, 중 4만5천원, 대 6만원), 소금구이삼겹, 목살(각 170g 1만4천원)
⏲ 11:00~15:00/15:30~20:00 – 명절 휴무
🔍 경북 김천시 지례면 장터길 64
☎ 054-435-0067 Ⓟ 불가

중국만두 중국만두

작고 허름한 실내지만 만두 맛 하나만은 일품인 곳. 피가 두껍지 않고 재료를 굵게 다져 만든 만두소는 식감이 뛰어나고 속이 알차다. 육즙이 많아 뜨거울 때 덥석 먹으면 입천장이 데일 수 있으니 주의해야 한다. 언제나 사람이 많아 줄을 서야 할 때가 많다. 만두소가 떨어지면 영업이 종료되니 늦은 시간에 방문할 경우 전화 문의 필수.

Ⓦ 찐만두(10개 7천원)
⏲ 11:00~21:00 – 연중무휴
🔍 경북 김천시 용머리5길 5(용두동)
☎ 054-434-2581 Ⓟ 불가

추풍령할매갈비 돼지갈비

옛날식 고추장 양념 돼지갈비가 유명한 집. 기다란 갈빗대에 살이 붙어 있는, 진짜 돼지갈비를 맛볼 수 있다. 원래 1950년대에 이금덕할머니가 추풍령삼거리에서 시작한 것이 추풍령할매갈비의 시초다. 이후 1990년대에 후손들이 현재의 자리로 이전하였다고 한다.

Ⓦ 양념갈비(150g 1만1천원), 잔치국수(4천원)
⏲ 11:00~21:00(마지막 주문 20:00) – 화요일 휴무
🔍 경북 김천시 봉산면 봉산로 15
☎ 054-439-0150 Ⓟ 가능

경상북도 문경시

깊은산속화로구이 소고기구이 | 삼겹살 | 돼지고기구이

문경새재 맛집으로 소문난 곳. 질 좋은 고기를 참숯에 구워 먹는다. 두툼한 삼겹살은 씹는 맛이 좋아 인기 있고 달착지근한 양념에 잰 돼지갈비도 부드러운 맛을 자랑한다.

₩ 한우갈빗살(150g 5만원), 등심(150g 4만5천원), 돼지갈비(200g 1만7천원)
🕒 10:00~20:00 – 연중무휴
🔍 경북 문경시 문경읍 새재로 863
☎ 054–571–7978 Ⓟ 가능

동성반점 同盛飯店 일반중식

화교 부부가 운영하는, 문경에서 오래된 중식당이다. 쫄깃하게 튀겨낸 돼지고기 튀김에 투명한 소스를 부은 탕수육이 인기다. 면발이 좋은 짜장면과 짬뽕도 추천할 만하다.

₩ 짜장면, 우동(각 6천원), 간짜장, 짬뽕(각 7천원), 울면(8천원), 잡채밥, 기스면(각 8천원), 삼선간짜장, 삼선짬뽕(각 1만원), 탕수육(2만원), 깐풍기(2만8천원), 양장피(4만원)
🕒 12:00~19:00 – 연중무휴
🔍 경북 문경시 신기3길 11–2(신기동)
☎ 054–553–6170 Ⓟ 가능

목련가든 순두부 | 두부

현지 재배한 콩으로 만든 두부가 유명하다. 두부에 새우, 소고기, 채소가 들어간 두부전골, 순두부산채비빔밥이 인기 메뉴다. 드라마 〈태조왕건〉 촬영 세트장이 근처에 있어 관광객이 많이 찾는다.

₩ 두부전골, 순두부전골(각 소 3만원, 대 4만원), 산채비빔밥(1만원), 민물매운탕(5만5천원)
🕒 08:00~21:00 – 연중무휴
🔍 경북 문경시 문경읍 새재2길 31
☎ 054–572–1940 Ⓟ 가능

문경새재오는길 한정식

농가밥상을 재현한 곳. 황토를 사용해서 지은 옛날 농가식 건물에서 시골 느낌이 물씬 나는 밥상을 받아볼 수 있다. 이틀 전에 예약해야 식사가 가능하며, 미리 문의하면 전통주 만들기 체험 학습도 가능하다.

₩ 채미락반상(2만원)
🕒 11:30~19:00 – 예약제로 운영
🔍 경북 문경시 문경읍 각서윗길 7
☎ 054–572–3392 Ⓟ 가능

새재할매집 산채비빔밥 | 돼지고기구이

문경새재 도립공원 안에 있는 50년 전통의 한식 전문점. 석쇠에 바짝 구워 나오는 석쇠구이정식과 묵채에 밥을 비벼 먹는 묵채밥이 대표 메뉴다. 쌉쌀한 맛이 일품인 더덕구이정식도 별미며 모든 정식은 2인 이상 주문해야 한다.

₩ 석쇠구이정식(2인 2만8천원), 더덕구이정식(2인 2만6천원), 묵채밥, 도토리묵(각 1만1천원), 파전(1만2천원)
🕒 11:00~18:00(마지막 주문 17:30) | 토, 일요일 11:00~18:30(마지막 주문 18:00) – 명절 휴무
🔍 경북 문경시 문경읍 새재로 922
☎ 054–571–5600 Ⓟ 가능

서울만두 만두

만두로 유명한 집. 군만두와 찐만두에는 돼지고기가 들어가지만 절만두에는 두부가 들어가며 절만두를 공양으로 쓰려는 전국의 사찰에서 주문이 들어온다. 준비한 만두가 다 떨어지면 일찍 문을 닫기도 한다.

₩ 군만두, 찐만두(각 5천원), 비빔만두(6천원)
🕒 10:00~20:00 – 비정기적 휴무
🔍 경북 문경시 신흥로 161–8(점촌동)
☎ 054–555–3838 Ⓟ 불가

아천교횟집 송어

송어회와 송어튀김 단 두 가지의 음식만 판매하는 송어 전문점. 송어회와 송어튀김은 각각 500g씩 주문이 가능하여 둘 다 맛볼 수 있다. 회무침을 해 먹을 수 있는 채소와 양념장도 제공하며, 콩가루는 요청해야 한다.

₩ 송어회, 송어튀김(각 kg당 3만8천원)
🕒 11:00~21:00 – 월요일 휴무
🔍 경북 문경시 산북면 운달로 55
☎ 054–553–8584 Ⓟ 가능

영흥반점 榮興飯店 일반중식

50년의 오랜 역사를 자랑하는 곳으로, 화상 중식당이다. 광둥식 궈바로우의 튀김옷처럼 푹신하면서도 도톰한 튀김옷의 탕수육이 일품이다. 일본식으로 볶은 야키우동도 인기가 좋다.

₩ 짜장면, 우동(각 5천원), 짬뽕(6천원), 야키우동(8천원), 탕수육(2만원, 대 3만원)
🕒 12:00~20:00 | 토, 일요일 12:00~19:00 – 명절 휴무
🔍 경북 문경시 상신로 6–1(점촌동)
☎ 054–555–2670 Ⓟ 불가

원조진남매운탕 🎀🎀 민물매운탕

낙동강 상류에서 잡은 메기를 삶은 국물에 인삼과 헛개나무, 당귀 등 10여 가지 한약재를 넣어 한 번 더 끓여 하루 숙성하여 사용한다. 빨갛게 우러난 국물은 얼큰하면서도 감칠맛이 난다. 취

향에 따라 수제비와 국수사리를 넣어 먹는다. 진남매운탕은 10여 종류의 민물고기를 넣어 끓인 것이다. 50년이 넘는 역사를 자랑한다.

Ⓦ 진남매운탕(1인 3만3천원), 잡어매운탕(1인 2만5천원), 메기매운탕(1인 2만2천원), 쏘가리매운탕(시가)

Ⓒ 09:00~24:00 – 연중무휴

Q 경북 문경시 마성면 진남1길 210

☎ 054-552-8888 Ⓟ 가능

원조진남매운탕

초곡관 삼겹살 | 돼지고기구이

문경약돌돼지 전문점. 문경에서만 나는 약돌(거석정)을 사료에 섞어 먹여 키운 문경약돌돼지는 누린내가 없고 육질이 부드럽다. 육류는 기본 3인분 이상 주문해야 한다.

Ⓦ 약돌생삼겹살(150g 1만5천원), 산고등어구이정식(2인 이상, 1인 1만3천원), 양념석쇠구이정식(150g 1만7천원), 더덕구이정식(2인 이상, 1인 1만5천원), 능이버섯전골(소 3만8천원, 중 5만원, 대 6만원, 특대 7만원)

Ⓒ 10:00~21:00 – 연중무휴

Q 경북 문경시 마성면 진남1길 179

☎ 010-9597-2020 Ⓟ 가능

카페라밀 CAFE LAMEAL 카페

커다란 식물들로 실내가 꾸며진 플렌테리어 카페로, 희귀식물이 많기로 유명하다. 카페 앞에 숲이 있어 숲뷰까지 더해져 힐링하기 좋다. 10시에서 12시까지 운영하는 브런치 세트가 양도 넉넉하고 구성도 좋아 인기 있으며, 베이커리류도 직접 만든다.

Ⓦ 아메리카노(4천2백원) 카페라테(5천원), 에스프레소(3천8백원), 자몽에이드, 레몬에이드(각 6천5백원), 자몽차, 레몬차(각 5천5백원), 아보카도샌드위치(1조각 6천원), 브런치(1만4천원~1만6천원), 쪽파크림치즈프레첼(7천원), 마늘소금빵(3천원),

Ⓒ 10:00~22:00 – 두번째, 네번째 월요일 휴무

Q 경북 문경시 영신로 101 1,2층

☎ 054-553-1232 Ⓟ 가능

경상북도 봉화군

동궁회관 송이 | 솥밥

엄나무순으로 만든 돌솥밥을 맛볼 수 있는 곳. 돌솥에 엄나무를 넣고 지은 돌솥밥의 맛이 일품이며 송이버섯을 넣은 메뉴도 인기가 좋다. 이 외에 버섯을 넣은 전골, 불고기 등도 선보인다.

Ⓦ 엄송이돌솥밥(2만2천원), 송이전골, 송이불고기(각 중 4만원, 대 5만5천원)

Ⓒ 10:30~21:00(마지막 주문 20:00) – 명절 휴무

Q 경북 봉화군 춘양면 의양로2길 13-1

☎ 054-672-2702 Ⓟ 가능

봉화본가 소갈비 | 소고기구이 | 돼지고기구이

한약 약재(당귀, 천궁, 작약 등)를 먹여서 키운 봉화 한약우갈비를 맛볼 수 있다. 생갈비와 안창살은 한정판매이므로 미리 물량이 있는지 확인하고 가는 것이 좋다. 국내산 돼지고기도 맛있다는 평이다.

Ⓦ 생갈비(1대 3만9천원), 안창살, 갈비꽃살(각 100g 2만6천원), 갈빗살, 차돌박이(각 100g 1만7천원), 육회(한접시 3만원), 목살양념, 돼지갈비(각 200g 1만2천원), 생삼겹살(200g 1만1천원)

Ⓒ 10:30~22:00 – 일요일 휴무

Q 경북 봉화군 봉화읍 내성천1길 60

☎ 054-673-3600 Ⓟ 가능

오시오숯불식육식당 소고기구이 | 돼지고기구이

봉성의 돼지숯불구잇집 중 손꼽히는 곳으로, 봉성숯불단지에서 지금의 위치로 이전하였다. 솔잎이 깔려 나오는 돼지숯불구이가 유명하다. 기본 반찬으로 나오는 담백한 배추전도 맛이 좋다는 평.

Ⓦ 돼지숯불구이, 생삼겹(각 200g 1만3천원), 양념숯불구이(200g 1만4천원)

Ⓒ 08:00~20:00 – 연중무휴

Q 경북 봉화군 명호면 광석길 46-37

☎ 054-673-9012 Ⓟ 가능

용두식당 송이

송이 전문점. 가장 많이 찾는 메뉴는 송이돌솥밥으로, 밤, 대추, 호두, 잣, 당근, 감자 등을 넣고 밥을 짓다가 뜸을 들이기 전 송이버섯을 밥 위에 얹어 송이 향을 살린다. 밑반찬도 산나물을 비롯해 15가지가 차려진다.

Ⓦ 능이돌솥밥(2만원), 능이전골, 송이돌솥밥(각 2만5천원), 송이전골(3만원), 표고돌솥밥(1만5천원), 송이된장정식(1만2천원)

Ⓒ 11:00~19:00(마지막 주문 18:20) – 월요일, 명절 휴무

Q 경북 봉화군 봉성면 다덕로 526-4

☎ 054-673-3144 Ⓟ 가능

경상북도 상주시

부흥식육식당 돼지불고기

석쇠구이 돼지불고기가 유명한 곳. 석쇠에 구워 내오는 불고기 맛이 좋다. 석쇠구이는 2명이 나누어 먹기 적당하다. 반찬은 서너 가지가 나와 단출한 편이며 밥을 주문하면 된장찌개가 함께 나온다.

₩ 석쇠구이(400g 2만2천원), 소금구이(400g 2만5천원)
⏲ 11:30~21:00 – 둘째, 넷째 주 화요일 휴무
🔍 경북 상주시 남적로 6-75(남적동)
☎ 054-532-6966 Ⓟ 가능

수라간 일반한식

전통 한옥에서 한정식을 맛볼 수 있다. 맛깔스러운 기본 반찬이 푸짐하게 나온다. 음식들은 짜지 않게 적당히 간이 되어 있어 깔끔하다. 후식으로 나오는 식혜도 맛있다.

₩ 간장게장정식(3만원), 갈치조림정식, 갈치구이정식, 옥돔구이정식(각 1인 2만5천원), 보리굴비정식(2만원)
⏲ 11:30~14:00/17:30~21:00 – 월요일 휴무
🔍 경북 상주시 상서문3길 119(남성동)
☎ 054-535-8890 Ⓟ 가능

안압정 한정식

고조리서인 시의전서를 재해석한 한식을 선보인다. 비빔밥 정식, 메밀묵밥육전정식, 소고기육전 등이 복원한 메뉴다. 정식을 시키면 유기그릇에 나물 반찬 등과 함께 정갈하게 나온다.

₩ 보리굴비정식, 육회밥정식, 버섯밥정식(각 2만5천원), 간장게장정식(3만원)
⏲ 11:30~20:00(마지막 주문 19:30) – 월요일 휴무
🔍 경북 상주시 동문1길 8(인봉동)
☎ 054-531-9290 Ⓟ 가능

지천통나무집 콩나물밥 | 연잎밥 | 솥밥

간장양념을 넣어서 비벼먹는 홍합밥과 콩나물밥이 인기 있는 식당이다. 통나무 정식을 시키면 두부김치, 전, 인삼과 고구마 튀김 등 다양한 요리를 맛볼 수 있으며, 식사는 홍합밥과 콩나물밥 중에 고를 수 있다.

₩ 홍합밥(1만원), 콩나물밥(9천원), 연잎밥, 뽕잎돌솥밥(각 1만2천원), 나물비빔밥(8천원), 순두부찌개(7천원), 통나무정식(2만3천원), 뽕나무토종닭백숙(6만원), 인삼튀김(2만2천원)
⏲ 11:00~20:00 – 일요일 휴무
🔍 경북 상주시 지천1길 43(지천동)
☎ 054-533-3313 Ⓟ 불가

홍성식육식당 소고기구이

가격대비 질 좋은 고기를 맛볼 수 있는 곳으로, 자체 농장에서 기르는 소를 사용하기 때문에 가격이 저렴한 편이다. 고기를 손님이 원하는 두께로 썰어 주는 것이 장점.

₩ 등심(150g 2만원), 암소갈빗살(130g 2만4천원), 불고기(120g 1만2천원), 육회(200g 2만원, 300g 3만원)
⏲ 10:00~21:00 – 명절 휴무
🔍 경북 상주시 남성4길 10(남성동)
☎ 054-535-6608 Ⓟ 가능

경상북도 성주군

왜관식당 청국장 | 콩국수

구수한 청국장으로 잘 알려진 집. 같이 나오는 토속적인 반찬도 입맛을 돋운다. 투박하게 썰어내는 촌두부도 별미로 통한다. 여름에는 콩국수를 찾는 사람이 많은데, 국산 콩을 이용한 콩국을 사용한다.

₩ 할매청국장정식, 전통비지찌개정식(각 1만2천원), 차돌청국장정식(1만5천원), 간장제육볶음(2만5천원), 촌두부(1만원)
⏲ 09:00~20:00 – 연중무휴
🔍 경북 성주군 월항면 주산로 382
☎ 054-932-9554 Ⓟ 가능

촌두부집 두부

산속 아래에 자리한 오래된 한식당. 정겨운 분위기의 공간에서 직접 만든 촌두부와 칼국수를 맛볼 수 있다. 칼국수에는 고기를 추가해 함께 먹기도 하며 채소 전도 인기 메뉴. 예약은 받지 않으며 재료 소진 시 조기 마감할 수 있다.

₩ 촌두부, 칼국수(각 7천원), 수육(소 2만원, 대 3만2천원), 채소전, 칼비빔(각 8천원), 콩국수(9천원), 고기추가(3천원)
⏲ 10:00~16:00 – 월요일 휴무
🔍 경북 성주군 월항면 지산로 64
☎ 0507-1359-7636 Ⓟ 가능

경상북도 안동시

396커피컴퍼니

396 coffee company 커피전문점 | 베이커리

직접 로스팅한 스페셜티커피와 매일 구워내는 베이커리를 취급하고 있는 곳. 부드러운 생크림이 올라간 396커피가 시그니처

다. 커피아카데미도 운영한다.

㉠ 396커피(5천5백원), 아메리카노(5천원), 카페라테(5천5백원), 바게트샌드위치(9천5백원), 바닐라크루아상(4천3백원), 시나몬페이스트리(3천8백원)

⏲ 09:00~21:00 – 일요일 휴무

🔍 경북 안동시 옥동길 32(옥동)

☎ 054-855-0396 Ⓟ 가능(15대)

거창갈비 소갈비

소갈비구이가 유명한 안동에서도 손에 꼽는 맛집이다. 주문 즉시 갈빗대에서 살을 해체하여 준비해주는 것이 특징이며 남은 뼈를 모아 갈비찜으로 만들어준다. 가격대도 경쟁력이 있는 편이다.

㉠ 한우생갈비, 한우양념갈비, 안동한우갈비찜(각 200g 3만2천원)

⏲ 11:30~22:00 – 연중무휴

🔍 경북 안동시 음식의길 10(운흥동) 대림상가

☎ 054-857-8122 Ⓟ 가능

골목안손국수 묵밥 | 국수

안동에서 유명한 건진국수를 전문으로 하는 곳. 건진국수는 국수를 한 번 삶은 후 찬물에 헹구어서 다시 육수를 부은 국수를 말한다. 국수가 나오기 전에 밥과 쌈채소가 나온다. 들깨국수와 메밀묵밥도 인기 메뉴로 통한다.

㉠ 손국수(8천원), 들깨국수, 메밀묵밥(각 9천원), 돼지주물럭(2인 이상, 1인 9천원)

⏲ 하절기 10:00~17:00 | 동절기 10:00~16:00 – 일요일, 명절 휴무

🔍 경북 안동시 남문로 2(남문동)

☎ 054-857-8887 Ⓟ 불가

구름에오프 Gurume Off 카페 | 북카페

구름에 전통리조트 안에 있는 한옥 북 카페. 벽이 통유리로 되어있어 울창한 숲을 바라보며 힐링할 수 있다. 다비도프커피 원두를 사용한다.

㉠ 에스프레소, 아메리카노(각 5천원), 생강라테(6천원), 카페라테(6천2백원), 안동전통팥빙수(1만2천원), 쑥떡와플(8천원), 홍시스무디, 티라미수(각 7천원), 차(5천원~7천5백원), 불고기샌드위치(1만원)

⏲ 08:00~21:00 – 연중무휴

🔍 경북 안동시 민속촌길 190(성곡동)

☎ 054-823-9001 Ⓟ 가능

구서울갈비 소갈비

60년 역사의 갈빗집으로, 안동갈비골목에서 가장 오래된 집으로 꼽힌다. 양념을 강하게 하지 않은 안동식 갈비를 숯불에 구워 먹을 수 있다. 남은 갈빗대를 넣어서 끓이는 갈비찜 맛도 일품. 원래는 서울갈비가 상호였으나 이전하면서 구서울갈비라는 상호를 사용하게 되었다.

㉠ 한우생갈비, 한우양념갈비(각 200g 3만2천원), 냉면(5천원)

⏲ 11:00~22:00(마지막 주문 21:30) – 연중무휴

🔍 경북 안동시 음식의길 14(운흥동) 대림상가

☎ 054-857-5981 Ⓟ 가능(1시간 무료)

까치구멍집 백반

1979년, 안동에서는 두 번째로 헛제삿밥을 시작한 집이다. 상에 오르는 요리 수는 10여 가지. 계절에 따라 조금씩 다르지만 제사에 사용되는 3색 나물 한 대접과 각종 전과 적이 한데 담겨 나온다. 안동 지역의 제사 전통에 따라 돔베기(상어고기)가 올라가는 것이 특징. 제사 음식인 만큼 재래식 간장과 깨소금, 참기름 외에는 파, 마늘, 고추 등의 자극적인 양념을 넣지 않아 외국인들도 좋아한다. 양반상을 시키면 조기와 탕평채, 찰떡, 안동식혜가 추가로 나온다.

㉠ 헛제삿밥(1만3천원~1만4천원), 양반상(2만3천원), 성현상(4만원), 안동식혜(3천원)

⏲ 11:00~15:00/17:00~20:00(마지막 주문 19:00) – 월, 화요일, 명절 당일 휴무

🔍 경북 안동시 석주로 203(상아동)

☎ 054-821-1056 Ⓟ 가능

까치구멍집

뉴서울갈비 소갈비

예전 서울갈비 자리에 새로 생긴 갈빗집. 안동식 갈비를 맛볼 수 있으며 마늘양념이 인상적인 마늘생갈비도 인기 메뉴로 통한다.

㉠ 한우마늘갈비, 한우양념갈비, 한우찜갈비, 한우생갈비(각 200g 3만2천원)

⏲ 10:00~21:30 – 연중무휴

🔍 경북 안동시 음식의길 10(운흥동) 대림상가

☎ 054-843-1400 Ⓟ 가능

동부갈비 소갈비

약간 허름한 분위기의 오래된 갈빗집. 안동갈비골목에서는 서울갈비, 문화갈비와 함께 손꼽히는 집이다. 마늘이 듬뿍 들어간 마늘양념갈비가 인기 메뉴다. 식사로는 낙지가 들어간 갈비찜과

된장찌개가 나온다.
₩ 한우생갈비, 한우마늘양념갈비, 안동한우갈비찜(각 200g 3만2천원)
🕒 10:00~22:00 – 연중무휴
🔍 경북 안동시 경동로 677-10(운흥동)
☎ 054-857-2707 Ⓟ 가능

맘모스제과 Mammoth 베이커리
50여 년의 역사를 가지고 있는 빵집. 고풍스러운 인테리어가 돋보이며 크림치즈빵이 맛있기로 유명하다. 맘모스빵을 유행시킨 옛날 스타일의 빵집이지만 마카롱 같은 최신 트렌드도 발 빠르게 도입하고 있다.
₩ 크림치즈빵(2천5백원), 유자파운드(1만8천원), 홍차에딸기케이크(3만3천원)
🕒 08:30~19:00 – 명절 당일 휴무
🔍 경북 안동시 문화광장길 34(남부동)
☎ 054-857-6000 Ⓟ 가능(1만원 이상 구매 시 무료)

맛50년헛제사밥 일반한식 | 백반
1978년에 안동 헛제삿밥을 처음으로 메뉴에 넣어 상품화시킨 곳으로, 지금은 하회 별신굿탈놀이 기능 보유자가 대를 이어 운영하고 있다. 제사 음식인 만큼 재래식 간장과 깨소금, 참기름만 사용하여 자극적이지 않고 담백하다.
₩ 헛제삿밥(1만4천원), 선비상(2만3천원), 현학금상(4만원), 안동간고등어구이(1만5천원)
🕒 11:00~20:00 – 연중무휴
🔍 경북 안동시 석주로 201(상아동)
☎ 054-821-2944 Ⓟ 가능

목석원가든 고등어 | 찜닭
하회마을 초입에 있는 식당으로, 안동에서 유명한 간고등어 정식을 추천할 만하다. 밑반찬도 깔끔한 편이며 안동찜닭의 맛도 좋다는 평. 여러 장승과 자그마한 정원이 고즈넉한 분위기를 풍긴다.
₩ 숯불고등어정식(2인 3만2천원), 안동찜닭(3만4천원), 선비상(7만6천원~8만6천원), 양반상(6만원~7만원), 김치찜닭(4만5천원)
🕒 09:00~18:00 – 명절 휴무
🔍 경북 안동시 풍천면 전서로 159
☎ 054-853-5332 Ⓟ 가능

문화갈비 소갈비
옛날식 갈비구이 맛을 내는 집. 조선간장만으로 간을 하여 고기의 맛을 충분히 살리고 있다. 미리 재워두지 않기 때문에 고기의 선도도 확인 가능하다. 갈비는 기본 3인분 이상 주문해야 한다. 40년이 넘는 전통을 자랑한다.
₩ 한우갈비(3인 이상, 1인 200g 3만2천원)
🕒 12:00~22:00 – 연중무휴
🔍 경북 안동시 음식의길 32-9(동부동)
☎ 054-857-6565 Ⓟ 가능(1시간 무료)

버버리찰떡 떡
80년의 역사를 자랑하는, 안동 지역의 대표 디저트인 찰떡을 맛볼 수 있는 곳. 찹쌀떡에 콩고물, 거피팥, 붉은팥 등을 묻혀 나오며 달착지근하면서도 쫄깃한 맛이 일품이다. 버버리는 경상도 사투리로 벙어리라는 뜻으로, 떡을 먹고 나면 아주 맛있어서 벙어리가 된다는 의미라고 한다.
₩ 붉은팥찰떡, 기피팥찰떡, 콩가루찰떡, 검은깨찰떡, 참깨찰떡(각 1개 1천4백원)
🕒 08:00~19:00 – 연중무휴
🔍 경북 안동시 제비원로 128(옥야동)
☎ 054-843-0106 Ⓟ 가능

석송가든 잉어 | 꿩
잉어찜을 전문으로 하고 있는 곳. 잉어찜 위에 미나리, 콩나물을 듬뿍 얹어 낸다. 요리에 사용하는 채소를 직접 재배하는 것은 물론이고, 꿩도 직접 사육하고 있어 신선한 꿩샤부샤부도 맛볼 수 있다. 1시간 전 예약은 필수다.
₩ 잉어찜, 메기찜(각 소 6만원, 중 7만5천원, 대 8만5천원, 특 9만5천원), 어탕(1인 1만원), 꿩샤부샤부(한 마리 9만원), 꿩탕(한 마리 7만원)
🕒 11:00~22:00 – 명절 휴무
🔍 경북 안동시 제비원로 539-23(이천동)
☎ 054-841-7000 Ⓟ 가능

솔밭식당 일반한식 | 고등어 | 찜닭
하회마을에 있는 곳으로, 간고등어와 찜닭을 맛볼 수 있다. 정식은 간이 잘 배어 있는 간고등어 구이에 12가지의 밑반찬과 된장찌개가 나온다. 달콤 짭조름하게 졸인 안동식 찜닭도 인기 메뉴다.
₩ 세트(2인 4만원, 3인 5만원, 4인 6만원), 안동찜닭(3만5천원), 간고등어정식(2만8천원), 간고등어구이(1만6천원), 파전, 감자전, 고추전, 손두부, 묵무침(각 1만2천원)
🕒 10:00~18:00(마지막 주문 17:50) | 토, 일요일 10:00~19:00(마지막 주문 18:50) – 연중무휴
🔍 경북 안동시 풍천면 전서로 214-6
☎ 054-853-0660 Ⓟ 가능

시월애단팥빵 베이커리
하회마을에 있는 전통 항아리숙성 팥빵 전문점이다. 100% 국내산 팥, 유기농 밀, 천연버터를 사용하였으며, 단팥 앙금이 풍부하고 크림도 부드럽다. 즉석에서 간단히 사먹는 단품도 있지만, 선물용으로 세트 구매를 많이 하는 편이다.
₩ 시월애단팥빵(5개 1만5천원, 7개 2만1천원, 10개 3만원), 앙금빵세트(1만5천원), 팥크림빵, 슈크림빵(각 3천원), 생크림, 녹차크림, 커스

타드크림, 흑임자크림단팥빵(각 3천5백원)
⏲ 09:00~19:00 – 비정기적 휴무
🔍 경북 안동시 풍천면 전서로 196
☎ 054-855-5531 Ⓟ 가능

아차가 achaga 젤라토

안동 문화의 거리에 있는 수제 젤라토 가게. 초코, 딸기와 같은 익숙한 맛부터 가을 자두, 양반쌀, 검은깨, 막걸리 등 색다른 맛의 젤라토까지 맛볼 수 있다. 메뉴 개발도 활발히 이루어져 갈 때마다 새로운 맛을 경험하는 재미가 있다.

₩ 컵, 콘(각 5천원), M박스(1만8천원), L박스(2만5천원), 파티팩(3만원)
⏲ 12:00~21:00 – 월요일 휴무
🔍 경북 안동시 문화광장길 40-5(삼산동)
☎ 054-854-7430 Ⓟ 불가

안동매일찜닭 찜닭

안동구시장 내 찜닭 골목에 있는 40년 전통의 집이다. 찜닭에 당면, 양파, 대파, 시금치, 감자가 곁들여 나오며 양이 푸짐한 편이다.

₩ 안동찜닭, 조림닭(각 중 3만2천원, 대 4만8천원), 프라이드치킨(2만2천원), 마늘통닭(2만3천원)
⏲ 10:00~21:00 – 둘째, 넷째 주 수요일 휴무
🔍 경북 안동시 번영1길 47(남문동)
☎ 054-854-4128 Ⓟ 불가

예미정 禮味亭 한정식

안동 종가집 한정식을 선보이는 곳. 탕평채를 비롯해 삼색전, 산적, 육회, 떡갈비, 신선로 등 10여 가지가 훌쩍 넘는 종가요리를 한상 가득 차려낸다. 메뉴는 계절에 따라 조금씩 변동이 있는 편. 한정식코스 외에도 간고등어구이정식, 돌문어숙회정식, 갈비찜정식 등을 맛볼 수 있다. 전통 한옥식으로 꾸며 운치가 있다.

₩ 양반상(2인 이상, 1인 4만원), 한우불고기(3만3천원), 안동간고등어상차림, 안동건진국수상차림, 안동비빔밥상차림(각 2만6천원), 안동간고등어(2만원)
⏲ 11:30~21:00 – 본채 수요일 휴무, 별채 화요일 휴무
🔍 경북 안동시 옹정골길 111(정상동)
☎ 054-822-0500 Ⓟ 가능

옥동손국수 칼국수

국수 장사로만 40년이 넘은, 안동에서는 유명한 집이다. 밀가루에 콩가루를 섞어 면발이 부드럽고 고소하다. 고기 육수에 가느다란 면발이 해장용으로도 좋다. 국수를 먹기 전에 조밥 한 그릇이 갓 담근 김치와 함께 나온다.

₩ 옥동손국수, 메밀묵밥(9천원), 옥동들깨국수(1만원), 해물파전(1만2천원), 돼지고추장불고기(2인 이상, 1인 1만2천원)

⏲ 11:00~22:00 – 첫째, 셋째 주 화요일 휴무
🔍 경북 안동시 강변마을1길 91(당북동)
☎ 054-855-2308 Ⓟ 가능

옥야식당 선지해장국

시장통에 있는 선지국밥집. 안동한우를 사용한 제대로 된 선지국밥을 맛볼 수 있다. 고기가 푸짐하게 들어 있어 따로 수육 메뉴가 없어도 될 정도다. 얼큰한 국물 맛이 일품이며 선지를 따로 빼고 주문할 수도 있다. 전화로 미리 예약하는 것도 가능하다.

₩ 선지국밥(1만원), 포장(4만5천원)
⏲ 08:30~19:00 – 명절 당일 휴무
🔍 경북 안동시 중앙시장길 7(옥야동)
☎ 054-853-6953 Ⓟ 불가

옥야식당

월영교달빵 月映橋 베이커리

월영교 앞에 위치한 둥근 보름달 모양의 안동 명물 크림빵집이다. 안동의 특산품인 참마가루가 반죽에 들어가며 100% 유기농 밀 천연 벌꿀, 무항생제 계란을 넣은 건강빵이다.

₩ 흑임자크림빵, 요거트크림빵, 딸기크림빵, 팥크림빵, 녹차 크림빵(각 2천5백원), 아메리카노, 카페라테(각 3천2백원)
⏲ 11:00~19:00 | 금, 토, 일요일 11:00~21:00 – 연중무휴
🔍 경북 안동시 석주로 199(상아동)
☎ 054-852-1128 Ⓟ 가능

월영당 카페

오래된 한옥을 리뉴얼해서 만든 카페. 안동대마라테, 쑥떡셰이크 같은 음료와 마늘 피낭시에, 쑥 마들렌 같은 구움과자 등 지역의 다양한 농산물을 접목시켜 개발한 메뉴를 맛볼 수 있다. 창가 자리에 앉으면 낙동강 뷰도 즐길 수 있다.

₩ 아메리카노(5천5백원), 카페라테(6천원), 에스프레소(5천원), 대마씨앗라테, 쑥떡셰이크(각 7천5백원), 제주말차라테(6천5백원), 안동생강대추차(7천원), 쑥마들렌, 콩고물마들렌(각 4천3백원), 쌀피낭시에(4천5백원)

🕒 10:00~22:00(마지막 주문 21:30) – 연중무휴(임시 휴무 시 인스타그램 공지)
🔍 경북 안동시 민속촌길 26(성곡동) 개목나루
☎ 070-8813-8613 Ⓟ 가능

위생찜닭 찜닭

안동시장 내에 있는 40년이 넘는 전통의 찜닭집이다. 닭과 당면, 채소 등의 조화가 훌륭하며 양도 푸짐하다. 조림닭도 많이 찾는 메뉴. 장거리 포장도 가능하며 전국 택배도 하고 있다.

₩ 찜닭, 조림닭(각 중 3만2천원, 대 4만8천원)
🕒 09:00~20:00 – 수요일 휴무
🔍 경북 안동시 번영1길 47(남문동)
☎ 054-852-7411 Ⓟ 불가

유진찜닭 찜닭 | 마늘치킨

안동구시장에 있는 찜닭집. 손님이 많이 찾는 곳 중 하나다. 감칠맛 나는 양념이 닭고기에 잘 스며 있으며 약간 매콤한 맛이 매력적이다. 마늘 양념을 올린 마늘치킨도 별미로 통한다.

₩ 안동찜닭, 조림닭(각 한 마리 3만2천원, 한 마리 반 4만8천원), 프라이드치킨, 마늘치킨(각 2만3천원)
🕒 09:00~21:00 – 둘째, 넷째 주 월요일 휴무
🔍 경북 안동시 번영1길 47(남문동)
☎ 054-854-6019 Ⓟ 불가

일직식당 고등어

간잽이 명인 이동삼 선생과 아들이 운영하는 식당으로, 안동의 명물 간고등어구이를 맛볼 수 있다. 간이 삼삼하게 밴 간고등어의 맛이 일품이며 조리되지 않은 간고등어는 포장 판매하기도 한다. 안동역에 인접해 있어 접근성도 좋다.

₩ 안동간고등어구이정식(1만3천원), 안동간고등어조림정식(2인 이상, 1인 1만5천원), 된장찌개(9천원)
🕒 08:00~21:00 – 월요일 휴무
🔍 경북 안동시 경동로 676(운흥동) 매일신문사
☎ 054-859-6012 Ⓟ 불가

제비원삼겹 돼지고기구이

숯가마를 운영하던 곳으로, 국내산 돼지고기를 칼집을 내서 백탄 숯불에 초벌구이 해서 나온다. 초벌구이 한 고기를 한 입 크기로 잘라 숯불에 구워 먹는 맛이 일품. 날씨가 좋을 때는 야외 자리를 추천한다. 식사 메뉴인 안동 맥주도 맛볼 수 있다.

₩ 제비원삼겹살, 제비원목살(각 150g 1만3천원), 된장국수(6천원), 온국수, 냉국수(각 5천원), 된장찌개(2천원)
🕒 17:00~21:00 | 토, 일요일 12:00~21:00 – 화요일 휴무
🔍 경북 안동시 제비원로 493-10(이천동)
☎ 054-842-8484 Ⓟ 가능

중앙찜닭 찜닭

찜닭의 원조 안동 찜닭거리에서 30년 넘게 이어온 찜닭집. 달착지근한 양념이 쏙 배어 있다. 외지인도 많이 찾으며 택배 주문이 끊이지 않는다.

₩ 안동찜닭(중 3만2천원, 대 4만8천원), 조림닭(3만2천원), 간장치킨, 마늘통닭(각 2만2천원)
🕒 08:00~22:00 – 첫째, 셋째 주 화요일 휴무
🔍 경북 안동시 번영1길 51(서부동)
☎ 054-855-7270 Ⓟ 불가

탈빙고 빙수 | 디저트카페

하회마을에 자리한 디저트 카페로 하회세계탈 박물관과 같은 한옥 건물에 위치하였다. 안동산 팥을 삶아 만든 팥빙수가 대표 메뉴다. 촉촉한 식감이 좋은 식빵에 크림치즈와 단팥잼과 곁들여 먹으면 좋다.

₩ 우유빙수(2인 1만1천8백원), 연유식빵, 우유식빵(각 4천3백원), 팥라테(5천5백원), 에스프레소, 아메리카노(각 4천2백원), 카페라테(5천원), 쑥라테, 유자에이드(각 5천원)
🕒 10:00~18:00(마지막 주문 17:45) – 명절 당일 휴무
🔍 경북 안동시 풍천면 전서로 206 하회세계탈박물관 내
☎ 010-8582-2938 Ⓟ 가능

폴모스트 FOREMOST 카페

탁 트인 창밖으로 안동강 뷰를 볼 수 있는 베이커리 카페. 옛날 모텔 건물을 개조한 곳이다. 빵 종류는 당일 생산과 당일 판매를 원칙으로 하며, 치즈바스켓이 인기 메뉴. 야외 테라스석도 마련되어 있어 자연의 경치를 즐기기도 좋다.

₩ 더치아메리카노, 클래식블렌드(각 5천5백원) 싱글오리진아메리카노(6천원), 카페라테(6천원), 마블라테(6천5백원), 카늘레(3천원), 에그타르트(3천원)
🕒 11:00~22:00(마지막 주문 21:50) – 연중무휴
🔍 경북 안동시 남후면 암산1길 15
☎ 070-4128-1980 Ⓟ 가능

폴모스트

풍전브런치카페 豊殿 브런치카페 | 카페

100년 된 전통 한옥으로 된 브런치 카페. 고풍스러운 한옥에서 양식 브런치를 먹는 이색적인 분위기다. 커피, 차 등을 마시며 여유도 만끽할 수 있다.

₩ 에그베네딕트베이컨, 에그베네딕트훈제연어(각 1만4천원), 풍전파스타(1만3천원), 궁중떡볶이(1만원), 에스프레소(4천5백원), 아메리카노(5천원), 카페라테(5천5백원, 아이스 5천7백원), 오미자에이드(6천5백원), 식혜(6천원)

⏲ 10:30~21:00(마지막 주문 20:30) – 월요일 휴무(공휴일인 경우 정상영업)

Q 경북 안동시 풍산읍 안교1길 9

☎ 054-858-4036 Ⓟ 가능

하회민속식당 고등어

안동하회마을 내 하회장터에 있는 식당으로, 간고등어와 찜닭이 대표 음식이다. 큼지막하고 간이 잘되어 짭짤하면서 통통한 고등어를 먹을 수 있다.

₩ 간고등어정식(2인 2만8천원), 안동찜닭(한마리 3만5천원), 가족한상(6만원), 하회한상(5만원), 민속한상(4만원)

⏲ 09:30~18:00 – 연중무휴

Q 경북 안동시 풍천면 전서로 214-6

☎ 054-853-0521 Ⓟ 불가

경상북도 영덕군

선미횟집 생선회 | 물회

자연산 회를 맛볼 수 있는 곳. 물회가 맛있는 집으로도 유명하며 반찬으로 나오는 꾸다리무침, 보리멸치볶음, 가자미식해 등은 다른 곳에서는 맛보기 어려운 별미다.

₩ 자연산활어회(소 5만원, 중 6만원, 대 8만원, 특대 10만원), 잡어, 광어(각 6만원), 물회(2만원)

⏲ 09:00~21:00 – 비정기적 휴무

Q 경북 영덕군 영덕읍 노물길 17

☎ 054-733-7539 Ⓟ 가능

정직한바다횟집 생선회 | 대게

고래불해수욕장 인근에서 40년 이상 운영해온 맛집. 신선한 회를 된장과 마늘, 고추장을 넣어 만든 소스에 찍어 먹는 맛이 좋다. 대게철에는 대게탕도 맛볼 수 있다.

₩ 모둠회(소 7만원, 중 9만원, 대 12만원, 특대 15만원), 바다횟집스페셜(18만원), 붉은대게탕(6만원), 대게탕(중 7만원, 대 10만원)

⏲ 10:00~22:00 – 비정기적 휴무

Q 경북 영덕군 병곡면 병곡1길 88

☎ 054-733-2037 Ⓟ 가능

죽도산 대게

강구항 대게거리에 즐비하게 있는 대게 전문점 중에서도 깊은 안쪽에 자리한 곳이다. 대게 철인 겨울에 방문하면 실한 대게를 맛볼 수 있다. 40여 년 전통을 자랑하는 영덕대게 전문점이다.

₩ 대게(시가)

⏲ 09:30~21:00(마지막 주문 20:00) – 연중무휴

Q 경북 영덕군 강구면 강구대게길 47-1

☎ 054-733-4148 Ⓟ 발레 파킹

진일대게회 물회 | 대게

품질 좋은 대게를 부담 없는 가격에 맛볼 수 있는 곳. 동해의 일출을 바로 바라볼 수 있는 곳에 자리 잡고 있어서 분위기 좋은 식사가 가능하다. 싱싱한 모둠 회와 전복 회도 일품이다.

₩ 대게(시가), 대게장볶음밥(2천원), 모둠회(소 7만원 중 10만원 대 13만원 특 16만원), 전복회(10만원)

⏲ 09:00~21:00 – 월요일 휴무

Q 경북 영덕군 영덕읍 영덕대게로 894

☎ 054-734-1205 Ⓟ 가능

태보회대게 대게 | 생선회

강구항과 해맞이공원 사이의 한적한 해변에 있는 곳으로, 대게와 자연산 생선회를 즐길 수 있다. 얼음이 담긴 그릇 위에 구멍이 뚫린 접시가 올려지고 그 위에 회를 내오기 때문에 신선함이 유지된다. 커다란 유리창 밖으로는 동해 바다가 펼쳐진다. 식사 후에는 바닷가에 있는 파라솔에서 커피를 마시면 좋다. 민박도 겸하고 있다.

₩ 자연산모둠회(소 6만원, 중 8만원, 대 10만원), 물회, 회밥, 전복죽(각 2만원), 대게탕(5만원), 대게(시가)

⏲ 07:00~23:00 – 연중무휴

Q 경북 영덕군 영덕읍 영덕대게로 664

☎ 054-732-8010 Ⓟ 가능

화림산가든 은어 | 참게 | 민물매운탕

은어 낚시의 명소로 유명한 영덕 오십천에서 직접 잡은 자연산 은어를 재료로 사용한다. 7월이 영덕 금태은어를 맛보기 가장 좋은 때다. 민물 참게를 갈아 만든 참게탕도 얼큰한 맛을 자랑한다.

₩ 참게탕(소 3만원 ,중 3만5천원, 대 4만5천원), 메기탕(소 2만5천원, 중 3만5천원 ,대 4만5천원), 꿩탕(중 3만5천원, 대 4만5천원)

⏲ 11:00~22:00 – 일요일, 명절 휴무

Q 경북 영덕군 영덕읍 강변길 366

☎ 054-734-0945 Ⓟ 가능

경상북도 영양군

맘포식당숯불갈비 소고기구이 | 돼지고기구이

질 좋은 한우를 저렴하게 먹을 수 있는 곳. 반찬도 여러 가지 정갈하게 나온다. 빨갛게 양념되어 나오는 돼지고기주물럭도 인기 메뉴다.

Ⓦ 갈빗살숯불구이, 등심숯불구이(각 150g 3만3천원), 돼지주물럭, 돼지곱창(각 200g 1만4천원)

🕒 11:00~22:00 – 명절 휴무

🔍 경북 영양군 영양읍 시장3길 15

☎ 054-683-2339 Ⓟ 가능

음식디미방 🎀 한정식

여중군자 장계향 선생의 업적을 기려 한글 조리서 음식디미방에 소개된 전통음식 가운데 70여 종을 현대적 의미로 재해석하여 전통 한정식 메뉴로 정착시켜 체험 프로그램을 운영하고 있다. 최소 10인 이상 예약제로 운영된다.

Ⓦ 정부인상코스(5만5천원), 소부인상코스(3만3천원)

🕒 12:00~14:00/18:00~20:00 – 명절, 월요일 휴무

🔍 경북 영양군 석보면 두들마을길 66

☎ 054-682-7764 Ⓟ 가능

음식디미방

경상북도 영주시

마당숯불갈비 소고기구이 | 돼지갈비

숯불에 구워 먹는 갈비구잇집으로, 한우 숯불 거리에 위치해 있다. 돼지갈비가 대표 메뉴며, 한우로 유명한 영주의 한우 갈빗살도 인기 메뉴다. 된장찌개 주문 시 공깃밥이 함께 나온다.

Ⓦ 돼지갈비(200g 1만1천원), 삼겹살(150g 1만3천원), 한우생갈빗살(150g 3만3천원), 옛날불고기(200g 1만5천원), 된장찌개(1천원)

🕒 12:00~22:00 – 명절 당일 휴무

🔍 경북 영주시 번영로173번길 7(영주동)

☎ 054-631-5044 Ⓟ 가능

부석사식당 백반

영주 부석사 앞에 있는 식당으로, 40여 년 전에는 부석사 앞의 유일한 밥집이었다고 한다. 푸짐한 양의 산채비빔밥이 대표 메뉴며 비빔밥과 함께 구수한 청국장이 나온다.

Ⓦ 산채비빔밥(1만원), 산채버섯두부전골(2인 3만원), 간고등어정식(2인 2만6천원), 파전(1만3천원), 감자전, 도토리묵무침(각 1만2천원)

🕒 10:00~19:00 – 연중무휴

🔍 경북 영주시 부석면 부석사로 317

☎ 054-633-3317 Ⓟ 가능

뷔네커피바 BUHNE 위스키바 | 커피전문점

고급스러운 분위기의 커피전문점으로, 커피바를 표방한다. 다양한 종류의 원두로 내리는 핸드드립커피 뿐만 아니라 위스키도 맛볼 수 있다. 원두와 위스키를 취향에 맞게 추천 받을 수도 있다.

Ⓦ 드립커피(6천원~8천5백원), 비엔나(7천원), 더치라테(6천5백원), 더치커피(6천원), 레몬시소에이드(5천5백원)

🕒 12:00~24:00(마지막 주문 23:30) – 연중무휴(휴무 시 인스타그램 공지)

🔍 경북 영주시 대학로 142 한솔빌딩 1층

☎ 0507-1449-664 Ⓟ 불가

서부냉면 🎀🎀 소불고기 | 평양냉면

50여 년 역사의 냉면집. 순면 함량이 상당히 높은 편이고 육수도 진한 색에 비해 무겁지 않은 깔끔한 맛을 보여 준다. 소백산 주변의 토종 메밀을 통 메밀로 보관해 두었다가 가루로 빻아 사용하기 때문에 면발이 신선하고 메밀 향이 짙다. 냉면 국물은 한우 사골과 양지 삶은 국물에 알맞게 익은 동치미 국물을 배합한다. 한약재를 넣은 육수의 맛은 호불호가 갈릴 수도 있다. 한우불고기의 맛도 수준급이다.

Ⓦ 메밀냉면(1만2천원, 곱빼기 1만6천원), 한우불고기(2인 이상, 1인 200g 2만원)

🕒 11:00~19:00 – 비정기적, 명절 휴무

🔍 경북 영주시 풍기읍 인삼로3번길 26

☎ 054-636-2457 Ⓟ 가능

서부불고기 🎀 소불고기 | 소고기구이 | 돼지고기구이

귀환길 열차를 타기 전 들른다는 식당으로, 40년이 넘는 역사를 자랑한다. 감칠맛 나는 양념이 일품인 등심불고기가 대표 메뉴다. 매콤하게 양념한 돼지주물럭도 인기 메뉴.

Ⓦ 갈빗살(200g 3만6천원), 등심불고기(200g 1만5천원 100g 7천5백원), 돼지주물럭(250g 9천원), 냉면(8천원)

🕒 11:30~14:00/17:00~20:30(마지막 주문 20:00) – 비정기적 휴무

경북 영주시 풍기읍 동성로 102-20
☎ 054-636-2649 Ⓟ 가능

순흥전통묵집 묵밥

50년간 가마솥에서 메밀묵을 쑤어온 집. 처음에는 묵채만 내었으나 식사를 원하는 사람을 위해 조밥을 곁들인 묵밥을 내놓게 되었다. 묵밥을 주문하면 조밥 한 그릇에 참기름과 깨소금을 넣고 멸치 국물을 부은 묵사발이 한 그릇 나온다.

₩ 전통묵밥(9천원)
⏲ 10:00~19:00(마지막 주문 18:30) - 명절 휴무
경북 영주시 순흥면 순흥로39번길 21
☎ 054-634-4614 Ⓟ 가능

우리복어식당 복

40여 년 전통의 복어 전문점. 저렴한 가격에 푸짐하게 복어를 먹을 수 있다. 복어매운탕에는 콩나물이 잔뜩 들어 있는데 콩나물을 따로 건져내어 참기름과 양념을 넣고 버무려 먹으면 일품이다.

₩ 복매운탕(1만원), 황복매운탕(1만2천원), 생복매운탕(1만5천원), 복껍질, 복수육, 복불고기(각 2만원)
⏲ 11:00~21:00 - 둘째, 넷째 주 월요일 휴무
경북 영주시 번영로 177(영주동)
☎ 054-631-0011 Ⓟ 불가

일월식당 일반중식

경북 부석사 가는 길에 위치한 조그마한 마을의 수타면 전문점. 옛날 방식의 짜장면에 고춧가루를 뿌려 먹으면 맛있기로 알려져 있다. 모든 면을 직접 손으로 만들어서 면발이 탄력이 있고 식감이 쫄깃하다.

₩ 짜장면(6천원), 짬뽕, 우동, 짬뽕밥(각 7천원)
⏲ 11:00~16:00/17:00~19:00 - 연중무휴
경북 영주시 부석면 부석로 25-1
☎ 054-633-3162 Ⓟ 불가

종점식당 일반한식 | 산채정식 | 닭백숙

남원 출신인 주인의 전라도 음식 솜씨가 뛰어나다. 청국장이 따라나오는 산채비빔밥과 산더덕에 된장찌개를 곁들이는 산채정식이 메인메뉴다. 봄과 여름에는 된장찌개를, 가을과 겨울에는 청국장찌개를 준비한다.

₩ 산채비빔밥(1만원), 산채정식(2인 이상, 1인 1만2천원), 간고등어정식(2인 이상, 1인 1만4천원), 토종닭백숙(6만원), 감자전(1만1천원), 산더덕구이(3만원)
⏲ 08:00~22:00 - 연중무휴
경북 영주시 부석면 부석사로 319
☎ 054-633-3606 Ⓟ 가능

중앙식육식당 소고기구이 | 막국수

갈빗살로 유명한 집. 메뉴는 갈빗살과 막국수 두 가지다. 영주 지역은 고기를 잡아 숙성을 시키지 않은 상태에서 먹는 것이 특징이며, 숙성된 살과는 다른 묘미가 있다. 주문 즉시 고기를 손질해 내기 때문에 신선한 고기를 즐길 수 있다.

₩ 갈빗살(150g 3만원), 안창살(150g 3만5천원), 막국수(5천원)
⏲ 11:00~22:00 - 첫째 주 월요일, 명절 당일 휴무
경북 영주시 중앙로 113-1(하망동)
☎ 054-631-3649 Ⓟ 불가

태극당 베이커리

영주에서는 잘 알려진 오래된 빵집. 한때는 포항의 시민제과, 안동의 맘모스제과와 함께 경북 3대 베이커리에 꼽히기도 했다. 현재 아들이 이어받아 2대째 운영하고 있다. 직접 앙금을 만들어 넣은 단팥빵이 맛있으며 카스텔라인절미가 독특한 메뉴다.

₩ 카스텔라인절미(8조각 2천5백원원, 70조각 1만6천원, 140조각 3만원), 어니언베이글(4천원), 과일크루아상(3천원), 크루아상(2천원), 아이스아메리카노(3천5백원)
⏲ 08:00~21:00 - 일요일 휴무
경북 영주시 번영로 154(하망동)
☎ 054-633-8800 Ⓟ 불가

풍기삼계탕 삼계탕

40년이 넘는 역사를 자랑하는 삼계탕집. 1백여 마리가 들어가는 무쇠솥에 한 번에 많은 양을 넣어 삶는 것이 맛의 비결이다. 삼계탕과 잘 어울리는 인삼주를 곁들이면 좋다.

₩ 삼계탕(1만4천원), 홍삼삼계탕(1만9천원), 닭똥집(1만2천원)
⏲ 11:30~14:00/17:30~20:00 - 첫째, 셋째 주 일요일 휴무
경북 영주시 중앙로 130(하망동)
☎ 054-631-4900 Ⓟ 불가

풍기인삼갈비 소갈비 | 돼지갈비

갈비와 풍기 인삼에 영주 사과까지 한 상에 차려내는 인삼갈빗집. 상 위에 인삼 향기가 가득하다. 고기의 질이 좋은 편이며 갈비찜과 누룽지탕, 음료수 등이 나오는 세트메뉴도 추천할 만하다.

₩ 한우갈빗살(100g 2만5천원), 한우인삼불고기(150g 1만5천원), 인삼돼지갈비(150g 1만원), 인삼갈비탕(1만5천원, 특 1만8천원), 육회비빔밥(1만2천원, 특 1만5천원), 한우육회(100g 1만3천원, 200g 2만5천), 원기회복탕(2만3천원)
⏲ 09:00~20:30 - 연중무휴
경북 영주시 풍기읍 소백로 1933
☎ 054-635-2382 Ⓟ 가능

한결청국장 청국장

기계를 쓰지 않고 전통 방법으로 담근 청국장을 맛볼 수 있는 곳. 청국장 특유의 쿰쿰한 냄새가 적고 깔끔하다는 평. 식사류에

3천원을 추가하면 솥밥으로 변경할 수 있다.
₩ 청국장정식(1만3천원), 돼지불고기(2인 이상, 1인 1만9천원), 매운돼지갈비찜(2인 이상, 1인 2만3천원), 보리굴비(1마리, 2만9천원), 솥밥변경(3천원)
◷ 08:30~15:00/17:00~20:00 – 수요일 휴무
🔍 경북 영주시 풍기읍 인삼로 1-1
☎ 054-636-3224 Ⓟ 불가(공영주차장 이용)

경상북도 영천시

삼송꾼만두 만두
영천에서 잘 알려진 만둣집. 만두소는 수분을 최대한 빼서 수분기가 없도록 만들었다. 군만두는 삶은 만두로 튀기는 것이 특징이다. 단무지를 간장에 찍어 군만두에 올려 먹는 것이 군만두를 제대로 먹는 방법으로 통한다.
₩ 군만두(6개 7천원)
◷ 09:00~19:00(재료 소진 시 마감) – 둘째, 넷째 주 화요일 휴무
🔍 경북 영천시 중앙동1길 12(문외동)
☎ 054-333-8806 Ⓟ 가능

포항할매집 🎀 곰탕
3대를 이어오는 오래된 곰탕집. 영천시장 안 곰탕골목의 원조집 중 하나다. 머릿고기, 볼살, 갈비뼈, 양천엽 등 여러 부위의 고기를 넣고 푹 곤 국물이 맑으면서도 감칠맛 있다. 곰탕은 뚝배기에 밥을 토렴해서 내온다.
₩ 한우소머리곰탕(1만원), 소머리곰탕, 양곰탕(각 9천원), 돼지곰탕(8천원), 소모둠수육, 돼지수육(각 소 1만8천원, 대 2만3천원)
◷ 07:00~20:00(마지막 주문 19:30) – 매월 1일, 15일 휴무
🔍 경북 영천시 시장4길 52(완산동) 영천공설시장 제2지구
☎ 054-334-4531 Ⓟ 불가

화평대군 육회
영천 토박이 사이에서 육회가 맛있기로 소문난 곳. 한우로 만든 육회가 입에 착 달라붙는다. 같이 나오는 채소와 고기 모두 신선하고 반찬도 정갈하다. 육회비빔밥도 많이 찾는다.
₩ 육회(150g 2만원), 육회비빔밥(1인 1만8천원), 소금구이(100g 2만4천원), 소주물럭(150g 1만9천원), 소찌개(2인 이상, 1인 9천원)
◷ 10:00~21:30 | 토, 일요일 10:00~21:00 – 연중무휴
🔍 경북 영천시 최무선로 212(성내동)
☎ 054-334-2514 Ⓟ 가능

경상북도 예천군

단골식당 🎀 순대 | 돼지불고기 | 오징어
불 맛이 강한 돼지불고기, 오징어불고기와 돼지막창 순대가 유명한 곳. 식사시간에는 줄을 서서 기다려야 할 정도다. 용궁생막걸리를 곁들이면 더욱 좋다. 상주에서는 아들이 분점을 하고 있는데 역시 인기가 높다.
₩ 오징어불고기, 돼지불고기(각 1만2천원), 막창양념구이(9천원), 모둠순대(1만3천원), 따로순대국밥(8천원)
◷ 09:00~21:00(마지막 주문 20:30) – 연중무휴
🔍 경북 예천군 용궁면 용궁시장길 30
☎ 054-653-6126 Ⓟ 불가

박달식당 순대국밥 | 순대
순대 위주의 메뉴를 선보이는 곳으로, 순대와 순대국밥이 인기 있다. 막창으로 만든, 독특한 느낌의 막창순대는 이 집만의 별미다. 연탄에 구운 매콤한 오징어탄구이도 추천할 만하다.
₩ 박달순대국밥(8천원), 순대랑수육(1만3천원), 오징어탄구이(1만2천원), 치즈곱창탄구이(1만4천원)
◷ 10:00~21:00(마지막 주문 20:00) – 월요일 휴무(월요일이 공휴일인 경우 화요일 휴무)
🔍 경북 예천군 용궁면 용궁로 77
☎ 054-652-0522 Ⓟ 가능

박달식당

백수식당 육회 | 육사시미 | 소고기구이
질 좋은 예천 한우육회를 맛볼 수 있다. 뭉티기(육사시미)도 맛볼 수 있으며 신선한 채소와 육회가 조화를 이루는 육회비빔밥도 인기 메뉴다.
₩ 육회(300g 3만5천원), 뭉티기육회(230g 3만5천원), 육회비빔밥(1만4천원, 특대 1만7천원), 등심구이(300g 5만8천원), 소불고기(400g 3만원)
◷ 11:00~19:00 – 화요일, 명절 휴무
🔍 경북 예천군 예천읍 충효로 284
☎ 054-652-7777 Ⓟ 가능

새대구숯불구이 육회 | 육사시미 | 소불고기

예천 한우를 전문으로 하는 곳으로, 숯불에 구워 먹는 불고기가 유명한 집이다. 소불고기에는 다진 마늘 양념이 듬뿍 올라가는 것이 특징이며, 육사시미, 육회 등도 신선하며 숯불에 양념 삼겹살을 구워 먹기에도 좋다. 40여 년간 3대로 내려오는 역사를 자랑한다.

₩ 특불고기(150g 2만5천원), 소불고기(150g 1만8천원), 육회(250g 3만원)
⏲ 11:30~15:00/17:00~21:30(마지막 주문 20:30) – 월요일 휴무
Q 경북 예천군 예천읍 시장로 61
☎ 054-654-1547 Ⓟ 가능

흥부네토종한방순대 순댓국 | 순대

막창순대로 유명한 곳으로 제대로 된 순대를 즐길 수 있다. 고소한 막창순대는 채소와 찹쌀이 들어가 쫄깃쫄깃한 맛을 자랑한다. 석쇠에 구워 먹는 매콤한 오징어석쇠구이도 별미다.

₩ 순대국밥(8천원), 순대(1만3천원), 머릿고기, 오징어석쇠구이(각 1만2천원), 순대양념볶음(2만5천원)
⏲ 09:00~21:00 – 셋째 주 수요일 휴무
Q 경북 예천군 용궁면 용궁로 131
☎ 054-653-6210 Ⓟ 가능

경상북도 울릉군

99식당 홍합 | 해물

울릉도의 진미를 보여 주는 집. 오징어내장탕, 따개비밥, 홍합밥 등 울릉도 특산 요리를 전문으로 한다. 약초해장국이 인기 있으며 뱃멀미에도 좋다고 한다. 홍합과 비슷한 따개비를 쌀과 함께 볶은 따개비밥도 울릉도 토속메뉴다. 부둣가에서 횟감을 사오면 이곳에서 회를 직접 떠주기도 한다.

₩ 오징어내장탕, 약초해장국(각 1만4천원), 홍합밥, 따개비밥(각 1만8천원), 홍합죽, 따개비죽(각 2만5천원)
⏲ 06:00~21:00 – 비정기적 휴무
Q 경북 울릉군 울릉읍 도동길 89 ☎ 054-791-2287 Ⓟ 가능

나리촌식당 산채정식 | 산채비빔밥

울릉도에서 나는 산나물만을 사용하여 토속음식을 하는 곳으로, 야외 테이블에서 동동주와 먹는 여러 가지 전의 맛이 일품이다. 직접 재배한 나물로 만든 산채비빔밥도 맛있다.

₩ 산채정식(2인 이상, 1인 2만5천원), 산채비빔밥(2인 이상, 1인 1만5천원), 감자전, 더덕파전(각 1만5천원), 더덕무침(2만5천원)
⏲ 07:00~19:00 – 수요일 휴무
Q 경북 울릉군 북면 나리1길 31-115
☎ 054-791-6082 Ⓟ 불가

다애식당 홍합

울릉도의 명물인 홍합밥, 따개비밥을 맛볼 수 있다. 같이 나오는 명이나물, 부지깽이나물 등이 인상적이다. 울릉도에서 나는 토종 홍합으로 만든다.

₩ 홍합밥, 홍합죽, 따개비밥, 참소라밥, 산나물밥, 오삼불고기(각 1만8천원), 더덕구이(2만5천원), 전복죽(2만원)
⏲ 07:00~20:00 – 연중무휴
Q 경북 울릉군 울릉읍 도동길 63
☎ 054-791-8862 Ⓟ 불가

산마을식당 산채비빔밥

울릉도에서 나는 산나물로 요리한 산채비빔밥을 먹을 수 있는 곳이다. 고비나물, 부지깽이나물, 생더덕, 취나물 등 여러 가지 울릉도산 나물로 채워진다. 나물을 잘 비벼 시래깃국과 함께 먹으면 일품이다. 뱃길 사정이 나쁘면 문을 열지 않으니 방문 전 전화를 해보는 것이 좋다.

₩ 산채비빔밥(1만3천원), 산채전(1만3천원), 산채정식(3인 이상 예약필수, 1인 3만원)
⏲ 08:30~19:00 – 동절기(12월~2월) 휴무
Q 경북 울릉군 북면 나리길 588
☎ 054-791-4643 Ⓟ 가능

신애분식 칼국수 | 국수

따개비칼국수가 유명한 집. 울릉도 따개비를 써서 맛있다고 한다. 손으로 반죽해 만든 칼국수 면발과 진한 국물 맛이 조화를 이뤄 맛이 좋다. 겨울에는 따개비가 나오지 않아서 영업을 하지 않으니 4월 이후부터 여름이 끝나기 전에 방문하는 것이 좋다.

₩ 따개비칼국수(1만2천원)
⏲ 11:00~14:00 – 동절기 휴무
Q 경북 울릉군 북면 천부1길 2
☎ 054-791-0095 Ⓟ 불가

향우촌 鄕牛邨 곰탕 | 소고기구이

자신의 농장에서 직접 키운 약소만 내놓는 곳이다. 구이용과 국거리용을 구분하여 좋은 부위는 비싸게 받는 대신 나머지는 싼 값에 팔고 있다. 약소머리곰탕은 12시간 이상 곤 곰탕으로, 보양탕으로 인기가 높다. 산채와 약초가 상에 같이 오른다.

₩ 약소구이(130g 3만원), 약소양념불고기(150g 2만3천원), 약소육회(중 3만원, 대 5만원)
⏲ 09:00~20:00 – 일요일, 명절 휴무
Q 경북 울릉군 울릉읍 도동길 186
☎ 054-791-8383 Ⓟ 가능

경상북도 울진군

동심식당 전복죽 | 생선회

정직하게 만들어 내는 맛있는 전복죽을 맛볼 수 있는 곳. 전복, 참깨, 참기름, 쌀이 들어가는 전복죽은 싱싱한 전복과 좋은 참깨, 아무리 바빠도 생쌀을 30분 이상 끓여내는 것이 맛의 비결이라고 말한다.

₩ 전복죽(1만4천원)
⏱ 08:00~15:30(마지막 주문 15:00) – 설날 당일 휴무
🔍 경북 울진군 후포면 후포로 244-2
☎ 054-788-2557 Ⓟ 가능

죽변우성식당 생선매운탕 | 곰치

물곰국을 비롯한 다양한 생선매운탕을 맛볼 수 있는 곳. 어부들이 배에서 돌아와서 식사하는 집으로 유명하다. 대표 메뉴인 물곰국은 신선한 곰치가 들어간 탕으로, 신 김치를 넣어 얼큰칼칼한 맛을 낸다. 모든 메뉴는 2인분 이상 주문해야 한다.

₩ 물곰국(2인 이상, 1인 시가), 가자미찌개, 장치조림(각 2인 이상, 1인 1만2천원), 도루묵찌개(2인 이상, 1인 1만3천원)
⏱ 07:00~15:00 – 월요일, 명절 휴무
🔍 경북 울진군 죽변면 죽변항길 63
☎ 054-783-8849 Ⓟ 가능

죽변우성식당

진해식당 일반한식 | 소고기구이 | 삼겹살

등심 등 소고기와 돼지고기, 육개장 등의 식사메뉴 등 다양한 한식메뉴를 맛볼 수 있는 시골 식당. 차돌박이와 육회가 대표 메뉴며 고기는 기본 3인분 이상 주문해야 한다. 연탄불에 올려 끓여 먹는 된장찌개의 맛도 좋다. 연탄불에 올라가는 오래된 철망이 오랜 역사를 말해주는 듯하다.

₩ 차돌박이(150g 2만원), 삼겹살(150g 1만4천원), 돼지갈비(200g 1만5천원), 차돌삼합(2만8천원), 육회(소 3만원, 중 4만원, 대 5만원), 육개장(1만1천원)
⏱ 11:00~14:00/17:00~22:00 – 비정기적 휴무
🔍 경북 울진군 죽변면 죽변중앙로 160-25
☎ 054-783-7203 Ⓟ 가능

경상북도 의성군

달빛레스토랑 RESTAURANT DAL BICH 경양식

의성 마늘의 풍미가 담긴 음식을 선보이는 경양식 레스토랑. 와인 소스가 곁들여지는 마늘돈가스와 알싸한 마늘 향이 가득한 오일파스타가 시그니처 메뉴다. 페이스트리 도우를 사용하는 수제 페페로니피자는 이곳에서만 맛볼 수 있는 독특한 메뉴.

₩ 의성마늘돈가스(1만5천원), 갈릭오일파스타(1만1천원), 베이컨크림파스타(1만3천원), 페페로니피자(1만6천원)
⏱ 12:00~15:00/17:00~20:00 – 월요일 휴무
🔍 경북 의성군 안계면 소보안계로 2070
☎ 054-862-2292 Ⓟ 불가

경상북도 청도군

다사랑 일반한식 | 산채비빔밥

가마솥정식을 시키면 두부, 미나리전, 불고기, 돌솥밥 등 푸짐하게 한상이 나온다. 산채비빔밥도 많이 찾는 메뉴. 실외 평상에서 먹으면 좋은 공기와 함께 건강해지는 느낌이다.

₩ 가마솥정식(1만2천원), 비빔밥(9천원), 부추전, 미나리전(각 중 6천원, 대 8천원), 촌두부(8천원), 불고기(1만5천원)
⏱ 11:00~20:00 – 명절 휴무
🔍 경북 청도군 각북면 헐티로 1342
☎ 054-373-9080 Ⓟ 가능

산동관 소불고기 | 소고기구이

금천 한우를 전문으로 하는 고깃집. 두툼하게 썰어서 내는 주먹시(토시살) 고기가 유명하다. 한우불고기는 커다란 냄비에 육수를 붓고 당면과 채소, 버섯 등을 넣어 푸짐하게 끓여 내는 스타일이다. 직접 농사를 지어 만든 반찬도 깔린다. 시골 손맛을 느끼게 하는 시래기 된장국 맛도 일품.

₩ 주먹시(3만8천원), 갈비살(2만8천원), 불고기(1만5천원), 육회(3만원)
⏱ 07:00~21:00 – 연중무휴
🔍 경북 청도군 금천면 금천로 55
☎ 054-372-3215 Ⓟ 가능

소나무식당 청국장
국산 콩으로 직접 만든 메주를 재료로 하는 청국장집이다. 청국장에 들어가는 두부와 채소도 모두 직접 만들고 재배하는 유기농재료이기 때문에 안심하고 먹을 수 있다.
ⓦ 청국장정식, 촌된장정식(각 9천원), 코다리찜(1만원), 오리백숙(5만원), 한방닭백숙(소 4만3천원, 대 4만8천원)
🕒 10:00~20:00(마지막 주문19:00) – 비정기적 휴무
🔍 경북 청도군 각북면 오산4길 29
☎ 054-373-7566 Ⓟ 가능

시골집 찜닭 | 닭백숙
웅치기 전문점. 청도에서는 닭 한 마리를 요리해 먹는 것을 옹치기 해먹자고 한다고 한다. 닭불백숙은 닭다리는 백숙으로 고아내고 나머지 부위는 잘게 다져서 불고기로 구워낸다. 매콤한 맛이 입맛을 돋우어 준다. 찜닭과 비슷한 맛이다.
ⓦ 웅치기(한 마리2만5천원, 한 마리 반 3만5천원), 청송약수백숙죽(2인 이상, 1인 1만3천원), 박봉김밥(4천원)
🕒 11:00~19:00 – 월, 목요일, 공휴일 휴무
🔍 경북 청도군 청도읍 고수동5길 18
☎ 054-373-0303 Ⓟ 가능

안압정 한정식
좋은 재료를 사용한 음식을 맛볼 수 있는 한정식 전문점. 정식에는 육회비빔밥과 버섯비빔밥 중 선택할 수 있으며 생고기나 육회 등의 추천 메뉴를 추가할 수 있다. 2022년 대구에서 청도로 이전하였다.
ⓦ 보리굴비정식, 육회밥정식, 버섯밥정식(각 2만5천원), 간장게장정식(3만5천원), 생고기(5만원), 육회, 홍어(각 4만원), 양갈비(4대 5만원)
🕒 11:30~20:00 – 월요일 휴무
🔍 경북 청도군 화양읍 연지안길 33-11
☎ 054-371-3533 Ⓟ 가능

역전추어탕 추어탕
청도역 앞에 있는 추어탕 전문점으로, 60년 역사를 자랑하는 곳이다. 추어탕에는 미꾸라지 외에도 여러 가지 민물고기가 함께 들어가는 것이 특징이다. 바삭하게 튀겨낸 미꾸라지튀김도 별미로 즐기기 제격이다.
ⓦ 전통추어탕(9천원), 미꾸라지튀김(중 1만원, 대 1만5천원)
🕒 07:00~21:00 – 연중무휴
🔍 경북 청도군 청도읍 청화로 204
☎ 054-371-2367 Ⓟ 가능

원조청도추어탕고디탕 추어탕 | 다슬기
경상도식 추어탕을 끓이는 곳. 맑은 국물에 간을 알맞게 한 추어탕이 깔끔하고 맛이 좋다. 경상도 사투리로 고디라고 불리는 다슬기를 넣고 끓인 고디탕도 고소한 맛이 별미다.
ⓦ 추어탕, 고디탕(각 9천원), 미꾸라지튀김(소 1만원, 대 1만5천원)
🕒 06:30~21:00 – 연중무휴
🔍 경북 청도군 청도읍 청화로 211
☎ 054-371-5510 Ⓟ 불가

의성식당 추어탕
제대로 된 경상도식 추어탕을 맛볼 수 있다. 미꾸라지를 통째로 갈아 넣고 계절에 따른 잡어를 갈아 넣어 걸쭉하고 진한 맛을 자랑한다. 맑고 하얀 국물을 띠는 것이 특징이다. 일대에서 청도민물추어탕의 원조 격인 집으로, 60여 년의 역사를 지니고 있다.
ⓦ 추어탕(9천원)
🕒 07:00~20:00 – 연중무휴
🔍 경북 청도군 청도읍 청화로 204
☎ 054-371-2349 Ⓟ 불가

할매김밥 김밥
마약김밥으로 유명한 청도의 김밥 전문점. 양념한 단무지와 기타 재료들을 넣어 김밥을 만든다. 재료는 단순하지만 그 맛이 일품이다. 예약을 하지 않으면 못 먹을 정도로 인기가 많다. 재료가 소진되면 영업시간과 상관 없이 문을 닫는다.
ⓦ 김밥(6줄 4천원)
🕒 10:30~17:00 – 토, 일요일, 공휴일 휴무
🔍 경북 청도군 청도읍 고수동4길 15-3
☎ 054-371-5857 Ⓟ 불가

경상북도 청송군

달기약수촌 닭백숙
2대가 이어 가는 전통 향토음식 전문점이다. 달기약수에 토종닭 등을 넣어 만든 백숙은 몸보신에 좋아 인기가 많다. 닭가슴살에 양념을 해 석쇠에 구워낸 닭불고기와 백숙이 함께 나온다. 불백숙을 주문하는 것도 좋다.
ⓦ 토종닭상황버섯백숙, 토종닭능이버섯백숙(각 2인 5만5천원, 3~4인 7만원), 토종닭엄나무백숙(2인 4만5천원, 3~4인 6만원), 토종닭불백숙(1인 2만5천원), 오리능이버섯백숙(1마리 7만5천원)
🕒 10:00~20:00 – 연중무휴
🔍 경북 청송군 청송읍 약수길 54-5
☎ 054-873-2662 Ⓟ 가능

명궁약수가든 닭백숙
누룽지 백숙 전문점. 식당 옆 약수터에서 나오는 약숫물에 찹쌀, 닭 다리, 녹두, 대추 등을 넣고 푹 끓여 내며, 산삼배양근까지 들

어 있어 보양식으로 그만이다. 누룽지불백숙과 닭불백숙에는 닭불고기가 포함되어 나오며, 청송의 사과로 만든 사과 깍두기 반찬도 매콤 달콤한 맛이다.

₩ 누룽지불백숙(2만1천원), 닭불백숙(1만7천원), 닭불고기(1만3천원), 닭날개구이(1만9천원)

⏲ 09:40~20:00(마지막 주문 19:30) – 둘째, 넷째 주 목요일 휴무(7, 8월은 휴무 없음)

🔍 경북 청송군 진보면 경동로 5156

☎ 054-874-0033 Ⓟ 가능

신촌식당 닭백숙

약수로 유명한 청송에서 청송약수를 사용하여 만든 닭백숙과 닭불고기로 유명한 집이다. 자리에 앉으면 푸짐하게 차린 상을 통째로 가져다 준다. 닭불백숙이 주메뉴로, 닭고기를 다져 양념을 해서 석쇠에 구운 것과 닭다리가 들어 있는 닭백숙이 나온다.

₩ 닭불백숙(2인 이상, 1인 1만7천원), 닭백숙, 닭불고기(각 1인 1만3천원), 닭날개(1만9천원)

⏲ 10:00~20:30 – 연중무휴

🔍 경북 청송군 진보면 신촌약수길 18

☎ 054-872-2050 Ⓟ 가능

청송닭백숙 닭백숙

청송의 달기약수 중탕을 끼고 있는 집으로 일대의 다른 곳들과 동일하게 달기약수를 사용한 닭불고기, 닭백숙을 내고 있다. 불백숙을 주문하면 잘 다진 닭가슴살에 고추장 양념을 더해 석쇠에 굽는 닭불고기와 닭백숙을 함께 맛 볼 수 있다.

₩ 한방토종닭백숙(4만5천원), 불백숙(1인 2만5천원)

⏲ 비정기적(전화 확인) – 비정기적 휴무(전화 확인)

🔍 경북 청송군 청송읍 약수길 14

☎ 054-873-1565 Ⓟ 가능(가게 앞 주차장)

청송닭백숙

경상북도 칠곡군

만리궁 일반중식

야키우동으로 유명한 중식당이다. 갖가지 해산물과 채소가 들어간 야키우동은 땀이 절로 나올 정도로 맛있게 맵다. 마무리로 밥을 비벼 먹으면 좋다.

₩ 짬뽕밥, 야키우동(각 1만1천원), 야키밥(1만2천원), 짜장면(6천원), 짜장밥(8천원), 짬뽕(1만원)

⏲ 10:00~16:00 – 일요일 휴무

🔍 경북 칠곡군 왜관읍 석전로12길 7

☎ 054-974-1121 Ⓟ 불가

백년찻집 🎀 전통차전문점

팔공산에 자리 잡은 전통찻집이다. 전통 한옥건물에 넓은 정원까지 있어 분위기가 좋다. 조명이 은은한 실내에서 차 한잔의 여유를 느낄 수 있다. 한지로 만든 아름다운 등공예와 아기자기한 다기로 꾸며져 있다.

₩ 백년차, 대추차, 솔잎차, 우전, 보이차, 오룡차(각 8천원), 석류차, 계피차, 수정과, 매실차, 오미자차, 장미차, 국화차, 세작(각 7천원)

⏲ 10:30~24:00 – 연중무휴

🔍 경북 칠곡군 동명면 한티로 573

☎ 054-975-2464 Ⓟ 가능

안심식당 닭백숙

칠곡 지역에서는 예로부터 참옻나무를 사용하여 옻닭을 즐겨 먹었다. 옻을 넣어 끓인 옻닭백숙이 대표 메뉴다. 옻나무 밭에서 기른 오골계를 사용한다. 개운하고 시원한 옻닭 국물에 밥을 말아 먹어도 좋으며 1시간 전에 미리 전화로 주문하고 가는 것이 좋다.

₩ 능이오리백숙(7만3천원), 능이백숙(소 6만4천원,대 6만9천원), 옻닭(소 5만4천원, 대 5만9천원)

⏲ 11:00~21:00 – 연중무휴

🔍 경북 칠곡군 동명면 송림길 101

☎ 054-976-6464 Ⓟ 가능

경상북도 포항시

40년전통할매손칼국수 🎀 칼국수

1956년부터 손맛을 이어오고 있는 칼국숫집. 칼국수 면을 직접 만들어 쫄깃한 식감을 그대로 느낄 수 있으며, 국물 맛이 시원하다. 오천시장 안에서 조그맣게 장사를 시작했으며, 점점 규모가 커졌다.

₩ 손칼국수(5천원, 곱빼기 6천원)

ⓒ 10:00~15:00(마지막 주문 14:55) | 장날 10:00~16:00 – 월요일 휴무(월요일이 장날인 경우 정상 영업)
🔍 경북 포항시 남구 오천읍 장기로1690번길 16-1
☎ 054-292-0254 Ⓟ 가능

강산식당 아귀

30년 전통의 아귀요리 전문점. 아귀탕, 아귀찜, 아귀수육 등을 맛볼 수 있으며 매장은 2층까지 있다. 아귀요리 외에도 낙지볶음과 물회도 추천할 만하다. 룸과 단체석이 마련되어 있어서 모임에도 좋다.
₩ 아귀탕, 물회, 회덮밥(각 1만7천원), 아귀찜, 낙지볶음, 물가자미회(각 소 4만원, 중 5만원, 대 6만원), 아귀수육(소 7만원, 중 9만원, 대 11만원)
ⓒ 11:00~15:00/16:30~21:30(마지막 주문 20:30) – 일요일 휴무
🔍 경북 포항시 북구 죽도로40번길 21
☎ 054-275-9030 Ⓟ 가능

고래사냥 고래

포항에서 밍크고래로 손꼽히는 집 중 하나. 고래수육과 육회, 불고기, 전골, 두루치기 등 다양한 부위의 고래고기를 다양한 조리법으로 맛볼 수 있다. 모둠을 시키면 12가지 다른 맛의 고래를 즐길 수 있다. 오베기, 우네 등을 고급 부위로 쳐준다. 전화 예약 후 방문하는 것이 좋다.
₩ 고래수육(4만원~10만원), 고래모둠(10만원~20만원), 고래육회, 고래전골(각 소 3만원, 대 5만원), 고래두루치기(1인 5만원), 고래육회밥(1만원)
ⓒ 11:30~23:30 – 비정기적, 일요일 휴무
🔍 경북 포항시 남구 대이로127번길 18-6(이동)
☎ 054-275-5293 Ⓟ 가능

까꾸네모리국수 국수

생선과 해물이 들어간 국수. 50년이 넘게 쌓인 할머니의 노하우가 들어간 손맛을 느낄 수 있다. 국수 양이 매우 푸짐한 편이다.
₩ 모리국수(2인 1만5천원, 3인 2만5백원, 4인 2만6천원, 5인 3만2천5백원, 6인 3만9천원, 7인부터 6천5백원추가)
ⓒ 10:30~17:00 – 연중무휴
🔍 경북 포항시 남구 구룡포읍 호미로 239-13
☎ 054-276-2298 Ⓟ 불가

논실커피로스터스 nonsil 커피전문점 | 베이커리

아늑하면서도 고풍스러운 분위기로 꾸민 카페. 핸드드립 커피가 대표 메뉴로, 산지별 원두를 다양하게 갖추고 있어 선택의 폭이 넓다. 케이크를 비롯해 빵 종류도 다양해 커피에 곁들이기 좋다.
₩ 아메리카노(5천원), 카푸치노, 카페라테(각 6천원), 핸드드립커피(7천원, 8천원), 더치커피(7천5백원~8천원), 더블토스트, 녹차코코넛빵(각 6천원)
ⓒ 11:00~22:00 – 월요일, 첫째 주 일요일, 명절 휴무
🔍 경북 포항시 남구 희망대로514번길 46(대잠동)
☎ 054-274-4258 Ⓟ 가능

다락방 과메기

과메기를 전문으로 하는 곳. 과메기는 양념과 생미역, 파 등을 포함해서 포장이 가능하다. 과메기 외에 코다리찜, 두루치기 등 입맛 살리는 안주메뉴로 가득하다. 10월부터 과메기 철 동안만 영업하므로 방문 전에 확인해야 한다.
₩ 과메기(2만5천원), 돼지두루치기(2만3천원), 알탕(2만원), 파전(1만5천원)
ⓒ 17:00~24:00 – 4~11월 휴무
🔍 경북 포항시 북구 양학천로 39(죽도동)
☎ 054-283-1915 Ⓟ 불가

라멘묘조 ラーメンみょうじょう 라멘

닭 육수로 끓인 토리파이탄 라멘만을 선보이는 곳 토리파이탄 라멘은 특선에는 간장으로 조린 목살 차슈와 김, 멘마가 추가된다. 자리는 카운터석과 2인석, 4인석 테이블이 마련되어 있다.
₩ 토리파이탄라멘(기본 9천원, 특선 1만1천원), 카라파이탄(1만원)
ⓒ 11:30~15:00/17:30~20:30 – 일요일 휴무
🔍 경북 포항시 북구 장량로 140
☎ 070-7766-2734 Ⓟ 불가

로타리냉면 평양냉면

처음에는 냉면모리로 시작하였던 곳으로, 한우로 만드는 육수가 맛있다. 사골, 양지머리, 파, 양파 등의 재료를 넣고 푹 끓여낸다. 비빔냉면 맛도 좋은 편.
₩ 물냉면, 비빔냉면(각 1만원), 사리(4천원), 돼지고기수육(1만5천원)
ⓒ 11:30~19:00(마지막 주문 18:40) – 월요일 휴무(10월~2월)
🔍 경북 포항시 북구 서동로 82
☎ 054-247-2651 Ⓟ 불가

만포갈비 소고기구이 | 소갈비

한우 갈비를 참숯 화로에 구워 부드럽고 고소한 맛이 일품이다. 양념구이의 양념 소스는 18가지 재료를 엄선하여 만든 것으로, 즉석에서 뿌리기 때문에 신선한 고기의 맛을 느낄 수 있다.
₩ 한우명품갈빗살, 명품양념갈빗살(각 100g 2만3천원), 갈빗살, 양념갈빗살(100g 1만8천원), 안창살(100g 2만7천원), 옛날불고기(200g 1만6천원), 육회(200g 3만원, 300g 4만원), 갈비탕(1만1천원)
ⓒ 11:00~22:00 – 명절 휴무
🔍 경북 포항시 남구 양학천로 160(대도동)
☎ 054-272-9366 Ⓟ 가능

명가정통민물장어 장어

전북 고창에 있는 양식장에서 들여오는 싱싱한 장어를 사용하는 곳. 한약재와 간장, 과일, 양념 등을 넣어 이틀 동안 끓인 다음, 다시 한 번 달여낸 소스를 발라가며 구리 석쇠 위에서 참숯

에 굽는다. 소스의 향긋한 맛이 장어의 비린 맛을 없애 구수하고 담백한 장어를 즐길 수 있다.

₩ 장어소금구이, 장어양념구이(각 190g 3만6천원)
⏲ 11:30~20:30 – 명절 당일 휴무
🔍 경북 포항시 북구 청하면 용산길 235
☎ 054-231-3646 Ⓟ 가능

명승원만두 중국만두

만두가 유명한 곳으로, 대만식 통만두를 전문으로 한다. 만두소에 생강이 듬뿍 들어가 뒷맛이 깔끔한 것이 특징. 고추장 양념을 얹은 채소와 통만두(찐만두)가 함께 나오는 비빔만두도 많이 찾는다.

₩ 비빔만두, 만두국(각 7천5백원), 군만두, 통만두, 왕만두(각 6천5백원)
⏲ 11:00~20:00 – 수요일 휴무
🔍 경북 포항시 북구 중앙상가3길 20(상원동)
☎ 054-232-5658 Ⓟ 불가

모모식당 고래

고래고기 전문식당으로 알아주는 집. 바다에서 포획한 고래를 바로 구매하여 전국으로 도매하는 직영점이다. 고래 부위가 다양하여 고래고기의 12가지 맛을 모두 경험할 수 있다. 고래 특유의 향내를 내는 목덜미 부분의 우네, 부드러운 맛의 아가미살, 껍질, 가슴살, 옆구리살, 내장, 꼬리, 고소한 간 등을 맛볼 수 있다.

₩ 고래전골(2인 4만원), 고래수육(소 7만원, 중 10만원, 대 12만원, 특대 15만원), 고래육회(5만원)
⏲ 10:00~20:30 – 연중무휴
🔍 경북 포항시 남구 구룡포읍 호미로 245-31
☎ 054-276-2727 Ⓟ 가능

보경식당 칼국수

즉석에서 홍두깨로 밀어 만들어주는 손칼국수가 인기 메뉴인 곳. 근처 내연산 등산로 입구에 있어 내연산 등산객 사이에 입소문이 났다.

₩ 손칼국수(2인 이상, 1인 8천원), 산채비빔밥(1만원), 토종닭백숙(6만5천원)
⏲ 09:00~20:00 – 연중무휴
🔍 경북 포항시 북구 송라면 보경로 463
☎ 054-262-3664 Ⓟ 가능

삼육식당 닭수육 | 닭무침 | 닭개장

시원한 맛의 닭육수로 만든 닭냉국수가 유명하다. 겨울에는 닭개장을 많이 찾는다. 토종닭을 사용하기 때문에 살이 쫄깃한 닭수육을 곁들이는 것도 좋다. 닭개장 정식을 시키면 반찬이 푸짐하게 깔린다.

₩ 닭개장정식(1만1천원), 닭냉국수, 닭비빔국수(각 1만원), 닭무침(2만8천원), 닭수육(소 1만2천원, 대 2만4천원)
⏲ 10:30~20:00(마지막 주문 19:20) – 명절 휴무
🔍 경북 포항시 남구 오천읍 문덕로43번길 6-4
☎ 054-292-3999 Ⓟ 가능

설머리횟집 생선회 | 물회

물회를 전문으로 하는 곳으로, 자연산 물회도 맛볼 수 있다. 물회에 공깃밥과 국수사리, 비법 육수를 추가한 설머리물회가 인기 메뉴다. 설머리스페셜을 시키면 소고기 편백 찜, 자연산 회, 자연산 물회에 다양한 곁들이 음식이 나온다.

₩ 설머리물회(1만7천원), 자연산물회(2만원), 설머리스페셜(2인 이상, 1인 6만5천원), 모둠회(소 7만원, 중 10만원, 대 12만원), 자연산모둠회, 참가자미(각 소 8만원, 중 12만원, 대 14만원), 해산물모둠(6만원), 우럭매운탕, 삼식이매운탕(각 1만7천원)
⏲ 11:00~15:00/16:00~21:30(마지막 주문 20:30) – 연중무휴
🔍 경북 포항시 북구 해안로 243-2(두호동)
☎ 054-251-9319 Ⓟ 가능

송학할매손두부 두부 | 칼국수

가마솥에 장작불을 때서 두부를 만드는 곳. 직접 담그는 김치가 두부와 잘 어울린다. 굵직한 면발과 멸치육수가 어우러지는 칼국수도 인기 메뉴.

₩ 손두부(6천원), 손칼국수(6천원, 곱빼기 8천원), 해물파전(1만원)
⏲ 11:00~20:00 – 월요일 휴무
🔍 경북 포항시 남구 연일읍 새마을로 626
☎ 054-278-6491 Ⓟ 가능

수가성 순두부

다양한 순두부 메뉴를 선보이는 곳. 취향에 맞게 골라서 주문하면 된다. 순두부찌개의 매운맛이 조금 강한 편이다. 밥은 돌솥에 나오며 숭늉을 만들어 먹을 수 있다. 2003년에 시작하여 포항의 순두부 명가로 자리 잡았다.

₩ 순두부(1만1천원~2만원), 돌솥비빔밥(1만1천원), 제육볶음+순두부(2만1천원)
⏲ 24시간 영업 | 일요일 00:00~21:00 – 연중무휴
🔍 경북 포항시 북구 상대로 31(죽도동) ☎ 054-273-8533 Ⓟ 가능

수향회식당 물회

죽도시장 안에 있는 물회 전문점. 우럭을 잘게 썰어 그릇에 담고 배, 오이, 상추, 김 가루 등을 얹은 뒤 깨와 참기름을 얹어 고추장과 함께 낸다. 육수가 더해진 일반 물회가 아닌, 초장으로 맛을 낸 정통 포항식 물회를 맛볼 수 있다.

₩ 물회, 회덮밥(각 1만5천원), 도다리물회(2만원)
⏲ 10:30~20:00(마지막 주문 19:30) – 연중무휴
🔍 경북 포항시 북구 죽도시장14길 3(죽도동)
☎ 054-241-1589 Ⓟ 가능

시민제과 베이커리

포항에서 가장 오래된 빵집으로 알려져 있다. 대표 메뉴는 연유바게트. 이외에도 다양한 빵을 선보이고 있으며 추억의 빵부터 현대적인 빵까지 여러 세대를 아우르고 있다.

₩ 1949단팥빵(2천1백원), 1949찹쌀떡(1천5백원), 연유바게트(5천원), 검정고무신(5천5백원), 정구지빵(2천3백원)
⏲ 09:00~22:00 – 연중무휴
🔍 경북 포항시 북구 불종로 48(대흥동)
☎ 054-243-2330 Ⓟ 가능

시장식육식당 소고기구이 | 삼겹살 | 돼지고기구이

저렴하고 질 좋은 소고기가 유명한 집으로, 정육점을 겸해 운영하고 있다. 돼지고기 목덜미 부위인 항정살이 인기이며 소의 차돌박이처럼 씹히는 맛이 좋다.

₩ 갈빗살(100g 2만2천원), 소등심(100g 2만원), 소주물럭(100g 1만3천원), 생삼겹살, 목살(각 130g 1만2천원), 돼지두루치기(1만2천원), 소찌개(2인분 이상, 1인 1만2천원)
⏲ 10:30~15:00/17:00~21:00 – 화요일 휴무
🔍 경북 포항시 북구 청하면 청하로200번길 10-1
☎ 054-232-2670 Ⓟ 가능

시장식육식당

아라비카커피숍 Arabica 커피전문점

일반 가정집을 개조해서 만든 카페로, 포항에서 제대로 된 핸드드립 커피를 마실 수 있는 곳이다. 고풍스러운 분위기의 가구가 그 멋을 더하며, 고급스러운 찻잔에 커피를 내온다. 커피 강좌도 겸하고 있는 것이 특징이다.

₩ 핸드드립커피(7천원~1만1천원), 더치커피(6천원~7천원), 에스프레소(싱글 5천5백원), 아메리카노(5천5백원~6천원), 카페라테(6천원~7천원), 조각케이크(6천5백원~7천원)
⏲ 12:00~23:00 – 화요일 휴무
🔍 경북 포항시 북구 칠성로47번길 11(중앙동)
☎ 054-248-0148 Ⓟ 가능(협소)

안동소머리곰탕 소머리국밥 | 곰탕

국내산 한우를 사용하는 소머리곰탕을 전문으로 한다. 걸하고 진한 국물 맛이 일품. 밥과 국수 사리가 따로 나와 양껏 넣어 먹으면 된다. 원하는 만큼 추가도 가능하다. 곰탕에 고기를 아낌없이 사용하고 수육의 양이 푸짐하다.

₩ 곰탕(1만2천원), 양곰탕, 특곰탕(각 1만4천원), 수육(소 3만8천원, 대 5만2천원)
⏲ 10:00~20:00 – 일요일 휴무
🔍 경북 포항시 남구 상공로 107(대도동)
☎ 054-277-4840 Ⓟ 가능

연일물회 물회

가자미회를 썰어 넣고 양념을 해서 내오면 차가운 물을 부어서 먹는 물회 맛이 일품이다. 가자미를 주로 취급하지만, 도다리회나 가을철 전어도 추천할 만하다. 물회에 밥과 해물이 가득 들어간 된장찌개가 함께 나오는 것이 특징이다.

₩ 물회(각 1만7천원), 회덮밥(1만5천원), 해삼물회(2만5천원), 옹가지물회(2인이상, 1인 2만2천원)
⏲ 10:00~17:00 | 동절기 10:00~15:00 – 월요일 휴무
🔍 경북 포항시 남구 연일읍 연일로159번길 9-1
☎ 054-285-5281 Ⓟ 불가

오거리곰탕 선지해장국 | 곰탕

가게이름은 곰탕이지만, 곰탕보다는 선지해장국이 더 맛있는 곳. 선지와 시래기가 푸짐하게 들어 있으며 사골로 육수를 우려 국물이 진하고 얼큰하다. 깔끔한 맛의 곰탕도 괜찮다는 평.

₩ 선지해장국, 곰탕(각 6천원), 수육(소 2만5천원, 대 3만원)
⏲ 07:30~18:30 – 연중무휴
🔍 경북 포항시 북구 중앙로 222-8(죽도동)
☎ 054-248-1182 Ⓟ 불가

온정가 제육 | 돼지곰탕

돼지곰탕과 특수부위 수육으로 유명한 곳. 메뉴의 청곰탕은 맑은 곰탕, 홍국밥은 뼈다귀해장국을 뜻한다. 깔끔한 실내 분위기에 어울리게 곰탕과 반찬도 정갈하게 나온다.

₩ 청곰탕(보통 9천원 대 1만1천원), 홍국밥(8천원), 고기순대(각 7천원)
⏲ 11:00~14:30 – 일요일 휴무
🔍 경북 포항시 북구 장량주택로18번길 1(양덕동)
☎ 054-256-1560 Ⓟ 불가

장기식당 곰탕

포항 죽도시장 안에 있는 곰탕집. 곰탕과 수육에 사용되는 고기는 한우 소머리로, 부드럽고 야들야들한 식감을 느낄 수 있다. 곰탕의 국물이 진한 편이며 양도 푸짐하다. 영업시간과 관계없이 재료 소진 시 문을 닫는다.

₩ 곰탕(소 1만3천원, 대 1만5천원), 수육(4만원, 대 5만원)
🕒 08:00~14:00/15:00~20:00 | 금, 토, 일요일 08:00~14:00/15:00~19:30 – 월요일 휴무
🔍 경북 포항시 북구 죽도시장3길 9-12(죽도동)
☎ 054-247-0764 Ⓟ 불가

죽도회대게타운 대게

포항의 죽도시장 내에서 게요리로 유명한 집이다. 가마솥대게찜이라 하여 특허낸 기법으로 찌는데, 향이 좋고 비린맛이 없다. 죽도풀코스를 시키면 자연산 회, 대게, 우럭구이, 물회, 해산물 등을 한 번에 맛볼 수 있다.

₩ 박달대게스페셜(2인 13만원, 3인 17만원, 4인 22만원), 영덕대게, 랍스타스페셜(각 2인 10만원, 3인 13만원, 4인 16만원), 죽도대게풀코스(30만원)
🕒 08:00~24:00 – 연중무휴
🔍 경북 포항시 북구 죽도시장길 29(죽도동)
☎ 054-246-1188 Ⓟ 불가

철규분식 팥죽 | 찐빵

찐빵과 팥죽 전문점. 팥이 들어간 찐빵은 적당히 달면서 팥의 고소함을 느낄 수 있다. 국산 팥만을 갈아서 만드는 팥죽도 별미다. 찐빵을 뜯어 팥죽에 넣어 먹기도 한다. 포항초 시금치나 애호박이 들어가는 소박한 맛의 멸치 국수도 많이 찾는다.

₩ 국수(4천원), 단팥죽(3천원), 찐빵(2개 1천원), 찐빵5개+단팥죽(6천원)
🕒 08:00~재료 소진 시 마감 – 비정기적 휴무
🔍 경북 포항시 남구 구룡포읍 구룡포길 62-2
☎ 054-276-3215 Ⓟ 불가

한스드림베이커리 Hans dream bakery 베이커리

포항에서 유명한 베이커리. 유기농 재료를 사용하며 장시간 저온숙성시킨 천연효모를 사용해 빵을 만든다. 특히 갈릭바게트가 맛있기로 유명하다. 2013년 리모델링을 하면서 마인츠돔에서 한스드림으로 상호가 바뀌었으며 2020년 두호동으로 이전하였다.

₩ 갈릭바게트(6천원), 몽블랑(5천5백원), 메론빵(4천5백원), 딸기브리오슈(6천원), 에그타르트(3천2백원)
🕒 10:00~21:00 – 월, 화요일 휴무
🔍 경북 포항시 북구 새천년대로1020번길 39(두호동)
☎ 054-272-8896 Ⓟ 불가

할매식당 백반

계절에 맞게 생선회와 생선찌개 등을 내는 백반집. 양념게장, 갈치조림, 대구탕 등 할머니의 손맛을 느낄 수 있는 여러 가지 맛깔스러운 반찬들이 한상 가득 차려진다.

₩ 갈치정식(소 1만5천원, 대 2만원)
🕒 10:30~21:00 – 월요일 휴무
🔍 경북 포항시 북구 새마을로 29(용흥동)
☎ 054-247-9521 Ⓟ 가능

해구식당 과메기

1980년경부터 과메기를 시작한 곳으로, 과메기, 해조류, 초고추장의 어울림이 일품이다. 과메기는 비릿하지만 신선한 해조류, 채소와 함께 먹으면 제맛을 낸다. 10월 중순부터 2월말까지만 영업하므로 가기 전에 확인하는 것이 좋으며 전국 각지에 택배 배송도 가능하다.

₩ 꽁치과메기, 청어과메기(각 3만원)
🕒 09:00~23:00 – 비정기적 휴무
🔍 경북 포항시 북구 중앙상가2길 18(남빈동)
☎ 054-247-5801 Ⓟ 불가

해구식당

형제통닭 통닭 | 마늘치킨

자르지 않고 통으로 튀겨낸 마늘통닭을 맛볼 수 있는 곳. 적당히 매콤하고 닭에 양념이 잘 배어 있어 맛이 좋다. 가격이 비싸긴 하지만, 닭의 크기도 크고 맛도 좋아 인기가 많다.

₩ 마늘통닭, 양념통닭, 프라이드치킨(각 2만1천원)
🕒 16:00~23:00 – 일요일 휴무
🔍 경북 포항시 북구 죽파로 36
☎ 054-241-2257 Ⓟ 불가

환여횟집 물회

물회와 물회국수가 유명하다. 살얼음이 끼어 있는 고추장 소스를 물회에 부어 먹는다. 물회에 국수 면을 넣은 물회국수도 별미. 손님이 많아 번호표를 뽑고 기다려야 할 정도다.

₩ 물회, 물회국수, 회덮밥(각 1만7천원), 도다리물회, 도다리물회국수(각 2만3천원), 단지물회(2만5천원)
🕒 10:00~20:30(마지막 주문 19:30) – 연중무휴
🔍 경북 포항시 북구 해안로 189-1(두호동)
☎ 054-251-8847 Ⓟ 불가

경상남도

Gyeongsangnam-do Province

경상남도 거제시

강성횟집 생선회
해녀가 운영하면서 직접 잡은 신선한 해산물만을 사용하는 횟집. 자연산 광어회와 농어회 등을 추천할 만하며 성게비빔밥, 물회 등도 추천할 만하다.

₩ 모둠회(소 8만원, 중 10만원, 대 12만원, 특대 15만원), 성게비빔밥(2만3천원), 멍게비빔밥(1만5천원), 물회(기본해녀 1만5천원, 스페셜 2만5천원, 달인스페셜(2인 4만원)
🕒 11:00~22:00 – 연중무휴
🔍 경남 거제시 일운면 지세포해안로 204
☎ 055-681-6289 Ⓟ 가능

거제도굴구이 🎀 굴
10월에서 3월까지 거제도에서 잡은 굴구이를 먹을 수 있다. 생굴, 튀김, 전 등 다양한 조리법으로 내는 굴 요리를 맛볼 수 있다. 굴회, 굴전, 굴구이 등 다양한 굴 요리로 구성된 코스도 추천할 만하다. 현지인이 많이 찾는 곳.

₩ 굴전, 굴회, 굴튀김(각 2만5천원), 굴구이(3만5천원), 굴코스(5만원~9만원)
🕒 10:00~20:30 – 3월 중순~10월 중순 휴무
🔍 경남 거제시 거제면 거제남서로 3474
☎ 055-632-9272 Ⓟ 가능

룡소 라멘
진한 국물의 일본라멘을 맛볼 수 있는 곳. 바지락을 듬뿍 넣은 바지락시오라멘이 인기 메뉴다. 비벼 먹는 스타일의 즈부라소바도 특색 있다. 밥은 무료로 추가할 수 있다.

₩ 특바지락시오라멘, 즈부라소바(1만2천5백원), 카라이돈코쓰(1만5백원), 오리지널돈코쓰(1만원)
🕒 11:30~17:00 – 일요일 휴무
🔍 경남 거제시 용소3길 6
☎ 0507-1315-0974 Ⓟ 불가

리묘 林孝 구움과자 | 카페
평온한 느낌의 한옥 스타일 카페. 음료는 리묘브루잉커피가 대표 메뉴며 아인슈페너가 인기. 디저트는 모시 인절미 크레이프케이크, 홍무화가 타르트 등을 맛볼 수 있다. 조용한 시골에 있어 힐링하기에 좋은 곳.

₩ 오늘의커피(6천5백원), 싱글오리진(7천5백원), 카페라테(5천5백원), 브루잉커피(4천5백원~6천5백원), 잎차(6천원~6천5백원), 홍무화과타르트(8천8백원), 모시인절미크레이프(8천5백원), 솔티캐러멜타르트(8천원), 고구마케이크(7천5백원)
🕒 11:00~18:00 – 월, 화요일 휴무
🔍 경남 거제시 둔덕면 하둔길 49
☎ 055-634-1811 Ⓟ 불가

마이블루발렌타인 My Blue Valentine 카페
케이크와 빙수 등 다양한 디저트 메뉴의 인기가 좋은 카페. 샤인 머스캣이나 망고 생과일이 가득 올려진 빙수가 가격대는 있지만 인기가 좋다. 미니멀한 실내와 좌석 간 배치가 널찍해 편안한 분위기다.

₩ 블랙포레스트(7천5백원), 샤인머스켓쇼트케이크(8천원), 세피아무스케이크(7천원), 망고빙수(2만7천원), 망고쇼트케이크(8천원), 딸기쇼트케이크(8천5백원), 아메리카노(4천원), 카페라테(4천5백원)
🕒 11:00~22:00 – 연중무휴
🔍 경남 거제시 장평1로1길 17(장평동)
☎ 055-636-0703 Ⓟ 가능

멜유 mel.u 카페
캐러멜 전문점으로, 자일로스 설탕과 유기농 재료를 사용한다. 소금, 얼그레이, 초코, 말차 등 10여 가지 맛의 캐러멜을 만날 수 있다. 캐러멜라테도 추천. 포장도 잘 디자인되어 있어 선물용으로도 좋다.

₩ 캐러멜선물세트(1만5천원), 파운드케이크선물세트(1만8천원), 파운드케이크(1개 4천5백원), 아메리카노(3천5백원), 수제바닐라라테, 수제캐러멜라테(각 5천5백원), 멜콩땅콩, 멜유라테(각 5천8백원)
🕒 10:00~17:00 – 목요일 휴무
🔍 경남 거제시 장목면 복항길 18
☎ 010-2403-0852 Ⓟ 불가(매미성 공영주차장 무료 이용)

명화식당 🎀 경상도음식
평소에는 토종닭 백숙, 장어탕을 전문으로 하며, 봄철에는 거제 지역의 향토음식인 사백어를 내는 곳이다. 거제 지역에서는 병아리, 벵아리로 부르는 투명한 물고기인데, 죽으면 하얗게 된다고 하여 사백어라고 한다. 농어목 망둥어과의 생선으로 작지만 치어가 아니며, 성어가 산란을 위해 회유할 때 잡는다. 사백어회, 전, 국의 코스로 즐길 수 있으며 봄나물을 활용한 반찬도 별미다.

₩ 사백어(각 1인 전 1만원, 국 1만5천원, 회 1만5천원), 사백어풀코스(2인 6만원)
🕒 12:00~19:00(재료 소진 시 마감) – 비정기적 휴무
🔍 경남 거제시 동부면 동부로 13
☎ 055-633-2985 Ⓟ 인근 공영주차장

백만석 🎀 멍게비빔밥 | 생선회 | 생선매운탕
멍게비빔밥 전문점. 4월~6월 멍게 철에 잡아 싱겁게 간을 해 살짝 얼려둔 멍게를 비빔밥에 올려 낸다. 김가루, 깨소금, 참기름에 비벼 먹으면 맛이 조화롭다. 와다라고 불리는 해삼 창자젓으로 만든 비빔밥도 있다. 50년 전통을 자랑한다.

₩ 멍게고추장비빔밥, 생선회덮밥, 생우럭매운탕(각 1만5천원), 멍게비빔밥(1만4천원), 성게비빔밥(2만2천원), 해삼내장비빔밥(2만2천원),

간장게장정식(1인 1만4천원, 2회리필가능 1인 1만8천원)
⌚ 09:30~20:00 – 연중무휴
🔍 경남 거제시 계룡로 47(상동동) 오형빌딩
☎ 055-638-3300 Ⓟ 가능

버터앤컵 BUTTER AND CUP 브런치카페

다양한 종류의 메뉴를 맛볼 수 있는 브런치 카페. 대표메뉴인 베이컨 갈레트는 얇은 갈레트 속에 베이컨, 치즈, 계란, 버섯이 들어가 있으며, 토마토와 루콜라를 곁들여 먹는다. 화이트톤과 벽돌로 깔끔하게 꾸며 이국적인 분위기를 연출한다.

Ⓦ 베이컨갈레트(1만4천원), 콜드파스타(1만5천5백원), 슈림프오픈샌드위치(1만4천5백원), 아메리카노(4천5백원), 카페라테(5천5백원), 바닐라라테(6천원), 쑥크림카페라테, 흑임자카페라테(각 6천5백원), 라비앙로즈(7천원)
⌚ 10:00~21:00(마지막 주문 20:30) – 연중무휴
🔍 경남 거제시 중곡1로 38
☎ 010-8287-8229 Ⓟ 불가(공영주차장 이용)

양지바위횟집 물메기 | 대구탕

계절에 따라 다채로운 제철 생선 요리를 맛볼 수 있는 곳이다. 봄에는 멸치, 여름과 가을에는 우럭, 삼치, 겨울에는 대구와 물메기 요리가 훌륭한 맛을 자랑한다. 사계절 내내 먹을 수 있는 메뉴로는 매운탕과, 회덮밥, 멍게비빔밥 등이 있다.

Ⓦ 모둠회(소 7만원, 중 10만원, 대 12만원), 우럭튀김정식, 도다리쑥국(각 2만원), 매운탕, 회덮밥(각 1만8천원), 멍게비빔밥, 멸치쌈밥, 삼치정식(각 1만5천원)
⌚ 10:30~20:30(마지막 주문 19:00) – 연중무휴
🔍 경남 거제시 장목면 외포5길 28
☎ 055-635-4327 Ⓟ 가능

외도널서리 OEDO NURSERY 카페

외도보타니아에서 운영하는 카페. 온실을 콘셉트로 하고 있다. 야외 테라스에서 보는 바다의 경치도 좋다. 아라비카 원두로 스페셜티 커피를 선보이며, 프랑스 정통 기술로 만드는 돌 모양의 디저트가 인기다. 구조라에이드와 널서리커피가 시그니처 메뉴.

Ⓦ 널서리커피(8천원), 몽돌쇼콜라, 선인장티라미수(각 1만원), 티라미수(7천5백원), 시트롱(9천5백원), 쇼콜라케이크(7천5백원), 에스프레소, 아메리카노(각 5천5백원), 카페라테, 페퍼민트, 캐모마일메들리(각 6천원)
⌚ 11:00~18:30(마지막 주문 17:30) | 토, 일요일, 공휴일 10:00~19:00(마지막 주문 18:00) – 연중무휴
🔍 경남 거제시 일운면 구조라로4길 21
☎ 055-682-4541 Ⓟ 가능

천화원 天和園 일반중식

외관은 소박하지만, 70년이 넘는 역사를 간직한 곳이다. 흥남에서 중국집을 하던 화교가 6·25 전쟁 이후 피난와서, 거제도의 작은 어구인 장승포에서 짜장면을 만들면서 시작된 곳이다. 지금은 한국 여성과 결혼한 아들과 손자가 운영하고 있다. 음식은 느끼하지 않고 깔끔한 맛이 난다. 바닷가에 접해 있는 만큼 신선한 해산물을 사용하고 있다.

Ⓦ 유니짜장(8천원), 짬뽕, 삼선짬뽕(각 1만원), 탕수육(2만9천원), 유산슬, 팔보채(각 4만5천원), 동파육(대 5만5천원), 깐풍새우, 두반새우(각 대 6만원, 소 3만5천원)
⌚ 11:00~15:30/17:30~21:30 – 화요일 휴무
🔍 경남 거제시 신부로 2-4(장승포동)
☎ 055-681-2408 Ⓟ 불가

충남식당 돼지국밥

거제 현지인들 사이에서 유명한 순대국밥집. 상당히 많은 양의 내장과 부속고기를 자랑한다.

Ⓦ 내장국밥, 순대국밥, 섞어국밥(각 8천원), 어린이국밥(4천원), 내장국, 순댓국, 섞어국(각 9천원)
⌚ 08:00~16:00/17:00~19:00(마지막 주문 18:30) – 화요일 휴무
🔍 경남 거제시 거제중앙로 1883-2(고현동) 고현종합시장
☎ 055-632-1332 Ⓟ 가능

키친루셀로 Kitchen Rucello 피자 | 파스타 | 이탈리아식

여행 느낌을 제대로 낼 수 있는 분위기 좋은 이탈리안 레스토랑. 수준 높은 퀄리티의 이탈리안 음식과 자연으로 힐링 공간을 즐길 수 있는 곳이다. 입구부터 잘 꾸며진 정원이 기분을 좋게 한다. 피자와 파스타 외에 해산물 스튜도 별미다.

Ⓦ 부라타치즈샐러드(2만2천원), 해산물스튜, 비스마르크피자(각 2만4천원), 감바스알아히오(2만1원), 루셀로불고기피자(2만6천원), 슈림프땡초오일파스타(2만1천원), 페스카토레오일파스타(2만4천원), 먹물리조토(2만2천원)
⌚ 11:00~15:30/17:00~20:45 | 토, 일요일 11:00~20:45(마지막 주문 20:00) – 월요일 휴무
🔍 경남 거제시 일운면 거제대로 1861
☎ 055-681-2031 Ⓟ 가능

키친루셀로

파평옥 곱창전골 | 선지해장국

해장국 전문점. 해장국에는 소볼살, 양지, 깐양, 선지를 양껏 넣어준다. 사골 육수를 넣어 진한 맛을 내는 모둠전골에는 곱창과 대창, 우삼겹과 각종 채소들이 푸짐하게 들어가 있다. 기름에 노릇하게 부친 땡초부추전과의 조합도 추천한다.

㉻ 해장국(1만원, 고기많이 1만4천원), 낙지해장국(1만5천원), 얼큰모둠전골(소 3만8천원, 중 4만9천원), 땡초부추전(9천9백원)
🕒 11:30~15:00/15:00~23:00(마지막 주문 14:30, 22:00) – 연중무휴
🔍 경남 거제시 아주1로 31 루미에르 1층
☎ 055-681-3657 Ⓟ 가능(매장 앞 7대)

할매함흥냉면 함흥냉면 | 수육

함흥냉면 전문점이면서 소고기 수육을 잘하는 집이다. 물냉면의 감칠맛 나는 육수와 넉넉한 고기 고명은 만족스럽다는 평이다. 가을 별미인 매콤새콤한 회무침도 추천메뉴다. 50여 년 역사를 자랑한다.

㉻ 비빔냉면, 물냉면(각 1만1천원, 곱빼기 1만3천원), 수육, 가오리회무침(각 4만원)
🕒 10:00~21:00 – 연중무휴
🔍 경남 거제시 신부로1길 2-1(장승포동)
☎ 055-681-2226 Ⓟ 가능

항만식당해물뚝배기 해물탕

생선류를 사용해 끓여낸 매운탕이 아닌 소라, 바지락, 백합, 꽃게, 참새우, 딱새우, 갯가재, 미더덕, 굴 등의 조개류를 무쇠솥 뚝배기에 넣어 얼큰하게 끓여 낸 것이 특징. 오징어찌개 국물과 비슷한 시원한 국물 맛이 난다. 해물을 다 건져 먹은 후 공깃밥을 주문해 국물에 말아 먹으면 든든하다.

㉻ 스페셜해물뚝배기(소 7만원, 대 10만원), 일반해물뚝배기(소 3만8천원, 대 5만4천원)
🕒 08:00~21:00(마지막 주문 20:00) – 명절 휴무
🔍 경남 거제시 장승포로7길 8(장승포동)
☎ 055-682-4369 Ⓟ 가능

효진수산횟집 🎀 대구

외포항에 위치한 횟집이다. 봄에는 멸치회와 도다리, 여름에는 하모회, 가을에는 전어, 겨울에는 대구회를 한다. 계절메뉴가 모두 훌륭하여 4계절 인기 있는 집이다. 특히 생대구탕은 해장 식사로도 인기가 좋다.

㉻ 하모회(소 10만원, 중 12만원, 대 15만원), 건대구찜(중 6만원, 대 7만원), 우럭구이(5만원), 갑오징어회(6만원), 대구회(시가), 회덮밥(1만5천원), 전어회(소 5만원, 중 6만원, 대 7만원)
🕒 08:00~21:00 – 연중무휴
🔍 경남 거제시 장목면 외포5길 58
☎ 055-636-9006 Ⓟ 가능

경상남도 거창군

가남보리밥전문식당 보리밥

옛날식으로 커다란 양은 쟁반에 보리밥과 반찬이 담겨 나온다. 화려하지 않은 소박한 시골의 맛을 즐길 수 있다. 직접 농사지은 콩으로 담근 간장과 된장 맛이 좋다.

㉻ 보리밥, 비빔밥, 된장찌개(각 8천원), 두부(4천원)
🕒 11:30~21:00 – 연중무휴
🔍 경남 거창군 가조면 지산로 1485
☎ 055-942-3103 Ⓟ 가능

가치 🎀 모던한식

제철 재료로 요리한 모던한식 다이닝을 할 수 있는 곳. 맡김상을 주문하면 수프와 작은 한 입 거리, 제철 채소 샐러드를 시작으로 거창한 국수, 토란으로 속을 채운 가지, 감태 고추다대기밥, 튀긴 제철 야채, 고기 온반을 맛볼 수 있다. 단품 메뉴로 깻잎순 바질크림뇨키, 훈연한 맥돈보쌈 정갈한 퓨전 한식 메뉴가 준비되어 있다.

㉻ 맡김상(런치 2만원, 디너 2만5천원), 훈연맥돈보쌈(300g 3만원), 고추다진양념김밥(1만2천원), 들기름향이나는거창한국수, 부라타제철샐러드(각 1만8천원), 가치있는스프링롤(7천원)
🕒 11:30~14:30/17:30~22:00(마지막 주문 21:00) – 일요일 휴무
🔍 경남 거창군 거창읍 강변로 277 1층
☎ 0507-1342-0399 Ⓟ 불가

삼산이수 🎀 三山二水 갈비탕 | 소갈비찜

전통 한옥으로 된 집에서 먹는 갈비찜의 맛이 좋다. 간장이 아닌 고춧가루 양념을 사용한 갈비찜은 매콤하면서도 달콤하다. 정원에는 연못과 나무가 있어 운치 있다.

㉻ 갈비탕(1만2천원, 특 1만4천원), 갈비찜(소 5만원, 중 5만8천원, 대 6만5천원)
🕒 11:00~20:00 – 비정기적 휴무
🔍 경남 거창군 거창읍 내학길 35-4
☎ 055-942-1844 Ⓟ 가능

풍전복집 복

거창 상림리에 있는 복집으로, 오랜 경력의 손맛이 유명하다. 복매운탕은 인공조미료를 사용하지 않고 조리하여 국물이 시원하다. 밑반찬도 깔끔하고 야채 등도 직접 재배한다. 그 외 메뉴는 복수육, 복국, 복 불고기, 껍질 무침 등이 있다.

㉻ 복수육(대 6만원, 소 5만원), 밀복매운탕(1만8천원), 복매운탕(1만1천원), 복불고기(대 5만원, 소 4만원), 껍질무침(소 2만원, 대 2만5천원)
🕒 09:00~21:00 – 명절 휴무
🔍 경남 거창군 거창읍 상동2길 11
☎ 055-942-7572 Ⓟ 가능

경상남도 김해시

옥천식당 닭백숙 | 산채비빔밥

토종닭, 무, 감자 등을 넣고 맑게 끓여낸 닭국이 유명한 곳이다. 국물은 맑지만 일반적으로 접하는 삼계탕 국물보다 진하고 고기도 졸깃하다. 더덕구이도 잘 두드려 구워 맛이 좋다. 잘 가꿔진 정원을 보며 야외에서 식사할 수 있는 것도 장점이다.

₩ 토종닭백숙(6만원), 닭국(2인 이상, 1인 1만2천원), 산채비빔밥, 고추전(각 8천원), 산더덕구이(3만원)
⏲ 11:00~19:00 – 연중무휴
🔍 경남 고성군 개천면 연화산1로 544
☎ 055-672-0081 Ⓟ 가능(가게 앞)

가야농원 오리백숙 | 닭백숙

산약초를 넣은 진한 국물의 백숙을 맛볼 수 있다. 매콤한 양념의 오리 불고기도 쫀득한 맛이 일품. 산약초 유황오리백숙은 2시간 전, 산약초 토종닭백숙은 하루 전에 예약해야 한다.

₩ 산약초유황오리백숙(7만원), 산약초토종닭백숙(6만5천원), 생오리구이(오리 500g 3만5천원), 오리불고기(오리 500g 4만원), 도토리묵무침(1만원), 전(1만원), 오리탕(1인 1만2천원, 10월~3월), 버섯묵은지찌개(1인 9천원, 4~9월)
⏲ 11:30~비정기적 – 화요일 오후 휴무
🔍 경남 김해시 생림면 마사로 89
☎ 055-337-7226 Ⓟ 가능

강변매운탕 민물매운탕

자연산 민물고기를 사용하는 매운탕이 유명하다. 잡내가 나지 않고 국물이 진하며 주재료가 듬뿍 들어가 평이 좋다. 식사 시간에는 손님이 많으므로 예약하는 편이 좋다.

₩ 메기매운탕, 붕어매운탕(각 소 2만5천원, 중 3만5천원, 대 4만5천원), 빠가사리매운탕(소 3만원, 중 4만원, 대 5만원)
⏲ 10:30~21:00 – 명절 휴무
🔍 경남 김해시 대동면 동남로1번길 22
☎ 055-323-0292 Ⓟ 가능

달카페 Dal's Dutch 카페

낙동강의 풍경을 바라보며 커피를 즐길 수 있는 카페. 낙동강 하류변에 자리 잡고 있어 석양진 노을을 볼 수 있다. 실내는 아기자기한 소품 등 모던한 북유럽 분위기로 꾸며져 있다. 다양한 더치커피를 즐길 수 있으며 커피원액, 허브, 갓 볶은 원두를 구입할 수 있다.

₩ 핸드드립커피(4천3백원~5천3백원), 에스프레소(3천8백원), 아메리카노(4천3백원), 카페라테(5천3백원), 아포카토(6천원), 달빵(1만2천원), 불암동토스트(7천원), 인절미와플, 어니언브래드(각 8천원), 모던토스트(6천원)
⏲ 10:00~22:00 – 명절 휴무
🔍 경남 김해시 식만로 354-41(불암동)
☎ 055-324-5514 Ⓟ 가능

대동할매국수 국수

60년 전통의 국숫집. 메뉴는 국수와 유부초밥이며, 비빔과 물국수 중에서 선택할 수 있다. 곱빼기는 1천원이 추가된다. 김과 시금치 등의 고명을 얹은 국수에 진한 멸치 육수를 부어서 먹으면 된다. 면은 일반 소면보다 약간 굵은 편이다. 이곳을 시작으로 대동면에 국수 골목이 형성되었다.

₩ 물국수(6천원), 비빔국수(7천원), 유부초밥(4천원), 곱빼기추가(1천원)
⏲ 10:30~15:00/16:00~18:50 – 월요일, 명절 휴무
🔍 경남 김해시 대동면 동남로45번길 8
☎ 055-335-6439 Ⓟ 가능

도도플레이트 DODOPLATE 카페 | 마카롱

매장에서 직접 구워내는 수제 마카롱과 스페셜티 커피 전문점. 마카롱 필링 속에 재료가 꽉 차있고 화학첨가물이 가미되지 않았으며, 맛이 달지 않아 단골 고객이 많다.

₩ 마카롱(2천4백원), 쿠키(3천8백원), 카늘레(1천5백원), 에그타르트(3천원), 아메리카노(4천원), 카페라테(4천5백원)
⏲ 11:00~22:00 | 일요일 13:00~22:00(마카롱 소진 시 마감) – 월요일 휴무
🔍 경남 김해시 율하카페길 13(관동동)
☎ 055-311-6062 Ⓟ 불가

도도플레이트

바자라 일식장어

일본식 민물장어 덮밥을 선보이는 맛집으로, 일본인 부부가 운영하고 있다. 국내산 최고급 풍천장어만을 고집하며 사용하는 채소도 유리온실의 스마트팜에서 직접 재배한다.

₩ 우나동(3만9천원), 특우나동(5만8천원)
⏲ 11:00~20:00(마지막 주문 19:30) – 연중무휴
🔍 경남 김해시 대동면 동남로209번길 26
☎ 010-6466-4046 Ⓟ 가능

삼대부대찌개 부대찌개

쑥갓이 들어간 깔끔한 맛의 파주식 부대찌개를 맛볼 수 있다. 김가루도 내어주어 밥에 부대찌개와 곁들여 먹으면 좋다. 밥은 무료로 추가가 가능하다.

Ⓦ 부대찌개(9천원), 옛날돈가스(7천원), 우삼겹사리, 킬바사소시지(각 6천원)
Ⓛ 10:00~22:00 – 연중무휴
Q 경남 김해시 김해대로2529번길 56
☎ 055-321-7988 Ⓟ 불가(연지공원 공영주차장 이용)

삼일뒷고기 돼지고기구이

김해에서 뒷고기 맛집으로 유명한 곳. 뒷고기는 여러 부위의 돼지고기가 섞여서 나오는 것을 말한다. 포장마차에서 식사하는 듯한 분위기다.

Ⓦ 뒷고기(1인분 6천원), 볶음밥(2천5백원), 국수(4천원)
Ⓛ 17:00~23:00 | 토요일 16:00~23:00 – 일요일 휴무
Q 경남 김해시 전하로 277(외동)
☎ 055-334-4138 Ⓟ 가능

신라가든 소갈비

김해 진영읍에서 유명해진 진영갈비 전문점. 진영갈비란 갈비를 얇게 포를 떠서 둘둘 말아 양념에 재운 것을 말한다. 소갈비, 돼지갈비 모두 맛볼 수 있다.

Ⓦ 한우등심, 한우생고기(각 110g 3만7천원), 한우양념갈비(160g 3만2천원), 돼지갈비(200g 1만4천원), 돼지양념목살(140g 1만4천원)
Ⓛ 10:00~22:00 – 연중무휴
Q 경남 김해시 진영읍 진영로 464
☎ 055-342-5354 Ⓟ 가능

에디스키친 EDDY`S KITCHEN 유럽식

대청계곡에 위치한 유로피안 레스토랑. 코스요리와 다양한 단품요리를 선보인다. 좋은 분위기 속에서 식사를 즐길 수 있는 곳.

Ⓦ 런치코스(4만9천원), 시그니처코스(8만9천원), 키즈코스(2만9천원), 감태봉골레파스타(2만2천원), 한우타르타르파스타(2만3천원), 비스마르크피자(2만1천원)
Ⓛ 12:00~15:30(마지막 주문: 코스 14:00, 단품 14:30)/17:30~21:30(마지막 주문 코스 19:30, 단품 20:00) | 토, 일요일, 공휴일 11:30~15:30(마지막 주문: 코스 14:00, 단품 14:30)/17:30~ 21:30(마지막 주문 코스 20:00, 단품 20:30) – 월요일 휴무
Q 경남 김해시 대청계곡길 46(대청동)
☎ 055-338-4212 Ⓟ 가능

한일뒷고기 돼지고기구이

김해가 원조인 뒷고기를 전문으로 하는 곳. 뒷고기란 돼지고기의 여러 부위를 섞어서 내는 것을 말한다. 가격 대비 만족도가 뛰어나다.

Ⓦ 뒷고기(5천원), 뒷통구이, 막창(각 8천원), 국수, 볶음밥(각 4천원)
Ⓛ 17:00~24:00(마지막 주문 23:00) – 둘째, 넷째 주 일요일 휴무
Q 경남 김해시 삼계로1번길 4-18(삼계동)
☎ 055-331-5432 Ⓟ 불가

향옥정 장어

불암동 장어마을에서도 오랜 역사를 자랑하는 민물장어 전문점. 연탄불에 구운 장어 맛이 좋다.

Ⓦ 선암장어(200g 3만2천원), 향옥장어(4만2천원), 메기탕(소 3만원, 중 4만원, 대 5만원)
Ⓛ 11:30~15:00/17:00~21:00 | 토, 일요일 11:30~21:00 – 연중무휴
Q 경남 김해시 김해대로 2787-19(불암동)
☎ 055-336-6283 Ⓟ 가능

경상남도 남해군

공주식당 생선회 | 멸치

갈치회, 멸치회 전문점. 봄에서 여름 사이에는 멸치회 양념무침을 맛볼 수 있다. 비린 맛이 없고 새콤달콤매콤하게 버무려져 나오는 멸치회가 안줏거리로도 그만이다. 양아깐이라는 남해에서만 나는 야생초 반찬도 별미다.

Ⓦ 갈치회무침, 멸치회무침(각 소 3만5천원, 중 4만5천원, 대 5만원), 갈치구이, 갈치조림(각 소 4만원, 중 5만원, 대 6만원)
Ⓛ 08:00~21:00 – 명절 휴무
Q 경남 남해군 미조면 미조로 230
☎ 055-867-6728 Ⓟ 가능

다랭이맛집 멸치

해물칼국수와 오징어파전, 멸치쌈밥으로 유명한 식당. 오징어파전은 여름이 되면 오징어부추전으로 변경되어 나온다. 야외 테라스에서 다랭이마을 논밭을 보며 남해 특산물인 유자막걸리를 곁들여도 좋다.

Ⓦ 멸치회무침(3만원), 갈치회무침, 가오리회무침(소 2만원, 대 3만원), 생선구이, 갈치조림(2인 이상, 각 1인 1만7천원), 오징어파전, 도토리묵, 두부김치(각 1만5천원), 해물된장찌개, 칼국수(각 9천원)
Ⓛ 08:00~19:30(마지막 주문 19:00) – 연중무휴
Q 경남 남해군 남면 남면로679번길 31-10
☎ 055-863-3338 Ⓟ 가능

달반늘 붕장어

살아 있는 장어를 즉석에서 다듬어 매콤한 고추장 양념을 발라 숯불에 굽는다. 산 장어를 토막 내어 뚝배기에 넣고 무시래기와 숙주나물, 들깨를 갈아 넣은 맑은 육수를 부어 즉석에서 끓여 내는 장어탕은 식사는 물론 해장국으로도 좋다.

Ⓦ 장어돌판구이(1인분 130g 1만4천원, 2.5인분 3만5천원), 장어탕(5

천원), 장어탕정식(1만원)
⏲ 11:00~16:00/17:00~20:00(마지막 주문 19:00) – 연중무휴
🔍 경남 남해군 삼동면 죽방로 99
☎ 055-867-2970 Ⓟ 가능

당케슈니첼 DANKE SCHNITZEL 독일식 | 유럽식

남해 독일마을에서 독일을 비롯한 오스트리아, 헝가리 등의 유럽 가정식 요리를 제대로 즐길 수 있는 곳이다. 돼지고기를 얇게 두드려 튀긴 슈니첼이 대표 음식이며, 빵이나 굴라시와 곁들여 먹거나 세트 메뉴를 이용해 골고루 맛보기를 추천하다.

Ⓦ 슈바인슈니첼, 휘너슈니첼(각 2만1천원), 케제슈패츨레첼, 슈니첼브뢰첸(각 1만9천원), 무셸토프(2만7천원), 굴라시(8천원)
⏲ 11:00~15:40(마지막 주문 15:00) | 금, 토, 일요일 11:00~15:00/16:30~20:10(마지막 주문 19:30) – 연중무휴
🔍 경남 남해군 삼동면 독일로 27
☎ 070-8994-6613 Ⓟ 가능

당케슈니첼

대청마루 멸치 | 갈치

멸치 요리를 먹을 수 있는 곳. 멸치한상을 시키면 멸치쌈밥과 멸치회무침, 멸치튀김 등을 먹을 수 있다. 30여 년 넘게 어머니가 운영하던 식당을 이어받아 2대째 운영하고 있다.

Ⓦ 멸치쌈밥(1만2천원), 멸치한상(1인 2만2천원), 연잎쌈밥(2만5천원), 수육쌈밥(1만5천원), 멸치회무침(중 3만원, 대 4만원), 멸치튀김(중 1만5천원, 대 2만5천원), 갈치한상(1인 2만5천원), 갈치구이(1인 2만원), 갈치조림(1만8천원)
⏲ 09:00~22:00 – 연중무휴
🔍 경남 남해군 삼동면 동부대로 1293
☎ 055-867-0008 Ⓟ 가능

르뱅스타독일빵집 LEVAINSTAR 베이커리

유럽식 발효빵을 선보이는 베이커리. 천연수제발효종으로 만드는 빵을 맛볼 수 있으며 유기농 밀가루와 유기농 설탕을 사용한다. 쫄깃한 무화과치아바타와 남해 유자를 사용한 황금유자빵 등이 특히 인기다.

Ⓦ 슈톨렌, 황금유자빵(각 1만2천원), 구겔호프케이크(1만원), 무화과치아바타(7천8백원), 크림치즈브로첸(3천5백원)
⏲ 11:00~16:00 | 토, 일요일 09:00~17:00 – 수, 목요일 휴무
🔍 경남 남해군 삼동면 동부대로1030번길 77
☎ 055-864-7588 Ⓟ 불가

바래온 Baraeon 어묵 | 카페

남해 지역 특산물을 활용한 푸드마켓 겸 어묵전문점. 하얗게 꾸민 건물에서 어묵 뿐만 아니라 남해 유자 음료나 커피도 마실 수 있다. 매장 앞에 드넓게 조성된 잔디밭도 바라보며 음료를 즐기기도 좋다.

Ⓦ 아메리카노(5천5백원), 미숫가루(6천원), 유자차, 유자에이드(각 6천원), 야채핫바, 남해마늘핫바(각 3천4백원), 오징어땡초핫바, 모짜렐라임실치즈어묵(3천 2백원)청양소세지바(각 4천7백원), 남해톳어묵,남해고사리어묵(각 2천9백원)
⏲ 11:00~18:00 – 연중무휴
🔍 경남 남해군 남해읍 스포츠로 173-9
☎ 055-864-4664 Ⓟ 가능

앵강마켓 鶯江市場 카페 | 양갱

카페 겸 로컬푸드마켓. 화이트와 우드로 된 실내가 일본풍의 정갈한 느낌을 준다. 양갱과 말차, 호지차 등을 즐길 수 있다. 멸치, 미역 같은 남해 기념품도 판매하고 있다.

Ⓦ 양갱(2천5백원), 보리커피, 브루잉커피, 호지냉차, 청귤레몬소다, 유자소다, 과일차, 달스민, 가들뜰(각 6천원), 말차크림라테, 호지차라테(각 7천원)
⏲ 11:00~17:30(마지막 주문 17:00) – 비정기적 휴무(인스타그램 공지)
🔍 경남 남해군 남면 남서대로 772
☎ 055-863-0772 Ⓟ 가능

우리식당 멸치 | 갈치

멸치로 유명한 죽방렴어구에 있는 식당. 갈치와 멸치요리를 잘하기로 유명하다. 멸치회, 멸치쌈밥이 많이 찾는 메뉴. 멸치회는 뼈를 발라낸 후 막걸리로 버무려 양념해서 나온다. 40년이 넘는 전통을 자랑한다.

Ⓦ 멸치쌈밥(2인이상, 1인 1만3천원), 갈치찌개(2만원), 갈치구이(2만5천원), 갈치, 멸치회무침(각 소 2만원, 중 3만원, 대 4만원)
⏲ 08:30~20:00 – 연중무휴
🔍 경남 남해군 삼동면 동부대로1876번길 7
☎ 055-867-0074 Ⓟ 가능

유진횟집 생선회

자연산 돌돔과 우럭찜, 매운탕이 맛있는 곳. 가을에는 감성돔 맛이 좋다. 무를 얇게 썬 후 둥글게 말아 그 위에 회를 올려서 나오는 것이 특징이다. 횟집이 몰려 있는 노량마을에서 많이 알려져 있는 곳으로, 남해대교가 보이는 전망도 일품이다. 식사 후에

는 바닷가 테라스에서 커피 한 잔 할 수 있다.

₩ 러블리세트(2인 15만원, 2~3인 20만원, 3~4인 24만원, 4인 28만원), 돌돔(2인 25만원, 2~3인 35만원, 3~4인 45만원, 4인 55만원), 참돔, 감성돔, 도다리, 농어(각 2인 12만원, 2~3인 17만원, 3~4인 22만원, 4인 27만원), 모둠회(2인 9만원, 2~3인 12만원, 3~4인 15만원, 4인 18만원)

🕒 10:00~21:00 | 금, 토요일 10:00~22:00 – 연중무휴

🔍 경남 남해군 설천면 노량로183번길 14

☎ 055-862-4040 Ⓟ 가능

이태리회관 이탈리아식

서울 몰토 출신의 윤준 셰프가 운영하는 작은 이탈리안 레스토랑. 합리적인 가격에 전채, 수프, 쇠고기 커틀릿, 파스타, 디저트까지 다섯 가지 요리를 코스로 맛볼 수 있다. 음식 재료의 질, 만듦새, 풍미 모두 훌륭하다. 에스프레소만 주문할 수도 있다.

₩ 코스(2만5천원, 3만원, 4만원), 어린이코스(1만원)

🕒 11:30~17:00(마지막 주문 16:00) | 토요일 11:30~19:00(마지막 주문 18:00) | 일요일 11:30~18:00(마지막 주문 17:00)– 수, 목요일 휴무

🔍 경상남도 남해군 삼동면 봉화로 22-1

☎ 010-4234-2307

Ⓟ 불가(인근 공영주차장 이용)

제일횟집 생선회

남해대교 밑에 위치한 곳으로, 40년이 넘는 꽤 오래된 횟집이다. 바다를 보며 신선한 회를 즐길 수 있다. 실내 분위기도 쾌적하다.

₩ 모둠회, 농어, 광어, 노래미, 우럭(각 소 7만원, 중 9만원, 대 12만원, 특대 15만원), 소라, 멍게, 해삼, 낙지(소 5만원, 중 6만원, 대 7만원)

🕒 10:00~22:00 – 연중무휴

🔍 경남 남해군 설천면 노량로183번길 10

☎ 055-862-2484 Ⓟ 가능

지산식당 🎀 민물매운탕 | 복 | 갈치

노부부가 운영하는 곳으로 평소에는 복국, 겨울에는 물메기탕을 맛볼 수 있는 곳. 물메기(표준명 꼼치)는 물텀벙, 곰치, 꼼치 등 다양한 이름으로 불리는 못생긴 생선으로 경남 바닷가 지역에서 시원하게 맑은탕으로 끓여먹는다. 물메기전도 별미로 미리 예약을 해야 한다. 오래된 가게이지만 관리가 잘 되어 깔끔하고 반찬도 준수하다.

₩ 물회(1만8천원), 밀복국(1만3천원), 갈치조림(2인 이상, 1인 1만8천원), 물메기탕(계절메뉴, 2인 이상, 1인 1만8천원)

🕒 08:00~15:00/17:00~19:30(마지막 주문 18:30) | 일요일 08:00~16:00 – 연중무휴

🔍 경남 남해군 미조면 미조로 180

☎ 055-867-7754 Ⓟ 가능(가게 옆 전용주차장)

카페유자 🎀 CAFE YUJA 카페

매일 구워내는 유자카스테라가 유명한 곳. 한옥 느낌을 살린 인테리어의 공간에서 유자차와 유자주스, 커피 등을 즐길 수 있다. 남해의 특산물인 유자 향이 가득한 유자카스테라는 선물용으로도 좋다.

₩ 유자카스테라(접시 4천5백원, 박스포장 1만3천원), 유자차(5천원), 유자차(5천원), 유자주스(5천5백원), 드립커피(4천원), 콜드브루커피(5천원~5천5백원), 우유(2천원)

🕒 11:00~17:00 – 수요일 휴무

🔍 경남 남해군 삼동면 동부대로 1423

☎ 055-867-5201 Ⓟ 가능

해사랑전복마을 🎀 전복죽 | 전복

미조항 해변가에 지어진 예쁜 집에서 남해 바다를 바라보며 전복죽을 먹을 수 있는 곳. 전복회나 전복구이 등 전복으로 만든 요리도 즐길 수 있다.

₩ 전복죽(1만5천원, 특 1만8천원), 전복회(소 8만3천원, 대 12만5천원), 전복구이(소 8만8천원, 대 13만5천원), 해사랑세트(2인 이상, 1인 5만5천원), 치즈전복구이세트(2인 5만2천원)

🕒 09:00~20:00(마지막 주문 19:00) – 연중무휴

🔍 경남 남해군 미조면 미송로 193

☎ 010-3358-3910 Ⓟ 가능

햇살복집 🎀 복

창문으로 아름다운 남해바다가 내다보이는 곳. 남해 최고의 복요리 전문점이라는 평을 받고 있다. 복국을 시키면 김가루와 참기름을 넣은 대접이 함께 나오는데, 복국의 콩나물과 미나리를 건져내어 밥과 비벼 먹는다. 복껍질무침도 별미다.

₩ 복어회(2인 14만원), 졸복탕(1만4천원), 참복탕(1만8천원), 복껍질초회(2만8천원), 마늘복튀김(3만5천원)

🕒 08:00~16:00 | 토, 일요일 08:00~20:00 – 월요일, 명절 휴무

🔍 경남 남해군 삼동면 동부대로 1045-7

☎ 055-867-1320 Ⓟ 가능

화랑갈비 🎀 돼지갈비

80년대 초반에 개업한 오래된 돼지갈비구이집. 구멍이 송송 난 옛날식 철판을 연탄불 위에 올려 돼지갈비를 구워먹는다. 심심한 듯 하면서도 은근히 간이 잘 맞는 고기 맛이 별미다.

₩ 생갈비, 양념갈비(3인 이상, 1인 1만원)

🕒 11:00~재료 소진 시 마감 – 비정기적 휴무

🔍 경남 남해군 남해읍 화전로38번길 21-1

☎ 055-864-2360 Ⓟ 불가(인근 공영주차장 이용)

경상남도 밀양시

단골집 돼지국밥 | 수육

60년째 돼지국밥을 전문으로 해온 곳. 소머리와 사태, 뼈 등을 넣어 맑게 끓이는 스타일이다. 부추와 산초, 방아잎을 넣어 깔끔한 맛을 낸다.

₩ 돼지국밥, 순대국밥, 섞어국밥, 머리국밥, 내장국밥(각 8천원), 고기수육, 머리수육(각 소 1만6천원, 대 2만1천원)
⏲ 10:00~14:30 – 수요일 휴무
🔍 경남 밀양시 상설시장3길 18-16(내일동)
☎ 055-354-7980 Ⓟ 불가

단장면커피로스터스
DANJANGMYUN COFFEE ROASTERS 커피전문점

계곡 옆에 있는 카페로, 자연 속에서 여유롭게 커피를 즐길 수 있다. 카페 뒷편에 계곡을 따라 테라스 좌석이 길게 놓여져 있어 시원한 전망이 펼쳐진다. 사연리콜드브루, 단장면밀크티가 시그니처 음료며, 티라미수가 대표 디저트 메뉴다.

₩ 아몬드크림라테, 사연리콜드브루, 단장면밀크티(각 7천5백원), 코코미수(6천5백원), 단장면티라미수(8천원), 에스프레소, 아메리카노(각 5천5백원), 카페라테(6천5백원), 생딸기우유(7천원)
⏲ 10:00~19:00(마지막 주문 18:00) – 연중무휴
🔍 경남 밀양시 단장면 표충로 679
☎ 010-9528-1517 Ⓟ 가능

동부식육식당 돼지국밥

돼지국밥이 탄생한 곳으로 알려진 밀양에서 70여 년간 돼지국밥을 내왔다. 잡내가 거의 없고 국물이 맑으면서 담백하다. 수육과 국밥이 함께 나오는 돼지수백이 특히 인기다.

₩ 돼지국밥, 따로국밥(각 9천원), 돼지수육(소 2만5천원, 중 3만5천원, 대 4만5천원), 소수육(소 3만5천원, 중 4만5천원, 대 5만5천원)
⏲ 10:00~15:20/17:00~19:00 – 월요일 휴무
🔍 경남 밀양시 무안면 무안중앙길 5
☎ 055-352-0023 Ⓟ 가능

밀양돼지국밥 🎀 돼지국밥

돼지 국밥 전문점. 국밥을 주문하면 공기밥과 소면이 함께 나온다. 국밥에 부추를 양껏 넣어 먹는다. 순대국밥과 내장국밥 등을 즐길 수 있고 수육과 오리훈제도 선보인다.

₩ 돼지국밥, 내장국밥, 순대국밥(각 9천원), 수육백반(1만3천원), 돼지수육, 내장수육(각 소 2만5천원, 중 3만5천원)
⏲ 10:00~21:00 – 월요일 휴무
🔍 경남 밀양시 북성로 28(내이동)
☎ 055-354-9599 Ⓟ 가능

밀양할매메기탕 민물매운탕

메기로 만든 요리를 선보이는 곳. 메기와 각종 채소, 수제비 등이 듬뿍 들어간 메기탕이 대표 메뉴다. 바로 옆에 별관 건물이 있지만 식사 시간에는 늘 붐빈다. 모든 메뉴는 2인 이상부터 주문 가능하다.

₩ 메기탕(1만5천원), 인삼메기탕(1만9천원), 메기구이(소 3만9천원, 중 5만5천원)
⏲ 11:00~15:00/17:00~20:30 – 월요일 휴무
🔍 경남 밀양시 용평로 438(교동)
☎ 055-356-6664 Ⓟ 가능

설봉돼지국밥 🎀🎀 돼지국밥

밀양에서 유명한 돼지국밥집 중 하나. 담백한 맛의 뽀얀 국물에 부추를 넣어 먹는 스타일이다. 독특한 풍미의 암뽕수육도 먹을 수 있는 것이 특징.

₩ 돼지국밥, 내장국밥, 순대국밥(각 9천원), 수육백반(1만2천원), 돼지수육, 내장수육, 섞어수육(각 소 2만5천원, 대 3만원), 암뽕수육(3만원)
⏲ 10:00~15:20/17:00~21:40(마지막 주문 21:10) – 첫째, 셋째 수요일 휴무
🔍 경남 밀양시 노상하3길 9(내이동)
☎ 055-356-9555 Ⓟ 불가

설봉돼지국밥

인골산장 오리

숲속에서 오리구이를 먹을 수 있는 곳. 주차장 옆 커다란 나무 아래 간이 테이블에 차려지는데, 판대기 위에 올려진 생오리를 대나무 막대기로 구워 먹는다. 갓 잡은 신선한 오리를 묵은지와 함께 구워 먹는 맛이 일품이다. 자연 속에서 즐기는 식사와 산뷰가 인상적이며, 방문 하루 전 예약은 필수니 참고할 것.

₩ 오리(6만원), 닭(5만5천원)
⏲ 11:00~18:00 – 비정기적 휴무
🔍 경남 밀양시 산내면 인곡길 150
☎ 055-353-6531 Ⓟ 가능

제일식육식당 돼지국밥

동부식육식당과 더불어 돼지국밥으로 유명한 곳. 깔끔하고 담백한 국밥을 맛볼 수 있으며 양도 푸짐하여 한 끼 식사로 든든하다. 부드러운 돼지고기 수육을 곁들이면 더욱 좋다.

₩ 돼지국밥(8천원), 돼지수육(소 2만5천원, 중 3만5천원, 대 4만5천원)
🕒 11:00~15:00/17:00~20:00 – 비정기적 휴무
🔍 경남 밀양시 무안면 동부1길 7-4
☎ 055-353-2252 Ⓟ 가능

차군커피로스터스

chagun coffee roasters 커피전문점

밀양역 인근에 있는 로스터리 커피 전문점으로, 필터커피를 맛볼 수 있다. 이태리산 마스카포네 치즈만을 사용해 만든 수제 티라미수도 인기 있다. 청록색 페인트와 목재 가구의 인테리어로 따뜻한 분위기를 자아낸다.

₩ 아메리카노(4천원), 카페라테, 플랫화이트(각 5천원), 말차우유(5천5백원), 바나나브레드(3천5백원), 딸기케이크(7천5백원)
🕒 12:00~18:00 – 일요일 휴무
🔍 경남 밀양시 가곡11길 4(가곡동)
☎ 010-3378-6759 Ⓟ 불가

행랑채 일반한식 | 비빔밥 | 전통차전문점

운치 있는 분위기의 식당 겸 전통찻집. 흑미와 나물이 들어간 비빔밥과 수제비가 인기 메뉴다. 나무로 된 실내와 커다란 난로가 운치 있는 산장에 온 듯한 느낌을 준다. 데이트 필수 코스로도 유명하다.

₩ 비빔밥, 수제비(각 1만원), 고추전(1만5천원)
🕒 10:00~20:00 – 둘째, 넷째 주 월요일 휴무
🔍 경남 밀양시 산외면 산외로 731
☎ 055-352-8927 Ⓟ 가능

경상남도 사천시

남촌횟집 굴

비토섬 앞바다를 바라보며 셀프로 장작 굴 구이를 해 먹을 수 있는 곳. 큼지막하고 알맹이가 실한 굴을 맛 볼 수 있다. 매장에서 파는 굴구이와 주류를 제외한 육류나 새우, 감자 등은 직접 가져와야 한다. 야외 캠핑 감성을 제대로 느낄 수 있다.

₩ 굴구이, 굴찜(각 4만원), 가리비(4만원), 굴라면(5천원)
🕒 10:00~20:00(마지막 주문 18:00) – 연중무휴
🔍 경남 사천시 서포면 거북길 468-91
☎ 0507-1370-1966 Ⓟ 불가(가게 앞 길가 주차)

덕합반점 德合飯店 일반중식

2대에 걸쳐 이어온 화상중식당. 과일이 많이 들어간 탕수육이 인기가 좋다. 짜장면 맛도 무난한 편이며 볶음밥에도 불 맛이 살아 있다.

₩ 짜장면(7천원), 짬뽕(8천원), 덕합짜장, 고추짜장(각 1만원), 삼선짜장(1만2천원), 고추잡채밥, 잡탕밥(각 1만8천원)
🕒 11:30~15:00(마지막 주문 14:30)/17:00~20:30(마지막 주문 20:00) – 연중무휴
🔍 경남 사천시 사천읍 읍내1길 81
☎ 055-852-2165 Ⓟ 가능

드베이지 DE BEIGE 카페 | 베이커리

바다와 삼천포대교가 보이는 전망 좋은 카페. 날이 좋은 때에는 루프탑 테라스에 앉아 시간을 보내기 좋다. 음료 이외에 직접 제빵한 다양한 빵도 판매하고 있다.

₩ 에스프레소(4천5백원), 아메리카노(5천원), 카페라테(5천5백원), 바닐라라테(6천원), 소금빵(3천원), 자색고구마빵(3천5백원)
🕒 10:00~22:50 – 연중무휴
🔍 경남 사천시 사천대로 26(대방동)
☎ 055-833-0300 Ⓟ 가능

삼다도전복죽 죽 | 전복

제주 출신 사장이 내는 전복요리를 맛볼 수 있다. 전복죽은 물론, 전복과 해삼이 들어간 물회 맛이 일품이다. 반찬으로 제공되는 전복젓갈도 별미다.

₩ 전복죽(1만7천원), 전복물회(1만9천원), 전복회, 전복구이(각 6만5천원)
🕒 10:00~15:30/17:00~20:00(마지막 주문 19:10) – 수요일, 명절 휴무
🔍 경남 사천시 팔포3길 2(서금동)
☎ 055-833-1566 Ⓟ 가능

삼천포맛집정서방 일반한식 | 생선구이

생선구이를 전문으로 하는 곳으로, 가마솥밥과 함께 전복, 멍게 등 10여 가지의 해물 반찬이 여러 가지 생선과 함께 나오는 해물밥상을 맛볼 수 있다. 조개가 듬뿍 들어가는 해물샤부샤부도 추천 메뉴. 실내도 넓고 쾌적한 편이다.

₩ 제철회+생선구이정식(2인 6만원, 3인 9만원, 4인 12만원), 해물모둠(4만원), 해물조개샤부샤부(2인 6만6천원, 3인 9만9천원, 4인 13만2천원), 고등어구이(8천원)
🕒 11:00~15:00/17:00~21:00(마지막 주문 20:00) | 토, 일요일, 공휴일 11:00~16:00/17:00~21:00(마지막 주문 20:00) – 연중무휴
🔍 경남 사천시 진삼로 269(신벽동) 1층
☎ 055-835-5349 Ⓟ 가능

삼천포원조물회 생선회 | 물회

팔포매립지에서 가장 오래된 곳 중의 하나로, 전통의 맛을 자랑한다. 이 부근에서 물회를 처음 시작한 것으로 알려져 있다. 물회에는 상추, 배, 오이 등의 채소와 제철 생선회가 들어간다.

₩ 물회(1만5천원), 해물특물회(1만6천원), 전복물회(1만8천원), 매운탕(2인 이상, 1인 1만5천원)
🕒 10:30~20:30 – 두 번째, 네 번째 화요일 휴무
🔍 경남 사천시 팔포3길 27
☎ 055-852-2800 Ⓟ 가능

삼천포한옥집 한식주점

낮엔 갈비찜을, 저녁엔 실비를 판매한다. 실비는 인당 주류 2병이 포함되어 있으며, 정갈하고 푸짐한 상차림을 제공한다. 가지각색의 반찬이 가득 채워져 있으며 싱싱한 해산물과 육고기를 모두 맛볼 수 있다.

₩ 실비(4만원), 점심특선(1만5천원), 소갈비찜(5만원)
🕒 11:00~22:00 – 연중무휴
🔍 경남 사천시 선구2길 12
☎ 055-833-1333 Ⓟ 가능

씨맨스카페 Seamans Cafe 카페

일몰을 감상할 수 있는 것으로 유명한 선상카페. 카페 실내나 외부에서 바다와 환상적인 저녁 노을을 볼 수 있다. 카페로 들어가는 나무 데크로 된 다리를 배경으로 사진을 찍는 이들이 많다. 태풍이나 파도가 심한 날은 휴무니 참고할 것.

₩ 씨맨스커피(7천5백원), 씨맨스라테(8천원), 에스프레스(5천5백원), 아메리카노(6천원), 카페라테(6천5백원), 고구마라테(7천원), 자두에이드, 망고스무디(각 7천5백원)
🕒 11:00~20:00 | 토, 일요일, 하절기 10:00~22:00 – 연중무휴(태풍이나 파도 심한 날은 휴무)
🔍 경남 사천시 해안관광로 381-5(송포동)
☎ 055-832-8285 Ⓟ 가능

재건냉면집 비빔냉면 | 물냉면

사천을 대표하는 오래된 냉면집이다. 육전이 올라가 있는 것이 특징이며, 비빔냉면이 유명하다. 일반 냉면과는 다른 이색적인 맛이다. 70여 년의 전통을 자랑한다.

₩ 물냉면, 비빔냉면, 온면(각 소 1만1천원, 대 1만3천원), 돼지육전(소 1만5천원, 대 3만원), 한우소머리수육(소 2만원, 대 4만원)
🕒 11:00~15:00/16:00~19:30 | 하절기 11:00~15:00/16:00~22:00 – 둘째, 넷째 주 월요일 휴무
🔍 경남 사천시 사천읍 동성길 28
☎ 055-852-2132 Ⓟ 가능

진남식육식당 육회 | 소고기구이

식육점을 함께 운영하고 있어 합리적인 가격에 질 좋은 소고기를 맛볼 수 있다. 육회는 양념이 강해 술안주로 적합하다. 비빔밥에 육회를 올려주는 육회비빔밥도 인기다. 40년 역사를 자랑한다.

₩ 생갈비(200g 3만5천원), 꽃등심(130g 2만8천원), 육회(150g 2만원, 250g 3만원), 가브리살(150g 1만원), 목살, 삼겹살(각 150g 9천원), 육회비빔밥(9천원)
🕒 10:00~14:40/16:40~21:00 – 첫째 주 월요일, 명절 휴무
🔍 경남 사천시 곤명면 완사1길 33-11
☎ 055-853-2120 Ⓟ 가능

풍년복집 복

복찜, 복튀김 등 다양한 복요리를 즐길 수 있는 곳. 비교적 부담없는 가격으로 복요리를 즐길 수 있다. 예약이 없으면 일찍 문을 닫으므로 저녁에 방문하려면 전화하여 확인하는 것이 좋다.

₩ 참복국, 복매운탕(각 1만5천원), 복찜, 복튀김(각 5만원), 복불고기(2만원), 복수육(소 5만원, 대 6만원)
🕒 06:00~18:00 – 명절 당일 휴무
🔍 경남 사천시 수남길 82(동동)
☎ 055-832-8909 Ⓟ 가능

해원장횟집 생선회 | 백합

찹쌀에 백합을 푸짐하게 넣고 대추, 생삼 뿌리, 약간의 마늘과 함께 끓여 내는 백합죽을 선보이는 곳. 영양가도 높고 소화가 잘 되어 음주 후 속풀이에 제격이다. 소금이나 간장을 거의 넣지 않고 백합에서 우러나는 염분으로 간을 맞춘다. 백합구이와 백합회는 술안주로 좋다.

₩ 백합죽(1만4천원), 활어통마리(시가), 백합회, 백합구이, 백합탕(각 소 5만원, 중 6만원, 대 7만원, 특대 10만원), 모둠회(소 6만원, 중 8만원, 대 10만원, 특대 15만원)
🕒 11:00~15:00/16:30~21:30 – 명절 휴무
🔍 경남 사천시 용현면 선진공원길 487
☎ 055-854-4433 Ⓟ 가능

경상남도 산청군

늘비식당 민물생선튀김 | 어탕국수

경호강에서 잡은 자연산 잡어로 끓이는 어탕국수로 유명하다. 다 먹은 후에는 미나리, 버섯, 부추 등을 넣어 밥을 비벼 먹어도 좋다. 어탕국수와 함께 피라미를 튀긴 피리튀김도 별미다.

₩ 어탕국수(2인이상, 1인 9천원), 어탕칼국수(2인 이상, 1인 1만1천원), 피라미튀김(3만원) , 빙어튀김(2만원)
🕒 11:00~20:00 – 월요일 휴무
🔍 경남 산청군 생초면 산수로 1030-18
☎ 055 972-1903 Ⓟ 가능

원조우정식당 민물생선튀김 | 민물매운탕 | 어탕국수

어탕국수로 유명한 집. 어탕국수는 붕어를 몇 시간 고아서 양념과 시래기, 국수를 넣고 끓인 것으로, 제피가루를 듬뿍 얹어 먹으면 맛이 그만이다.

₩ 어탕국수(8천원), 어탕칼국수(9천원), 다슬기수제비(1만원), 메기탕, 메기찜(각 소 3만5천원, 중 4만원, 대 5만원), 피리튀김(2만5천원, 대 3만원)
⏲ 08:00~20:00 – 연중무휴
🔍 경남 산청군 생초면 생초로 25-6 ☎ 055-972-2259 Ⓟ 가능

일신식당 민물생선찜 | 민물매운탕

생초매운탕촌에서 40년 동안 영업을 해온 곳으로, 한방쏘가리탕이 유명하다. 경호강에서 직접 잡은 민물고기로 매운탕을 끓여낸다. 이 외에도 피리조림, 은어회가 대표 메뉴다. 물살이 빠르고 강폭이 넓은 경호강에서 잡은 물고기는 살이 단단하고 싱싱한 것이 특징이다.

₩ 쏘가리탕(소 7만원, 중 9만원, 대 11만원), 메기탕, 잡어탕(각 소 3만원, 중 4만원, 대 5만원), 은어조림, 메기찜(각 중 4만원, 대 5만원)
⏲ 07:30~20:30 – 연중무휴
🔍 경남 산청군 생초면 산수로 1022-1
☎ 055-972-2175 Ⓟ 가능

지리산약초장어 장어

지리산 약초로 키운 민물장어를 맛볼 수 있는 곳이다. 참숯에 구운 민물장어는 참숯 향이 은은하게 나며 장어 특유의 흙냄새가 없고 담백한 맛이 좋다. 매콤한 고추장양념을 발라 구운 향긋한 더덕구이를 곁들여 먹으면 좋다.

₩ 장어구이(1kg 5만9천원), 장어구이세트(1kg 6만9천원), 점심장어구이알밥정식(1만2천원), 장어탕(소 4천원, 대 8천원), 더덕구이(150g 1만5천원)
⏲ 10:30~21:00 – 월요일 휴무
🔍 경남 산청군 금서면 친환경로2605번길 6-1
☎ 055-974-2211 Ⓟ 가능

플래닛커피산청점 cafe planet 27 카페

산청 논밭 사이에 자리한 카페로, 다양한 시그니처 커피가 유명하다. 달달한 크림과 라테가 어우러진 크림라테와 달콤한 초콜릿 맛이 느껴지는 모카몽블랑이 인기다. 산청에서 유명한 산애삼을 활용한 산애삼슈페너도 독특한 메뉴. 소담한 정원과 야외 테라스 자리도 있어 시간을 보내기에도 좋다.

₩ 아메리카노(4천원), 카페라테(4천5백원), 크림라테(5천원), 모카몽블랑(5천5백원), 말차슈페너(5천원), 스콘(3천원~3천5백원), 에그스콘(3천5백원), 플레인베이글(3천원)
⏲ 11:00~19:00(마지막 주문 18:30) | 토, 일요일 11:00~21:00(마지막 주문 20:30) – 연중무휴
🔍 경남 산청군 금서면 경호로 27
☎ 010-2930-0251 Ⓟ 가능

경상남도 양산시

가음막창 돼지막창 | 삼겹살

막창 구이, 삼겹살, 돼지껍질구이를 맛볼 수 있는 곳. 넓적한 모양의 생막창과 숯불에 초벌구이 한 막창이 대표 메뉴다. 노릇하게 잘 구워진 막창은 청양고추를 잘게 썰어 넣은 쌈장과 함께 먹기도 한다.

₩ 생막창(9천원), 초벌막창(120g 1만원), 생삼겹살(120g 9천원), 돼지껍질(5천원), 무뼈닭발(1만3천원), 생고기김치찌개(6천원), 냄비우동(5천원), 계란찜(2천원)
⏲ 17:00~22:30(마지막 주문 21:30) – 일요일 휴무
🔍 경남 양산시 북정로 17
☎ 055-785-2626 Ⓟ 가능

경기식당 일반한식 | 산채정식

50여 년 동안 산채정식을 전문으로 해온 곳이다. 산채정식을 시키면 나오는 반찬이 모두 깔끔하다. 나물 향이 물씬 나는 산채비빔밥도 기본기에 충실한 맛이다.

₩ 찹쌀파전(1만원), 산채비빔밥, 산채정식(각 8천원), 더덕정식(1만2천원), 더덕구이(1만5천원)
⏲ 09:00~19:00 – 월요일 휴무
🔍 경남 양산시 하북면 신평강변로 86
☎ 055-382-7772 Ⓟ 가능

다다물회집 물회

물회만 전문으로 하는 곳. 물회에 사용될 회를 선택할 수 있는 것이 특징이다. 기본 밑반찬도 푸짐하게 나오는 편.

₩ 참가자미물회(1만6천원, 곱빼기 2만1천원, 사발물회 4만8천원), 돌돔물회(2만원, 곱빼기 2만7천원, 사발물회 6만원)
⏲ 10:30~15:30/16:00~21:00(마지막 주문 20:30) – 월요일 휴무
🔍 경남 양산시 상북면 상북중앙로 397
☎ 055-374-3306 Ⓟ 가능

다이닝숲 DINNIG FOREST 피자 | 파스타 | 이탈리아식

숲 뷰를 즐기며 조용하게 식사할 수 있는 분위기 좋은 이탈리안 레스토랑. 10가지 이상의 파스타 메뉴가 있으며, 피자, 리조토, 스테이크 등도 맛볼 수 있다. 통창으로 된 창가 자리에 앉으면 숲 속에서 식사하는 기분이다.

₩ 목살스테이크, 포크안심스테이크(각 중 2만3천5백원, 대 2만6천5백원), 숯불바비큐폭립구이(2만9천5백원), 카르보나라, 베이컨토마토파스타, 상하이파스타, 스위트크림치즈피자, 갈릭새우치즈피자, 핫페페로니피자(각 1만9천5백원), 게살오이스터파스타(1만9천8백원)
⏲ 11:30~15:00/17:00~21:00(마지막 주문 20:00) – 화요일 휴무
🔍 경남 양산시 상북면 충렬로 541
☎ 055-382-7774 Ⓟ 가능

미몽 美夢 파스타 | 이탈리아식 | 와인바

비스트로 & 와인바를 콘셉트로 하는 곳으로, 와인과 어울리는 음식을 맛볼 수 있다. 횡성한우를 다져서 넣은 화이트트러플라구파스타가 추천 메뉴다. 컨벤션 와인과 내추럴 와인 모두 리스트에 있어 취향에 맞춰 페어링 할 수 있으며 전통주도 일부 준비되어 있다. 1인 셰프가 운영하는 작은 업장으로, 1인 1메뉴가 필수

₩ 초리조로메인샐러드(1만3천원) 가지&고추장라구(1만6천원), 명란오일파스타(1만8천원), 토마토파스타(1만6천원), 화이트트러플라구파스타(2만원), 드라이에이징오리가슴살(3만4천원), 살치살스테이크(5만8천원)

🕒 11:30~15:30/17:00~22:30(마지막 주문 21:30) – 월요일 휴무

🔍 경남 양산시 물금읍 신주3길 15-18 101호

☎ 055-913-1770 Ⓟ 가능

미몽

서리단 NEW 메밀

현대식 한옥 분위기의 메밀 요리 전문 한식당. 들기름 메밀면과 흑임자 옹심이 메밀수제비, 흑임자 옹심이 메밀국수 등을 맛볼 수 있다. 동인동 매운 갈비찜은 대구식으로 만든 음식으로 소스에 마늘이 가득 들어간 것이 특징이다. 흑임자 옹심이 메밀수제비와 흑임자 옹심이 메밀국수를 많이 찾는 편.

₩ 들기름메밀면, 흑임자옹심이메밀수제비(각 1만1천원), 매운들기름메밀면, 흑임자옹심이메밀국수, 연탄불고기새싹비빔밥(각 1만2천원), 손말이고기찜(3만8천원), 동인동매운갈비찜(4만5천원)

🕒 11:00~15:00/17:00~20:30(마지막 주문 20:00) – 화요일 휴무

🔍 경남 양산시 물금읍 화산길 10

☎ 0507-1462-229 Ⓟ 가능

설야멱 삼겹살 | 돼지고기구이

합리적인 가격으로 숙성육을 선보이는 삼겹살과 특수부위 전문점. 직원이 직접 고기를 구워주며 알맞게 숙성된 고기를 맛볼 수 있다. 놋그릇에 담겨 나오는 각종 소스를 고기에 곁들여 먹는다. 사이드 메뉴인 볶음밥도 많이 찾는 편.

₩ 특등심덧살, 특항정살, 특갈매기살(각 100g 1만3천원), 특목살, 특삼겹살(각 130g 1만3천원), 한우우둔육회(소 1만3천원, 대 2만1천원), 얼음김치말이국수, 명품비빔면(각 6천원), 된장찌개, 순두부찌개(각 6천원), 볶음밥(4천5백원)

🕒 15:30~23:30 | 토, 일요일 11:00~23:30 – 월요일 휴무

🔍 경남 양산시 물금읍 백호1길 11

☎ 010-6555-1888 Ⓟ 가능

원조손두부 두부

통도사 인근에서 100여 년에 걸쳐 4대째 직접 두부를 만들어 온 집. 소금을 쌓아놓아 간수를 직접 만든다. 가족이 농사지은 국산 콩을 사용하는 것도 맛의 비결이다.

₩ 닭백숙(6만원), 순두부전골, 두부조림(각 2만원), 청국장, 파전(각 1만원)

🕒 10:00~19:00 – 비정기적 휴무

🔍 경남 양산시 하북면 평산마을1길 22

☎ 055-382-8571 Ⓟ 가능

육동면 肉銅麵 비빔국수 | 국수

밀양의 5대국수인 미풍국수를 사용하는 국수 전문점. 1급품 밀가루를 사용하여 쫄깃한 식감이 특징이다. 4가지 메뉴만 판매하며 라유소스를 넣으면 매콤함을 더해준다.

₩ 동면, 매운동면, 우삼겹비빔면, 들기름비빔면(각 9천5백원), 육동, 육전물비빔면(각 1만원), 부타동(1만5백원), 쫄깃만두(6천원)

🕒 11:00~15:30/16:30~21:00(마지막 주문 20:30) – 연중무휴

🔍 경남 양산시 물금읍 범구로 14 유림노르웨이숲아파트 D동 4,5호

☎ 055-367-6050 Ⓟ 가능

죽림산방 약선요리 | 한정식

약선요리 전문점으로, 모든 요리에 약초나 약초 달인 물을 넣어 만든다. 약초 물에 담가 어독을 풀어 그릴에 구운 안동간고등어구이를 비롯해 대나무통밥, 된장찌개 등이 대표 메뉴며 이 외에도 다양한 메뉴가 있다.

₩ 정식(죽 1만9천원, 림 2만6천원, 산 3만원), 뚝배기불고기(1만5천원), 약초돼지수육(하루 전 예약, 4만원)

🕒 11:30~15:30/17:00~20:00(마지막 주문 19:00) – 월요일, 명절 당일 휴무

🔍 경남 양산시 상북면 대석2길 13

☎ 055-374-3392 Ⓟ 가능

첸트로 Centro 파스타 | 이탈리아식

합리적인 가격대로 다양한 파스타와 피자를 맛볼 수 있는 이탈리안 레스토랑. 조미료를 사용하지 않고 천연 재료만을 사용하여 맛을 내는 점이 좋다. 매주 화요일은 와인데이로 모든 와인을 10% 할인한다.

₩ A세트(8만9원), B세트(14만9천원), 리코타치즈샐러드(1만5천원), 모둠치즈샐러드(3만원), 아마트리치아나, 카르보나라(각 1만6천원),

해산물토마토파스타(2만원), 한우안심스테이크(150g 6만1천원), 한우채끝등심스테이크(200g 5만9천원), 버섯크림리조토(2만원), 고르곤졸라피자(1만9천원)
⏱ 11:30~15:00(마지막 주문 14:20)/17:00~22:00(마지막 주문 21:00) | 토, 일요일, 공휴일 12:00~22:00(마지막 주문 21:00) - 수요일 휴무
🔍 경남 양산시 물금읍 범구로 25
☎ 055-389-0889 Ⓟ 가능

호포옛날할매집 민물매운탕

메기매운탕과 붕어매운탕이 유명하다. 칼칼하고 얼큰한 매운탕 국물에 넣어 먹는 수제비 맛도 좋다.
₩ 민물장어매운탕(소 3만6천원, 중 4만9천원, 대 6만4천원), 붕어찜, 빠가매운탕(각 소 3만4천원, 중 4만8천원, 대 6만원), 참게메기매운탕, 메기찜(각 소 3만4천원, 중 4만8천원, 대 6만원)
⏱ 11:00~20:00 - 월요일 휴무
🔍 경남 양산시 동면 호포로 50
☎ 055-384-3357 Ⓟ 가능

경상남도 의령군

다시식당 소바

80여 년 전통의 소바집. 냉면처럼 육수에 말아 양지고기 고명을 올린 냉소바가 유명하다. 국물은 멸치와 소고기로 만드는 한국적인 맛이다. 소고기국밥, 망개떡과 함께 의령의 3미로 꼽힐 정도다.
₩ 냉소바, 비빔소바(각 1만1천원, 곱빼기 1만5천원), 온소바(1만원, 곱빼 1만4천원), 감자만두(6천원)
⏱ 10:30~19:00(마지막 주문 18:30) - 화요일, 명절 휴무
🔍 경남 의령군 의령읍 의병로18길 6
☎ 055-573-2514 Ⓟ 불가

수정식당 소고기국밥 | 곰탕 | 수육

3대에 걸쳐 소고기국밥을 전문으로 해온 곳. 한우를 사용하여 가마솥에 끓여낸다. 그 외에도 수육이나 곰탕, 따로국밥 등의 메뉴도 있다.
₩ 소고기국밥(각 1만원), 소고기곰탕(1만1천원), 소고기수육(중 4만원, 대 5만원)
⏱ 11:00~20:00 - 비정기적 휴무
🔍 경남 의령군 의령읍 의병로23길 6
☎ 055-573-2465 Ⓟ 가능

의령망개떡 떡

의령의 토속식품인 망개떡의 원조 격인 집. 망개떡은 망개 잎으로 떡을 싸면 빨리 쉬지 않는다는 점에 착안하여 만들기 시작한 것이라 한다. 60년이 넘는 역사를 자랑하는 곳으로, 망개떡은 의령의 3미 중 하나로 꼽힌다.
₩ 망개떡(4개 3천원, 7개 5천원, 16개 1만원, 20개 1만2천원, 40개 2만4천원)
⏱ 08:00~18:00 - 명절 휴무
🔍 경남 의령군 의령읍 의병로18길 3-4
☎ 055-573-2422 Ⓟ 불가

의령소바 소바

의령 메밀을 사용한 소바로 오랜 역사를 자랑하는 집. 직접 손으로 면을 뽑으며 한국식으로 사골육수와 과일을 넣은 소스를 사용하고 있다.
₩ 온메밀국수(8천원), 냉메밀국수, 비빔메밀국수(각 8천5백원), 장터소국밥, 장터해장국(각 9천원)
⏱ 10:00~20:00(마지막 주문 19:30) - 연중무휴
🔍 경남 의령군 의령읍 의병로18길 3-5
☎ 055-572-0885 Ⓟ 가능

의령화정소바국수 메밀국수

의령 소바의 원조로 불리는 곳 중의 하나. 다시식당과 함께 의령 소바의 양대산맥으로 불린다. 장조림이 고명으로 올라가는 것이 특징이다. 깔끔하면서 얼큰하고 깊은 육수 맛이 일품이다.
₩ 메밀짜장, 화정국수(각 6천원), 온소바, 등심돈가스(각 8천원), 고구마치즈돈가스, 비빔소바, 냉소바(각 8천원), 감자찐만두(4천원)
⏱ 10:00~20:00(마지막 주문 19:15) - 격주 월요일 휴무
🔍 경남 의령군 의령읍 의병로18길 9-3
☎ 055-573-4193 Ⓟ 불가

제일소바 소바

다시식당과 함께 의령에서 손꼽히는 소바집 중의 하나. 50여 년 전 의령에 소바를 가장 먼저 소개한 집으로 알려져 있다.
₩ 온소바, 냉소바, 비빔소바, 섞어소바(각 8천원), 만두(4천원), 면추가(1천원)
⏱ 10:00~19:00 - 두 번째, 네 번째 월요일 휴무
🔍 경남 의령군 의령읍 의병로 222
☎ 055-572-3863 Ⓟ 가능

종로식당 소고기국밥 | 수육

70여 년 전통의 소고기국밥으로 유명한 집. 가마솥에서 푹 삶아서 부드러운 소고기와 얼큰한 국물 맛이 좋다. 의령 한우를 사용하며 수육을 시키면 선지, 사태, 양지, 대창 등이 곁들여 나온다. 곰탕은 점심시간 한정메뉴이다.
₩ 소고기국밥, 곰탕(각 1만원), 수육(소 4만원, 대 5만원)
⏱ 07:00~20:00 - 명절 휴무
🔍 경남 의령군 의령읍 충익로 47-6
☎ 055-573-2785 Ⓟ 가능

초가산장 소고기구이

한우직판장을 겸하는 합리적인 가격의 한우 구이 전문점. 세미나실도 있어 대규모 회식에도 적당하다. 따로 마련되어 있는 정육점에서 고기 구매 후 상차림비를 내고 먹는 시스템이다. 식사로 인기인 된장찌개는 소고기 기름이 남아 있는 돌판에 된장 베이스를 부어준다.

Ⓦ 한우모둠(200g 2만4천원), 등심, 갈비살(각 200g 2만8천원), 특수부위(200g 3만2천원), 육회(200g 2만원, 300g 3만원), 돌판된장찌개(3천원), 차돌박이된장찌개(7천원), 상차림비(3천원)

🕒 11:00~15:00/16:00~21:00(마지막 주문 19:30) | 토, 일요일, 공휴일11:00~21:00 – 연중무휴

🔍 경남 의령군 가례면 홍의로 273

☎ 055-573-4200 Ⓟ 가능

경상남도 진주시

금산골 곱창전골 | 양곱창

한우곱창 전문점으로, 9가지 부위가 들어있는 곱창전골이 대표메뉴다. 곱창전골을 주문하면 샤부샤부 고기가 서비스로 나온다. 소곱창모둠구이, 한우대패구이도 인기 메뉴다.

Ⓦ 한우모둠곱창전골(2인 3만5천원, 3인 5만원, 4인 6만5천원), 한우곱창모둠구이(120g 2만2천원), 한우대패한접시구이(500g 6만원), 한우뭉텅이살(100g 2만5천원)

🕒 11:00~22:00| 토요일 17:00~22:00 – 일요일 휴무

🔍 경남 진주시 충의로 20-22(충무공동)

☎ 055-753-6200 Ⓟ 가능

대룡중식당 大龍 홍콩식중식 | 광동식중식

합리적인 가격에 고급스러운 광동식 중국 요리를 맛볼 수 있는 곳. 소스에 토마토 케첩이 들어간 광동식 탕수육이 추천 메뉴다. 일반적인 짜장면, 짬뽕 대신 새우탕면, 볶음밥 등을 식사 메뉴로 선보인다. 다양한 종류의 중국 고량주도 구비하고 있다.

Ⓦ 완도산전복냉채(1만6천원), 광동식탕수육(2만5천원), 사천식라즈지(2만6천원), 흑후추한우볶음(3만8천원), 와사비크림새우(1만3천원), 목이버섯오이냉채(6천원), 마늘소스가리비관자찜(3만2천원), 남해산우럭찜(5만원), 산라새우딤섬냉채(1만원), 새우탕면, 돼지고기계란볶음면, 새우관자볶음밥(각 1만2천원), 망고사고(5천원)

🕒 11:30~14:30/17:30~21:30 – 월, 화요일 휴무

🔍 경남 진주시 순환로553번길 7 한보하이타운 1층 157호

☎ 070-4833-3382 Ⓟ 가능

더하우스갑을 the house 甲乙 비빔밥 | 소고기구이

전통 진주비빔밥과 소고기를 전문으로 하는 곳. 육회가 들어가는 진주식 비빔밥에는 뭇국이 함께 나온다. 식사를 시키면 샐러드바를 무료로 이용할 수 있다.

Ⓦ 갑을한정식(4만원), 전통진주비빔밥(1만원), 갈비찜, 떡갈비(각 1만7천원), 진주밥상(2만2천원), 한우등심(100g 2만5천원), 한우모둠(100g 2만3천원), 한우육회(200g 2만5천원)

🕒 11:30~15:00/17:00~21:30 | 토, 일요일 11:30~21:30 – 월요일 휴무

🔍 경남 진주시 남강로 519(신안동)

☎ 055-742-9292 Ⓟ 가능

문산제일염소불고기 🎀 염소고기

고기와 양념을 듬뿍 넣은 염소불고기를 맛볼 수 있는 곳. 염소뼈를 고아서 우려낸 염소우거지탕도 구수하고 담백하다. 농장에서 직접 키운 염소를 사용한다. 50년이 넘는 역사를 자랑한다.

Ⓦ 흑염소불고기(200g 3만3천원), 흑염소로스구이(200g 4만원), 흑염소버섯육개장(1만5천원), 흑염소곰탕(1만3천원), 흑염소우거지탕(9천원)

🕒 10:00~15:00/17:00~21:00 – 셋째 주 월요일 휴무

🔍 경남 진주시 문산읍 월아산로 1082

☎ 055-761-7020 Ⓟ 가능

밀레다임커피 🎀 MILLEDIGM COFFEE 커피전문점

다양한 스페셜티 커피 원두를 보유하고 있는 로스터리 카페다. 아메리카노를 주문하면 드립할 원두를 두 가지 중에서 기호에 따라 선택할 수 있다. 전체적으로 화이트 톤의 깔끔하고 모던한 실내에 로스팅룸도 오픈되어 있다.

Ⓦ 에스프레소, 아메리카노(각 4천5백원), 필터커피(변동), 콜드브루라테, 플랫화이트, 카페라테(각 5천5백원), 얼그레이티(5천5백원)

🕒 10:00~22:00(마지막 주문 21:30) – 연중무휴

🔍 경남 진주시 진주대로1087번길 3(평안동)

☎ 055-747-8377 Ⓟ 불가

뱅해이네 생선회

연어회와 밀푀유나베를 맛볼 수 있는 주점. 두툼하게 썰어 나오는 숙성 연어회가 인기다. 제철 식재료를 사용하여 메뉴가 변동되기도 한다.

뱅해이네

㉻ 연어막회(3만1천원, 4만3천원), 밀푀유전골(2만7천원), 치킨난반, 유린기(각 2만4천원)
⏲ 18:00~24:00(마지막 주문 23:00) – 일요일 휴무
🔍 경남 진주시 동진로120번길 6-1(상대동)
☎ 010-2632-3279 Ⓟ 불가

보리키친

bori Kitchen & Brew 이탈리아식 | 크래프트맥주바

생면 파스타를 전문으로 하는 이탈리안 레스토랑 겸 수제 맥주 브루어리. 파스타는 물론 피맥을 즐기기 좋다. 자체 양조장에서 만든 수제 맥주를 직접 따라 마실 수 있는 셀프 탭도 있다. 창문 밖은 야자수로 꾸며져 이국적인 느낌을 주며 멀리 남강 뷰를 바라볼 수도 있다.

㉻ 보리샐러드(1만9백원), 칼라마리먹물파스타(2만4천9백원), 만조포르마지피자(2만9천9백원), 김페스토파스타(1만7천9백원), 게살로제리조토(1만8천9백원)
⏲ 11:00~15:00/17:00~22:00(마지막 주문 21:20) – 연중무휴
🔍 경남 진주시 남강로 491(신안동) 남도레포츠타운 1층
☎ 055-748-7766 Ⓟ 가능(3시간 무료)

북경장 北京莊 중국만두 | 일반중식

오랜 기간 화상이 운영해온 중식당. 다양한 종류의 중국만두가 유명하며, 도삭면도 맛볼 수 있는 흔치 않은 곳이다. 전체적인 메뉴의 간과 맛이 맵거나 짜지 않고 순한 편이다. 별실이 많아 모임에도 좋다.

㉻ 짜장면(7천5백원), 짬뽕(9천원), 중식냉면(1만원), 딤섬(9천원~1만원)
⏲ 11:00~21:00 – 화요일, 명절 휴무
🔍 경남 진주시 남강로 661(동성동)
☎ 055-741-2757 Ⓟ 가능

빠리지엔느 Parisienne 프랑스식

프랑스 요리를 코스로 맛볼 수 있는 곳. 요리가 나올 때마다 친절한 설명이 곁들여진다. 실내는 프랑스에서 가져온 소품으로 가득하다. 테이블이 몇 개 없기 때문에 반드시 예약을 하고 가야 한다. 코스 구성은 정기적으로 변경된다.

㉻ 프랑스전통가정식코스(스테이크 7만원)
⏲ 12:00~14:00/18:00~21:00 – 일요일 휴무
🔍 경남 진주시 신평공원길 61-1(평거동)
☎ 055-747-7722 Ⓟ 가능

설야진주전통비빔밥전문점 🎀

雪野 비빔밥 | 육회 | 소불고기

천황식당, 제일식당과 함께 진주에서 손꼽히는 진주비빔밥 전문점이다. 일곱 가지 이상의 나물과 육회가 함께 나오는 것이 특징이다. 비빔밥에는 탕국이 같이 나온다. 비빔밥 그릇은 놋그릇을 사용하고 반찬 그릇은 옛날 막사발 스타일의 도기를 사용하여 고풍스러운 느낌이 든다.

㉻ 전통비빔밥(1만원, 대 1만3천원), 석쇠구이(2만5천원), 육회(소 2만5천원, 대 3만5천원)
⏲ 11:00~21:00 – 일요일 휴무
🔍 경남 진주시 동부로169번길 12(충무공동) 윙스타워 1층 A109호
☎ 055-762-0585 Ⓟ 불가

송기원진주냉면 진주냉면 | 갈비탕

30년에 걸쳐 맛을 이어오고 있는 진주냉면 전문점으로, 자가제면한 메밀면을 사용한다. 순조1800년, 논개1593년 등 독특하게 메뉴 이름을 지었다. 시그니처 메뉴는 송기원1997년으로, 양념장의 감칠맛과 시원한 해물 육수에 고소한 육전을 비롯한 다채로운 고명으로 조화롭게 맛을 낸다.

㉻ 순조1800년(물냉면)(1만2천원), 논개1593년(비빔냉면), 송기원1997년(섞음냉면)(각 1만3천원), 우전(2만3천원), 동일가애(갈비탕)(1만3천원)
⏲ 10:30~15:30/17:00~21:00 | 토, 일요일 10:30~21:00(마지막 주문 20:30) – 화요일 휴무
🔍 경남 진주시 모덕로47번길 1-2
☎ 055-758-2210 Ⓟ 가능

송화한정식 🎀 한정식

깔끔한 실내에서 정갈한 한정식을 맛볼 수 있다. 샐러드와 구절판, 녹두전, 화전, 회와 해산물, 보쌈, 조기구이, 갈비찜 등 다양한 요리가 나온다. 식사로는 밥, 된장찌개에 열 가지 반찬이 깔린다. 예약 후 방문은 필수인 곳이다.

㉻ 점심특선(1인 1만5천원), 일품정식(2만5천원), 궁중정식(3만5천원), 수라정식(5만원), 스페셜교방상차림(8만원)
⏲ 12:00~15:00(마지막 주문 14:00)/17:30~21:30(마지막 주문 20:00) – 명절 휴무
🔍 경남 진주시 도동천로 82(상대동)
☎ 055-753-4443 Ⓟ 가능

수복빵집 찐빵

단팥 소스를 끼얹어 나오는 조그마한 찐빵이 유명하다. 여름엔 팥빙수도 인기다. 팥과 얼음, 계피가루 등 심플한 구성이다.

㉻ 찐빵(4개 3천5백원), 꿀빵(5개 5천원), 단팥죽, 팥빙수(각 6천원)
⏲ 12:00~17:00(재료 소진 시 마감) – 둘째, 넷째 주 화요일 휴무
🔍 경남 진주시 촉석로201번길 12-1(평안동)
☎ 055-741-0520 Ⓟ 가능

시마다 🎀 しまだ 소바

일본에서 배워온 기술로 직접 수타면을 뽑아내는 곳이다. 대표 메뉴는 우동과 소바. 소바는 메밀 도정도에 따라 종류가 나뉘며 우동도 쓰유에 찍어 먹는 차가운 우동과 따뜻한 국물에 담겨 나오는 온우동 두 종류가 있다. 처음에는 서울 건국대학교 인근에

서 오픈했던 곳으로, 진주로 이전했다.

₩ 소바(9천5백원), 왕새우튀김우동(각 1만1천원), 튀김덮밥(덴중 1만2천원 조덴중 1만4천원), 가케우동(7천원), 와가메우동(8천원)
🕒 11:30~15:00 – 일요일 휴무
🔍 경남 진주시 가좌길48번길 15-1(가좌동)
☎ 055-763-0208 Ⓟ 불가

야키토리준 NEW
やきとりジユン 일식꼬치 | 이자카야

주문 즉시 숯불에 구워 주는 야키토리 전문점. 목살, 염통, 안심, 무릎 연골, 꼬릿살, 허벅지 살 등 부위별 닭고기를 꼬치로 맛볼 수 있다. 꼬치류 외에 간단한 안주류도 있으며, 하이볼이나 생맥주, 사케를 곁들이면 좋다.

₩ 야키토리오마카세(3종 1만1천원, 5종 1만8천원, 7종 2만5천원), 랜덤꼬치(3종 1만1천원, 5종 1만8천원, 7종 2만5천원), 대파닭다리살(9천원), 날개, 안심, 무릎연골, 목살(각 8천원), 껍질(7천원), 염통(6천원)
🕒 18:00~24:00(마지막 주문 22:30) – 일요일, 명절 휴무
🔍 경남 진주시 새들말로68번길 9-10
☎ 010-7192-2303 Ⓟ 불가

야키토리준

양식당오브 BISTRO AUBE 유럽식

유럽 음식을 선보이는레스토랑. 프랑스에서 유학한 셰프가 파스타, 에스카르고, 굴라시 등 이탈리안, 프렌치, 헝가리 음식을 요리한다. 속초 명란과 김페스토로 만든 김페스토명란파스토와 오브라구파스타가 인기 메뉴며, 스테이크도 추천할 만하다.

₩ 미트볼아마트리치아나(1만5천원), 에스카르고(6개 1만4천원, 12개 2만5천원), 살치살스테이크(4만8천원), 찹스테이크갈릭라이스(2만8천원), 오브필라프(1만4천원), 베이컨크림리조토(1만5천원)
🕒 11:30~15:20/17:00~21:30(마지막 주문 20:30) – 월요일 휴무
🔍 경남 진주시 신평공원길 33(평거동) 1층
☎ 055-747-5394 Ⓟ 가능

유정장어 장어

석쇠에 양파를 듬뿍 놓고 그 위에 초벌구이한 장어를 올려 굽는 방식이 독특하다. 상에 낼 때 장어머리와 꼬리 부분을 고아낸 국물에 고추, 마늘, 생강 등 양념을 가미해 만든 소스를 발라 한 번 더 구워 낸다. 민물장어와 함께 바닷장어도 취급하고 있다.

₩ 진주장어탕(8천원), 진주메밀냉면(1만원), 바다장어구이(2만6천원), 민물장어구이(3만6천원)
🕒 10:00~15:00(마지막 주문 14:50)/16:00~22:30 – 연중무휴
🔍 경남 진주시 진주성로 2(남성동)
☎ 055-746-9235 Ⓟ 가능

이동우커피 leedongwoo coffee 커피전문점

진주에서 스페셜티 커피를 맛볼 수 있는 곳. 일반 원두보다 질 좋은 생두를 직접 로스팅해서 커피를 내린다. 창밖으로 보이는 정원도 분위기가 좋다.

₩ 핸드드립커피(각 6천5백원), 카페라테, 카푸치노(각 6천원), 아메리카노(5천원)
🕒 07:30~20:00 | 토, 일요일, 공휴일 07:30~18:00(매장은 17:30) – 연중무휴
🔍 경남 진주시 신평공원길 63-1(평거동)
☎ 055-741-3652 Ⓟ 가능

제일식당 선지해장국 | 비빔밥

60여 년간 2대에 걸쳐 내려온 진주비빔밥으로 유명한 곳이다. 밥물은 곰국을 사용하고 다양한 나물과 푸른 해초, 육회를 올린다. 배추김치, 물김치, 진미채볶음 등이 반찬으로 나온다. 소고기선지국밥도 많이 찾는 메뉴.

₩ 육회비빔밥(소 1만원, 대 1만2천원), 가오리무침(소 2만원, 대 3만원), 육회(소 3만5천원, 대 5만원), 소고기선지국밥(8천원)
🕒 10:30~20:00(마지막 주문 19:30)(재료 소진 시 마감) – 둘째, 넷째 주 월요일 휴무
🔍 경남 진주시 중앙시장길 37-8(대안동)
☎ 055-741-5591 Ⓟ 가능(시장 공영주차장 이용 1시간 무료 주차 지원)

진주육거리곰탕 곰탕 | 수육

70년 넘게 2대째 이어오는 전통 있는 곰탕집으로, 사골을 15시간 이상 고아서 만든 곰탕은 깊고 진한 맛을 낸다. 국수가 함께 나오는 것이 특징이며 밑반찬으로 짭짤한 부추김치와 깍두기가 함께 나온다. 수육도 추천할 만하다.

₩ 곰탕(1만1천원), 수육(소 3만원, 대 3만9천원)
🕒 10:30~15:00/16:30~21:00 – 첫째, 셋째 주 월요일 휴무
🔍 경남 진주시 망경로 303(강남동)
☎ 055-757-6969 Ⓟ 가능(가게 옆 제일주차장 주차권 발급 필요)

진주헛제사밥 한정식

안동, 대구, 진주 등 몇몇 지역에서만 명맥이 이어지는 헛제삿밥을 내는 곳이다. 제사 음식 스타일로 나오기 때문에 붉은 음식은 거의 없고 간이 심심한 편이며, 비빔밥 역시 간장비빔밥으로 내어준다. 경상도 지역에서 주로 먹는 전 찌개도 별미다.

₩ 비빔밥(1만3천원), 정식(2만원), 전탕(소 2만5천원, 대 3만5천원), 수육(1만원)
🕒 11:35~15:00/17:30~20:00 – 첫째, 셋째 주 일요일 휴무
🔍 경남 진주시 금산면 월아산로 1296-6
☎ 055-761-7334 Ⓟ 가능

천수식당 비빔밥 | 소불고기

현지인에게 인기가 많은 곳으로, 신선한 소고기를 사용한 육회비빔밥이 대표 메뉴다. 비빔밥을 시키면 함께 나오는 선짓국도 진한 맛으로 비빔밥과 잘 어울린다. 훈연향이 나는 석쇠불고기도 인기 메뉴다.

₩ 육회비빔밥(중 9천원, 대 1만원), 석쇠불고기(2만원), 육회(3만원)
🕒 09:00~22:00 – 명절 당일 휴무, 비정기적 휴무
🔍 경남 진주시 향교로8번길 3(평안동)
☎ 055-742-7977 Ⓟ 가능

천황식당 비빔밥 | 육회 | 소불고기

진주식 비빔밥 전문점. 고깃국물에 토렴한 밥에 호박나물, 무나물, 콩나물, 숙주나물, 시금치, 양배추, 무, 고사리 같은 부드러운 나물과 육회를 올려 낸다. 선짓국물이 같이 나오는 것도 진주비빔밥의 특징. 집에서 재래식으로 담근 간장과 된장, 고추장 등을 재료로 사용하는 것이 맛의 비결. 육회나 석쇠불고기를 곁들이면 더욱 좋다. 1927년 개업한 후, 3대째 가업을 이어 한자리에서 비빔밥을 팔아온 전통과 관록을 자랑하는 맛집이다.

₩ 진주비빔밥(1만원), 석쇠불고기(250g 2만원), 육회(250g 3만원), 선지해장국, 콩나물국밥(각 5천원)
🕒 06:00~21:00(마지막 주문 20:00) – 연중무휴
🔍 경남 진주시 촉석로207번길 3(대안동)
☎ 055-741-2646 Ⓟ 불가

하동복집 아귀 | 복

중앙시장에서 70여 년의 역사를 자랑하는 복국 전문점. 맑은 국물의 시원한 복국으로 해장하려는 사람들이 많이 찾는다. 매콤한 아귀찜과 아귀수육의 맛도 수준급이다.

₩ 복국(1만3천원), 아귀찜(소 3만원, 대 4만원), 아귀수육(소 4만원, 대 5만원), 복수육(소 5만원, 대 6만원), 아귀탕(1만2천원)
🕒 08:00~20:00 – 명절 휴무
🔍 경남 진주시 진양호로 553(대안동)
☎ 055-741-1410 Ⓟ 가능(1시간 무료)

하연옥 진주냉면

진주식 냉면 전문점. 육수는 담백한 맛을 내는 멸치, 개발(바지락), 건홍합, 마른명태, 표고버섯 등을 넣어 해물 향이 강하다. 육전, 계란지단, 고기 등 고명을 푸짐하게 얹은 것이 진주비빔밥을 연상시킨다.

₩ 진주물냉면, 소선지국밥, 지리산흑돼지맑은곰탕(각 1만1천원), 진주비빔냉면(1만2천원), 어린이햄버그스테이크(9천5백원), 진주육전(2만4천원), 돌판소참갈비(2인 750g 3만9천5백원)
🕒 10:00~21:00 – 연중무휴
🔍 경남 진주시 진주대로 1317-20(이현동)
☎ 055-746-0525 Ⓟ 가능

한정식아리랑 한정식

진주의 교방상을 재현한 것으로 알려져 있다. 신선로, 탕평채 등 궁중요리와 홍어삼합, 대하찜, 전복회 등으로 한 상이 차려진다. 젓갈도 가자미젓, 전복젓 등 다양하게 낸다. 방문 시 예약은 필수다.

₩ 한정식(5만원, 7만원, 10만원)
🕒 11:30~15:00/17:00~20:30 – 월요일, 명절 휴무
🔍 경남 진주시 남강로471번길 5(신안동)
☎ 055-748-4556 Ⓟ 가능

경상남도 창녕군

도리원 한정식

전통적인 분위기에서 한정식을 맛볼 수 있는 곳. 가마솥밥이 인기 메뉴 중 하나다. 장독을 활용하여 꾸민 마당이 인상적이며 식사 후 산책을 즐기기도 좋다.

₩ 가마솥밥(1만2천원), 돼지삼겹(120g 1만원), 소고기(120g 2만원), 유황오리훈제(소 3만원, 중 4만5천원), 옛날식오리탕(2인 4만원)
🕒 11:00~19:00 – 연중무휴
🔍 경남 창녕군 영산면 온천로 103-25
☎ 055-521-6116 Ⓟ 가능

초우 소고기구이

창녕의 인동초 한우를 먹을 수 있는 정육식당. 마블링과 육질 상태가 좋은 인동초 한우를 사용한 것으로 인근에 알려져 있다. 기본 음식으로 천엽과 꽃게장이 나온다. 마블링이 화려해 구웠을 때 정말 부드럽다.

₩ 모둠구이(550g 8만8천원), 한우갈빗살(100g 2만9천원), 한우등심(100g 2만5천원), 갈빗갈(100g 2만9천원), 불고기정식(1만5천원), 갈비탕(1만3천원)
🕒 11:00~22:00 – 연중무휴

경남 창녕군 남지읍 동포로 45
☎ 055-526-3733 Ⓟ 가능

경상남도 창원시

224커피 224 coffee 카페 | 베이커리
귀산 방파제 인근 오션뷰 카페. 세련된 분위기 속 통유리창 너머로 보이는 마창대교와 루프탑에서 볼 수 있는 노을의 광경도 멋스럽다. 산미 있는 커피를 맛볼 수 있으며, 다양한 베이커리를 선보인다. 13세 이하는 입장 불가능한 노키즈존이니 참고할 것.

₩ 아인슈페너(6천원), 아메리카노(5천8백원), 카페라테, 바닐라라테(각 6천3백원), 율리레몬에이드, 청귤주스, 천혜향주스(각 6천5백원), 딸기라테(6천5백원), 베리베리바스크(6천8백원), 딸기케이크(7천5백원)
11:00~22:30(마지막 주문 21:30) – 첫째 주, 셋째 주 월요일 정기휴무
경남 창원시 성산구 삼귀로486번길 49(귀산동)
☎ 010-2775-0224 Ⓟ 가능

그해창원 디저트카페
마카롱과 에그타르트가 맛있는 디저트 전문점. 에그타르트는 포르투갈식으로, 바삭하면서 시나몬가루를 얹어 먹는 형식이다. 미숫가루, 산딸기, 돌체라테, 치즈, 초코, 쑥떡쑥떡, 흑임자 등 다양한 종류의 마카롱도 맛볼 수 있다.

₩ 마카롱(2천1백원), 에그타르트(2천5백원), 더치라테(4천원), 더치커피(3천5백원), 레모네이드, 자몽에이드, 청포도에이드(각 3천9백원)
11:00~19:00 – 일요일 휴무
경남 창원시 성산구 중앙대로83번길 13(중앙동) 삼일종합상가
☎ 010-7532-4962 Ⓟ 불가

달콤비니하우스 케이크 | 베이커리 | 디저트카페
케이크와 와플, 요거트 등 직접 만든 디저트와 베이커리까지 선보이는 카페. 베이커리 종류도 다양하며, 디저트로는 와플이 인기 있다. 테이블마다 생화를 놓은 깔끔한 화이트톤 인테리어도 돋보인다.

₩ 피낭시에(2천5백원), 소금빵(3천원), 와플(아이스크림 1만3천원, 초코 1만4천원, 딸기 1만8천원), 조각케이크(5천5백원~7천5백원), 베리베리요거트(6천8백원), 에스프레소, 아메리카노(각 4천5백원), 카페라테(5천원)
11:00~22:00 – 월요일 휴무
경남 창원시 성산구 대암로 151
☎ 055-266-3375 Ⓟ 불가

라룬크루아상 🎀
La lune croissant 페이스트리 | 크루아상
크루아상과 페이스트리를 전문으로 하는 베이커리 카페다. 매일 아침 여러 겹의 얇은 층이나 결을 이루게 반죽하여 바삭하게 구워낸다. 특히 겹겹이 쌓아 올린 크루아상에 다크초콜릿 파우더를 듬뿍 뿌린 초코크루아상이 인기다.

₩ 오리지널크루아상(3천8백원), 초코크루아상(4천8백원), 소시지페이스트리(4천5백원), 팽오쇼콜라(4천8백원), 퀸아망(3천8백원), 핸드드립커피(블렌딩 원두5천원, 싱글 원두 6천원), 웨딩임페리얼밀크티(7천원)
11:00~19:30(마지막 주문 19:00) – 일, 월, 화, 수, 목요일 휴무
경남 창원시 성산구 용지로133번길 9(중앙동) 마사이워킹센터 1층
☎ 055-262-2515 Ⓟ 불가

라스페란자 La speranza 파스타
셰프 혼자서 운영하는 이탈리안 레스토랑. 비스크소스와 토마토소스가 어우러진 딱새우스파게티를 비롯해 유자명란오일스파게티, 라자냐 등 다양한 파스타를 맛볼 수 있다. 요리와 곁들이면 좋은 와인 리스트도 다양한 편. 예약하고 방문하는 편을 추천한다.

₩ 그린샐러드(1만2천원), 토마토모차렐라치즈샐러드(1만5천원), 한우채끝등심스테이크(200g 5만8천원), 라자냐클래식(2만원), 감자뇨키, 유자향명란오일파스타(각 1만6천원)
11:45~14:30/17:50~21:30(마지막 주문 20:20) – 일요일 휴무
경남 창원시 성산구 원이대로589번길 12(용호동)
☎ 055-282-4114 Ⓟ 가능

박말순레스토랑 🎀 이탈리아식 | 파스타
참나물, 미나리, 고사리, 대파 등 한식 재료를 개성 있게 사용한 파스타를 맛볼 수 있는 이탈리안 레스토랑. 완도전복리조토도 추천 메뉴다. 오래된 가옥의 느낌을 살려 리모델링하여 빈티지한 느낌이다. 박말순 할머니가 60여 년 간 산 집을 개조해서 만든 곳이라 한다.

박말순레스토랑

₩ 문어샐러드(1만4천원), 톳명란오일파스타,차돌박이부추파스타(각 1만9천원), 완도전복리조토(2만5천원), 수비드한우채끝스테이크(6만 9천원), 평일런치코스(4만6천8백원)
⏲ 11:30~15:00(마지막 주문 14:00)/17:00~21:00(마지막 주문 20:00) – 연중무휴
🔍 경남 창원시 의창구 읍성로34번길 17-8
☎ 055-298-5502 Ⓟ 가능

브라바스 BRAVAS de vino 스페인식

모던한 인테리어의 스페인 레스토랑. 스페인식 통감자 튀김 요리인 파타타스 브라바스, 감바스 알 아히요, 파에야 등 다양한 스페인 요리를 맛볼 수 있다. 합리적 가격에 디저트까지 즐길 수 있는 런치 세트 메뉴도 많이 찾는다. 와인은 가격대가 낮은 편이나, 서비스 차지를 따로 지불해야 한다.

₩ 파타타스브라바스(9천원), 감바스알아히요(1만2천원), 브라바스에그인헬(1만9천원), 해산물파에야(3만3천원), 비프크림파스타(1만8천원), 런치세트(3만1천원)
⏲ 11:30~16:00/17:00~02:00(익일) – 연중무휴
🔍 경남 창원시 의창구 중동중앙로 47(중동) 어반브릭스 스트리트몰 1003호
☎ 055-292-1030 Ⓟ 가능

브런치팩토리 Brunch Factory 브런치카페

올데이 브런치를 즐길 수 있는 브런치 카페. 파니니와 리코타치즈샐러드가 유명하다. 오후 5시부터 저녁 9시까지는 디너타임으로 운영하여 파스타와 샐러드를 합리적인 가격으로 즐길 수 있다.

₩ 슈림프샐러드, 연어샐러드(각 9천5백원), 리코타치즈샐러드(1만1천5백원), 클럽샌드위치, 햄치즈샌드위치(각 7천5백원), 연어샌드위치, 필리치즈스테이크(각 8천5백원), 올리브봉골레파스타, 치킨크림파스타(각 1만2천9백원), 모차렐라토마토파니니, 소고기가지파니니, 햄치즈파니니(각 8천5백원)
⏲ 10:30~21:00 – 연중무휴
🔍 경남 창원시 성산구 마디미서로 26(상남동) 한독빌딩 103호
☎ 070-8868-6233 Ⓟ 가능

성산명가 소고기구이 | 소갈비

창원의 명물인 벚꽃갈비를 선보이는 곳. 천연 벚꽃꿀을 사용한 특제 양념 비법으로 숙성시키는 것이 특징이다. 두툼한 살에 칼집 사이로 양념이 잘 배어있다. 분위기가 고급스럽고 코스 메뉴가 있어 상견례나 가족모임으로 많이 찾는다.

₩ 한우벚꽃갈비(300g 6만2천원), 벚꽃나비갈비(310g 4만2천원), 벚꽃갈비(3만9천원), 한우모둠(500g 17만원), 행복한한상(1만8천원~2만1천원), 한우부채살(100g 3만5천원)
⏲ 11:15~22:30(마지막 주문 21:30) | 토, 일요일 11:00~22:30(마지막 주문 21:00) – 연중무휴
🔍 경남 창원시 성산구 마디미로63번길 7(상남동) 성산명가 2층
☎ 055-263-6618 Ⓟ 가능

수금재 한정식

도쿄의 유명 한식당 윤가의 창원 분점. 갤러리처럼 고급스럽게 꾸민 내부가 인상적이다. 코스는 죽으로 시작해 육회, 전, 해산물, 고기 순서로 나오며 맛뿐만 아니라 담음새도 깔끔하고 정갈하여 보기에도 아름답다. 아이스크림, 수정과 등의 후식도 매장에서 직접 만들어 깔끔한 맛을 자랑한다. 코스는 방문 하루 전까지 예약하는 것이 좋다.

₩ 런치코스(A 4만원, B 5만원), 코스요리(수 6만원, 금 8만원, 재 10만원)
⏲ 11:30~15:00(마지막 주문 14:00)/17:30~22:00(마지막 주문20:30) – 연중무휴
🔍 경남 창원시 성산구 마디미로4번길 5(상남동)
☎ 055-286-4008 Ⓟ 가능

스시타로 すし太郎 스시

가격대비 좋은 구성의 스시코스를 선보이는 곳. 입맛 돋우는 전채요리부터 다양한 스시, 구이, 튀김까지 만족도가 높다. 그날그날 최상의 재료를 사용하는 오마카세를 맛보려면 예약은 필수다.

₩ 디너코스(12만원)
⏲ 18:00~19:30/20:00~21:50 – 일요일 휴무
🔍 경남 창원시 의창구 남산로 109-1(서상동) A빌딩 1층
☎ 055-255-5567 Ⓟ 불가

언양각식당 🎀 소고기국밥 | 소불고기

연탄에 석쇠를 올려놓고 구운 연탄석쇠소불고기로 유명한 집. 떡갈비와 비슷한 맛을 낸다. 고기에 밴 불 맛과 양념이 일품이며 양도 많아 좋은 평을 받는다. 국밥도 인기가 좋다.

₩ 석쇠불고기(1인 1만8천원), 소국밥, 설렁탕(각 1만원), 도가니탕(2만3천원), 도가니수육(5만원), 모둠수육(4만원)
⏲ 09:30~21:30 – 명절 휴무
🔍 경남 창원시 의창구 용지로 253-1(용호동)
☎ 055-266-8050 Ⓟ 가능

원조판문점 소불고기

석쇠에 구운 한우 불고기가 유명한 집. 한우의 등심과 앞다릿살을 저민 고기를 사용하여 연탄 석쇠에 구워 나오는 석쇠불고기가 대표 메뉴다. 고기가 잘 부스러지지 않고 양념이 잘 배어있어 맛이 좋다는 평.

₩ 석쇠불고기(1인 2만원), 수육(6만원), 소고기국밥, 소고기국수, 소고기비빔밥(각 1만1천원)
⏲ 11:30~15:30/17:00~21:30 – 일요일 휴무
🔍 경남 창원시 의창구 상남로 240(신월동)
☎ 055-287-5514 Ⓟ 불가

임진각식당 소떡갈비

떡갈비가 유명한 곳. 고기를 잘게 다져서 양념한 것을 참숯불에 구워낸다. 석쇠구이 소불고기라고도 하며 언양식 불고기라 부르기도 한다. 함께 나오는 백김치가 특히 맛이 좋다는 평. 상추에 백김치, 고기를 함께 싸 먹는 것이 맛있게 먹는 방법이다.

ⓦ 소불고기(300g 1만7천원), 소국밥, 소따로국밥(각 1만원), 공기밥(1천원)

11:00~20:30(마지막 주문 20:00) – 명절 휴무

경남 창원시 의창구 팔용로 515(팔용동)

055-256-3535 Ⓟ 가능

창원삼거리식당중동본점 된장찌개 | 돼지두루치기

칼칼한 된장찌개와 두루치기가 맛있는 집. 30여 년 전 분식점으로 시작했지만, 두루치기와 된장찌개가 유명해지면서 2016년에 삼거리식당으로 상호를 바꾸고 지금 자리로 이전하였다. 조개로 진한 국물을 낸 된장찌개, 매콤한 양념의 두루치기와 함께 고등어구이가 나오는 세트 메뉴를 주문하면 골고루 맛을 볼 수 있으며, 가격도 합리적이다.

ⓦ 된장찌개, 김치찌개(각 1만원), 두루치기(1만7천원), 삼세트, 거세트(각 1만4천원), 고등어구이(반마리 4천원, 한마리 8천원)

11:00~15:00/17:00~21:00(마지막 주문 20:30) – 일요일 휴무

경남 창원시 의창구 평산로171번길 2(서상동)

055-288-8997 Ⓟ 가능

쿠버스그릴 Cubers Grill 이탈리아식

일본풍이 가미된 이탈리안 요리를 즐길 수 있는 레스토랑. 상호인 쿠버스는 굽다의 경상도 사투리 '꿉었쓰'를 재미있게 표현한 것으로, 소스를 사용하지 않고 참숯 그릴에 구운 스테이크가 대표 메뉴다. 1층에 와인숍에서 1천여 종의 와인을 숍 가격으로 구매하여 이탈리안 음식과 매칭할 수 있다.

ⓦ 런치세트(파스타A 1만8천9백원, 파스타B 1만9천8백원, 파스타C 2만1천원), 새우페퍼로니피자(2만3천원), 한우꽃등심스테이크(200g 6만5천원 300g 9만5천원)

11:30~15:00/17:00~22:00 – 연중무휴

쿠버스그릴

경남 창원시 성산구 용지로169번길 5 호텔에비뉴 2층

055-284-0840 Ⓟ 가능

퀸즈라운지 Queens Lounge 이탈리아식

고급스러운 분위기에서 이탈리안 파인 다이닝을 즐길 수 있는 곳. 아뮤즈, 애피타이저, 파스타, 스테이크, 디저트로 코스가 구성된다. 화려한 샹들리에와 클래식한 인테리어가 분위기를 더한다.

ⓦ 런치코스(3만원), 모던코스(런치, 디너 7만원), 디너코스(14만원)

12:00~15:00/18:00~22:00 – 월요일 휴무

경남 창원시 의창구 원이대로56번길 2-1

055-238-6611 Ⓟ 가능

프랑스베이커리 France bread&cake 베이커리

한국제과기능장이 운영하는 베이커리로, 다양한 종류의 프랑스식 빵을 선보인다. 통마늘바게트와 쌀찐빵이 인기 메뉴며 케이크와 롤케이크도 종류가 다양하다.

ⓦ 통마늘빵(5천4백원), 통마늘바게트(4천9백원), 크림치즈빵, 밀크롤링(각 4천원), 호두타르트(1만원)

08:00~23:00 – 일요일 휴무

경남 창원시 성산구 창이대로 737(사파동) 사파동성아파트

055-263-5371 Ⓟ 불가

플러스33 +33 프랑스식

프랑스에서 5년간 요리를 배운 셰프가 고향인 창원 가로수길에 오픈한 프렌치 레스토랑이다. 주문 즉시 요리를 시작하기 때문에 시간이 걸리지만, 신선한 맛을 즐길 수 있다. 오리스테이크, 비스크딱새우파스타가 인기 메뉴다.

ⓦ 240오리스테이크(3만5천원), 치즈크림풀레(2만6천원), 베이컨버섯뇨키(2만2천원), 비스크딱새우파스타, 연어그라블락스(각 1만9천원), 리옹식샐러드(1만2천원), 트러플감자티라미수(6천원)

11:30~15:00(마지막 주문 14:00)/17:00~21:00(마지막 주문 19:30) – 월요일 휴무, 마지막 주 화요일 휴무

경남 창원시 성산구 외동반림로 270(용호동)

010-4429-8115 Ⓟ 불가

피케 feeke 카페

글루텐프리 디저트를 맛볼 수 있는 카페. 소파 좌석으로 마련되어 있어 편안히 커피와 디저트를 즐기기 좋다. 디저트와 보틀케이크 가격도 부담없는 편.

ⓦ 아메리카노(4천원), 카페라테(5천원), 오렌지피케이드, 청사과피케이드(각 6천5백원), 초당옥수수라테(5천5백원), 보틀케이크(6천5백원), 쌀마들렌(1천9백원~2천3백원)

10:00~22:00 – 일요일 휴무

경남 창원시 의창구 도계로4번길 46 성문빌딩 102호 일부

010-4762-0930 Ⓟ 불가

하우요커피 HAUYO Coffee 커피전문점

마창대교 뷰의 전망좋은 스페셜티 커피 전문점. 바닐라빈라테가 추천 메뉴며, 딸기 케이크도 인기다. 3층 건물 각 층이 다른 콘셉트의 인테리어이며, 2, 3층은 포토존으로도 인기가 있다.

₩ 아메리카노(5천5백원), 핸드드립(6천5백원), 바닐라빈라테(7천원), 카페라테(6천원), 발로나라테(6천5백원), 딸기케이크(6천7백원)
🕒 12:00~22:00 – 화요일 휴무
🔍 경남 창원시 성산구 삼귀로 524-6(귀산동)
☎ 055-264-2327 Ⓟ 가능

경상남도 창원시(마산)

가포옛날영도집 장어

3대째 40여 년 전통을 이어온 장어구이 전문점. 장어구이 특화거리 중에서도 깊은 내공이 느껴지는 곳이다. 주문 시 장어는 미리 구워져 나오며, 통통하게 오른 살이 부드럽고 촉촉하다는 평이다. 기본 찬으로 나오는 장어 뼈튀김도 별미다.

₩ 양념장어구이, 소금장어구이(각 중 5만원, 대 6만원), 장어국수(4천원)
🕒 11:30~15:00/16:00~20:50(마지막 주문 19:30) – 월요일 휴무
🔍 경남 창원시 마산합포구 가포해안길 37(가포동)
☎ 055-246-9294 Ⓟ 가능

고려당 베이커리

마산에서 오랫동안 사랑받아온 빵집. 60년이 넘는 역사를 자랑한다. 달콤한 앙버터와 생크림치즈스틱, 수제햄버거가 인기있는 메뉴다. 팥빵은 빵의 밀도가 낮아 부담없이 먹기에 좋다. 버터크림빵은 부드러운 맛이 일품이다.

₩ 생크림치즈스틱(3천원), 소금빵(3천3백원), 앙버터(4천8백원), 공룡알빵(4천6백원), 마늘바게트(5천5백원), 수제햄버거(6천원), 밀크셰이크(3천5백원)
🕒 09:00~24:00 – 연중무휴
🔍 경남 창원시 마산합포구 동서북10길 68(창동)
☎ 055-243-0011 Ⓟ 불가

남성식당 복

마산식 복국을 먹을 수 있는 곳. 마산복요리거리의 원조집이라 할 수 있는 곳으로, 튀김, 찜, 수육 등 다양한 복요리를 즐길 수 있다. 3대째 내려오는 70여 년의 역사를 자랑한다.

₩ 참복국(2만2천원), 졸복매운탕, 졸복복국(각 2만원)
🕒 07:00~20:00 – 월요일 휴무
🔍 경남 창원시 마산합포구 오동동10길 3(오동동)
☎ 055-246-1856 Ⓟ 가능(1시간 무료)

노렌스시 Noren Sushi 일식 | 스시

창원을 대표하는 일식집. 일식과 양식을 조화시킨 새로운 트렌드로 창원의 일식 요리를 한 단계 성장시킨 것으로 평가 받고 있다. 인테리어 또한 일본 특유의 오픈형 룸으로, 이국적인 감성을 나타낸다.

₩ 스시런치코스, 사시미런치코스(각 4만5만원), 디너스시코스, 디너사시미A코스(각 7만5천원), 디너사시미B코스(10만원)
🕒 11:30~15:10/17:00~22:00(마지막 주문 20:00) – 명절 휴무
🔍 경남 창원시 마산합포구 해안대로 288(신포동1가)
☎ 055-242-7812 Ⓟ 가능

동굴집 청둥오리 | 닭백숙

촌닭(토종닭)백숙과 오리백숙을 먹을 수 있는 곳. 천연동굴 안에 있어서 동굴집이라 불린다. 백숙은 끓이는 데 시간이 오래 걸리므로 도착하기 한 시간 전에 미리 주문해 놓는 것이 좋다.

₩ 촌닭백숙, 한방오리백숙(각 6만원), 오리불고기(소 4만원, 중 5만원, 대 6만원), 오리훈제(2만8천원), 오리탕(1만2천원)
🕒 11:30~15:30/16:30~21:30(마지막 주문 20:00) – 월요일, 연휴 당일 휴무
🔍 경남 창원시 마산합포구 가포해안길 35(가포동)
☎ 055-221-0668 Ⓟ 가능

동문설렁탕 설렁탕

맑으면서도 진한 국물 맛을 내는 설렁탕집. 뽀얀 설렁탕 국물 맛이 일품이며 소면이 들어가 있어 배가 든든하다. 설렁탕에 곁들이는 깍두기 맛도 일품이다.

₩ 설렁탕(9천원), 도가니탕(1만2천원), 수육(소 3만5천원, 대 3만8천원), 도가니수육, 살고기수육(각 3만8천원)
🕒 07:30~21:00 – 명절 휴무
🔍 경남 창원시 마산합포구 용마로 82(산호동)
☎ 055-241-7001 Ⓟ 가능(1시간 무료)

둥지식당 솥밥

돌솥밥 정식을 맛볼 수 있는 곳으로,, 함께 나오는 10여 가지의 정갈한 반찬이 맛깔나다. 돌솥밥에는 콩과 옥수수 등이 들어가 밥을 먹은 후 물을 부어 만든 숭늉도 구수하다.

₩ 돌솥밥정식(2인 이상, 1인 1만2천원), 백반(2인 이상, 1인 1만원), 돼지불고기추가(소 5천원, 대 1만원)
🕒 11:30~20:00 – 명절 당일 휴무
🔍 경남 창원시 마산회원구 합성서1길 53(합성동)
☎ 055-297-2962 Ⓟ 불가

뜨라또리아다젠나 daGENNA 파스타 | 이탈리아식

흰색 외관의 입구가 눈길을 끄는 이탈리안 레스토랑. 내부 인테리어도 고풍스러우면서 화려하다. 고급스러운 분위기에서 파스타와 스테이크 등을 즐길 수 있다. 프라임 티본스테이크인 비스테카알라피오렌티나는 예약이 필수다.

Ⓦ 코스(2인 13만8천원), 살치살스테이크(200g 4만5천원), 안심스테이크(200g 6만4천원), 프라임티본스테이크(700g 13만8천원), 크림파스타(2만1천원), 리구파스타(2만2천원), 크림리조토(1만9천원), 홍감자뇨키(2만원)
Ⓣ 11:50~15:00(마지막 주문 14:00)/17:30~21:30(마지막 주문 20:30) | 토, 일요일 11:30~15:30(마지막 주문 14:30)/17:30~21:30(마지막 주문 20:30) – 월요일 휴무
Q 경남 창원시 마산회원구 3 · 15대로 728(합성동) 마산요리학원 1층
☎ 055-256-5545 Ⓟ 가능(인근 AK주차장 이용, 1시간 지원)

뜨라또리아다젠나

라쌍떼 LA SANTÉ 카페 | 베이커리

산 속에 위치하여 주변 경치가 좋은 대형 베이커리 카페. 제과기능장이 직접 만드는 다양한 종류의 빵을 맛볼 수 있다. 반려견 동반이 가능한 것이 장점이다. 합성동과 석전동에 1, 2호점이 있다.

Ⓦ 생크림팡도르(7천5백원), 인절미볼(6천원), 쇼콜라클래식(6천5백원), 허니모카(5천5백원), 에스프레소(3천5백원), 아메리카노(4천5백원), 카페라테(5천원), 자몽에이드(6천원)
Ⓣ 10:00~23:00(마지막 주문22:00) – 연중무휴
Q 경남 창원시 마산회원구 제2금강산길 135(합성동)
☎ 055-255-4588 Ⓟ 가능

몬스터로스터스 Monster Roasters 커피전문점

수준 높은 커피를 합리적인 가격에 즐길 수 있는 로스터리 카페. 에스프레소용 블렌딩 원두로 중강배전한 파이어맨과 약배전한 뎀프시롤 두 가지가 준비되어 있어 취향에 따라 선택할 수 있다. 부드러운 카페라테와 원형으로 깎은 커다란 얼음 하나가 들어가는 아이스더치가 인기 있다.

Ⓦ 에스프레소, 아메리카노(각 3천8백원), 카페라테(4천원), 브루잉커피(4천5백원, 5천원), 카야토스트(2천원)
Ⓣ 07:30~21:00 | 토, 일요일, 공휴일 12:00~20:00 – 연중무휴
Q 경남 창원시 마산합포구 월영동9길 14(해운동)
☎ 070-8790-8980 Ⓟ 가능

반달집 돼지고기구이

마산에서 돼지석쇠불고기를 처음 선보인 곳으로 알려져 있다. 양념이 된 돼지고기를 초벌해서 낸다. 넉넉히 제공되는 마늘과 함께 고기를 굽고, 상추겉절이를 곁들이는 맛이 일품이다. 서비스로 담백한 곰국이 나온다.

Ⓦ 돼지석쇠불고기(350g 1만8천원), 돼지국밥(6천원), 된장찌개(3천원)
Ⓣ 11:30~21:00 – 첫째 주 화요일 휴무
Q 경남 창원시 마산합포구 반월남2길 20(반월동)
☎ 055-223-5014 Ⓟ 가능

백제령 삼계탕

40여 년 역사를 지닌 삼계탕 전문점. 한옥을 개조하여 만들어 고풍스러운 분위기를 풍긴다. 주문제작한 도자기 그릇에 나오는 기본찬이 깔끔하다. 고소하고 담백한 국물의 삼계탕이 인기 메뉴다.

Ⓦ 삼계탕(1만8천원), 닭한방구이(소 1만원, 대 2만원), 민물장어구이(소 3만1천원, 대 6만2천원)
Ⓣ 11:00~15:00(마지막 주문 14:30)/17:00~21:00(마지막 주문 20:30) – 명절 휴무
Q 경남 창원시 마산합포구 3 · 15대로 385(중성동)
☎ 055-248-8800 Ⓟ 가능

베이스워터커피 base water coffee company 커피전문점

진주혁신도시 내에 자리한 커피 전문점. 직접 원두를 로스팅하는 것이 특징이며 블렌딩한 원두로 내린 커피 맛이 좋다. 콜드브루도 추천할 만하며 다크초콜릿, 자몽블랙티 등의 음료도 인기가 많다.

Ⓦ 에스프레소, 아메리카노(각 4천원), 라테(4천5백), 필터커피(5천5백원~6천5백원), 아포가토(5천5백원), 블루베리루이보스, 얼그레이(각 5천원)
Ⓣ 11:00~19:30 – 월요일 휴무
Q 경남 창원시 마산회원구 합성동2길 47
☎ 0507-1318-7377 Ⓟ 가능

불로식당 한정식

마산에서 유명한 한정식집. 처음에는 백반과 생선국으로 시작하였으나 1960년대부터 해산물을 중심으로 한 한정식을 내기 시작하였다. 부담없는 가격으로 생선구이, 수육 등을 맛볼 수 있다. 70년 넘는 역사를 자랑한다.

Ⓦ 2인한정식(5만원), 3인이상한정식(1인 2만원)
Ⓣ 11:30~21:00 – 일요일 휴무
Q 경남 창원시 마산합포구 남성로 137(동성동)
☎ 055-246-6260 Ⓟ 가능

서호통술 한식주점

현재의 자리에서 30년 가까이 통술집을 하고 있다. 즉석에서 버무려 주는 게장 맛이 일품이다. 멍게, 개불, 호래기(꼴뚜기)에 운이 좋으면 해삼 내장도 맛볼 수 있다.

Ⓦ 기본안주한상차림(2~3인 4만원, 4~5인 5만원)
⏲ 15:00~23:00 – 명절 휴무
🔍 경남 창원시 마산합포구 문화북1길 32(두월동1가)
☎ 055-247-6673 Ⓟ 불가

양지통술 한식주점

신마산통술거리에서 가장 오래된 통술집이다. 깔끔하고 깊은 맛을 내는 안주를 선보여 중년층에게 인기가 높다. 기본적인 해물요리(생선구이, 멍게, 해삼, 회)에 찌개, 돼지수육 등 안주 가짓수만 30여 가지에 이른다.

Ⓦ 기본안주한상차림(7만원)
⏲ 17:30~23:30 – 일요일 휴무
🔍 경남 창원시 마산합포구 문화북1길 2-1(중앙동1가)
☎ 055-222-3707 Ⓟ 불가

어센드커피 ASCEND COFFEE 카페

전망이 좋은 카페. 멀리 마창대교와 바다 뷰가 보이며, 경사진 카페 진입로부터 독특한 계단식의 내부 구조까지 'asend(오르막)' 라는 콘셉트를 잘 담아냈다. 커피 외에 수제청으로 만든 자몽블리스나 패션크러시같은 에이드도 추천할 만하며, 노키즈존임을 참고할 것.

Ⓦ 아메리카노(5천원~5천5백원), 카페라테(6천원~6천5백원), 코코넛라테, 그린라테(각 6천8백원), 어센드밀크티(6천5백원), 자몽블리스, 패션크러시(각 6천8백원), 모찌티라미수(5천5백원), 당근케이크(6천5백원), 에그타르트, 스콘(각 3천5백원)
⏲ 11:00~22:30(마지막 주문 22:00) – 화요일 휴무
🔍 경남 창원시 마산합포구 문화서15길 24(월영동)
☎ 010-2222-9984 Ⓟ 가능

엘리 ALLEY 파스타

한옥 주택을 개조한 파스타 전문점. 방 구조를 살려 단체석은 예약시 룸 전체를 사용할 수 있다. 직접 만든 리코타치즈토마토샐러드와 생면에 속을 채워 돌돌 말아 오븐에 구운 미트볼로톨로가 시그니처. 아란치니도 인기 메뉴.

Ⓦ 통베이컨토마토파스타, 포르치니버섯크림파스타(각 1만9천원), 미트볼로톨로(2만5천원), 리코타치즈토마토샐러드(1만5천원), 아란치니(4조각 1만4천원)
⏲ 12:00~16:00(마지막 주문 15:00)/17:00~21:00(마지막 주문 20:00) – 연중무휴
🔍 경남 창원시 마산합포구 산호북2길 8
☎ 010-2122-1433 Ⓟ 가능(산호동18-10 삼영주차장 이용, 테이블당 1시간 지원)

오동동아구할매집 🎀 아귀

마산의 대표 아귀요리 전문점 중 하나. 수입 아귀나 철 지난 아귀를 사용하지 않으며 요리에 쓰는 된장은 직접 담근다. 아귀찜에는 마른 아귀를, 나머지 요리에는 생아귀를 사용하는 것이 특징이다.

Ⓦ 건아귀찜(1인분 2만원, 소 3만원, 중, 4만원, 대 5만5천원), 냉동생아귀찜(1인분 1만8천원, 소 2만8천원, 중 3만8천원, 대 5만5천원), 생물아귀찜(1인분 2만2천원, 소 4만원, 중 6만원, 대 8만원), 아귀수육(소 4만5천원, 중 6만5천원, 대 8만5천원)
⏲ 10:00~22:00 – 연중무휴
🔍 경남 창원시 마산합포구 아구찜길 13(동성동)
☎ 055-246-3075 Ⓟ 가능

오동동진짜초가집 🎀 아귀

전분이 전혀 들어가지 않은 국물과 양념에 된장을 사용하는 것이 다른 집과 차별화되는 점이다. 아귀도 냉동했던 것을 쓰지 않고 말린 것을 쓴다. 아귀찜을 제일 먼저 시작한 것으로 알려져 있다. 60여 년의 역사를 자랑한다.

Ⓦ 아귀찜, 미더덕찜(각 소 2만원, 중 2만5천원, 대 3만원, 특 4만원), 아귀수육(중 3만원, 대 4만원), 아귀탕(7천원)
⏲ 09:30~21:00(마지막 주문 20:30) – 둘째, 넷째주 화요일 휴무
🔍 경남 창원시 마산합포구 오동남3길 8-2(오동동)
☎ 055-246-0427 Ⓟ 가능(아귀찜 거리 공용 주차장 이용, 업체에서 주차증 발급 필요)

코아양과 Core Bakery 베이커리

마산에서 유명한 오래된 빵집이다. 옛날식 빵부터 트렌디한 종류까지 다양하며 커피도 판매한다. 밀크셰이크도 인기가 많다. 빵을 먹고 갈 수 있는 자리도 갖추고 있다.

Ⓦ 순우유생크림스틱(4천원), 스위트마늘빵(5천9백원), 나가사키꿀카스테라(8천5백원), 대파소금빵(3천2백원), 아이스아메리카노(3천8백원), 밀크셰이크(5천원)
⏲ 09:00~23:00 – 일요일 휴무
🔍 경남 창원시 마산합포구 불종거리로 28(동성동)
☎ 055-243-1331 Ⓟ 불가

화성갈비 🎀 돼지갈비

50여 년 전통의 갈빗집. 1등급 국내산 고기만을 고집하며 소갈비, 돼지갈비를 모두 맛볼 수 있다. 가격대비 만족도도 높은 편이다.

Ⓦ 한우갈비(250g 2만8천원), 한우불고기(150g 1만8천원), 돼지갈비(220g 1만2천원)
⏲ 12:00~16:00/17:00~21:00(마지막 주문 20:00) – 월, 화요일 휴무
🔍 경남 창원시 마산합포구 오동서7길 36(중성동)
☎ 055-246-9194 Ⓟ 가능(1시간 무료)

경상남도 창원시(진해)

고려갈비 삼겹살 | 돼지갈비
진해에서 유명한 갈빗집. 갈비가 유명하지만 장작구이도 많이 찾는 메뉴다. 양념게장과 채소 등의 밑반찬이 나오고 식사로 된장찌개를 시키면 밥 반찬이 따로 나온다.
₩ 소갈비(240g 1만6천원), 돼지갈비(200g 9천원), 생삼겹, 장작구이(각 120g 9천원), 갈비탕(9천원)
⏲ 17:00~22:00(마지막 주문 21:00) – 월요일 휴무
🔍 경남 창원시 진해구 중원로80번길 6(송학동)
☎ 055-546-3631 Ⓟ 불가

곱돌이 곱창전골 | 양곱창
50여 년 전통에 2대째 가업을 이어온 곱창전골 전문점. 푸짐하면서 맛도 좋아 인기가 있는 집이다. 전골은 곱창, 양, 내장 불고기 등 들어가는 재료에 따라 가격이 달라진다.
₩ 곱창전골(2만2천원), 양곱창전골(1만7천5백원), 모둠전골(1만7천9백원), 불고기전골(1만5천원), 모둠철판(1만9천9백원), 곱창철판(2만4천원), 내장뚝배기, 불고기뚝배기(각 8천9백원)
⏲ 17:00~24:00(마지막 주문 23:30) – 명절 휴무
🔍 경남 창원시 진해구 중원서로 58(대천동)
☎ 055-547-9792 Ⓟ 가능

김해횟집 도다리쑥국 | 생선회
신선한 자연산 회와 해산물을 먹을 수 있는 곳. 도다리와 볼락이 추천메뉴다. 곁들여 나오는 채소는 직접 밭에서 재배한 것을 사용한다. 봄에는 바지락쑥국과 도다리쑥국도 맛볼 수 있다. 분위기는 허름하지만 수많은 연예인과 정치인이 다녀간 곳으로도 이름 높다.
₩ 모둠회(소 6만원, 중 8만원, 대 10만원), 대구탕, 물메기탕, 도다리쑥국(각 2만5천원)
⏲ 11:00~14:00/16:30~20:00(마지막 주문 18:30) – 월요일 휴무
🔍 경남 창원시 진해구 용원동로 213-1(용원동)
☎ 055-552-2123 Ⓟ 가능

도선장횟집 졸복
50년 전통의 노포 횟집이다. 자연산 모둠 회를 맛볼 수 있으며 겨울에는 졸복탕도 맛볼 수 있다. 회덮밥과 물회를 주문하면 매운탕이 같이 나온다. 단호박찜, 가지나물, 콩나물무침 등 밑반찬도 정갈하다.
₩ 스페셜모둠회(2인 8만원 3인 10만원 4인 12만원), 일반모둠회(2인 6만원, 3인 8만원, 4인 10만원), 물회+매운탕(2만원), 회덮밥+매운탕(1만8천원), 졸복탕(겨울계절요리 2만원)
⏲ 11:00~21:00(마지막 주문 20:00) – 비정기적, 명절 휴무
🔍 경남 창원시 진해구 용원동로 225(용원동)
☎ 055-552-2244 Ⓟ 가능

미진과자점 베이커리
50여 년의 전통을 지닌 빵집. 진해 특산품인 벚꽃빵을 개발한 곳으로 알려져 있으며, 은은한 벚꽃 향을 내는 것이 특징이다. 벚꽃꿀을 넣어 만든 마들렌, 벚꽃롤, 벚꽃치즈타르트 등도 대표 메뉴다.
₩ 벚꽃빵(10개 1만4천원, 20개 2만8천원), 벚꽃롤(1만원), 허니마들렌(1만3천원), 벚꽃크림치즈타르트(2천8백원), 피너츠빵(1천9백원), 슈크림빵(2천원)
⏲ 07:00~22:00 – 연중무휴
🔍 경남 창원시 진해구 충장로130번길 4(충무동)
☎ 055-545-3133 Ⓟ 불가

스위트랩 sweet lab 디저트카페
생크림 롤케이크나 카스텔라 등 고급 재료를 사용한 일본식 빵을 맛볼 수 있는 곳. 서울의 레꼴두스와 나카무라 아카데미 출신 셰프의 솜씨를 볼 수 있다. 음료를 시키면 쿠키가 서비스로 나온다.
₩ 시로모찌(5천8백원), 후레쉬롤케이크(5천원, 박스 1만4천원), 우유카스텔라(6천원), 마늘바게트(6천원), 코코넛쿠키(4천원), 블루베리머핀, 초코머핀(각 2천9백원), 호두롬(5천8백원), 아메리카노(hot 4천5백원, ice 5천원)
⏲ 10:00~23:00 – 연중무휴
🔍 경남 창원시 진해구 속천로 73-1(대죽동)
☎ 055-547-8588 Ⓟ 불가

신생원 新生園 일반중식
매운 사천짜장이 유명한 중식당. 매장 내부는 고풍스러운 느낌으로 인테리어 했다. 볶음밥과 짬뽕도 많이 찾는 편이다. 탕수육은 다른 음식과 함께 먹기에 항상 인기 있는 메뉴다. 밑반찬은 간단하게 김치와 단무지, 생양파, 춘장이 나온다.
₩ 사천짜장, 삼선간짜장, 새우볶음밥, 삼선짬뽕, 삼선우동(각 1만원), 깐풍기, 라조기(각 2만7천원) ,탕수육(소 2만2천원 대 2만5천원)
⏲ 09:00~15:00/17:00~21:00 – 연중무휴
🔍 경남 창원시 진해구 중원로 83(송학동)
☎ 055-545-1452 Ⓟ 가능

진해제과 베이커리
진해에서 가장 오래된 제과점. 진해특산품인 벚꽃을 사용한 벚꽃빵이 특히 인기다. 벚꽃 모양의 빵 속에는 벚꽃 앙금이 들어있다. 70여 년의 역사를 자랑한다.
₩ 벚꽃빵(10개 1만5천원, 20개 2만9천원), 레몬빵(2천4백원), 벚꽃허니마들렌(2천2백원), 벚꽃바스크치즈케이크(3천8백원)
⏲ 08:30~22:30 – 연중무휴
🔍 경남 창원시 진해구 중원로 45(광화동)
☎ 055-546-3131 Ⓟ 불가

촌돼지보쌈 보쌈

보쌈의 고기 질이 뛰어나고 삶는 솜씨가 좋다. 돼지고기를 큼직하게 썰어 넣은 김치찌개로도 유명한데 청양고추가 듬뿍 들어가 알싸한 맛이 나는 것이 특징이다.

₩ 보쌈(소 3만5천원, 중 4만원, 대 4만5천원), 김치찌개(9천원)
🕒 11:00~13:30/17:00~21:00 – 토, 일요일, 공휴일 휴무
🔍 경남 창원시 진해구 충무로 50-2(수송동)
☎ 055-542-4257 Ⓟ 가능

푸름각 일반중식

진해에서 유명한 중국집 중 하나. 면 요리가 특히 괜찮다는 평을 받는다. 짜장면이 인기 메뉴며 히딩크쟁반짬뽕이라는 쟁반짬뽕이 매콤하면서도 맛있다.

₩ 짜장면(6천원), 짬뽕(8천원), 쟁반짜장, 히딩크쟁반짬뽕(각 2인 1만7천원 3인 2만5천5백원), 볶음밥(8천원), 돼지고기탕수육(소 1만9천원, 중 2만5천원, 대 3만2천원), 깐풍기(소 2만9천원, 3만9천원)
🕒 11:00~15:00/17:00~20:30 | 일요일 11:00~16:00 – 월요일 휴무
🔍 경남 창원시 진해구 백구로 58-1(평안동)
☎ 055-546-5557 Ⓟ 가능

호끼린커피로스터스

hokkirin coffee roasters 커피전문점 | 디저트카페

바다가 보이는 로스터리 카페. 직접 볶은 원두로 커피를 내리며, 다양한 디저트 종류를 선보인다. 매장 뒷편을 둘러싼 대나무숲의 경치와 함께 말차 초코의 부드러운 식감을 가진 대나무스케이크를 즐기기도 좋다. 시그니처 음료는 초코뱀부와 너티머드.

₩ 오들리라테(6천5백원), 에스프레소, 아메리카노(각 5천원), 카페라테(5천5백원), 바닐라빈라테(6천5백원), 더치커피(6천원), 팥빙수(1만2천원), 크루아상베이컨샌드위치(8천원)
🕒 10:00~22:00 – 연중무휴
🔍 경남 창원시 진해구 청안로 251(안골동)
☎ 055-715-9532 Ⓟ 가능

경상남도 통영시

강변실비 한식주점 | 해물

통영에 있는 수많은 다찌집 중에서도 알짜배기 맛집. 철에 따라 나오는 메뉴는 다르지만, 싱싱하고 양도 푸짐하다. 생선구이, 생선회, 조림, 게, 조개, 각종 해물이 특히 많이 나오며 편안한 분위기에서 즐길 수 있는 곳이다.

₩ 기본(1인 4만원)
🕒 18:00~24:00 – 첫째 주 일요일 휴무
🔍 경남 통영시 항남1길 19(항남동)
☎ 055-641-3225 Ⓟ 불가

거북선꿀빵 베이커리

통영의 명물인 꿀빵을 전문으로 한다. 유자, 블루베리, 초콜릿 등을 반죽에 넣어 전통적인 꿀빵과 차별화하였다. 아몬드 가루를 사용하여 좀 더 고급스러운 맛이 나는 것이 특징. 소도 팥, 치즈, 고구마, 호두 등 다양하다.

₩ 거북선꿀빵(10개 1만2천원), 유자빵(4개 9천원, 6개 1만3천원)
🕒 08:00~20:00 – 연중무휴
🔍 경남 통영시 통영해안로 351(동호동)
☎ 055-649-9490 Ⓟ 불가

굴향토집 굴

찜, 전, 국, 솥밥, 정식에 굴라면까지 다양한 굴요리가 있는 곳. 굴이 제철일 때는 짜지 않고 시원한 굴젓을 맛볼 수 있다. 어느 요리에서든 굴 특유의 향기와 시원한 맛을 느낄 수 있다. 굴찜은 매콤함과 깔끔한 맛이 일품이다.

₩ 향토코스(2만6천원), 굴코스(A 2만1천원, B 1만4천원), 굴찜(소 2만원, 중 2만5천원, 대 3만원), 굴회(1만3천원), 굴튀김(1만5천원), 굴무침(2만4천원), 굴보쌈(4만원)
🕒 09:00~21:00 | 토,일요일 10:00~22:00 – 연중무휴
🔍 경남 통영시 무전5길 37-41(무전동)
☎ 055-645-4808 Ⓟ 가능

남옥식당 졸복 | 복

복전문점으로, 복요리를 시키면 밑반찬과 굴, 제철 생선회 등이 서비스로 나온다. 조기를 넣어 담근 조기김치가 특이하다. 50여 년의 역사를 자랑하는 오래된 곳이다.

₩ 졸복지리(1만4천원), 참복지리(1만5천원), 참복매운탕, 황복매운탕(각 1만6천원), 복수육(소 5만원, 중 6만원, 대 7만원), 도다리쑥국(1만7천원)
🕒 06:00~18:00 – 비정기적 휴무
🔍 경남 통영시 통영해안로 221(서호동)
☎ 055-643-2551 Ⓟ 가능

대추나무 해물

작은 식당 분위기의 술집으로, 온갖 해산물이 푸짐하게 나오는 안주로 유명하다. 안주를 주문하면 각종 나물과 야채, 게다리찜, 갈치포찜, 회무침, 생선구이, 생선회와 각종 해물, 조개탕, 매운탕 등이 나온다. 안주는 계속 리필을 할 수 있으며 먼 곳에서 찾아오는 사람들도 많다.

₩ 기본메뉴(2인 8만원)
⊕ 18:00~24:00| 월요일 17:00~24:00 – 비정기적 휴무
Q 경남 통영시 항남1길 15–7(항남동) 미성실비
☎ 055–641–3877 Ⓟ 불가

도남식당 해물탕

해물된장뚝배기가 유명한 집. 미더덕, 참소라 등의 해물이 구수한 된장에 풀어져 나온다. 매일 새벽 충무어시장에서 사오는 싱싱한 해산물이 맛의 비결이다.

₩ 갈치조림(2인 3만원) 갈치조림정식(2인 4만원), 해물된장정식, 굴밥정식, 멍게정식(각 2인 이상, 1인 2만원), 굴국밥단품(1만원), 해물된장단품(1만2천원)
⊕ 10:00~15:00/16:00~21:00(마지막 주문 19:30) – 월요일 휴무
Q 경남 통영시 도남로 272(도남동)
☎ 055–643–5888 Ⓟ 가능

동광식당 졸복 | 도다리쑥국

50년이 넘는 역사를 자랑하는 졸복국집. 청정해역인 통영 인근에서 잡힌 생졸복만을 쓰며 다른 육수를 섞지 않고 순수하게 복 자체에서 우러나온 육수를 사용하여 깊은 맛을 느낄 수 있다. 겨울에는 물메기탕, 봄에는 도다리쑥국 등 통영의 별미를 맛볼 수 있다.

₩ 졸복국(1만4천원), 황복국(1만7천원), 까치복국(2만원), 참복국(2만3천원), 성게비빔밥, 물회, 회비빔밥, 도다리쑥국, 물메기탕(각 1만7천원)
⊕ 07:30~15:00/16:00~20:30(마지막 주문 20:00) – 연중무휴
Q 경남 통영시 통영해안로 343–1(중앙동)
☎ 055–644–1112 Ⓟ 불가(인근 공영주차장 할인권 제공)

뚱보할매김밥집 김밥

70년이 넘는 역사를 자랑하는 집으로, 충무김밥을 처음 개발한 것으로 알려져 있다. 뱃사람을 상대로 김밥을 팔던 어두리 할머니가 잘 상하지 않는 김밥을 고민한 끝에 찾은 매콤달콤한 오징어무침과 무김치의 조합이 큰 인기를 끌었다. 지금은 어두리 할머니의 자손들이 운영하고 있다.

₩ 충무김밥(6천원)
⊕ 06:00~22:00 – 연중무휴
Q 경남 통영시 통영해안로 325(중앙동)
☎ 055- 645–2619 Ⓟ 가능

만성복집 졸복

졸복국으로 유명한 집으로, 50년의 역사를 자랑한다. 미나리와 실한 복을 넣고 시원하게 끓인 복국 맛이 일품이다. 복국만 시켜도 멸치회무침, 멍게무침 등 밑반찬이 푸짐하게 깔린다. 주말, 공휴일에는 복국만 주문할 수 있다. 현지인이 많이 찾는 곳이다.

₩ 졸복국(1만3천원), 참복국(1만7천원), 졸복매운탕(1만6천원), 참복매운탕(2만원)
⊕ 05:30~17:00 – 연중무휴
Q 경남 통영시 새터길 12–13(서호동)
☎ 055–645–2140 Ⓟ 불가

명촌식당 생선구이

생선구이가 맛있기로 소문난 곳. 메뉴는 생선구이 하나뿐이며, 주문하면 인원수에 맞게 나온다. 철에 맞게 다양한 생선을 맛볼 수 있는데, 직화로 구운 뒤 고춧가루를 푼 간장 양념과 파를 뿌려 내오는 것이 특징이다.

₩ 생선구이(2인 이상, 1인 1만원)
⊕ 11:30~14:00/17:00~21:00 – 연중무휴
Q 경남 통영시 통영해안로 237(항남동)
☎ 055–641–2280 Ⓟ 불가

벅수다찌 해물 | 해물포차

통영에서 주로 경험할 수 있는 다찌 전문점. 신선한 제철 해산물, 회, 구이 등이 한 상 가득 차려진다. 먹다 보면 튀김과 조림도 내어주며, 식사의 마무리로 매운탕도 맛볼 수 있다. 점심에는 나물비빔밥, 멍게비빔밥, 회덮밥 등 식사도 가능하다.

₩ 다찌(1인 5만원), 통영전통나물비빔밥(2인 이상, 1만5천원), 멍게비빔밥(1만5천원), 물회, 회덮밥(각 1만8천원)
⊕ 12:00~14:00/16:00~22:30(마지막 주문 21:00) – 화요일 휴무
Q 경남 통영시 동충2길 41–5
☎ 055–641–4684 Ⓟ 불가

부일식당 졸복

통영산 졸복만을 사용하는 복국이 유명하다. 졸복과 복매운탕, 복수육 등을 맛볼 수 있다. 반찬으로 회를 비롯한 여러 가지 해산물이 나온다. 50여 년의 역사를 자랑한다.

₩ 복국(소 1만4천원, 대 1만6천원), 복매운탕(1만6천원), 복찜(소 5만원, 대 6만원)
⊕ 06:00~15:30 – 월요일 휴무
Q 경남 통영시 서호시장길 45(서호동)
☎ 055–645–0842 Ⓟ 불가(인근 공영주차장 이용)

산양식당 곰탕

소머리곰탕으로만 70년이 넘는 오랜 역사를 자랑한다. 소머리와 양지머리를 사용하여 끓여 내는 곰탕에 부추를 넣어 먹는 맛이 좋다. 통영전통비빔밥도 인기 메뉴 중 하나다.

Ⓦ 소머리곰탕(1만2천원, 특 1만5천원), 비빔밥(1만2천원), 수육(소 4만5천원, 중 5만5천원, 대 6만5천원), 수육백반(4만원), 가자미조림(3만원)
🕒 11:00~20:30 – 명절 휴무
🔍 경남 통영시 강구안길 29(중앙동) 해피하우스
☎ 055-645-2152 Ⓟ 불가

삼문당 三文堂 커피전문점
통영의 떠오르는 스페셜티 커피 로스터리 전문점. 라이트 로스팅하여 원두의 다양한 풍미를 표현한다. 1층은 로스팅룸, 2층은 카페이며 기존의 표구사 자리에 카페를 오픈하여 멋스러움이 있다.
Ⓦ 싱글오리진에스프레소(6천원~), 삼문당에스프레소, 아메리카노(각 4천원), 삼문당라테, 카푸치노(각 5천원)
🕒 11:00~20:30 | 일요일 11:00~18:00 – 월요일 휴무
🔍 경남 통영시 중앙로 168(태평동)
☎ 055-645-9092 Ⓟ 불가

수정식당 생선회
깔끔한 맛의 해산물을 맛볼 수 있는 곳. 식당도 넓고 깨끗한 편이라 외지인들이 많이 찾는 곳. 멍게비빔밥을 제대로 먹을 수 있다. 계절에 따라 도다리쑥국, 메기탕을 판매한다.
Ⓦ 회정식(2인 이상, 1인 2만3천원), 매운탕, 멍게비빔밥(각 1만5천원), 도다리쑥국(계절메뉴 1만8천원), 굴국밥(계절메뉴 1만3천원), 메기탕, 대구탕(계절메뉴 각 2만원)
🕒 08:00~20:00(마지막 주문19:30) – 매월 16일 휴무
🔍 경남 통영시 항남5길 12-21(항남동)
☎ 055-644-0396 Ⓟ 불가(여객터미널 주차장 1시간 무료 이용)

수정식당

수향 水鄕 일식 | 스시
일식집 스타일에 지역 특색이 가미된 곳이다. 풀코스를 주문하면 해삼초무침, 굴조림 등의 전채요리와 생선회, 개불, 멍게, 갯가재, 해삼, 전복 등 싱싱한 해산물이 나온다. 이 외에도 열기구이, 튀김, 초밥, 매운탕 등이 차례로 나온다. 가격대비 양이 많은 편.
Ⓦ 생선조림, 생선초밥, 매운탕, 점심특선(각 3만원), 생선구이(3만5천원), 회정식(6만원)
🕒 12:00~14:30/17:00~22:00 – 셋째 주 일요일, 명절 휴무
🔍 경남 통영시 항남3길 29(항남동)
☎ 055-645-3052 Ⓟ 가능

심가네해물짬뽕 짬뽕전문점
해물짬뽕으로 유명한 집. 짬뽕의 맵기를 단계별로 선택할 수 있으며, 한우 사골 육수를 사용해 국물맛이 진하고 깊다. 전복, 새우 등 각종 해물이 푸짐하게 들어간 해물특짬뽕도 먹어볼 만하다. 주문과 동시에 음식을 만들며, 웨이팅이 있는 편이지만 회전율은 좋다.
Ⓦ 해물짬뽕(1만원), 해물특짬뽕(2인 3만원), 하얀짬뽕(9천5백원), 해물접시짜장(8천원), 등심탕수육(소 1만8천원, 대 2만5천원)
🕒 10:00~15:00/17:00~20:00 – 화요일 휴무
🔍 경남 통영시 새터길 74-4(서호동)
☎ 055-649-8215 Ⓟ 불가

야소주반 冶所酒盤 한정식
해물을 주제로 한 코스 요리를 먹을 수 있는 곳. 셰프의 테이블 한 가지밖에 없으며, 매일 새벽 시장에서 가져온 해물을 활용해 완성도 높은 요리를 선보인다. 100% 예약제로만 운영하고 있으니 방문하기 전 참고할 것. 직접 운영하는 양조장에서 천연탄산 막걸리와 약주도 생산하고 있다.
Ⓦ 셰프의테이블(2인 이상, 1인 12만원)
🕒 11:00~22:00 – 월, 화요일 휴무
🔍 경남 통영시 산양읍 금평길 42-23
☎ 010-8986-8680 Ⓟ 가능

영빈관 굴밥 | 굴 | 멸치
굴정식, 굴밥, 굴전, 굴국밥 등 굴요리를 전문으로 하는 곳. 굴 외에도 멍게, 해물뚝배기, 멸치회무침 등을 맛볼 수 있다. 정식으로 주문하면 멸치회무침, 굴전, 생선구이까지 내어 준다.
Ⓦ 굴정식, 멍게정식, 해물정식(각 2인 이상, 1인 2만원), 멸치회덮밥(1만5천원), 굴회, 굴회무침, 멸치회무침(각 2만원)
🕒 08:00~20:00 – 화요일 휴무
🔍 경남 통영시 도남로 274
☎ 055-646-8028 Ⓟ 불가(인근 공영주차장 이용)

옛날충무꼬지김밥 김밥
1970년대까지 여러 종류 반찬을 꼬치에 끼워 내던 전통 충무꼬치김밥을 재현하고 있는 곳이다. 어묵, 오징어, 갑오징어, 주꾸미, 홍합 등 다섯 가지의 삶은 재료들을 한 꼬치에 한 종류씩 끼워 냉장 보관했다가 손님이 오면 양념을 발라 낸다. 양념이 진하지 않아 해산물 맛과 향이 살아 있다. 김밥을 시키면 섞박지

와 시락국이 같이 나온다.
₩ 충무꼬치김밥(6천원)
⏲ 09:00~21:00 – 월요일 휴무
🔍 경남 통영시 새터길 53(서호동)
☎ 055-641-8266 Ⓟ 불가

오미사꿀빵 팥빵

통영의 명물 꿀빵의 원조집. 도넛처럼 노랗고 폭신한 빵 반죽으로 팥고물을 얇게 감싸 튀긴 다음 시럽을 뿌리고 깨를 묻힌다. 달콤한 팥고물과 구수한 빵이 잘 어울린다. 꿀빵이 떨어지면 가게 문을 닫기 때문에 가기 전에 전화로 확인해 보는 것이 좋다.
₩ 팥꿀빵(10개 1만원)
⏲ 08:30~빵 소진 시 – 비정기적 휴무
🔍 경남 통영시 충렬로 14-18(항남동)
☎ 055-645-3230 Ⓟ 가능

오월 O'Wall 이탈리아식

프랑스에서 유학한 김현정 셰프가 약간의 프랑스 요리 기법을 가미하여 오픈한 이탈리안 레스토랑. 매일 아침 서호시장에서 가져온 통영의 제철 해산물로 만든 전채 요리와 생선 요리가 돋보인다. 가정집을 개조하여 아늑한 느낌이며, 예약은 필수다.
₩ 코스요리(4만원, 7만원)
⏲ 12:00~16:00/17:00~22:00(마지막 주문 20:30) – 비정기적 휴무
🔍 경남 통영시 데메3길 64-12 2층
☎ 010-3005-441 Ⓟ 불가(골목 주차)

울산다찌 한식주점

통영의 대표적인 다찌집 중 하나다. 술만 시키면 안주가 푸짐하게 딸려 나온다. 전어회, 쥐치회, 멸치회 등 각종 생선회에 바다달팽이, 굴, 문어, 바닷가재, 게다리, 미역, 조갯살 등 각종 안주가 제공된다. 예약손님을 우선적으로 받고 있기 때문에 미리 전화하는 것이 좋다. 이용시간이 2시간으로 한정되어 있으며, 주말의 경우 웨이팅은 필수다.
₩ 기본상(9만원), 큰상(A 16만원, B 12만원), 생선구이(3만원), 달걀말이(1만3천원), 회덮밥, 물회(각 2만원), 멍게비빔밥(1만8천원)
⏲ 12:00~22:00 – 연중무휴
🔍 경남 통영시 미수해안로 157(봉평동)
☎ 055-645-1350 Ⓟ 가능(가게 앞 최대 4대)

원조3대충무할매김밥 김밥

60여 년 전통의, 3대째 내려오는 충무김밥 집. 인근의 다른 충무김밥 집에 뒤지지 않는 맛이다. 오징어와 어묵을 섞어 무친 것과 무김치를 김밥에 곁들여 먹는다. 시래깃국은 따로 요청해야 한다.
₩ 충무김밥(1인분 6천원)
⏲ 05:30~21:30 – 연중무휴
🔍 경남 통영시 통영해안로 327(중앙동)
☎ 055-645-9977 Ⓟ 불가(도로변 주차)

원조밀물식당 도다리쑥국 | 물메기 | 멍게비빔밥

멍게비빔밥으로 유명한 집. 잘 익힌 멍게젓갈에 김과 깨소금, 참기름을 넣어 비벼 먹는 맛이 일품이다. 멍게 특유의 향을 잘 즐길 수 있다. 봄에 먹을 수 있는 도다리쑥국과 겨울의 물메기탕도 별미다. 밑반찬으로 다양한 해산물이 푸짐하게 나온다.
₩ 멍게비빔밥, 굴국밥, 생선구이(각 1만2천원), 생선매운탕(1만3천원), 봄도다리쑥국, 물메기탕(각 1만8천원), 멍게전골(소 3만원, 대 4만원), 장어탕(1만3천원), 갈치조림 (2인 이상, 1인 1만 5천원)
⏲ 08:00~21:00 – 연중무휴
🔍 경남 통영시 중앙시장1길 8-42(중앙동)
☎ 055-643-2777 Ⓟ 가능

원조시락국 시락국

시래깃국 하나만으로 유명해진 곳. 시락국은 시래깃국의 통영 사투리다. 장어 머리를 푹 곤 국물에 무청과 된장을 넣어 끓인 국물 맛이 좋다. 끓는 국물에 산초와 유사한 제피가루와 김가루, 청양고추, 부추무침을 입맛대로 넣어 먹는다.
₩ 시락국밥(7천원)
⏲ 04:30~18:00 – 명절 휴무
🔍 경남 통영시 새터길 12-10(서호동)
☎ 055-646-5973 Ⓟ 가능

터미널회식당 도다리쑥국 | 생선회 | 대구탕

봄철에 맛볼 수 있는 통영의 토속 음식인 도다리쑥국의 맛이 좋다. 가격대도 낮은 편이며 자연산 도다리와 야생 쑥을 사용하는 것이 맛의 비결이다. 멍게무침, 멸치회 등의 밑반찬이 맛깔스럽다. 겨울에만 판매하는 대구탕도 별미.
₩ 회정식(2인 5만원), 도다리쑥국(1만7천원), 물회(1만5천원), 대구탕(1만8천원), 생선회(소 6만원, 중 7만원, 대 8만원)
⏲ 09:00~22:00 – 명절 휴무
🔍 경남 통영시 동충4길 7(항남동)
☎ 055-641-0711 Ⓟ 가능

토담실비 한식주점

술을 시키면 기본으로 안주가 나오는 다찌집이다. 술을 한 병씩 추가할 때마다 안주가 추가되는 방식으로, 멸치회무침, 주꾸미, 석화, 미더덕회, 잡어회 등이 나온다.
₩ 기본(4인 이상, 1인 3만원) 특(1인 4만원)
⏲ 17:00~24:00 – 연중무휴
🔍 경남 통영시 무전8길 14-12(무전동) 주영에이스빌 3차 상가 1층
☎ 055-646-1617 Ⓟ 불가

통영식당 도다리쑥국 | 한정식 | 생선회

한정식을 시키면 밑반찬으로 회가 따라나오는 것으로 유명하다. 회는 학꽁치, 숭어 등이 나온다. 멸치회와 도다리쑥국은 봄철, 물메기탕과 대구탕은 겨울메뉴다.

₩ 생선구이정식, 멸치쌈밥(각 1만5천원), 한정식(1인 1만원), 멸치회(소 3만원, 대 4만원), 도다리쑥국(1만7천원), 물메기탕, 생대구탕(각 2만원)

🕒 09:00~22:00 – 비정기적 휴무

🔍 경남 통영시 통영해안로 213(서호동)

☎ 055-647-0188 Ⓟ 불가

통영해물가 해물 | 굴

굴요리를 전문으로 하는 통영 해물 전문점. 굴국밥과 굴코스 요리가 대표 메뉴다. 굴코스에는 석화회, 굴무침, 굴물회, 굴전, 굴탕수육, 굴밥 등이 나온다. 멍게 비빔밥과 해물뚝배기도 추천할 만하다.

₩ 박경리굴코스(1인 3만3천원), 통영굴국밥(1만5천원), 통영굴코스(1인 2만5천원), 통영물회세트(1만9천원), 해물뚝배기(1만8천원), 굴전, 굴무침(각 2만원), 통영멍게비빔밥(1만7천원)

🕒 08:00~21:30(마지막 주문 20:30) – 수요일 휴무

🔍 경남 통영시 통영해안로 377(동호동)

☎ 055-641-4982 Ⓟ 가능

풍화김밥 김밥

전통 충무김밥의 맛을 느낄 수 있으며 시락국(시래깃국) 맛 또한 일품이다. 80여 년의 전통을 자랑하는 곳으로, 사람에 따라서는 이곳이 가장 맛있다고 평하기도 한다.

₩ 충무김밥(2인 이상, 1인 5천5백원)

🕒 04:30~20:00 – 연중무휴

🔍 경남 통영시 통영해안로 233-1

☎ 055-644-1990 Ⓟ 불가

플레이볼인통영 굴 | 펍

굴 중에서도 프리미엄 굴이라 불리는 스텔라마리스 굴을 항시 맛볼 수 있는 스포츠 펍. 통영 굴로 요리한 감바스, 통영에서 잡은 제철 생선으로 요리한 피시&칩스 등이 인기 메뉴다. 생맥주 리스트도 화려한 편. 비어 소믈리에가 있으니 추천 받아 페어링해 즐길 것을 추천한다.

플레이볼인통영

₩ 통영굴감바스(2만5천원), 돌문어샐러드(2만3천원), 통영피시&칩스(2만3천원)

🕒 18:00~24:00(마지막 주문 11:30) | 금, 토요일 18:00~23:00 – 수요일 휴무

🔍 경남 통영시 미수해안로 104 1층

☎ 0507-1486-3344 Ⓟ 가능

한려곰장어 🎀 쥐치 | 곰장어

현지인에게 사랑받는 곳. 곰장어를 전문으로 하지만, 다른 곳에서 보기 어려운 쥐치(쥐고기)매운탕도 많이 찾는다. 곰장어수육도 독특한 메뉴다. 반찬으로 나오는 호래기젓갈(꼴뚜기젓갈), 멸치젓갈 등 젓갈 맛도 일품이다.

₩ 곰장어수육, 곰장어두루치기, 곰장어소금구이(각 1만8천원), 볼락매운탕, 쥐고기매운탕(각 1인 1만5천원), 모둠회(중 6만원, 대 8만원), 볼락구이(소 6만원, 대 7만원)

🕒 06:30~20:30 – 첫째, 셋째 주 월요일, 명절 휴무

🔍 경남 통영시 정동4길 57(정량동)

☎ 055-646-7633 Ⓟ 불가

한산섬식당 도다리쑥국 | 해물탕

볼락요리를 잘하기로 유명한 곳. 공깃밥과 멸치, 김치, 굴젓 등 여섯 가지 반찬이 함께 차려진다. 얼큰하고 뒷맛이 깨끗한 것이 장점. 볼락은 어획량이 적기 때문에 미리 전화해서 확인하고 가는 것이 좋다. 봄에는 통영의 대표적인 별미인 어린 쑥을 넣고 끓인 도다리쑥국이 향긋하다.

₩ 볼락매운탕(1만8천원), 쥐치매운탕, 삼뱅이매운탕(각 1만5천원), 도다리쑥국, 물메기탕(각 1만8천원), 생대구탕(2만원), 볼락구이(소 4만원, 중 5만원, 대 6만원)

🕒 06:30~20:30 – 명절 당일 휴무

🔍 경남 통영시 정동4길 58(정량동)

☎ 055-642-8330 Ⓟ 불가

한일김밥 🎀 김밥

참기름 냄새가 고소한 김밥과 매콤한 오징어, 어묵무침, 무김치가 잘 어우러진다. 가마솥에 쌀뜨물을 붓고 멸치와 조선된장, 시래기에 된장을 넣어 끓인 시락국을 서비스로 준다.

₩ 충무김밥(1인 8개 7천원)

🕒 06:00~23:00 – 연중무휴

🔍 경남 통영시 통영해안로 319(항남동)

☎ 055-645-2647 Ⓟ 가능

항남뚝배기 일반한식 | 해물탕

해물뚝배기와 반찬으로 나오는 젓갈이 입맛을 돋운다. 잠수부에게 서 직접 공급받는 신선한 해물이 맛의 비결이다. 계절 생선

도 한 마리씩 구워서 나온다.
₩ 해물뚝배기코스(1인 A 2만4천원, B 2만1천원), 해물뚝배기(소 2만9천원, 중 4만2천원, 대 5만3천원), 해물된장뚝배기(1만1천원)
⏲ 09:00~21:00 – 연중무휴
🔍 경남 통영시 무전3길 32(무전동)
☎ 055-643-4988 Ⓟ 가능

해원횟집 생선회

미더덕회, 굴, 문어, 멍게 등 싱싱한 해산물과 멸치회, 바지락국, 도다리매운탕 등 다양한 메뉴를 맛볼 수 있는 횟집. 양도 많고 맛이 훌륭하다. 봄철에는 자연산 도다리회를 맛볼 수 있으며 겨울에는 돔을 추천할 만하다.
₩ 모둠회(소 12만원, 중 15만원, 대 20만원, 특 25만원), 스페셜모둠(30만원), 멍게해초비빔밥(2만원), 물회(2만원, 2만5천원, 3만원)
⏲ 11:00~22:00 – 명절 휴무
🔍 경남 통영시 미수해안로 125-5(미수동) 마이웨이빌딩 2층
☎ 055-648-2580 Ⓟ 가능

호동식당 졸복

남해 연안에서 주로 잡히는 작은 졸복에 콩나물을 듬뿍 넣고 맑게 끓여 낸 국물이 시원하여 해장에도 좋다. 살점은 쫄깃한 맛이 일품이다. 생굴, 학꽁치회 등 계절에 맞는 해물이 반찬으로 나온다. 70여 년의 전통을 자랑한다.
₩ 복국(1만3천원), 아귀국(1만4천원), 복매운탕(1만5천원), 아귀매운탕(1만6천원), 복수육, 아귀수육(각 7만원), 복찜(시가)
⏲ 07:00~19:00 – 월요일 휴무
🔍 경남 통영시 새터길 47(서호동)
☎ 055-645-3138 Ⓟ 가능

경상남도 하동군

동백식당 참게 | 재첩 | 은어

60여 년 전통의 식당으로, 섬진강에서 나는 은어회로 일가를 이룬 집이다. 섬진강의 3대 요리라고 하는 은어, 참게, 재첩을 모두 맛볼 수 있다. 강하고, 매콤한 산초의 맛이 특색있는 참게탕이 유명한 메뉴다. 참게가 깊게 우러나와 얼큰하고, 시원한 맛과 국물의 진한 풍미가 훌륭하다.
₩ 참게탕, 메기탕(각 2인 3만5천원, 3인 4만5천원, 4인 5만5천원), 재첩국+돌솥밥(1만2천원), 재첩회(소 3만원, 중 4만원, 대 5만원), 은어회, 은어튀김, 빙어회, 빙어튀김(각 소 3만원, 중 4만원, 대 5만원)
⏲ 08:00~20:00 – 명절 휴무
🔍 경남 하동군 화개면 화개로 13
☎ 055-883-2439 Ⓟ 가능

동흥재첩국 재첩

3대째 내려오는 전통 있는 재첩국 전문점. 맑은 섬진강에서 잡아 온 재첩을 한꺼번에 솥에 넣고 물을 적게 부어 진하게 끓이는 것이 맛의 비결이다. 부추가 듬뿍 들어간 뽀얀 재첩국 한 그릇이면 속이 시원해진다. 메기탕과 참게탕은 겨울한정 메뉴로 10월부터 맛볼 수 있다.
₩ 재첩정식(1만2천원), 재첩전(1만원), 재첩회덮밥(1만5천원), 재첩회(소 3만5천원, 대 4만5천원)
⏲ 08:30~19:30 – 연중무휴
🔍 경남 하동군 하동읍 경서대로 94
☎ 055-883-8333 Ⓟ 가능

법향다원 전통차전문점

1200년의 녹차 역사를 지닌 하동의 시배지 차나무에서 난 찻잎으로 우린 차를 맛볼 수 있다. 발효차는 2년 넘게 발효하여 생기는 깊은 맛이 인상적이다.
₩ 죽로차(2만원), 죽로발효차(1만5천원), 시배지우전/발효차(각 1만원), 녹차(우전 9천원, 세작, 발효차 각 8천원)
⏲ 08:30~21:00 – 비정기적 휴무
🔍 경남 하동군 화개면 화개로 113
☎ 0507-1407-2609 Ⓟ 가능

설송 참게 | 재첩 | 은어

은어회와 참게장을 즐길 수 있다. 참게장 정식을 시키면 재첩국이 서비스로 나온다. 섬진강 재첩을 사용하며 자연산 은어가 나오는 철에는 양식은 취급하지 않는다.
₩ 참게장정식(1만5천원), 재첩국(1만원), 참게탕, 메기참게탕, 참어탕, 다슬기탕(소 3만5천원, 중 4만5천원, 대 5만5천원), 은어회, 은어튀김, 은어구이, 은어탕(각 소 4만원, 중 5만원, 대 6만원)
⏲ 09:00~20:00 – 연중무휴
🔍 경남 하동군 화개면 화개로 6-1
☎ 055-883-1866 Ⓟ 가능

여여식당 재첩

재첩국에 들어가는 재료는 재첩, 소금, 부추, 물이 전부지만 뽀얗게 우러난 국물이 쌉쌀하면서도 구수한 맛을 낸다. 아미노산, 칼슘, 타우린이 들어 있어 숙취해소에도 좋다. 삶은 재첩 알맹이를 건져 갖은 채소와 함께 초고추장에 버무린 재첩회무침도 별미다.
₩ 재첩국백반(1만2천원), 재첩회덮밥(1만5천원), 재첩회무침(소 3만5천원, 대 4만5천원)
⏲ 08:00~20:00 – 명절 휴무
🔍 경남 하동군 하동읍 경서대로 92
☎ 055-884-0080 Ⓟ 가능

원조강변할매재첩식당 참게 | 재첩

섬진강변에서 재첩국을 처음으로 시작한 원조집으로, 60년이 넘는 전통을 자랑한다. 재첩국, 참게장, 참게탕이 유명하다. 재첩국은 껍질을 떼어 낸 재첩 살을 푹 우려내고 부추를 넣어 먹는데 맛이 담백하다. 민물참게장과 은어회도 맛볼 수 있으며 재첩국과 참게장은 택배가 가능하다.

₩ 재첩국(1만원), 재첩덮밥(1만3천원), 참게탕(소 4만원, 중 5만원, 대 6만원), 재첩회(소 3만원 대 4만원)
🕒 08:00~20:00 – 명절 휴무
🔍 경남 하동군 고전면 재첩길 286-1
☎ 055-882-1369 Ⓟ 가능

원조나루터재첩식당 재첩

섬진강에서 채취한 재첩으로 만든 재첩국을 전문으로 하는 곳으로, 50여 년간 맛을 이어가고 있다. 재첩국밥, 재첩덮밥, 재첩회무침 등 다양한 재첩 요리가 있다. 창문 밖으로는 섬진강의 경치가 바라다 보인다.

₩ 재첩국(1만원), 재첩덮밥(1만3천원), 재첩회무침(소 3만원, 대 4만원), 참게탕, 메기매운탕(각 소 4만원, 중 5만원, 대 6만원)
🕒 08:30~18:30 – 연중무휴
🔍 경남 하동군 고전면 재첩길 286
☎ 055-882-1370 Ⓟ 가능

플래닛1020 Planet1020 카페

화개장터 근처 한적한 공간의 카페. 아기자기한 소품들과 생화가 분위기를 한층 더해준다. 화창한날 테라스와 정원에서 여유를 만끽하기에 좋다.

₩ 에스프레소, 아메리카노(각 5천원), 카페라테, 카카오라테(각 5천5백원), 플랫비엔나, 오트라테(각 6천원), 프렌치버터스콘(각 6천5백원),토마토야채보리스프&바게트(8천5백원), 프렌치토스트&바질포테이토베이컨(1만4천원), 잠봉프로마쥬(1만2천5백원)
🕒 11:00~19:00(마지막 주문 18:30) – 월, 화요일 휴무
🔍 경남 하동군 화개면 쌍계로 318
☎ 0507-1423-9545 Ⓟ 가능

혜성식당 참게 | 재첩 | 은어

섬진강의 맛인 재첩과 은어, 참게 등을 맛볼 수 있다. 깻잎이나 상추에 싸 먹는 은어회의 맛이 일품이며 새콤달콤한 재첩숙회도 꼭 먹어봐야 할 메뉴. 쌍계사 가는 길에 있어 주변 풍광도 운치 있다.

₩ 재첩모둠(2만원), 은어회, 은어튀김, 은어구이(각 소 4만원, 중 5만원, 대 6만원), 참게탕, 메기탕(각 소 4만원, 중 5만원, 대 6만원)
🕒 09:00~20:00 – 연중무휴
🔍 경남 하동군 화개면 화개로 48
☎ 055-883-2140 Ⓟ 가능

경상남도 함안군

대구식당 소고기국밥

50여 년의 역사를 자랑하는 전통의 국밥집. 부담없는 가격으로 정성이 가득 담긴 푸짐한 한우국밥을 맛볼 수 있다. 부드럽고 개운하면서 얼큰한 맛이 일품이다. 식당 내부는 오랜 세월의 흔적이 그대로 묻어나지만 청결하게 잘 관리되어 깔끔하다.

₩ 국밥(8천원), 한우수육, 한우불고기(각 3만5천원), 돼지수육, 돼지불고기(각 2만원)
🕒 08:30~20:00 – 월요일 휴무
🔍 경남 함안군 함안면 북촌2길 50-27
☎ 055-583-4026 Ⓟ 가능

카페두루고 Durugo 카페

말이산고분군 근처에 위치한 오래된 구옥을 개조해 만든 빈티지 한옥카페. 생자몽 하나를 통째로 착즙한 통자몽탕과 직접 만든 생크림을 올린 아이슈페너가 인기 메뉴.

₩ 아메리카노, 카페라테, 두루고블랙(각 4천8백원), 아인슈페너(5천3백원), 두루고라테(6천원), 카푸치노(4천8백원), 레몬에이드, 유자스무디(각 5천8백원), 더치커피(5천3백원), 수박주스(6천8백원), 애기설국(6천원), 메리골드(6천원), 목련꽃차(6천원)
🕒 11:30~21:00(마지막 주문 20:30) – 월요일 휴무
🔍 경남 함안군 가야읍 가야1길 28
☎ 055-585-1491 Ⓟ 가능(카페 앞 무료 공영주차장 이용)

경상남도 함양군

대성식당 大成食堂 소고기국밥

함양에서 가장 오래된 육개장집으로, 70년 넘는 내력을 자랑한다. 한우사태와 양지로 국물을 낸 후 재료를 넣고 얼큰하게 끓이는 것이 특징. 반찬도 푸짐하게 깔린다. 준비된 재료가 다 떨어지면 오후 2~3시쯤에도 문을 닫는다.

₩ 소고기국밥(1만2천원), 소고기수육(소 4만원, 대 5만원)
🕒 11:00~15:00/17:00~19:30(마지막 주문 19:00) | 토요일 11:00~15:00(마지막 주문 14:30) – 일요일 휴무
🔍 경남 함양군 함양읍 용평6길 4
☎ 055-964-5400 Ⓟ 가능

병곡식당 순댓국 | 순대

3대째 내려오는 60여 년 전통의 피순대 맛집. 함양 흑돼지의 대창과 소창에 돼지피와 채소를 넣은 피순대 맛이 좋다. 구수하게 끓인 순댓국 맛도 일품.

₩ 순대국밥, 내장국밥, 머리국밥(각 9천원), 모둠순대, 피순대(각 소

1만5천원, 중 2만5천원, 대 3만5천원)
⏲ 06:00~21:30 – 연중무휴
🔍 경남 함양군 함양읍 중앙시장길 2-29
☎ 055-964-2236 Ⓟ 불가

안의원조갈비집 갈비탕 | 소갈비찜

50년 넘는 전통의 갈빗집이다. 갈비가 푸짐하게 나오고 맛이 좋다. 갈비탕은 담백하여 예스러운 맛을 느낄 수 있으며, 지은 지 오래된 한옥 방이 운치 있다.
₩ 갈비찜(소 6만5천원, 대 8만5천원), 갈비탕(1만6천원)
⏲ 10:30~20:00 – 월요일 휴무(공휴일인 월요일 정상영업)
🔍 경남 함양군 안의면 광풍로 127-2
☎ 055-962-0666 Ⓟ 가능

조샌집 어탕국수

함양에서 어탕국수로 50여 년간 전통을 이어온 곳. 위천과 엄천강에서 잡은 메기, 붕어 등의 민물고기를 넣고 푹 고아 탕을 만든 후 국수를 말아서 낸다. 국물 맛이 얼큰하면서도 시원하다.
₩ 어탕국수, 어탕밥(각 9천원), 민물고기튀김(3만원)
⏲ 11:00~15:00/17:00~20:00 – 둘째, 넷째 주 목요일 휴무
🔍 경남 함양군 함양읍 학사루길 36
☎ 055-963-9860 Ⓟ 가능

청학산 곰탕 | 백반

곰국 정식이 유명한 집. 12시간 진하게 고은 곰국에 말려둔 콩잎을 쓴맛을 빼서 넣어 은은한 콩잎 향이 나는 곰국 맛이 일품이다. 함께 나오는 20여 가지 밑반찬도 좋은 편이다.
₩ 특정식(2만5천원), 콩잎곰국정식(1만8천원), 정식(1만5천원), 버섯전골(4만5천원), 조기매운탕(4만원), 청국장, 된장찌개, 시래기국(각 9천원)
⏲ 11:20~15:00/17:00~20:00 – 둘째, 넷째 주 일요일 휴무
🔍 경남 함양군 함양읍 함양로 619-6
☎ 055-962-4183 Ⓟ 가능

케빈커피로스터스

KEVIN COFFEE ROASTERS 커피전문점

다양한 종류의 필터 커피를 갖추고 있는 스페셜티 커피 전문점. 아메리카노도 4가지 맛의 원두 중에서 선택이 가능하며, 가장 인기 있는 원두는 다크초콜릿과 자몽맛의 중배전인 마브로. 인근 상림공원을 방문하면서 들르기에 좋다.
₩ 아메리카노(3천3백원~3천9백원), 필터커피(4천3원~7천5백원), 카페라테(3천5백원), 콜드브루(3천8백원), 카라멜마키아토(4천3백원)
⏲ 07:30~22:30 – 연중무휴
🔍 경남 함양군 함양읍 상림1길 26
☎ 055-964-0515 Ⓟ 가능

경상남도 합천군

감로식당 산채정식 | 산채비빔밥

해인사 가는 길에 산채정식이나 산채비빔밥 등의 산나물을 즐길 수 있는 곳이다. 산채한정식에는 취나물, 고사리 등 각종 산나물과 더덕구이, 표고버섯볶음 등 20여 가지의 반찬이 나온다. 예약에 따라 마감시간이 달라질 수 있다.
₩ 산채한정식(2인이상, 1인 1만5천원), 산채비빔밥, 된장찌개백반(각 8천원), 도토리묵, 부추전(각 7천원)
⏲ 07:00~18:00 – 명절 휴무
🔍 경남 합천군 가야면 치인1길 8-1
☎ 055-932-7330 Ⓟ 불가

고바우식당 한정식

산채정식, 비빔밥, 송이, 더덕 등의 건강식을 맛볼 수 있다. 반찬은 주로 나물과 채소로 구성되어 있다. 정식에 나오는 청국장찌개와 향이 진한 표고버섯볶음이 별미다. 50년의 전통을 자랑한다.
₩ 산채한정식(2인 이상, 1인 1만7천원), 송이불고기정식(2인 이상, 1인 5만원), 송이버섯한정식(2인 이상, 1인 3만원), 불고기정식(2인 이상, 1인 1만5천원), 더덕구이, 표고버섯볶음(각 2만원)
⏲ 11:30~20:00 – 연중무휴
🔍 경남 합천군 가야면 치인1길 13-5
☎ 055-932-7311 Ⓟ 불가

삼성식당 산채정식

해인사 앞의 식당가에서 산채정식을 전문으로 하는 곳이다. 정식을 시키면 산나물과 더덕, 도토리묵 등의 반찬이 열다섯 가지 이상 나오는데 하나같이 맛깔스럽다. 70년의 역사를 자랑한다.
₩ 납작뚝배기불고기(1만5천원), 산채비빔밥(1만3천원), 도토리묵, 더덕무침(각 1만2천원), 더덕구이(1만5천원)
⏲ 11:00~19:00 – 연중무휴
🔍 경남 합천군 가야면 치인1길 24-3 ☎ 055-932-7276 Ⓟ 가능

적사부 翟師溥 일반중식

우리나라 중식의 4대 문파를 논할 때 빠지지 않는 신라호텔 적림길 사부가 은퇴 후 합천에 차린 중식당. 동네 중식당이지만 호텔처럼 깔끔하게 관리되고 있고, 음식 맛 역시 훌륭하다. 소스에 적셔도 바삭함을 잃지 않는 달인탕수육, 구수한 쇠고기탕면이 대표 메뉴.
₩ 달인탕수육(소 2만2천원, 중 2만7천원), 칠리탕수육(소 2만4천원, 중 2만9천원), 칠리새우(3만8천원), 쇠고기탕면(1만원), 짜장면(7천원)
⏲ 11:00~20:00 | 토, 일요일 11:00~19:00(재료 소진 시 마감) – 월요일 휴무
🔍 경남 합천군 합천읍 동서로 74
☎ 055-931-5033 Ⓟ 불가(인근 공영주차장)

제주특별자치도

Jeju Special Province

제주특별자치도 서귀포시

가시식당 순댓국

60여 년 전통의 순댓국 전문점. 찹쌀로 만드는 일반적인 순대와 달리 멥쌀로만 만들어 독특한 맛을 내는 것이 특징. 모자반이 들어간 향토음식 몸국도 별미로 통한다. 파채가 듬뿍 올라가는 돼지두루치기도 인기 메뉴다. 간이 세지 않아 매운 음식에 익숙지 않은 사람도 부담없이 먹을 수 있다.

₩ 두루치기(2인 이상, 1인 1만원), 순대백반, 몸국, 순대한접시(각 1만원), 수육한접시(1만5천원), 순대국수, 고기국수(각 7천원), 삼겹살, 목살(2인 이상, 각 1인 1만5천원)

⏲ 08:30~15:00/17:00~20:00(마지막 주문 18:30) – 둘째, 넷째 주 일요일 휴무

🔍 제주 서귀포시 표선면 가시로565번길 24

☎ 064-787-1035 Ⓟ 가능

가시아방국수 고기국수

성산일출봉 인근의 인기 국수집. 국수에도 고기가 올려져 나오나 돔베고기를 따로 주문해 푸짐하게 즐기는 것도 좋은 방법. 국수는 진한 육수 맛이 좋은 고기국수와 매콤한 비빔국수 모두 인기다.

₩ 멸치국수(7천원, 곱빼기 8천원), 고기국수, 비빔국수(각 9천원, 곱빼기 1만원), 물만두(1만2천원), 돔베고기(3만3천원, 절반 1만7천원)

⏲ 10:00~20:30(마지막 주문 19:50) – 수요일 휴무

🔍 제주 서귀포시 성산읍 섭지코지로 10 1층

☎ 064-783-0987 Ⓟ 가능

공천포식당 물회

40여 년 전통 물회의 진수를 맛볼 수 있는 곳. 된장 육수를 베이스로 하는 제주도식 물회를 선보인다. 여름철에는 한치물회와 자리물회, 겨울철은 소라와 해삼물회를 즐길 수 있다. 탁 트인 앞바다가 펼쳐지는 전망이 좋은 곳이다. 점심시간이 되면 줄을 서서 기다릴 정도로 손님이 많다.

₩ 전복물회, 전복회덮밥(1만6천원), 한치물회, 홍해삼물회, 전복죽, 고등어구이(각 1만3천원)

⏲ 10:00~19:30 – 목요일 휴무

🔍 제주 서귀포시 남원읍 공천포로 89

☎ 064-767-2425 Ⓟ 가능

공천포카페숑 카페 | 와플

공천포 바로 앞에 자리한 카페. 3단계로 당도를 선택할 수 있는 초콜릿음료와 와플이 대표 메뉴다. 바다를 향해 난 창문은 마치 그림을 보는 듯한 느낌을 준다.

₩ 에스프레소, 아메리카노(각 4천원), 카페라테(4천5백원), 레모네이드(6천원), 주스(5천원~6천5백원), 클래식벨지안초콜릿(5천5백원~7천5백원), 리얼민트초콜릿(6천5백원)

⏲ 09:30~18:00 – 일요일 휴무

🔍 제주 서귀포시 남원읍 공천포로 91

☎ 070-4191-0586 Ⓟ 불가

꺼멍목장 삼겹살 | 돼지고기구이

숙성한 제주 흑돼지고기를 먹을 수 있는 곳. 숯불에 구워 육즙이 가득 차고 쫄깃한 고기 맛이 좋다. 밑반찬으로 나오는 유채장아찌를 곁들이면 더욱 맛있게 즐길 수 있다. 넓은 잔디밭에 바다가 보이는 전망도 좋다.

₩ 쫄깃흑돼지생갈비, 숙성흑오겹살, 숙성흑목살(180g 각 2만1천원), 숙성백오겹살, 숙성백목살(180g 각 1만6천원), 제주딱새우된장찌개, 얼큰김치찌개, 냉열무국수(7천원)

⏲ 12:00~15:00/16:30~22:00(마지막 주문 20:50) – 연중무휴

🔍 제주 서귀포시 이어도로 338(하원동)

☎ 064-739-9289 Ⓟ 가능

나니아레스토랑

NARNIA RESTAURANT 캐주얼다이닝

제철 식재료를 활용한 음식을 선보이는 레스토랑으로, 베이힐풀앤빌라 단지 내에 자리하고 있다. 아침과 브런치 타임에는 음식을 곁들인 한식 반상을 선보이며, 저녁에는 리조토, 파스타 등의 양식을 맛볼 수 있다.

₩ 조식(2만5천원), 에그인헬, 프렌치토스트(각 1만8천원), 햄에그베네딕트, 아메리칸블랙퍼스트(각 2만2천원), 트러플파스타(3만3천원), 양갈비스테이크(300g 4만5천), 토마호크킨포크다이닝(4인 40만원), 제주한우코스(2인 19만원), 나니아코스(1인 14만8천원)

⏲ 07:00~10:30(마지막 주문 10:00)/11:00~15:00(마지막 주문 14:30)/17:00~22:00(마지막 주문 20:00) – 연중무휴

🔍 제주 서귀포시 예래로 424(하예동) 베이힐풀앤빌라

☎ 064-801-9078 Ⓟ 가능

나니아레스토랑

나목도식당 돼지고기구이

수십 년 전통의 정통 제주식 식육식당. 고기와 함께 제주의 독특한 멜젓을 함께 곁들인다. 제주식 순대국수와 멸치국수도 맛

이 좋다는 평. 허름했던 건물을 새롭게 지으면서 보다 쾌적한 환경에서 식사를 할 수 있게 되었다.

₩ 삼겹살, 목살(각 200g 1만5천원), 흑돼지삼겹살, 흑돼지목살(각 200g 1만8천원), 생고기(200g 1만원), 두루치기, 순대백반(8천원), 순대국수(7천원), 멸치국수(5천원)

◷ 09:00~20:00 – 첫째, 셋째 주 수요일 휴무

🔍 제주 서귀포시 표선면 가시로613번길 60

☎ 064-787-1202 Ⓟ 가능

나성수두리보말톳칼국수 칼국수

직접 뽑은 면으로 만드는 칼국숫집. 칼국수의 종류는 총 세 가지로, 바지락칼국수와 보말톳칼국수, 표고버섯칼국수가 있다. 톳과 보말이 푸짐하게 들어간 칼국수가 진한 맛을 자랑한다. 재료가 소진되면 영업시간과 상관없이 문을 닫는다.

₩ 보말죽, 전복죽(각 1만3천원), 보말칼국수, 바지락칼국수, 표고버섯칼국수(각 1만1천원), 물만두(8천원)

◷ 08:00~16:00(마지막 주문 15:30) – 수요일 휴무

🔍 제주 서귀포시 천제연로 186-1(중문동)

☎ 064-738-4949 Ⓟ 불가

남경미락 南京味樂 생선회

제주를 대표하는 횟집으로 유명한 곳이다. 각종 활어회와 20여 가지 곁들이 음식을 맛볼 수 있다. 특히 다금바리회 맛이 좋다. 다금바리를 맛보려면 미리 전화해서 다금바리가 있는지 확인해야 한다. 바다에 면한 절벽 위에 있어 뛰어난 경치를 자랑하며 음식 맛도 일품이다.

₩ 다금바리, 붉바리(각 1kg 28만원) 돌돔(1kg 27만원), 구문쟁이(1kg 18만원), 흑돔(1kg 17만원), 참돔(1kg 16만원)

◷ 11:30~15:00(마지막 주문 13:00)/17:00~21:00(마지막 주문 19:00) – 화요일 휴무

🔍 제주 서귀포시 안덕면 사계남로 190-7

☎ 064-794-0077 Ⓟ 가능

남양수산 생선회

제주도민이 주로 찾는 횟집으로, 별도의 메뉴판 없이 그날그날 들어온 생선을 선보인다. 회를 먹고 나면 사골국물로 끓인 맑은 지리탕을 준다. 테이블이 6개 남짓한 아담한 매장으로, 예약은 따로 받지 않으며 횟감이 떨어지면 문을 닫으므로 방문 전 전화를 하고 찾는 것이 좋다.

₩ 참돔, 도다리(소 6만원, 중 7만원, 대 8만원), 활고등어(5만원)

◷ 14:00~21:00(마지막 주문 20:00) – 비정기적 휴무

🔍 제주 서귀포시 성산읍 고성동서로56번길 11

☎ 064-782-6618 Ⓟ 가능

네거리식당 생선매운탕

갈칫국이 유명한 곳. 칼칼하고 시원한 국물이 해장에도 좋다. 포슬포슬한 갈치살이 부드럽게 부서지는 갈치조림도 인기 메뉴다.

₩ 갈칫국, 성게국, 옥돔미역국(각 1만6천원), 갈치구이(1인 3만원, 2인 5만5천원, 3인 8만원), 갈치조림(2인 5만5천원, 3인 6만5천원), 고등어조림(소 3만5천원, 대 4만5천원), 고등어구이(1만5천원)

◷ 07:00~21:40(마지막 주문 20:40) – 연중무휴

🔍 제주 서귀포시 서문로29번길 20(서귀동)

☎ 064-762-5513 Ⓟ 가능

다미진 多味珍 생선회

자연산 활어회를 전문으로 한다. 회를 시키면 회가 먼저 나오고 구이, 튀김이 나중에 나온다. 식사로는 게우밥(전복내장볶음밥)과 매운탕(또는 지리)가 준비된다. 다금바리나 돌돔 등은 미리 확인하고 가는 것이 좋다.

₩ 모둠회코스(2인 13만원, 3인 16만원, 4인 19만원), 특모둠회코스(2인 17만원, 3인 24만원, 4인 28만원), 참돔(1kg 16만원), 다금바리(1kg 26만원), 참돔지리, 돔매운탕, 회덮밥(각 1만7천원)

◷ 11:30~14:30(마지막 주문 14:00)/16:30~22:00(마지막 주문 21:00) – 명절 당일 휴무

🔍 제주 서귀포시 표선면 민속해안로 578-1

☎ 064-787-5050 Ⓟ 가능

대유가든 돼지갈비 | 삼겹살

흑돼지 양념갈비와 두툼한 오겹살을 제대로 맛볼 수 있는 곳이다. 흑돼지 오겹살은 부드러우면서도 비계와 살코기가 적당히 조화를 이룬다. 오랫동안 현지인에게 사랑받고 있는 곳이다.

₩ 흑돼지오겹살(200g 2만원), 흑돼지양념갈비(350g 1만5천원), 오겹살(200g 1만5천원), 생갈비(200g 1만7천원)

◷ 14:00~22:00 – 명절 휴무

🔍 제주 서귀포시 남원읍 태위로2번길 2

☎ 064-764-4400 Ⓟ 가능

더파크뷰 The Parkview 뷔페

신라호텔내의 뷔페 식당으로, 신선한 제주산 해산물과 식재료를 이용한 자연주의 요리를 맛볼 수 있다. 전 섹션이 조리 과정을 직접 볼 수 있는 오픈 키친으로 되어 있다. 뷔페임에도 레스토랑처럼 플레이팅 되어 나오는 완성도 높은 스테이크 요리와 생선 요리가 훌륭하다.

₩ 아침뷔페, 점심뷔페(각 7만원), 저녁뷔페(15만원)

◷ 07:30~10:30/12:00~14:00/18:00~21:30 – 연중무휴

🔍 제주 서귀포시 중문관광로72번길 75(색달동) 신라호텔제주 3층

☎ 064-735-5334 Ⓟ 가능

덕성원 德盛園 일반중식

80여 년 전통의, 제주의 전설적인 중식당. 가장 크게 인기를 끈 메뉴는 게짬뽕이다. 게를 넣은 짬뽕 국물이 칼칼하면서 감칠맛

이 훌륭하다. 탕수육과 꿩으로 만든 깐풍기도 맛이 좋다. 화교 출신답게 잘 튀겨서 나오며 소스는 제주에서 나온 고구마 가루를 사용하는 것이 독특하다.

₩ 짜장면(7천원), 간짜장(8천5백원), 꽃게짬뽕(1만5백원), 볶음밥(8천원), 탕수육(소 1만8천원, 대 2만5천원)

⏲ 11:00~21:00(마지막 주문 20:20) – 명절 휴무

🔍 제주 서귀포시 태평로401번길 4(서귀동)

☎ 064-762-2402 Ⓟ 불가

덕승식당 생선조림 | 갈치 | 물회

덕승호에서 잡은 자연산 활어를 취급하는 곳이다. 탱글탱글한 살이 살아 있는 우럭조림과 갈치조림이 인기 메뉴다. 가격도 대체로 저렴한 편이며, 2인 이상부터 주문 가능하다.

₩ 갈치조림, 우럭조림, 갈칫국, 한치물회(각 1만5천원), 자리물회, 고등어조림(각 1만3천원)

⏲ 10:00~15:30/16:30~20:40 – 화요일 휴무

🔍 제주 서귀포시 대정읍 하모항구로 66

☎ 064-794-0177 Ⓟ 가능

동성식당 돼지두루치기

두루치기가 맛있는 곳. 두루치기는 파채와 무생채가 들어가 씹는 맛이 좋다. 솥뚜껑에 구워먹는 오겹살도 인기 메뉴. 메뉴에는 없어도 주문하면 흑돼지오겹살두루치기도 맛볼 수 있다.

₩ 두루치기(9천원) 고기국수(8천원), 솥뚜껑흑돼지오겹살(200g 1만9천원), 돔베고기(200g 2만2천원)

⏲ 10:00~22:00 – 비정기적 휴무

🔍 제주 서귀포시 토평남로 109(토평동)

☎ 064-733-6874 Ⓟ 가능

떼레노 TERRENO 스페인식

서울 북촌에서 스패니시 파인 다이닝으로 명성을 펼친 신승환 셰프가 새롭게 오픈한 공간. 제주도에서 새롭게 시작하며 제주에서만 구할 수 있는 생선, 해산물, 그리고 직접 재배한 채소를 활용한 모던 내추럴 다이닝을 선보인다. 런치와 디너 코스 외에 타파스나 단품 메뉴도 주문 가능하다.

₩ 런치코스(12만원), 디너코스(16만원)

⏲ 12:00~15:00(마지막 주문 13:30)/17:00~23:00(마지막 주문 코스 20:00, 단품 22:00) | 수, 목요일 17:00~23:00(마지막 주문 코스 20:00, 단품 22:00) – 화요일 휴무

🔍 제주 서귀포시 중문관광로72번길 100 파르나스 호텔 제주

☎ 070-8648-0671 Ⓟ 가능

떼레노

레이지박스 Lazybox Coffee 카페

산방산 아래에 자리한 카페. 한라봉주스와 당근케이크가 유명하다. 당근케이크와 브라우니는 매장에서 직접 굽는다. 창밖으로 산방산이 보여 경치도 좋다.

₩ 제주한라봉주스, 제주감귤주스(각 6천5백원), 당근케이크, 에스프레소(각 4천원), 아메리카노(4천5백원), 카페라테(5천원)

⏲ 10:00~18:30 | 하절기 10:00~19:00 – 연중무휴

🔍 제주 서귀포시 안덕면 산방로 208

☎ 064-792-7347 Ⓟ 가능

로이앤메이 호남식중식

중국 후난(호남)식 가정요리를 내는 캐주얼한 중식당. 중국 후난성 출신의 남편과 한국인 아내가 제주에 정착하여 오픈한 곳이다. 국내에서는 경험하기 어려운 현지식 요리를 맛볼 수 있으며, 가정식이지만 고급 요리집처럼 정갈하게 낸다. 예약제로만 운영되니 참고할 것.

₩ 중국가정식한상차림(2인 이상, 1인 3만5천원)

⏲ 11:30~16:00 – 토, 일요일 휴무

🔍 제주 서귀포시 성산읍 온평상하로15번길 12-7

☎ 0507-1417-810 Ⓟ 불가(인근 공터)

르쉬느아 북경오리 | 광동식중식

제주신화월드 메리어트 호텔에 있는 광동식 중식 레스토랑. 카지노에 방문하는 중국인 관광객들이 즐겨 찾아, 중국 현지 광동 요리에 가까운 완성도 높은 요리를 낸다. 딤섬과 베이징덕도 훌륭하다.

₩ 딤섬(1만6천원), 북경오리(반마리 8만8천원, 한마리 15만8천원), 점심세트(각 2인 이상, 1인 5만원, 프리미엄 1인 8만8천원), 저녁세트(각 2인 이상, 1인 7만원, 프리미엄 1인 11만8천원)

⏲ 12:00~14:30/17:00~21:00(마지막 주문 20:30) – 연중무휴

🔍 제주 서귀포시 안덕면 신화역사로304번길 38 제주신화월드 호텔앤리조트 메리어트관 G층 르 쉬느아

☎ 064-908-1240 Ⓟ 가능(호텔 주차장 이용)

만선식당 고등어 | 생선회

신선한 고등어회를 먹을 수 있는 곳. 비린 맛 없는 탱탱한 고등어회의 맛을 느낄 수 있으며, 김 위에 회를 올리고 양파절임과 마늘쌈장을 더하면 더 맛있게 먹을 수 있다. 고등어회를 주문하면 고등어탕과 조림이 함께 나온다.

₩ 고등어회(소 5만5천원, 대 7만원), 고등어조림(소 3만5천원, 대 4만5천원), 갈치조림(소 6만원, 대 8만원), 고등어구이(1만5천원)
⏲ 10:00~21:00(마지막 주문 20:00) – 화요일 휴무
Q 제주 서귀포시 대정읍 하모항구로 44
☎ 064-794-6300 Ⓟ 가능

모노클제주 Monocle Jeju 카페 | 구움과자

감귤 농장을 개조한 베이커리로, 빈티지한 분위기가 인상적이다. 스콘, 피낭시에, 컵케이크, 카늘레 등 직접 구운 구움과자류를 선보이며, 종류도 다양한 편이다. 밤이 듬뿍 든 밤식빵도 인기 있다. 야외 자리도 마련되어 녹음과 풍경을 즐기며 빵과 음료를 먹기 좋다.

₩ 핸드드립커피(6천5백원~8천원), 에스프레소, 아메리카노(각 4천9백원), 카페라테(5천8백원), 카늘레(3천5백원), 파운드케이크(4천8백원~5천원)
⏲ 09:30~17:00(마지막 주문 16:30) – 수요일 휴무
Q 제주 서귀포시 남원읍 태위로360번길 30-8
☎ 070-7576-0360 Ⓟ 가능(도로변 주차)

목포고을 돼지고기구이

토종 흑돼지구이 전문점. 연탄불에 구워 먹는 돼지고기가 맛있다. 근고기로 주문한 후 두껍게 썬 고기를 불 위에 올려놓고 굽다가 익기 시작하면 알맞게 잘라 먹는다. 고기가 매우 두꺼우므로, 다 구워지기까지는 인내심이 필요한 곳이다.

₩ 흑돼지(750g 9만원, 1kg 12만원), 김치찌개(1만원), 된장찌개(9천원), 김치국밥(8천원)
⏲ 12:00~22:30(마지막 주문 21:30) – 명절 휴무
Q 제주 서귀포시 일주서로 968-5(색달동)
☎ 064-738-5551 Ⓟ 가능

무주향 비빔밥

건강한 밥상을 맛볼 수 있는 곳이다. 해초와 다양한 채소 등을 버무린 해초비빔밥이 인기가 많으며, 밑반찬이 정갈하게 곁들여 나온다. 사전에 예약하는 것이 좋다.

₩ 해초비빔밥(1만2천원), 보말국, 보말죽(각 1만5천원), 자수정보리수제비(8천원)
⏲ 10:30~14:30/17:00~2000 – 연중무휴
Q 제주 서귀포시 남원읍 위미해안로 118-5
☎ 064-764-9088 Ⓟ 가능

미영이네식당 고등어 | 생선회

모슬포항에 자리한 횟집으로, 신선한 고등어회가 유명하다. 신선한 은빛을 띠고 있으며 비린 맛이 전혀 나지 않는다. 젓갈로 만든 장에 찍어 먹는 맛이 일품. 고등어회를 주문하면 곡물 가루를 넣어 담백하게 끓인 탕이 함께 나온다. 겨울철에는 대방어회를 맛볼 수 있다.

₩ 고등어회+탕(소 6만원, 대 8만5천원), 고등어구이(1만5천원)
⏲ 11:30~22:00(마지막 주문 20:30) – 수요일 휴무
Q 제주 서귀포시 대정읍 하모항구로 42
☎ 064-792-0077 Ⓟ 가능

미향해장국 선지해장국

메뉴는 소고기선지해장국 한 가지다. 순한 맛과 얼큰한 맛 중에 선택할 수 있는 것이 특징. 소머리, 양지, 선지, 우거지, 콩나물 등이 듬뿍 들어 있어 시원한 맛을 낸다. 오후 3시까지만 영업하니 방문 시 참고하는 것이 좋다.

₩ 선지해장국, 우거지해장국(각 1만원), 한우내장탕, 소불고기뚝배기(각 1만1천원), 달걀말이(6천원)
⏲ 07:00~15:00/17:00~20:00 – 화요일 휴무
Q 제주 서귀포시 일주서로 962(색달동)
☎ 064-739-8868 Ⓟ 가능

민트레스토랑 Mint 이탈리아식

모던한 분위기에서 이탈리아 음식을 즐길 수 있는 곳. 성산 일출봉이 보이는 전망이 훌륭하며 유명한 건축가 안도 다다오가 설계한 건물 내에 있는 것만으로도 한 번 방문해볼 만하다. 휘닉스 주차장에 차를 세우고 미니셔틀을 타고 올라간다.

₩ 웰컴제주(5만9천원), 테이스티오브제주(9만9천원)
⏲ 12:00~16:00(마지막 주문 14:30)/17:00~21:00 – 연중무휴
Q 제주 서귀포시 성산읍 섭지코지로 93-66 글라스하우스 2층
☎ 064-731-7773 Ⓟ 가능

밀리우 Milieu 프랑스식

제주도 최초의 프렌치 파인 다이닝 레스토랑. 제주의 신선한 해산물과 제철 식재료를 사용하여 정통 프렌치를 선보인다. 로비 한가운데 360도로 오픈되어 있는 주방이 특징으로, 새 둥지를 본떠 만든 프라이빗한 공간도 갖추고 있다.

₩ Je t'aime Couple Course(42만2천원~66만원), 8코스(25만원), 5코스(16만원)
⏲ 18:00~22:00(마지막 주문 20:30) – 연중무휴
Q 제주 서귀포시 표선면 민속해안로 537 해비치호텔앤드리조트 1층
☎ 064-780-8328 Ⓟ 가능

바다다 VADADA 카페 | 펍

DJ가 선곡한 음악과 함께 오션뷰를 즐길 수 있는 비치 라운지. 낮에는 카페로, 밤에는 펍으로 운영된다. 두꺼운 패티가 들어간 수제버거의 평이 좋다. 외국 리조트를 연상시키는 이국적인 분위기의 야외석이 인상적이다. 반려동물 동반도 가능하다.

₩ 아메리카노(핫 8천원, 아이스 8천5백원), 카페라테(핫 9천원, 아이스 9천5백원), 에이드(1만2천원~1만6천원), 티(9천원~1만원), 케이크(8천원~9천원)
⏲ 11:00~18:00 – 수요일 휴무
Q 제주 서귀포시 대포로 148-15(대포동) ☎ 064-738-2881 Ⓟ 가능

바당 Badang 카페 | 라운지바

밤이면 감미로운 라이브 음악과 함께 탁 트인 창문 너머로 싱그러운 정원과 바닷가의 낭만을 만끽할 수 있는 라운지 바. 차, 커피 등의 음료와 함께 샐러드, 샌드위치, 피자 등의 간단한 스낵도 즐길 수 있다.

₩ 커피(1만7천원~2만5천원), 차(1만8천원~2만3천원), 전통차(1만9천원), 바질페스토해산물샐러드(3만5천원), 클럽샌드위치(3만3천원), 수제와규버거(3만8천원), 파스타(3만6천원~4만9천원)

🕒 08:00~23:00 – 연중무휴

🔍 제주 서귀포시 중문관광로72번길 75(색달동) 신라호텔제주 6층

☎ 064-735-5587 Ⓟ 가능

벌집식당 도가니탕

푹 끓여 진한 사골 국물과 쫄깃한 도가니 고기를 맛볼 수 있다. 얼큰한 맛을 원한다면 매운 도가니탕을 주문하는 것도 좋다. 40년이 넘는 시간 동안 도가니탕으로 유명한 곳이다.

₩ 도가니탕(1만8천원), 도가니수육, 도가니전골(각 소 4만원, 중 6만원, 대 8만원)

🕒 09:30~21:00 – 일요일 휴무

🔍 제주 서귀포시 태평로 416(서귀동)

☎ 064-762-9230 Ⓟ 가능

베메로 BAKE MAKE ROAST 브런치카페 | 베이글

커피와 함께 다양한 브런치 메뉴를 즐길 수 있는 카페. 브런치 메뉴 중에서는 베이글과 스크램블, 구운 채소 및 샐러드로 구성된 베메로 플레이트를 맛볼 수 있다. 베메로 플레이트는 세트로 주문하면 아메리카노 한 잔이 함께 나온다.

₩ 베메로플레이트(세트 2만3천원, 단품 1만9천원), 트러플양송이수프+베이글, 풀드포크샌드위치(각 1만2천원), 직접만든요거트와그래놀라(1만원), 아보카도에그베이글샌드위치(1만1천원), 아메리카노, 에스프레소(각 5천5백원)

🕒 08:00~20:30(마지막 주문 20:25) – 연중무휴

🔍 제주 서귀포시 중문관광로72번길 29-9

☎ 064-738-7832 Ⓟ 가능(2시간 무료)

봉주르마담 Bonjour Madame 베이커리 | 크루아상

유기농 밀가루를 사용하는 베이커리. 결이 살아 있는 크루아상이 대표 메뉴며, 초콜릿 크림을 입힌 초코크루아상도 인기다. 카늘레, 캉파뉴 등의 프랑스식 베이커리와 케이크 등의 디저트도 다양하게 선보인다.

₩ 크루아상(3천5백원), 초코크루아상(4천원), 카늘레(3천원), 밀푀유앙버터(5천5백원), 오리지널피낭시에(2천2백원), 라즈베리무스(6천원)

🕒 09:00~21:00(빵 소진 시 마감) – 연중무휴

🔍 제주 서귀포시 대청로 33(강정동) 오름빌딩1차

☎ 064-739-2900 Ⓟ 불가

부두식당 제주음식 | 생선조림 | 갈치

제주토속음식을 먹을 수 있는 곳으로, 갈치조림 전문점이지만 호박, 배추, 갈치 등이 들어간 시원한 갈칫국이 유명하며 성게국도 별미다. 그 외에 다양한 제주의 별미를 골고루 맛볼 수 있는 곳이다. 고등어회와 방어회도 맛이 좋다는 평.

₩ 갈치조림(소 4만5천원, 대 5만5천원), 갈치구이(4만원), 고등어회(소 5만5천원, 중 7만원 대 9만원), 방어회(소 5만원, 중 7만원 대 9만원)

🕒 10:00~21:30 | 목요일 17:00~21:30 – 연중무휴

🔍 제주 서귀포시 대정읍 하모항구로 62

☎ 064-794-1223 Ⓟ 가능

비오토피아레스토랑

Pinx biotopia 제주음식 | 일반한식 | 이탈리아식

고급스러운 분위기의 레스토랑으로, 핀크스 비오토피아 타운하우스 단지 안에 있다. 사전 예약제로만 운영되며, 조용하고 프라이빗한 공간으로 인기가 많다. 제주의 식재료를 사용한 코스 요리를 정갈하게 풀어낸다. 가족 손님을 위한 피자와 파스타 등의 메뉴도 준비되어 있으며 화덕피자는 오후 한시부터 주문 가능하다. 곳곳에 걸린 예술가들의 작품을 보는 재미가 있다.

₩ 바당몽돌코스(17만원), 제주한상코스(11만원), 특선양갈비스테이크코스(11만원), 태워니피자(4만9천원), 해물뚝배기와흑돼지목살구이반상(5만6천원), 버섯돌솥밥정식(4만5천원)

🕒 12:00~16:00(마지막 주문 15:00)/17:00~21:50(마지막 주문 21:00) – 첫 번째 화요일 휴무

🔍 제주 서귀포시 안덕면 산록남로762번길 79

☎ 064-793-6030 Ⓟ 가능

비오토피아레스토랑

산방식당 밀면 | 수육

밀가루로 만드는 밀면이 대표 메뉴. 돼지고기와 양념장이 고명으로 올라간다. 면발도 부드럽고 밀가루 냄새도 나지 않아 맛이 좋다는 평. 촉촉한 수육을 먹으러 찾는 이도 많다. 여름에는 번호표를 받고 줄을 서야 할 정도로 찾는 사람이 많다. 11월부터 2

월까지는 온밀면도 맛볼 수 있다.

₩ 밀냉면, 비빔밀냉면(각 9천원), 수육(200g 1만9천원)
⏱ 11:00~18:00 – 수요일, 명절 휴무
🔍 제주 서귀포시 대정읍 하모이삼로 62
☎ 064-794-2165 Ⓟ 가능

삼다숯불갈비 돼지갈비 | 삼겹살

현지인이 많이 가는 고깃집이다. 돼지갈비는 3대가 1인분이며 생갈비는 초벌구이를 해서 가져온다. 거의 익혀서 오기 때문에 불판에 올려서 바로 잘라먹으면 된다. 열무소면도 별미.

₩ 흑돼지오겹살(200g 2만4천원), 돼지양념갈비, 생갈비(각 300g 1만8천원), 냉면(9천원), 열무소면(8천원)
⏱ 17:00~23:00 – 명절 휴무
🔍 제주 서귀포시 명동로 43(서귀동)
☎ 064-763-0668 Ⓟ 가능

삼보식당 생선조림 | 해물탕 | 제주음식

40여 년 전통의 해물뚝배기 전문점. 서귀포에서 진주식당과 쌍벽을 이루는 전복뚝배기 맛이 일품이다. 고등어조림, 갈치조림 등의 메뉴도 인기가 있다.

₩ 전복뚝배기백반(1만8천원, 특 2만5천원), 전복구이(5만5천원), 옥돔구이(중 6만원, 대 7만원), 고등어구이(1만7천원), 전복죽(1만6천원), 성게미역국백반(2만원), 갈치구이, 갈치조림(각 5만5천원)
⏱ 08:00~21:00(마지막 주문 20:00) – 두번째 수요일 휴무
🔍 제주 서귀포시 중정로 25(서귀동)
☎ 064-762-3620 Ⓟ 가능

색달식당중문갈치조림구이본점 🎀

제주음식 | 일반한식

통으로 나오는 제주산 은갈치조림과 구이를 먹을 수 있는 곳. 갈치와 함께 솥밥과 반찬으로 식탁이 풍성하게 차려진다. 갈치구이는 직원이 먹기 편하게 가시를 발라주며, 문어 통갈치조림에는 전복, 통문어 등이 들어가 비주얼이 화려하다. 실내도 고급스럽고 깔끔하며 테이블 간격도 넓어 쾌적하다.

₩ 통갈치조림, 통갈치구이(각 2인 7만원, 3인 9만원, 4인 12만원), 문어통갈치조림(2인 10만원), 문어통갈치조림구이세트(4인 16만원)
⏱ 10:00~15:00/16:00~21:00(마지막 주문 20:00) – 연중무휴
🔍 제주 서귀포시 예래로 255-18(하예동)
☎ 064-738-1741 Ⓟ 가능

샤오츠 🎀 小吃 일반중식

대만식, 홍콩식 우육면을 선보이는 중식당. 대만식 우육면은 매콤한 소고기 육수를 사용하며, 홍콩식 우육면은 담백한 육수 맛이 특징이다. 테이크아웃으로도 주문할 수 있다.

₩ 짜장면(7천원, 곱빼기 9천원), 짬뽕(9만원, 곱빼기 1만1천원), 삼선볶음밥(1만2천원), 북경탕수육(미니 1만3천원, 소 1만8천원, 중 2만4천원), 유산슬(3만8천원)
⏱ 10:30~21:00 | 화요일 10:30~15:00 – 수요일 휴무
🔍 제주 서귀포시 성산읍 성산등용로17번길 55 제주성산 리치유클래시아 상가 102호
☎ 064-764-4570 Ⓟ 가능

서귀다원 🎀 전통차전문점

한라산을 배경으로 녹차밭이 펼쳐지는 풍경을 즐길 수 있는 다원이다. 10월부터 3월에는 동백나무의 모습도 함께 볼 수 있다. 다실에 방문하면 1인당 5천원에 녹차와 절인 귤도 맛볼 수 있다. 80대 노부부가 운영하고 있다.

₩ 입장권(1인 5천원)
⏱ 09:00~17:00 – 화요일 휴무
🔍 제주 서귀포시 516로 717(상효동)
☎ 064-733-0632 Ⓟ 가능

서귀포괸당네 🎀 갈치 | 생선조림

매콤한 맛이 일품인 갈치조림 전문점. 은빛이 도는 맑은 국물이 시원하고 담백하다. 풋고추를 넣어 갈치의 비린 맛도 없는 편. 비늘을 벗겨 길게 썰어낸 갈치회도 일품이다.

₩ 갈치조림(소 5만원, 중 6만원, 대 7만원), 통갈치조림(소 12만원, 대 15만원), 갈치구이(1토막 2만5천원), 통갈치구이(소 6만원, 중 8만원, 대 10만원, 특대 15만원), 갈치회(1접시 4만원)
⏱ 08:00~20:30 – 연중무휴
🔍 제주 서귀포시 칠십리로 123(서귀동)
☎ 064-732-3757 Ⓟ 가능

서귀포흑돼지명가 돼지고기구이

제주흑돼지고기를 맛볼 수 있는 곳. 푸른 바다를 비롯해 뛰어난 경치를 바라보며 식사할 수 있다. 두툼한 흑돼지가 대표 메뉴며 오분자기뚝배기나 양념갈비도 많이 찾는다.

₩ 흑돼지오겹살, 흑돼지목살(각 180g 2만2천원), 돼지생갈비(300g 2만2천원), 돼지양념갈비(300g 2만원)
⏱ 10:00~22:00 – 일요일 휴무
🔍 제주 서귀포시 태평로 122(호근동)
☎ 064-738-6939 Ⓟ 가능

섭지해녀의집 🎀 전복죽 | 전복 | 해물

전복죽의 명가로 알려진 집. 얇게 썬 전복을 참기름에 볶다가 물에 불린 쌀을 넣어 끓인다. 이때 전복의 내장인 게우를 같이 넣어서 끓이는 것이 맛의 비결. 게를 잘게 빻아서 죽을 쑨 겡이(갱이)죽도 별미다. 겡이(갱이)는 제주어로 '바다게'를 뜻한다. 옆에 위치한 건물에서는 해물라면과 칼국수를 맛볼 수 있다.

₩ 모둠회, 전복회(각 3만원), 소라회, 문어회(각 2만원), 전복죽(1만2천원)
⏱ 07:30~18:30 – 명절 휴무
🔍 제주 서귀포시 성산읍 섭지코지로 93-15 아쿠아플래닛제주
☎ 064-782-0672 Ⓟ 가능

성산갈치조림순덕이네 생선회

해녀가 금방 잡아온 해물을 바로 맛볼 수 있는 곳. 싱싱한 돌문어가 들어간 메뉴들을 추천할 만하다. 매콤한 돌문어볶음에 밥을 쓱쓱 비벼 먹으면 든든한 한 끼 식사다.

₩ 돌문어볶음(소 3만3천원, 대 5만원), 갈치조림(소 3만7천원, 대 5만9천원), 돌문어톳죽(1만5천원)

⏲ 09:30~18:00(마지막 주문 16:30) – 비정기적 휴무

🔍 제주 서귀포시 성산읍 온평서로 48

☎ 064-784-0073 Ⓟ 가능

성산갯마을식당 해물

각종 과일을 갈아 만든 양념장을 사용한 물회가 인기인 곳. 매콤한 갈치조림도 많이 찾는 메뉴다. 갈치회와 구이, 물회 등 대표 메뉴로 구성된 세트메뉴도 좋다.

₩ 물회, 회덮밥(각 1만5천원), 갈치조림(2인 5만원), 고등어조림(2인 3만원), 갈치회, 고등어회(각 3만5천원)

⏲ 09:00~22:00 – 연중무휴

🔍 제주 서귀포시 성산읍 한도로 66

☎ 064-784-5755 Ⓟ 가능

섶섬할망카페 해물 | 라면

올레6코스 가는 길에 자리한 횟집. 바다가 시원하게 보이는 야외 테이블에서 먹는 해물라면 맛이 일품이다. 문어 한접시와 제주도식 막걸리의 일종인 순다리 한잔 추가하면 더욱 좋다. 결제는 현금으로만 가능하니 참고할 것.

₩ 문어해물라면, 낙지해물라면, 보말칼국수, 보말야채전, 문어한접시, 뿔소라한접시(각 1만원), 해물라면(7천원), 순다리(소 5천원, 대 1만원)

⏲ 10:00~17:00(재료 소진시 마감) – 연중무휴

🔍 제주 서귀포시 보목로64번길 11(보목동)

☎ 064-733-8673 Ⓟ 가능

소색채본 素色彩本 카페

산방산과 바다를 바라보며 휴식을 취할 수 있는 베이커리 카페. 시그니처 메뉴인 제주보리개역라테는 우유 베이스의 제주 보리 미숫가루 라테다. 한라봉이나 조약돌 모양의 특색 있는 무스 케이크도 맛볼 수 있다. 바삭하면서 버터의 풍미가 가득한 크루아상도 추천.

₩ 제주보리개역라테(8천원), 딸기라테(8천원), 아메리카노(6천5백원), 카페라테(7천원), 바닐라빈라테, 카페모카(각 7천5백원), 한라봉무스케이크, 흑임자조약돌무스케이크(각 9천원)

⏲ 09:00~19:00(마지막 주문 18:30) – 연중무휴

🔍 제주 서귀포시 안덕면 사계남로216번길 24-61

☎ 010-3108-1686 Ⓟ 가능

수희식당 제주음식 | 성게국 | 전복

제주향토음식을 잘하는 곳. 미역과 성게 알을 넣어 끓인 성게국과 전복뚝배기의 맛이 일품이다. 실내 인테리어도 깔끔해 쾌적한 분위기에서 식사할 수 있다.

₩ 전복뚝배기(1만7천원, 특 2만2천원), 갈칫국(1만7천원), 성게미역국(2만원), 고등어조림(소 3만5천원, 중 4만5천원, 대 5만5천원)

⏲ 08:00~15:00/17:00~21:00(마지막 주문 20:15) – 명절 휴무

🔍 제주 서귀포시 태평로 377(서귀동)

☎ 064-762-0777 Ⓟ 가능

숨도카페 디저트카페 | 체험카페

석부작박물관이란 이름으로 운영되던 곳으로, 제주의 고유 자연을 잘 살린 정원과 산책로가 조성된 카페다. 숨도 농장에서 직접 재배한 귤을 활용한 음료와 디저트가 인기다. 정원 입장권 구매 시 음료는 20% 할인 혜택을 받을 수 있다.

₩ 아메리카노(6천원), 카페라테(7천원), 하귤에이드(7천5백원), 스콘(5천원)

⏲ 08:00~18:00 – 연중무휴

🔍 제주 서귀포시 일주동로 8941

☎ Ⓟ 가능

스톤 NEW STONE 이탈리아식

파스타와 타파스를 맛볼 수 있는 1인 셰프 업장. 와인바를 겸하고 있어 연어그라브락스나 샤퀴테리와 같은 다양한 타파스를 안주로 와인 마시기에도 좋다. 좌석 수는 많지 않아 미리 예약하는 것이 좋다.

₩ 연어그라브락스(1만1천원), 샤퀴테리(1만2천원), 루콜라피자(1만9천원), 매콤크림파스타(1만8천원), 로제소스꽃게파스타(2만원), 돼지목살스테이크(2만5천원), 부채살수비드스테이크(2만9천원)

⏲ 11:30~15:00/17:00~24:00(마지막 주문 23:30) – 월요일, 명절 휴무

🔍 제주 서귀포시 김정문화로 6 서호2차현대맨션 102, 103호

☎ 0507-1497-8027 Ⓟ 가능(성산 하이츠빌라)

스톤

시흥해녀의집 전복죽 | 전복 | 해물

해녀가 직접 따온 싱싱한 해산물을 사용하여 조리한 향토 음식 전문점. 전복죽, 조개죽, 오분자기죽을 맛볼 수 있다. 죽은 30분 정도 걸리며 그 전에 미역, 튀김 등을 내어준다. 소라나 문어, 해삼 등의 싱싱한 해물도 맛볼 수 있다.

₩ 전복죽(1만2천원), 오분자기죽, 소라, 문어(각 1만5천원), 조개죽(1만원)

🕒 07:00~20:00 – 명절 휴무

🔍 제주 서귀포시 성산읍 시흥하동로 114

☎ 064-782-9230 Ⓟ 가능

신라원 말고기

말고기 전문점. 소고기 육회와 맛이 거의 흡사한 말고기 육회가 인기 있다. 전복이 들어간 뚝배기도 맛이 깊다. 말 사시미와 말 생구이는 가능한 날짜가 때에 따라 다르므로 방문 전 미리 문의하는 것이 좋다.

₩ 말샤부샤부, 말갈비찜(각 1인 2만5천원), 말고기육회(200g 3만원), 말고기정식(1인 3만5천원)

🕒 11:00~22:00(마지막 주문 21:00) – 화요일 휴무

🔍 제주 서귀포시 법환하로28번길 6(법환동)

☎ 064-739-7920 Ⓟ 가능

신우가촌 돼지고기구이 | 삼겹살 | 돼지갈비

흑돼지구이로 유명한 집. 흑돼지삼겹살구이와 돼지양념갈비가 인기 메뉴다. 고기를 시키면 육회, 양념게장, 돼지껍데기 등 여러 가지 밑반찬이 실하게 나온다. 두툼하게 썬 삼겹살을 숯불 위에서 구워 먹는다.

₩ 흑돼지오겹살구이(200g 2만2천원), 돼지양념구이(400g 1만9천원), 소갈비구이(200g 2만2천원), 소갈비양념구이(400g 3만2천원), 육회(2만원)

🕒 11:30~14:30/16:30~22:00(마지막 주문 20:30) – 화요일 휴무

🔍 제주 서귀포시 이어도로 1042(서호동)

☎ 064-739-1854 Ⓟ 가능

쌍둥이횟집 생선회

회를 시키면 굴무침, 고등어, 해삼, 멍게, 소라, 전복, 산낙지 등 각종 해산물 등이 곁들이 음식으로 나온다. 회를 두껍게 썰어내기 때문에, 씹는 맛이 좋다. 식사시간 때에는 번호표를 받고 기다려야 할 정도로 인기가 많다. 초밥은 무한 리필되며 남은 회는 튀겨주기도 한다.

₩ 모둠회스페셜(2인 7만원, 10만원, 4인 13만원, 16만원, 20만원)

🕒 11:00~22:00(마지막 주문 20:30) – 연중무휴

🔍 제주 서귀포시 중정로62번길 14(서귀동)

☎ 064-762-0478 Ⓟ 가능

아줄레주 에그타르트 | 카페

제주 성산에 자리한 조용한 카페. 제주에서 나는 과일로 만든 시트러스 계열의 에이드가 시그니처 메뉴다. 포르투갈 식으로 만든 에그타르트도 인기 있는 메뉴다. 조용한 공간을 지향하는 곳으로 12개월 이상 8세 미만의 아동은 출입할 수 없는 노키즈존이다. 찾아가는 길이 복잡해 도로명 주소보다는 지번 주소를 참고하는 것이 정확하다.

₩ 아메리카노(5천5백원), 카페라테(6천원), 키위레몬청티, 키위레몬청에이드(각 7천원), 에그타르트(2천8백원)

🕒 11:00~17:00 – 화요일 휴무

🔍 제주 서귀포시 성산읍 신풍하동로19번길 59

☎ 010-8518-4052 Ⓟ 가능

어진이네횟집 자리돔 | 물회 | 제주음식

자리물회 전문점. 보목동에서 나오는 자리는 구이용이 아니라 물회와 젓갈용으로 주로 쓰이는데, 가시도 연해서 바로 초장에 찍어 먹어도 좋다. 바다가 보이는 경관이 빼어나 풍경을 감상하며 먹기에도 좋다.

₩ 객주리조림한상, 제주흑돼지한상(2인이상, 1인 2만7천원), 통갈치조림한상, 통갈치구이한상(2인 14만원 3인 18만원 4인 20만원), 해물탕(중 5만원 대 7만원)

🕒 10:00~20:00 – 연중무휴

🔍 제주 서귀포시 보목포로 93(보목동)

☎ 064-732-7442 Ⓟ 가능

에르미타주 Hermitage 프랑스식

조용한 주택가에 자리잡은 프렌치 레스토랑으로, 도쿄의 장조지 등 해외의 유명 레스토랑에서 수학한 장신영 셰프가 재패니즈-프렌치를 선보인다. 프랑스 가정집 분위기에서 콜라비나 옥돔 등 제주도 식재료를 잘 활용한 프렌치 요리를 맛볼 수 있다.

₩ 계절코스(13만원), 계절코스&와인페어링(18만원)

🕒 17:30~21:30 – 비정기적 휴무(인스타그램 공지)

🔍 제주 서귀포시 신서로52번길 3-8(강정동)

☎ 0507-1366-1823 Ⓟ 가능(인근 무료 공영주차장 이용)

에르미타주

오르막가든 돼지고기구이 | 삼겹살
두툼하게 썬 토종 흑돼지에 굵은 소금을 뿌려 구워 먹는 곳이다. 멜젓에 찍어 먹는 맛이 일품이다. 흑돼지고기는 숙성 방식에 따라 맛과 가격이 다르며 드라이에이징과 웻웨이징 중에서 선택할 수 있다.
₩ 흑돼지오겹살(180g 2만원), 흑돼지한마리(700g 8만4천원), 흑돼지반마리(450g 5만4천원), 백돼지양념(300g 1만7천원), 백돼지생갈비(300g 2만1천원)
⏲ 10:00~15:00/17:00~22:00(마지막 주문 21:30) – 일요일 ,명절 당일 휴무
🔍 제주 서귀포시 대포중앙로 12(대포동)
☎ 064-738-7755 Ⓟ 가능

오설록 O'Sulloc 녹차
설록차뮤지엄에 있는 녹차 전문점. 들어가는 입구는 전면이 유리로 되어 있어 모던한 느낌이 든다. 차밭 입구의 설록차뮤지엄 전망대에 오르면 한라산을 배경으로 드넓게 펼쳐진 풍경을 감상할 수 있다. 세계의 찻잔을 모아 놓은 공간이 인상 깊고, 다양한 분위기의 찻잔을 구경할 수 있다. 제주에 가면 한 번 들러볼 만한 관광 명소다.
₩ 녹차(세작 9천5백원, 제주화산암차, 삼다연 각 9천원, 일로향 1만3천8백원), 녹차라테(6천5백원), 말차소프트아이스크림(5천8백원), 녹차롤케이크(조각 6천5백원), 한라산녹차케이크(7천5백원)
⏲ 09:00~18:00 – 연중무휴
🔍 제주 서귀포시 안덕면 신화역사로 15
☎ 064-794-5312 Ⓟ 가능

오조해녀의집 전복죽 | 전복 | 해물
제주에는 해녀가 조합 형식으로 식당을 차리고 직영하는 해녀의 집이 많은데, 그중에서도 전복죽이 맛있기로 소문난 집이다. 성산일출봉이 한눈에 보여 경관이 뛰어나다.
₩ 전복죽(1만2천원), 전복(1kg 11만원), 자연산전복(소 15만원, 대 18만원), 문어, 소라(1접시 각 1만2천원), 모둠(3만5천원)
⏲ 07:00~19:00 – 명절 휴무
🔍 제주 서귀포시 성산읍 한도로 141-13
☎ 064-784-7789 Ⓟ 가능

용이식당 돼지두루치기
돼지고기두루치기 한 가지 메뉴로 유명한 집. 양념한 돼지고기를 불판에 올려놓고 구운 후 콩나물무침, 무채 등과 파 채를 듬뿍 올려서 볶아 먹는 독특한 스타일이다. 다 먹고 난 후에는 밥을 볶아 먹는다.
₩ 돼지두루치기(9천원)
⏲ 09:00~22:00 – 첫째, 셋째 주 수요일 휴무
🔍 제주 서귀포시 중앙로79번길 9(서귀동)
☎ 064-732-7892 Ⓟ 불가

원앤온리 ONE AND ONLY 카페
산방산의 전망과 해변의 경치를 한눈에 볼 수 있는 대형 카페. 이색적인 음료와 함께 브런치, 파스타 등을 맛볼 수 있다. 야자수 조경의 이국적인 분위기를 즐길 수 있는 야외석을 추천한다.
₩ 아메리카노(7천5백원), 카페라테(8천원), 백일몽(1만1천원), 코코스머프(1만2천원), 밀크티, 말차라테, 초코라테(각 9천원), 아보카도샌드위치(1만6천원), 비스크로제파스타(1만8천원)
⏲ 09:00~19:00(마지막 주문 18:30) – 연중무휴
🔍 제주 서귀포시 안덕면 산방로 141
☎ 064-794-0117 Ⓟ 가능

유동커피 커피전문점
서귀포를 대표하는 스페셜티 커피 매장으로, 각종 바리스타 대회를 휩쓴 조유동 바리스타가 운영하고 있다. 세 가지 종류의 원두 중 선택할 수 있는 것이 특징이다. 핸드드립 커피를 비롯해 티라미수카페라테, 에스프레소가 들어간 그린티라테, 고소한 견과류를 토핑으로 뿌린 송산동커피 등도 인기 메뉴다.
₩ 에스프레소, 아메리카노(각 4천원), 카페비엔나, 카페모카, 티라미수카페라테, 송산동커피, 쑥떡라테(각 5천원~5천5백원), 쓰나미해운대커피(5천5백원), 그린티라테(4천5백원~5천원)
⏲ 08:00~22:00 – 명절 당일 휴무
🔍 제주 서귀포시 태평로 406-1(서귀동)
☎ 064-733-6662 Ⓟ 불가

이드레국수 고기국수 | 회국수 | 돔베고기
이드레는 '여기로'를 뜻하는 제주 방언으로, 여기서 맛있는 음식 많이 먹고가라는 의미를 담은 집. 제주에서 맛볼 수 있는 돔베고기국수, 성게국수, 보말칼국수 등이 인기 메뉴다. 넓고 쾌적하여 중문여행 후 가족과 함께 식사하기 좋은 곳.
₩ 고기국수, 비빔국수(각 1만원), 코다리회국수(1만4천원), 성게국수(1만5천원), 돔베고기(1만9천원), 전복구이(3만9천원), 만두(7천원)
⏲ 09:00~21:00(마지막 주문 20:10) – 연중무휴
🔍 제주 서귀포시 천제연로 93(색달동)
☎ 064-738-8777 Ⓟ 가능

인스밀 In's mil 카페
이국적이면서도 옛스러운 분위기의 디저트 카페. 옛방앗간 건물을 현대적으로 풀어낸 하얀 건물과 정원 곳곳에 심어진 야자수가 세련되게 조화를 이루었다. 시그니처 음료는 보리개역과 보리아이스크림. 인생샷을 찍으려는 젊은층에게 인기가 있다.
₩ 보리개역, 보리아이스크림(각 7천원), 아메리카노(6천원), 국화빵(6개 4천원), 구겔호프(3천원)
⏲ 11:30~18:30(마지막 주문 18:00) – 연중무휴
🔍 제주 서귀포시 대정읍 일과대수로27번길 22
☎ 010-6844-5661 Ⓟ 가능

제남가든 삼겹살 | 돼지갈비

느끼하지 않고 담백한 맛의 흑돼지오겹살이 인기 메뉴. 두툼한 흑돼지 고기와 함께 맛깔스러운 반찬들이 한가득 나온다. 관광객보다 현지인이 더 많이 찾는 집. 예약은 필수이며 식사를 하려면 오후 5시 반까지는 입장해야 하니 방문 시 참고할 것.

Ⓦ 돼지생갈비(400g 2만원), 돼지양념갈비(400g 1만7천원), 오겹살(200g 1만6천원)

🕒 10:00~21:00 – 일요일, 명절 휴무

🔍 제주 서귀포시 남원읍 태위로 551-44

☎ 064-764-8000 Ⓟ 가능

제주할망뚝배기 해물탕 | 제주음식 | 갈치

편안하고 푸짐하면서도 비싸지 않은 해물뚝배기집이다. 소라, 조개, 게, 오분자기, 오징어, 미더덕 등 해물과 미나리, 콩나물, 쑥갓 등 채소를 듬뿍 넣은 해물탕이 시원하고 얼큰하다. 자리젓 등 밑반찬도 맛깔스럽다.

Ⓦ 전복뚝배기(1만5천원), 성게미역국(1만7천원), 전복죽(2인 이상, 1인 1만7천원), 고등어구이(1만5천원), 갈칫국(1만7천원), 옥돔구이(2만5천원), 갈치조림(중 5만원, 대 7만5천원), 갈치구이(소 4만원, 대 6만원)

🕒 07:00~17:00(마지막 주문 16:15) – 수요일 휴무

🔍 제주 서귀포시 칠십리로 92(서귀동)

☎ 064-733-9934 Ⓟ 가능

중문해녀의집 전복죽 | 해물 | 전복

어촌의 조그마한 식당으로, 해녀가 잡은 해산물로 만든 요리를 맛볼 수 있다. 전복 내장을 함께 넣어 끓인 전복죽의 맛이 일품이다. 날이 좋은 날에는 야외에서 바닷가 풍경을 감상하면서 식사하는 것도 좋다.

Ⓦ 전복죽(1만3천원), 소라, 멍게, 문어(각 2만원), 전복회, 해삼(각 3만원), 모둠(3만원~5만원)

🕒 12:00~17:00 – 연중무휴

🔍 제주 서귀포시 중문관광로 194(중문동)

☎ 064-738-9557 Ⓟ 가능

중문해녀의집

중문흑돼지천국 돼지고기구이

제주도 흑돼지를 무한리필로 맛볼 수 있는 곳이다. 흑돼지는 연탄에 초벌구이한 상태로 제공되며, 육즙과 은은한 불향을 느낄 수 있다. 입장료만 내면 흑돼지와 함께 밥, 라면, 국수, 반찬 등이 있는 셀프바를 이용할 수 있다.

Ⓦ 흑돼지무한리필(유아 6천원, 초등학생 1만6천원, 성인 2만5천원), 흑돼지두루치기(1만원)

🕒 12:00~01:00(마지막 주문 23:00) – 일요일 휴무

🔍 제주 서귀포시 천제연로 107(색달동)

☎ 064-739-9036 Ⓟ 가능

중앙식당 성게국 | 제주음식 | 갈치

성게보말국이 유명한 곳. 제주에서 자연 서식하는 성게는 보라성게로, 껍질을 깨면 나오는 노란 살은 달콤한 맛이 난다. 성게를 미역과 함께 참기름으로 살짝 볶은 후 오분자기를 넣고 국으로 끓인 성게보말국은 담백한 맛을 낸다.

Ⓦ 성게보말국, 갈칫국(각 1만5천원), 자리물회(1만3천원), 갈치구이(2만4천원), 갈치조림(소 5만원, 대 7만원)

🕒 06:00~20:00 – 첫째, 둘째, 넷째 주 목요일 휴무

🔍 제주 서귀포시 안덕면 화순로 108

☎ 064-794-9167 Ⓟ 가능

진미명가 眞味名家 다금바리 | 생선회

4대째 다금바리를 전문으로 하는 곳으로, 다금바리 껍질, 회, 뽈살, 엔가와, 주도로, 오도로, 창, 혓바닥, 힘줄, 입술, 다금바리지리 등을 코스로 즐길 수 있다. 갈 때는 미리 전화로 다금바리가 있는지 물어보고 가는 것이 좋다.

Ⓦ 다금바리회(25만원)

🕒 17:40~21:00 – 월, 화요일 휴무

🔍 제주 서귀포시 안덕면 사계남로 167

☎ 064-794-3639 Ⓟ 가능

진주식당 오분자기 | 전복 | 갈치

제주의 명물 오분자기뚝배기가 유명하다. 조개, 성게 알에 파와 매운 고추를 넣고 된장을 풀어 끓인 얼큰한 국물 맛과 고소한 오분자기 맛이 일품이다. 밑반찬으로 나오는 갈치속젓과 노란 참조기젓, 자리돔젓 등도 입맛을 돋운다.

Ⓦ 전복뚝배기(1만8천원 특 2만4천원), 전복죽(1만7천원), 오분자기뚝배기(2만5천원), 전복구이, 토막갈치구이, 갈치조림(6만원)

🕒 08:00~20:00 – 연중무휴

🔍 제주 서귀포시 태평로 353(서귀동)

☎ 064-762-5158 Ⓟ 가능

천지 제주음식 | 한정식

제주 신라호텔 내의 한식당. 제주도의 다양한 향토 요리를 맛볼 수 있다. 음식이 깔끔하고 푸짐하다. 고급스럽고 깔끔한 식당의

분위기는 식사의 격을 높여준다.
㉻ 숨비코스(2인이상 1인 12만원), 유채꿀석쇠불고기(8만5천원), 자연송이맑은탕(7만원), 한우전복신선로(2인이상, 1인 7만원)
⏱ 17:30~22:00 – 연중무휴
🔍 제주 서귀포시 중문관광로72번길 75(색달동)
☎ 064-735-5342 Ⓟ 가능

천짓골식당 돔베고기
돔베고기가 유명한 곳. 돔베고기는 도마 위에 올려져서 나오는 통삼겹살 수육이라고 생각하면 된다. 합리적인 가격의 백돼지 오겹이 가장 인기가 많다. 주문하면 삶기 시작하기 때문에 30분 전쯤에 예약하는 것이 좋다.
㉻ 돔베고기(600g 백돼지 4만8천원, 흑돼지 6만원)
⏱ 17:10~21:30 – 일요일 휴무
🔍 제주 서귀포시 중앙로41번길 4(서귀동)
☎ 064-763-0399 Ⓟ 불가

최남단식당 생선회
모슬포항에 있어 바다를 바라보며 해산물을 즐길 수 있는 곳이다. 회를 시키면 각종 해산물이 찬으로 나온다. 겨울에는 방어 코스도 인기 있다.
㉻ 모둠회(22만원), 사시미코스(소 12만원, 중 14만원, 대 16만원, 특 20만원), 참돔(1kg 12만원), 점심특선회정식(2인 이상, 1인 1만7천원), 갈치구이(3만원)
⏱ 11:00~21:30 – 첫째, 셋째 주 월요일, 명절 당일 휴무
🔍 제주 서귀포시 대정읍 최남단해안로 40
☎ 064-794-9191 Ⓟ 가능

축협축산물플라자한우식당 소고기구이
서귀포 축협에서 직영하는 곳으로, 질 좋은 고기를 선보인다. 합리적인 가격에 한우를 맛볼 수 있으며 포장도 가능하다. 시세에 따라 가격이 조금씩 달라진다.
㉻ 한우모둠구이(소 600g 10만5천원, 대 700g 12만원)
⏱ 11:00~16:00/17:00~21:30(마지막 주문 20:00) – 명절 휴무
🔍 제주 서귀포시 안덕면 중산간서로 1914-3
☎ 064-794-5658 Ⓟ 가능

춘미향 제주음식
보말국과 벵에돔김치찜과 같은 향토음식을 전문으로 한다. 싱싱한 재료를 사용하여 음식을 만들며, 음식 양도 푸짐하다. 산방산 인근에 있어 올레길 탐방객이 많이 찾는 곳이다.
㉻ 춘미향정식(2만6천원), 전복성게미역국(1만2천원), 흑돼지두루치기(2인 이상, 1인 1만2천원), 갈치조림(소 4만원, 대 8만원)
⏱ 11:30~15:30/17:30~20:00 – 수요일 휴무
🔍 제주 서귀포시 안덕면 산방로 382
☎ 064-794-5558 Ⓟ 불가

카페카노푸스 카페 | 바
중문관광단지 씨에스호텔 내에 있는 카페 겸 바. 계절별 음료와 와인, 맥주 등 다양한 음료와 먹을거리를 판매한다. 창 너머로는 바다가 보이며 정원 전망도가 운치 있다.
㉻ 에스프레소, 아메리카노(각 1만2천원), 카페라테(1만3천원), 전통차(1만5천원), 미숫가루(1만3천원), 마농갈비피자(3만8천원), 옛날통닭세트(5만원)
⏱ 10:00~22:00 – 연중무휴
🔍 제주 서귀포시 중문관광로 198(중문동) 씨에스호텔 1층
☎ 064-735-3036 Ⓟ 가능

카페오름 경양식 | 카페
올레코스에 있는 곳. 음료와 함께 디저트와 돈가스, 파스타 등의 식사메뉴도 선보이고 있다. 저녁 식사는 예약 후 방문하는 것이 좋다. 한쪽 벽면이 모두 유리로 되어 있어 제주를 충분히 즐길 수 있는 전망의 카페다. 음료는 1인 1식사 주문 시 주문 가능하며, 제주맥주와 한라산 칵테일도 선보인다.
㉻ 아메리카노(식사주문시 2천원), 차(4천원~4천5백원), 흑돼지돈가스(1만3천원), 새우크림파스타(1만6천5백원), 문어전복토마토파스타(1만8천5백원)
⏱ 12:00~20:00 – 수요일 휴무
🔍 제주 서귀포시 성산읍 삼달로 128
☎ 064-784-4554 Ⓟ 가능

커피맛이멜로 카페
조용한 분위기에서 커피를 즐기기 좋은 곳. 커피는 내리는 방식에 따라 머신, 핸드드립, 콜드브루 중 선택할 수 있다. 슈가밀크와 수제크림이 들어간 달콤한 멜로다방과 수제베리크림이 올라가는 로코커피, 에스프레소에 누텔라초콜릿과 우유를 넣은 마로키노 등이 시그니처 음료다.
㉻ 에스프레소(4천5백원), 아메리카노(5천원), 카페라테(5천5백원), 콘판나(6천5백원), 핸드드립커피(8천원~8천5백원), 콜드브루커피(7천원), 티(7천5백원), 에이드(8천5백원), 케이크(7천원~7천5백원)
⏱ 10:00~18:00 | 동절기 11:00~18:00 – 일요일 휴무
🔍 제주 서귀포시 안덕면 신화역사로 752
☎ 064-792-7971 Ⓟ 가능

큰갯물횟집 생선회 | 다금바리
회를 시키면 20여 가지의 밑반찬이 먹음직스럽게 깔린다. 자연산만을 취급하며 가격이 높은 편이기는 하지만, 바다가 보이는 전망이 좋다. 운이 좋으면 다금바리도 맛볼 수 있다.
㉻ 방어회(시가), 다금바리회(1kg 32만원), 갯돔(1kg 30만원), 구문쟁이(1kg 23만원)
⏱ 11:50~22:00(마지막 주문 21:00) – 연중무휴
🔍 제주 서귀포시 대포로 161(대포동)
☎ 064-738-1625 Ⓟ 가능

포도호텔레스토랑

PODO Hotel Restaurant 퓨전한식

세계적인 건축가 '이타미 준'이 설계한 호텔에서 고품격 미식을 즐길 수 있는 곳. 제주의 귀하고 신선한 식재료를 사용하며, 독창적인 시그니처 우동부터 제주의 퓨전 코스요리까지 다채로운 메뉴를 선보인다. 레스토랑의 통 유리창 너머로 아름다운 산방산 뷰가 파노라마처럼 펼쳐진다.

₩ 멍게비빔밥한상(5만5천원), 삼합나베(4만8천원), 흑돼지불고기쌈정식(4만2천원), 왕새우튀김우동정식(2만8천원), 제주보말우동(3만7천원), 한우스키야키우동(4만7천원), 코스(16만원~18만원)

07:00~10:30(마지막 주문 10:00)/12:00~15:00(마지막 주문 14:30)/17:00~21:50(마지막 주문 21:00) – 연중무휴

제주 서귀포시 안덕면 산록남로 863

☎ 064-793-7030 Ⓟ 가능

포도호텔레스토랑

풍로 風爐 돼지고기구이

부타카세라고 하는, 돼지고기 오마카세를 전문으로 하는 곳. 여러 부위의 제주산 돼지고기 구이를 코스로 맛볼 수 있으며, 돼지고기를 이용한 다양한 요리를 즐길 수 있다. 9시 이후에는 단품 주문도 가능하며, 다양한 와인도 구비하고 있어 함께 페어링해도 좋다.

₩ 부타카세(런치 4만9천원, 디너 2인 이상, 1인 6만9천원)

12:00~13:00/13:30~14:30/17:00~18:30/19:00~20:30 – 연중무휴

제주 서귀포시 안덕면 신화역사로 423 2층

☎ 064-792-1108 Ⓟ 가능

하영횟집 생선회

여름이 제철인 자연산 따돔을 맛볼 수 있어 유명한 곳이다. 생선이나 해산물이 모두 신선하다. 기본 찬으로 나오는 해물의 양이 푸짐하다.

₩ 다금바리, 구문쟁이, 갯돔(각 시가), 광어, 방어, 히라스, 모둠회(각 2인 10만원, 3인 12만원, 4인 15만원)

16:00~22:00(마지막 주문 20:30) – 일요일 휴무

제주 서귀포시 이어도로 1043(서호동)

☎ 064-739-8161 Ⓟ 가능

해녀의집 전복죽 | 전복

전복을 비롯한 여러 가지 해산물을 맛볼 수 있는 곳이다. 대표 메뉴는 역시 전복죽이다. 게우와 전복살이 실하게 들어 있는 전복죽 맛이 그만이다. 제주의 향토 음식인 작은 바다 게를 갈아 끓인 깅이죽 (혹은 겡이죽)을 맛 볼 수 있는 몇 안되는 식당이기도 하다.

₩ 전복죽(1만2천원), 해물(시가)

08:30~18:00 – 연중무휴

제주 서귀포시 성산읍 일출로 284-34

☎ 064-783-1135 Ⓟ 가능

해뜨는식당 일반한식

성산일출봉과 우도가 한눈에 보이는 곳에 있는 향토음식 전문점. 갈치구이, 고등어구이 등의 토속음식을 맛볼 수 있다.

₩ 갈치구이(2만원), 고등어구이, 해물전(1만5천원), 갈칫국, 고등어조림(각 1만원), 갈치조림(1만3천원), 오분작뚝배기(1만8천원), 해물뚝배기(1만3천원)

06:30~20:00 – 일요일 휴무

제주 서귀포시 성산읍 성산중앙로 38

☎ 064-782-3380 Ⓟ 불가

호텔리어스커피

Hoteliers' Coffee 카페 | 디저트카페

유럽의 가정에 온 듯한 화이트 톤의 넓고 화사한 공간의 카페로, 통창 밖으로는 제주 바다와 야자수를 감상할 수 있다. 레몬이 들어간 샤케라토를 맛볼 수 있으며, 고소하고 달콤한 맛의 컨시어지 라테도 추천한다.

₩ 에스프레소(5천원), 아메리카노(6천원), 카페라테(6천8백원), 컨시어지라테, 벨맨커피(각 7천원), 레몬샤케라토(8천원), 얼그레이밀크티(7천8백원), 호텔리어스2인조식세트(2만9천원)

08:00~16:00(마지막 주문 15:30) | 토, 일요일 09:00~ 17:00(마지막 주문 16:30) – 화요일 휴무

제주 서귀포시 중문관광로 23-1(색달동) 아리아호텔 1층

☎ 064-738-8982 Ⓟ 가능(호텔 주차장 이용)

휴일로 HUEILOT 카페

바다가 바로 앞에 보이는 곳에 있는 디저트 카페. 외벽이 큰 유리로 되어 있어 내부에서도 바다가 훤히 보이며, 시원한 바닷바람을 쐴 수 있는 야외 테라스도 있다. 콜드브루와 크림으로 만든 휴라테가 시그니처 메뉴다.

₩ 아메리카노(7천원), 카페라테(7천5백원), 휴라테, 마당라테, 설록라테(각 8천5백원), 에이드(8천원), 한라산(9천원), 티라미수, 앙버터(각 7천5백원)

⌚ 10:00~20:00 – 연중무휴
🔍 제주 서귀포시 안덕면 난드르로 49-65
☎ 010-7577-4965 Ⓟ 가능

히노데 🎀 日出 일식 | 스시

제주도의 청정해에서 잡아 올린 싱싱한 해산물로 요리한 정통 일식 요리를 낸다. 싱싱한 제주 해물을 즉석에서 맛깔스럽게 구워내는 철판구이 코너와 스시카운터도 인기다. 신라에서만 20년 가까이 스시를 쥐고 있는 박영환 셰프의 스시 오마카세가 주목할만하다.

₩ 생선회코스), 스시코스(각 1인 18만원), 튀김코스(1인 9만원)
⌚ 17:30~22:00 – 연중무휴
🔍 제주 서귀포시 중문관광로72번길 75(색달동) 제주신라호텔 3층
☎ 064-735-5339 Ⓟ 가능

제주특별자치도 **제주시**

가본식당 갈치 | 고등어 | 제주음식

토속음식인 고등어와 갈치요리를 전문으로 하는 곳. 겨울철에는 한창 살이 오른 포동포동한 고등어조림을 먹을 수 있다. 갈치회는 기름기가 약간 흐르면서도 달콤하다. 노릇하게 구워낸 갈치구이도 맛이 좋다는 평.

₩ 고등어조림(소 3만원, 대 4만원), 고등어구이(2만원), 갈치조림(소 4만5천원, 대 5만5천원), 갈치회(5만원)
⌚ 09:00~21:00 – 명절 휴무
🔍 제주 제주시 임항로 36-1(건입동)
☎ 064-721-8484 Ⓟ 가능

가스트로관수 🎀 Gastro Kwansoo 프랑스식

양식 오마카세를 표방하는 프렌치 레스토랑으로, 제주의 신선한 제철 식재료가 돋보이는 요리를 코스로 섬세하게 풀어낸다. 김관수 오너 셰프의 1인 업장이며, 매일 들어오는 식재료에 따라 메뉴 구성이 달라진다. 100% 예약제로만 운영이 되며, 고객의 방문일지를 기록하여 재 방문 시에는 다른 요리를 제공한다.

₩ 런치발라드(6만5천원), 런치시그니처(8만원), 디너베이직(8만원), 디너발라드(10만원), 디너시그니처(14만원)
⌚ 12:00~15:00/17:00~22:00(마지막 주문 20:00) – 비정기적 휴무
🔍 제주 제주시 고마로15길 20(일도이동) 1층
☎ 064-755-4440 Ⓟ 가능

감초식당 순대 | 순댓국

깔끔한 맛의 순대국밥 전문점. 순대국밥은 맛이 담백하고 콩나물이 들어가서 시원한 맛이 난다. 모둠순대는 머리 고기와 순대가 나오며 내장을 추가할 수도 있다. 제주식으로 순대를 초고추장에 찍어 먹어도 좋다. 영업시간과 관계없이 재료 소진 시 문을 닫는다.

₩ 모둠순대(1만5천원, 2만원, 2만5천원), 순대국밥(8천원)
⌚ 11:30~21:30 – 일요일, 명절 휴무
🔍 제주 제주시 동광로1길 32(이도일동)
☎ 064-753-7462 Ⓟ 불가

고내횟집 한치 | 생선회

활어회와 한치물회가 맛있는 집. 제주앞바다의 자연산 활어만 취급한다. 점심 한정으로 판매하는 한치물회는 된장 맛이 가미되어 인기가 많다.

₩ 한치물회, 한치덮밥(각 1만8천원), 한치회(5만원), 다금바리(18만원), 돌돔(17만원), 벵에돔(10만원), 황돔(8만원), 쥐치(7만원), 따치(6만원), 활매운탕, 활지리(2인이상 각 1인 1만7천원)(10월~4월)
⌚ 11:30~14:30/17:00~22:00(마지막 주문 20:30) – 연중무휴
🔍 제주 제주시 애월읍 고내로7길 46-1
☎ 064-799-6888 Ⓟ 가능

고스란히 카페

깔끔하고 조용한 분위기의 카페. 직접 블렌딩한 원두로 내린 핸드드립 커피를 추천할 만하며 융드립필터에 내린 융드립커피도 맛볼 수 있다. 카페 중앙에 있는 커다란 식물과 'ㄷ'자 형태의 테이블이 돋보이는 곳.

₩ 핸드드립커피(6천원), 더치커피(5천원), 바닐라밀크, 더치라테(각 5천5백원), 에스프레소, 아메리카노(각 4천5백원), 카페라테(5천원)
⌚ 08:00~18:00 – 둘째, 넷째 주 월요일 휴무, 화요일 휴무
🔍 제주 제주시 구남로6길 22(이도이동)
☎ 064-751-5195 Ⓟ 가능

골막식당 고기국수 | 수육

국수 위에 돼지고기가 올라가는 고기국수가 유명하다. 맑은 국물에 두툼한 돼지고기가 네 점 정도 올라간다. 그 외에 파, 당근 정도가 뿌려져 있을 뿐 다른 고명은 하나도 없다. 국수 면발은 일반 국수 면발보다는 굵지만, 툭툭 잘 끊어지는 편. 잘 익은 배추김치를 곁들여 먹으면 일품이다.

₩ 고기국수(8천원, 곱빼기 9천원), 수육(2만원)
⌚ 06:30~18:00(마지막 주문 17:30) – 명절 휴무
🔍 제주 제주시 천수로 12(이도이동)
☎ 064-753-6949 Ⓟ 가능

골목식당 🎀 꿩 | 국수

담백한 육수와 제주산 꿩고기, 메밀로 만든 면발이 최고의 궁합을 이루는 꿩국수가 유명하다. 마늘을 듬뿍 넣어 양념을 한 꿩구이, 국수와 수제비의 중간쯤 되는 꿩메밀국수를 맛볼 수 있다. 원래 제주는 척박한 땅이었고 상대적으로 흔한 편이었던 꿩은 제주 도민들의 중요한 단백질 공급원 중 하나였다고 한다. 제주

에서는 얼마 남지 않은, 40여 년이 넘은 귀한 노포다.
₩ 꿩메밀칼국수(1만원), 꿩구이(3만원)
⏲ 10:30~22:00 – 비정기적 휴무
🔍 제주 제주시 중앙로 63-9(이도일동)
☎ 064-757-4890 Ⓟ 가능

곰막 회국수 | 생선회

성게가 푸짐하게 들어간 성게국수와 회국수가 유명한 집. 싱싱한 고등어회도 맛볼 수 있다. 바다를 바라보며 식사할 수 있는 야외 자리도 있으며, 식사 후 널찍한 정원을 둘러보아도 좋다.
₩ 회국수(1만2천원), 성게국수, 회덮밥(각 1만3천원), 고등어구이, 활전복죽, 대가리구이(각 1만5천원), 고등어회(3만8천원), 광어(3만5천원)
⏲ 09:30~21:00(마지막 주문 20:00) – 첫째, 셋째 주 화요일 휴무
🔍 제주 제주시 구좌읍 구좌해안로 64
☎ 064-727-5111 Ⓟ 가능

곰해장국 곰탕 | 꼬리곰탕 | 수육

곰탕 전문점으로, 특히 파가 듬뿍 들어간 깔끔한 맛의 꼬리곰탕이 유명하다. 꼬리뼈에 붙은 살을 발라 먹은 다음 밥을 말아 먹는다. 국수사리도 넉넉히 들어있어 속이 든든하다.
₩ 곰탕(1만원, 특 1만2천원), 콩나물해장국(8천원), 사골해장국(9천원), 꼬리곰탕(2만3천원), 소머리수육(4만5천원), 꼬리수육(5만원)
⏲ 06:00~21:00 – 연중무휴
🔍 제주 제주시 복지로3길 1-4(도남동)
☎ 064-744-8867 Ⓟ 불가

광양해장국 선지해장국 | 소내장탕

뚝배기에 선지와 콩나물을 듬뿍 담아 내오는 해장국의 맛이 시원하다. 속에 들어 있는 고기도 질기지 않고 좋으며 고추기름을 넣어 얼큰한 맛을 자랑한다. 입맛에 맞게 다진 마늘을 넣어 먹는다.
₩ 소뼈해장국(9천원), 해장국(1만원), 내장탕(1만1천원)
⏲ 06:00~15:00 – 월요일, 명절 휴무
🔍 제주 제주시 광양13길 25(이도이동)
☎ 064-751-1777 Ⓟ 가능

구아우쇼콜라 GUAU CHOCOLAT 초콜릿

현무암 모양의 초콜릿을 시그니처로 판매하는 초콜릿 전문점으로, 100% 카카오버터 커버춰를 사용한다. 현무 초콜릿 미니는 다크, 녹차 맛과 밀크와 흑임자 맛을 고를 수 있다. 카카오 함량을 고를 수 있는 초콜릿 음료도 깊은 맛을 느낄 수 있다.
₩ 아메리카노(4천5백원), 카페라테(5천원), 카페모카(5천5백원), 쇼콜라쇼56%(6천원), 쇼콜라쇼64%, 쇼콜라쇼70%, 아이스쇼콜라(6천5백원), 100%카카오수프(7천원), 위스키쇼콜라쇼(8천원), 현무초콜릿미니(7천5백원), 현무초콜릿(6천원), 8구봉봉세트(2만1천원)
⏲ 11:00~15:00 – 화, 수요일 휴무
🔍 제주 제주시 구좌읍 김녕항2길 14
☎ 0507-1401-4557 Ⓟ 가능(협소)

구아우쇼콜라

구좌상회 카페

제주도 돌담을 살려서 지은 외관과 당근케이크로 유명한 카페. 당근케이크는 적당히 촉촉한 시트와 너무 달지 않은 크림이 당근, 견과류와 어우러져 맛이 좋다. 따뜻한 분위기의 인테리어로 사진 촬영 명소로도 꼽히고 있다.
₩ 아메리카노(5천5백원), 라테, 카푸치노, 바닐라라테, 패션플라워티(각 6천원), 당근케이크(7천5백원), 브라우니, 치즈케이크(각 6천5백원)
⏲ 10:30~18:00 – 화, 수요일 휴무
🔍 제주 제주시 조천읍 선교로 198-5
☎ 010-6600-6648 Ⓟ 불가

국수마당 국수 | 고기국수

제주공항 근처에 있는 국수 전문점이다. 고기국수를 시키면 하얀 돼지 뼈 국물에 굵은 국수가 나오는데, 국물이 진하고 돼지고기 편육은 푸짐하다. 국물에 김 가루와 양념장을 넣기도 한다.
₩ 멸치국수(7천5백원), 고기국수, 콩국수, 열무국수(각 9천원), 비빔국수, 콩나물국밥(각 8천원), 돔베고기(3만원), 아강발(2만원)
⏲ 08:20~23:50 – 명절 휴무
🔍 제주 제주시 삼성로 65(일도이동)
☎ 064-727-6001 Ⓟ 가능

그린루스카

GREEN RUSKA COFFEE HOUSE 커피전문점

이미커피, 하소로 커피에서 근무했던 바리스타가 독립하여 오픈한 매장. 로컬스러운 분위기 뿐만 아니라 아라비아 커피 잔으로 제공하는 커피가 정성스럽고, 다양한 커피가 맛있다. 최근에는 파인로부스타 커피를 이용한 창작 메뉴도 꼭 마셔볼 것을 추천한다.
₩ 브루잉커피(5천원~1만2천원), 카페페퍼밀크(7천원), 쑥라테, 밀크브루라테(각 6천원), 레몬딜파운드(4천원)
⏲ 11:00~18:30(마지막 주문 18:00) – 비정기적 휴무

제주 제주시 서사로12길 45
없음 Ⓟ 불가

글러트니커피 Gluttony Coffee 에스프레소바 | 베이커리

여러 종류의 스페셜티커피 원두를 구비하고 있는 에스프레소 바 겸 베이커리. 에스프레소 베이스 음료 외에 핸드드립도 추천할 만하며 베이커리로는 소금빵과 크루아상이 유명하다. 감각 있게 꾸민 인테리어가 힙한 느낌을 준다.

₩ 에스프레소(3천원), 카페콘판나(3천5백원), 아메리카노(4천5백원), 글러트니라테, 글러트니카푸치노(5천5백원), 크루아상(4천원), 폭식의크루아상(6천3백원), 소금빵(2천8백원)
11:00~20:00 – 월요일 휴무
제주 제주시 구남로2길 38(이도이동)
064-901-9563 Ⓟ 가능(공영 주차장 이용)

금능반지하 호프

바다가 보이는 인스타 감성 충만한 맥줏집. 맥주 외에 무알콜, 칵테일, 하이볼, 상그리아, 뱅쇼 등 다양한 음료를 즐길 수 있다. 바다 바로 앞에 있는 야외 자리를 추천. 촘촘히 깔려 있는 자갈 바닥에 나무로 된 소박한 탁자와 의자가 운치 있다. 밤에는 드럼통에 캠프파이어를 해주기도 한다.

₩ 반지하감바스, 바비큐폭립(각 3만원), 치킨궈바로우(2만5천원), 로제떡볶이(2만2천원), 몽골리안볶음면(1만8천원), 스팀소시지(1만8천원)
17:00~23:00 – 목요일 휴무
제주 제주시 한림읍 금능9길 30
0507-1333-4337 Ⓟ 가능

길보트 GilBoat 카페

서핑플레이, 파도슬러시 등의 시그니처 음료와 합리적인 가격의 에스프레소, 아메리카노를 맛볼 수 있는 카페. 커피와 함께 간단하게 즐기기 좋은 미디 도넛도 준비되어 있다. 매장에서는 다양한 굿즈도 판매하고 있다.

₩ 서핑플레이(4천8백원), 파도슬러시(4천5백원), 카페레몬슈거(2천8백원), 데일리에스프레소(1천8백원), 스몰아메리카노(2천3백원), 카페로마노(2천5백원), 카페콘판나, 스몰플랫화이트(각 3천원), 오트화이트(3천3백원), 미니도넛(각 1천8백원)
09:00~22:00 – 일요일 휴무
제주 제주시 남성로 154-2 (삼도이동)
0507-1378-7725 Ⓟ 불가

남춘식당 고기국수 | 콩국수 | 김밥

돔베고기를 얹은 고기국수로 유명하다. 소고기와 유부, 당근, 시금치 등이 들어간 제주식 김밥도 중독성이 있다. 여름에는 콩국수도 많이 찾는데, 검은콩을 갈아서 만든 콩국수는 걸쭉하면서 시원한 맛을 자랑한다.

₩ 고기국수(8천5백원), 수제비(2인이상, 1인 8천원), 멸치국수(6천5백원), 비빔국수(7천원), 콩국수(1만원), 김밥(4천원)
11:00~16:30 | 포장 11:00~18:30 – 일요일, 명절 휴무
제주 제주시 청귤로 12(이도이동)
064-702-2588 Ⓟ 불가

낭푼밥상 몸국 | 고기국수 | 제주음식

제주산 식자재로 정갈하게 차려진 상차림을 맛볼 수 있는 제주 전통음식 전문점. 대표 메뉴인 몸국과 고기국수는 돼지의 여러 부위를 사용하여 육수를 낸다. 몸국의 육수는 간을 하지 않고 슴슴한 맛으로 나오기 때문에, 기호에 맞게 직접 간을 해서 먹는다. 명인코스와 스페셜코스는 2일 전에 예약해야 한다.

₩ 가문잔치정식(1만6천원), 기름간장비빔국수(8천원), 메밀기름간장비빔국수(1만원), 매콤고기비빔국수, 고기국수(각 9천원), 몸국(1만원)
09:00~18:00(마지막 주문 17:30) – 수요일 휴무
제주 제주시 연동6길 28(연동)
064-799-0005 Ⓟ 불가

너는파라다이스길리 카페

파란 외벽이 눈에 띄는 카페. 당근과 한라봉이 들어간 음료 및 디저트가 시그니처. 음료를 주문 즉시 착즙하여 만드는 것이 특징이다. 디톡스 보울도 유명한데, 보울 메뉴는 녹색채소나 라즈베리를 진하게 갈아 만든 주스 위에 과일, 견과류, 그래놀라를 토핑으로 올려내 상큼하고 건강한 맛이다.

₩ 에스프레소, 아메리카노(각 5천원), 카페라테(6천원), 당근주스, 당근차(각 7천원), 당근스무디(7천5백원), 레드보울(8천5백원), 당근붕어빵(1천5백원~2천5백원), 당근바스크치즈케익(5천원), 구좌당근케이크(7천원), 스콘(각 4천원)
12:00~18:00 – 비정기적 휴무
제주 제주시 구좌읍 월정1길 65
064-782-2208 Ⓟ 가능

넘은봄 모던한식

강병욱 셰프의 한식 비스트로. 제주산 식재료와 농장에서 직접 공수한 제철 식재료로 계절마다 변동되는 비스트로 요리를 선보인다. 예약제로 운영하며, 창밖으로 보이는 청굴물 뷰가 시선을 끈다. 주류 주문은 필수이니 참고할 것.

₩ 감태면(1만8천원5백), 제주마른두부(1만5천원), 제주한우(2만5천원), 흑돼지(3만3천원), 오늘의생선(문의)
12:00~15:00/17:00~22:00 – 수요일 휴무
제주 제주시 구좌읍 김녕로1길 75-1 1층
070-8028-8743 Ⓟ 가능

늘봄흑돼지 돼지고기구이 | 돼지갈비

제주산 흑돼지를 전문으로 한다. 기름기가 적고 담백한 맛의 흑돼지를 맛볼 수 있다. 기본으로 나오는 반찬이 정갈하고 푸짐하다.

₩ 삼겹살, 목살(각 180g 2만2천원), 생갈비(220g 2만6천원), 양념구

이(300g 2만2천원), 항정살, 가브리살, 갈매기살(각 160g 2만2천원)
⏲ 11:00~23:00 – 연중무휴
🔍 제주 제주시 한라대학로 12(노형동)
☎ 064-744-9001 Ⓟ 가능

다래향 일반중식

짬뽕 잘하는 집으로 유명한 곳이다. 해물이 듬뿍 들어 있는 얼큰한 속풀이 짬뽕이 대표 메뉴. 굴 향이 진한 굴짬뽕도 인기다. 다진 마늘과 고추기름, 간장을 섞어 만든 소스에 탕수육을 찍어 먹는 맛도 좋다.

₩ 속풀이왕짬뽕2인(2만5천원), 굴짬뽕(1만원), 해물짬뽕밥, 차돌짬뽕밥(각 1만2천원), 유니짜장(7천원), 탕수육(중 2만원, 대 3만원), 팔보채(3만5천원)
⏲ 09:00~15:00/17:00~20:30(마지막 주문 20:00) – 월요일 휴무
🔍 제주 제주시 조천읍 조함해안로 428-4
☎ 064-782-9466 Ⓟ 가능

다코네 DACONE 베이커리

동화 속에 나올 거 같은 정원이 매력적인 구좌읍에 위치한 베이커리 카페. 겉은 바삭하고 속은 쫄깃한 소금 빵이 인기가 좋다. 밀가루에 쌀가루를 섞은 반죽을 사용하는 것이 특징.

₩ 아메리카노(4천5백원), 카페라테(5천5백원), 바닐라빈카페라테(6천원), 크림라테(6천5백원), 구좌당근쥬스(7천원), 모히토(7천원), 베리베리에이드(7천원), 다코네밀크티(6천5백원), 살구허니라벤더(6천원), 소금버터롤(3천7백원), 모카버터롤(3천7백원), 바닐라빈에그타르트(2천7백원)
⏲ 10:00~19:00 – 목요일 휴무
🔍 제주 제주시 구좌읍 평대4길 20-1 다코네
☎ 010-4125-2502 Ⓟ 가능(매장 앞 3대 또는 돌담 옆)

대광식당 🎀 평양냉면 | 함흥냉면 | 돼지갈비

가오리회가 들어간 비빔냉면이 유명한 곳. 물냉면은 고기로 육수를 내서 진한 고기 향이 난다. 면발은 제주에서 난 메밀을 사용해 뽑았다. 메밀 함량이 그리 높지 않지만 찰진 면이 괜찮다는 평. 돼지갈비도 인기 메뉴다.

₩ 함흥회냉면, 메밀물냉면, 갈비탕, 육개장(각 1만원), 왕만두(9천원), 재래식돼지갈비(1kg 4만5천원), 흑돼지소금구이(400g 2만8천원, 800g 5만2천원)
⏲ 09:30~21:00(마지막 주문 20:30) – 명절, 비정기적 휴무
🔍 제주 제주시 중앙로23길 9(이도일동)
☎ 064-758-7768 Ⓟ 가능

대우정 🎀🎀 전복 | 솥밥

전복 돌솥밥으로 유명한 집. 사골 육수로 지은 밥에 전복이 푸짐히 들어간다. 양념간장과 마가린을 넣어 비벼 먹는 맛이 일품이다. 밥을 다 먹은 후 바닥에 두껍게 눌어 있는 누룽지를 긁어 먹는 재미도 빼놓을 수 없다. 돌솥밥을 짓는 데는 15분 정도 시간이 걸린다.

₩ 소라성게돌솥밥(1만5천원), 전복돌솥밥, 해물전복뚝배기(각 1만4천원), 성게미역국(1만3천원), 불고기돌솥밥(1만1천원), 콩나물돌솥밥(1만원)
⏲ 09:00~18:00 – 일요일 휴무
🔍 제주 제주시 서사로 152(삼도일동)
☎ 064-757-9662 Ⓟ 불가

대진횟집 생선회

관광객보다는 현지인이 자주 찾는 횟집. 회의 신선도와 맛이 뛰어나다. 양이 푸짐하고 종업원도 친절한 편이며, 서비스도 좋다.

₩ 코스(각 1인 3만5천원, 4만5천원, 5만5천원), 대진스페셜(2인 12만원), 다금바리(25만원), 모둠회(중 6만원, 대 8만원)
⏲ 10:30~23:00 – 연중무휴
🔍 제주 제주시 서부두길 16(건입동)
☎ 064-758-7017 Ⓟ 가능

더스푼 🎀 파스타 | 이탈리아식

서울 청담동 뚜또베네의 수셰프 출신인 박기쁨 셰프가 제주에서 선보이는 제주-이탈리안 퀴진이다. 제주의 해산물을 적극 사용하고 이탈리아 전역의 레시피를 활용하여 제주 전통 음식을 재해석 하기도 한다. 셰프가 직접 반죽한 생면파스타도 맛볼 수 있으며 총각무 피클, 티라미수 등 조금씩 남아 있는 뚜또베네의 DNA를 찾는 것도 재미있다.

₩ 디너코스(1인 9만원~10만), 명란타르트(1만1천원), 사르데냐식어란스파게티(2만2천원, 성게추가 3만2천원~3만4천원), 티라미수(1만1천원)
⏲ 12:00~14:30/18:00~22:30 – 월, 화요일 휴무
🔍 제주 제주시 구남동1길 45(아라이동)
☎ 064-725-1324 Ⓟ 가능

더스푼

도남오거리식당 소고기구이 | 소갈비 | 돼지고기구이

제주에서 소고기 생각이 나면 찾을 만한 곳이다. 황소모둠을 주문하면 큰 접시 가운데 부분에는 육회, 간, 천엽, 아롱, 골 등 날로 먹을 수 있는 부위를 내온다. 주위에는 등심, 안창, 차돌박이, 갈비, 염통, 곱창 등 구이용 고기가 올려진다. 점심식사로 쌈밥 정식도 권할 만하다. 가격 대비 만족도가 뛰어난 곳이다.

₩ 황소모둠(1kg 7만9천원, 1.6kg 10만4천원), 황소구이모둠(500g 5만4천원, 800g 7만9천원), 꽃등심, 차돌박이(각 180g 2만7천원), 육회(150g 1만3천원, 300g 2만5천원), 소양념갈비(400g 3만2천원), 돼지생갈비(360g 2만1천원), 돼지양념갈비(360g 1만4천원)
🕒 15:00~23:00 – 월요일 휴무
🔍 제주 제주시 도남로6길 16(도남동)
☎ 064-722-4844 Ⓟ 가능

도라지식당 제주음식 | 생선조림 | 생선구이

계절에 따라 끓여내는 생선국을 전문으로 하는 곳으로, 40년이 넘는 내력을 지닌 유명한 집이다. 고소하게 구운 갈치구이, 옥돔미역국, 한치물회 등 다양한 메뉴가 있다.

₩ 갈치구이(2만5천원), 고등어구이(2만원), 전복해물뚝배기(1만7천원), 옥돔구이(4만5천원), 갈치조림(소 2만5천원, 중 6만5천원, 대 7만5천원), 한치물회(1만5천원)
🕒 09:00~20:30(마지막 주문 19:30) – 화요일 휴무
🔍 제주 제주시 연삼로 128(오라삼동)
☎ 064-722-3142 Ⓟ 가능

돌하르방식당 각재기 | 전갱이 | 해물탕

각재기국(전갱이국)이 유명한 곳. 해장에 좋다는 각재기국을 시키면 콩잎과 풋고추, 된장, 멸치젓, 오징어젓, 고등어조림 등이 나온다. 취향에 따라 양념장을 넣어 먹는 각재기국의 시원한 맛이 일품이다. 4인 이상 주문하면 커다란 고등어구이가 서비스로 나온다.

₩ 각재기국, 해물뚝배기(각 1만원), 고등어구이(1만5천원)
🕒 10:00~15:00(마지막 주문 14:50) – 일요일, 공휴일 휴무
🔍 제주 제주시 신산로11길 53(일도이동)
☎ 064-752-7580 Ⓟ 불가

동귀리갈칫집 갈치

제주산 갈치구이 정식집. 튀기듯이 구운 갈치를 무한리필로 먹을 수 있다다. 동귀리 출신 주인이 '동귀리'라는 명칭의 정식을 차려내는데, 10년 넘게 제주 수산물 유통을 한 경험으로 좋은 재료를 사용하며, 가격도 합리적이다.

₩ 동귀1리(2만1천9백원), 동귀2리(1만9천9백원), 동귀3리(1만6천9백원), 돔베편육과명태회(6천9백원)
🕒 10:00~15:00/17:00~21:00(마지막 주문 20:15) – 연중무휴
🔍 세주 제주시 월링로 83(노형동)
☎ 064-743-3392 Ⓟ 가능

동백키친 파스타

제주 서쪽 한림마을에 있는, 파스타를 전문으로 하는 작은 식당. 현지에서 나는 식재료를 사용한 파스타와 필라프를 맛볼 수 있다. 딱새우파스타, 흑돼지파스타, 흑돼지필라프 등이 인기 메뉴다.

₩ 제주갈치파스타, 전복고사리파스타, 뼈등심돈가스(각 1만6천9백원), 해산물토마파스타(1만5천9백원), 전복필라프(1만5천원)
🕒 11:00~20:00(마지막 주문 19:00) – 수요일 휴무
🔍 제주 제주시 한림읍 수원7길 42
☎ 064-796-1014 Ⓟ 가능

두루두루식당 쥐치 | 생선회 | 생선조림

객주리 회와 조림이 맛있는 집. 객주리는 제주도 말로 쥐치를 말하는데, 쫀득한 식감이 일품이다. 우럭조림을 비롯해 갈치, 고등어조림도 맛볼 수 있으며 빨갛고 진한 양념이 입안을 알싸하게 만든다.

₩ 객주리회(2인 4만원, 3인 6만원, 4인 7만원), 객주리조림(소 4만5천원, 대 5만5천원), 객주리탕, 우럭탕(각 소 4만5천원, 대 5만5천원), 우럭조림(소 4만5천원, 대 5만5천원)
🕒 16:00~24:00 – 비정기적 휴무
🔍 제주 제주시 삼무로3길 14(연동)
☎ 064-744-9711 Ⓟ 불가

라스또르따스 LAS TORTAS 멕시코식

이국적인 분위기를 풍기는 멕시코 음식 전문점. 옥수수 토리티야 위에 정통 멕시코 스타일의 돼지고기 토핑이 올려진 카르니타스, 달고기 생선 토핑이 올려진 페스카도, 한우 곱창 토핑이 올려진 트리파를 선보인다. 타코 위에 올려진 소스와 재료들이 조화롭다는 평.

₩ 카르니타스(9천원~1만3천5백원), 페스카도(1만1천원~1만6천5백원), 트리파(1만3천원~1만9천5백원), 카마로네스(1만5천원)
🕒 11:00~15:00 – 월, 화요일 휴무
🔍 제주 제주시 광양11길 8-1(이도이동)
☎ 064-799-5100 Ⓟ 불가

랜디스도넛 Randys Donuts 도넛

미국 LA의 랜디스 도넛 제주직영점. 매장에서 직접 제조하여 신선하고 풍부한 맛을 내는 것이 특징이다. 다양한 토핑이 뿌려진 도넛을 맛볼 수 있다.

₩ 클래식도넛(2천7백원), 디럭스도넛(3천2백원), 팬시도넛(3천5백원), 프리미엄도넛(3천8백원), 애월블랜드(4천8백원), 제주현무암라테(6천5백원), 에소팥임자라테(7천원), 애월바다에이드(6천3백원)
🕒 10:00~19:00(마지막 주문 18:30) – 연중무휴
🔍 제주 제주시 애월읍 애월로 27-1
☎ 064-799-0610 Ⓟ 가능

레이어스베이크하우스

Layers Bakehouse 크루아상 | 베이커리

천연 발효종과 유기농 밀가루를 사용하는 패스트리 전문점. 구매한 당일 먹어야 바삭함과 진한 풍미를 즐길 수 있다. 제주 청수리에서 나는 통밀로 만든 크루아상이 대표 메뉴.

₩ 플랑바닐라(3천3백원), 팽오쇼콜라(3천8백원), 아몬드크루아상(4천3백원), 퀸아망(4천원), 카늘레(2천8백원), 브리오슈낭테르(5천5백원)

⏲ 11:00~18:00 - 월, 화요일 휴무

Q 제주 제주시 무근성7길 25(삼도이동) 1층

☎ 070-4240-6824 Ⓟ 불가

로치아커피로스터스

ROCCIA coffee roasters 커피전문점

핸드드립 커피 전문점으로, 직접 로스팅한 원두를 사용하여 신선한 커피를 만들어준다. 아메리카노는 상큼한 맛과 고소한 맛 중 선택할 수 있다. 직접 로스팅한 원두로 즉석에서 만들기 때문에 커피의 향이 아주 좋다는 평. 현무암을 쌓아서 만든 건물 외관이 고풍스럽다.

₩ 핸드드립커피(6천원~8천원), 아메리카노(4천5백원), 카페라테(5천5백원), 모치와플더블(1만2천원)

⏲ 10:00~19:00 | 화요일 12:30~19:00 | 토, 일요일 12:00~18:00 - 연중무휴

Q 제주 제주시 도공로 53(도두일동)

☎ 010-6835-6305 Ⓟ 가능

롤링브루잉 Rolling brewing 커피전문점

동문시장 인근에 있는 에스프레소바. 에스프레소를 기본으로 한 다양한 베리에이션을 선보인다. 노출 벽이 드러나는 감성적인 실내 인테리어로, 이탈리아에서처럼 커피를 서서 즐기는 스탠딩 테이블이 주를 이룬다. 에스프레소 셔벗과 크림이 어우러진 그라니타디카페도 추천 메뉴다.

₩ 에스프레소, 콘쥬케로, 콘초콜라토(각 4천원), 콘판나, 콘라테에판나, 마키아토(각 4천5백원), 아메리카노(5천원), 롤링아이스티, 롤링라테(각 6천5백원), 그라니타(5천5백원)

⏲ 09:00~19:00 - 연중무휴

Q 제주 제주시 동문로 21-1(일도일동) 1층

☎ 010-9312-5222 Ⓟ 불가

뤼미에흐 Lumiere 프랑스식

광주 알랭에서 근무했던 조경재 셰프가 오픈한 프렌치 레스토랑. 코스 단일 메뉴로 운영하며 요리 하나하나의 완성도가 높다는 평이다. 테이블 위에 있는 QR 코드를 스캔하면 어떤 요리가 나오는지 미리 알 수 있으며, 디저트로 나오는 머랭을 숯으로 지지는 퍼포먼스가 이색적이다.

₩ Freres Lumiere course(8만8천원)

⏲ 12:00~14:00/18:00~21:00 - 수요일 휴무

Q 제주 제주시 무근성길 38(삼도이동)

☎ 010-2687-3576 Ⓟ 불가

뤼미에흐

르부이부이 lebouiboui 프랑스식

종달리의 프렌치 레스토랑 터틀의 임정만 셰프와 이스트엔드의 이은주 셰프의 프렌치 레스토랑. 수준 높은 프렌치 요리를 합리적인 가격에 즐길 수 있다. 예약은 필수.

₩ 2코스(3만8천원), 3코스(4만5천원)

⏲ 17:30~22:30(마지막 주문 21:00) - 월요일 휴무

Q 제주 제주시 사라봉7길 32(건입동)

☎ 070-4187-4732 Ⓟ 불가

리보스코화덕피자 REiBOSCO PIZZA 피자

톳을 넣어 반죽한 도우가 특징인 화덕피자전문점. 제주를 연상케하는 독특한 메뉴들을 만나볼 수 있다. 산처럼 쌓아 올린 푸짐한 토핑의 비주얼도 눈을 즐겁게 한다. 한라산용암피자가 인기메뉴.

₩ 한라산용암피자(3만7천원), 유채꽃현무암치킨피자(3만9천원), 페퍼로니해녀꽃피자(3만원), 루콜라듬뿍피자(3만2천원)

⏲ 11:00~21:00(마지막 주문 20:30) - 수요일 휴무

Q 제주 제주시 수목원길 27

☎ 064-745-0904 Ⓟ 가능

릴로제주 L'îlot Jéju 프랑스식 | 샌드위치

프랑스식 오픈 샌드위치인 타르틴을 맛볼 수 있는 곳. 리코타 치즈부터 소스까지 매일 아침 직접 만든 신선한 재료만을 사용해 샌드위치를 만든다. 샌드위치는 와인과 함께 즐기기 좋아 낮술을 위해 찾는 이도 많다. 곳곳에 비치된 프랑스 스타일의 소품이 보는 재미를 더하는 곳.

₩ 수비드비프타르틴(1만2천5백원), 아보카도&사과타르틴(1만2천5백원), 바게트비프샌드위치(8천7백원), 릴로플레이트(2인분 2만9천원), 감자수프(7천원), 토마토치킨수프(1만2천원)

⏲ 10:00~15:00(마지막 주문 14:30) - 화요일 휴무

🔍 제주 제주시 구좌읍 하도13길 63
☎ 010-4420-4945 Ⓟ 가능

마라도횟집 생선회 | 방어 | 고등어

제철 방어회와 아삭한 김치를 합리적인 가격에 맛볼 수 있는 곳. 간장이나 초고추장이 아닌 녹차 소금을 내주는 것이 특징이다. 운이 좋으면 방어를 해체하는 모습도 볼 수 있다. 몇 가지 채소 외에 다른 반찬은 없지만, 방어를 제대로 맛볼 수 있다.

₩ 선택모둠회(2인 11만원, 3인 16만5천원, 4인 22만원, 5인 27만5천원), 대방어회(1인 5만원)
🕒 13:00~24:00 – 연중무휴
🔍 제주 제주시 신광로8길 3(연동)
☎ 064-746-2286 Ⓟ 불가

마마롱 ma marron 디저트카페

한적한 분위기의 파티세리 숍. 수준급의 프렌치 디저트 종류를 선보인다. 몽블랑을 생크림케이크로 만든 마마롱케이크가 대표 메뉴며, 에클레르도 인기다. 디저트가 일찍 품절되는 편이니, 서둘러서 방문하는 것을 추천한다.

₩ 에스프레소, 아메리카노(5천5백원), 카페라테(6천5백원), 허브티(6천5백원), 에클레르(6천5백원), 바나나타르, 몽블, 당근케이크(각 9천원)
🕒 10:30~19:00 – 월, 화요일 휴무
🔍 제주 제주시 애월읍 평화로 2783 1층
☎ 064-747-1074 Ⓟ 가능

마틸다 MATILDA LP바

술과 함께 음악을 즐길 수 있는 애월의 LP바. 서울 신천에서 10여년간 LP바를 운영하다가 제주로 이전해 지금의 공간을 만들었다. 맥주부터 코냑까지 다양한 주류를 갖추고 있다. 신청곡을 적어 내면 LP를 찾아 틀어준다. 곳곳에 놓인 앤티크한 인테리어 소품이 분위기를 더한다.

₩ 아메리카노(7천원), 아이스아메리카(8천원), 맥주(5천5백원~1만3천원), 칵테일(1만원~1만2천원)
🕒 18:00~01:00(익일)(마지막 주문 00:30) – 화요일 휴무
🔍 제주 제주시 애월읍 고내1길 33
☎ 064-799-3629 Ⓟ 가능

맥파이브루어리 크래프트맥주바

이태원 경리단길에서 시작한 맥파이브루잉컴퍼니가 2016년 문을 연 양조장. 양조장과 탭룸이 함께 있다. 피자, 치킨과 같은 간단한 안주류의 음식과 함께 맥파이가 만드는 다양한 맥주를 즐길 수 있다. 토, 일요일에는 맥주를 마시며 즐기는 양조장 투어 프로그램도 있다.

₩ 맥주(7천원~1만7천원), 페퍼로니피자(1만8천원), 프라이드치킨반마리세트(1만7천원), 쿨랜치피자(1만9천원), 스파이시램피자(2만1천원)
🕒 12:00~20:00(마지막 주문 19:00) – 월, 화요일, 첫째 주 수요일 휴무
🔍 제주 제주시 동회천1길 23(회천동)
☎ 064-721-0227 Ⓟ 가능

메종드쁘띠푸르 maison de petite four 베이커리

일본의 메종드쁘띠푸르와 기술 제휴하여 오픈한 곳. 빵 종류가 다양하며 먹고 갈 수 있는 공간도 마련되어 있다. 수제 잼도 유명하다.

₩ 연유크림감자식빵(5천5백원), 롱호롱이(6천원), 에멘탈치즈팡브리에(5천원), 크림비엔노아(4천원), 아이스롤(7천원), 에스프레소(4천원), 아메리카노(5천원), 카페라테, 카푸치노, 레몬생강차(각 6천원)
🕒 08:00~22:00 – 명절 당일 휴무
🔍 제주 제주시 신설로7길 3(아라이동)
☎ 064-702-0919 Ⓟ 가능

멜버즈 MELBUZZ 카페

고급스러운 인테리어의 베이커리 카페. 직접 로스팅하고 블렌딩한 멜버즈블렌딩이 시그니처 블렌딩이다. 널찍하고 쾌적한 실내 공간에 테라스도 갖추고 있으며, 거의 모든 커피 메뉴에 디카페인이 가능하다는 것도 장점이다. 베이커리에는 천연발효종을 사용하는 것이 특징.

₩ 오렌지비엔나(6천5백원), 아메리카노(4천6백원), 라테(5천5백원), 플랫화이트(5천9백원), 오틀리라테(6천원), 바닐라라테(6천2백원), 스크램블에그오픈샌드위치, 비프파스트라미샐러드(각 1만5백원), 터키브리샌드위치(1만8백원), 트러플버섯수프(8천5백원)
🕒 08:00~22:00(마지막 주문 21:30) – 연중무휴
🔍 제주 제주시 한라대학로 114(노형동) B05호 멜버즈
☎ 064-744-0789 Ⓟ 가능

명당양과 베이커리

제주에서 오래된 빵집. 옛날 스타일의 빵부터 최신 유행하는 디저트까지 다양하게 선보이고 있다. 쌀가루로 만든 빵으로도 유명하며 모든 재료를 직접 만드는 것이 특징이다. 직접 끓인 통팥이 들어간 수제팥빵이 인기다.

₩ 통호밀빵(6천5백원), 제주탐나샌드(1박스 2만원), 감자빵(5천원), 마늘바게트(5천8백원), 대파빵(5천5백원), 쌀시폰케이크(8천원), 수제팥빵(6천9백원)
🕒 07:00~23:30 – 첫째, 셋째 주 일요일 휴무
🔍 제주 제주시 원노형로 83(노형동) 창원빌딩
☎ 064-746-1848 Ⓟ 불가

명호마농갈비 明浩 소갈비 | 생고기

제주산 한우 갈비 전문점. 1+ 등급 이상의 한우 갈비를 직접 발골하여 내는 곳으로, 마늘로 양념한 마농갈비가 대표 메뉴다. 한정 메뉴인 생안창살도 인기 있으며 마농가레를 곁들여도 좋다.

₩ 마농갈비, 생갈비(각 120g 2만5천원), 생안창살(100g 3만8천원),

육회(150g 2만5천원), 한우국밥, 장아찌국수, 마농카레(각 7천원)
⏱ 13:00~15:30/17:00~23:00(마지막 주문 22:00) – 연중무휴
🔍 제주 제주시 신대로12길 15(연동) 1층
☎ 064-744-8985 Ⓟ 가능

모슬포해안도로식당 고등어

고등어회 전문점. 김에 밥과 고등어회를 올리고 부추나 마늘, 풋고추와 함께 먹는다. 새콤하게 무친 무생채를 함께 곁들이는 것도 좋다. 신선한 고등어를 사용하여 비린내가 나지 않는다.
₩ 고등어회(7만원), 고등어조림(소 2만원, 대 4만원), 고등어구이(1만5천원)
⏱ 10:00~22:00 – 비정기적 휴무
🔍 제주 제주시 신대로18길 16(연동) 삼다연동맨션
☎ 064-794-7665 Ⓟ 불가

모이세해장국 선지해장국 | 콩나물국밥

40년간 해장국으로 명성을 날리는 곳. 테이블마다 비치되어 있는 날달걀을 해장국에 풀어 먹는다. 반찬으로 나오는 김치와 깍두기도 해장국과 잘 어울린다.
₩ 모이세해장국, 육개장(각 1만원), 내장탕(1만1천원), 콩나물해장국, 순두부(각 8천원)
⏱ 06:00~16:00 – 연중무휴
🔍 제주 제주시 연북로 221(오라이동)
☎ 064-746-5128 Ⓟ 가능

모이세해장국

몽상드애월 카페

일월선셋비치에 위치한 카페로, 분위기 맛집으로 불린다. 음료 가격대는 높은 편이지만, 동남아 휴양지를 연상케하는 일월선셋비치 야외 파라솔 좌석을 이용할 수 있다. 한때 빅뱅의 지디가 운영하여 지디카페라는 별명이 있다.
₩ 아메리카노(7천5백원), 카푸치노, 카페라테(각 8천원), 바닐라라테, 카페모카(각 8천5백원), 우도땅콩라테, 돌코롬하크라테(각 9천원), 한라봉에이드(9천5백원)
⏱ 10:30~19:30 – 연중무휴
🔍 제주 제주시 애월읍 애월북서길 56-1
☎ 064-799-0090 Ⓟ 가능

미엘드세화 Miel de Sehwa 디저트카페

세화해변이 바로 보이는 곳에 자리한 디저트 카페. 실내와 외관 모두 고급스럽고 모던하게 꾸며 여행 중 들러 휴식을 분위기를 즐기기 좋다. 커피에 꿀을 넣고 생크림을 올린 미엘커피와 미엘라테가 시그니처 음료다. 케이크 종류를 곁들이면 더욱 좋다.
₩ 에스프레소, 아메리카노(각 5천원), 카푸치노, 카페라테(5천5백원), 미엘커피(6천5백원), 당근케이크(6천원), 딸기생크림케이크(7천원)
⏱ 10:00~18:00 – 수요일 휴무
🔍 제주 제주시 구좌읍 해맞이해안로 1464
☎ 064-782-6070 Ⓟ 가능

미풍해장국 선지해장국

고추기름으로 맛을 내는 50여 년 역사의 해장국집. 국물 맛이 맵고 진하다. 콩나물, 우거지, 당면, 선지, 머리 고기 등을 푸짐하게 넣는다. 새벽부터 전날 마신 술로 쓰린 속을 달래려는 사람들로 북적인다.
₩ 해장국(1만원), 수육(한접시 2만5천원)
⏱ 05:30~15:00 – 명절 휴무
🔍 제주 제주시 중앙로14길 13(삼도이동)
☎ 064-758-7522 Ⓟ 가능(중앙성당 30분 무료 주차 지원)

바토라브와르 LE BATEAU LAVOIR 다이닝바 | 와인바

캐주얼 다이닝과 와인바를 겸하는 곳으로, 파리 몽마르트의 분위기를 재현하였다. 부담 없는 가격대의 프렌치 터치 디시와 함께 와인을 즐기기 좋다. 한쪽 벽면을 차지하는 와인렉이 눈길을 끈다.
₩ 디너코스(5만5천원), 비스크링귀니(2만6천원), 한우카르파치오(2만1천원), 함부르크스테이크(2만6천원), 채끝찹스테이크(3만4천원)
⏱ 17:00~00:30(익일) – 연중무휴
🔍 제주 제주시 한라대학로 114(노형동)
☎ 010-9473-0811 Ⓟ 가능(노형골프연습장 주차장 이용)

밥이보약 비빔밥 | 순두부

채소와 두부 등을 사용한 음식만을 내는 곳으로, 메뉴는 채소비빔밥, 순두부, 들깨수제비 세 개로 단출한 편이다. 같이 나오는 반찬은 토속 나물을 사용해 만든다.
₩ 채소비빔밥, 순두부(각 1만2천원)
⏱ 11:30~15:00 – 일요일 휴무
🔍 제주 제주시 도령로 11(노형동)
☎ 064-744-7782 Ⓟ 가능

밭담 스시
바다와 밭의 뷰가 아름다운 스시야. 제주산 식재료와 신선한 해산물을 사용하여 요리를 만든다. 다양한 스시와 소바, 튀김, 생선가스가 함께 나오는 모둠초밥이 인기 메뉴.

₩ 트멍초밥(10pc 2만4천원), 행원초밥(12pc 3만4천원), 연어초밥세트(10pc 2만4천원), 소고기초밥세트(10pc 3만4천원)
11:30~21:00(마지막 주문 20:30) – 화요일 휴무
제주 제주시 구좌읍 행원로5길 35-20
☎ 064-783-1376 Ⓟ 가능

백선횟집 생선회
주문을 하면 바로 잡아주는 싱싱한 회를 맛볼 수 있다. 회를 먹고 나오는 매운탕에는 민물매운탕처럼 밀가루 수제비가 들어간다. 관광객보다 주민이 더 많이 찾는 곳이다.

₩ 생선회(중 6만원, 대 7만원), 한치(5만원)
17:00~22:00 – 화요일, 명절 휴무
제주 제주시 도남로 10(삼도일동)
☎ 064-751-0033 Ⓟ 가능

보엠 Boheme 베이커리
아파트 단지 내에 있는 아담한 규모의 베이커리. 직접 배양한 천연 발효종으로 빵을 만들며 장시간 발효해 맛과 향이 풍부하다. 올리브가 듬뿍 들어간 블랙올리브빵, 쫀득한 감자치아바타, 바게트 등이 인기가 많다. 가게 앞에 빵이 나오는 시간이 적혀 있으니 시간을 잘 맞춰가는 것이 좋다.

₩ 크루아상(3천6백원), 아몬드크루아상(5천원), 버터프레첼(3천8백원), 블랙올리브 치아바타, 감자치아바타(각 3천2백원), 무화과호밀식빵(1/2개 1만3천원, 1개 2만6천원), 통밀캄파뉴(1/2개 4천4백원, 1개 8천8백원)
10:00~19:00 – 일, 월요일 휴무
제주 제주시 원노형로 102(노형동) 한화아파트 상가동 103호
☎ 064-711-9990 Ⓟ 불가

보영반점 寶榮飯店 일반중식
50년이 넘는 전통의 중식당. 튀김 공력이 탕수육에서 나타난다. 게살에 녹말을 묻혀 튀긴 후 깐풍 소스에 볶은 깐풍게살, 라조기나 간소새우, 깐풍기 등이 먹을 만하다. 국물이 없는 간짬뽕이라는 메뉴도 독특하다.

₩ 짜장면(7천원), 짬뽕(8천원), 탕수육(중 2만2천원, 대 3만원), 사천탕수육(중 2만5천원, 대 3만3천원), 깐풍기, 라조기(각 소 2만7천원, 대 3만7천원)
11:00~19:30 – 둘째, 넷째 주 목요일 휴무
제주 제주시 한림읍 한림로 692-1
☎ 064-796-2042 Ⓟ 불가

봉플라봉뱅 Bon Plat Bon Vin 프랑스식
합리적인 가격대의 프렌치 레스토랑. 부드러운 채끝 등심 스테이크가 인기이며 스테이크를 주문하면 자신이 원하는 색의 나이프를 고를 수 있다.

₩ 감자뇨끼(2만2천원), 봉골레파스타(2만3천원), 오리가슴살스테이크(3만4천원), 채끝등심스테이크(210g 5만6천원), 크렘브륄레(4천원)
12:00~14:30/17:30~23:00(마지막 주문 22:00) – 연중무휴
제주 제주시 문송1길 6-1(연동) 정인하우스 1층
☎ 064-901-0411 Ⓟ 가능

블랑로쉐 Blanc Rocher 카페
하고수동 바다 바로 옆에 자리한 카페. 우도 땅콩으로 만든 아이스크림과 음료는 고소한 맛이 일품이다. 땅콩잼토스트, 땅콩크림치즈케이크 등의 디저트류도 인기다. 캔커피 브랜드와의 컬레버레이션으로 인지도가 높다.

₩ 아메리카노(6천8백원), 카페라테(7천8백원), 우도땅콩아이스크림(6천8백원), 우도땅콩카페라테(8천3백원), 우도땅콩크림라테(8천9백원)
11:00~17:00 – 연중무휴
제주 제주시 우도면 우도해안길 783
☎ 064-782-9154 Ⓟ 불가

블레블랑제리
Ble' Boulangerie 베이커리 | 크루아상

현지인 사이에서 인기가 많은 베이커리. 숙성 발효하여 결이 살아 있는 크루아상과 바게트 등이 대표 메뉴다. 크루아상 사이에 팥과 버터가 들어간 크루아상앙버터도 인기. 음료와 함께 빵을 먹고갈 수 있는 공간도 마련되어 있다.

₩ 퀸아망(4천원), 크루아상(3천5백원), 카늘레바닐라, 소금빵(각 2천5백원), 치즈바게트(5천5백원), 무화과바게트(6천원)
11:00~(재료 소진 시 마감) – 일요일, 마지막 주 월요일 휴무
제주 제주시 아란5길 22(아라일동)
☎ 010-8865-3224 Ⓟ 불가

뽕이네각재기 각재기 | 갈치
제주 향토음식인 각재기(전갱이)국을 전문적으로 하는 곳. 밑반찬으로 갈치조림, 오징어 젓갈, 멸치 젓갈이 나온다. 각재기국은 된장을 풀어 자극적이지 않고 시원한 국물 맛이 일품이다.

₩ 각재기국(1만원), 멜국(9천원), 갈치구이(1만8천원), 해물뚝배기(1만2천원), 고등어구이(1만4천원)
08:00~15:00 – 토요일, 첫째, 셋째 주 화요일 휴무
제주 제주시 동광로 150(일도이동)
☎ 064-722-5193 Ⓟ

사형제횟집 생선회 | 해물

동네 사람들에게 유명한 횟집. 모둠회 코스를 시키면 새우, 고등어회, 조기회, 성게알, 상어간, 전복, 자리돔 등 30가지가 넘는 다양한 종류의 해산물들이 밑반찬으로 나온다. 특히 딱새우와 고등어회가 맛이 좋다는 평.

₩ 사형제스페셜(15만원), 특사형제스페셜(20만원), 모둠회(8만원, 12만원), 회덮밥(1만5천원)
🕒 11:00~22:00(마지막 주문 21:00) – 연중무휴
🔍 제주 제주시 한림읍 한림상로 273
☎ 064-796-8709 Ⓟ 가능

산지물식당 물회 | 한치 | 갈치

물회 전문점. 제주 근해에서 낚시로 올려지는 15cm 내외의 어랭이를 다져서 내오는 어랭이물회가 별미다. 한치회, 갈치회, 고등어회도 추천 메뉴다. 리모델링해서 실내 분위기도 쾌적하다.

₩ 물회(1만3천원~5만원), 전복죽(중 1만3천원, 대 1만6천원), 회덮밥(각 1만5천원), 성게미역국, 갈칫국(1만6천원), 갈치조림(소 4만5천원, 중 6만원, 대 7만원)
🕒 07:30~22:30(마지막 주문 21:30) – 연중무휴
🔍 제주 제주시 임항로 26(건입동)
☎ 064-752-5599 Ⓟ 가능

산호전복 전복

전복만 전문으로 요리하는 식당. 전복회, 전복구이 등을 맛볼 수 있으며 식사에 따라나오는, 미역과 성게를 넣고 끓이는 성게국도 별미다. 전복, 소라, 성게, 해삼 등 각종 해물을 즐길 수 있는 모둠회도 있다. 수족관에는 살아 있는 국내산 전복이 들어있다.

₩ 전복구이, 전복회(각 2인 4만원, 3인 6만원, 4인 8만원), 전복죽, 전복뚝배기, 전복돌솥밥(각 1만5천원), 성게국(1만원)
🕒 07:00~21:00(마지막 주문 20:00) – 연중무휴
🔍 제주 제주시 탑동로 59(삼도이동)
☎ 064-758-0123 Ⓟ 가능

살롱드라방 SALON de LAVANT 카페 | 팬케이크

팬케이크가 유명한 카페. 팬케이크 사이에 크림치즈를 바르고 달콤하게 절인 사과를 올린 크림치즈애플토핑팬케이크가 시그니처 메뉴다. 음료 중에는 시나몬 스틱을 꽂아 내는 시나몬 모카가 인기다. 감성적인 인테리어가 인상적인 곳. 라방조식은 9시반부터 11시까지 주문 가능하다.

₩ 크림치즈애플팬케이크, 팬토아, 토스트샐러드(각 1만3천원), 에스프레소(4천5백원), 에스프레소콘판나, 아메리카노(각 5천원), 카페라테(6천원)
🕒 09:30~17:30(마지막 주문 17:00) – 일, 월요일 휴무
🔍 제주 제주시 애월읍 하가로 146-9
☎ 070-7797-3708 Ⓟ 가능

삼다가 돼지고기구이 | 돔베고기

흑돼지구이 전문점. 얼리지 않은 생고기를 투박하게 썰어낸다. 숯불 위에 석쇠를 얹고 굵은 소금을 뿌려 굽는 생구이를 추천할 만하다. 밑반찬도 깔끔하게 나오는 편.

₩ 생구이(180g 1만8천원), 양념구이(200g 1만6천원), 등갈비(250g 1만6천원), 돔베고기(소 4만원, 대 5만5천원), 김치전골(소 2만원, 대 3만원), 두루치기(소 2만5천원, 대 3만5천원)
🕒 11:00~22:00 – 명절 휴무
🔍 제주 제주시 신대로9길 27(연동)
☎ 064-747-4711 Ⓟ 불가

삼대국수회관 고기국수 | 돔베고기 | 아강발

국수에 고명으로 돼지고기를 얹은 고기국수가 맛있는 곳이다. 부드럽고 진한 맛을 자랑한다. 아강발로 불리는 족발, 돼지수육으로 불리는 돔베고기도 맛볼 수 있다. 실내 분위기도 넓고 깨끗하다. 제주에서는 아주 오래된 식당으로, 90년 넘는 역사를 지니고 있다.

₩ 고기국수, 비빔국수, 국밥(각 9천원), 멸치국수(7천5백원), 돔베고기(중 1만5천원, 대 2만9천원), 물만두(중 8천원, 대 1만3천원), 아강발(1만8천원)
🕒 08:30~02:00(익일)(마지막 주문 01:30) – 연중무휴
🔍 제주 제주시 삼성로 41(일도이동)
☎ 064-759-6645 Ⓟ 가능

삼대국수회관

삼성혈해물탕 해물탕

해물탕으로 유명해 관광객이 많이 찾는 곳. 위에 올라간 문어가 살아 움직이는 신선한 해물탕을 푸짐하게 먹을 수 있다. 해물탕이 끓기 시작하면 직원이 와서 손질을 해준다.

₩ 해물탕(2인 7만원, 3인 8만원, 4인 9만5천원, 5인 11만원), 전복죽, 전복뚝배기, 고등어구이(각 2만원), 전복회(소 3만원, 중 5만원), 산낙지, 문어숙회(각 4만원), 옥돔구이(3만원)
🕒 10:00~20:50 – 연중무휴
🔍 제주 제주시 선덕로5길 20(연동)
☎ 064-745-3000 Ⓟ 가능

삼일식당 선지해장국 | 소내장탕

해장국과 내장탕 두 가지 메뉴만 있는 곳. 제주도민들이 즐겨 찾는 곳으로, 국물이 진하다. 해장국 안에는 선지와 고기가 푸짐히 들어있는 것이 특징이다.

₩ 해장국(1만원), 내장탕(1만1천원)
🕒 06:00~14:00 – 수요일 휴무
🔍 제주 제주시 한림읍 한림상로 92
☎ 064-796-3136 Ⓟ 가능

상춘재 常春齋 멍게비빔밥 | 솥밥 | 성게알

멍게, 꼬막, 문어, 해삼내장, 성게알 등 다양한 해산물 비빔밥과 고등어구이를 곁들인 솥밥을 먹을 수 있는 곳. 해산물이 듬뿍 들어간 비빔밥은 고추장 대신 강된장 양념을 넣어 자극적이지 않다.

₩ 통영멍게비빔밥, 여수새꼬막비빔밥(각 1만4천원), 참문어비빔밥(1만6천원), 해삼내장비빔밥(1만8천원), 성게비빔밥(6~8월, 변동), 명란솥밥고등어구이, 참전복솥밥고등어구이(2인 이상, 각 1인 1만8천원)
🕒 10:00~16:00(마지막 주문 15:55) – 월요일, 마지막 주 화요일 휴무
🔍 제주 제주시 중앙로 598(아라일동)
☎ 064-725-1557 Ⓟ 가능

서울식당 돼지갈비 | 삼겹살

50여 년간 돼지갈비만 해온 곳. 뼈 달린 돼지갈비를 제대로 낸다. 달지 않으면서 적당히 간을 한 양념 맛이 일품이며 생갈비도 좋다. 밥을 주문하면 된장시래깃국이 함께 나온다.

₩ 돼지양념갈비(320g 1만7천원), 돼지생갈비(300g 1만9천원), 흑돼지오겹살(200g 2만원)
🕒 11:30~15:00/16:00~21:00(마지막 주문 20:00) – 명절 휴무
🔍 제주 제주시 조천읍 함덕13길 5
☎ 064-783-8170 Ⓟ 가능

선흘방주할머니식당 묵 | 두부 | 콩국수

천연 그대로의 맛을 내는 건강음식 전문점. 바닷물로 응고시킨 해수두부와 서리태 콩국물로 만든 검정콩국수 등이 대표 메뉴다. 직접 만든 두부와 함께 나오는 돼지보쌈도 맛이 좋다는 평. 날씨가 좋을 때는 툇마루에서 식사가 가능하다.

₩ 도토리부침개, 검정콩국수, 고사리비빔밥(각 1만원), 두부한접시(9천원), 두부전골(2인 이상, 1인 1만원), 흑돼지보쌈(5만원)
🕒 10:00~14:20/15:00~19:00(마지막 주문 18:20) | 동절기 10:00~14:30/15:00~18:00 – 일요일 휴무
🔍 제주 제주시 조천읍 선교로 212
☎ 064-783-1253 Ⓟ 가능

성미가든 닭백숙

토종닭을 재래식으로 사육하여 다양한 방법으로 요리하는 전원풍의 토종닭집이다. 가슴살과 닭껍질, 닭똥집을 샤부샤부로 해 먹고 나머지는 백숙으로 끓여 내온다. 마지막으로 먹는 녹두를 넣어 만든 죽도 별미 중 별미.

₩ 닭볶음탕, 샤부샤부(각 소 7만원, 대 8만원)
🕒 11:00~20:00 – 둘째, 넷째 주 목요일 휴무
🔍 제주 제주시 조천읍 교래1길 2
☎ 064-783-3279 Ⓟ 가능

소금바치순이네 문어

우도가 한눈에 보이는 바닷가에 있는 곳으로 돌문어볶음이 유명하다. 수북하게 쌓여있는 방아잎을 넣어 소면과 돌문어를 함께 먹으면 매콤함과 불향이 그 맛을 더한다. 밑반찬으로 주는 번행초 나물을 볶음에 밥과 함께 비벼 먹는 것도 추천한다.

₩ 돌문어볶음(소 3만원, 대 4만원), 전복뚝배기(1만3천원), 해물뚝배기, 보말국(각 1만원), 성게국, 전복죽, 고등어구이(각 1만2천원)
🕒 09:30~15:00/16:30~19:00 – 첫째, 셋째 주 목요일 휴무
🔍 제주 제주시 구좌읍 해맞이해안로 2196
☎ 064-784-1230 Ⓟ 가능

솔지식당 돼지고기구이

연정식당과 함께 가브리살로 유명한 노포 돼지고기집. 제주도에서 흔히 먹는 멜젓 대신 멜조림을 짜글이 찌개처럼 내어준다. 이 멜조림에 찍어 먹는 돼지고기가 별미. 가브리살은 테이블당 1인분만 주문 가능하다.

₩ 가브리살(200g 2만원), 오겹살, 목살(각 200g 1만8천원), 오겹살목살세트(400g 3만6천원), 가브리살오겹살세트, 가브리살목살세트(각 400g 3만8천원), 모둠(400g 3만6천원, 600g 5만2천원, 800g 7만2천원)
🕒 12:00~21:40(마지막 주문 20:30) | 토, 일요일 17:00~21:40(마지막 주문 20:30) – 연중무휴
🔍 제주 제주시 월랑로 88
☎ 0507-1315-034 Ⓟ 가능(가게 뒤 주차장)

송죽원 訟竹院 한정식

정식을 시키면 죽이 나오고, 삼합, 전복회무침이나 굴회무침, 전복구이, 각종 전, 떡갈비, 생선구이, 간장게장, 거위젓, 밥과 국, 수수부꾸미와 주스가 나온다. 멋스러운 한옥에서 품격 있는 한정식 식사를 할 수 있다. 예약제로 운영되며, 늦어도 방문 3시간 전에 전화 예약을 해야 한다.

₩ 한정식(1인 3만원, 4만원, 5만원, 6만원, 10만원)
🕒 10:00~22:00 – 명절 당일 휴무
🔍 제주 제주시 간월동로5길 15(이도이동)
☎ 064-725-2288 Ⓟ 가능

숙성도 熟成到 돼지고기구이

제주 공항 인근에 줄 서서 먹는 고깃집으로 유명한 곳. 개량 품종인 난축맛돈을 720시간 숙성하여 선보이며 부드러운 육즙이 일품이다. 뼈등심과 뼈목살은 하루에 70인분 한정으로 판매하니 이른 시간에 방문하는 것을 추천한다.

₩ 교차숙성흑돼지(200g 2만1천원), 720숙성삼겹살, 720숙성1%목살(각 200g 2만2천원), 960숙성흑뼈등심(350g 3만8천원), 720숙성뼈목살(360g 3만7천원), 갈치속젓볶음밥(8천원)

🕒 11:30~22:00(마지막 주문 21:30) – 연중무휴

🔍 제주 제주시 원노형로 41(노형동)

☎ 064-711-5212 Ⓟ 불가

숙성도

순화국수 고기국수 | 아강발

돼지고기 수육이 올라간 고기국수와 아강발(돼지족발)이 대표 메뉴. 뽀얀 국물에 면과 수육이 넉넉히 들어간다. 아강발은 돼지족발 중에서도 발목 부분을 가리켜 부르는 방언이다. 하루 동안 물에 담가두었다가 각종 약초를 같이 넣고 두 번 삶는다. 육젓을 곁들여 먹으면 더욱 좋다.

₩ 고기국수, 멸고국수, 순대국밥(8천원), 멸치국수(7천원), 콩국수(1만원)

🕒 11:00~14:30 – 일요일 휴무

🔍 제주 제주시 원노형8길 26(노형동)

☎ 064-742-2075 Ⓟ 불가

스시앤 すしえん 스시

제주도 스시호시카이 출신 김호열 셰프가 운영하는 곳. 모든 샤리(밥)에 적초를 사용하는 것이 특징이며 제주산 식재료를 적극적으로 사용한다. 제주에서 수준 높은 오마카세를 즐길 수 있는 곳 중 하나.

₩ 런치오마카세(8만원), 디너오마카세(15만원)

🕒 런치1부 12:00~13:40, 런치2부 13:40~15:00/18:00~22:00(마지막 주문 20:30) – 연중무휴

🔍 제주 제주시 고산동산5길 21-1(이도이동)

☎ 064-726-9696 Ⓟ 불가

스시호시카이 鮨星海 스시

신선한 제주산 생선으로 만든 스시를 선보이는, 제주도를 대표하는 스시야. 제주에서 수준급의 스시를 맛볼 수 있다. 스시 카운터 외에도 테이블 자리가 마련되어 있으며 독립된 룸이 있어 모임 장소로 찾기도 좋다.

₩ 런치오마카세(13만원), 디너오마카세(23만원)

🕒 12:00~15:00/18:00~21:00 – 명절 휴무

🔍 제주 제주시 오남로 90(오라이동)

☎ 064-713-8838 Ⓟ 가능

신촌덕인당 찐빵

3대째 내려오는 찐빵집으로, 보리빵이 대표 메뉴다. 제주산 보리를 주재료로 하며 설탕을 넣지 않고 소금으로 간을 맞춰 단맛은 없지만, 씹을수록 고소한 맛을 자랑한다. 쑥 향이 깊게 배어 있는 쑥빵도 별미다. 가격도 매우 저렴한 편.

₩ 보리빵(9백원), 쑥빵(1천원), 팥보리빵(1천2백원)

🕒 09:00~17:30 – 일요일, 명절, 공휴일 휴무

🔍 제주 제주시 조천읍 신북로 36

☎ 064-783-6153 Ⓟ 가능

신해바라기분식 백반 | 순두부 | 김치찌개

화끈하게 맵고 짭조름한 자극적인 맛의 순두부찌개가 유명한 곳. 기본 반찬인 오징어젓갈과 깻잎 장아찌도 맛있기로 유명하다. 40년 이상의 업력을 가진 곳으로, 제주도민들의 추억이 담긴 곳이다. 관광객들에게는 비교적 최근 알려지기 시작하였다.

₩ 순두부, 참치찌개, 김치찌개, 오뎅김치(각 9천원), 비빔밥, 냄비우동(각 8천원)

🕒 11:30~16:00/17:00~19:00 – 연중무휴

🔍 제주 제주시 관덕로13길 13

☎ 064-757-3277 Ⓟ 불가(칠성상가 제1 공영주차장 30분 무료, 1시간 2천원)

십원향 十源香 중국만두

하얼빈 출신 부부가 운영하는 곳으로, 중국 본토 스타일의 만두를 즐길 수 있다. 다양한 종류의 속이 채워진 물만두와 군만두를 전문으로 한다. 육즙과 향이 가득 퍼지는 속에 쫄깃한 만두피 식감이 일품이다.

₩ 왕만두(1개 2천원), 배추물만두, 샐러리물만두, 해물물만두, 해물군만두, 양파군만두(각 1만2천원), 부추납작만두(2천원), 만두국, 소시지(각 8천원)

🕒 09:30~20:30 – 비정기적 휴무

🔍 제주 제주시 원노형로 23(노형동)

☎ 064-742-6779 Ⓟ 불가

쌍화153 ssanghwa153 전통차전문점

한방 쌍화차를 전문으로 하는 제주 전통차 전문점. 건강 약선 명인인 사장이 국산 한약 재료로 전통차를 만든다. 쌉싸름한 쌍화차가 시그니처 음료며, 대추차, 십전대보탕도 추천할 만하다. 음료를 주문하면 구운 가래떡과 제주 청귤칩 등의 다과를 함께 내어준다.

₩ 원방쌍화, 153쌍화(각 7천5백원), 십전대보차(9천5백원), 단호박식혜(6천5백원), 핸드드립커피(5천5백원), 인삼스무디(6천5백원), 쌍화스무디(6천원)

⏲ 10:00~21:00 | 일요일 13:00~21:00 – 연중무휴

🔍 제주 제주시 아연로 301(오등동)

☎ 064-746-8235 Ⓟ 가능

아노드 A NODE 와인바 | 다이닝바 | 프랑스식

고급스러운 분위기에서 시즌마다 변경되는 요리와 와인을 즐길 수 있는 와인바. 전문 소믈리에의 상세한 와인 설명을 듣고 요리에 어울리는 와인을 마실 수 있다.

₩ 연어와플(1만6천원), 라자냐(2만원), 브리스킷바비큐(2만3천원), 치킨파르마(1만8천원), 버섯샐러드(1만4천원), 스트라치아텔라치즈샐러드(1만3천원)

⏲ 18:00~24:00(마지막 주문 23:00) – 화, 수요일 휴무

🔍 제주 제주시 인다13길 12 1층 103호

☎ 0507-1380-9505 Ⓟ 가능

아베끄 비건 | 양식

식물성 재료를 사용하여 만든 음식들을 맛볼 수 있는 비건 레스토랑. 새송이 관자 파스타는 새송이버섯으로 관자의 식감을 잘 구현했다는 평이다. 꾸덕한 비건 크림소스와 제주 고사리, 페스토의 조화가 일품인 고사리 크림 파스타도 추천 메뉴다.

₩ 맥앤치즈(1만3천원), 오늘의오픈샌드위치3종, 치즈버거(각 1만6천원), 치폴레햄버거, 고사리크림파스타, 새송이관자파스타(1만7천원), 미트볼토마토파스타(1만8천원), 미트볼로제파스타(1만9천원), 트러플감자튀김(7천원)

⏲ 11:00~21:00(마지막 주문 20:00) – 수요일 휴무

🔍 제주 제주시 애월읍 애월해안로 960

☎ 010-2999-4750 Ⓟ 가능

아우스 와인바 | 프렌치비스트로 | 디저트카페

퀄리티 높은 디저트를 선보였던 파티세리동광과 제주에서 와인비스트로로 유명했던 빅디어를 한공간에 담아낸 곳. 낮엔 달콤한 계절 디저트를, 저녁엔 와인과 페어링 하기 좋은 수준 높은 안주들을 맛볼 수 있다.

₩ 옥돔(3만3천원), 한우스테이크(220g 5만5천원), 시나몬롤(3천8백원), 계절콤부차(6천5백원)

⏲ 12:00~15:30/18:00~22:00(마지막 주문 21:30) – 화, 수요일 휴무

🔍 제주 제주시 인다13길 12

☎ 0507-1384-0296 Ⓟ 가능

아주반점 일반중식

해산물을 아낌없이 쓴 삼선짬뽕과 해물팔보채가 맛있기로 유명한 중식당이다. 60년째 성업 중이며 화교 손님이 많이 찾는 곳이기도 하다.

₩ 짜장면(7천원), 짬뽕(8천원), 삼선짬뽕(1만원), 볶음밥(8천원), 탕수육(1만8천원), 팔보채(3만5천원)

⏲ 10:30~20:30 – 연중무휴

🔍 제주 제주시 관덕로13길 4(일도일동)

☎ 064-722-5161 Ⓟ 불가

아침미소목장 카페 카페 | 요거트 | 아이스크림

아침미소목장에서 운영하는 카페로, 자유방목으로 키운 소의 우유와 우유로 만든 디저트를 맛볼 수 있다. 카이막, 요구르트, 아이스크림 등 다양한 유제품 디저트를 선보인다.

₩ 아메리카노(5천원), 카페라테(6천원), 카이막브레드세트(1만6천원), 요구르트(150ml 2천원, 500ml 5천원), 한라봉요구르트(6천원), 우유아이스크림(4천원), 소똥쿠키(4천원)

⏲ 10:00~17:00(마지막 주문 16:30) – 화요일 휴무

🔍 제주 제주시 첨단동길 160-20(월평동)

☎ 010-4998-2545 Ⓟ 가능

아카우마 赤馬 말고기

고급스러운 분위기의 제주말고기 전문점. 일본식으로 이로리에 철판을 올려 구워먹으며, 말고기 부위에 대한 자세한 설명과 함께 맛볼 수 있다. 모둠 메뉴 주문 시 같이 맛볼 수 있는 각종 채소와 생선꼬치, 말고기뭇국은 이로리 화로에 익히거나 끓여먹는다. 룸좌석만 있어 프라이빗한 모임에도 좋다.

₩ 제주마(350g 7만7천원), 제주마+와규(600g 9만9천원), 오마카세모둠제주마(400g 7만7천원), 오마카세모둠제주마+와규(500g 9만9천원), 사시미3품(100g 1만9천원), 육회타다키(120g 1만9천원)

⏲ 1부 17:00~20:30/2부 21:00~23:00 – 월요일 휴무

🔍 제주 제주시 광양14길 17

☎ 0507-1350-656 Ⓟ 불가(인근 공영주차장)

아카이브 Archive 유럽식

유러피안비스트로. 현무암으로 된 돌벽이 제주스러움이 느껴지는 곳이다. 인기 메뉴는 직접 끓인 라구 소스를 활용한 라자냐와 구좌 감자를 넣어 반죽한 크레마뇨키. 본관과 별관으로 나뉘어 운영되며 별관은 대관도 가능하다.

₩ 치미추리스테이크(4만8천원), 타프나드를곁들인연어밀푀유(3만8천원), 알리오올리오파스타(1만6천원), 카르보나라파스타(1만8천원), 포르치니크레마뇨키(1만8천원), 라자냐(2만6천원), 가지그라탕(1만3천원)

⏲ 11:00~15:00/17:30~21:00(마지막 주문 20:00) – 목요일 휴무

🔍 제주 제주시 조천읍 와선로 204

☎ 010-8451-5535 Ⓟ 가능(매장 앞)

안녕구움 Hi, Guum 에그타르트 | 구움과자

제주 유정란을 사용하여 에그타르트를 만드는 친환경 구움과자 집. 유기농 재료를 사용하여 건강한 디저트를 선보인다. 제주산 풋귤과 사탕수수 원당으로 직접 담은 수제 청 음료도 추천할 만하다. 개인 컵 사용 시 음료가 할인된다.

₩ 유정란에그타르트(3천8백원), 쌀쿠키(2천8백원), 스콘(3천8백원)
🕒 10:00~17:00 – 일요일 휴무
🔍 제주 제주시 한경면 고산로 49
☎ 064-901-4987 Ⓟ 가능

앞돈지 쥐치 | 생선조림

제주에서만 볼 수 있는 객주리(쥐치)조림이 유명한 곳이다. 생선조림에 무말랭이와 우도 땅콩을 넣어 만드는 것이 특징이다.

₩ 쥐치조림(소 4만원, 중 5만원, 대 6만원), 갈치조림(소 5만원, 중 6만원, 대 7만원)
🕒 09:30~21:40, 5월~8월 09:30~22:00 – 격주 수요일 휴무, 5~8월 연중무휴
🔍 제주 제주시 중앙로1길 28(건입동)
☎ 064-723-0987 Ⓟ 불가

앞뱅디식당 각재기 | 멜치 | 전갱이

신선한 각재깃국, 멜국 등의 맛이 일품이다. 각재기는 전갱이의 방언으로, 뚝배기에 배춧잎과 각재기를 넣고 푹 끓여낸 각재깃국이 담백하고 시원하다. 제주에서 나는 생멸치인 멜을 튀긴 멜튀김과 돔베고기는 오후 2시 이후부터 주문할 수 있다.

₩ 각재기국, 멜국(1만원), 각재기조림(2만5천원), 멜조림(2만원), 멜튀김(1만5천원)
🕒 06:00~21:00 | 월요일 09:00~21:00(마지막 주문 20:30) | 일요일 06:00~14:00(마지막 주문 13:30) – 명절 휴무
🔍 제주 제주시 선덕로 32(연동)
☎ 064-744-7942 Ⓟ 가능

앞뱅디식당

애월맛차 카페

녹차밭이 펼쳐진 전경이 아름다운 카페. 제주동다원에서 재배한 유기농 녹차와 한라봉을 사용하여 음료를 만든다. 직접 쑨 팥앙금이 들어간 말차빙수의 달콤 씁쓸한 맛이 좋다.

₩ 말차빙수(1~2인용 1만5천원, 3인용 2만2천원), 망고빙수(1~2인용 1만6천원), 말차(6천원), 말차라테(6천5백원), 말차한라봉에이드(7천5백원)
🕒 11:00~18:00(마지막 주문 17:30) – 화요일 휴무
🔍 제주 제주시 애월읍 하광로 183
☎ 070-7740-2737 Ⓟ 가능

어머니빵집 Everyday Good Bakery 1985 베이커리

제주에서 비교적 오래된 빵집으로, 현지인 사이에 인기가 높은 곳이다. 모양이 세련되지는 않았지만 좋은 재료로 만든 빵 맛이 아주 좋다. 마늘바게트, 치즈대파빵, 생크림팥빵등이 인기 메뉴며, 크리스마스 시즌에는 슈톨렌도 맛볼 수 있다.

₩ 현무암빵(4천5백원), 생크림팥빵(3천5백원), 치즈대파빵(6천5백원), 양파빵(4천5백원), 마늘바게트, 바질베이글(각 6천원), 아메리카노(3천5백원), 카페라테(4천원)
🕒 07:00~22:00 – 명절 당일 휴무
🔍 제주 제주시 도령로 103(연동) 한일시티파크 1층106호
☎ 064-752-1281 Ⓟ 불가

어우늘 전복 | 일반한식

돌담과 항아리, 대나무 숲으로 둘러싸여 경치가 좋은 곳이다. 코스로 시키면 다양한 전복 요리를 맛볼 수 있다. 전복과 해산물을 가득 넣은 전복돌솥밥이 인기 있다. 실내 분위기도 세련되었다.

₩ 돌솥구이정식(3만3천원), 전복죽(1만7천원), 전복돌솥밥(2만2천원), 전복회, 전복구이(각 5만5천원)
🕒 11:00~15:00(마지막 주문 14:00) – 일요일, 명절 휴무
🔍 제주 제주시 연북로 222(오라이동)
☎ 064-743-5131 Ⓟ 가능

어장군 갈치 | 물회 | 제주음식

제주의 향토음식인 갈치 요리를 잘하는 곳. 갈치조림은 갈치와 무, 감자를 넣고 푹 졸이다가 통고추와 대파 등 갖은 양념을 해 매콤달콤하고 구수하다. 여름 갈치는 살이 퍽퍽하기 때문에 겨울에 잡아 급속 냉동한 갈치를 쓰는 것이 맛의 비결이다.

₩ 갈치조림(소 5만원, 대 8만원), 자리물회, 한치물회, 전복뚝배기(각 1만6천원), 고등어묵은지조림(각 소 3만원, 대 5만원), 돔베고기(4만원)
🕒 09:00~21:00(마지막 주문 20:30) – 명절 휴무
🔍 제주 제주시 신대로 72(연동) 현일센츄럴파크뷰 1층
☎ 064-744-2258 Ⓟ 가능

엘코테 ELKOTE 스테이크
우드 그릴로 구운 숙성 스테이크를 즐길 수 있는 그릴 & 와인 바. 운이 좋으면 밀랍 에이징한 스테이크도 맛볼 수 있다. 제주 생선으로 만든 세비체와 단새우비스큐파스타도 인기 메뉴.
₩ 안심스테이크(200g 9만원), 채끝등심스테이크(350g 7만5천원), 티본스테이크(100g 3만원), 엘본스테이크(100g 2만5천원), 제주생선 세비체(2만1천원), 라자냐(2만7천원)
🕒 17:00~22:00(마지막 주문 21:00) – 연중무휴
🔍 제주 제주시 신설로5길 5–10(이도이동) 이도해든빌 비동
☎ 010–2659–9757 Ⓟ 불가

연리지가든 돼지고기구이
제주 재래종 흑돼지를 만날 수 있는 곳. 축산진흥원에서 복원하여 천연기념물로 등록된 흑돼지 품종을 분양 받아 자연 방사하여 기른 고기를 사용한다. 메뉴는 한 가지 뿐으로, 부위를 지정하여 주문할 수 없고, 여러 가지 부위가 섞여 나온다. 육질이 붉고 피하지방이 두껍지만 느끼하지 않다. 기르는 데만 18개월이 걸려 물량이 많지 않은 편이므로 미리 문의하고 예약해야 한다.
₩ 정육(2인분, 500g 6만원), 고기추가(180g 2만2천원), 된장찌개+공깃밥(5천원)
🕒 예약제로 운영 – 비정기적 휴무
🔍 제주 제주시 한경면 두조로 190–20
☎ 064–796–8700 Ⓟ 가능

연정식당 돼지고기구이
가브리살과 항정살이 맛있는 곳이다. 고기를 철판에 구워 깻잎 절임에 싸먹는 맛이 그만이다. 고기에 청국장을 곁들이면 더욱 좋다. 호남 출신 주인의 손맛이 좋다. 남도의 진한 맛을 내는 김치와 청국장이 특히 훌륭하다.
₩ 가브리살(150g 2만3천원), 삼겹살, 오겹살, 목살(각 150g 2만원), 곱창전골(5만원), 김치찌개, 청국장(각 소 1만4천원, 중 2만1천원, 대 2만8천원)
🕒 09:00~21:00(마지막 주문 20:30) – 첫째, 셋째 주 일요일 휴무
🔍 제주 제주시 신광로10길 29(연동)
☎ 064–747–3959 Ⓟ 불가

연화차 전통차전문점
직접 채취한 찻잎으로 우린 전통차를 맛볼 수 있다. 미리 예약해야 하는 제다 체험을 신청하면 코스로 체험할 수 있다. 시작하기 전에 간단한 질문지에 응답하면 체질에 맞는 두 가지 차를 준비해 주며 추가로 스페셜 티 한 잔도 나온다. 차와 함께 먹을 수 있는 다과도 세 가지가 나온다.
₩ 연화차(2만원), 연화차요가(3만원), 제다체험(5만원)
🕒 10:00~17:00 – 수, 목요일 휴무
🔍 제주 제주시 조천읍 선교로 46 연화차
☎ 010–9226–9974 Ⓟ 가능

오늘도화창 jeju fine 카페
주택을 개조한, 아늑한 느낌의 카페. 음료와 케이크도 아기자기하고 예쁘게 나온다. 당근주스와 당근케이크가 시그니처 메뉴. 잘꾸며진 정원과 엔티크한 가구와 소품이 편안한 분위기를 준다.
₩ 당근밭케이크(7천5백원), 당근토끼주스(9천원), 한라봉소르베(8천원)
🕒 10:00~19:00 – 격주 목요일 휴무(인스타그램 참조)
🔍 제주 제주시 구좌읍 월정5길 56
☎ 010–5101–9518 Ⓟ 가능(가게 앞 전용 주차장)

오데뜨제주 ODETT from JEJU 이탈리아식 | 퓨전
창고형 퓨전 이탈리안 레스토랑. 실내는 빈티지한 인테리어와 앤티크한 소품이 가득하다. 날치알새우크림우동과 전복리조토가 시그니처 메뉴. 핑크크림우동도 추천할 만하다. 반려견 동반이 가능한 것이 특징으로, 수비드로 만든 반려견용 스테이크도 선보인다. 또한 반려견 스냅작가가 항시 대기하며 무료 촬영이 가능하다.
₩ 날치알새우크림우동(1만6천원), 전복리조토(1만8천원), 핑크크림우동(1만5천원), 수비드흑돼지안심스테이크(1만9천원), 흑돼지안심카레크림우동(1만7천원), 반려견스테이크(9천원)
🕒 10:00~19:00 – 월요일 휴무
🔍 제주 제주시 한림읍 중산간서로 4995–6
☎ 064–796–4987 Ⓟ 가능

오래옥식당 생선회
조림과 탕이 맛있는 해산물 전문 식당. 두툼한 우럭과 채소에 얼큰한 양념이 배어들어 감칠맛이 그만인 우럭조림이 추천 메뉴며, 간장게장이 나오는 밑반찬도 푸짐하다. 신선한 제주의 식재료에 전라도 출신 주인의 감칠맛나는 음식을 맛볼 수 있어 로컬 맛집으로 꼽힌다.
₩ 황돔, 광어(각 6만원), 쥐치탕, 과메기(각 5만원), 우럭탕, 우럭조림(각 4만원), 소라구이(3만5천원), 동태탕(3만5천원), 옥돔구이(3만원)
🕒 14:00~24:00 – 둘째, 넷째 주 목요일 휴무
🔍 제주 제주시 신대로16길 36(연동)
☎ 064–747–1356 Ⓟ 불가

오팬파이어 NEW OH PAN FIRE 스페인식
오세득 셰프가 선보이는 한국식 파에야 전문점. 철판에 밥을 지어 해물, 채소에 육수를 넣고, 제주도의 식재료를 곁들여 한국식으로 재해석한다. 황게딱새우와 블랙 타이거 새우가 들어간 황딱타이거 파에야와 바삭하게 구운 옥돔이 올라간 옥돔파에야를 맛볼 수 있다.
₩ 황딱타이거(중 3만9천원, 대 7만5천원), 옥돔파에야(중 5만9천원), 반반파에야(대 7만6천원)

⏲ 10:30~15:00/16:30~20:00(마지막 주문 19:00) – 화요일 휴무
🔍 제주 제주시 조천읍 남조로 1781
☎ 0507-1372-6806 ⓟ 가능

오팬파이어

올래국수 고기국수

구수한 육수에 청정 돼지고기 수육을 얹은 고기국수가 맛나다. 장소가 좁아 미리 시켜놓고 줄 서서 기다리는 경우가 많다. 메뉴는 고기국수 한 가지뿐이다.

₩ 고기국수(1만원)
⏲ 08:30~15:00(마지막 주문 14:50) – 일요일, 명절 휴무
🔍 제주 제주시 귀아랑길 24(연동)
☎ 064-742-7355 ⓟ 가능

옹포별장가든 전복 | 돔베고기

전복요리와 돔베고기로 유명한 곳. 돔베고기는 갓 삶은 흑돼지고기를 나무 도마에 얹어 덩어리째 썰어 먹는 제주도 향토 음식이다. 밑반찬으로 나오는 새콤달콤한 선인장김치와 귤김치는 요리와 궁합이 좋다. 3대를 이어온 이 집은 대통령 맛집으로도 잘 알려져있다.

₩ 돔베고기(300g 2만2천원, 600g 4만2천원), 전복돌솥밥(1만6천원), 고등어구이, 삼계탕(각 1만5천원), 전복죽(1만3천원), 전복구이(3만3천원), 미나리닭샤부샤부(2~3인 7만원, 3~4인 8만원)
⏲ 11:00~16:00/17:00~21:00(마지막 주문 20:00) – 목요일, 명절 휴무
🔍 제주 제주시 한림읍 한림상로 24
☎ 064-796-3146 ⓟ 가능

용두골 생선구이 | 해물탕 | 제주음식

향토음식점으로, 소라나 한치를 사용한 회무침, 다양한 종류의 생선회, 생선구이, 그리고 해물이 가득 들어 있는 해물탕 등의 메뉴가 준비되어 있다. 제대로 된 제주식 생선 요리를 맛볼 수 있다. 갈치정식에는 갈치조림, 갈치구이, 갈치회, 갈칫국 등이 푸짐히 나온다.

₩ 갈치정식(15만원), 용두골정식(12만원) , 갈치조림(소 6만원, 대 8만원), 고등어조림(소 4만원, 대 6만원), 갈치회, 고등어회(각 5만원), 해물탕(중 6만원, 대 8만원)
⏲ 10:00~22:00 – 명절 휴무
🔍 제주 제주시 서해안로 644(용담삼동) 2층
☎ 064-711-2234 ⓟ 가능

용두네해장국 NEW 제주음식 | 돔베고기

우무가 들어간 우무접짝뼈국, 고사리해장국, 돔베고기초무침 등 제주 향토음식을 맛볼 수 있는 곳이다. 우무접짝뼈국과 고사리해장국은 기본 맛과 얼큰한 맛 중에서 선택할 수 있다. 매장 내부는 깔끔하게 정돈되어 있어서 편안한 식사가 가능하다.

₩ 우무접짝뼈국, 얼큰우무접짝뼈국(각 1만2천원), 고사리해장국, 얼큰고사리해장국(각 1만1천원), 돔베고기초무침(소 2만2천원 대 3만6천원)
⏲ 07:00~17:00(마지막 주문 16:30) – 연중무휴
🔍 제주 제주시 서해안로 456-4 1층
☎ 064-743-1020 ⓟ 가능

용연횟집 다금바리 | 생선회

제주에서 다금바리로 유명한 횟집. 시원한 제주 바다의 풍경을 보며 다금바리를 코스로 즐길 수 있다. 고등어회, 갈치회를 비롯한 해물과 튀김, 조림 등의 요리가 푸짐하게 나온다. 사전 예약은 필수다.

₩ 다금바리코스(A 35만원, B 30만원), 용연스페셜(A 30만원, B 25만원), 벵에돔코스(A 25만원, B 20만원 C 15만원)
⏲ 11:00~23:00 – 연중무휴
🔍 제주 제주시 동한두기길 35(용담일동)
☎ 064-751-8686 ⓟ 가능

우동카덴 花伝 일식우동

서울에 있는 우동카덴의 분점. 수타면으로 만든 일본식 우동을 선보이며, 우동면은 굵은면과 가는면 두 가지 굵기 중에 선택할 수 있다. 넓고 쾌적한 규모를 자랑하며, 예약제로 운영되니 이점 참고할 것.

₩ 카케우동(8천원), 덴푸라우동(1만1천원), 에비크림우동(1만3천원)
⏲ 10:00~15:00/16:00~19:00 – 화, 수요일 휴무
🔍 제주 제주시 조천읍 교래3길 23
☎ 064-784-6262 ⓟ 가능

우수미회센타 생선회 | 졸복

자연산 활어회 전문점. 졸복이 맛있기로 소문난 곳이다. 졸복을 맛보려면 전화 예약 후 방문하는 것을 추천한다. 지리와 미역이 들어간 지리탕을 곁들이기도 좋다. 본점 옆에 별관이 나란히 마련되어 있다.

₩ 막회(모듬회)(소 6만원, 중 7만원, 대 8만원), 졸복(중 10만원, 대 15만원), 졸복튀김, 딱새우튀김(각 3만원)
⏲ 16:00~22:00 – 수요일 휴무

Q 제주 제주시 연화로2길 24-1(연동)
☎ 064-745-3848 Ⓟ 불가

우진해장국 육개장
제주식 육개장을 맛볼 수 있는 곳. 돼지고기 육수에 제주산 고사리를 넣고 다시 죽처럼 풀어질 때까지 끓인 것이 독특하다. 약간 걸쭉한 국물을 자랑하며 모자반을 넣고 끓인 몸국도 맛볼 수 있다.
₩ 고사리육개장, 사골해장국, 몸국(각 1만원), 녹두빈대떡(1만5천원)
◷ 06:00~22:00 – 연중무휴
Q 제주 제주시 서사로 11(삼도이동)
☎ 064-757-3393 Ⓟ 불가

움튼델리카테슨
Umteun Delicatessen 델리 | 샤퀴테리
고급 수제 소시지와 햄을 전문으로 하는 레스토랑 겸 델리. 그릴 메뉴를 시키면 메시포테이토나 쿠스쿠스, 프리터 등이 곁들여진다. 요리도 먹고 갈 수 있고 다양한 와인 및 치즈, 샤퀴테리 등 서양 식재료도 구매할 수 있다.
₩ 흑돼지잠봉샌드위치(1만2천5백원), 아부오름소시지와메시포테이토(1만7천8백원), 소시지빵빵샌드위치(9천8백원), 돔베플래터(1인 9천원, 2~3인 1만6천원)
◷ 12:00~19:00(마지막 주문 18:30) | 일요일 13:00~19:00(마지막 주문 18:30) – 월요일 휴무
Q 제주 제주시 구좌읍 세화7길 23-14 나동 1층
☎ 010-9344-6794 Ⓟ 가능

윌리스 Willy's 샌드위치
샌드위치를 전문으로 하는 카페. 매일 직접 구워내는 빵을 사용하며 브런치로 즐기기에도 좋다. 삼양해변가에 있으며 붉은 벽돌의 외관과 우드톤의 유럽풍 인테리어가 분위기 있다.
₩ 로스트비프샌드위치, 연어크림치즈아보카도샌드위치(각 1만4천원), BLT샌드위치(1만2천원), 토마토치즈바질샌드위치(1만원), 소금빵(3천5백원), 가든샐러드(1만2천원)
◷ 11:00~19:00 | 목, 금, 토요일 11:00~21:00 – 수요일 휴무
Q 제주 제주시 지석15길 7(삼양이동)
☎ 010-7689-1039 Ⓟ 가능

유빈 전복죽 | 전복 | 해물
전복 내장과 쌀을 볶아 만든 전복죽 맛이 일품이다. 자연산, 양식, 수입산 전복을 따로 구분해서 각기 다른 가격으로 판다. 시원한 국물 맛이 일품인 성게국은 미역과 성게, 오분자기를 넣고 끓인다.
₩ 전복죽(1만3천원), 성게미역국(1만원), 전복돌솥밥, 전복물회, 전복뚝배기, 전복구이정식(각 1만5천원), 전복회, 전복구이(각 소 6만원, 중 8만원, 대 10만원), 선복(사연산 1kg 20만원, 양식 1kg 13만원)
◷ 08:00~19:00 – 비정기적 휴무

Q 제주 제주시 탑동로 55(삼도이동)
☎ 064-753-5218 Ⓟ 가능

유일반점 唯一飯店 일반중식
50년 넘은 기간 동안 제주에서 사랑받은 노포 중국집. 달걀프라이와 오이채가 가지런히 올려진 간짜장이 유명한데, 양을 선택하여 먹을 수 있다. 바삭하게 튀겨진 등심탕수육과 양장피도 인기 메뉴. 전반적으로 음식의 간이 과하지 않고 정갈하다.
₩ 짜장면(소 6천원, 중 7천원, 대 8천원), 간짜장(소 8천5백원, 중 1만원, 대 1만2천원), 짬뽕(소 7천5백원, 중 8천5백원, 대 9천5백원), 간짬뽕(1만2천원), 볶음밥(소 8천원, 대 1만2천원), 탕수육(소 2만원, 대 3만6천원), 양장피(소 3만원, 대 5만원)
◷ 11:30~15:00/17:00~21:00 – 일요일 휴무
Q 제주 제주시 광양7길 13(이도이동)
☎ 064-722-4100 Ⓟ 불가

은성식당 돼지국밥 | 순대
다진 양념과 배추가 들어간 담백하고 구수한 돼지국밥이 인기가 많다. 국물 맛이 깔끔하며 양도 푸짐한 편이다. 안주로 좋은 새끼보와 순대도 많이 찾는다.
₩ 국밥, 따로국밥(각 7천원), 순대모둠, 새끼보(각 소 1만5천원, 대 2만원)
◷ 07:00~22:00 – 명절 당일 휴무
Q 제주 제주시 구좌읍 해맞이해안로 1422-5
☎ 064-784-5885 Ⓟ 가능

은희네해장국 선지해장국
메뉴는 소고기해장국 하나로, 콩나물과 우거지, 소고기, 선지가 푸짐하게 들어 있다. 반찬은 깍두기와 배추김치, 풋고추 세 가지로 간단하다. 뚝배기에 팔팔 끓는 해장국이 나오면 취향대로 다진 마늘과 양념을 넣어 먹는다. 2인 이상 부터 식사가 가능하다.
₩ 소고기해장국(1만1천원)
◷ 06:00~15:00 | 토, 일요일, 공휴일 06:00~14:00 – 목요일 휴무
Q 제주 제주시 고마로13길 8(일도이동)
☎ 064-726-5622 Ⓟ 가능

이너프 Enough 카페
동화 속 분위기 같은 빨간 지붕이 눈길을 사로잡는 곳. 본관에서 주문을 한 후 빨간 지붕으로 된 별관으로 가서 음료를 즐기게 되어 있다. 다양한 음료 외에 디저트로 즐길 수 있는 큐브파운드도 인기가 좋다. 포토 부스가 있으며 다양한 소품도 함께 판매하고 있다.
₩ 아메리카노(5천5백원), 카페라테(6천원), 흑임자라테, 호지차라테, 패션후르츠에이드, 말렌카케이크(각 6천5백원)
◷ 11:00~15:00/16:30~18:00 – 목요일 휴무
Q 제주 제주시 애월읍 고성8길 33
☎ 064-746-8088 Ⓟ 가능

자매국수 고기국수

제주식 고기국수를 선보이는 곳. 진하게 우린 뽀얀 사골 육수의 맛이 일품이며 잘 삶은 수육이 푸짐하게 올라간다. 수육 요리인 돔베고기를 비롯해 아강발 등을 맛볼 수 있으며 절반 크기로도 주문할 수 있다.

₩ 고기국수, 비빔국수(각 9천원), 돔베고기(소 1만8천원, 대 3만4천원)
⏲ 09:00~14:30/16:10~18:00(마지막 주문 17:50) – 수요일 휴무
🔍 제주 제주시 항골남길 46
☎ 064-727-1112 Ⓟ 가능

장촌한우마을 소고기구이 | 곱창전골 | 소내장탕

제주에서 유일한 도축장 인근에 있는 고깃집. 고기의 질이 좋은 편이며 두꺼운 돌판에 구워 먹는 맛이 일품이다. 곱창전골을 비롯해 탕 종류 등의 식사류도 준비되어 있다.

₩ 한우한마리(1kg 13만원, 700g 11만원), 한우등심(180g 5만5천원), 내장탕(1만원), 육회비빔밥(1만4천원)
⏲ 09:30~21:00 – 명절 휴무
🔍 제주 제주시 애월읍 천덕로 440-4
☎ 064-799-7890 Ⓟ 가능

정성듬뿍제주국 제주음식

현지인 사이에서 인기가 좋은 토속음식점. 기본 찬도 충실하게 깔리며 멜튀김과 멜조림, 맑은 장대국과 각재기국이 해장국으로도 안성맞춤이다.

₩ 멜국, 각재기국, 장대국, 몸국, 된장뚝배기(각 1만원), 멜튀김(2만원, 반 1만원), 멜회무침(2만원)
⏲ 10:00~15:00/17:30~20:30(마지막 주문 19:30) | 토요일, 공휴일 10:00 ~15:00 – 일요일, 명절 휴무
🔍 제주 제주시 무근성7길 16(삼도이동)
☎ 064-755-9388 Ⓟ 불가

제주국담 Jeju GukDam 돼지곰탕 | 고기국수

제주국밥 등 제주 돼지고기로 만드는 요리를 전문으로 하고 있다. 갈비곰탕이나 갈비국수는 맑은 국물에 밥이나 국수가 정갈하게 말아져 나온다. 저온압착 방식의 들기름 향이 일품인 유지름국수, 제주산 브로콜리와 제주돼지가 듬뿍 들어간 수제왕군만두 등도 별미다.

제주국담

₩ 국담육전, 국담백육(각 2만7천원), 돔베고기(3만6천원), 유지름국수(1만5천원), 갈비곰탕(1만2천원), 고기국수(1만1천원)
⏲ 09:30~15:30/18:00~21:00(마지막 주문 20:20) – 연중무휴
🔍 제주 제주시 신대로12길 17(연동)
☎ 064-749-7100 Ⓟ 가능

제주에가면 죽 | 칼국수

제주산 보말칼국수, 보말 죽 전문점. 보말 칼국수는 보말의 씹는 맛과 쫄깃한 면발, 진한 국물이 어우러진 맛이 일품이다. 도담밥은 노란 강황 밥에 흑돼지 고기가 들어있는 삼각김밥과 전복 내장을 넣어 지은 밥 위에 전복 한 마리가 올려져 있는 삼각김밥을 말한다. 흑돼지 삼각김밥은 매운맛과 갈비맛 두 가지가 있다.

₩ 보말칼국수(1만원), 보말죽(1만3천원), 도담밥(3개세트 1만원), 왕만두(6천원), 보말무말랭이무침(1만원)
⏲ 08:00~17:00(마지막 주문 16:00) – 화요일 휴무
🔍 제주 제주시 탑동로 119(삼도이동) 제주에가면
☎ 064-758-2119 Ⓟ 가능

제주이와이 いわい 스시

스시호시카이를 책임지던 임덕현 셰프가 오픈한 스시야. 제주산 재료로 스시 오마카세를 선보인다. 네타 위에 와사비를 듬뿍 바르고 세 겹의 샤리를 올려 스시를 만드는 주도로가 일품. 연어알, 성게알, 단새우의 조합이 어우러진 카이센동도 맛이 좋다. 사전 예약은 필수.

₩ 디너오마카세(17만원)
⏲ 1부 17:00~, 2부 19:20~(화, 목요일은 2부만 운영, 수~일요일 1, 2부 운영) – 월요일 휴무
🔍 제주 제주시 애월읍 하귀로 4
☎ 010-7109-9104 Ⓟ 가능

제주한면가 濟州韓麵家 돔베고기 | 고기국수

전통 방식으로 만든 돔베고기와 고기국수를 내는 곳. 셰프의 어머니가 북촌리 앞바다에서 직접 채취한 보말을 올린 보말비빔국수도 별미다. 전통가옥을 개조한 외관이 운치를 더한다.

₩ 흑돈돔베고기(200g 2만2천원), 흑돈전통고기국수(1만원), 제주보말비빔국수(1만2천원)
⏲ 10:30~15:30(마지막 주문 15:00) – 수요일, 명절 당일 휴무
🔍 제주 제주시 조천읍 북선로 373
☎ 064-782-3358 Ⓟ 가능

치로리 이자카야

단 6좌석만 마련된 아담한 공간의 이자카야다. 코스요리는 1부, 2부로 나눠서 진행하며, 메뉴가 고정되어 있지 않고 날에 따라 달라진다. 본토 느낌 물씬 나는 소요리 오마카세, 다양한 단품요리와 다양한 사케를 맛볼 수 있는 곳이다. 주류 주문은 필수다.

₩ 츠마미코스(안주코스)(4만5천원), 사시미모리아와세(2만8천원), 일본식계란말이(1만6천원)

⏲ 1부 19:00~21:00, 2부 21:30~23:30, 심야 23:30~02:00(마지막 주문 01:00) – 일요일 휴무

🔍 제주 제주시 고마로 94 청풍아트빌 1층

☎ 0507-1310-878 Ⓟ 불가(인근 공영주차장)

카페더콘테나 cafe the container 카페 | 체험카페

감귤밭에서 감귤을 따는 체험도 가능한 이색카페로, 감귤따기 체험은 가을과 겨울에 가능하다. 제주 감귤을 사용한 주스, 차 같은 음료도 선보인다. 감귤 수확용 바구니를 형상화한 건물이 특색 있으며 귤밭이 보이는 전망도 좋다.

₩ 아메리카노(6천원), 카페라테(7천원), 바닐라빈라테(7천5백원), 귤라테(8천원), 콘테나커피(7천5백원), 콘테나크림라테(8천원), 풋귤차(7천5백원), 판나코타(6천5백원), 콘테나앙빵4개(5천원)

⏲ 10:30~18:00 – 수요일 휴무

🔍 제주 제주시 조천읍 함와로 513

☎ 0507-1338-5130 Ⓟ 가능

카페델문도 Cafe' Delmoondo 카페

함덕 해변에서 아름다운 뷰로 유명한 베이커리 카페. 통유리로 되어 있어 바다를 한눈에 바라볼 수 있으며, 야외 테라스 자리는 바다를 바로 옆에 두고 있어 인기가 좋다. 로스터리 카페로, 커피 맛도 좋은 편이다.

₩ 아메리카노(7천원), 카페라테, 콜드브루(각 8천원), 우도땅콩라테(8천5백원), 젤라토(6천5백원), 제주당근케이크(7천5백원), 제주돌빵(4천5백원), 팽오쇼콜라(5천원), 크루아상(4천5백원)

⏲ 07:00~23:50(마지막 주문 00:30) – 연중무휴

🔍 제주 제주시 조천읍 조함해안로 519-10

☎ 064-702-0007 Ⓟ 가능

카페세바 Cafe Seba 카페

가정식 커피를 맛볼 수 있는 카페. 머신을 사용하지 않고 모카포트나 프렌치프레스를 사용해 커피를 내려주는 것이 특징이다. 수제 우유폼이 올라간 카푸치노가 특히 인기다. 빈티지풍의 가구로 꾸며진 공간은 분위기가 아늑하다.

₩ 아메리카노, 카페라테(각 6천원), 바닐라라테(6천5백원), 카푸치노, 메론소다(각 7천원), 제주보리빵(6천원)

⏲ 11:00~18:00 – 연중무휴

🔍 제주 제주시 조천읍 선흘동2길 20-7

☎ 없음 Ⓟ 불가

카페이면 The other side 커피전문점

조용한 마을 안에 자리 잡고 있는 카페. 입구에 들어서면 산지별 원두가 놓여 있으며, 시향 해보고 원두를 골라 취향에 맞는 필터커피를 즐길 수 있다. 아기자기한 분위기와 자연의 경치를 즐기기도 좋은 곳.

₩ 필터커피(hot 7천원, ice 7천5백원), 카페라테, 밀크티(각 hot 7천원, ice 7천5백원), 에스프레소(5천5백원), 감귤착즙쥬스(6천원), 유자마들렌(3천5백원)

⏲ 09:00~17:00 | 토요일 10:00~17:00 – 일요일 휴무

🔍 제주 제주시 한림읍 금능5길 13

☎ 010-6302-8864 Ⓟ 가능

커피라이트 COFFEE LIGHT 커피전문점

시크한 듯 오밀조밀한 감성적인 분위기가 느껴지는 로스터리 카페. 로스팅 공간은 화북동에 위치하며, 이곳은 쇼룸 형식으로 운영된다. 라이트로스팅을 선보이며, 다양한 필터커피를 맛볼 수 있다. 제주 공항과 매우 가깝게 위치해 제주를 떠나기 전 아쉬움을 달래기 좋다.

₩ 필터커피(변동), 에스프레소, 아메리카노(각 4천5백원), 카페라테(5천원), 티라미수(6천원), 파운드(4천원)

⏲ 11:00~19:00(마지막 주문 18:30) – 연중무휴

🔍 제주 제주시 서사로 10-2

☎ 0507-1331-8892 Ⓟ 불가(근처 골목 길가 또는 서문로 6길 공영주차장)

커피코알라 커피전문점

화려한 경력의 추영민 바리스타가 운영하는 커피 전문점. 브라운톤의 은은한 인테리어로 편안한 느낌이다. 비교적 저렴한 가격으로 수준 있는 커피의 향을 느낄 수 있는 곳이다.

₩ 핸드드립(6천원), 에스프레소(4천5백원), 아메리카노(4천5백원), 민트아이스아메리카노(5천5백원), 카페라테(4천8백원)

⏲ 09:00~22:00 – 일요일 휴무

🔍 제주 제주시 과원북4길 71(연동) 효정빌딩 2차 1층

☎ 064-773-7004 Ⓟ 불가

커피템플 Coffee Temple 커피전문점

우리나라를 대표하는 스페셜티 커피 매장으로, 김사홍 바리스타가 운영하고 있다. 진하고 깊은 커피 맛을 느낄 수 있다. 직접 짠 탠저린 시럽과 탠저린 한 조각이 들어가 있는 시그니처 커피인 탠저린라테도 만날 수 있다. 탁 트인 유리창 너머로 보이는 풍경이 아름답다. 일찍 문을 닫는 곳이니 방문 시 참고할 것.

₩ 아메리카노(5천5백원~6천원), 카페라테(6천원~6천5백원), 텐저린카푸치노, 아이스탠저린라테, 아이스유자아메리카노(각 7천원), 수퍼클린에스프레소(6천5백원)

⏲ 09:00~18:00(마지막 주문 17:30) – 첫째 주 화요일 휴무

🔍 제주 제주시 영평길 269(월평동)

☎ 070-8806-8051 Ⓟ 가능

커피파인더 COFFEE FINDER 커피전문점

분위기가 힙한 제주 시내 커피 전문점. 오늘의브루잉커피는 직접 로스팅하는 원두를 핸드드립으로 즐길 수 있으며, 땅콩라테를 비롯한 3종의 시그니처 라테도 추천할 만하다. 2층에서 1층이 내려다 보이는 구조로 주택을 개조하였으며, 공간을 여러 가지 감성으로 꾸며 놓았다.

₩ 아메리카노(4천5백원), 카페라테(핫 5천5백원, 아이스 6천원), 에스프레소와참깨라테, 에스프레소와땅콩라테, 에스프레소와바닐라빈라테(각 핫 6천원, 아이스 6천5백원), 수박주스(7천원), 에그타르트(3천원), 소금빵(2천5백원)

🕒 10:00~22:00 – 연중무휴

🔍 제주 제주시 서광로32길 20(이도이동)

☎ 064-726-2689 Ⓟ 불가

컴플리트커피 Complete Coffee 커피전문점

모던하게 꾸민 분위기 좋은 카페. 컴플커피와 오름라테를 맛볼 수 있으며 커피와 함께 디저트류를 곁들이면 좋다. 통밀바나나머핀과 레몬파운드케이크도 맛볼 수 있다. 매장에서 드립백과 원두도 함께 판매한다.

₩ 에스프레소, 아메리카노(각 4천5백원), 카페라테, 플랫화이트(각 5천원), 컴플커피(6천원), 오름라테(6천원), 통밀바나나머핀, 레몬파운드케이크(각 3천5백원)

🕒 09:00~21:00 | 토요일 10:00~21:00 | 일요일 10:00~17:00 – 연중무휴

🔍 제주 제주시 국기로4길 1(연동)

☎ 070-4129-0315 Ⓟ 불가

코시롱 몸국 | 비빔밥

해녀가 직접 채취한 해초로 만든 비빔밥을 맛볼 수 있는 곳으로, 고추장 양념과 해초가 잘 어울린다. 모자반이 들어간 제주 향토음식 몸국도 맛볼 수 있으며 깔끔한 맛이 일품이다.

₩ 몸국, 검은콩국수, 우무검은콩국(각 1만원), 우영에/바다에비빔밥(각 1만원), 코시롱칼국수(9천원), 보말칼국수(1만원), 들깨수제비(9천원), 도토리묵샐러드(1만원), 감자전(8천원), 검은콩전(1만원)

🕒 11:00~20:00 – 토, 일요일 휴무

🔍 제주 제주시 노형1길 12-2(노형동)

☎ 064-742-2253 Ⓟ 불가(인근 공영주차장 이용)

클랭블루 Kleinblue 카페

신창풍차해안도로 인근에 있는 오션뷰 카페. 갤러리 전시나 공연이 펼쳐지는 복합문화공간으로, 2층에 창 너머로 풍력발전소가 보이는 포토존도 있다. 진하고 깊은 스페셜티 커피를 선보이며, 우도땅콩라테가 시그니처 메뉴. 제철 과일을 사용하여 매달 케이크와 주스가 바뀐다.

₩ 아메리카노(6천5백원), 카페라테(7천원), 우도땅콩라테(8천원), 제철주스, 제주제철에이드(각 9천원), 성산유기농말차라테(8천5백원)

🕒 10:00~19:00 – 연중무휴

🔍 제주 제주시 한경면 한경해안로 552-22

☎ 010-8720-5338 Ⓟ 가능

탐라가든 돼지갈비

돼지 생갈비로 유명한 곳으로, 30여 년 이상 영업해온 노포 식당. 기본 찬인 기본으로 제공되는 양념게장을 포함해 쌈 채소, 파채, 양배추 샐러드 등이 상에 먹음직스럽게 차려진다. 공깃밥 주문 시 꽃게가 들어간 시원한 해물된장찌개를 주어 함께 즐기기 좋다. 첫 주문은 3대 이상부터 가능하며, 양념갈비와 섞어서도 가능하다.

₩ 돼지생갈비(1대 1만3천원, 2대 2만6천원), 돼지양념갈비(1대 1만1천원, 2대 2만2천원), 흑돼지(180g 1만8천원), 냉면(7천원)

🕒 12:00~15:00/17:00~21:40(마지막 주문 20:40) – 월요일 휴무

🔍 제주 제주시 서사로 51

☎ 064-726-1300 Ⓟ 가능

태광식당 한치

오랫동안 한치를 전문으로 해온 곳이다. 한치주물럭, 한치불고기 등이 인기 있는 메뉴. 돼지고기주물럭도 유명하며 고기를 구워 먹은 불판에 밥을 볶아 먹는 맛이 있다.

₩ 돼지주물럭식사(2인 이상, 1인 1만원), 한치주물럭, 한치불고기(각 1만8천원), 된장뚝배기(1만5천원)

🕒 10:30~15:00/17:00~21:40(마지막 주문 20:20) – 일요일 휴무

🔍 제주 제주시 탑동로 144(용담일동)

☎ 064-751-1071 Ⓟ 가능

파페로 PAPERO 피자 | 파스타 | 이탈리아식

지성배 셰프와 김영록 소믈리에가 운영하는 이탈리안 와인바. 이탈리아 현지에서 유행하는 카노토 피자(Pizza Canotto)를 맛볼 수 있는데, 피자의 가장자리인 코르니치오네가 부풀어 올라 푹신한 스타일이다. 다양하고 합리적인 가격의 이탈리아 와인도 추천 받을 수 있다. 아늑한 분위기에 늦은 시간까지 영업하여 저녁 식사는 물론 2차로 와인 한 잔 하기도 좋은 곳이다.

₩ 피자(1만7천원~2만7천원), 알리오에올리오(2만1천원), 탈리아텔레라구비앙코(2만5천원), 피렌체식티본스테이크(700g 8만8천원)

🕒 18:00~24:00(마지막 주문 22:30) – 수요일 휴무, 비정기적 휴무(인스타그램 공지)

🔍 제주 제주시 원노형6길 14 1층

☎ 0507-1309-398 Ⓟ 불가(인근 공영주차장)

풍림다방 카페

음료에 올리는 크림 맛이 좋기로 유명한 카페. 시그니처 메뉴인 풍림브레베는 쌉싸름한 커피와 바닐라빈이 들어간 크림의 조화가 좋아 특히 인기다. 핸드드립 다커피와 티라미수를 함께 찾는 이들도 많다. 10세 이상부터 입장 가능한 노키즈존이며 6인 이상 단체는 입장할 수 없으니 참고할 것.

₩ 아메리카노(5천원), 풍림더치(7천원), 더치라테(7천5백원), 카페타히티(8천5백원), 티라미수, 피칸파이(각 7천원)
⏲ 10:30~18:00 – 연중무휴
🔍 제주 제주시 구좌읍 중산간동로 2267-4
☎ 1811-5775 Ⓟ 가능

하시야 はしや 덴푸라

일본식 튀김인 덴푸라를 오마카세로 즐길 수 있는 곳. 오마카세 시작 전 사용할 재료를 눈으로 확인하게 해준다. 회, 세비체, 토마토 절임 등도 나와 튀김의 느끼한 맛을 중화할 수 있다. 주류 주문은 필수다.

₩ 디너오마카세(토요일, 4만원), 덴푸라정식(1만원~2만5천원)
⏲ 11:00~15:30/18:00~21:00 – 화요일 휴무
🔍 제주 제주시 신광로10길 18(연동) 2층
☎ 010-2049-0504 Ⓟ 불가(주변 유료주차장 혹은 주변 골목)

함올레 어묵

카페처럼 꾸며진 어묵 전문점. 제주의 대표적인 식재료 딱새우나 뿔소라 등을 재료로 사용한 어묵이 독특하다. 간편하게 어묵탕을 즐길 수 있는 캔어묵등 신선한 아이디어가 돋보인다. 선물용 포장도 잘 갖춰져 있다.

₩ 함올레순살어묵(3천9백원), 제주뿔소라어묵, 제주한치어묵, 제주딱새우어묵, 제주흑돼지베이컨어묵(각 4천2백원), 한라산표고버섯&트러플오일어묵(4천5백원)
⏲ 11:00~19:00 – 화요일 휴무
🔍 제주 제주시 한림읍 한림로 424-1
☎ 010-8623-9225 Ⓟ 가능

해녀의부엌 제주음식

제주의 해녀가 채취하고 요리하는 신선한 음식을 연극과 함께 즐길 수 있는 있는 곳. 해녀이야기 메뉴는 라이브 기반의 뷔페식이며, 부엌이야기 메뉴는 영상 기반의 1인 상차림으로 운영된다. 요일에 따라 공연 시간과 메뉴가 다르다.

₩ 해녀이야기(목, 금, 토, 일, 월요일 1인 5만9천원)
⏲ 10:00~18:00 | 토, 일요일 10:00~14:00, 16:00~18:00 – 화, 수요일 휴무
🔍 제주 제주시 구좌읍 해맞이해안로 2265
☎ 070-5224-1828 Ⓟ 가능

해녀촌 海女村 국수 | 회국수 | 제주음식

국수로 유명한 집으로 성게국수, 회국수가 맛있다. 회국수는 신선한 회와 채소, 새콤한 초장이 함께하며 쟁반국수처럼 서브된다. 그 외에 생선조림, 생선구이 등의 메뉴도 있다.

₩ 회국수, 전복죽(각 1만2천원), 고등어구이, 회덮밥, 성게국수(각 1만3천원), 갈치조림(2만5천원)
⏲ 09:00~19:00 – 둘째, 넷째 주 화요일 휴무
🔍 제주 제주시 구좌읍 동복로 33
☎ 064-783-5438 Ⓟ 가능

해오름식당 돼지갈비 | 돼지고기구이

흑돼지통갈비와 특수부위 모둠꼬치구이를 많이 찾는다. 10여 분간 숯불에 초벌구이를 해서 가져오면 테이블 위에서 익혀 먹는다. 숯불에 구운 돼지고기를 멜젓(멸치젓을 끓인 것)에 찍어 먹는 것이 제주식이다. 특수 부위 모둠 꼬치는 항정살, 갈매기살 등 특수부위와 호박, 버섯, 돼지고기, 양파 등을 한 꼬치에 꿰어 내 굽는다.

₩ 옛날통갈비(450g 2만9천원), 라산B.P.S세트(9만9천원), 특수부위모둠꼬치(1.2kg 10만원), 해오름왕꼬치(2.8kg 19만원), 접짝뼈국(1만원)
⏲ 11:00~15:00(마지막 주문 14:30)/17:00~23:00(마지막 주문 22:00) – 화요일 휴무
🔍 제주 제주시 오일장서길 21(도두일동)
☎ 064-744-0367 Ⓟ 가능

해오름식당

향토음식유리네 제주음식 | 돔베고기 | 갈치

고등어구이, 갈치구이, 성게미역국, 물회 등 토속음식 전문점이다. 싱싱하고 구수한 성게미역국이 제맛을 낸다. 갈치구이는 부드러운 살이 단맛이 날 정도다. 몸국도 꼭 먹어봐야 하는데, 돼지 한 마리를 통째로 삶은 육수에 해초의 일종인 모자반(몸)을 넣어 만든다. 담백함과 구수한 맛이 일품이다.

₩ 성게미역국(1만2천원), 갈치구이(3만6천원), 도새기몸국(9천원), 갈치조림(소 3만6천원, 중 5만4천원, 대 7만2천원), 한치무침, 자리무침, 돔베고기(각 3만원)
⏲ 09:00~16:00/17:30~21:00(마지막 주문 20:20) – 연중무휴
🔍 제주 제주시 연북로 146(연동)
☎ 064-748-0890 Ⓟ 가능

협재수우동 일식우동

창밖으로 협재해수욕장이 내다보이는 전망 좋은 우동집. 기본우동을 비롯해 유부우동, 어묵우동, 왕새우튀김우동 등이 있으며, 넹우동도 딘연 추천할 만하다. 모둠튀김을 곁들여 즐기는 것도 추천. 웨이팅을 감수해야 할 정도로 인기가 많은 곳이다.

₩ 자작냉우동, 비빔냉우동(1만3천원), 핑거돈가스정식(1만6천원), 수

우동(1만원), 유부우동(1만1천원)
🕒 10:30~16:00 – 화요일 휴무
🔍 제주 제주시 한림읍 협재1길 11
☎ 064-796-5830 Ⓟ 가능

협재온다정 돼지곰탕

흑돼지 맑은 곰탕집. 제주산 돼지고기와 모자반으로만 국물을 우려내 깔끔한 맛이며, 얇게 썰린 고기는 된장 멜젓 소스에 찍어 먹는다. 제주산 고사리가 들어간 고기만두나 저염명란을 곁들여 먹어도 별미다.

₩ 흑돼지맑은곰탕(보통 1만1천원), 흑돼지등뼈콩탕, 족발국수(각 1만2천원), 고기만두(6천원)
🕒 08:00~20:00(마지막 주문 19:45) – 연중무휴
🔍 제주 제주시 한림읍 한림로 381-4
☎ 064-796-9222 Ⓟ 가능

혹시 Hoxy 다이닝바 | 와인바

외관이 독특한 와인바로 와인과 음식을 즐길 수 있는 스피크 이지 다이닝 바 형태로 운영한다. 런치는 코스 요리만 선보이고 단품 요리는 디너에만 즐길 수 있다. 제철 생선을 사용한 세비체와 비프 타르타르가 시그니처 메뉴. 룸 자리는 보틀 와인 주문이 필수다.

₩ 토마토소르베와절인토마토(1만4천원), 제철생선세비체(2만2천원), 감자밀푀유(1만6천원), 비프타르타르(1만9천원), 라구파스타(2만3천원), 포르치니파스타(2만5천원), 카르보나라(2만원), 오리가슴살(3만4천원)
🕒 18:00~24:00(마지막 주문 22:30) | 금, 토, 일요일 12:00~15:00/18:00~24:00(마지막 주문 22:30) – 월요일 휴무
🔍 제주 제주시 원노형3길 40 에코아바 101호 셔터문상가
☎ 010-5718-0603 Ⓟ 불가(인근 공영주차장 이용)

혹시

화진전복 전복

전복전문점으로, 살아 있는 활전복을 사용한다. 전복 내장을 풀어 푸른 빛이 도는 죽과 돌솥밥은 따로 간을 하지 않아도 맛이 좋다. 코스를 선택하면 전복회, 전복구이, 전복죽 등의 다양한 전복요리를 즐길 수 있다.

₩ 전복돌솥밥, 전복죽(각 1만5천원), 코스요리(2인 5만원), 전복구이(1kg 15만원, 대 10만원, 중 7만원, 소 5만원)
🕒 08:00~22:00 – 연중무휴
🔍 제주 제주시 무근성길 2(삼도이동)
☎ 064-752-2280 Ⓟ 가능

휴즐리제주 디저트카페 | 아이스크림

다채로운 맛의 젤라토를 경험할 수 있는 젤라토 전문점. 한라봉의 모양을 사실적으로 표현한 젤라봉이 인기 메뉴다. 통창으로 보이는 제주 바다를 감상하며 디저트를 즐기기 좋다.

₩ 젤라봉, IM현무(각 1만2천원), 젤라토(7천원), 소르봉(1만원), 제주표고소금빵, 제주표고소금버터롤(각 3천5백원), 먹물쿠키소금빵(4천원)
🕒 11:00~21:00(마지막 주문 20:30) – 연중무휴
🔍 제주 제주시 흥운길 83
☎ 0507-1375-9774 Ⓟ 불가

흑돈가 🎀 黑豚家 돼지고기구이

제주산 흑돼지만 내놓는 곳으로, 제주도에서 가장 먼저 흑돼지를 취급한 원조로 꼽힌다. 숯불에 구워 먹으며 반찬으로 나오는 백김치와 양념게장, 겉절이김치 등도 먹을 만하다. 본관과 별관이 있을 정도로 규모가 매우 크고 개별 방도 많이 있어 모임을 하기에 좋다.

₩ 흑돼지생구이(170g 2만1천원), 양념구이(270g 2만1천원), 항정살(150g 2만1천원), 흑돈가숯불구이정식+솥밥(120g 1만2천원)
🕒 11:20~22:00(마지막 주문 21:00) – 연중무휴
🔍 제주 제주시 한라대학로 11(노형동)
☎ 064-747-0088 Ⓟ 가능

사진 제공

김혜준
배동렬
서은수
송현수
심재범
하덕규

냥
누들이조아
듕이아범
맛집왕
명보축구화
빅파이죠아세제동
Bevete
onyou
Q

모닝베어
웨이브온
레망파티쓰리
브리앙
취밍
송도키친
다이도코로
라운지아카네
야키토리해공
으뜸이로리바타
랩24바이쿠무다
빈끌로

차오란
강화까까
아뚜드스윗
유노미
소하다이닝바
정서진메밀면옥
시드니양갈비
커피화로스터스본점
뭄뭄
만수통닭수성못본점
시칠리아파스타바
효탄
맨션드방콕
잽엔헨리
케이브파스타바
플랙스다이너
뮤제
사이먼스테이크
풍로옥
뜨라또리아일페노메논
르비엣
피제리아지알로
유일닭강정
민쿡앞바당
프로메나드
빠니스비떼
윤몽
라체나
도너츠윤본점

온심재
마이보틀
블루메쯔분당수내점
헬로오드리
제이스팟
GTS버거
스팅키베이컨트럭
해피누디
라쪼
안산국보만두
타이마실
데니스스모크하우스
우프하우스
프란로칼
수타우동모루
송정갈비
다이닝1324
티바이양크레프리
다람쥐할머니
라모스버거
홍천한우애
꽃댕이묵마을
폴린커피로스팅룸
더스프링
보테가
잇츠베이글
화이트크리스마스
소나무한정식
릭버거

스틸룸
온당
폴모스트
키친루셀로
도도플레이트
미몽
뱅해이네
야키토리준
박말순레스토랑
쿠버스그릴
뜨라또리아다젠나
나니아레스토랑
떼레노
에르미타주
구아우쇼콜라
더스푼
뤼미에흐
혹시

블루리본서베이 전국의 맛집 2024

2024년 4월 29일 초판 1쇄 인쇄 / 2024년 5월 6일 초판 1쇄 발행

발행인 겸 편집인: 여민종 | 발행처: BR미디어

등록번호: 제2011-000074호 | 등록일: 2011년 3월 8일

BR미디어 주식회사 06225 서울특별시 강남구 언주로 75길 24 (역삼동)

e-mail: br@blueR.co.kr website: http://www.blueR.co.kr

정가 21,000원

ISBN 978-89-93508-64-2 04590
978-89-957250-0-9 (세트)